JN105895

出会いなおしの世界史

ヒストリーリテラシーを高めるレッスン

安達一紀【著】

大学教育出版

はじめに

ご挨拶

世界史教育に携わっている先生の授業づくりの参考にしていただきたくて本書を執筆しました。また、本書一冊で世界史受験にも十分に対応できますし、小論文対策読本(とくほん)としても使えます。大学生、一般の方々に世界史の学び直しの観点から読んでいただければ望外の喜びです。

また本書は、通読ではなく、必要に応じた拾い読み、参考のために手許においておく、という利用のされ方がよいかと思います。

私は長年、地方（兵庫県西播磨地方）の公立高校—いわば世界の片隅で世界史を高校生に教えてきました。本書は実際に授業で用いてきた「世界史プリント」を加筆修正したものです。

本書のベースにしたこの「世界史プリント」には特徴があります。この「はじめに」では、私がなぜこのようなプリントをこしらえて授業をしてきたかを説明させていただきました。一般読者の方は、これ以降はスキップして「序章　ようこそ人生の必須科目『高校世界史』へ」（8ページ）からお読みいただければと思います。

世界史教員の専門性

現場の教員は授業を成立させなくてはなりません。教室で生徒を寝かせるわけにはいきません。中には上体こそ起こしていても頭の中が寝ている生徒もいます。私はその気遣いを了として、そこは問題にしませんでした。生徒を追い詰めてはいけません。とにかく外形的に「生徒を寝かさない授業」をすることが世界史教員の最低限の職務と心得てきました。ところがこれが簡単ではありません。

いまはアクティヴラーニングが流行です。生徒がいきいきと活動している、ともてはやされます。生徒からみれば寝る隙を見つけにくい授業形態ですが、これでどのような学力がつくのでしょうか。薄っぺらな人間を作るだけでないのか。高校生の学力低下が心配ですし、教師の力がつかないことも危惧します。

それなりに生徒の興味をかき立てる—表面的な活動を伴わなくとも、教室で座っている生徒のなかで「対話」がおこる語り、1単位50分間の話を数百回分程度は語ることできる—それが世界史教員の専門性（教師力）と考えてきました。経験を積む中で、日本史、地理、政治経済、倫理でも同様の専門性をつけていく。そのような専門性に対して給与をいただいていると理解してきました。

そのような専門性（授業力）をつける時期にゆるい授業ばかりしていたら、流行が終わった時に取り返しがつきません。

耳目をそばだてる切り口、話題

無味乾燥とされる歴史教科書でも、このような切り口で、このように身近な話題に引き寄せて語れば、この場面でこの本、この映画、この議論を紹介すれば、高校生の耳目でも少しはそばだてさせることができる—そのような長年培ってきたノウハウを、特に若い先生方に批判的に継承していただき、再活用して授業づくりの参考にしてもらいたい、との思いで本書を執筆しました。

実際に授業で使ってきたプリントがベースになっていますが、そこに『画蛇添足(がだてんそく)』という文字通り「蛇足」のコラムが載せられていることに驚かれると思います。内容は、私が折々の授業で語ってきたことです。退職前、最後に担当した授業時にまとめました。再活用してもらえる形にしておきたいという思いからコラム形式でまとめました。私がこれまでしてきた授業の実況中継、その要約とお考えください。もう一つ別の理由もあるのですが、それは「序章」で詳述します。

いま、若い先生方が置かれている労働環境には厳しいものがあります。30年程前までは放課後に社会科準備室で雑談できる雰囲気が残っていました。先輩教師の机上にはこういう専門書に準拠して授業は組み立てるものだ、と言わんばかりに『岩波講座世界史』が積み重ねられていました。当時は放課後の部活動（課外活動）は生徒の自主性に任せて、教員はその時間を教材研究にあてることができました。

いまそのような余裕はありません。放課後は部活動の現場に張りつかなければ事故の際の責任が問われます。とっぷりと日が暮れた後、職員室で独りで受験生向けの参考書を使って翌日の授業準備をしている若い先生方を見ることが多くなりました。それを見ながら「お先に」と帰宅するのが日常になり、伝えるべきことを伝えられないもどかしさを感じてきました。

迷走する世界史教育

この間、実に多くの教育改革が試みられました。思うことは山ほどありますが、「改(あらた)めて益(やく)なきことは、改めぬをよしとするなり」(『徒然草』)に尽きます。世界史教育も「主体的・対話的で深い学び」という、表立っては反対しにくい美辞麗句で再編されてしまいました。

世界史は生徒からみれば副教科の一つにすぎないのにありえないボリュームです。世界史教育に対しては一貫して「暗記」偏重批判がなされてきました。この解決策として「歴史的思考力」の育成に主眼をおいた改革議論が倦(う)むことなく繰り返されてきました。それはうまくいかなかったということです。長く検討されても解決できない場合は、その方向性には見切りをつけて考察の角度を変えるべきですが、現実は「歴史的思考力」育成一辺倒の議論—迷走が続いています。

その結果、大切な視点を落としています。

有限な人間にとって「過去の出来事を記憶する」のは人間を人間たらしめる本質的な行為です。その行為が暗記と卑小化され、批判の対象とされることで、記憶することの意味を考える機会が失われてきました。また若者に「過去の出来事は記憶しなくてよい」というメッセージを与えてしまっています。

ひとえに要請される記憶量が非常識なレベルに肥大化して過積載状態になったことが「世界史は暗記もの」という蔑(さげす)んだ批判につながっていること、学習者のいらだちは受け止めなくてはいけません。ただ暗記—「詰め込み教育」批判のいくらかは、「詰め込み方が悪い」とのいらだちでもあるのでしょう。

「小さな歴史学者」の育成が必要か

中等教育に位置づけられる世界史教育は親学問として歴史学(高等教育)を持ち、そのあり方に歴史学関係者の強い影響を受けています。

目的が違うから、中等教育と高等教育は区別されます。大雑把に言えば、専門家の育成が高等教育の目的、市民の育成が中等教育の目的でしょう。

しかし、歴史的思考力という時、そこに歴史家としての思考力が重ねられがちです。思考力育成にこだわるとしても、それは「市民として必要な歴史的思考力」の育成が中等教育段階の目標としてふさわしいはずです。

ところが「(小さな)歴史家として必要な歴史的思考力」の育成、高等教育の目的が中等教育に横滑りしてきています。その結果、史料批判(解釈)の真似事のような学習が提案され、大学入学共通テストではそのような能力を測る問題が出されるようになっています。

もちろん意味のある思考力ですが、いったい他の学問で、高等教育で養成することを中等教育で先行実施しようとするでしょうか。2次元のものを3次元に読み替える能力という点で、内科医にとってはレントゲン画像の読影が、歴史学者にとっての史料批判に相当します。しかしレントゲン画像の読影力の育成を中等教育に求めたりしないでしょう。

ひとえに暗記教育という批判を受け続けた歴史教育の関係者が、本来すべき教育内容の精選に行き詰まり(実際は、歴史を近代以降に絞る、という別の形で大胆にすぎる精選をしました)、他の代替案も見つけられない中で、暗記批判を回避するために無理やり引っ張ってこざるをえなかった、が私の見立てです。思考力育成の議論が、暗記を批判する「ためにする議論」になっている印象を持ちます。

歴史教育改革論議に参加していない大多数の大学関係者の本音は、そのような思考力は大学で育成するから、とにかく基本的な知識を身につけた学生を送ってほしい、ではないでしょうか。ここで少しだけ遠回りした議論にお付き合いください。

過去教育か、歴史教育か

有限な存在である私たちが経験できることには限りがあり、「過去」から学ぶ「過去教育」が必要です。しかし過去とは文字通り過ぎ去ったものでもはや存在しません。そこで過去を文字を使って再構成した「歴史」(過去の文字表象)で過去を代替させています。これが「歴史教育」です。

必要なのは過去教育ですが、それが不可能なので歴史教育で代替させています。歴史教育について考察するに際しては、何よりもこの認識が大切と考えます。「歴史と過去は別物」(歴史≠実際に起こったこと)であることが常に考慮されなくてなりません。

一般的な対応は二つです。

一つは歴史をできるだけ過去に近接させようと試みることです。その試みが学問としての歴史学です。これは容易なことではなく、それができる歴史学者になるためには高等教育で専門的な厳しい訓練(ディシプリン)が課せられます。

もう一つは、歴史を過去の近似値と割り切り、歴史を教えることで、過去を教えたことにする対応です。これが中等教育での現行の「歴史教育」です。初学者への入り口教育ですから、割り切り、というよりは、折り合いを付けた、と表現すべきでしょうか。

「歴史像」(教科書)を伝える

私は「教科書に書かれている歴史」を「一般の人々が持つ歴史像」として、それを高校生に伝える仕事をしてきました。同時に生徒が「いま学んでいる歴史と、本当に起こったこと、過去との間にはズレがある」と認識できる機会を作ってきました。地図が現実でないように、歴史は過去でありません。ところが読図は教えられているのに「読・歴史」は教えられていません。歴史の知識の伝達と同時に、その知識をメタ認識する能力の育成もはかるイメージの授業です。とはいえあくまで主眼においてきたのは歴史像の伝達です。

このようなことをはじめたのは、1990年代末に歴史教育が歴史修正主義的な動きに揺れたことがきっかけです。その際、歴史を過去の近似値として割り切った「歴史教育」だけでは不信感を招いてうまくいかないと痛感しました。割り切れない円周率を3.14と割り切って教えるのが初等教育段階の算数ですが、中等教育段階の数学段階ではπを使います。このπに相当するものを用意しないと歴史教育は成立しない—社会からの信頼が得られない、と当時痛感しました。

平凡な一教師にすぎなかった私が「世界史」と大仰なタイトルの書物を出版することに逡巡はあります。そもそも世界史に通暁できる人などいないと開き直ることはできますが、格段低いレベルにおいてでも私は世界史が理解できていません。

すでに言及してきましたが、私が教えきた「世界史」とは「高校教科書に書いてあること」です。そのような限定をかけるから、私はそれを教えることができてきました。

「教科書を教えるのか、教科書で教えるのか」—後者が格好よいですが、歴史教育は「歴史教科書」があるから成立する営みであり、実際は前者の選択肢しかありません。

私は自分の仕事を、一般の人々が日常生活を送る際に参照する「実用的な過去(プラクティカル・パスト)」(ヘイドン・ホワイト)を伝えること、と位置づけてきました。過去というよりは歴史、歴史というよりは歴史像—教科書に書いてある歴史、です。歴史像とは、一般の人々が「だいたいこういう感じだろう」とざっくり理解している「過去に起こったこと」のイメージです。

ちなみに歴史学者が扱う実証主義的な歴史が「歴史的な過去(ヒストリカル・パスト)」です。最新研究に従事する歴史学者からみれば、「実用的な過去」—「歴史像」は、ちょっと古めの歴史学の定説、賞味期限が完全に切れたわけではない定説、という感じでしょうか。しかしそれが、人々の物事を考え、行動する際の参照枠として機能している限り、これから社会に出ていく高校生はこれを共有しておく必要がある、と理解して仕事にあたってきました。

アクティヴラーニングを使った思考力育成に懐疑的なのは、何よりそれが時間をとることもあります。伝えなければいけない「過去の出来事」の伝達ができなくなる、それを記憶することを阻害してしまうからです。

急速に進行するグローバル化の中で、日本の文部行政は少数のグローバルエリートの養成に前のめりになっています。それ以外の大多数については、何か「活動」させて、とにかく18歳までは教室でおもりをして、中途退学者数を増やさないようにしてほしい、が文部行政(に圧力をかける政財界)の本音なのでしょう。

私は、戦前のエリートが国策を誤ったことこそを、対象を選ばず、しっかりと伝えていくことが自分の仕事だと考えています。

ヒストリーリテラシーを高める

「歴史像」の共有を求めるのは、市民共同体への加入儀礼(イニシエーション)のようなもの、「市民」になるための要件です。そしてまた、「過去と歴史は別物」を認識してもらうことは、さらにその社会をよりよくしていくことのできる市民を育てる、という発想によるものです。

「歴史」を「歴史の取り扱い方」と一緒に教えること、あるいは「歴史とかかわるチカラ」を教えること、あるいは「歴史教科書を読む基本所作」を教えること—そういうものを私は「市民として必要な歴史的思考力」ととらえた上で、「ヒストリーリテラシーを高める」と表現してきました（詳細は欄外参照）。

授業で「あなたがいまから50年後の歴史家と仮定して、いま（2023年）の世界を800字で教科書に叙述しなさい」を考えさせてきました。これに答えるためには、過去と歴史の違いを認識できるヒストリーリテラシーを身につけていることが必要です。

「主体的・対話的で深い学び」が可能か

「主体的・対話的で深い学び」が強調されるようになり、現場では「主体的な学びになっているか」「対話的な学びになっているか」「深い学びになっているか」で自らの授業の再点検が迫られるようになりました。その前に、これらの言葉こそ再点検が必要と思うのですが、あるのは護教的な議論ばかりです。

特に気になるのが「深い学び」—これは学校を買いかぶりすぎ、学ぶことを甘くみすぎ、です。学校は深い学びをする場ではなく、「浅い知識」を伝授する場です。また「浅い」は「深い」に劣るものではありません。「深い学び」—何事でも、常套句を使うほどに物の見方までありきたりになります。学校でできること—場をわきまえた議論が必要です。「深く」は世界史教育では、「広い」として「広い学びになっているか」と読み替えたいものです。

また「深い学び」には「主体的・対話的」という枕詞がつきます。ここは初等教育と違う中等教育ですから、むしろ、私たちは主体的に考えることなどできない、と伝えるべきです。また「教師—生徒」の権力が作用する教室での「主体性」は教師の意に沿った「主体性」になりがちです。教師にとり「考えたくない」という生徒の主体性は認めにくいものです。

文科省の役人が「深い学び」と言ったら、教育関係者が一斉に「深い学び」と復唱、同調する主体性を欠く光景が広がっています。

対話的でない教育などないでしょう。一人では到達できない、一人では越えられない、一人では考えの及ばない場所に連れていってくれるのが対話です。冒頭で、高校生に「教えてきた」と書きました。実際は高校生に「教えてもらう」ことも多くあります。学校とはそういう場です。とはいえ対話の本質は偶然性にあります。仕掛けを作るなど、故意の偶然性を作り出そうとする試みはあざといものになりがちです。

対話には様々なかたちがあります。私は「生徒を寝かせない授業」をすることを最低限の職務、世界史教師としての矜持と考えて、本書で紹介するようなさまざまな話をしてきました。生徒に、先生の講義を聞くことが深い対話になると思ってもらえる、考えたくなる話を模索してきました。授業中の生徒の沈黙を恐れないようにしてきました。人は深く考えるとき沈黙するものです。

そもそも世界史は学ぶこと自体が「対話」—自分とは違う立場や感覚で世界を生きた人々と出会う機会になります。「〜を理解させる」という指導案ほど世界史授業にそぐわない、ものはないと考えます。学ぶほどに分からないことが増えていく科目です。世界史学習での「理解」は「理解しようとする姿勢を持つ」程度のことだと思います。

ただ出会いによる対話をなくす要因があります。たとえば現在の立場で過去を解釈してしまうことです。「現在の立場で過去を解釈しない」ことを少し意識できれば（「ヒストリーリテラシーを高める」ことができれば）新しい出会いと対話に開かれます。本書はこのように考えてきた元高校教師の実践報告『出会いなおしの世界史』です。反時代的考察にみえるかも知れませんが、若い先生方に批判的に活用していただければうれしいです。

なお本書は次の「序章」から高校生を対象に想定した書き方になっています。

参考文献

安達一紀『人が歴史とかかわる力』（教育史料出版会、2000)。同「ヒストリー・リテラシーを意識した高校世界史授業」『教科教育学研究の可能性を求めて』（風間書房、2017)。ネット閲覧できるものとして、同『「分かる」授業・「分からさない」授業』（『月刊　兵庫教育』、2011.4.）

出会いなおしの世界史
ヒストリーリテラシーを高めるレッスン

目　次

目次

お断り　本書の元になったプリントは東京書籍版『世界史 B』(平成 28 年度版) に準拠して作ったものですので章見出し、小見出しなどはこれに準拠したものになっています。ただし、その一部は変更しています。副教材として用いていた本書の性格上この点をご了解ください。

序章　ようこそ人生の必須科目『高校世界史』へ

後ろ向きに未来に入っていく

私は長く公立高校で世界史教育を担当してきました。

皆さんはこれから、大人が経験したことのない社会、不確実な世界を生きていくことになります。そういう時に過去を振り返ることが役に立つのか。そのような疑問を持たれるかもしれません。

「湖に浮かべたボートを漕ぐように、人は後ろ向きに未来に入っていく」（『ポール・ヴァレリー詩集』）が昔からよく引用されるように、いつの時代においても未来は不確かでした。

私もまた遠ざかっていく両岸の風景やら湖面のさざ波（過去）を視界におさめながら、見えない未来に背を向けてボートを漕いできた気がします。いまだにどういう世界に入っていこうとしているのか分かりません。分かったことは、不確実さを飼いならしながら漕ぎ続けるしかない、ということぐらいです。

何をどう視界におさめて漕げばよいのか。一般に対象との距離のとり方は難しいものです。物事を見るためには近くから見る虫の眼と俯瞰（ふかん）して見る鳥の眼の二つが必要とされます。

近寄って視界を狭めないと見えないものもありますが、そうすると視界から外れていくものもでてきます。

視野を広げよう、というけれど

両方とも大切ですが、人間は視野を狭める傾向があります。ですから「視野を広げよう」と意識することが必要になります。見たいものだけを見ていたほうが心は安定します。「視野を広げよう」―美しく響く言葉ですが、それは見たくないものが眼に入ってくることを意味します。

店先に並ぶ商品。品質がよくて安いものを手にできれば「いい買い物をした」と満足感が得られます。しかし視野を広げてしまって、その安さが環境破壊を引き起こしていたことや、低賃金労働に支えられたもの、搾取の結果という背景をのぞいてしまったら気まずい気持ちになります。視野を広げなければ、知らなければ、「いい買い物をした」で終わっていたのです。

視野を広げるのはいろいろな意味で負荷のかかるしんどいことです。私たちは理由があって視野を狭めています。生きていく上では知らないほうがよいこともあります。それでも若い皆さんには「視野を広げよう」と呼びかけようと思います。

「いま・ここ・わたし」から踏み出す

視野を広げてよいこともあります。

私は学ぶことの目的を、自分を制約しているものから自由になる、ことだと考えています。本書でこの魅力を皆さんに伝えたいと思っています。私たちは見えない枠組み「いま、ここ、わたし」―この三つに閉じ込められています。

時に「どうにもならない」閉塞感、絶望感に襲われることもあります。

けれども、「いま」はこうだけど、ほんの少し前ではそうでなかったことは沢山あります。これからどうなるかも分かりません。

「ここ」はこうだけど、所（ところ）変われば品（しな）変わる、で文化が違えば異なる考え方をする場合が多くあります。

「わたし」はこう考えるけど、自分の物事の見方などとても狭量です。世の中には色々な考え方があります。何より「わたし」は関係の産物で可変的な存在です。

「いま、ここ、わたし」は物事を考える出発点です。これを出発点にして、そのようにして自分を制約するものから自由になっていくことが学ぶということです。

本書の執筆のために何度も東京の国会図書館を訪ねました。本館を入ったところに「真理がわれらを自由にする」という言葉が掲げてあります。

自分の頭がどのように初期設定（デフォルト）されているか―それを知るためにリベラルアーツ（人間を自由にする諸技法）がある、とある人が述べています（デヴィッド・フォスター・ウォレス『これは水です』）。

江戸時代の儒学者荻生徂徠（おぎゅうそらい）は自分を閉じ込めている世界を「くるわ」と喩えて、その内にいる人間には世界の全貌（ぜんぼう）が見えていないと指摘します。その認識から、学問とは「飛耳（ひじ）長目（ちょうもく）」（『管子（かんし）』）であると、自分を閉じ込めているものが何かを知ることの大切さを説いています。

「いま、ここ、わたし」という自分の初期設定—これを出発点とするしかありませんが、それを絶対視してしまわないように、それらを相対化することが大切です。そのために高校世界史を学ぶのがお薦めです。

奈良をよく訪れます。東大寺戒壇院(かいだんいん)がお気に入りです。小さなお堂を四天王が守っています。「飛耳長目」から思い浮かべるのはここの広目天(こうもくてん)と多聞天(たもんてん)の姿です。広目天は眼光鋭く細めた目で世界を観察しています。得た情報を手元の巻物に記そうとしています。多聞天は耳を澄ませて多くの声を聞こうとしています。足元を見れば二天とも邪鬼(じゃき)を踏みつけています。

邪鬼とは何なのか—私には、見たいものだけを見る、聞きたいことだけを聞く、そういう視野を狭めようとする心に思えます。

視野を広げる — 浅い知識の大切さ

「いま・ここ・わたし」から踏み出すためには広く視野を広げる必要があります。このお手伝いを担当できるのが高校世界史だとしました。広いので浅くなります。いまは「深い学び」が称揚される時代ですが、海辺の浅瀬での磯(いそ)遊びにも様々な発見があります。浅瀬を侮(あなど)ってはいけません。思わぬ深みがありそこに足をすくわれることもあります。そのような驚きと学ぶ楽しさをお伝えできればと思います。

本書のタイトルは『出会いなおしの世界史』、副題が「ヒストリーリテラシーを高めるレッスン」です。本書は世界史を分かりやすく解説した、いわゆる「学びなおし」本ではありません。ヒストリーリテラシー（これはあとで説明します）を高めることによる高校世界史との出会いなおし、そのことを通じて自分を自由にするリベラルアートとなることを意図しています。従来の世界史教育に少しだけ角度をつけた試みです。

本書は大判（A4判）のノートブックスタイルをとり、以下の5つの部分からなります。

① 本文（板書スタイル）、
② 側注『PROPOS(プロポ)』、
③ コラム『画蛇添足(がだてんそく)』、
④『わんクリック』、
⑤ History Literacy（ヒストリーリテラシー）、

順に説明していきます。

A4版の大型ノートブック

本書は大判のノートブック体裁です。書き込みを前提にしたつくりです。

新築マンションの広告に美しいモデルルームの写真が掲載されます。写真が撮られた時点が最も美しくて、その美しさは人が住みはじめると損なわれていきます。本書は、そのように人手が入ったり、経年変化で価値が減じるものではない、持ち主が書き込むほどに価値が加わるノートブック形式になっています。「歴史は完成していない」ことを行為遂行的に理解してもらうことも意図しました。

ただ後述しますが、「当用世界史」でもあろうとしたためボリュームがあります。奇しくも欧米の歴史教科書と似た体裁になりました。この重量感から「これは覚えようがない、違う用途だ」というメッセージを受け取ってもらえると思います。日本の歴史教科書の中途半端な量—「覚えられないこともない量」にすると詰め込みの対象になります。

また歴史は典型的な帰納的な学問です。「広い」ことに意味があります。教える側で必要なものと必要でないものに分けることは読者の思わぬ出会いを阻害して、世界史を世界史でなくします。広く、浅く、雑多—そこに意味を認めるのが高校世界史です。

本文 — 人々の「世界史」理解像

繰り返し「世界史」という言葉を使ってきました。本書が掲げる世界史とは「高校世界史教科書に書かれている世界史」のことです。これは現実社会で、一般の人々が思考、行動に際して参照枠としている歴史像に相当します。

専門の歴史学者以外、一般の人々はだいたいこういう具合に過去を認識している、「いま人々は世界をこのように見ている」という過去の共通理解を箇条書きスタイルでスケッチしたものが本文です。

歴史は過去と同じでありません（このことは後述します）、特に「高校世界史」は歴史学者の研究成果である「歴史」（そういうものがあると仮定したモデルです）とも違った、初学者用に単純化されたものです。

人々の関心と必要性から様々な地図が作られます。そもそも地図は世界そのものではありません。等身大の地図は必要ありません。地下鉄路線図を見て「世界はこんなのではない」と思う人はいないはずです。高校世界史も同じです。初学者用の過去の叙述です。

過去をどのような縮尺で歴史として切り出すかは難しい問題です。本文で記したのは、初学者の皆さんが大人の議論にはいっていくためにはとりあえずこの程度の縮尺での理解かな、というものです。

どのような分野でも初学者にとって必要な「ここから入っていく」「ここから考えていく」、出発点とする縮尺の大きな叙述—それが教科書という縮尺です。

過去と歴史は重ならない

起こった出来事、もう過ぎ去ってしまったことが過去です。それを文字におこしたのが歴史です。文字の発明のおかげで、私達は時間をさかのぼり、空間を超えた出来事を知ることができます。動物で歴史を持つのは文字を持つ人間だけです。

過去と歴史をできるだけ近いものにするのが歴史学の営みです。過去の representation が歴史です。この representation を「再現」と訳すことができれば話は簡単です。しかし、再現—過去と歴史がぴったりと重なることはありません。そこで representation を「再現」ではなく、「表象」とわざと曖昧(あいまい)に訳すのが一般的です。このあと本書では「歴史は過去の文字表象」「過去を文字表象した歴史」と言い方をしますので慣れてください。

「歴史（叙述）は過去の文字（による）表象」が本書の「歴史」の定義です（「歴史は言語的制作物」がよりよいと思いますが、教科書叙述を扱う本書では「文字」テキストに限定して考えることにします）。

二重の翻訳

過去の文字表象が歴史。これを仕事にしているのが歴史学者です。そしてその歴史を読むことで過去を想像するのが私たちです。

つまり私たちが過去に起こった出来事を思い描くとは、「過去→歴史」と翻訳されたものを、再び「歴史→過去」と翻訳して戻すことです。一般に、二重の翻訳をくぐると元には戻りません。別物になってしまいます。

大相撲のラジオ実況生中継を聞いたことがありますか。

土俵上の取り組みをアナウンサーが言葉で伝えます。生中継ですが厳密には時差がありますから、これは「過去→歴史」の翻訳作業にあたります。これを聞いたリスナーが土俵上で起こっていることを想像して再現します。これは「歴史→過去」の翻訳作業です。

この二重の翻訳は現実に機能しています。さまざまな限定があるからでしょう（狭い土俵上での、２人の力士による対戦で、定型の決まり手で勝負がつきます）。それでもリスナーが頭に描いた図と実際の土俵上で展開されている図の間にはズレがあります（ラジオで聞いて自分がイメージしたものを録画したものと見比べると面白いです）。

このように過去と歴史は常にズレをはらみます。実際にあったこと（過去）と脳が認識したこと（歴史、その歴史の解釈）のズレは錯覚とも呼ばれます。過去表象はあくまで「その不可能性（表象の不可能性）」が前提になります。

歴史の過去へのもどし方

文字でなく絵画による過去表象もできます。ただ絵は誰にでも描けるものでないことと、文字表象以上に多くの情報が必要とされる欠点を抱えます。画面に余白を残さず、細部まで書き込むのは大変です。絵日記より日記の方が断然簡単です。過去の表象は、絵画表象より文字表象が現実的です。

ラジオの実況中継でアナウンサーが気を配るのは空白を作らないことです。ラジオでの無音状態は放送事故扱いです。話し続けて空白が生じないようにする必要があります。絵画表象での空白は未完成とみなされます（ちなみに分からない所を余白で残してよいマンガは過去表象と親和的です。ですから多くの歴史マンガがあります）。

これが文字表象の利点です。文字表象なら言及しないことで省略することができます。分からないことには触れずに次につなげられます。分からない１世紀があっても何事もなかったように「その百年後」と書けます。それが事故にも書き残しにもならない。もちろんごまかしです。ですから文字による過去表象—歴史（叙述）を学ぶに際しては、いわば「歴史の過去への戻しかた」（ヒストリーリテラシーの別の表現）も同時に学ぶことが必須になってきます。

歴史は過去のフリーズドライ

過去の文字表象を歴史としました。別のたとえをすると、歴史とは過去をフリーズドライ—水分を飛ばしたものです。水分とは過去の圧倒的部分を占める人々の日常の営み（ルーティーン）です。水分を飛ばし、乾燥させたものです。フリーズドライされて残るのは非日常の出来事ー事件や戦争です。だから世界史教科書に叙述されるのは事件や戦争ばかりになります。「血が流れてはじめてトップニュース」にする新聞と同じです。

そのようなものばかり読むのは砂を噛む作業です。実際は戦争のない平穏な時期が過去のほとんどを占めています。過去を歴史に均等に縮小すれば「何も起こらない日常」が教科書の大部分を占めるはずです。

歴史を過去のフリーズドライとたとえると、これをそのままお客さんの前には出せない、と気がつきます。どのように戻すか、その戻し方も伝えなければいけない、が否が応でも意識されることになります。

従来の歴史教育は、フリーズドライをそのまま出して、どうせ胃の中にはいったら同じなのだから流し込んでしまおう、だったかもしれません。

日常という水分が飛ばされたものをどのように戻せばよいのか。その取扱い説明書とともに伝えなくてはなりません。正確に言えば戻し方は分かりません。できることは「こういう歪みが生じている可能性」がある、を伝えることぐらいです。ただそのことを一緒に伝えることが、「歴史」という知識を開かれた形で伝えることになる、と考えます。本書では、取り扱い説明書—その断片を一行でまとめたものをHistory Literacyとして示しました。こういうことを普段から意識できるようにすることが「ヒストリーリテラシーを高める」ということです。

犠牲者が納得してくれるだろうか

いまの世界（社会）を構成しているのは「私たち」生者だけではありません。膨大な死者もこの世界の構成メンバーです。「いま、ここ」を生きる「私たち」—生者。しかし圧倒的多数は死者で、彼らはいまの世界に死者として存在しています。またこれから生まれてくる人たちもこの世界の構成メンバーです。

冒頭で、「湖に浮かべたボート」を漕ぐとしました。その湖底に多くの死者が眠っています。その多くが非業の死者です。彼らの声なき声が湖面を揺らしています。

過去を見る視線を、過去の出来事の犠牲になった人々の視線に重ねることを忘れてはならない、と思います。過去をどの視線でみるのか。高校世界史は「現在からの視線」で過去を文字表象しています。しかし、時には「犠牲になった人の視線」に重ねる時が必要だと思います。能でシテ（多くは不本意ながら死んだ者）の語りを静聴する時間を持つイメージです。

高校世界史は「文明の発達史」、文明には暴力を制御する技術が含まれます。かつて人間の死因のトップは暴力（他人に殺されること）でしたが、宗教（殺生戒を持つ）の発明で暴力は減少、「現代は暴力の最も少ない時代」です（ピンカー『暴力の人類史』）。世界はよくなっています。もちろん暴力は残っており、それに苦しんでいる人がいます。本書執筆中のいまはウクライナ戦争の最中で、「世界はよくなっている」などと軽々には発言できません。

いまここで触れた、「高校世界史が文明の発達史」であること、「世界史教科書はよいことを書きにくい媒体」と理解するのも「ヒストリーリテラシーを高めること」です。

多くの人びとが非業の死を遂げた出来事を授業で扱った後で、「この教え方で、この出来事で犠牲になった人たちは納得してくれるだろうか」と自問します。答えはいつも「否」です。自分の力量を恥ずかしく感じます。また教えていること（「歴史」）と実際に起こったこと（「過去」）との隔たりの大きさを感じます。本書は、皆さんがそのような力量の教師の授業で歴史を学ばざるを得ないことを前提に、学んだことがどれほど過去と違うかの相場観（ヒストリーリテラシーの別の表現）も身につけられるように留意した教材（副読本）です。

「学ぶ（まねる）」スペース — 本文

「高校世界史」にはどうしても「少し古めの定説」、ただし賞味期限が完全に切れてはいないものが書かれることになります。

歴史教科書の執筆者は最新の歴史研究の成果をとりいれようとしますが、教科書に掲載されるレベルの定説となるには30年程度かかると言われます。掲載された頃には賞味期限が意識されはじめます。

そのようなものを教壇で、熱く「こういうことがあってこうなった」と教えるのはちょっと滑稽（こっけい）な気がして、若い頃は「最近の研究では」などと紹介していました。ただそれは初学者に混乱を招くだけですし、「これが新しい」としても、新しいものはいずれ古くなります。私はこの点は割り切って、先に述べたように「いまの人々が過去をどのように理解しているか」を「高校世界史」と考え、その伝え方を工夫してきました。本書が提案するのも別の新しさです。

学ぶとはまねること。まずは「教科書」をまねることが高校での学習です。そのあとに続く「教科書」を乗り越えようとする営みが学問です。本書の本文は「学ぶ（まねる）」スペースです。何事でもだいたい、「だいたい」という一般（原則）を学ぶのが高校（中等教育）での学習。その例外を探して、その一般を新しい「だいたい」へと鍛え直すのが大学（高等教育）での学問と言い換えることができます。

皆さんがこれからの人生をおくる上で「これは人生の必須科目だ」と実感してもらえるものとするために、自分なら高校時代にこういう授業を受けたかった、をベースに内容を少しだけ再編成しました。全体として近現代史のウエート（とりわけ戦後史）が高くなっています。

一方で、受験に役立たなければ、皆さんに使ってもらえない現実もあります。当座の用（受験）に立つように「当用世界史」としての性格にも配慮しました。このように現実と妥協して、自己改革（世界史の内容精選）を先送りし続けてきたから、社会から見放されて必修科目から外れたのです。そこにジレンマと責任を感じてはいます。

アイコンとしての固有名詞

確かに本文にはあまりに多くの固有名詞があります。「世界史は暗記科目」の批判は当然です。世界史教科書は暗記リストに見えます。今回の教育課程の変更で必修科目から外されましたが、自重で崩壊したと言うべきでしょう。

固有名詞の多い叙述ですが、「ユグノー戦争」を「フランスの内乱」、「アンリ４世が」を「時の国王が」と一般名詞で書いていると、そこから次に思考を展開できません。

固有名詞は次の段階にいく入り口。その一つ一つが、アリスの迷い込んだラビットホールととらえてください（『不思議の国のアリス』）。固有名詞とはコンピュータの画面上にあるアイコンです。その先の何かと繋がっているアイコンです。アイコンを覚える対象とみなした時、そのアイコンはアイドル（偶像）に変わります。これが偶像崇拝です。

興味を持った人は「この穴はどこに繋がっているのだろう」とそのアイコンをクリックして覗き込んでみてください。それはあなたの中のどこかにつながっていて、クリックすることで何かが起動するかもしれません。

本文では記載した内容の重みづけ―つまりゴシック表記はしていません。一般にその出来事の影響力の大きさ（例えば関係する人の多寡など）が一つの基準ですが、何をゴシック表記にするかの基準を考えること自体が、歴史について考えることと重なります。授業を聞いて自分で大切だと思ったことにマーカーをつけていってください。

「どこかで聞いたことがある」が教養

固有名詞の多さが問題になるのは、学習者がそれを「覚えなければいけない」と受け取ってしまうからです。教科書に書かれていること、教室で聞いたことをすべて覚える必要はありません。

いまは教養すら、競争から脱落しないための必須アイテムとみなされ、それをいかにタイムパフォーマンスよく早送りで習得するかに関心が注がれています。何もかもが煽（あお）られる社会です。

私はこれまで高校生に「教養を持った人間になろう」と語ってきました。冒頭で触れたリベラルアーツに「教養」の訳をあてる人、そのような看板を掲げる大学もあります。ただ私は教養を「それどこかで聞いたことがある、どこかで習ったことがある」層の厚さ、と定義しています。

若い時期に自らにできるだけ多くの「フックをつけておく」ことが大切です。「どこかで聞いたことがある」「習ったことがある」モヤモヤ感は、検索はできないけれども、どこかに残っているから生じる感覚です。

聞いたことも習ったこともないものは、それと出会っても、自分のそばを通り過ぎていくだけで自分の人生と交差しません。何かをひっかけるフックをどれだけ仕込んでいるかが教養です。何もないところには何も引っかからず、知識を重ねられません。人間は知らないことには興味を持たない存在です。

思考力は知識の上に育つ

知識を重ねること、に肯定的に言及しています。正しく考えるためには多くの知識が必要と考えるからです。多くのことを知るほどに「勝手に」考えることはできなくなります。

破線をなぞっていくと図になる「なぞり絵」があります。過去の再現を、紙上での図形の再現に見立ててみます。紙上に３点しかないのは手がかりが少なすぎます。３点を頂点とする三角形か、３点を曲線で結ぶような図形を思い描くのが常識的ですが、実際は３点さえ結べばよいのですから、任意のどのような絵でも描くことができます。予想外の絵を描けば拍手喝采となるのが落語家です。与えられた３つの単語を折り込んで即興で作る三題噺(さんだいばなし)は面白いものです。

ところが紙上に打点される箇所が増えるほどに勝手な造形はできなくなります。ある程度は似た形に近づいていきます。過去の文字表象である歴史も同じです。最終的にはよく似ているけど違う―その微妙な違いに大きな意味を読み取る営みです。

知識が増えるごとに自由に考えることはできなくなりますが、そのことで考えることが鍛えられます。授業で、抽象的な叙述が出た時には「それは具体的にはどういうこと」と、具体的な事項が出た時には「これらを抽象的にまとめるとどういうことになる」と考えてもらう時間をとってきました。思考力の一つは「具体と抽象の往還ができること」でしょう。ある企業経営者が、数字の入らない抽象的な議論(会議)は時間の無駄としていました。私も具体的事実の裏付けのない抽象的議論は信用しない方がよいと感じます。

「過去の出来事を記憶する」ことで積み重ねた知識、それらに制約されながら、問いを出し、考えをめぐらせることが思考力だと思います。そこで知識と思考力は不可分の関係にあって両者を切り離すことはできません。

思考力は知識の上に育ちます。よりよい思考をめぐらせるためには多くの知識が必要です。先に言ったことと矛盾しますが、定期考査の時は、やはり一度は覚えよう、と呼びかけてきました。「聞いただけ」「習っただけ」では「聞いたことがある」「習ったことがある」とならないからです。一度は記憶してから忘れる経験が必要です。忘れるとは、どこにしまったかの検索ができなくなることで、どこかには残っている必要があります。検索しただけではどこにも残りません。

歴史書より優れる歴史教科書

先に本書が扱う「高校世界史」は初学者用に単純化加工というデフォルメがされた点に特徴があるとしました。

日本の歴史学の水準は世界有数です。専門書として刊行されているものには様々な目配り、委細(いさい)を尽くした説明がしてあります。引き込まれるように読んでしまう、そういう歴史書も本書の「わんクリック」で多く紹介しています。

それに対して歴史教科書の場合はどの一行を読んでも、何か突っ込みたくなります。そういう大きな縮尺の叙述だからです。その縮尺は必要という前提で、大きな縮尺の叙述をどう読むか、が本書の主題です。読み手に問題意識を生じさせて考えさせる点で、歴史教科書は歴史書よりも教材としては優れている、と指摘できるかもしれません。

大きな主語の本文、脇筋(わきすじ)のPROPOS(プロポ)

高校世界史は「文明の発達史」としました。

高校世界史は「世界史」を掲げながら、実際に扱っているものは、主要な国民国家の国民史、それも政治史に偏ったものです。国家を叙述の主語にした「大文字の歴史」と言われるものです。本文の主語は多くの場合 「イギリスは」と国家が主語になっています。主語として大きすぎるのですが、大きい主語は多くのものを切り捨てることができます。ですから紙幅の制限がある教科書にとっては便利な主語でもあります。この大きな主語の本文が語るのは国民史という物語です。

この国民史からの脱却は世界史教育関係者が長く取り組んできたものです(分断と対立の時代となり、いまはむしろ必要かもしれません)。ただ分かっていても崩せない、強固な生命力を持った枠組みです。それでも「世界史」の看板を下ろさずにきたのは、世界史教育にかかわる関係者の矜持です。世界を掲げるところにこの科目の魅力と可能性があります。

周縁に位置して断片的なため、国民史の物語の線上に残れない、点として存在している出来事があります。権威筋の話が中心になる本文に対して周縁の脇筋のものを取り上げる場所として側注のPROPOSを設けました。

PROPOSという側注

本文右側の側注PROPOSは、フランスの高校で長く倫理教師をしていたアランの「PROPOS」という短い文章からとりました。フランス語で「ところで」という意味です。彼が折々に思ったことを書き留めた断章でそのいくつかをまとめた『幸福論』(1925)は日本でも愛読されてきました。彼の顰に倣った命名で、脚注にとどまらず、そこから読み手を思索に誘うものにしたいと考えました。

「副音声」「サイドストーリー(脇道)」「路地裏」でもよかったのですが、PROPOSと自分へのハードルをあげました。

通常、側注は本文の理解の助けになる補足説明ですが、軽い話題、読んでもらえそうな話の優先順位をあげた箇所もあります。「学ぶことは楽しい」「学ぶほどに豊かになる」と感じてもらえるものを優先させています。あえて本文と関係のなさそうな話もしています。そのことで皆さんの持つ歴史に関する通念を揺さぶりたい思いがあるからです。

街歩きをしていて、どこにも通じていないかもしれないけど「ちょっと入ってみようか」と誘われる小路がありませんか。小さな探究心で得られた知識が地下茎を通じて別の知識に繋がっていることに気づいて驚くことがあります。日本には美しい竹林があります。その竹は地下茎ですべてつながっていて、竹林自体が一つの植物です。世界史の知識にもそういう性格があります。

本書は皆さんが使っている『教科書』と、写真、図版が満載された『図表』と併用して使う前提でこしらえました。ですから本書には一切の図、写真が載せられていません。過去には文字でアクセスするしかない、過去は基本的に文字表象するしかありえない、という理解もこの体裁をとることにつながっています。

画蛇添足というコラム

さて何といっても本書の特徴は431のコラム「画蛇添足」(『戦国策』)です。つまるところ蛇足のことです。この題自体を二文字分、蛇足にしています。内容は授業の余談。けれども昔の人の、蛇に足をつける遊びが、想像上の龍の造形につながり、その龍をめぐるあれこれが文化に奥行きを加えてきました。遊び心が文化を創ってきました。この『画蛇添足』が皆さんの世界史理解の補助線となることを願って綴りました。

世界史には事後的に分かることも多いのでいま分からなくても構いません。すぐに役立つものはすぐに役立たなくなります。本当に大切なことには、事後になって分かる、という性格があります。世界史は特に事後性の強い科目で、それゆえ、学ぶモチベーションを維持するのが難しい側面もあります。

達意の文章を心がけましたが、使っている語彙や言い回しは少し難しめです。その結果、業界用語でいう「黒い原稿」(漢字が多いため感じが悪くなっている原稿)になりました。もう少し、ひらかなに開いてやさしい文章にしたほうがいいかな、と思いましたが「若者は背伸びしてほしい」のメッセージを込めました。

「刻むもの」として発明された漢字は長く「書くもの」でしたが、「打つもの」に変わりつつあります。漢字は書けなくてはいけないもの(運用能力の必要なもの)と、読むことができて、打てればいいもの(認識能力があればいいもの)があります。後者にはルビを打って読みやすくします。

なぜこんなコラムが世界史プリントにあるのか。理由は二つあります。一つは「はじめに」で説明しましたが、これは直接皆さんには関係しませんので、もう一つの理由について説明します。

長く学校に勤めていて英語の先生を羨ましく思ってきました。膨大な単語、熟語—英語学習こそ暗記学習なのに、それでも暗記と非難されることはありません。これっておかしくないですか。もちろん「読み書きできるようになる」「話せるようになる」ために必要なステップと認識されているからでしょう。

暗記の先にあるもの

授業中に英語の先生がALT（外国語指導助手）と流暢に話しをしている姿を見れば、皆さんはきっと「私もあんなふうになりたい」と思うでしょう。世界史教育はそういうものを見える形で示すことができなかったので、どれほど理屈を立てたところで「世界史は暗記科目」と言われてしまうのです。

そこで蛮勇（ばんゆう）を奮（ふる）うと決心しました。「この程度か」と思われたら万事休す、のリスクの大きい試みですが、誇れることを何も持たない代わりに失うものもない地方の一教員です。暗記したものを使って考える魅力―暗記の先にあるものを示そうと思いました。

「過去に起こったことを記憶する」ことが「こんなふうにいろいろなことを考えることに繋（つな）げていけるなんて面白い」。これまでの世界史学習に欠けていたのはこのワクワク感だと思います。その「こんなふうに」の見本を示すのが大人の仕事、と気負ってはじめたのがこのエセー『画蛇添足』です。

教師は生徒に「もっと考えろ」と何も考えずに言います。言われた方は、どういう風に考えればよいか、分からず戸惑います。「考える」は言われてできるほど簡単ではありません。見本を見せなくてはいけない。そのような気負いではじめました。

英語の先生が英語を使って会話するように、歴史の先生が歴史を使って会話している様子を示そうとしました。会話、は妙な表現ですね。物事をこのように自問自答しながら考えている、ということでしょうか。これを示すことで伝えたいのはその楽しさです。

人生経験を重ねるごとに若い時には気付けなかった視点を手に入れ、物事をさらに様々角度から考えることができるようになります。加齢が人間の発達であることも皆さんに伝えられればと思いました。

普通の教師、よい教師、すぐれた教師

教育の世界で高く評価されるのが古代ギリシアの哲学者ソクラテスです。彼は「自分は何も分かっていない」という自覚（「無知の知」）の後は、青年に対して、問答法を通じて「無知の知」を悟らせる活動に生涯を捧げたとされます。人を本当の学びへと駆り立てるのは「自分は何も知っていない」と知ること。そのような気持ちからだとされます。

教員の世界で「普通の教師は教える（teach)、よい教師は示す（demonstrate)、優れた教師はインスパイア（触発）する（inspire)」とよく言われます。ソクラテスを念頭においた表現です。ソクラテス自身が何かにしびれているから、彼に触れるものもまたしびれる（インスパイアされる）、と弟子のプラトンは師を電気うなぎにたとえています。

本書で本文がteachに、PROPOSと『画蛇添足』がdemonstrateにあたります。しかし私にできることはここまでと思うのです。

現代のソフィスト

高く評価されるソクラテスに対して低い評価なのが、彼が批判したソフィスト―お金をもらって知識を売る職業教師たち、です。私の仕事はこちらに連なります。膨大な知識を見通しよく整理して、分かりやすく提示する。分かりやすく加工するとは単純化です。「無知の知の自覚」を促すこととは逆のベクトルを持つ働きかけを皆さんのような将来のある若い世代にしてきました。

しかし、ソクラテスのいう「自分は本当は知っていない」という自覚は、「自分は知っている」と思っている者にしか訪れないはずです。いまの皆さんは、世界史に関しては、覆（くつがえ）すべき「先入観」「偏見」すら持っていない、のが現実です。だとすれば皆さんが「無知の知」に気づくための足場―この出発点を築く仕事もまた大切です。

大学新入生向けの文章に、大学の歴史学の先生が「高校で学んだことは歴史でない」と書かれているのをよく目にします。学習と学問の違いの強調なのでしょうが、一所懸命に教えてきたことが「高校教科書的知」として切り捨てられることに心穏やかではおれません。複雑なことを初学者用に単純化して教える―確かに真理を追求する歴史学者とは違っていかがわしい仕事です。ただそのいかがわしさを自覚しています。そして世の中を下支えしているのはこうした仕事だと矜持を持っています。単純化した歴史の知識を教えている自覚がありますから、「かなり単純化しているので額面通りに受け取らないでください」「くれぐれも取り扱いに注意してくださ

いね」という言葉を添えた知識の伝え方になります。

先に、本書の本文の固有名詞の一つひとつが奥行きをもっていて、固有名詞はその入り口（アイコン）だとしました。興味を持った所から入って、それぞれ違う所から出ていってください、と誘いました。

私はソクラテスに憧れて教員になりました。しかし、しだいに知識を教えること、teacherの奥深さに魅入られるようになりました。いつしか、これが自分の天職、私は現代のソフィストでも構わない、と受け入れられるようになりました。私自身、入った所とは異なる所にでてきたわけです。そのことで、自分を縛ってきたソクラテスという存在から自由になることもできました。

蜜箱のようなノート

『随想録（エセー）』で知られるミシェル・ド・モンテーニュは自分自身の存在を「借り物」、その作品を「盗用」とした上で、「ミツバチは、さまざまな花から蜜をあつめて、自分の蜜をつくる」と記しています。モンテーニュがこのように書くのは彼がボルドーの人だからかもしれません。ワインの王様ボルドーは単一のブドウ種からではなく複数種のブレンドから作られるのです。

本書の側注propos、エセーをモデルにしたコラム『画蛇添足』はおびただしい参照と引用からなるテクストです。考えるためには何よりも知識が必要と考える私が、あちこちを飛びまわって採蜜してきたものです。

2次資料の切り貼りによる考察で、オリジナリティがないと感じられるかもしれません。コラムはブリコラージュ（器用仕事）です。いろいろなところから、さまざまなものを切り取ってきて、それを隣り合わせに並べてみて、そこに私が見いだした新たな関連性を書いています。既存の物事にどのように切り取り線を入れて切り取り、どう並べて異なるものを継いでいくか。

これから社会にでていく皆さんに、あの花の蜜とこの花の蜜をブレンドして作ったこの蜜がきっとよいヒントになる。そういう思いで書き綴ってきました。本書の性質上、いちいち出典を明記していません。モンテーニュが書くように「盗用」です。

集める、分ける、分かる―そして散じる

先に、知識を積み重ねることが考えること、としました。私はこれまで「集める、分ける、分かる」を「考える」方法として推奨してきました。様々なものを集めて、集めた知識を整理する。ああでもないこうでもないと「分ける」、いやこの分け方はよくないかなと分け直す、そういう過程で「分かる」とは言い切りません、でも何かがおぼろげながら「分かっていく」。そういう過程を持つことが「考える」ではないかと思います。

小さな個性的な本屋をのぞいて、この本の横にこの本を並べるのか、といちいち感心しながら棚づくりを見るのが楽しみです。何かひらめきが落ちてこないかと自宅でも時々本を並び変えますが素人仕事では塵（ちり）しか落ちてきません。

ところでお金と知識は流通しなければ役割を果たしません。日本の資本主義の基礎を作った渋沢栄一は「集めて、散じる」が経済の要諦（ようてい）だとしています。「散じる」試みが本書です。

問いを仕込んで社会にでる

本書は、教科書から学問への架橋も欲張っています。「学問」という言葉は「学ぶ」（真似る）と「問う」からなっています。

高校時代は基本的には「学ぶ（まねる）」時期だとしました。同時に、問うことを学ぶ準備期、できるだけ多くの問いを自分に仕込む時期だとも思います。できるだけ多くの問いを仕込んで社会にでてほしいと思います。

問いというとすぐに答えを問題にしがちです。特にいまは「正解のない問題にどう取り組むか」と煽られる時代です。その通りですが中等教育で培う能力だとは思えません。性急に答えを求める必要はありません。本書は「答えのない問題を解く」能力を養おうとするものではなく、皆さんが問いを仕込むお手伝いをする書物です。

「問い方を学ぶ」ことが学問のはじまりにあり、「入った所」とは「違う所に出ていく」のが人間の成長だと思います。考えが変わっていく人を、「考え方が一貫していない」「考えがズレる」と批判する人がいます。風見鶏（かざみどり）のように風向き（権力）になびく人は感心しま

せんが、学ぶことで考え方は変わり、人は変わるものです。考えるチカラも筋肉と同じで学び（鍛え）続けないとすぐに劣化します。

高校時代は人生の宝探しの時期です。

本書を手に取られた皆さんの多くは大学進学を視野においているでしょう。大学で学ぶ人文科学、社会科学、自然科学への入り口になるように、本書には学問を選ぶ際のガイダンス機能も持たせています。

すべての学問はつまるところ人間理解のための営み―人間学としての要素を持ちます。人間に全体として迫ることは難しいので専門を通ってアクセスしていくわけです。

本書には２つの主題があります。第１主題は「人間とは何か（p.13で説明します）」、第２主題は「ヒストリーリテラシー」。形を変えてこの２つの主題が絡み合ってでてくるソナタ形式のような構成になっています。

常套句を疑うことが「考える」こと

歴史教育に投げかけられる批判は定番化しています。ここは少し感情がはいりますが、この批判を聞くたびに「またか」と辟易（へきえき）します。「高校世界史は暗記科目」という批判です。そのように批判する人たちは異口同音に「思考力」の育成を持ち出します。同じ批判に、同じ対案が持ち出されます。先ほどの「正解のない問題にどう取り組むか」も同じです。

本当に自分の頭で考えているのだろうか、それは本当に自分で考えた意見なのだろうか、と感じるのです。

「世界史は暗記科目」―こういう常套句（じょうとうく）（クリシェ）に出会った時こそ、まず立ち止まって、一拍おいて「本当だろうか」と自分の頭で疑ってみる－それが「考える」ということではないかと思うのです。

歴史は役に立つのか

私は高校時代、数学が好きでもっとも時間をかけました。２次試験も歴史との選択で数学の方を選択したのですが、文系学部に進学した以後、数学は使いませんでした。費やしたあの膨大な時間は何だったのか。教員になってからは、数学の先生を見つけては「数学の勉強が役に立つのか」と憎まれ口を叩いていました。

数学は基礎科学ですから「役に立つ／立たない」物差しで評価するものではありません。それでも、数学の知見にも立脚することで自然科学が発展して現代文明を作りあげました。私はその恩恵をたっぷりと受けています。言うまでもなく、「役に立たなかった」のは「自分の人生で役立たなかった」だけのことです。問題は、数学を役立たせることができない人生を送ってきた自分にあります。そのことに気づいていませんでした。

書きにくいのですが、「世界史は暗記科目」と批判される人も同じで、それはその人にとって暗記科目でしかなかった、ということではないでしょうか。皆さんには、常套句に疑いを向ける姿勢を持ってほしいと思います。

異口同音に何かが語られる時、社会、人々にそう語らせる無意識の枠組み「構造」が存在しています。この構造を探すこともまた「考える」ことです。

未知を既知に、既知を未知にする

新しいことを知る魅力があります。その新しさには二種類あります。

一つは知らないことを知ること。未知を既知にすること、自分の世界が広がる喜びです。

私たちは知らないことに対して冷淡で不寛容になりがちです。知りもしないのに「つまらない」と決めつけて攻撃的になります。知らなかった新しいことを知ることには、自分の偏狭さから自由になれる喜びがあります。現実の生活でも、他人（他国）の欠点ばかりが眼について反感を持つと生きづらくなります。欠点は欠点として他者に共感できる人は魅力がありますよね。どこまで自分と隔たったものに共感できる人になれるのか。挑みがいのあることだと感じます。

二つ目は、既知の中に未知―新しさを見つける喜びです。知っていたと思っていたことが実は知っていなかった、という気づき。世界史を学ぶ魅力の過半はこの驚きにあります。本書を読み進めていく中で実感してもらえるようにしています。ただ、こちらは既知があっての未知の発見です。既知が前提条件です。多くの人にとっては将来、既知の中に未知を知る喜びを味わうための、その土台をつくる辛抱の時間になるかもしれません。人生には根を下に伸ばす冬の日々も必要です。

過去・現在・未来、歴史 ― 4つの配置

「後ろ向きに未来に入っていく」という言葉を紹介しました。眼前に見えているのが過去というイメージの意外性から人口に膾炙してきたと思われがちですが、私たちは過ぎた日のことを先日とします。昔はこの感覚だったのでしょう。ただ、現代の私たちにとっては「後ろ向きに船を漕ぐ」より、「バックミラーをのぞきながら前進するしかない」(マクルーハン)の方がしっくりとくるはずです。

バックミラーで背後を確認しながら、前方にある未来に向かって車を進ませていく。このたとえでは、過去はバックミラーの中に映っていることになります。高校世界史教科書も過去を映すミラーの一つです。

「前方だけでなくバックミラーもしっかり見ていてください」と言われれば、そこに何が写っているかを確認しようとするでしょう。

そのように言われた時に「バックミラー」そのもの―その形、そこにはめ込まれている鏡の形状をまじまじと見つめる人はいないはずです。それはこれまで「月を指す指を見る愚者」―指を見て月を見ない愚者の振る舞いとされてきたことです。

ところが、まっすぐに「月を指す指」とは違い、「過去を映すミラー」は平面鏡ではなく、かなり歪んだ凸面鏡です。あるものを拡大して、あるものは歪める。あるものは映さないが、あるものを過剰にフレームアップする。

また鏡に差し込む光を眩しく反射させて、鏡を見ようとする者に正視を許しません。鏡に差し込み、私たちを眩ます光とは、現在であり未来です。過去を映す単なる道具と思いがちな鏡―実はなかなかやっかいです。

鏡の中で、過去、現在、未来、そして歴史―この4者がどのような関係を取り結んでいるか、それを考えることが本書の主題です。

「いま、ここ、わたし」を俯瞰する場所

最近の車はバックミラーの下に、モニターが置かれ、そこに360度画像が映るようになってきました。車の周囲に付けたカメラの映像を統合して、上空から自分の車を俯瞰する映像を作るのだそうです。驚くべき技術の進歩です。

「上空に自分の視点」をおいて、そこから自分と自分の立ち位置をとらえる。こういう認識をメタ認識といいます。メタとは「超越する」という意味です。人を見下すのは「上から目線」ですが、そうではなくて「自分自身を俯瞰的に見下す」のです。

私たちがこういう視点を持つことの大切さが長く指摘されてきましたが、自動車に先に実装されてしまいました。

いまの時代は、「背中から未来に入っていく」よりも、過去をバックミラーで確認しつつ、さらにはこの上空からの360度俯瞰映像で自分の周囲の状況にも目配りしながら前進していくイメージがぴったりくるかもしれません(実際の、自動車の俯瞰映像は前進でなく後進―もっぱら車庫入れに際して使う用途です)。

この序章の冒頭で、視野を広げて、「くるわ」になっている「いま、ここ、わたし」から踏み出そう、としました。

「いま、ここ、わたし」の視座から世界を見ている限り、自己中心的な世界しか見ることができません。

「いま、ここ、わたし」を俯瞰することができる場所から、「いま、ここ、わたし」を相対化することができて、はじめてその「くるわ」から出ていくことができます。「いま、ここ、わたし」を自分の脳内のモニターに映しだすことができて、はじめて自由になるための視座を得たことになります。

本書は、皆さんと一緒にそのような見晴らしのよい場所を探す冒険です。はたして世界を一望できる、自分をメタ認識できる場所があるのかは分かりません。ガイド役をかってでた私もそれがどこにあるのかを知りません。

世界を知ること―そして世界の中に「いま、ここ、わたし」を置くことができる視点を見つけることが自分を相対化する、つまり自分を自由にすることにつながります。

ここでいう世界は時空間の広がりを持つ世界です。特に時間の幅の中で自分の立ち位置を知るためには、歴史の知識を正確に扱わなければ、自由になるどころか歴史に囚われて、かえって不自由になってしまいます。

History Literacy

脚注『PROPOS』、コラム『画蛇添足』、『わんクリック』で雑多な話題をとりあげていま

す。雑多に見えますが書いていることは「人間とは何か」、「ヒストリーリテラシー」の2つの主題の変奏です。その中でヒストリーリテラシーに関することを、ページ毎に１カ所だけマーク「(※)」を付けて、最下段の『History Literacy』欄に一行にまとめて再提示しました。

これは「歴史の法則」のようなものではありません。歴史は繰り返しませんが、同じような展開はあるので、それを「歴史の法則」として一般化して理解することは思考の節約になると思います。ただそれをまとめるのは私では手に負えないので本書の守備範囲からはずしています。

繰り返しになりますが、本書がヒストリーリテラシーとして指摘するのは歴史の知識を学ぶに際して気をつけたい基本所作です。過去を歴史にする時、その歴史を過去に戻す時に、「このような誤解（認識の歪み）が生じている可能性があるから、こういう点に気をつけて歴史と向き合ったほうがよい」という歴史と向き合う基本所作の指摘です。

世界を見るためには「いま、ここ、わたし」という視点から見るしかありません。視点のない景色はありません。しかしそれを絶対化してはいけません。大切なことは「いま、ここ、わたし」の立ち位置を知ることでそれを相対化すること―自分の初期設定がどうなっているかを知ることです。時間的な広がりのある世界でそれを知るためには、歴史との付き合い方が大切になります。その歴史と向き合う基本作法を身に付けることを「ヒストリーリテラシーを高める」と表現しています。

ところで皆さんは当然、私がそれを身に付けていると思われるでしょうが、私が持っているのはそういうものが必要だという問題意識で、その具体的内容はまだ試行錯誤段階です。正直なところ、中にはしっくりこないもの、「歴史法則」もどきも混じっています。

皆さんを見晴らしのよいところに連れて行きたい、しかし私自身もそれがどこかを知らず、模索している最中です。本書はそれを一緒に探していきませんか、というお誘いです。

春は曙（あけぼの）

本世界史授業プリントは、私が最後に世界史を担当した生徒（兵庫県立姫路南高70回生、世界史選択者48名、2019 - 2020年度）のために書き下ろしたものを下敷きに大幅に加筆したものです。

これまでの職業人生をまとめるつもりで、先史時代から現代史までを通史で授業しました。私が次世代に伝えたいと考えていることを「世界史」として２年間、懸命に書き下ろしました。実際のプリントは本書に掲載したものとは異なる悪名高い「穴あき」プリントでした。授業には穴を開けるわけにはいきません。未明に起きて作業することがしばしばで、いつも授業の直前に出来上がりました。完成させることができたのは心待ちにしてくれた生徒たちのおかげです。

最後の授業の後で、就職が決まっていたある生徒が「自分が学校で学ぶ最後の授業が先生の授業だったのでとても嬉しかったです」と職員室に伝えに来てくれました。この言葉は私の財産です。

高大連携の発想から高校世界史教育が改革されました。高校生の大学進学率は50%です。半数の高校生だけを念頭においた改革でいいのかと考えさせられます。

別の生徒は、次のようなメモを提出物に挟んでくれました。

「今までのプリントでの授業ありがとうございました。プリント、授業がとてもおもしろくて、深くて、あのような先生の授業を受けることができてうれしくて幸せです。プリントお疲れさまです。これからは先生が教えてくださったことを自分のものにして、自分の目でしっかりと世界を見ることができるようにがんばります。本当にわくわくする授業をありがとうございました。」

学ぶことが楽しい段階になるまでに、それなりの時間がかかるのはどのような習い事でも同じです。既知の中に未知を知る喜びを味わうための、その土台をつくる辛抱の時間、になるかも知れないと書きました。

知っているからこそ驚けることがあります。誰もが「春は桜」と思いこんでいるから、「春は曙」（清少納言）に目を見開かされるのです。まずは「春は桜」という陳腐な知識―驚くための土台を作りましょう。土台作りを暗記として否定するのはやめましょう。

長い序章になってしまいました。いよいよ本編の開幕です。お楽しみください。

第1章　ヒトから人へ

1　人間とは何か―「私は人間を探している」(ディオゲネス)

世界史を学ぶ、とは「人間とは何か」を探ることでもある。

次の二つの課題意識を持って、本書を読み進めてほしい。ここでまず自分なりの仮説を考え、最後に通読した時に、その仮説を再検討してほしい。

課題1　「人間」の定義とは何だろう。　＊1 ＊2 ＊3

「人間とは(　　　　　　　　　　　)する動物である」

またこのように考えた理由を記しておこう。

課題2　人間もほかの動物と同じように動物園に展示されたとする。そこに掲げる説明文を下の例文を参考に200字程度で作成せよ。

> 常滑(とこなめ、愛知県)のあるギャラリーで、陶芸家奥直子の動物立像の焼き物が展示されていた。そのアイデアと才能にしびれた。その動物の立像－中身は空洞だが、表面を虫食い状態にすることで内部の空洞が露わになるように造形してある(外部と内部の境が曖昧になっている)。これをアトリエの窓際に立たせて「展示」している。外から見れば展示であるが、彼ら(動物の立像)の側から見れば、ガラス越しに道を歩く奇妙な動物「人間」を見ている構図。人間の動態展示になっている。その人間の生態を見て大騒ぎしているかのように造形されている。さながら動物園の檻の前で、子どもたちが、中の動物の奇妙な動きに大騒ぎして、親を振り返って「あれを見て」と動物を指さして教えているような雰囲気。動物と人間の立ち位置が逆になっている。
>
> そして道行く人間を解説するように壁に「人間」と題した陶芸家奥直子の解説を貼っている(以下が上記課題の例文)。
>
> 「直立二足歩行する。好奇心旺盛な個体が多く、彼らが手にしている四角い板は『スマートフォン』といって、主に通信を行う手段とされる。他に風景を写し取る行動も近年多く見られ、理由は不明だが彼らはしばしばそれを仲間と共有する傾向にあるとされている。極めて承認欲求が強く、複雑怪奇な生き物である」。

PROPOS　＊1

「人間は社会的動物である」(アリストテレス)、「考える葦である」(パスカル)、「ホモ・サピエンス(知恵ある者)である」(パスカル)、「ホモ・エコノミクス(経済人)である」(マルクス)、「ホモ・ファーベル(工作人)である」「笑う動物である」(ベルクソン)、「ホモ・ルーデンス(遊ぶ人)である」(ホイジンガ)、「取引する動物である」(アダム・スミス)、「象徴(シンボル)を操る動物である」(カッシーラー)、「欠陥動物(だから欠陥を補っていく動物)である」(ゲーレン)。「他の生き物には絶対に無くて人間だけにあるもの。それはね、ひめごと、というものよ。」(太宰治『斜陽』)。昔から人びとは「人間とは何か」の考察をめぐらせてきた。「人間とは何か」について考えずにいられないのが人間であるかのように。

PROPOS　＊2

日常の観察から始めよう。「犬はドアを開けるけど閉めないなあ」、人間は閉めるけど後方を確認して「開けたドアを次の人のために押さえて待つ人は少ないなあ」―そういう観察から考えることが始まる。

PROPOS　＊3

人間に対する定義が、現実社会で重要な意味を持つ場合がある。人間を定義すれば、その定義から外れるものを「人間でない」とはじいてしまうことになる。例えば「人間は笑う動物である」と人間を定義すれば、「笑わないもの」は人間でない、となってしまう。逆に、そのように「人間である」ことからはじかれることを望む場合もある。さてここで応用問題―「これまで世界で最も多く描かれてきた肖像画のモデルは誰か」。ヒント―その肖像画には一枚としてモデルの笑った姿は描かれていない。かつてはそのモデルの笑った肖像画も描かれたらしいが、「人間は笑う動物である」という人間の定義が支配的になってからは微笑んだ絵は消去された。またそのモデルの叙述からも、笑ったとされる箇所の一切が削除された(答えはp.52「わんクリック」)。

画蛇添足

▼「人間とは何か(人間とはどういう動物なのか)」―これまで様々な定義が試みられてきた。いまこの問いは、外観も動作も人間そっくりのアンドロイドロボットを制作する研究者がよく口にする。アンドロイドを作るには人間を分かる必要がある。▼危険な問いでもある。その条件を満たさないものを「人間でない」と排除し、差別を引き起こしかねない問いである。またこの問いはこれまで「人間とは何々する動物」と定型的な回答を引き出してきた。問うことでかえって思考を狭めてきた問いでもある。▼問い方が人間を他の動物から分ける指標を求めている。人間は動物である。人間も他の動物も、すべての動物が進化の産物である。そのことを失念した時に、私たちの思考は人間中心主義に陥ってしまう。「私たちの90％はチンパンジー、10％はミツバチ」(ジョナサン・ハイト)との突き放した指摘もある。▼そもそも定義できないことを試みていると懐疑する向きもある。「すべての定義が失敗するほど人間は幅広く、多岐多様である」(シェラー)し、「人間一般を知ることは、ひとりひとりの人間を知ることよりやさしい」(ラ・ロシュフコー)からである。「人間とは何か」という問いは、人間一般の存在を前提とする。人間一般は存在せず、存在するのは個別の人間だけ、という議論(実在論と名目論の対立とその変奏)も繰り返された。▼「答えはない、なぜなら問題が存在しないからだ」(デュシャン)―疑似問題との結論になるかもしれない。「何か」という本質を求めること自体が特定の文化の影響かもしれない。それでもこの問いに向き合っていこう。高校世界史の親学問である歴史学をはじめ人文科学は「人間とは何か」の関心の上に成り立っている。

わんクリック　本欄では本文の深い理解につながる書籍、映画、音楽、芸術作品、キーワードなどを紹介する。ここの「わん」は子犬の直観。「ここ掘れ」の「わん」で、クリックしてもどこにもリンクしていない。価値のある情報はひと手間かけて取りにいかないと得られない。詳細情報はネット上で簡単に入手できる時代。本欄では検索できるキーワードだけの紹介にとどめた。本の紹介の場合は読みやすさを重視したが専門書、高価なものも混じる。学生の間は公共図書館を活用してほしい。社会人になったら購入して出版文化を支えてほしい。子犬の無駄吠えとならないように、ぜひひと手間をかけてほしい。

History Literacy　「ヒストリーリテラシー」－歴史は過去と重ならない、そのズレを意識して歴史とかかわるチカラ。

2 人類の誕生と「進化」(変化) ＊1

別の道を歩みはじめたヒト

①どこでヒトは共通祖先と別の道を歩みはじめたのか

- 人間(ヒト、ホモ・サピエンス・サピエンス)の定義 ＊2
- 人間の古典的定義(ダーウィン)

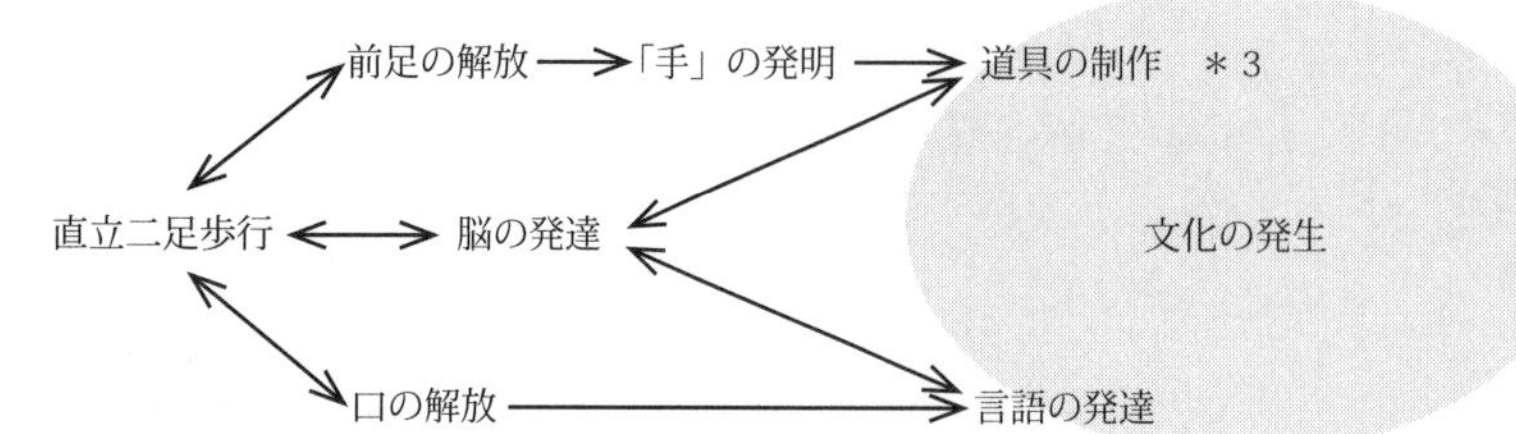

②これまで存在したヒト — 化石人類と現生人類に大別

a. 古生人類(化石人類)— 化石としてのみ存在するヒト

初期猿人、猿人、原人、旧人

b. 原生人類 — 生き残った唯一のヒト

新人(ヒト、ホモ・サピエンス・サピエンス)

最古のヒト — 石を道具に変えた猿人 (※)

- 猿人(初期猿人、猿人)段階 ＊4
- 脳容積 500cc
- 最古の人類 — 議論のすえ「人間」と認定

  初期猿人(サヘラントロプス・チャデンシス)は 700 万年前の地層から出土
- アウストラロピテクスの発見

  約 400 万年前の地層から出土

  オルドヴァイ渓谷(タンザニア)でリーキー夫妻が発見(1959) ＊5

  └ プレートテクトニクス理論の「広がる境界」(アフリカ大地溝帯)は化石が発見しやすい

  礫石器と共に出土、論争決着

  └ 打ち欠き方の人為性や、使用痕の有無から「道具」と専門家が判断
- 打製石器の使用 — 旧石器時代のはじまり

  握斧(あくふ)(ハンドアックス)など形を整えた石器 — 100 万年以上使われた道具

  └ 握りやすく左右非対称、人類最初のデザイン

PROPOS ＊1
evolution には「進化」の訳語があてられているが、生物学の進化とは変化、展開といった意味であり、方向性を含んでいない。「進化」は「変化」と読みかえたい。ヒトを含めすべての生物は変化し続けている。

PROPOS ＊2
尻尾があるサル(モンキー)、ない類人猿(エイプ)—オランウータン、ゴリラ、チンパンジー、ボノボ。7百万年前にヒトはいまの類人猿と祖先を共有していた(ヒトは類人猿から進化したのではない)。ヒトも類人猿も変化し続けている。旭山動物園(旭川)の類人猿の行動展示、テナガザルの樹上生活の見事さは見飽きない。なぜ私たちの祖先は樹上生活を断念し、陸に降りたのか。動物園で、類人猿をそれを観察するヒトも視野におさめながら観察して考えてみよう。なお、カタカナ表記「ヒト」は生物としての側面を強調する用法。

PROPOS ＊3
「人間は欠陥動物」(ゲーレン)人間は道具を発明、改良して身体機能を拡張し、自然に働きかけ、食料入手の安定化をはかり生活を豊かにした。前足が「手」に変化。手持ち無沙汰からか、辺(あた)りの石を投げたり(石器の誕生)、土を捏(こ)ねたり、火遊び(土器の誕生—土と火の出会い)をしたりした。

PROPOS ＊4
歴史教科書は様々な「カテゴリー」を使って過去を整理する。これは私たちが理解のために作ったもので、私たちの頭の中にある枠組み。脳の容積で人類の発達段階をカテゴリー化。カテゴリーは全体の平均値での分類。カテゴリー間格差(集団間差)よりカテゴリー内格差(個体間差)の方が大きい。そう考える脳は個体差の方が大きい。

PROPOS ＊5
オルドヴァイ渓谷は「人類揺籃(ようらん)の地」というより、発見しやすい場所。日本は酸性土壌で石以外は溶ける(沖縄は例外で石灰岩質)。何十万年前の人骨は出土しにくい。

画蛇添足

▼「人間は考える葦」(パスカル)―人間は生き延びるために甲羅(こうら)、牙(きば)を捨て、脳を発達させた。直立歩行で頭が座ったので物理的に脳の発達が可能となった。脳は消費エネルギーが大きい。その運搬のために大量の血液が必要になり心臓に負荷がかかる。エネルギーを割けない消化器は退化。食べられなくなった植物は「雑草」と括(くく)って諦めた。全植物の10分の1も食べられない。▼脳の発達はエネルギー消費の少ない直立二足歩行と相性がよく、ヒトは長距離移動する動物となった。そのエネルギーを脂肪分として蓄える能力を得た。その結果、少々走ってもエネルギーを消費しない(痩(や)せない)身体となった。ダイエットするならエネルギー消費の大きい脳を使う(勉強)の方がよい。▼頭蓋骨の大型化と二足歩行による骨盤の狭小化。胎児が母親の骨盤を通過するのが危険となった。そこで母親は未熟な段階で胎児を出産。それが人間に幼児期や教育による可塑性(かそせい)、親子に絆(きずな)を与えた。▼他にサバンナに降りて二足歩行する動物はいない。いかに不利な選択かを物語る。豊かな森から追放されて逃げ場のないサバンナで生きることになったヒト。短距離が苦手だから狙われたら逃げきれない。熊に出会えば死んだふりしか手だてはない。いまでこそ食物連鎖の頂点捕食者だが、まだ野生動物であった時代のヒトは、長い間、エサにされないように逃げ回っていた。▼二足歩行の利点は見通しがきくこと、捕食者に自分を大きく見せてたじろがせることぐらい。死肉のおこぼれ、骨髄液に喰(く)らいついた死肉食い(スカベンジャー)。ヒト(科)は20種以上を数えたが奇跡的に生き延びた唯一の種「私たち」を残して絶滅。自ら招いた環境の激変を前に私たちも絶滅するのか。

わんクリック 変化の緩慢な時代に個体は次世代への情報伝達を遺伝子で行う。ただ人間の世代交代を 25 年(諸説あり)とすれば変異のチャンスは 1 世紀で 4 回のみ。環境変化が急になると、脳を発達させて伝達(教育)してきた。とはいえ圧倒的に重要な役割を担ってきたのは遺伝子の変異(コピーミス)。変異により多様性が作られたことで人間は環境の変化を生き残れた。意図するものでないが「間違うチカラ」が生き残るためには必要。その点、いま教室での歴史の知識の伝達はほとんど「伝言ゲーム」状態。歴史教師はこれで頭を悩ませるが、これで歴史の知識の属人性も希釈されてきたのかもしれない。

History Literacy 「最古」は「いまのところ最古」と読む—また最古の強調は歴史叙述に内在する価値観のあらわれ。

世界中に広がるヒト — 火を入手した原人

①原人段階（約 200 万年前 〜 5 万年前） ＊1

- 脳容積 1000cc
- アフリカを出て各地へ拡大（「出アフリカ」） ＊2
  - └ 東西方向への拡大（移動ではない）は容易、気候が異なる南北方向の拡大は冒険（特に南から北方向）
  - →全陸地を居住地（エクメーネ）とする動物へ
    - └ 新大陸に類人猿は到達せず（いまも小型のサルのみ生息）

②世界各地から出土する原人

- 主として植民地支配を受けた地域から発見
  - └ 考古遺物は植民地支配（地下資源の探索）の副産物
- ジャワ原人（約 160 ~ 10 万年前）
  - ジャワ島のトリニールでデュボア（オランダ）発見（1891）
- 北京原人（約 60 万年前）
  - └ 復元された頭蓋骨が日中戦争中に行方不明、発見者に懸賞金あり
  - 地質学者アンダーソン（スウェーデン）が発見（1929）
  - 洞穴に炉の跡
  - └ 低温多湿で住居に不適だが身を護れる（食事時と睡眠時が不用心になり捕食されやすい）
  - →火の使用の可能性、言語の使用の可能性 ＊3 ＊4
    - └ 自然発火との区別が難しい　└ 直接証拠が残りにくい

抽象的概念を手に入れたヒト — 死を知り、死を恐れるようになった旧人

①旧人段階（約 50 万年 〜 4 万年前）

- 脳容積は 1500cc
  - └ 現生人類の平均と変わらないかむしろ大きい
- 剥片石器など用途別の精巧な打製石器使用
  - 原石から剥片石器を作る石刀技術（ルヴァロワ技法）(最大で 70 種類ほど)

②ネアンデルタール人 — 私たちの最後の隣人

- 約 20 万年前のヨーロッパ各地の地層から出土
- 死者の埋葬など精神文化の発達 —「こころ」の誕生（「こころのビッグバン」）
  - └ 花を手向けた痕跡（花粉が残存）、壊されて（食べられて）いない骨の出土からの類推
  - 「死」という抽象的概念の誕生

PROPOS ＊1

人類の起源を求めて考古学者は土を掘る。しかし人口がわずかの猿人、その化石化した骨が見つかる確率は低い。偶然発見できても頭蓋骨（ずがいこつ）や骨盤の一部。推測復元した脳容積から能力を、骨盤構造から直立二足歩行の当否を、石器が一緒に出土するかで人骨かどうかを推測。原人が発見しやすい洞穴に住みはじめ、旧人は痕跡（こんせき）が残る埋葬を始めたので猿人より多く出土する。

PROPOS ＊2

全陸地の 9 割が人間の居住地。これほど広く分布する個体数の多い（2022、80 億）動物は存在しない。環境への負荷も大きく存在そのものが生物多様性の脅威。ヒトが大量繁殖する時代を人新世（じんしんせい）と呼ぶべきとする地質学上の議論が最近注目されている。

PROPOS ＊3

「調理で人類は進化した」（R. ガンダム）。人間は料理する動物。火の使用は食物のレパートリーを増やした。加熱で消化しやすく、生食より多くのエネルギーを摂取できる。加熱による毒抜き効果は多くの植物（しょくぶつ）を食物（しょくもつ）に変えた。動けない植物は捕食されないように毒を持つから生食は危険。水にさらすか過熱で弱毒化。とはいえ毒は薬（クスリ）、薬は毒（リスク）でもある。多くの生薬は植物起源。動物にとり怖いだけの火。人間は火遊びも含め、火の始末、火のつきあい方を知った。その火が家庭から消えつつある。

PROPOS ＊4

餌（えさ）を多様にできず棲息（せいそく）域を広げられなかった動物は多い。人間は雑食。何でも食べないと生きられない環境に置かれたからか、それとも雑食だから広域に分布できたのか。類人猿は肉食しないが人間は食べる。火の使用が肉食を可能にしたのか。逆に昆虫を食べなくなった。地球で最も豊富なの生物は昆虫。いまコオロギ食をめぐり議論がある。育てる飼料も水も少量。高たんぱくで低糖質だが…。機内食で「肉、魚、それとも昆虫？」と尋ねられる日が来るのか。

画蛇添足

▼握斧（あくふ）は「できあがりの形を思い描き、どうしたらその形になるのかを予測」できる高度な抽象能力を必要とするとの指摘がある（松木武彦『進化考古学の冒険』）。ハラリも『ホモサピエンス全史』でヒトが今日の繁栄を築けたことを虚構を思い描く力を得たこと（認知革命）に求めた。「できあがりの形」もいまここにない虚構。▼このしずく型石器に「デザイン」を見ない見解もある（インゴルド『メイキング』）。握斧は百万年以上、三大陸で制作されたのに形状に違いがない。ハンマー代わりに使えば周囲が剥（は）がれて同じ形になるとする。形状にデザインを見る／見ない—どちらが適当か。▼歴史の解釈はその人がどのような書物に出会ってきたかの偶然に左右される。筆者も優れた書物に出会う度に教える内容を修正してきた。歴史の知識は属人的で誰が教えても同じにならない。デザイナーの原研哉は石という加工しやすい媒質を手にした偶然が人間の創造力を鍛えた、とする（『日本のデザイン』）。ここにも偶然が宿る。筆者の歴史の解釈にも偶然性が宿ることを断っておきたい。▼「人生を変えた本」—偶々（たまたま）手にした本に人生を左右されるのが青年期の危うさ。「わずかばかりの学問はかえって危険」（アレキサンダー・ポープ）。無人島に一冊だけ持っていくならどの本がよいか、の定番の問いがある。筆者なら、一冊だけなら何も持っていかないほうがよい、と回答する。様々なものに接することで自らの偶有性（ぐうゆうせい）を減じていくのが大人になること（※）。▼多種多様な書物をたくさん、自分の考えの正しさを確認するためではなく、それを揺さぶり、頭を柔軟にするために読む。偶有性で織りこまれている歴史書を読むことは思考のストレッチになる。

わんクリック　体毛を失うことが進化と思えない。やはり変化と呼ぶべきだろう。遺伝子の変異という偶然で体毛を失い、衣服を発明する必要が生じ、その結果として寒冷地にも住めるようになった（島泰三『はだかの起原』）。1月の平均気温が－ 50℃を下回るオイミャコン（ロシア）にも人間は定住。私たちの命は偶然の連なりによる結果—「有り難い」もの。また体毛を失った私たちは皮膚を通じて世界と接するようになり、感覚器としての皮膚を発達させてきた。人間の歴史において偶然がかなり重要な役割を果たしている、といった客観的証拠はないが皮膚感覚で実感できることも大切にしたい。

History Literacy　歴史の知は偶有的（対義語は本質）—多くの歴史の知と接しなければ過去を見る目は深まらない。

私たちの登場 ─ 唯一生き残った新人

①新人段階（約 20 万年前 ~ 現在）

└ 現在の私たち全員が元アフリカ人

- 約 20 万年前にアフリカで出現、脳容積 1500cc

  └ 約 8000 回世代交代（1 世代 25 年計算） └ 私たちの脳容量は 20 万年間変化せず

- 6 ~ 7 万年前にアフリカを出て世界に拡散、現在にいたる

  └ 当初はネアンデルタール人と共存

- 剥片石器（石刃石器）の精巧化 ─「文化のビッグバン」 ＊1
- 骨角器の使用

  道具の材料が骨や角に広がる

  └ 石器ではできない細かい加工が可能

  手持ちの投槍器・投矢器（アトラトル）― 飛び道具の発明

  └「人間は投擲する動物である」（クロスビー『飛び道具の人類史』）

  針などの使用 ― 針の発明 ＊2

  └ 一端を鋭く、他端に穴を開ける発明

  →狩猟の多様化、生活の多様化

- 女性裸像の製作

  └ 多産豊穣の象徴か

- 身体装飾、身体加工

  自分の属性を示す（アクセサリー）、他から見られることの意識

  └ 10 万年前よりビーズ制作（美しいメロディーのように視覚的に陶酔できる配色の追求）

- クロマニョン人 ― 洞穴絵画を描く ＊3

  洞穴絵画

  └ 狩猟の成功を祈る呪術行為か（ただし鹿食にもかかわらず鹿の絵は少ない）

  アルタミラ（西）、ラスコー（仏）などで発見 ＊4 ＊5

  └ 約 2 万年前、1879 年発見 └ 約 2 万年前、1940 年発見

  彩色された動物絵画、絵が文字に先行したことを物語る

  └ 果実に依存する霊長類は果実の熟れ具合を知るために色覚を発達させた

  →最近はショーヴェイ（仏）など約 3 ~ 4 万年前の洞窟の発見が続く

- 周口店上洞人

  └ 1933 年北京原人が発見されたのと同じ洞穴上部で発見

PROPOS ＊1

石核石器は「ハンマー」、剥片石器は「ナイフ」。残り物を使う逆転の発想。石器製作のコペルニクス的転回。これこそ一石二丁。原石から一撃で思い通りの形の剥片を分離する高度な技術（ルヴァロワ技法）。

PROPOS ＊2

「人間は纏う動物」。剥片石器（ナイフ）があれば動物の皮を鞣して柔らかくできる。骨角器（縫い針）があればそれらを縫い合わすことができる。皮を革にするのが皮革。脂肪をはぎ取り、叩いたり、擦ったり、揉んだり—この鞣工程の結果、皮は人間が利用できる革になる。また自然から色を抽出して染色。変異で体毛を失った身体を守る衣服を作るため様々な技術が誕生した。

PROPOS ＊3

「クロマニョン人が五番街を歩いていても誰も振り返らないだろう」はクロマニョン人と私たちの身体的近さの喩え。またニューヨークの多民族性を強調した言葉。

PROPOS ＊4

遊んでいた子どもたちが偶然発見したラスコー洞穴。陽の届かない洞窟内に 2 万年前の人びとは壁面の起伏を利用して絵を重ねて動きを表現。写生ではなく、外で見たことを記憶して一筆書きで素描。この絵に人間の記憶力の高まりも見ることができる。動物は迫真的だが人間の描き方は稚拙。現実はまず絵で写し取られたと分かる。ただし、絵は誰にでも描けるものではない。のちに絵が記号化されて文字となった。

PROPOS ＊5

「ラスコー（仏）」表記。これはラスコーが現在仏領であることを示す。当時、フランスは存在しない。ただラスコーはいまフランス人の国民的記憶に組み込まれている（ノラ『記憶の場』）。彼らはいまのフランス人の直接の祖先でないが、彼らの祖先でもあり私たちの祖先でもある—それが世界史を学ぶときの基本姿勢。北京原人も同じ。

画蛇添足

▼ネアンデルタール人は約４万年前に絶滅するまで私たちの祖先と一緒に生活していた。私たちの進化の「最後の隣人」。人類史上最大の脳容量で、私たちを上回っていた。脳は必要があって発達する。彼らの脳は何に使われるために大きかったのか謎である。▼私たちとは同じヒト科だが自然交配しない別種（交配しない、子どもが誕生してもその子に生殖能力はない）、ヤギとヒツジのような（分かったようでよく分からない）関係とみなされていた（最近のＤＮＡ鑑定で両者間で交配もあったことが分かった）。脳容積の大きさだけでなく身体も強かったネアンデルタール人が絶滅し、なぜ弱かった私たちが生き残ったのか。▼吉川浩満『理不尽な進化』は、進化の本質は絶滅した側から見える、と主張。誕生した生物の９９．９％が絶滅したこと、それらの存在を意識して過去を認識することの大切さを指摘する。人類史で残ったのは私たち新人だけ。これも「なぜ滅んだのか」と問うよりは「なぜ生き延びることができたか」を問うべきなのか。問われなければいけないのは問い方そのもの、と指摘される。▼私たちは弱かったから生き延びたのか。体格的に劣った現生人類は寒さに弱かった。だから衣服を作りだした。衣服さえあればより広い範囲の環境で居住でき、生き延びる確率も高くなる。生物的適応力でなく文化的適応力が私たちを生き残らせた、ということか。▼歴史教科書は消えてしまった圧倒的多数ではなく、残ったほんの僅かな偶然的存在が行った例外的事例を叙述する。教科書は強い生存者バイアスに支配される（※）。生き残った者、成功した者の経験を基準に判断する認識の歪みが生存者バイアス。行間に無数の死者の存在を意識しながら読みたい。

わんクリック 人が日常生活のなかでとる姿勢は「立つ」「座る」「寝る」の３つ。多くの人が人生のかなりの部分を椅子で過ごす。そのような動物は人間だけ。この予想外の事態に、長い狩猟採集生活に適応して作られた身体はフィットできず不適応を起こしがち。椅子は最もデザインの試行錯誤が繰り返されている道具。先史時代は歴史学の守備範囲外。歴史学は（文献）史料の裏付けがない時期の言及に禁欲的。だから信用できるのだが、人間の歴史の 99% 以上を占め、人間の特徴の多くが形成された時代を「先史時代」としておまけ扱いにするのは大きな欠陥。この時代に様々な仮説で迫るのが進化人類学。

History Literacy 歴史叙述は生存者バイアスにより支配—「爆心地の話をつたえてくれる人はいません」（大江健三郎）。

②人種 — 生物学的に無効な概念 (80 億のヒトはすべて同一種) ＊1 ＊2

・生活環境への適応結果、皮膚・毛髪・目の色など身体的特徴が発生 ＊3

└ 地域集団ごとに固有の遺伝子配列が形成され、身体的特徴として発現

・人種主義 (レイシズム)

欧米社会が身体的特徴を「人種」と序列化、植民地政策正当化に利用

└ 肌の色の違いに基づき人間を 4 つに区別するのは欧米文化

③語族

・言語を起源ごとに分類しようとする試み (不完全)

・インド・ヨーロッパ語族

ヨーロッパ諸語、ペルシア語、ヒンディー語

・ウラル語族

マジャール語 (ハンガリー)、エストニア語、フィンランド語

・アルタイ語族

モンゴル語、トルコ語、ツングース語、(朝鮮語)、(日本語)

・シナ・チベット語族

└ 音の高低のパターンで意味を変える声調が特徴

漢語、チベット語など

④民族

・共通の帰属意識を持つ人びとの集団 (本書では一律に「○○人」と表記)

└ 主観的意識が民族の根拠

・言語や宗教、社会的慣習、習俗などの文化が帰属対象

3 地球の気候激変 ＊3

1 万年前の地球温暖化 ＊4

・約 1 万年前の大きな気候変化 — 氷河期を生き残った新人

最後の氷期が終わり地球温暖化

└ 何百万年に一度の気候変動にヒトが遭遇

→海水面の上昇で地形、植物の分布が現在に近くなる

→狩猟・採集対象の大型動植物の消滅

└ 狩猟効率のよい大型獣消滅、すばしっこい小型獣は狩猟困難

→各地域でヒトは新しい環境へ適応

PROPOS ＊1

「黒人は身体的能力が高い」「天性のリズム感がある」といった言説が絶えない。これらは社会・経済的な要因による。黒人にスイマーが少ないのはプール建設コストが嵩むことと、彼らのプール使用を禁じる差別があったため。人種は存在しないが人種差別が存在し、人権は普遍的でないのに人権侵害は普遍的なのが現代の課題 (※)。

PROPOS ＊2

ヒトは常に同時に数種が共存。これまで約 20 種。しかし「私たち」の種以外はすべて消滅。他に違ったヒトの種がいて交流していた事態がいまとなっては想像しにくい。色々な犬がいたのに、なぜか秋田犬だけしか残っていないような、多様性が失われた状況がいまのヒト科の状況。いまは 1 種のみだから地球上の誰とでもつがいになれる。動物園の檻で展示する時の表札は「ヒト」(学名ホモ・サピエンス・サピエンス)。世界中の誰が代表となって入ってもよい。

PROPOS ＊3

皮膚は紫外線を吸収してビタミン D を作る。不足でくる病になる。高緯度では肌のメラニン色素の沈着が減り (色は白くなる) 紫外線を多く吸収。低緯度では色素を沈着させて過剰摂取を防ぐ。世代交代に際して DNA のコピーミス (変異) で少し肌合いの違う個体が生まれる。それが環境に適応して偶々生き残ればその遺伝子配列が主流になる。ホモサピエンスの出アフリカ後の変異の繰り返しで白人、黒人の身体的特徴が形成 (遺伝子配列の違いは身体的特徴が中心)。

PROPOS ＊4

農耕の開始は西アジアの穀物栽培だけでない。世界各地で人びとは新気候に対応。農耕は多元的に発生。それまで植物が栄養分を貯めていた球根、塊茎などを採集民は利用。この根菜農耕も始まる。東南アジアではバナナ栽培がはじまる。ただ根菜は輸送するのに重く、長期保存が効かず、文明に繋がりにくかった (新大陸文明は例外)。

画蛇添足

▼人間はいつ音声がコミュニケーション手段として使えると気づき、言語を誕生させたのか。ネアンデルタール人の脳容量であれば言語を持っていたはずと推測されている。他方で喉頭の形状から細かい発音は無理とみられている。▼個々の身体能力が高かったネアンデルタール人は集団で協力して狩りをしなかったからコミュニケーションの必要がなかったのか。身体が弱かった現生人類は共同作業が不可欠だったために言語が発達した、とされる (加藤重広『言語学講義』)。弱かったから生き延びた逆説的事態は現生人類だけでなく生物全体に指摘できる特徴 (稲垣栄洋『弱い戦略』)。人間は群れることで捕食者に対抗し、群れを維持するために人間関係の維持に努めたのかもしれない。▼狩りなどで必要事項の伝達のために生み出された道具と理解されがちな言語。そうではなくて集団性を維持するために生まれたとみるのはロビン・ダンバー (『ことばの起源』)。彼は言語活動をサルの毛づくろい(グルーミング)に重ねる。体毛を失ったヒトは毛づくろいの代わりに他愛のないうわさ話(ゴシップ)を興じ続けるのだという。意味のないことを言い合う行為自体に意味があり、内容がないことに合理性がある行為。ノミがいなくてもサルは相手の体をまさぐりつづける。▼とはいえ誰と誰の仲が悪いのかといったゴシップは社会生活で地雷を踏まないために必要な情報。誰が信用できるのかの信用情報の伝達。ゴシップを好み、多数派意見に同調することで私たちの祖先は生き延びてきた。集団性の維持、複雑な人間関係の処理のため脳が発達したとの指摘もある (長谷川真理子『「はじまり」のはじまり』)。脳を発達させた人間関係の面倒に、多くの人がいまも頭を抱えている。

わんクリック 自国文化について語れることが国際人の第一歩。日本語の特徴について—それは日本語が属するユーラシアの共通言語アルタイ語族の特徴—について語れるだろうか。田中克彦『ことばと国家』(1981) は世界史を理解する上での基本書 (田中は日本語は基本的にアルタイ語とみる)。単語に「てにをは」など接尾辞を貼り付ける (膠着語)、SOV 文型、語頭に r 音がこないこと (日本人は r の発音が苦手) などを特徴とする。同じ語族内だと単純化すれば単語の入れ替えだけですむので語学の習得は比較的容易。だからモンゴル出身力士は短期間でまったく淀みのない日本語を話すようになる。

History Literacy 「存在」に不思議がある (人種は存在しないが人種差別が存在し、人権は普遍的に存在しないが人権侵害は普遍的に存在)。

農耕・牧畜、遊牧のはじまり ― 人間の動物支配の開始

①農耕・牧畜 の開始

・前 7000 年頃、西アジアで農耕と牧畜の開始　＊1

└ 野生の冬麦、野生の山羊・羊・牛など　└ 狩猟・採集生活も続く

・犬、豚、牛の家畜化　＊2

└ 最初の家畜トナカイ説も、角は骨角器、靭帯から糸を作り針で毛皮を縫う (裁縫の起源か)

②遊牧の開始

・馬、羊、山羊などの群れで生活する有蹄類を集団馴化

└ 子羊を「羊質」にとり母羊から搾乳、オスを去勢することで抵抗させない (去勢の発見)

→搾乳により乳 を主要栄養源とする生活様式　＊2

└ 人間と動物との距離が近くなり感染症が発生 → 人類の歴史は感染症との戦い

③旧石器時代と新石器時代

└ J. ラボックが主著『考古学』(19c) で提唱、使用道具による時代区分　＊3

a. 旧石器時代

・打製石器を使っていた時代

└ 石核石器、剥片石器など

・狩猟・採集・漁労で生活物資を獲得 (獲得経済) していた時代　＊4

└ 20 万年の私たち新人の歴史のほとんどは狩猟・採集、その中で私たちは進化

b. 新石器時代

・磨製石器を使っていた時代

└ 砂や砥石で表面を磨いた石器 (石臼、石杵)

・農耕・牧畜、遊牧で生活物資を生産 (生産経済) していた時代

・土器の制作 ― 土器の使用開始

└ 穀物の調理 (煮炊き) や貯蔵、植物の灰汁抜きなどの用途

粘土を水で練り、乾燥後に焼けば固く丈夫になる発見

└「土は水を得て形となり、火を通してやきものになります」(INAX ライブミュージアム)

・洞穴生活から平地の村落定住へ (「洞穴から竪穴へ」) ― 定住の開始

└ 人間は特定の土地との関係を深める (文化の形成)

竪穴式住居の発明 ― 住居の基本構造の発見　＊5

└ 地面を 1m ほど掘り下げて床面を作り、柱を立てて屋根を付ける

集住が可能となり「社会」の成立を促す ― 社会の成立

PROPOS　＊1

小麦は捕食されないように葉と茎は動物には消化できない材質。稲と違い小麦の種子は硬い殻で守られている。誰がこの小さな粒を集め、砕き、捏ねて、焼けば食べられる (粉食できる) と気づいたのか。手間はかかるが蕎麦と違い小麦は塩水でこねると成型しやすく取り扱いが容易。寝かすと旨味がでる。乾燥と寒さに強い小麦は冬の雨で成長、春に実をつける (冬小麦)。夏に成長する草に邪魔されない強み。寒冷地では春に種を蒔く (春小麦、品種は同じ)。

PROPOS　＊2

乳に依存するのが遊牧。対象は五畜 (馬、牛、羊、山羊、ラクダ)。搾乳できない犬、猫、豚は家畜になるが遊牧の対象外。山羊は草を食べすぎるので羊を中心に構成する。

PROPOS　＊3

時代を石器、金属器、鉄器の道具で区分するのは博物館展示での必要から生まれたカテゴリー。石器時代に木器も使われたはずだが木器は残らない。残ったものから私たちは過去を再構成。そこから生じる歪みに注意 (※)。そこに着目すれば、人類史はずっと木器時代ともいえる。鉄に炭素を加えた鋼 (鉄鋼) が主役になったが鉄器時代はいまも続く。ただ石器も使われている。

PROPOS　＊4

土地の動植物の生態を知悉しなければ成立しない生活様式、狩猟・採集が失われつつある。動植物の生態をよく知るのは学者でなく、地域に住み、生態系を尊重して狩猟してきた狩猟・採集民。この文化が途絶えると人間と動物の共存は難しくなる。本来は狩猟・採集・漁労というべきだが西欧で一般的でない漁労が省略されがち。いまも多くの人が天然魚を食べる日本は世界有数の魚食社会。漁労社会が続いている。

PROPOS　＊5

土の中の温度は一定。土を掘り下げた竪穴は洞穴に似ていて夏涼しく、冬暖かい。

画蛇添足

▼ドメスティケーション―野生動物の家畜化と野生植物の栽培化を人類史最初の革命としたのはゴードン・チャイルド。「革命」というが狩猟採集から農耕への移行は、数千年という長い時間をかけて起きた緩慢な変化。「人類が築いた最大の遺産は何か」という問いがある。「失えばもう手に入らないもの」。▼言語はその筆頭だが、気づきにくいが植物の栽培種も該当する。野生種は時期を選ばずに種子を地に落とす。風に乗せて、あるいは果実を代償に動物に運ばせて広域に散らばさせる。そうして次の発芽を用意する。これでは人間は収穫できない。人びとは何千年もかけて脱粒性の小さな個体を見つけては交配し、非脱粒性の栽培種を作りあげた。気の遠くなる年月で手に入れた栽培種。失えばそれを再び手にすることは難しい。▼「実るほど頭を垂れる稲穂かな」。初秋に稲穂が作る光景は人間の理想のあり方と重ねられてきた。これは人間が躾けた不自然な光景だが、文字通りそこに美を見るのが人間の文化。栽培種の「取ってください」ポーズは種の自殺行為。ところで最近になって脱粒性を取り戻した「本来のイネ」が再出現しはじめたという。見た目は栽培種と同じだが収穫時に一粒も残っていない。農家泣かせのこの雑草にどう向き合うか。▼動物で初めて家畜化したのはオオカミ。何らかの事情で向こうから近づいてきた。正確には「犬の家畜化」でなく「オオカミの家畜化」。いまや犬の関心はもっぱら御主人様の行動。常に自分を見つめてくれるのは飼い犬ぐらいという人も多いはず。猫は人に懐かないが、農耕民の天敵ネズミを食べたので人間の片思いの対象になった。犬も子犬の間は好奇心旺盛。それが下の「わん」クリック。

わんクリック　主観的には野を良くするために野良仕事に汗を流すが、客観的にみれば、工業化 (化石燃料の使用) 以上に、農耕の開始が自然を破壊してきた。ドメスティケーション (動物の家畜化・植物の栽培化)―動植物を飼い馴らして人間に従順にする技術。カイコやハチも含めて家畜化に成功したのは 20 種程度。人間もまた飼いならされた。農耕で土地に縛り付けられ、穀物のリズムで生活する人間。国家はまた私たちを権力に従順であるように飼いならす統治技術―私たち自身が規範を遵守する自己家畜化を進める技術を開発。さらにいま私たちの思考、嗜好は AI 技術により飼いならされつつある。

History Literacy　「残っているもの」から過去を再構成する歪み―「先史時代」として巨大な空白を残す歴史学。

第２章　オリエント世界と東地中海世界

1　オリエント世界の成立

農村から都市、都市国家へ

①農村の誕生

└ 人口 10 人として、その全員が食料生産に従事する必要のある社会

・乾地農法、略奪農法で人口支持力弱く、小規模にとどまる

└ 雨水に依存 └ 施肥をせず　＊1

・原始農村　イェリコ、ジャルモなど

②都市の誕生 ― 治水と冶金による余剰の発生

└ 人口 10 人として、そのうち何人かが食糧生産に従事すればよい社会

・前 3500 年灌漑と金属器の使用　＊2 ＊3 ＊4

└ カレーズ（人工的暗渠）など

→生産力が向上し、余剰生産物発生　＊5

→社会的分業の発生

食糧生産に直接携わらない人びと（職業）の発生

└ この定義ではいま日本全体が都市、第 1 次産業従事者は 5% 程度

→神殿を中心に都市が成立

└ 構成員の統合の絆 └ 構成メンバーの職業が分化したのが都市

③都市国家の誕生

└ 人口 10 人として、その内部に「支配－被支配」の関係が生じた社会

・神殿への出納記録のため数字と文字が誕生　＊6

└ 簿記　　└ おそらく最初はトークン、記録のため記号（数字）、その記号を汎用化した文字

文字と数字の二つを操る抽象思考が可能に

└ ただし当初は話し言葉の書記はできなかった

→神官に権力、権威が発生、戦士の役割増大

└ お金を出し入れする者に権力が集まり、そこが狙われる

→貴族化して支配階級に階級分化

└ 特定の地位が世襲化されること

→都市国家の誕生

PROPOS　＊1

農業は土地に負荷をかける。1 回収穫すれば土壌は栄養分を失うため施肥（窒素、リン、カリウムの三要素）が必要。これらは自然界で一定のため農業生産量も限定されてきた。例えば窒素は窒素分子として空気の 8 割を占めるが安定しているため簡単には取り出せない。どのようにして取り出すか（窒素固定）を人類は試みてきた。

PROPOS　＊2

人間は火と出会い冶金技術を、水の確保のために灌漑技術を発達させた。灌漑とは勾配をつけて水を流す技術。長距離ほど難しい。下水の難度はさらに高い。勾配が緩いと水だけが流れ、肝心なものが残る。

PROPOS　＊3

木を倒す時、石斧は木の組織を引きちぎるが鉄斧は組織を断ち切る。それが生産力の差。金属器使用は、道具として生産力拡大、貧富の差拡大、階級を発生させた。武器としては「支配―被支配」関係を生んだ。

PROPOS　＊4

最初の金属器は銅と錫の合金青銅（ブロンズ）。融点 800 度はたき火で到達可能な温度。赤銅色で錆びると青い炭酸銅で表面が覆われ（青銅器名称の由来）、錆で耐腐食性が加わる。赤錆びて腐食する鉄との違い。

PROPOS　＊5

まず数字と記号、次に記号を汎用化した文字が発明。ただ文字時代に入っても口承での伝達も長く続いた。世界には新旧のものが共存する（※）。文字の発明は記憶の外部化（アウトソーシング）、忘却の始まり。

PROPOS　＊6

リンゴ 3 個とみかん 3 個は「3」という共通項で括れる、という数の概念と数字の発見（発明）。この数は見えない存在。「3 人」は存在するが「3」は存在しない。いま 6 個入りの籠と 7 個入りの籠を区別できる動物は数字を持つ（数えられる）人間だけ。

画蛇添足

▼人類史は都市化の歴史。人間は自然に働きかけて生産力をあげ農業に携わらない都市住民を養ってきた。20 世紀に都市化は急速に進展。いま世界の人口の半分以上が都市に居住している。都市で様々な文明が生み出され発達した。▼文化と文明は異なる。人間の生活の仕方全体が文化。文化が「耕す」から派生しているように土地と切り離せない。土地とそこに住む人びとごとに文化がある。違いがあっても優劣がないのが文化（レヴィ・ストロース）。▼例えば料理。イギリスで飲む紅茶はおいしいが、同じ茶葉と水を輸入しても日本では同じおいしさがでない。空気が違う。飲むときに土地の空気も吸い込む（出るときはおならになる）。空気といえばその振動がつくりだす音楽。場所により空気の温度や湿度が違う。口に入る空気だけでなく耳に入る空気も違う。オーケストラで一番大きな楽器がホールとされる。▼日本の街角あちこちに掲げられているイタリア国旗。トマトソース、モッツァレラチーズ、バジルの三色のトリコローレ。総数が日の丸を超えるのはバブル期のイタめしブームの名残り。それでも味は現地で食べる料理とは別物（別物として日本のイタリア料理はおいしい）。土地を離れて移植できないのが食文化をはじめとする文化。「酒はその土地を離れることを嫌う」（吉田健一）、「よいワインは旅をしない」（ボルドーの諺）。だから文化を味わうためには旅をしなくてはいけない。そこに旅の愉しみが宿る。▼一方で都市の市民をベースにするのが「文明」。文字、数字、法などの社会制度。文明には特定の土地が張り付かないから移転が可能。教室で取り扱うことができるのも文明の方。世界史教科書はもっぱら文明の展開を扱う。

わんクリック　小麦栽培の開始が国家形成につながったという世界史の定説を覆すのがジェームズ・C・スコット『反穀物の人類史』。国家は別の要因で形成され、そののちに灌漑、大規模な小麦（穀物）栽培が始まったとみる。本格的な農業なしで定住生活に移行した縄文文化。これを先行文化として知る日本では受け入れやすい議論。他に食べやすいものがあるのに、食べにくい穀物がどうして選ばれたのか。それは支配者にとって都合がよいからではないか。イモのように地中にできるものは収穫量も分からず課税しにくいが、地表にできる穀物は課税がしやすい、といった刺激的な議論が展開される。

History Literacy　いまから見て「画期的」な出来事も直ちに時代を変えたわけではない（令和の時代にまだ昭和も続く）。

④文化と文明 ＊1

- 人間の生活の総体が文化（基本的に土地と関係）
  - └ cultivate（耕す）→ culture（文化）
  - →各地域に固有の文化があり各文化は等価値
- 文化の普遍的側面が文明（一定程度の序列化可 ―「高度な文明」）
  - └ 時と場所を越えて移植可能な側面、とはいえ文化と文明の明確な線引きは困難
- 文明の三要素 ― 都市国家、文字の使用、金属器の使用

オリエント文明

- オリエント
  - 現在のヨーロッパから見た「東方」の意味（現在の中東）
  - └「日ののぼるところ」が原義、Occident の逆
  - 「肥沃な三日月地帯」を含む ＊2
  - └ Fertile Crescent、ブレステッド（米）の命名
- 乾燥地帯で大河の治水灌漑のため強力な権力を伴う国家が誕生 ＊3
  - →神権政治の展開
  - └「神の代理」として強力な宗教的権威（神の力）を使って土木工事などを指揮
- 三つの地域とその特徴
  - a. メソポタミア ―「ナツメヤシの文明」「粘土の文明」 ＊4 ＊5
    - ティグリス、ユーフラテス川に挟まれた地域
    - └ 短い流路、雪解け水で激しい洪水、流域に現バグダード
    - →開放的な地形（侵入されやすい）
    - └ バビロンはオリエント繁栄の中心地、繁栄のメタファー「バビロンのように」
    - →諸民族の入れ替わりが複雑な歴史
  - b. エジプト
    - ナイル川流域
    - └ 長い流路（世界最長 6700km）、エチオピア高原とヴィクトリア湖の二か所が水源
    - →閉鎖的な地形（砂漠と海に囲まれる）
    - →一つの民族による長期にわたる変化の少ない歴史
  - c. 地中海東岸地方
    - 歴史的に北半分がシリア、南半分がパレスチナ
    - →上記両地方の交通路として両地方の影響（大国家は形成されず）

PROPOS ＊1
ある水準に達した文化が文明、は文化と文明の一元論的理解。個性的（精神的）な文化、普遍的（物質的）な文明、は二元的理解。農耕開始で調理技術（生活技術）、その貯蔵に伴う様々な社会技術―数字と文字による出納記録、防御技術などの文明が発達。地域ごとに植物の成長を知る農事暦が作成され年中行事が作られた。こちらは文化だがどの地域にも似た行事があるように、文化と文明の明確な線引きは難しい。

PROPOS ＊2
高い山脈に囲まれたティグリス、ユーフラテス両河は短いが高低差があるので激しい洪水が起こる。人びとは高い塔を作り避難場所とした。他方、この氾濫が砂漠の中に沃野「肥沃な三日月地帯」をもたらした。

PROPOS ＊3
四つの乾燥地帯を流れる大河のほとりで国家、文明が誕生。「四大文明」は日本特有の表現（高校世界史初出は 1952 年）。灌漑には強力な権力が必要で、川沿いに居住地が限定されたため統治が容易。水のある半乾燥地は「日照りに不作なし」の好条件。しかし必ずしも文明に大河が必要なわけでもない。学んだ物語の枠組みの外に眼を向けることも大切。例外はいくらでもある。

PROPOS ＊4
乾燥地で不用意に灌漑すると毛細管現象で地中の塩分を地表に引き上げてしまい塩害を招く。特に小麦は塩害に弱い。シュメール都市国家群の衰退の一因とされる。耐塩性のある「万能の樹木」ナツメヤシ。実は栄養価が高くバランスのとれた食べ物。木に付いたままドライフルーツになる。

PROPOS ＊5
メソポタミアは樹木と石のない泥と土の世界（※）。泥に藁や布きれを混ぜて乾かせば硬度がでる。日干しレンガが建築材。人間も泥でこねて作り、洪水ですべてをリセットする世界（旧約聖書）の舞台。

画蛇添足

▼日本の学校の教室は南面し、西欧で教会は東面する。教会での祈りはイエス生誕の地に向けて捧げられる。生誕の地パレスチナ地方は西欧から見て東方に位置する。教会建築にあたり、まずオリエントの方角を定位することからはじめた。▼これがオリエンテーション。そうして「いま・ここ・わたし」―自分の立ち位置を確認する。物事を見るためには自分がどこから見ているのか、自らの立ち位置を知る必要がある。それが分かった上でその視座をずらしながら対象を立体的に把握していく。ただ自分の眼で見ていたつもりが、実は他の人の眼鏡をかけていてそれに気づいていなかった、ということが多い。▼『オリエンタリズム』（サイード）の眼鏡。歴史学は西欧で発達した学問。歴史を学ぶことで西欧の目を通して過去を眺めてしまう罠が待ち受ける。西欧は自らのアイデンティティを描くためにまず「自分たちでない」―否定の対象としてのオリエントの輪郭を描いた。「自分たちはこうだ」の輪郭を作るために自分たちでないものを他者の中に割り当てた。▼そのようにして作られたからオリエントには西欧の偏見が詰まっている。「オリエントとは一人だけが自由な社会である」（ヘーゲル）と東方では専制君主政が常態のように語られた。のちに他地域の専制君主政にまで修飾句「オリエント的」が被せられた。オリエンタリズムの代表的作品が「アジア的専制」。▼描きたかったのは、私たちが民主主義社会を作った、という自画像。だがオリエントに寄りかかり、現実に係留点を持たない語りになっている。世界を見るときにはオリエンタリズムの眼鏡を外すこと。オリエントに頼らずに「いま・ここ・わたし」の所在地を見極めたい。

わんクリック 西欧で紹介される日本とは「西欧でないもの」で、いまだに「侍、芸者」が言及されがち。これがオリエンタリズム的表象。「オリエンタリズムはオリエントではなく、西洋により多く依存している」（サイード）。「自分探し」が「自分でないもの探し」となり相手のイメージを作り上げる。旅に出ると人はオリエンタリストになり、旅行記にはオリエンタリズム色が強く出る。京都に行けば「京都らしいもの」を見たくなるのは人情。京都の人も期待される「京都らしさ」に応えて、「おいでやす」「おこしやす」と演じわける。「侍ジャパン」と名乗る日本代表チーム（内なるオリエンタリズム）。

History Literacy 写っていないものに重要なことがある―教科書、図表の写真は写っているものだけを見ない。

メソポタミア文明

①シュメールの都市国家群

- 前3500年頃シュメール人(民族系統不明)が都市国家建設　＊1
  - └ 世界最古の都市文明
- ウル、ウルク、ラガシュなどの都市国家
  - └ このあたりはバビロニアとよばれる
- 神殿が中心、神殿に付属のジッグラト
  - └ バベルの塔伝説のモデル
- 楔形文字を発明
  - └ クレーマー『歴史はシュメールにはじまる』

  当初は表意文字、のちにセム語、印欧語にも適応する表音文字へ
  →アケメネス朝時代まで用いられる(アラム文字にとって代わられる)
- 都市国家間で覇権争い、互いに抗争
  →シュメール人の統一国家は成立せず　＊2

②メソポタミア文化

- 多神教で現世的傾向
  - └ 神の足し算
- 楔形文字(粘土板)
  ベヒストゥーン碑文発見でローリンソンが解読
  - └ アケメネス朝のダレイオス1世の業績を多国語で記す　└意味が分かること
- 円筒印章の使用 ― 私有権の発生
  - └ 円筒印章(シリンダーシール)は現在の輪転機につながる発想 ― 印影の発明
- 叙事詩『ギルガメシュ叙事詩』　＊3
  - └ シュメールの英雄物語、アッシュール・バニパル王図書館焼跡から出土

  洪水物語→『旧約聖書』(ノアの箱舟)に影響
- 六十進法、七曜制、太陰暦、車輪など　＊4

③メソポタミアの統一

- アッカド人による統一(前24～、アッカド王国)
  - └ バビロニアとアッシリア地方の統合
- 北方のアッカド人(セム語系)がシュメール都市国家群を統合
  - └ メソポタミア最初の領域国家、サルゴン1世(高校世界史最初の固有人名詞)

PROPOS　＊1

民族系統が不明なだけで「謎の」と形容されるシュメール人。ウルの王墓からの出土品の絢爛さ(『ウルのスタンダード』などの象嵌技術)もメソポタミアで興亡した国家の中で異質。その後のメソポタミアでは現世的傾向が強く、王墓が発達しなかった。

PROPOS　＊2

民族を構成単位とした国民国家が現在の世界の基本単位。世界史教科書は国家が統一されている状態を肯定的にみる価値観に裏付けされている。その結果、「何とか王が統一した」が世界史教科書叙述の中心になる。現在「失敗国家」「崩壊国家」と呼ばれる国家は悲惨。ただそれを単純に過去に投影できない。統一国家があったから人びとが幸せで、なかったから不幸とは限らない。ただ世界史はメソポタミア史でみるように統一国家があった時期をつまみ食い的に言及する統一史になっている(※)。

PROPOS　＊3

「心は憎しみを生まない、憎しみを生むのはいつも言葉だ」(『ギルガメシュ』)。出来事を長大な韻文で記した叙事詩(ちなみに感情を記したのが叙情詩)。いま文章は散文が主流。読んだ時のリズムや音の響きはあまり意識されない。韻文では頭とか最後に同一の音を置き(押韻)、聴覚上の美感、記憶しやすさなどに気を配って文章を整えていく。特に母音の響きは印象に残る。

PROPOS　＊4

一週間はいつ始まるのか。日曜(アメリカ)か、月曜(欧州)か。では一日は。深夜0時の「明けましておめでとう」は実感を欠く。日常的感覚では一日の始まりは夜明け。ユダヤ教、イスラーム教では夕方の空に細い三日月(新月)を認めた時に新月が始まる、一日も日没から始まる、と考える。キリスト教もクリスマスはイブ(前夜)が重要。これがクリスマスの始まり。日本でもいまは前夜祭とみなされがちだが宵宮に神が降臨。祭りの本番はこちらだった。

画蛇添足

▼「歴史はシュメールからはじまる」はクレーマーによる歴史書のタイトル。文字による記録が残る時代が歴史時代。人類史七百万年で文字が誕生したのは五千年ほど前。人類史のほとんどは先史時代。歴史教科書に記されるのは人類史のわずかな局面。▼文字が発明されても読み書きできたのは支配者層だけ。彼らによって残された記録には様々なバイアスがかかる。基本的には口承で物事が伝えられる時代が続く。紙に書かれた記録は文明の消滅で焼失することも多い。日本は敗戦直後に都合の悪い行政文書を意図的に焼却した。▼ところが粘土板に記されていたメソポタミア文明の記録は、焼かれて固まり、かえって残った。当時の人びとの日常生活、学校で先生が「近頃の生徒は勉強しない」と嘆いていたことなどが分かる。社会では常に大人の絶対数が多い。子どもはいつもマイノリティで悪く言われる。▼現代はデジタル文明。デジタルデータは半永久のはずだが記録するメディア媒体が不安定。フロッピーディスク上のデータの過半はもう読めない。粘土板よりも紙よりも儚い。セルロースの強さと安定性がそれに与る(佐藤健太郎『世界史を変えた新素材』)。木の表札、木が朽ちても墨書された字が残って役割を果たす。墨の時間に対する耐性はインクより高く、和紙と墨の相性がよい。火事がなければ古文書は千年でも残る。▼記録媒体が石材からパピルス、紙へと変化したのに伴い、文字の記し方も「刻む」から「書く」、そして「打つ」へと変化。筆記具というと媒体に着目するがインク(墨も含む)には無頓着。それゆえインクいらずで茎と粘土の安価な自然素材を使う楔形文字の長所に意外と気づかない。

わんクリック　国民性に関するジョークには面白いものが多いが、ステレオタイプの再生産になることは避けたいので、国名を外して紹介する。「お詫び、品不足により本日は肉がありません」という張り紙を前に、○人は「品不足ってなんだ」、△人は「肉ってなんだ」、☆人は「お詫びってなんだ」。現在は「民族」が重要視される時代だが、国、民族が思考、行動の準拠枠になったのは19世紀以降。現在の価値観を「民族」概念のなかった時代―「民族ってなんだ」と訝しがる過去に遡らせることが、いったいどのような認識の歪みをもたらすか、を意識しておきたい。また民族と国家は必ずしも一対一対応していない。

History Literacy　歴史教科書は現在の価値観に支配されている―「統一」こそが目的であるかのように叙述する。

④古バビロニア王国による統一（前19～前16、古バビロニア王国）

・セム語系アムル人の王朝

・ハンムラビ王（前18ｃ頃）時、メソポタミア統一

└ 首都バビロンは繁栄の中心

・ハンムラビ法典制定　＊1 ＊2

└ スサで発見、アッカド語の楔形文字

既存のシュメール法を集大成、成文法として法典碑で公開（刑法が中心）

└ 最古の法典はシュメール時代のウル・ナンム法典

刑法が中心 ― 価値観の異なる集団が接したメソポタミアで誕生

└ 何が犯罪かとそれを犯した時の罰をあらかじめ明示したもの（罪刑法定主義）

同害復讐の原則

196条→『旧約聖書』→現代の刑法に影響　＊3

└ 約1000年後　└ 刑法の上限を定めた合理性

「もし人がアウィルムの子の目を潰したときは彼の目を潰す」(196条)(前18c)

→「目には目を、歯には歯を」（「出エジプト記」『旧約聖書』）

身分法の原則

└ 同害復讐は同じ身分間の場合のみ

エジプト文明

①エジプト文明の特徴

・エジプト人によるナイル川流域の農耕文明　＊4

「エジプトはナイルの賜物」（ギリシアの歴史家ヘロドトス）

└ 歴史は因果関係の学問　└「歴史の父」　＊5

・前4000年ノモスと呼ばれる村落形成

・前3000年頃、統一国家形成

→約2500年間に3王国26王朝交替

└ 当時の神官マネトン（前3c）の区分

PROPOS　＊1

「われわれは、それが犯罪だから非難するのではなくて、われわれがそれを非難するから犯罪なのである」（デュルケム）。社会秩序のためには「犯罪」とそれが行われないことが必要。銃の所持は日本では銃刀法違反の犯罪だが、アメリカでは憲法で保障された基本的人権（ロックの抵抗権）。

PROPOS　＊2

最も長く続いてきた権力分立は、神に権威、王に権力、と分ける二権分立。ハンムラビ王も神の権威を背景に権力を行使。

PROPOS　＊3

メソポタミアでの出来事が『旧約聖書』の題材となる。ノアの箱舟は『ギルガメシュ叙事詩』、バベルの塔はジッグラト、「目には目を」は『ハンムラビ法典』に取材。

PROPOS　＊4

ナイル川の洪水は7月の青空の下で水位が静かに上昇、ゆっくりと水が溢（あふ）れる。水は土壌表面の塩分を洗い流し、上流から運んできた肥沃な栄養分を残して退（ひ）いていく（「エジプトはナイルの賜物」）。乾燥地帯を貫流する外来河川ナイル。流入する支流もなく下流ほど川幅が狭くなる。中下流域はわずかの高低差。流れが見えない。かすかな水音も周囲の砂漠が吸収する無音の世界。時間が存在しないような風景。この地で約2500年間、エジプト文明は同じことを繰り返してきた。基本的には土壌の再生が繰り返されたため。奴隷の使用も無関係とはいえない。奴隷は「世界最高の精密機械」（森安孝夫）。奴隷を安く使える社会でイノベーション（技術革新）は起こらない。

PROPOS　＊5

すべては神の賜物と考えられていた時代にヘロドトスは、エジプトの繁栄（結果）の原因を、ナイルの定期的な洪水（原因）に求めた。神を使わずに因果関係を説明。歴史を神話から独立させたことでのちに「歴史の父」と呼ばれるようになった。

画蛇添足

▼「目には目を、歯には歯を」は人口（じんこう）に膾炙（かいしゃ）した言葉。『ハンムラビ法典』起源で『旧約聖書』を経由して今日まで「同害復讐法」と理解されて四千年を生き抜いてきた言葉。ともすれば「復讐」の響きに引きずられがちだがポイントは前半の「同害」にある。▼これは軽い犯罪（窃盗など）に対して死刑が求刑されないように、罪と罰が最低でも等価になるように罰の上限を定めた原則。その合理性ゆえこの言葉は今日まで綿々（めんめん）と受け継がれてきた。罪と罰が釣り合わない刑法のもとでは安心して生活を送れない。▼「目には目を（eye for eye）」の分かりやすさがこの言葉を広げたのは疑いない。しかしこの言葉はむしろ復讐を正当化する言説（げんせつ）として受容されてきた。これほど異なるメッセージを運んだ分かりやすい言葉はない。分かりやすさと誤解はしばしば表裏（ひょうり）関係にある。▼特に近代まで「仇討ち（かたきうち）」が美徳とされてきた日本社会では、「目には目を」は事実上「やられたらやり返せ」と理解されてきた。最近、それが「倍返し」にまで高じている。同害といいながら対抗強度があがりがち。強度での対応は別の強度を呼び込み、強度の競い合いとなる。これは持続可能なモデルではない。▼非暴力主義のガンディーは、An eye for an eye makes the whole world blind.（「目には目を」では世界中の目をつぶすことになる）と巧みなレトリックでeye for eyeの伝播を抑えようとした。本来の意味から言えばここはblindでなくbetterのはずだった。「目には目を」が広がった時、世界はより安心して暮らせる場所になる、と。しかしこの同害復讐こそが死刑制度を是認してきた論理でもある。本来の意味にこだわらなかったのがガンディーの慧眼（けいがん）なのか。

わんクリック　占星術はいま疑似科学として相手にされない。惑星の動きには法則性がある。他方で何か意思を持つかのようにランダムな動きをする。それらが古代バビロニア人の知的好奇心をそそった。彼らはそこに天からのメッセージを重ね、それを読み取るために700年以上にわたり観測を続け、膨大なデータを蓄積した。占星術とは天体の位置が人間の現在と未来に影響を与えるという信念体系。歴史の特徴が最もよく現れるのが科学史。成功事例、成果だけを綴り、それまで人々がどのような（誤った）考えを信じ続けてきたかを載せない。歴史を学ぶことが過去の振り返りになっていない（※）。

History Literacy　歴史を学ぶことは過去の振り返りとは別の行為―成果（結果）だけを綴り、失敗（過程）を省く科学史。

②古王国時代 (前 27c ~ 前 22c、第 3 ~ 6 王朝)

- 首都メンフィス
- 巨大石造建築物ピラミッドの造営 (第 3 ~ 5 王朝)　＊1

  └ 石器時代の技術力 (建築技術、社会技術)、経済力などの象徴

  最大はギザにあるクフ王のもの

  ファラオ (現人神) とされた王の権力を象徴

  └ この世に人間の姿で現れた神

③中王国時代 (前 22c ~ 前 18c、第 11 ~ 12 王朝)

- 末期にシリアからセム系遊牧民ヒクソスが侵入し混乱

  └ 古代エジプトに侵入した唯一の異民族

④新王国時代 (前 16c ~ 前 11c、第 18 ~ 20 王朝)

- 首都テーベ

  └ 現在のルクソール、ナイルはここで湾曲して豊かな緑地帯を形成

- エジプトの海外進出

  トトメス 3 世がシリアにまで進出し、エジプト最大領域

  └ エジプトがナイル流域以外に初めて進出 (シリアまでエジプト文明の影響を受ける)

  当時の大国ヒッタイトと抗争

  →戦勝でテーベの守護神アメン (アモン)、神官の権威増大　＊2

  └ トトメス 3 世以来の戦勝はアメン (アモン) 神の加護によるとして莫大な奉納

  →アメン神官団の権威が王を凌駕か

- アメンホテプ 4 世の宗教改革 (前 14c 頃) ― 王権と神官団の対立

  └ 多神教世界古代エジプトにあって異例の出来事

  アトン一神教強制

  アマルナ遷都、自らイクナートン と改名

  └ アメン神官団の影響力排除のため　└「アトンに愛される者」の意

  アマルナ芸術

  写実性に特徴　例 ―『王妃ネフェルティティ胸像』　＊3

  王死後、アメン神官団が巻き返し、宗教改革は失敗 (ツタンカーメン王時)

- ラメス 2 世

  └「ファラオの中のファラオ」、「建築王」、国王のミイラが現存

  ヒッタイトと戦い (前 13c カデシュの戦い)、講和

  └ (現存する) 最古の「平和条約」

PROPOS　＊1

王朝を代表する建造物は墓が多い。ピラミッドも多くは王墓。巨大建築物は権力者が自らを誇示する威信財 (他者に見せることで自らの威信を高める。いまは新興宗教の総本山が巨大化)。権力基盤が不安定な者が頼りがち (安定すると不要)。壮大な記念行事 (ページェント) の形をとることもある。支配されないために、威信財に魅せられないチカラ―醒めた目線、見た後で一拍おくことが必要 (※)。逆に同規模なのに威容を想像力で補う必要があるのが仁徳天皇陵。明治期の植林のため、ただの山林に見える。

PROPOS　＊2

テーベのアメン神殿 (カルナック神殿) は巨大。目の当たりにするとギリシアのパルテノン神殿で感じた壮麗さも霞む。往事の神官たちの権勢がしのばれる。映画『ナイル殺人事件』(アガサ・クリスティ) は列柱の巨大さを生かして不気味感演出に成功。

PROPOS　＊3

エジプト絵画は顔・足は横向き、体躯は正面向きに描くように様式化 (横顔をプロフィールと呼ぶが、実際は 3/4 正面像に人の特徴がよく現れる)。古代エジプト人は写実力を持たないとみなされていたが、アマルナ芸術の発見で彼らがあえて様式に従っていたと分かった。写実は現実性の強調。彼らは永遠性を刻印することを優先させていた。世界で最もワクワクする「お墓めぐり」。エジプト壁画は王家の谷で満喫できる。

PROPOS　＊補足

ギリシア文明はエジプト文明の影響下に、有色の人びとにより展開されたと主張するマーティン・バナール『黒いアテナ』。ギリシア文明に西欧文明の起源を求めるヨーロッパの学者はそれを隠すために、南下してきた印欧語族のギリシア人 (白人) が作った文明であるかのような印象操作をしてきたと批判 (ブラック・アテナ論争)。中東の人イエスは褐色 (有色) の肌のはずだが西洋絵画で白人として描かれてきた。

画蛇添足

▼エジプト文明の象徴がピラミッド。2百万強個の2トンを超す巨石が高さ147mまで組み上げられている。頂の高さは裾野の広さに支えられている。底辺が230mの四角錐。ピラミッドの底面積は平均的な高校の敷地より広い。高さは…と身近なビルの高さなど具体的数字を総動員して、皆さんの眼前にその威容を想像させようと試みてきた。▼物の絶対的な大きさを制約するスケール法則。自重で崩れるぎりぎりの所で持ちこたえる大きさの美しさ。そこに漲るきわどい緊張。豆腐にもタコ焼きにもこれ以上大きくすると崩れる、限界直前の大きさの美があるね、と普段冷静な教師まで興奮口調にさせるのが威信財の力。▼人びとの視線を上方の彼方へ向けさせる高層建築物。天に届こうとしたゴシック教会も、異教徒が達成したこの高みを超えられなかった。19世紀にようやく尖塔を置いて高度を稼いだケルン大聖堂が157mで記録を抜いた。自然界の樹々は早々と「その高みまでは水分を汲み上げられない」と110m台で諦めた。▼巨石をここまで組積造するのは現代でも不可能な失われた技術。これまで地上の建築物は、それとは知らずに1Gの重力場で戦い、自壊を繰り返してきた。ピラミッドは理論的な耐重量を超えている。登頂者は多いが内部はほぼ未踏。あるはずとされる重力拡散のための空洞は未発見。▼ピラミッドは何の象徴か。組織しえた「王の力」―権力の象徴なのか、「神の力」―権威の象徴なのか。着目すべきは従事した「人びとの力」、あるいは別の「何かの力」なのか。石にばかり目がいくがここは砂の世界。変幻自在な砂―「砂の力」の象徴かもしれない。

わんクリック　アマルナから出土してドイツが持ち帰った『王妃ネフェルティティ胸像』(ベルリン・エジプト博物館)。これはアメンホテプ 4 世王妃の写実像なのか、それとも理想像なのか。エジプトが強く返還を要求する作品。同博物館にこの有名な胸像の他に珪岩製のネフェルティティ頭像がある。筆者は気品、優雅さを見るときの準拠点をここに置いていて、他のものを判断するときの参考にしている。何かを見る際の基準点となるものを、価値観ごとに持っておくと見ることが楽しくなる。自分にとってのものさしを探すつもりで美術館、古寺古仏をめぐったり、世界史図表のページをめくるとよい。

History Literacy　歴史教科書に掲載されるのは権力者の威信財 (大きさ、高さ)―私たちは簡単に心を動かされる存在。

⑤滅亡　＊1

- アッシリア(前7ｃ)、ついでアケメネス朝ペルシア(前6c)の支配下に
  └オリエントが鉄器時代に入るが、鉄資源に乏しいエジプトは出遅れた

⑥エジプト文化

- 多神教で来世的傾向が強い
  霊魂不滅思想から『死者の書』、ミイラなど製作、副葬
  ファラオは王家の谷に埋葬(新王国)、ツタンカーメン墓(未盗掘)発見(1922)
  └現ルクソール近郊　└アトン神信仰のため記録から抹消
- 神聖文字(ヒエログリフ)を石碑などに刻む
  └エジプト文明は碑文の文明
  ロゼッタストーンでシャンポリオン(仏)が解読　＊2
- 民衆(民用)文字はパピルスに記す
  └媒体(メディア)の変化で文字の記し方は変化(刻む→描く・書く→打つ)
- 技術の発展
  氾濫の復元などのために測地術が発達
  └オリエントで技術は発達、学問としては発展せず　＊3

諸民族の侵入と鉄器の開発

①インド・ヨーロッパ語族の移動
└基本的にオリエントは当初セム系の民族が中心だった

- 前二千年期に現住地の中央アジアから南下、オリエントに侵入　＊4

②ヒッタイト(前18c～前12c)

- アナトリア高原が本拠地、ハットゥシャ遺跡
- インド・ヨーロッパ語族の移動の一環
- 製鉄技術の独占と二輪戦車で優越 ― 鉄の地上への再登場　＊5
  メソポタミアに侵入(前16c)、バビロン第1王朝を滅ぼす
  └しかしバビロニアを支配せず
  シリアに進出し、エジプト新王国と対立
  →のちのオリエント統一の下地となる
- 「海の民」攻撃で突然滅亡(前12c) ―「前12世紀のカタストロフ」
  →オリエントは鉄器時代に
  └「ヒッタイトが製鉄技術を発明して独占、その滅亡で世界に拡散」説は最近見直しの対象

PROPOS　＊1
古代エジプト文明の存在は滅亡後も知られていた。しかしこの地がローマ帝国領に編入され、キリスト教国教化(392)で古代以来の神々が棄てられると、神殿で3000年以上も使われたヒエログリフを読める神官がいなくなった。それを1500年ぶりに解読したのがシャンポリオン(1822)。それまで表意文字とみなされてきたが、大部分を表音文字と考える発想の転換で解読。

PROPOS　＊2
神聖文字の解読に多くが取り組んだ。しかし教科書に記されるのは最後に仕事を完成させたシャンポリオン一人の名(※)。

PROPOS　＊3
自由のないオリエント社会で技術は生まれても学問には発展しないと教えてきた。それは信仰告白だったのか。いま独裁国で高度なハイテク軍需産業が発達している。

PROPOS　＊4
人は住み慣れた土地を簡単には離れない。時々起こるエクソダス(exodus)とされる大移動の主因は気候寒冷化だろう。インド・ヨーロッパ語族の移動(前20c)、ゲルマン人の移動(4c～)も寒冷化で従来の場所では生活できなくなったと考えられる。

PROPOS　＊5
地球の歴史の大事件が24億年前の大酸化事件(光合成の開始で酸素が増えて地球が酸化)。酸素は海中の鉄イオンと結合、酸化鉄(重い)として海中に沈殿。その結果、地球は鉄球(質量の3割以上がFe元素)となる。その海底が隆起してできた陸地(安定陸塊)に鉄鉱石は遍在する。いま金属で単独で存在するのはイオン化傾向の低い金などのみ。同傾向の大きい鉄などは酸化物として存在。この還元のために火(冶金)が不可欠。火なしに鉄器はない。しかし鉄の融点が高く(1535度)、還元(製鉄)は難しかったが、誰かが酸化鉄の還元に成功したことで今日に続く鉄器時代にはいった。

画蛇添足

▼歴史教科書は多くの発明品と発明者名を記すが、本当に重要で原初的な発明を無名性の深い海の底に沈めたままにしている。1トンを超える物体を人は動かせない。しかし下に丸い木材をかませば数人で、車輪をつければ一人でも動かせる。▼小さな力で大きな物を動かす「円の力」の発明。ころは現代産業を支える基本技術ベアリングに発展。板を円盤状にして車軸を通した車輪。発明の多くは自然界の模倣で、発見でもあるが、車輪は人間のオリジナル。シュメール人の発明とされる。誰かが思いつきそうだが、新大陸文明で車輪は使われなかった。▼ただしシュメールの車輪(重い板車輪)は機動力を欠いた。車輪をハブとスポークだけの中空構造にしたことで軽量化、大型化が可能となり、ヒッタイトが馬車戦車(シャリオット)を使い始めた。何もない「中空」に重要な役割を割り当てる「無用の用」の発想で人間は機動力を得た。▼日干しレンガの文明メソポタミア。木材、石材のない世界で、誰かが泥を長方形に成型。片手で扱えて、積み上げやすく、どれを先に使っても結果に影響しない規格化された建築材の誕生。円は太陽や月として存在するが、直線は自然界に存在しない。誰が直線でレンガを造形したのか。「人間性というねじまがった素材から完全にまっすぐなものを作り出すことはできない」(カント)。▼実際、完全な直線は数直線としてしか存在しない。現実の社会に直線は存在せず、物事も直線的には変化しない。しかし私たちは「このまま推移すれば」と直線的に考えがち。直線は権力。レンガが積み上げられて神殿となった時、人は遠ざけられた。境界が直線で引かれた時、人びとは引き裂かれた。「直線の力」を誰が見いだしたのか。

わんクリック　車輪(円)の発明に匹敵する「ねじ(螺旋)」の発明(アルキメデスか)。火縄銃と一緒に来日した。『ねじとねじ回し この千年で最高の発明をめぐる物語』も、ねじメーカーの『人生の「ねじ」を巻く77の教え』もひねりが効いて楽しい。「会社の歯車」であることに誇りを、がよい。取り柄のない筆者は、せめて社会のよき歯車でありたいと願って職業人生を送ってきた。子どもの頃も居間の柱時計のねじを巻くのが仕事だった。遅れがちな分針を5分ほど進めて得意げに母に報告すると、決まって「一番緩みがちなのはあなたの頭なんだから、そちらも巻いときなさい」とねじを巻かれた。

History Literacy　歴史教科書は業績を一人に代表させる―紙幅の都合からくる歴史教科書の基本文法。

交易する諸民族

①シリア・パレスチナ地方

・エジプトとメソポタミアを結ぶ通商の要地
　└大河は存在しない地域

・カナーン人（セム語族）が活動
　└パレスチナの古称

・前15c頃、ヒッタイト、エジプト新王国が進出
　└当時の二大国の支配を受けて、文明の影響を受ける

→両者はカデシュ条約で講和
　└世界最古の平和条約

→前12c、「海の民」進出（前12c）で、ヒッタイト、エジプト両勢力後退
　└当時の文献にある呼称　└文明の影響を受けた地域が権力の真空地帯に

→のちにセム系民族（アラム、フェニキア、ヘブライ）が活動
　└まずは「海の民」の一派ペリシテ人が支配　└いずれも大国は形成せず

②アラム人

・前12c、ダマスクス中心に内陸貿易に従事
　└現シリアの首都、「シルクロード」の西端

・アラム語は当時の国際商業語（リンガ・フランカ）
　└イエスはアラム語話者　└7cのアラビア語普及まで

・アラム文字は東方の文字の源流

③フェニキア人

・前12c、海上貿易に従事
　└順風でなくても航海できる帆船を建造　＊1

シドン、ティルスなど（港市国家）が拠点
　└ともに現レバノン、杉の産地　＊2

カルタゴなど各地に植民市建設
　└北アフリカ、現チュニジアのチュニス、母市はティルス

・アルファベットを改良し、ギリシアに伝える　＊3 ＊4
　└原型はカナーン文字（象形性が残っていた）を線状に簡素化

PROPOS　＊1
逆風も立場を変えれば順風、と風になびくのではなく、逆風下でも前進するのが人生の妙味。この逆風でも前進するのがヨットの原理。飛行機が羽の揚力で浮くのと同じ原理（離陸は逆風の方がよい）。空気が帆の表裏両面を流れる、その圧力差が揚力を生む。これを推進力として使う。物事を前に進めたり飛翔させるのは差異のチカラ。

PROPOS　＊2
レバノン杉（実はマツ科）。硬くかつ腐りにくいため、船材やマストに最適だった。芳香があるので神殿建築にも好まれた。この地に文明が展開した結果、レバノン杉は伐採され尽くした。「文明の前に森があり、文明の後に砂漠が残る」（シャトーブリアン）。レバノン杉はかろうじて絶滅は免れ、そのうち一本がレバノン国旗に残った。

PROPOS　＊3
この文字を作り広めたのがフェニキア人。ただフェニキア人はセム語族でそのアルファベットは子音のみ。ギリシア人（インド・ヨーロッパ語族）が母音を加える改良をして汎用性を高めた。このアルファベットはローマ字として知られるが、日本も戦後、漢字を廃止してローマ字表記にする動きがあった。日本は思いとどまったが、アジアでもベトナム語、インドネシア語、マレー語などがローマ字を採択している。

PROPOS　＊4
「話し言葉」（音声言語）が「書き言葉」（文字言語）に先行。そして両言語は一致しない。話し言葉で方言を使う人も、書き言葉は共通語を使う二重言語状態が一般的（筆者は「ほんまかいな」と言うが、「本当だろうか」と書く）。強いて言えば音声言語が文化、文字言語は文明。筆者の苗字「アダチ」音の連なりは日本文化。それをADACHI表記にすれば、どの音声言語話者でも正確に発音できる。アルファベットはフェニキア人とギリシア人の合作。『イリアス』を書き留める必要から発明された説もある。

画蛇添足

▼ホモ・サピエンスが世界中に分散したことで、各居住地の特産品を交換する貿易が可能になった。このために様々な共通語（リンガ・フランカ）が使われてきた。19世紀の世界覇権を連合王国が握った経緯から現代の共通語は英語。いまは英語話者の8割が非ネイティヴ。▼共通語は簡単であることが必要条件。その点で英語は習得しやすく条件を満たす。言葉は基本的に耳で音声を聞いて学ぶもの。しかしいつの間にか私たちは言語を目で追って学ぶ―文字経由の迂回経路で学ぶ変な癖をつけてしまった。これで学習効率が悪くなったのが英語。英語は綴りに問題を抱える。ノルマン征服など歴史的経緯から様々な言語の語彙が混入したことが背景にある。▼表記に表音文字(アルファベット)を用いるのに発音記号を添えないと初見で発音できない英語。初学者は数字の1から10まで、数詞の正確な発音で苦労する。綴(つづ)りを見るから苦労する。one(ワン)の綴りがどうしてこの音になるのか。「ワ」の綴りはwaのはずと思ってもwar(ウォー)の発音に応用できず、ますます混乱する。▼英語の大学入試問題の第1問は長く発音問題だった。このような言語が共通語である不思議にどれだけの人が気づいているのか。授業で何度も繰り返しているが「不思議なことを不思議と思わないことを不思議と思わなくてはいけない」（※）。▼逆の要素もある。中国語の「很久不見(ハオジウブージエン)」に英単語をあてたLong time no see. はいまや「お久しぶり」として広く使われる（この英語もどきがピジン英語）。ネイティヴには不愉快だろうが、ノンネイティヴに使いやすく改変されるのが共通語の宿命。和製英語は海外で通じない、と注意するのではなく、もっと使って海外で通用させよう、としたい。

わんクリック　誰が「表音文字」の発想を思いついたのか。ヒエログリフも楔形文字（のちに表音文字に発展）も漢字も当初は表意文字だった。特にアルファベットは26文字で世界のどのような言語も表記できる便利さ、汎用性がある。もちろん汎用性―融通が利くとは、ある程度はいい加減ということであり、原音を丸めてしまう限界もある（ジョン・マン『人類最高の発明アルファベット』）。ただ意外なことに表意文字―ヒエログリフや楔形文字は非常に長く使われた。そして最も複雑な漢字は、近代になって使用をやめた国もあるが、いまも日本、台湾、香港で使われ続けている。不思議なことである。

History Literacy　普通に読めば疑問が生じない歴史教科書叙述―「物語り」でうまく整序（つじつま合わせ）されている。

④ヘブライ人

└ Hebrew は他称、自称は Israel イスラエル、Jew ユダヤ

・前 15c アブラハムに率いられメソポタミアから移住 (一部はエジプトに)

・「出エジプト」(前 13c) ＊1

エジプトのヘブライ人がモーセに率いられて脱出

└ モーセの実在は疑われている、このあたりは神話として理解すること (※)

シナイ山で神と契約 (十戒)、カナンの地へ

十戒(じっかい)…一神教、偶像崇拝禁止、安息日など

・ヘブライ王国 (前 10c)

首都イェルサレム、神殿建設

└ のち破壊、西壁が現存 (ユダヤ教聖地『嘆きの壁』)

ダヴィデ、ソロモン王の時 (前 10c) 繁栄 ＊2

・王国の南北分裂

北部 イスラエル王国はアッシリアに征服

└ 過酷な異民族統治で知られた

強制移住策で人びとは四散 ＊3

└ のちサマリア人といわれるようになる

南部 ユダ王国はアケメネス朝に征服

└「ユダヤ人」の名称の由来

住民は首都バビロニアへ連行 (「バビロン捕囚」)

・ユダヤ教の成立

「バビロン捕囚」解放後成立

└ キュロス2世 (アケメネス朝) の寛容な異民族統治により解放

「出エジプト」、「バビロン捕囚」の二大民族的苦難が背景

ヤハウェ信仰

選民思想 ＊4

聖典は『旧約聖書』

└ この名の書物はない、『旧約』は『新約』と区別したいキリスト教側の呼称

いわゆる『旧約』の最初の5書 (トーラー) とその解釈 (タルムード)

厳しい戒律 ＊5

└ いまでも厳格に戒律を守る正統派 (少数派) からあまり気にしない世俗派まで多様

PROPOS ＊1

一神教はセム系のローカル文化。世界の基調は多神教。アメンホテプのアトン一神教改革 (前 14c) は失敗。その後、モーセに率いられたエジプトの人びとが脱出 (前 13c「出エジプト」)。これをきっかけに一神教ユダヤ教が成立。前後関係の符合からフロイトは失敗したイクナートンの改革に参加してエジプトで居場所を失った人びとをモーセが連れ出した、と推理 (『モーセと一神教』)。そもそも「出エジプト」自体が神話だけど、面白い牽強付会(けんきょうふかい)—こじつけ。

PROPOS ＊2

イスラエル王国はソロモン王の時に繁栄 (ソロモンの栄華)。「何事でも願うがよい。あなたに与えよう」とした神にソロモンは「善と悪とを聞き分ける知恵」を求めた (赤ん坊を取り合う二人の母親を前に「引き裂いて渡そう」と大岡裁きした話)。「ソロモンの知恵」で王国は交易で繁栄 (シバの女王時)。

PROPOS ＊3

中東の強権体制は多様な集団が混在する地域では効率的な統治体制、後世のイスラームの絶対神も、多様性が生み出す衝突を回避する役割を担った、との分析もある。

PROPOS ＊4

「なぜ私だけ」と問う人びとには「あなたならこの苦難に耐えられると神が選ばれた」と応えるしかない。それが、選ばれた自分達だけが救われるという排他性を伴う共同体意識 (選民思想) につながった。戒律が厳しく単身生活が難しいことも関係。

PROPOS ＊5

宗教の機能は多様。ユダヤ教は死後をあまり説明せず、信者共同体は閉じられ、布教もしない。離散の中で内部の結束を高める必要から生まれたバインディング (人びとを束ねる) 機能の強い宗教。国家なしで 613 の戒律で人びとを束ねた。その点で、集団稲作を背景に生まれた神道に似る。こちらは見えない戒律が私たちを束ねる。

画蛇添足

▼世界史教科書に最初に登場する人名はサルゴン一世。以来、夥(おびただ)しい人名が登場する。ところでこの名前とはいったい誰のものなのか。名前こそはアイデンティティの要(かなめ)、当事者のものと思われがちだが筆名などは別にして自らを命名することはない。▼基本的に名前は対象を区別するための他者による名づけが多い。だから区別しやすい命名が多い (親から見て太郎、次郎など)。だから一つしかなく区別の必要がないものは名前を与えられない。天皇家に苗字はなく、唯一絶対神にも名はない。よく誤解されるが、ユダヤ教、キリスト教、イスラームの各信者は同じ神を信じている。だからその神に名は必要ない。▼神を指す一般名詞としてユダヤ教徒はヘブライ語でヤハウェー (エホバ)、ムスリムはアラビア語でアッラー、キリスト教徒は英語話者ならゴッドを使う。これらは神の名前ではない。一神教だから排他的という議論はこの三宗教間では成り立たない。▼神は人間の論理、言葉で表すものを超える存在。そういった存在への畏(おそ)れが、その存在に言及することすら憚(はばか)らせる。敬虔(けいけん)な人は Oh! My Go… と口にしそうになって、Gosh と語尾をくぐもらせる。God すら口にすることを憚る。特にユダヤ教徒にその傾向は強く、一般名詞「神」の音すらいまとなっては分からない。▼セム系文字には母音表記がない。それは「ボク」を BK と子音だけで表記するようなもの。同時代の者は母音を補って Boku(ボク) と読める。しかし時代が経てば Baka(バカ) と誤読する馬鹿を防げない。古代ヘブライ語の YHWH はヤハウェともエホバとも推測できるがもはや正確な音は分からない。『コーラン』は口誦のみとされた。セム系文字への不信があったとされる。

わんクリック ユダヤ教は代表的な戒律型宗教。特に大切なのは創世記、出エジプト記、レビ記、民数記、申命記の「モーセの五書」とされるトーラー。律法と訳される神の指示。当初は口伝。書き留めることは神への冒涜とされたが、のちに羊皮紙の巻物に手で筆写された。信者一人ひとりが自分で作った写本を持たねばならなかった。30 万字を 1 文字も間違わずに筆写する。今度は写し間違いが神への冒涜となった。多くの写本が伝わっているが、そのコピーミス頻度は DNA の複製ミス以下とされる。情報伝達時のエラーが人間文化の多様性を作ってきたが、この集中力がユダヤ教の一体性を保ってきた。

History Literacy 人々が何を信じてきたか (本ページは神話が多い) も叙述する世界史教科書 (戦前の反省に立つ日本史との違い)。

2　オリエント世界の統一

アッシリア帝国

①アッシリア　＊1 ＊2

・セム系アッシリア人の建国、首都ニネヴェ
　└ オリエントで古くから活動　└ 大量の粘土板出土、アッシリア学起こる

・ヒッタイトより鉄製武器を継承して急速に強大化、征服活動開始

・前7c前半、オリエント統一
　└ エジプトを征服　└ 広大な地域を支配する統治技術を持たず

　最初の世界帝国
　　└ 文化の融合、伝播の点で「帝国」の成立は一定の役割

・重税と過酷な支配で被征服民の反抗→短期間で滅亡
　└ 残されたレリーフのモチーフなどから推測

②四王国時代

a. メディア(イラン高原)

b. リディア(小アジア半島)
　世界最古の鋳造貨幣使用　＊3 ＊4 ＊5

c. 新バビロニア王国
　ネブカドネザル2世時、首都バビロンの繁栄
　└ メディア出身の王妃のために「空中庭園」(世界七不思議)、バビロン捕囚

d. エジプト

アケメネス(ハカーマニシュ)朝

①アケメネス(ハカーマニシュ)朝　＊次ページ
　└ ギリシア語読み、ペルシア語でハカーマニシュ

・前550年、ペルシア人のキュロス2世が建国
　└ インド・ヨーロッパ語族

　→メディア、リディア、新バビロニアを征服
　└ バビロン捕囚からユダヤ人を解放

・前525年、オリエント再統一(エジプトを再征服)
　└ 最大領域はエーゲ海からインダス川まで　└ カンビュセス2世(遠征途上死)

PROPOS　＊1
徒歩と比較にならない遠距離を進む馬。長距離にわたる軍事行動で王権の及ぶ空間(世界)は一気に拡大した。馬と鉄が最初の世界帝国を作った。ロバと青銅器では不可能だった。帝国という広域を支配する政治権力の出現は諸文化の融合を促した。しかし統一に成功したアッシリアは広域を統治する技術を持たず、短命に終わった。

PROPOS　＊2
アッシリアは迫真的な浮き彫り(レリーフ)を多く残した。獅子(ライオン)の隆々たる筋肉、研かれた牙の描写。もちろんそれは百獣の王を称えるためでなく、そのライオンすら圧倒したアッシュール・バニパル王を称えるもの。だが私たちは作者の意図通りに読む必要はない(また読まない方がよい)。ロンドン大英博物館の白眉はアッシリア室。

PROPOS　＊3
最初のコインを鋳造(ちゅうぞう)したリディア王国。金属を重さ一定で成型。裏面にリディア王の肖像を刻印。王がこの価値を保障するという意味を持った。これを鋳型に金属を流し込む手法(鋳造)で大量生産したから貨幣経済進展を促した。エーゲ海をはさんだ対岸ギリシアにも影響。以後、コインも貨幣の基本スタイルとなる。それ以前は金属の塊(かたまり)で支払する秤量(ひょうりょう)貨幣が一般的だった。

PROPOS　＊4
裏面に王の肖像を打刻したのは支配域に王の顔を周知する目的もあったが、日本で天皇の肖像が打刻されることはなかった。

PROPOS　＊5
人類最大の発明「カミ、カゾク、クニ、カヘイ」の4Kだけでなく言語、栽培種なども起源は分からない。分からないことは書かず、分かっていることだけ書くのが歴史教科書。分からない(書かれない)ことの方が多くて根源的。「ここが分からない」と教科書は書くべき。これも重要な情報。教科書に何が書かれてないかを読む(※)。

画蛇添足

▼ダヴィデ、ソロモン王の実在は疑わしい。その栄華を語る世界史教科書だが、このあたりの教科書叙述は『旧約聖書』の叙述そのもの。歴史教科書に書かれているすべてに学問的裏付けがあるとは限らない。時に神話、道徳、説教が顔をのぞかせる。▼過去の出来事の中には、史実とは別次元で知るべき事柄もある。聖書に書かれたことは事実でないがそれを信じて、その理解に基づいて行動する人が存在してきた。その結果、フィクションが現実に参入、現実の社会がフィクションで上書きされてしまうこともある。▼教科書には、「人びとは過去をこのように理解している」という人びとの過去の共通理解が書かれている。世界史を学ぶとは地域によって異なるこのような共通理解のありよう(これも文化)を学ぶことでもある。▼路上の石を拾い、自分よりはるかに大きな存在ペリシテ人の巨人ゴリアテに立ち向かった少年ダヴィデ。小よく大を制したダヴィデの勇気は理想化して語り継がれ、ミケランジェロによって彫り出されて可視化された(『ダヴィデ像』)。▼20世紀末ダヴィデの末裔(まつえい)が建国したイスラエル(ユダヤ人)が今度は逆に圧倒的存在としてペリシテ人の末裔パレスチナ人(アラブ人)の前に立ち塞(ふさ)がった。それに対しパレスチナ人の少年たちが路傍(ろぼう)の石を拾い、最新鋭のイスラエル軍戦車に投石する絶望的な戦いを始めた(インティファーダ)。▼その時、世界の人びとは、石を投げるパレスチナの少年にダヴィデを、ダヴィデの子孫イスラエルに巨人ゴリアテを見た。彼らが実在したかはもはや関係ない。ダヴィデが歴史を作ったかはともかく歴史はダヴィデを作った。国際世論は変化、和平交渉が始まった(その後の進展はなかった)。

わんクリック　必ずしも現地音にこだわる必要はない。世界史の固有名詞表記は無原則が原則。ただ さすがにこの大国はハカーマニシュとペルシア語表記した方がよいと思う。「アケメネス朝」表記は、例えば西洋の歴史教科書に「日本」を隣の大国中国での呼び名「リーベン」と書くようなもの。「ペルシア」も古代ギリシア人による他称(自称は「イラン」)で、イラン高原南部のファールス地方に由来する名称。歴史的イランは現在のイランよりも広い領域。西は現在のカフカース地方、東はアフガニスタンまで含まれた。また東部のホラサーン地方が交通の要衝として重要な役割を果たした時期もあった。

History Literacy　過去は理解できない—過去を学ぶとは、分からないことを減らすのではなく、増やしていくこと。

②ダレイオス1世（前522~486）の治世

・ベヒストゥーン碑文に業績記す

└ カンビュセス2世急逝後、傍系で即位、王権の正当性を主張（※）

a. 中央集権体制　＊1

・全国を20州に分け、各州にサトラップ（知事）任命

└ かつての土着の敵対勢力

・直属の監察官、王の目、王の耳がサトラップを監察（監視）　＊2

・駅伝制、王の道整備

行政上の首都スサ ~ サルデス間

└ ハンムラビ法典出土、ザグロス山麓

b. 異民族寛容策 ― 貿易からの利益重視

・フェニキア人の海上貿易を保護

└ のちにこのライバルのギリシア人（世界）に対して侵略

・国際商業語アラム語、アラム文字を公用語

└ 自分が話すペルシア語とは違う言語を選んだダレイオスの現実的政策

c. ペルセポリス造営

└ 儀式を行う場所（謁見の間の基壇レリーフ）、行政上の首都はスサ

d. ギリシアに派兵（前492・490・480、ペルシア戦争）

・ギリシア征服に失敗するが大勢に影響なし

└ 守り切ったギリシアにとっては「民主主義」を生んだ重要な戦争

③アケメネス（ハカーマニシュ）朝の滅亡

・ダレイオス1世後も繁栄は続く

・前330年、アレクサンドロス大王により滅ぼされる

④アケメネス（ハカーマニシュ）朝の文化

・ゾロアスター教（拝火教）　＊3

└ 教義など詳細は不明

光明神アフラ・マズラと暗黒神アーリマンの抗争

教典『アヴェスター』（ササン朝期に成立）

└ ここでしか用いられないアヴェスター語で記される

最後の審判の発想がユダヤ教、キリスト教に影響

PROPOS　＊前ページ

△△朝○○。△△が王朝名（支配者集団のファミリー名）、○○が支配した地域名（国名）、民族名。アケメネス朝ペルシアはアケメネス家により支配されたペルシアの意味。ただ後半部の地域名が指示する領域は時代により伸縮する。△△朝の支配が○○にとどまらないことも多いので、アケメネス朝ペルシアよりアケメネス朝として理解するのが適切。ただ地名と切り離すと理解が難しくなるので、頭の中では「アケメネス朝ペルシア」と補い読みするのが現実的。セレウコス朝（シリア）、セルジューク朝（トルコ）、オスマン朝（トルコ）と括弧内を補い読みすることで、だいたいこのあたりにあった王朝と頭の中であたりをつける。

PROPOS　＊1

アケメネス朝の統治は専制政治とされるが、政体は統治対象の広さが大きな要因。広大な地域の統治で選べる政体は限定的になる。政治単位には適正な規模がある。

PROPOS　＊2

いま「世界の眼、世界の耳」として各地の出来事を伝えるのが通信社（ロイター、AP、AFP、時事、共同など）の通信員。新聞社、テレビ局は、この配信記事も購入して記事に加工する。ただ配信記事は商品。通信員は現地だけでなく市場（本社のデスクの顔色）も見なくていけない。「現地の日常」を伝えたいと思っても、求められるのは「非日常な事件」ニュース。実際、普段は起こらないような出来事の方が興味深いのでそちらが報告される。歴史を読むと「罪と愚行と災難の記録」（ヴォルテール）に思えるが先の論理でいえば世界の日常は善行で満ちている、ということにもなりそうだ。

PROPOS　＊3

ニーチェは『ツァラトゥストラはかく語りき』でゾロアスターの言葉で近代文明を批判（ツァラトゥストラは独語）。リヒャルト・シュトラウスの同名の音楽は映画『2001年宇宙の旅』の主題曲。冒頭だけが有名。

画蛇添足

▼武力である地域を統一することと、そこを継続的に統治していくのは別の能力。唐王朝の李世民が臣下に「創業と守成のいずれが難きか」（『貞観政要』）と尋ねて以来、時代を跨ぐ問い。▼「創業」と房玄齢、「守成」と魏徴。二人の臣下は相反する回答をした。割れる意見には双方に一理ある。魏徴は歴史上よく知られた諫臣。彼に皇帝を諫める勇気があり、皇帝にそれを受け入れる度量があった、と理想を仮託する形で語られてきた。▼広大な領土の統治のためにダレイオス1世がはじめたことは今日の眼からみればどれも当たり前。卵を立てろと言われて、底をへこませて卵を立てたコロンブス（コロンブスの卵）。合点はいかないが、最初に試みたこと、自分の殻を破る勇気は評価したい。▼時代は下り、時の国王に「学問に王道なし」（There is no royal road to learning.）と諫めたのが幾何学のユークリッド。当時の人は学問以外では王道があると知っていた。最初の王道はアケメネス（ハカーマニシュ）朝のダレイオス1世によって作られた。2点を直線で結んだ道路を建設して、王室以外の使用を禁じた。急使はスサとサルデス間2500㎞を最短7日で駆けた（本当か）。権力の源はいつの時代も情報を誰よりも早く掴むこと。この工夫により、反乱の情報を誰よりも早く王が掌握して対処できた。▼王道とは国王だけが使用できた直線道路、つまり近道。所有権を無視しなければ作れない直線道―征服者の道。直線を引くコツは足元を見ず、遠くの目標だけを見ること。国王が求めたのは、王道のような学問上達の近道。急がばまわれ―脇道、路地裏の寄り道、蛇足道が意外と近道。近道ばかり探していると遠道が近道とは思いも寄らないのだろう。

わんクリック　天平仏の傑作、三面六臂の阿修羅像（興福寺）。元来はゾロアスター教のアフラ・マズラ。インドで好戦的な悪神マスラ（漢字音訳が阿修羅）に貶められた。自分が正義と信じた阿修羅はインドラ（帝釈天）と戦い続けた（修羅場）。正義にこだわり、相手を赦す心を失った。そのため阿修羅は心が狭いと悪神に変えられた。のちに仏陀の教えに触れて争いの空しさを悟り、修羅の世界から離脱。仏教の守護神八部衆の一人になれた。奈良興福寺に並ぶ異形の八部衆。皆、甲冑をつけるが阿修羅だけは脱ぎ捨てている。勝気さの名残を眉間にとどめる正面像もよいが、下唇を噛む側面像も印象的。

History Literacy　歴史（正史）は支配者階級の文化―基本的には権力者を正当化する役割を担うもの。

3　ギリシア世界

東地中海の海洋文明

①文明の特徴

・地中海を媒介とした一つのまとまりを持つ世界　＊1

└ 海をはさむ両岸は（いまは別の国でも）同じ文化圏だったことが多い

・共通の自然条件

大河・平野の少ない石灰岩質のやせた土地　＊2

雨量少なく夏乾燥（地中海性気候）

└ 人間にとり夏のバカンスの適地だが、植物にとっては成長期に水のない不適地

→果樹栽培・牧畜に適する（にしか適さない）

└ オリーブやブドウ（水分を吸収する天然のポンプ）、穀物不適（穀物はエジプト、黒海沿岸）

→地中海経由で交易

└ 夏に海は安定、航海容易

→オリエント文明の影響受ける

└ ただし大規模な灌漑不要なため、この地域では強力な権力（専制権力）発生せず

・ギリシア人、イタリア人（インド・ヨーロッパ語族）などが担い手

②エーゲ文明

a. エーゲ文明（前20c～前12c）概観

・オリエント文明の影響を受けた青銅器文明

・神話世界とみなされていたがアマチュアの発掘で存在が実証される

・ホメロスの神話世界（前8c頃）

└ あわせて2万7千行の口承詩（無文字文化）、物語として高い完成度　＊3

『イリアス』― 10年にわたるトロイ戦争、最終盤の50日間

└ アキレウスの自軍総大将アガメムノンへの怒り、怒りがひきおこす犠牲

『オデュッセイア』（前8c頃）

└ 怪物や魔女の誘惑を乗り越えて帰郷するオデュッセウス、裏切りへの復讐劇

→これを信じた好古学者（アマチュア）が関連遺跡を発掘

シュリーマン、エヴァンズらによる発掘

└ シュリーマン自伝『古代への情熱』― 情熱が若さだけの病でないことも実証

ヨーロッパ文明の起源の一つ

PROPOS　＊1

古代ギリシアは現在の「ギリシア」と「エーゲ海沿いのイオニア地方（現在のトルコ）」のエーゲ海両岸。いまの「ギリシア」の領土の枠組みを過去に投影すると認識を誤る。また当時はオリエント文明に近いイオニア地方の方が先進地域。哲学生誕の地。

PROPOS　＊2

自然に恵まれないギリシア。エーゲ海は煌めいて美しいが、それは土地が痩せて海に栄養分が流れ込まないため。ギリシアは慢性的に人口過剰で人びとは植民活動（移民）、交易活動、海運に従事。エジプトからの穀物輸入を通じて先進のオリエント文明と接触。いまも海運、観光以外の産業が弱い。失業対策で公務員を膨張させたことでギリシア財政危機（2010）が起こった。

PROPOS　＊3

「弘法も筆の誤り」は西洋では「ホメロスも凡庸な文章を書く」。定型的な韻律が使われ朗誦しやすい工夫がなされているとはいえ2万7千行をどのように記憶したのか。様々な方言が混じり、著者は複数とされる。『イリアス』と『オデュッセイア』は別作者か。物語の様々の箇所が後世にスピンオフ（派生）して2次創作を生んだ。

PROPOS　＊次ページ

「クレタ人は嘘つき」とクレタ人が言った（『新約聖書』）。果たしてクレタ人は嘘つきなのか。クレタ人は自己言及型パラドックスの代表例として使われる（他に、「例外のない規則はない」―じゃあこの規則は？「あらゆる真理は相対的」―じゃあこの主張も？など）。クレタ人は謎の民族ゆえ不名誉な役回りを引き受けた。交易民族は胡散臭く見られがち。ギリシア人も「彼らと握手したら後で指の数を数えろ」と警戒された。ソクラテス「プラトンは決して正しいことを言わない」。プラトン「ソクラテスの言うことは正しい」というやりとり。「先生の言うことを信じてはいけない」という先生の言葉―どう受け取ればよい!?

第2章　オリエント世界と東地中海世界

画蛇添足

▼ギリシアの吟遊詩人ホメロスはエーゲ海の覇者トロイアとギリシア諸ポリスとの戦争を『イリアス』で、後日譚を『オデュッセイア』で語った。膨大な内容は琵琶法師の『平家物語』と同じく口承で伝えられてきた。語り手がいなくなれば失われる。その危機バネが効いたのかもしれない。▼発端はトロイアの王子パリスによるスパルタ王妃ヘレンの誘拐。取り戻すために兄アガメムノンがギリシア連合軍を組織。10年にわたりトロイアを包囲。ダーダネルス海峡をめぐる交易上の争いとみられている。▼物語の主題はギリシアの英雄アキレウスの怒り。怒りに駆られたアキレウスはトロイアの英雄ヘクトルを打ち負かす。しかしアキレウスも弁慶の泣き所、急所の腱を射られて死ぬ。両陣営は英雄を失い戦いは膠着。ギリシアの智将オデュッセウスが撤退とみせかける木馬の奸計を思いつく。神々に捧げたいと奉納された内部にギリシア兵が潜む木馬。▼カッサンドラの予言、ラオコーンの警告にもかかわらず人びとは木馬を城内に引き入れる。この愚行でトロイは炎上。しかし当時の出来事を現在の観点で裁くのは不公平。愚行とは、その当時に他の選択肢があり、行為の帰結が予期できたにもかかわらずとられた行為。日本の対米宣戦が典型的愚行。▼世界史に愚行の連続をみるのはバーバラ・タックマン（『愚行の世界史』）。トロイの木馬ウイルスをクリックしてパソコンに引き入れる私たちはトロイの愚行を嗤えない。人間の愚かさを学ぶことで、愚行を前提にした社会設計（フェールセーフ）、愚行が致命傷にならない社会設計（フールプルーフ）を進めるしかない。人間は愚かだが、それを自覚する賢さも持つ―などと、考える愚かな存在である。

わんクリック　先にブラック・アテナ論争（1987~）に触れたが、ギリシア文明の担い手が誰だったかはともかく、エジプトとギリシアの神殿を比較しただけでも両文明の近似性は明らか。ところが日本の世界史教科書も両文明を別の章におく。そのため両者のつながりを見えにくくするヨーロッパの見方を踏襲してきた。両者の連続性に気づかないようにしているのでは、と勘繰りたくなる章立て。エジプト文明を「オリエント文明」の末尾に置き、「地中海世界」として章を改めた劈頭に「ギリシア文明」を置く。この章立ては両者に連続を見ようとしない（見たくない）オリエンタリズム的な歴史認識（※）。

History Literacy　意味は関係性から生まれる―出来事がどの章に置かれるかで意味は変化（特にギリシア文明、ルネサンス）。

b. クレタ文明（前期エーゲ文明）（前 20c ~ 前 14c）　＊前ページ

- クレタ島のクノッソス中心　＊1
  - └ エジプト（オリエント）に近い地の利があった
- エヴァンズがクノッソス宮殿を発掘して実在を証明
  - └ 傾斜地に継ぎ足しで増築した温泉旅館のような迷宮（ラビリンス）
- 平和的で開放的（城壁を持たない宮殿）
  - └ 海で外部から隔たっている海洋文明の一般的特徴
- 線文字 A が未解読のため詳細不明
  - └ 少なくともギリシア語ではない、クレタ文明の源はおそらく小アジア

c. ミケーネ文明（後期エーゲ文明）（前 15c ~ 前 12c）

- ギリシア本土ミケーネ、ティリンス中心
- ギリシア人（ギリシア語話者）が担い手
  - └ 北方から南下のギリシア人（インド・ヨーロッパ語族の移動の一環）
- 閉鎖的で尚武的　＊2
  - └ 堅固な城壁、ミケーネ城塞獅子門
- ヴェントリスが線文字 B を解読（1953）

d. トロイア文明（前 26c ~ 前 12c）

└ 古代ギリシア語、トロイ（英語）

- 小アジアのトロイア中心
- 交易をめぐりギリシア人と争い滅亡　＊3
- シュリーマンが「トロイア遺跡」を発掘（1870）　＊4
  - └ シュリーマンは発掘した場所をトロイアと信じたが、トロイア遺跡である証拠はない

③エーゲ文明の滅亡

- 前 12c 頃、突然滅亡

「海の民」侵入説、鉄器使用のドーリア人侵入説など諸説

→ギリシア全域は「暗黒時代」へ

└ 社会の混乱でギリシア人は文字を喪失、記録がなく詳細が分からない時代

→前 8 c、ギリシア文明

└ ここからはギリシア語の文献資料が出土

PROPOS　＊1

クノッソス宮殿に愛くるしく描かれたイルカ。西欧文化でイルカは特別な扱いを受けてきた。エーゲ海域に住む人びとの生業は漁業ではなくイルカは害獣でない。日本の漁民にとっては網を壊す害獣。「かわいいから」では許せない。イルカを食べる漁民もいた（それは日本文化と一般化できない）。密かに受け継がれてきたイルカ漁（和歌山県太地町）が捕鯨反対団体の知るところとなり「こんなに賢いイルカを」と憤激を買い、映画化された（『ザ・コーヴ』）。水族館のイルカショー。「イルカの知能の高さ」を示す行動展示として始まったが、周知のようにショー化も著しく「動物虐待」と非難されるようになった。「賢くない動物なら殺してもいいのか」と反論はできるが、生産的議論は期待できない。感情に触れる異文化を理解してもらうのは難しい。

PROPOS　＊2

「尚武（しょうぶ）」はミケーネ文明の説明ぐらいでしか使わない言葉。菖蒲（しょうぶ）は刀に似ているので武士の勝負（しょうぶ）事に縁起がよく、軍事を好む傾向を同じ音で尚武（しょうぶ）と表すようになった。言葉は文字だけでなく音にも着目（着耳？）。

PROPOS　＊3

将来を正確に予知する能力を持ちながら、その予言が誰からも信用されなかったのがカッサンドラの悲劇。カッサンドラの叫び「中にギリシア人が隠れている！木馬を城内に入れてはいけない」は誰にも届かなかった。なぜカッサンドラがそのような悲劇的予知能力を持つに至ったのか。ギリシア神話の辻褄（つじつま）合わせは芸が立っている。必要に応じて「実はこんな神がいて…」と神を足し算して森羅万象（しんらばんしょう）を説明するのが多神教。稚拙になりがちだが、神々の関係に「なるほど」と感じさせられるかが腕の見せ所。ギリシア神話は手際が見事。口承文学は多くの人の身体を通ることで熟成されていく。樽（たる）熟成で琥珀（こはく）色、芳醇（ほうじゅん）な香りを出すウイスキー。それと同じで身体を使った熟成で馥郁（ふくいく）たる香りをだすのが口承文学。

画蛇添足

▼今回はよく知られた物語、クノッソス迷宮の造営にまつわる話のあらすじ紹介。クレタ島が栄えていた頃、ミノス王の王妃は諸事情あって牛と交わり、牛頭人身のミノタウロスを生んだ。これを知ったミノス王、ミノタウロスを殺すのは忍びなく思ったが、人前に出すことは躊躇（ちゅうちょ）した。結局、入れば二度と脱出できない迷宮（ラビリンス）を作ってそこに閉じこめた。▼この迷宮を設計したのが技師ダイダロス。ミノス王は、当時支配下にあったアテネから毎年青年たちを取り寄せては生け贄（にえ）として迷宮に送り込んだ。そんなある年、送られてきたのが青年テセウス。このテセウスにミノス王の娘アリアドネーは一目惚れ、たちまち二人は恋に落ちた。▼しかし迷宮に送られて食べられる運命にあるテセウス。一計を案じたアリアドネーは赤い麻の糸玉と斧（おの）をテセウスに隠し渡した。テセウスはアリアドネーが片端を握る糸玉を伸ばしながら迷宮の奥へと進み、出会ったミノタウロスを斧で退治。その後、テセウスは糸玉を繰ってアリアドネーの待つ迷宮の外へ脱出。二人は駆け落ちした。▼怒ったミノス王。設計技師ダイダロスの手引きがあったに違いないと疑い、その息子イカロスとともに迷宮に閉じこめた。自ら作った迷宮に閉じこめられたダイダロス。親子は翼を作って背中にロウでとめ、空へ飛翔することで迷宮からの脱出を果たした。▼脱出できたイカロスはうれしさのあまり父の警告を忘れ高く舞い上がる。太陽に近づきすぎてロウが溶け、翼がもげたイカロスは海に失墜（しっつい）。人間の知恵と勇気、それに舞い上がってしまう傲慢（ごうまん）―誰もが経験する青春の蹉跌（さてつ）の物語。蹉跌とは挫折、と説明しておかないと画竜点睛（がりょうてんせい）を欠く、か。今回は蛇足なし。

わんクリック　暗黒時代―悲惨な時代の意味でない。この暗黒は dark の訳語。「未知」という意味。文字による記録がないため詳細が分からない時代、という意味。のちにアフリカを西欧人が「暗黒大陸」と呼んだのも同じ意味で、彼らにとって情報の少ない「未知の大陸」の意味。宇宙で分かっている物質は 4%。あとは暗黒物質（ブラックマター）というのも同じ用法。地（じ）と図（ず）―歴史の地は基本的には「暗黒」。過去に関しては分からないことが圧倒的。私たちは分かっていることを図として記す。歴史は、大海に点在する島々をつないで「物語り」として語ったもの。ほとんどのことが分かっていない（※）。

History Literacy　地（じ）と図（ず）、歴史の「地」は基本的には「暗黒」―過去は分からないことが圧倒的に多い。

ポリスの成立

①ポリスの成立

・暗黒時代（前12c～前8c）に集住（シュノイキスモス）で成立

・中心は小高い城塞アクロポリスと麓の広場アゴラ

└ポリス全体の周囲は城壁で囲まれる

→各ポリスは互いに抗争、ギリシアでは統一国家は形成されず　＊1

└ギリシア全土に約300

②ギリシアの同胞意識

・デルフォイの神託の尊重、アポロン神託に権威　＊2

・オリンポスの12神を共有、オリンポス山、主神ゼウス

・オリンピアの祭典の開催　＊3

└開催中は各ポリス間の戦争中止→平和の祭典の意味づけ

・ヘレネス（自国民）、バルバロイ（異民族）の区別意識

└この意識はペルシア戦争後に発達。バルバロイがbarbarianの語源

③ポリスの奴隷制（アテネの場合）　＊4

・ポリスは市民（貴族と平民）、在住外国人と奴隷からなる

・市民が奴隷を個人所有、家内奴隷・農業奴隷として使役

・輸入された異民族、戦争の捕虜、借財で転落した市民（債務奴隷）

└いま大学奨学金（借金）が似たような状況を作る

アテネとスパルタ

①スパルタ　＊5

・征服民ドーリア人が支配者層として先住民全体を支配

被征服民ヘイロータイ（ヘロット）は隷属身分の農民

・リュクルゴスの国制

ヘロットの反乱防止のための独特の国制

スパルタ人内の平等

軍国主義教育

貧富の差をもたらすもの（商工業、貿易）の禁止、鉄銭の使用

必要最小限の商工業に従事させるためにペリオイコイ の身分

└市民（スパルティアタイ）を従事させないため

PROPOS　＊1
「両雄並び立たず」の英訳はWhen Greeks meet Greek , then comes the tug of war.（ギリシア人同士が出会ったら戦争がはじまる）。当時は「統一」の発想がなかった。「統一できなかった」は、「統一」を国民国家の到達点とみる今日の価値観（※）。

PROPOS　＊2
ローマ帝国のテオドシウス一世がキリスト教以外の異教祭祀を禁じる（392）まで千年以上にわたり最高の権威を持ち続けた。

PROPOS　＊3
同じ名称を使うが、当時のギリシア人と現在のギリシア人に連続性はない。現在の近代オリンピック（1896年創始）と古代のオリンピアの祭典は名前以外、無関係。

PROPOS　＊4
人口の3分の1を占めた奴隷がいたから市民は政治、文化に専念できた。「ギリシアの民主主義は奴隷制に立脚していた」と断りが入るが、この言い方を受け入れると、奴隷制度に立脚した政治体制を民主主義と呼ぶことを受け入れることになる。また最近は民主主義の起源は多元的とする議論が強い。歴史学はギリシア文明に源を求めた西欧（特にドイツ）に起源がある。ローカルな話が世界史と一般化されがち。

PROPOS　＊5
スパルタは先住民征服で成立。内陸部に立地。交易には不適だったがギリシアで例外的に穀物生産ができた。この特殊性が独特の国制、軍国主義的（陸軍中心）な内陸農業国スパルタを作った。「人が城なり」（リュクルゴス）のスパルタ。市民の団結を壊す貧富の差をおそれた。文弱を嫌い、文芸を奨励しなかった。そのために目に見える遺産を今日に残さない。脆弱な子どもは山中に遺棄し、残った子どもを粗衣粗食で鍛えた。これを人間の弱さに価値を認められなかった日本のある作家がスパルタ教育と称賛。虐待を教育と取り違えている。

画蛇添足

▼巫女というと視覚的にはシスティナ礼拝堂（ローマ教皇のための礼拝堂）での天井画内のミケランジェロの「デルフォイの巫女」が知られている。彼はローマ教会の心臓部に大胆にも異教の巫女を描き入れた。聡明な顔だちが鮮やかな輪郭で立体的に造形されて、ひときわ目立つ。▼聴覚的にはベッリーニのオペラ『ノルマ』でケルトの巫女ノルマがうたう「清らかな女神」。「すべてのアリアの中で最も難しい」（マリア・カラス）と評されたその美しさは比類ない。神託を伝える巫女が絶対的存在として受け止められてきた古代世界。▼合理主義で知られるギリシア人がなぜ神託といういっけん非合理的なものを信じたのか。ソクラテスの思索はデルフォイの神託「ソクラテスにまさる知者はいない」の意味を探ることからはじまった。神託の正しさを疑わなかったソクラテスの思索は今日、哲学とみなされる。▼トランス状態にある巫女の言葉を解釈して提示したのは神官。神託は当時のエリートだった神官の判断、とも指摘される。様々な相談者が訪れるデルフォイは情報の集積地。それらにアクセスできた巫女や神官は誰よりも客観的な判断ができたのだろうか。神託を信じて自らを託すことは合理的だったかもしれない。現在の床屋談義に通じるものがある。集まった情報（information）を取捨選択するところに知性（intelligence）が生まれる。情報なしに知性は生まれない。▼簡単に判断できない大きな問題に対して「神託が下った」とすることで社会的な合意形成をはかろうとしたのか。今も占いがそのような機能を果たす。背中を押してもらうために占いを求める人は少なくない。生駒山麓の石切参道（東大阪）がデルフォイの雰囲気を漂わせる。

わんクリック　スパルタは市民の結束を脅かす社会格差が生じることを警戒。過剰な生産はしなかった。余剰生産物ができると、それを囲い込む支配者階級が生まれる。余剰が生じても蓄積できないように鉄銭を使った。鉄は錆びるから貯蓄に使えない。生活必需品を調達するために商業は必要だったが市民が従事すると貧富の差が生じる。そこで市民以外のペリオイコイという集団に外部化（アウトソーシング）した。内集団の結束にひびが入ることを外部化することは歴史で繰り返された。一神教社会では利子をとることは禁止。利子も格差を拡大させる。そこで異教徒にのみ許した（外部化した）。

History Literacy　「～がなかった」（神殿がなかった、など）と「ないこと」への言及は価値観（何かがあることを標準としている）。

②アテネ民主政

a. 貴族政

・市民皆兵原則

ポリス防衛にあたる者が政治参加する原則

└ ポリス間は常に抗争

・武具自弁（青銅の兜と胸甲、脛当て、円盾、槍）原則

・当時の戦法は重装騎兵による一騎打ち

当初は騎馬戦のため富裕な市民が騎兵としてポリス防衛

→貴族の政治独占（貴族政）

b. 貴族政の動揺

・前８c、植民活動の活発化

植民市ビザンティオン、ネアポリス、マッサリアなど

→交易活動の活発化（母市－植民市間）

→貨幣経済発展←リディアの鋳造貨幣の影響

└ 異説あり

→貧富の差の拡大

・新しい戦法の登場 ― 重装歩兵の密集戦法（ファランクス） ＊1

└ 図表のイラストは想像図（武具自弁なのでおそろいの武具は考えにくい）

→富裕な平民がポリス防衛を担いながら貴族が政治独占する矛盾

→平民の参政権要求

・ドラコンの立法 ＊2

前７c、慣習法の成文化による貴族の法独占（法の恣意的解釈）打破

c. 財産政

・前6c 初、「調停者」ソロンが貴族と平民の争いを調停

・財産政の導入 ＊3

財産の多寡で市民を４等級に分けて権利と義務を規定

└ 豊かになった平民のための対策

・市民の債務奴隷防止

└ 貧しくなった平民のための対策

負債の帳消し、身体を抵当とする借金の禁止 ＊4

→市民共同体の崩壊を防止

PROPOS ＊1

密集戦法（ファランクス）。互いに左側の仲間を自分の盾で守りつつ、自分を右側の仲間に守ってもらい、横一線にスクラムを組んで敵（騎馬兵）を圧迫するハリネズミ戦法。集団の凝縮性が高まるほどに隙間がなくなり、強く安全になる。第一線、とりわけ最も右側（ここだけは自分を守ってくれる右隣がいない）で戦うのが名誉だった。

PROPOS ＊2

ドラコンの法律は厳しいことで有名。今日でも容赦のない厳罰を draconian rule という。しかし当時のアテネで重要だったのは貴族の法独占が打破されたことにある。

PROPOS ＊3

今の感覚で財産政は否定の対象。歴史的には家柄を打破した画期的なものだった（※）。生まれはどうしようもないが財産なら本人の努力で何とかなる。個人の自助努力が及ばない「生まれ」で決定されることを認めないのが近代社会。「家柄のよさ」ではなく「人柄のよさ」を評価するのが近代社会。ただし、財産政には財産を持たない、失うものを持たない者に政治権力を担わせない含意もあった。その意味での財産政の打破（普通選挙権普及）は 20c。ただいまは格差拡大が進み、個人の努力ではどうにもならなくなった。自己責任論で「努力してこなかったから」は政府の責任転嫁。

PROPOS ＊4

ポリスは常に他ポリスと抗争。市民共同体は戦士共同体であり、市民が借金を返済できず奴隷身分に転落する（債務奴隷）事態はポリスの国防力弱体化を意味した。これを防ごうとしたのがソロン。近代国家の所得再分配政策にも同じ意味合いがある。個人の救済だけでなく、社会の崩壊を防いでいる。いま大学生は奨学金という名のローンを使わなければ学業が継続できず、多額の債務を背負って社会に出る。給付型奨学金、何らかの形で既存の負債を帳消しする「ソロンの改革」が求められている。

画蛇添足

▼共同体の防衛にあたるものが、権利として共同体の意思決定に携わることができる。この市民皆兵原則が古代ギリシア・ローマ社会の根幹にあった。兵士のみが市民として認められた。近代になると「代表なくして課税なし」と納税も政治参加の要件に加わったがこの原則が変わることはなかった。▼古代アテネで侵略してきたアケメネス朝を撃退したのは海戦で漕ぎ手として動員された無産市民（財産の無い人びと）。戦後、貧しい彼らにまで政治参加の道が開かれ、民主政が実現。以来、参戦と参政をコインの裏表にみる認識が社会の底流に残った。▼市民皆兵原則が近代に徴兵制へと拡大発展した時、戦争の規模と性格は激変した。国のために命を捧げることが美徳となり、多くの悲劇を生む。徴兵制は軍国主義と結び付けられがちだが、歴史的にむしろ民主主義と不可分の制度として機能してきた。軍隊は典型的な上意下達のピラミッド型組織であると同時に広い底辺における平等性を併せ持つ。そこでの共通の軍隊経験が社会の民主化を進展させた。▼女性選挙権は1次大戦後に拡大。男性が戦う前線は膠着。前線にどれだけの弾薬、食料を補給できるか、銃後の女性の働きが戦争の勝敗を左右した。2次大戦への参戦にかかわらず参政権が与えられなかったのがアメリカの黒人。その矛盾が公民権運動となり、ベトナム戦争で白人と黒人が同じ部隊で戦うことでアメリカ社会での人種間融和が一定程度進んだ。▼過去の延長線上ではない地点に未来を作らなければならないこともある。そのためにも過去を知る必要がある。参戦と参政―戦争と民主主義が手を取り合ってきた関係を意識しておかなければ思わぬ陥穽に足をすくわれかねない。

わんクリック 様々な共同体において「民主主義」的な意思決定がなされてきた。民主主義はギリシアで生まれたわけでないと人類学者のデヴィッド・グレーバーは指摘する（『民主主義の非西洋起源について』）。中国が「西側の民主主義」だけが民主主義でない、と自国の「民主集中制」の優位性を主張する。後半はともかく前半には耳を傾けたい。ギリシアで生まれたのは多数決制民主主義。これを狭い共同体の意思決定に用いると亀裂しか残さない。筆者の狭い経験だが学校の職員会議で多数決が使われることはない。これにも問題はあるが、話し合いで全会一致をめざす村寄合的民主主義もあった。

History Literacy 出来事は複眼的に見る（「現在からの視点」で出来事の終わりを、「（過去から）現在への視点」から出来事の始まりを見る）。

d. 僭主政

- ペイシストラトスが非合法に権力を握る（僭主）　＊1
  - └ 彼自身は聡明な為政者で善政
  - →後継者が暴君化

e. 民主政（基礎）

- 前6c末、クレイステネスが民主政の基礎作る
- 陶片追放制度の導入　＊2
  僭主の出現防止のため、予め投票で僭主になりそうな者を追放
  - └ サラミスの海戦での功績を自慢するテミストクレスが嫌われて追放
- 地縁的10部族制の創設
  血縁的4部族制を解体し、地縁的10部族制を創設　＊3
  - └「選挙区」の誕生

ペルシア戦争とアテネ民主政の深化

①原因

- アケメネス朝のオリエント統一
  フェニキア人貿易を保護、地中海貿易をめぐりギリシアと利害対立
  支配下に入ったミレトスを中心とするイオニア植民地の反発

②経過

- 第1回　ダレイオス1世が派兵（前492）
  - └ アケメネス朝最盛期の王
- 第2回　マラトンの戦い（前490）　＊4
  アテネが撃退 ― 重装歩兵の密集戦法が勝因
- 第3回　サラミスの海戦（前480）　＊5
  アテネ市民は海上避難、指導者テミストクレス
  - └ テルモピュライ（テルモピレー）でスパルタ軍がペルシア軍を止めて全滅

  ラウレイオン銀鉱の発見（前483）が造船資金
  アテネ勝利 ― 無産市民が三段櫂船の漕ぎ手として貢献
  - └ 当時の海戦は三段櫂船の衝角戦法で勝敗は漕ぎ手次第

  →民主政の進展
  - └「海が民主政の起源」（プルタルコス『対比列伝』）

  プラタイアイの戦い（前479）でアテネ・スパルタ連合軍勝利

PROPOS　＊1
ルールによらず権力を握った者（僭主）が暴君化した時、それを退場させる困難さをアテネは経験した。僭主（テュランノス）は暴君（tyrant）の語源となった。「僭」は「僭越ながら」でしか使わない難字。

PROPOS　＊2
市民全員が読み書きできる前提で設計された陶片追放制（実際の識字率は15%程度）。謎が多く何のための制度化は不明。僭主の出現防止説は揺らいでいる。「世界最古のリサイクル」との側面の指摘もある。現在の課題意識を過去に投射して現在の概念で過去の出来事を語るのが歴史（※）。しかし、当時「再利用」の概念はなかっただろう。

PROPOS　＊3
クレイステネスが民主政の制度的基礎を作る。誰と血のつながりがあるかでなく、どこに住んでいるかで所属が決まる部族、選挙区のようなものを作った。新部族から50人ずつ選出された500人評議会。アテネは民会を最高議決機関とする直接民主政だが、民会へ上程する議案を先議する500人評議会が権力を握った（時間的制約ですべては議論できない。したがって何を議題にするかが権力。日本の国会では議院運営委員会が力を持つ）。民衆が民衆を支配する政体が誕生。ポリス内でのあれこれがポリテックス（政治）。ちなみにデーモスの前でのアピールがデモンストレーション。パンデミックは「デーモス全体で」のこと。

PROPOS　＊4
面白い話を逃さないヘロドトス『歴史』にマラトンの感動話がない。後世の創作か。マラソン競技も近代オリンピックで導入。

PROPOS　＊5
海で「水道」とされる所は潮の流れが速い。熟知していたテミストクレスはペルシア軍を自軍に有利な流れに誘い込む。潮目を読むのが政治の要諦。この勝利自慢が嫌われ陶片追放される。人心は読めなかった。

画蛇添足

▼選挙のたびに投票率の低さが問題になる。いま国政選挙に有権者の半分程度しか投票しない。棄権は白紙委任、現状追認。「失われた三十年」の失政。この間の政権は低い投票率に支えられてきた。国民の4分の1程度の支持しかない政府が物事を決めてきた。▼低い投票率に支えられるとは特定の利益集団の組織票に支えられること。組織票を一概に否定できないが投票率が低いと組織票が重みを持ちすぎて、組織の利害が政治に過大に反映されてしまう。脱炭素化が喫緊の課題となる中で原発をどう考えるか。電力会社の組織票が実際の民意以上の重みを持てば自由な議論が期待できない。▼候補者に「出したい人より、出たい人ばかり」が並ぶ現実。投票とは「よりましな者（悪さ加減が少ない者）」の選択だから仕方ないが投票意欲は湧かない。「あなたの一票が社会を変える」と言われるほどに蟷螂の斧感の方が強くなる。自分の政治意志を一票に丸めなければいけない違和感も投票所から足を遠ざける。▼陶片追放として始まった投票行動。長く「一人一票」が民主的だった。影響力を持とうと思えば組織化するしかなかった。ただそれは現実の制約下での話。いまデジタル投票の可能性に開かれるようになって一人一票より民主的とされる投票方法が提案されている。例えば一人に99ポイント与えて分散投票させるクアドラティックボーティング（オードリー・タン『デジタル投票』）。▼政治に関わるのはコストがかかる。誰もが政治に深く関わる社会は生産的といえないが政治はスポーツ観戦と違って参加が前提。投票行動は政治に緊張感を持たせる機会。これが成熟した民主主義、と唸らせるような有権者の手綱捌きを見せるときだろう。

わんクリック　小選挙区で落選した候補者が比例区で復活当選するのをみてゲンナリすることがある。現行の小選挙区比例代表並立制は1993年の政治改革での妥協の産物。当時存在した中小政党も議席が獲得できるように配慮された（死票の考慮もある）。まったくの白紙からの制度設計はない。制度設計は常にその時々の既存勢力との妥協。高校のカリキュラムも同じ。皆さんがいま学ぶ科目も、本当に必要な科目という観点でゼロベースから積算されたものではない。私たちは常に歴史の中にあり、その制約を受けている。**歴史教育不要論**もあるが、関連学会、業界があり、その議論は取り上げられない。

History Literacy　失敗にしか原因はない－問題意識がないと歴史は始まらない（問題意識に歴史―過去表象は引きずられる）。

③アテネの繁栄

・デロス同盟

ペルシア再侵攻に備えた海上軍事同盟、本部デロス島　＊1 ＊2

→アテネは同盟主として他ポリスを支配、デロス同盟資金を管理

└「アテネ海上帝国」として覇権的性格強める

→アテネの経済的繁栄（アテネの民主政の基礎）

・パルテノン神殿再建

フェイディアス『アテナ女神像』

└ 神殿造営監督、アテネの守護神『アテナ女神像』（現存せず、推定12m）奉納のため

④アテネ民主政の発展　＊3（※）

└ デモクラシー、政体はこうあるべきとの主張 ― デモクラティズム（民主主義）と区別のこと

・「民衆（デーモス）による（民衆）支配（クラトス）」がデモクラシーの語源

└ 民主政（デモクラシー）は貴族政（アリストクラシー）の対抗概念

・ペリクレス時代（前443～429）が全盛期

└ 重任可の将軍職に15年間在任

・民会が最高議決機関（直接民主政）

参加は成年男性市民のみ、女性、在留外人、奴隷に参政権なし

・抽選で決定された役人が行政を担当

└ 手当支給、任期1年（重任不可）

・抽選で選ばれた陪審員が民衆裁判所で司法を担当　＊4

ペロポネソス戦争とポリスの変容

①ペロポネソス戦争（前431～前404）

・アテネ（デロス同盟）の覇権的傾向に脅威に感じたスパルタが開戦

└ ポリスの自主独立が失われると警戒

ペロポネソス同盟（盟主スパルタ）とデロス同盟（盟主アテネ）間で戦争

・アテネの敗北、ギリシア全体の衰退

アテネに感染症（腸チフス説が有力）流行、指導者ペリクレスの死（前429）

→スパルタが勝利（前404）するがギリシア全体が衰退

└ ペルシアが支援、ギリシア全体がペルシアに操られ「ギリシアの自殺」

・極限状態下で、アテネ民主政は扇動政治家（デマゴーゴス）により衆愚政治化

└ 戦争と疾病による大量死（人口半減）└ デマゴーグ（demagogue）の語源　＊5

PROPOS　＊1

ペルシア戦争を『歴史』で「私は見たまま語る」と物語ったヘロドトス。クセルクセス王との対話が面白い。ヘンデル「懐かしい木陰（こかげ）よ（オンブラ・マイ・フ）」（オペラ『クセルクセス』）が癒（いや）し系アリアの代表。クセルクセス王がプラタナスの木陰で物思いに耽（ふけ）り歌う。「二人に優しく愛すべき木陰を与えてくれた植物が他にあっただろうか」。

PROPOS　＊2

いまの私たちはペルシアの4回目の侵攻がなかったことを知っている。同時代人ヘロドトスはそのことを知らない。ペルシア戦争の起点と終点を知る後世の私たちだけがこの出来事を意味づけて叙述できる（このことに歴史叙述の最大の特徴を認めるのが「歴史の物語り論」→p.127『画蛇添足』参照）。アテネ市民は4回目に怯（おび）えていた。

PROPOS　＊3

ギリシアは政治的に統一された地域でない。ギリシア史とは諸ポリス史。それも残っている史料に偏りからアテネ史。アテネの歴史はプラトン『アテナイ人の国制』で詳しいが他のポリスの詳細は分からない。

PROPOS　＊4

神のいる社会、古代ギリシアで抽選は「神による選択」とみられており（おみくじも同じ発想）、単に偶然に委ねる行為ではない。抽選という言葉が私たちが描くものと違う。「くじびき民主主義」は現代の課題。世襲政治家だらけの日本の政界。どこかの過程で抽選を入れて、世襲でしか政治家になりにくい状況を変える必要がある。

PROPOS　＊5

ソクラテスが毒杯を仰いだのはペロポネソス戦争終結直後（前399）。師ソクラテスを失ったプラトンは民主政を煽動政治家による衆愚政、と批判。哲人王による支配を夢想。衆愚とみるのはソクラテス、そして民衆嫌いのエリート、プラトンの見方。衆愚政は戦争がもたらしたもの、ともみれる。

画蛇添足

▼アクロポリスの丘で誕生したデモクラシー。「治者と被治者を同じとする」理想が形をとった。いまなお毀誉褒貶（きよほうへん）の激しい政治形態だが「将来からみれば最悪とみられるかもしれないが、いまのところ最善」（チャーチル）との評価がまだ引用される。世の中に最初から完成形で登場するものは少ない。民主政も途上にある。▼支配者の中だけの民主政。参加できたのはアテネ市民だけ。アテネ市民権は閉ざされていた。女性も在留外国人も除外。これを民主政と呼べるのか。私たちはいまも引きずっている。女性議員の驚くべき少なさ。日本に長く住み、納税していながら参政権を持てない人が多くいる。▼奴隷制に立脚した民主政。市民は生活の些事（さじ）を奴隷にまかせた。日当が支払われたから貧しくても政治に関与できたがその資金を他ポリスから収奪した。プロセスを重視する民主政は費用がかかる。私たちの富は収奪と無縁と言い切れるか。名前は民主政だったが実際はペリクレスの一人支配。将軍職にあった15年間職場と家を往復した。収賄（しゅうわい）の嫌疑をさけ友人宅に立ち寄ることもしなかった。李下（りか）に冠（かんむり）を正さない指導者がいないと機能しない政体。▼均質な市民の中で成立した「丘の上の民主政」。市民の格差が広がる今日も有効なのか。アテネ民主政の段階で女性や在留外国人も参政権の対象であればその後の世界は違っただろう。どうして除外されたのかと問いたい。「そういうものだろう」と流せば「そういうもの」という既成事実が作られる。▼まだ途上にある民主政を鍛えて確かなものにするためにシニカルな見方を連ねている。ただこういう批判は藁（わら）人形叩きになりがち。まずは知ること。橋場弦（ゆづる）『古代ギリシアの民主政』が好著。

わんクリック　アテネ、アテナ女神、アテナイの学堂…表記が混じり戸惑う固有名詞。アテナ（古代ギリシア語ドーリア方言）、アテネ（古代ギリシア語イオニア方言）、アシナ（現代ギリシア語）。このうちいまの日本での慣用表記は「アテネ」。割り切っていまの英語表記 Athens(アセンズ) で覚えた方がよいかもしれない。本書では統一していない。大切なのはデモクラシーを民主政、そうあるべきという運動のデモクラティズムを民主主義と訳し分けることだと思うが、parliamentary democracy などは議会制民主主義と慣用的に訳されている。この混在（混乱）もまた歴史として本書でも統一していない。

History Literacy　見出しにミスリードされない（いま本ページで学んでいるのはギリシア史という名だが、実際はアテネ史）。

②民主政安定期

・敗戦でアテネ帝国は崩壊、アテネ民主政は相対的安定期に

└ 前4世紀をギリシア全域での民主政完成期と評価(橋場弦)

③慢性化するポリス間抗争

・慢性化するポリス間の抗争で市民の没落

→市民皆兵原則(ポリスの原則)崩壊で傭兵制導入

→市民意識の衰退、市民共同体の崩壊

④ギリシアの覇権の推移

・スパルタからテーベへ

└ レウクトラの戦い(前371)

⑤ポリスの衰退とマケドニアによるギリシア統一　＊1

・カイロネイアの戦い(前338)

→ギリシア全ポリスはマケドニアによって支配

ギリシアの古典文明

①特色

・自由なポリス社会を基礎にした合理的で人間的な文化

②宗教

・多神教(オリンポス12神)とその神話　＊2 ＊3

└ 作者不詳の無名性が特徴

③文学

a. 叙事詩

└ 神話や実際の出来事を叙述したもの、作者不詳の無名性が特徴

・貴族政期に発達

・ホメロスの二大叙事詩『イリアス』『オデュッセイア』

・ヘシオドスの『労働と日々』『神統記』

└「労働は恥ではない怠惰こそ恥である」

b. 叙情詩

└ 個人の感情を主観的に叙述したもの、著者が分かる有名性が特徴

・貴族政期から民主政期

・女流詩人のサッフォー　＊4

└ レスボス島で生涯を終える、アナクレオン、ピンダロス とともに三大叙情詩人

PROPOS　＊1

マケドニアはギリシア語世界だが王政をとり、ギリシア人からバルバロイ視。オリンピアの祭典にも招待されなかった。ただマケドニアはギリシア本土と違って豊かな平原が続く森林地帯。4回目のペルシア遠征に備えて、アテネは造船に力を入れ、木材をここに求めたからマケドニアは経済的に台頭、大国化。

PROPOS　＊2

絶対的超越神とは異なり人間的性格を持つオリンポス12神。12神で世界(森羅万象)を過不足なく説明する手際がギリシア神話の魅力。阿刀田高『ギリシア神話を知っていますか』が読みやすい。本当に彼らは神話を信じたのか(※)。

PROPOS　＊3

各都市国家には守護神がいる。アテナは知恵の女神。英語でミネルヴァ。ミネルヴァは肩にフクロウを乗せている。フクロウの顔は人間に似ているので擬人化されやすい。首が270度回転するので視野が広い。私たちの視野は狭く、当然見ていないものには気づかない。視界の外にあることを語れない。他方で無口な観察者フクロウは見ているのに語らない。首が回るので日本では商売の神。

PROPOS　＊4

サッフォーはやさしい言葉で詩を多作。「夕月は　かがやく朝が八方に　ちらしたものを　みなもとへ　つれかえす　羊をかえし　山羊をかえし　母の手に　子をつれかえす」。「地上でもっとも美しいものとしてひとはいろいろ挙げるけれど、もっとも美しいのはあなたの愛するもの」。これに音と舞踏がついた。チャイナの『詩経』も同じだが古代の詩は歌われた。しかしその節回しは分からない。いま私たちの心を動かす楽曲の歌詞だけが後世に残っても、後世の人は私たちが何に感情移入したか分からないだろう。半ば失われた文学がギリシア抒情詩。

画蛇添足

▼18世紀まで民主政は「衆愚政(mobocracy)」とみなされ低い評価だった。ここまであからさまな否定感情がのせられた歴史用語も珍しい。理想主義者プラトンに見限られた影響も大きい。逆に評価されてきたのは理念より現実を重視した共和政。▼短命で悲劇的に瓦解(がかい)したアテネ民主政と違って、共和政ローマは長く命脈を保った。現在ある国の多くが19世紀に独立したが、その多くが共和国を名乗った。他ならぬギリシアが、長いオスマン朝支配から独立した時ギリシア共和国を選択した。実際には国家のサイズの問題もあった。▼19世紀にイギリスで議会制民主主義が進展したことで間接民主政として民主政は再生した。元来イギリス議会は民主政とは無関係な地主の利害代表。結果的に感情に基づく集団的浅慮になりやすい民意に議会をかませたことで―意思決定にワンクッション置いたことで民主政が機能した。ヴィクトリア時代の経済の好調な平時だったこともある。▼逆に迅速な対応が必要な経済危機時、戦時にうまく対応できない。それが人をポピュリストや独裁者に向かわせた。20世紀のドイツではこの体制の下でナチスが独裁権を握り、ドイツをいち早く恐慌から脱出させた。人びとはそのスピードに目を眩(くら)まされた。▼非常時への対応スピードで民主政は独裁にかなわない。その遅さは意思決定プロセスに様々な人の意見(眼)が入り、チェック機能が働いているため。「一人だと早くいけるが、みんなと一緒だと遠くまでいける」(アフリカのことわざ)長所の裏返し。ここにスピード感もつけて今日の格差の急速な拡大、環境問題危機に対処できるか、民主政が権威主義体制より優れた制度であると示せるかがいま問われている。

わんクリック　マラトンの戦いでの密集戦法が民主政を生んだ―共感的な語りになりがちだが戦争は陰惨。勇ましい好戦論は机上で生まれる。孤高の詩人ピンダロスは「戦争はそれを知らない人には甘美である」と釘をさす。戦前の日本、軍人より文人が勇ましい言葉で人びとを煽った。国際協調の幣原(しではら)外交を「弱腰外交」と攻撃、弱い犬ほど相手の不正義を詰(なじ)って「断固たる姿勢を示すべき」と吠える。吠えるのは前線にいく心配のない安全地帯にいる者。戦争はいつも正義と正義の衝突。ウクライナ戦争中のいま「私は最も正しい戦争よりも、最も不正な平和を好む」(キケロ)と公言するのが勇気のある人。

History Literacy　人びとの心性の理解は難しい(300万人が初詣する明治神宮－後世の人は「宗教国家」日本と誤読する可能性がある)。

c. 悲劇

└ 劇を悲劇と喜劇と別のカテゴリーに分けるのは後世、当時は区別なし

・アテネ民主政全盛期（前５ｃ）、三大悲劇詩人

・ソフォクレス『オイディップス王』

└ 作風は「劇的な構成の巧みさと緊張感の制御」（佐々木健一『美学への招待』）

・アイスキュロス『アガメムノン』『ペルシア人』

└ 作風は宗教的な崇高さ

・エウリピデス『メディア』　＊１

d. 喜劇

・アテネ衰退期（前５ｃ末）

・アリストファネス『女の平和』『女の議会』『蜂』

└ ペロポネソス戦争時の反戦劇

e. その他

・イソップ『イソップ寓話』（動物寓話）

└ 奴隷身分　└ 各地の寓話を収集、のち子どもを寝かしつける定番話に

「アリとキリギリス」「酸っぱいブドウ（キツネ）」「ウサギと亀」

└ アリに「働け」、キツネに「諦めよ」、ウサギに「コツコツ働け」と奴隷の処世訓

④史学

・ヘロドトス『歴史』（ペルシア戦争史）

見聞をもとに物語る（「語られたままを私は語る」）、「歴史の父」

・トゥキュディデス『歴史』（ペロポネソス戦争史）　＊２

批判的に教訓的に叙述

⑤建築　＊３ ＊４

・神殿建築が発達（列柱で様式区分）

・ドーリア式　荘重・簡素 代表例　パルテノン

・イオニア式　優雅・軽快（渦巻装飾）、アテナ・ニケ神殿

・コリント式　繊細・華麗（葉あざみ装飾）

└ 地中海一帯に自生する力強く伸びるアカンサス（葉アザミ）

⑥彫刻

└ 地中海沿岸は大理石 ― 柔らかく生き物のように丸みを帯びた彫刻が可能な石、の産出地

・調和と均斉が特徴

・初期作品にはアルカイックスマイル（古拙（こせつ）の微笑）　＊５

PROPOS　＊１

男女の愛憎が生み出す悲劇を語るエウリピデス。汎用性、現代性ある主題ゆえ現在もしばしば上演。蜷川幸雄（にながわゆきお）演出『王女メディア』は音楽も十分に悲劇的。世界中で上演。

PROPOS　＊２

トゥキュディデスはペロポネソス戦争敗戦の責任で９年間アテネから追放。この体験が彼に戦争を批判的に叙述する時間と姿勢を与えた。他方、筆者のフィルターを通さず見聞したことをすべて書き残したヘロドトスの著作はそれゆえ史料価値がある。

PROPOS　＊３

ペルシア戦争後のアテネの経済的繁栄と精神的高揚を象徴するパルテノン神殿。デロス同盟資金を流用して再建した大理石作りの壮大な建築物。「均整と調和」の象徴。曲線や傾斜が巧みに使われ、直線は使われない。床面もわずかに中心部が盛り上がり、列柱は中程で膨らむ（エンタシス）。パルテノンの美は廃墟美だが純粋な廃墟でなく後世の付加物（イスラーム時代のもの）を排除、「見せたい」ように作られた廃墟美（※）。

PROPOS　＊４

柱頭は飾り。すごいのは列柱―ダルマ落としのような輪切りにした円柱。心棒なしで積み上げる組積造（そせきぞう）が定番の建築技法。

PROPOS　＊５

“archaic smile”－あるかなしかの微笑み。ギリシアに偶像崇拝のタブーはない。人間の身体、はにかみに美の基準を置き、人間に似せた神像―人形（ひとがた）が作られた。日本の飛鳥寺大仏（奈良）も「古拙の笑み」で知られる。右からは厳しく左からは優しく見える。このアルカイックスマイル、エンタシスなどがギリシア伝来というのは神話（井上章一『法隆寺の精神史』）。微笑、慈しみの表情を彫るのは難しい。立体表現技術が未発達だった時代、避けがたかった特徴が古拙の微笑。現代的造形に昇華させたのが彫刻家成田亨（とおる）。ウルトラマンが代表作。

画蛇添足

▼わざわざお金を払ってなぜ悲劇を観るのか。アリストテレスは、「怖れや憐みの感情により精神を浄化する（カタルシス）」ことにその意味をみた。ギリシア悲劇の傑作『オイディップス』▼テーバイ国王ライオスは「わが子に殺される」とデルフォイの神託を受ける。現実化を恐れて、王妃イオカステとの間に生まれた子を山中に捨てさせた。十数年の後、国王は旅の途上で盗賊により殺された。▼テーバイの町にはさらにスフィンクスの謎が立ちふさがり、解くことのできない市民の生命が奪われた。国王殺害犯を詮索するいとまはなかった。そこで放浪していたオイデップスがこの謎を解き街を救う。彼は市民に推され、国王となり、先王の妃イオカステを妻にめとった。▼平穏な歳月が流れたが街は再び大きな災難に襲われた。疫病が広がり作物は枯れた。神託が再び告げる。「先王殺害の下手人を見つけて罰せよ」。これを受けてオイディップス王は先王殺害の犯人探しに着手。緊張と共に真相が明らかになっていく。▼引き込まれる観客。すべてが明らかになった時、土間（オルケストラ）に陣取った合唱隊（コロス）が「人間とは何と悲しきものでありましょうか」とすすり泣きながら歌い上げ、観客の感情の高ぶりを増幅する。嗚呼（ああ）と入声の韻が情感を高める。どうあがいても運命は決まっている、と人間の有限性を相互に確認。観客はさめざめと涙を流すことで木戸銭（きどせん）分のカタルシスを味わい、すっきりして観客席（テアトル）を後にする。▼「ここではこのように感じるのですよ」と観客の感情を誘導する合唱隊（コロス）。いまはワイドショーのコメンテーター、ひな壇芸人のリアクションがこれを演じている。アリストテレスと違い、実際に観劇したプラトンは悲劇を危険とみなした。

わんクリック　パルテノン神殿を飾っていた大理石のレリーフ（エルギン・マーブル）はグレーに近い状況でイギリスが持ち帰り、「泥棒博物館」(British Museum) で公開してきた。「盗人にも三分の理」はある。これまで人類の貴重な文化財を、①破壊と散逸から守り（勝手に色彩を落として純白にしたが）、②無料で人々に開放 (HP 上でも見学可)、③その負担をしてきた。アクロポリス博物館を新築したギリシアの返還要求にどう応えるのか。文化財は誰のものなのか。出土した場所に戻されるべきか。大英博物館の「暗い牢獄」から、新博物館の光に満ちた部屋へ（ギリシア大統領）と返還要求を強めている。

History Literacy　裸眼は存在しない（廃墟美も 19 世紀のロマン主義が作った後天的感覚。廃墟に美はない、それを眺める心にある）。

⑦ギリシア哲学

a. 自然哲学

- 前６ｃ、小アジアのミレトスにおこる
- 万物の根源（アルケー）の追究　＊1
- タレースは「万物の根源は水」と考察
  └ 皆既日食を予言（前 585）して人びとを驚かせ、その言葉に説得力を加えた
  神話から哲学へ（「哲学の父」— アリストテレスの理解）
- 「万物は流転する」（ヘラクレイトス）、「万物の根源は数」（ピタゴラス）
  └ 万物の生成を運動で説明
  「万物の根源は原子」（デモクリトス）
  └ これ以上分割不可能なアトム（原子）、存在を元素に還元して理解する発想の誕生

b. 人間哲学

- ソフィスト　＊2
  弁論、修辞（レトリック）を教える職業教師
  哲学の対象を自然から人間に移す
  └ 舞台もイオニア地方からギリシア本土に移動
  プロタゴラスの「人間は万物の尺度」
  真理の相対性の主張と、絶対的真理の否定
- ソクラテス（前 469 ~ 前 399）　＊3
  ソフィストを批判し、真理の絶対性を追究
  ソフィストの議論がしばしば詭弁術に堕すことを批判　＊4
  「無知の知」、問答法、「よく生きること」知徳合一の主張
  └ 著作残さず、プラトンが記録
  神々に対する不敬、青年を惑わせた罪で死刑
  └「悪法もまた法なり」と逃亡せず自ら毒杯を仰ぐ
- プラトン（前 427 ~ 前 347）
  イデア論、エロス説、哲人政治、『ソクラテスの弁明』等対話編多数
  アカデメイア創設
  └ アカデミーの語源、529 年ユスティニアヌス帝による閉鎖まで存続
- アリストテレス（前 384 ~ 前 322）　＊5
  『形而上学』『政治学』などで古代哲学の体系化（大成）
  └「人間はポリス的動物である」

PROPOS　＊1

オリエント先進文明とギリシアの自由の接点、小アジアのイオニア植民市でタレースらは理性（ロゴス）によって事物を観察する態度（観想）で「万物の根源」を追究。目に見える現象、見かけにとらわれてはだめ、と本質を追究。ここから実在と本質をめぐる議論が始まる。観想が theory の語源。自然科学ではより少ない言葉（数式）で説明できるのがよい理論。逆に人文、社会科学で単純な説明は眉唾物。人間、社会は単純ではないから、との説明は単純すぎるか。

PROPOS　＊2

民主政で必要なのが多様な人びとを説得する弁論術。現実に民主政を担ったソフィスト。私たちは歴史を後世（前の人を批判した立場）から判断—ソフィストを批判者のソクラテスの立場から判断してその意義を見失いがち（※）。多文化社会、小アジア出身プロタゴラスの「人間は万物の尺度」は物事を神でなく人間の視点で見る姿勢。

PROPOS　＊3

対話（dialogue）、弁証法（dialectic）の語源はソクラテスの問答法（ディアレクティケー）。一人ではたどり着けない地点に到達する技法。ただその地点を真実とみなすと、そういうものがあるのかの問題になる。

PROPOS　＊4

詭弁家ゼノンの逆理「アキレスは亀に追いつけない」—有限な世界に無限概念を持ちこむこと、時空間を分割することの当否が人を悩ませてきた。ところで詭弁術は裏返せば論理学となることに着目したい。

PROPOS　＊5

「美しい花」は存在する。それでは「美そのもの」は存在するのか。存在する、とするプラトン。存在するのは個々の「美しい花（風景）」だけ、とするアリストテレス。「美しい花がある。花の美しさと言うようなものは無い」（小林秀雄）は後者の立場表明。いったい美はどこに存在するのか。

画蛇添足

▼分からないことはすべて神、あるいは something great に引き受けさせるのが神話。説明は非合理だが、物事を筋道だてて理解しようとする姿勢のあらわれ。理解できない出来事の原因を x として、仮説としての神をそこに置いた。▼まず、God rains.（神が雨を降らせる）と理解する。その後、降雨のメカニズムが分かれば God は不要となる。文構造が不安定になるのを嫌い God が占めていたところに It を代置。ここに It を形式主語として使う It rains .（雨が降る）表現が生まれた。日本語では「神鳴り」は音だけを残して「雷」と変化。▼歴史は神を用いなくとも様々な事柄を説明できるようになる過程。「エジプトはナイルの賜物」とヘロドトスが神話から歴史を、タレスが「万物の根源は水」と神話から哲学を独立させた。ともに説明に神を用いなかった。▼仮説としての神の居場所は次第に小さく、いまは「隙間の神」と言われるようになった。この経過は池内了『物理学と神』、村山斉『宇宙は何でできているか』が面白い。いまも神は自然現象の未知の部分に住む。最先端の big ban theory でも最初の引き金に「神の一撃」が使われている。勉強部屋の片隅にも神は宿る。God is watching you. の張り紙を部屋に張って自らを律する人もいる。▼何を問うか。「問題が問題」と指摘される。問うべきは世界ではなく人間と問題設定を変えたのがソフィストたちの功績。原理は世界の中ではなく、人間の頭の中にある。私たちが世界に秩序を与えている、とみる洗練された議題変更。「万物の根源」を播州人（兵庫県西南部）は「そんなもんあるけー」と軽くいなす。仏教はそこに「空」をみてギリシア起源の西洋哲学とは別の問題系を設定した。

わんクリック　世界のベストセラーは１位『聖書』、２位『資本論』。最近、３位を『ハリーポッター』に譲って４位に後退したのが「大切なものは目には見えない」で知られるサン・テグジュペリ『星の王子様』（とされる）。見かけ（現象）とは異なる「本質」があるとしてそれを「万物の根源」と追究したのが自然哲学者たち。実際、現代物理学は世界の裏に私たちに見えない世界が広がっていることを明らかにした。「万物は流転（運動）する」（ヘラクレイトス）の指摘—世界史理解の難しさはこの言葉に尽きる。ベストセラー順位も時代で変わる。動きのあるもの、運動の理解はとてもむずかしい。

History Literacy　人びとは次の時代のために生きたのではない—過去を現在の前史として見るのは偏見。

4　ヘレニズム世界

アレクサンドロス大王の東方遠征

①マケドニア王国台頭

- ギリシア人の一派 (?) としてギリシア世界へ
  - └ 長い歴史を持つが王政のためギリシア世界では遅れた国家とバルバロイ視
- 前4c、ギリシア文化を摂取して国力充実
  - └ テーベの最新戦術など　└ 鉱山開発 (トラキア金山)、木材輸出で繁栄
- マケドニア台頭に対する他ポリスの対応

  イソクラテスはマケドニアに期待して大ヘラス (ギリシア) 主義を主張

  デモステネスは反マケドニア同盟を組織して対抗を主張

②フィリッポス２世 (在位前 359 ~ 前 336)

- カイロネイアの戦い (前 338)

  南下してギリシアのポリス連合軍を破り、コリントス同盟

  └ デモステネス主導　└ ギリシア支配のための機構

③アレクサンドロス (3世) 大王 (在位前 336 ~ 前 323)　＊1

- 父王暗殺のあと 20 才で即位
- 東方遠征 ― 総勢約５万人が２万キロの遠征　＊2

  目的　アケメネス朝打倒

  └ ペルシア戦争以来、ギリシアに介入続ける

  植民活動のため　＊3
- イッソスの戦い (小アジア)(前 333) でペルシア軍敗走

  →シリア→エジプト (アレクサンドリア市建設)

  └ 東地中海情勢 (ギリシア世界) の安定を優先

  →ペルシア再遠征、アルベラ (前 331) でペルシア軍敗走

  →アケメネス朝ペルシア滅亡 (前 330) →中央アジア

  →バビロンに凱旋後、熱病で病死 (32 才)

④アレクサンドロス帝国

└ 早逝したため実体はない、支配したのは限られた地にとどまる

- 大王はアケメネス朝の後継者として君臨　＊4
- 各地にアレクサンドリア市建設、結果として東西文化融合も

PROPOS　＊1

フィリッポス２世は息子の家庭教師にギリシア文明を体現する哲学者アリストテレスを招いた。しかし影響はあまり与えなかった。アレクサンドロスは隣国ペルシアの統治体制、先進文明に対する憧れを持っていた。「人間はポリス的 (社会的) 動物」とした彼に学んだアレクサンドロスがポリス時代を終わらせる皮肉な結果になる。

PROPOS　＊2

「この結び目をほどくことができた者がアジアの王になる」と予言された「ゴルディアスの結び目」。アレクサンドロスは剣で両断。快刀乱麻(かいとうらんま)を断つ。ルール違反で解決でないとみるべきか、枠組みを外さなければ次に進めないこともあるとみるべきか。

PROPOS　＊3

ポリス衰退期、多くの市民が没落、社会不安を生んだ。またマケドニアに統一されたギリシアの諸ポリスには不満分子も多い。そうした人びとも含んだ５万を超える兵士たちと２年間で２万キロを超える空前絶後の規模の遠征。この集団を統率して大事業を遂行する卓越した能力。アレクサンドロスは毀誉褒貶(きよほうへん)が大きい人物だが軍事才能が卓越したことでは評価は一致する。遠征路自体はアケメネス朝の既存の商業ルート。32 歳の若さでの突然死。死因は不明。

PROPOS　＊4

エジプトで変わった３人の英雄。人為と思えぬピラミッドを眼前にすると圧倒的存在を意識するのか。この熱病はエジプトの風土病か。ギリシア文明の継承者アレクサンドロスもエジプトへ入って自らを神格化、臣下に神に対する跪拝(きはい)礼を要求する専制君主となる。共和政ローマのカエサルもエジプトを訪れるうちに帝政を意識。フランス革命の革命の理念を各地に輸出したナポレオンもエジプト遠征のあと革命が廃した国王を凌(しの)ぐ権力者、皇帝に就任。エジプトまで触手(しょくしゅ)を伸ばすような広域は独裁でなければ治まらない、という規模の問題か。

画蛇添足

▼歴史学は19世紀のヨーロッパの国民国家形成期、アジア植民地支配進展と並行して形成された学問。その国がある地域に進出しようとする時、歴史学がその地域が昔、自国の版図の一部であった、その時代は古き良き時代であったと描くことで、植民地政策を正当化する役割を担った。▼私たちは最初の印象に引きずられる。最初に下した評価を判断の参照点としてしまい、そこから離れられなくなる。この傾向は認知心理学でアンカー (錨) 効果と呼ばれるが、歴史認識にもこの残滓(ざんし)がある。だから教科書に何を書くかが政争の具になる。▼森谷公俊(きみとし)は、教科書が伝える理想的君主としてのアレクサンドロス像―東西融合、人類同胞理念の実現に邁進(まいしん)した若き天才像、そこにまだ纏(まと)わりつく神話をはがすことで実像に迫ろうとする。(『アレクサンドロスの征服と神話』) ▼大王の遠征によって先進ギリシア文明がオリエントに広まり、両者の融合により高度なギリシア風文化―ヘレニズム文明が生じた、という解釈。このような歴史理解は19世紀、プロイセンの歴史家ドロイゼンにより作られた。▼当時のプロイセンの最優先課題は分裂していたドイツの統一。森谷は先進国プロイセンによるドイツ統一が正当化されるべきという時代の価値観が大王評価に反映しているとみる。１次大戦後、疲弊した世界を再建する中でイギリスの学者も彼を人類同胞概念を実践した先駆者と位置づけたとする。▼いったん出来上がった評価から私たちはなかなか自由になれない。まだドロイゼンに囚(とら)われている。彼には文明融合の意図があったのでなく、アケメネス朝の後継者として臨んだ結果、意図せざる結果としてそのような変化が起こったということか。

わんクリック　アレクサンドロスに関する主史料は彼の死後３世紀たったローマ時代のもの。そのため実像に迫るのが難しく、これまで様々なアレクサンドロス像が抽出されてきた。その振幅は大きい。こういった史料からどのように虚像をふり分けて実像に迫っていくかが歴史学の醍醐味。その一端に触れられるのが澤田典子『アレクサンドロス大王』。一読を強く薦めたい。そしてこういう良質な概説書の出版を歴史学者に切にお願いしたい。と、書いていたら同氏の『古代マケドニア王国史研究』が出た。西洋近代の憧れで照射されたアテネから見たマケドニア史でないという (※)。読むのが楽しみだ。

History Literacy　英雄を作りたい心性が英雄を作る―長生きしてボロを出していないこと (早逝(そうせい)) が英雄の条件。

⑤ヘレニズム

- ヘレニズム (Hellenism) ―「ギリシア風」の意味
  - └ プロイセンの歴史家ドロイゼン (19c) の造語、歴史観
- ギリシア文明がオリエント文明と融合、変質したもの　＊1
- 時期

  アレクサンドロス大王遠征からプトレマイオス朝滅亡までの３世紀間
- 共通ギリシア語 (コイネー) が普及　＊2
  - └『新約聖書』はコイネーで書かれる (ヘブライ語でもアラム語でもない)

ギリシア系王国の分立

- アレクサンドロス大王の死
  - └ 最期の言葉 「王たるに最もふさわしき者に」→後継者戦争
- 後継者 (ディアドゴイ) 戦争 (前 322 ~ 前 280) で帝国三分

  アンティゴノス朝 (マケドニア)(~ 前 168)

  セレウコス朝 (シリア) (～前 64)

  プトレマイオス朝 (エジプト) (~ 前 30)
  - └ 支配者がギリシア系 (古代エジプトと違い)

    首都アレクサンドリア
    - └「アレクサンドリアにないものは雪ばかり」とされた空前の繁栄

ヘレニズム文明

①特色

- ギリシア文明とオリエント文明の融合
- コスモポリタニズム (世界市民主義)
  - └ ディオゲネスの造語　＊3

  ポリス崩壊、広大な領域国家の出現が背景

  ポリスの枠を越えた意識、生活感情、政治思想
- 個人主義

  関心のありかが国家から個人に移行
- 自然科学の発達
  - └ 専制国家で死に追いやられにくい学問

  アレクサンドリア (プトレマイオス朝首都) のムセイオン (王立研究所) 中心　＊4

PROPOS　＊1
オリエント世界にどの程度ギリシア文化が根付いたかが議論されてきたが、いまは圧倒されて吸収されてしまった、と理解されている。ペルシア帝国は当時の先進文明。

PROPOS　＊2
危険な状況の中で強調される「安全」。安全な中で安全を強調する必要はない。自動車につけられる各種の安全装置、安全ベルト、安全靴―安全がつく物の周囲は危険があふれる、と言葉を反転させて理解したい。「共通語 (コイネー)」への言及は、それまでギリシア語に共通語がなかった、方言しか存在しなかったことを物語る。言葉の反転読みで見えてくることがある (※)。

PROPOS　＊3
路上でイヌのように寝ころびながら物乞い生活をしていた犬儒 (キニク) 派の哲学者ディオゲネス (？ ~ 前 323)。ぐうたらにも世界は居場所を用意している (ラファエロ『アテネの学堂』で彼を探そう)。挨拶に来なかったので自ら会いに行ったアレクサンドロス大王。相変わらず日向ぼっこをしていたディオゲネス。大王の「何か所望するものはないか」に「日陰になるのでそこをどいてほしい」とだけ応えたという。帰途で大王は「私がもしアレクサンドロスでなかったらディオゲネスになりたい」と語った。衆人の前での双方とも慎重に言葉を選んだ上での緊迫したやりとり。これを題材に短編小説が書けそうな駆け引き。

PROPOS　＊4
ムセイオンは学芸の女神ムースにちなむ (英語読みミューズ)。芸術的霊感はミューズにより与えられるとみなされ music、museum の語源となる。日本では museum を「美術館」「博物館」に訳し分けている。Musée du Louvre をルーブル美術館、British Museum を英国 (大英) 博物館と訳す。ムセイオンの一部に当時最大の図書館が併設されたがのち焼失。最近、1500 年ぶりに新アレクサンドリア図書館として蘇った。

画蛇添足

▼人類は文字や紙を持たず話し言葉だけで何万年も知識を語り伝えてきた。一人の老人が死ぬたびに世界がダメージを負った時代。文字が誕生して図書館が作られた。最古の図書館はアッシュール・バニパル王の宮廷図書館。焼け跡から焼成されて固まった粘土板『ギルガメシュ叙事詩』が出土。▼古代最大のアレクサンドリア図書館。強力な権力で世界の知が集められた。「知は力なり」。アレクサンドリアが学問の中心地となったのはムセイオンとこの図書館の存在が大きい。放火でパピルス文書はすべて焼失。これらが残っていたら歴史がどれほど変わったか、と嘆息されてきた。▼入り口に「真理がわれらを自由にする」のヨハネの聖句が刻まれる国会図書館 (東京)。知らないと何かの奴隷になるが皆さん高校生にとって「知らない」は能力 (可塑性、伸びしろ)。出版されたすべての本を所蔵。18歳以上は誰でも無料ですべてにアクセスできる。ここがなければ本書もなかった。「世界の半分は書物にある」という。図書館は世界を知るための窓。▼ニューヨーク公共図書館。このパブリックは「公立」でなく「公共」。社会が分断される中で、すべての市民に開かれた公共の場を作ろうと闘う施設。図書館という名は変える必要がある。映画『ニューヨーク公共図書館』―国家に頼らず市民に支えられる公共を作り上げようとする試み、その一つ一つを長回しで撮り、ナレーションなしでつないでいる。▼ここの図書貸し出し券は世界へつながる扉を開ける魔法の鍵。世界の学術情報データベースに無料でアクセスできる。大学に籍を持たない在野の人間にとって垂涎のカード。通りすがりの旅行者にすぎない筆者にも隔てなく、快く発行してくれた。

わんクリック　「どのポリスからきたか」と問われて「自分はコスモポリテース (世界市民) である」と答えたディオゲネス。ポリスへの所属がアイデンティティの要であった時代に、「何者でもない」「私はどこにも属さない」と言い切った強さ。よりぶっ飛んだ答えがサッカーの本田圭佑。「お国は」に「地球出身です」と真顔で答えた。コスモポリタンという言葉には当時もこの種の奇妙さがあったのだろう。しかしこう言いきれるのが若者の特権。若者が国家を背負う必要などない。どこにも肩入れ (偏愛) せず、対象と距離をとって学ぶ。「世界」というアウトサイダーの視野で過去を見るのが世界史学習。

History Literacy　言葉を表面どおりに受け取らず反転させることで (「反転読み」)、気付けることがある。

②自然科学分野

- エラトステネス…子午線の長さ測定（地球が球体との前提）
  - └計算で地球の大きさを明らかにした、球体的世界観が誕生
- アリスタルコス…天文学（太陽中心説）
- エウクレイデス…平面幾何学の大成『幾何学原理』
- アルキメデス　…物理学、比重の原理、てこの原理

③哲学

- 政治色薄れて、「処世哲学」の傾向強まる　＊1
  - └心の平静を追求

  社会や他人を変えるのではなく自分を変えることで生きやすくする
- ストア派

  ゼノンは禁欲主義を説く
- エピクロス派

  エピクロスは快楽主義を説く、エピクロスの園で隠遁生活
  - └所説が誤解される背景

④彫刻

- 誇張的表現、洗練された技巧、官能の表現、感情の重視
  - └多文化の時代に直観的なわかりやすさが前面化
- 『ラオコーン』　＊2
  - └1506年ネロ皇帝跡で発見、イタリアルネサンスに影響、怒りと絶望の瞬間

  『ミロのヴィーナス』　＊3 ＊4
  - └1820年発見、プロポーションの崩れ、いびつさが官能と美を醸し出す

  『サモトラケのニケ』
  - └躍動感

  『瀕死のガリア人』
- 東方へ影響

  ガンダーラ美術→チャイナ（雲崗・竜門）→日本（飛鳥・天平）

PROPOS　1

どうすれば心安らかに過ごせるか（処世術）が大きな関心事だったヘレニズム時代。この傾向は、天下国家を論じることを高尚とみる価値観からは「処世（しょせい）哲学」と低く見られたが、生活倫理というべきもの。慣習、伝統に従っていればよい社会では不要だが、個人主義的社会では必要になる。

PROPOS　＊2

ウェリギリウスに「語りつつも身の毛がよだつ」（『アエネーイス』）と言わせた凄惨な場面。トロイの木馬を疑ったラオコーンが海からやってきた蛇に絞殺される悪夢のようなシーン。この彫刻の写真に「もうパスタまみれの生活はイヤ」というコピーを添えたポスターを見たことがある。すると蛇がパスタに、苦悶がけだるさの表情に見えた。私たちはタイトルに誘導される。

PROPOS　＊3

ヘレニズム時代の代表作だが存在が知られたのは近代。作品は作られた年代だけでなく、それが再発見された年代も重要（※）。ギリシア・ローマ文明を古典古代文明とするが、この言い方も古くはない。ギリシア文明は近代になって再評価された文明。歴史的にはローマ文明の影響力が圧倒的。

PROPOS　＊4

ミロのヴィーナスは両腕を失ったことにより普遍的な美を獲得した（清岡卓行『ミロのヴィーナス』）。この彫像の発見は19世紀。私たちがここに美を見いだしてからまだ2世紀。「これが美しい」と先入観を持って見ることで、見る私たちの美意識が変わった可能性、つまり彼女は私たちに見られることで美しくなった可能性、もある。歴史の因果関係はしばしばひっくりかえる。「調和と均斉」のギリシア彫刻では頭部と身長の比が1:7の7頭身。これが端正なプロポーションのはずだが、そういうものに人は飽きる。バランスを少しずらしたのがヘレニズム彫刻。ミロのヴィーナスはいびつな8頭身。これが「美しい」となる。

画蛇添足

▼どうすれば心安らかに過ごせるか。答えはすでにでている。古今東西の思想家が到達した結論はほぼ同じ―欲の否定でなくその節制。心の欲する所に従えども矩（のり）を踰（こ）えず。腹八分目に止めよ―これが難しくて痩せられない。▼世の中に定義の難しいものがある。何かの否定形でしか定義できない言葉。「～である」と説明できず、「～ではない」と説明するしかない言葉。代表例は「平和」。平和は戦争、争い、貧困のない状態と、否定形でしか説明できない。▼苦痛は説明できるが、ヘレニズム哲学が理想とする「苦痛から解放された状態」の叙述は難しい。正反対のものとの対比の中で分かりやすくなることも多いが、逆に実際以上に差異が強調されると共通項が見えなくなることもある。▼「快楽主義」「禁欲主義」という言葉遣いはそのような難しさの中にある。二皿あった時にあえてまずそうな方を選ぶ生き方が「ストイック（禁欲的）」と形容され、高級料理を食べ歩く人を「エピキュリアン（美食主義者、快楽主義者）」というように、ストア派とエピクロス派は対立させられている。▼実際は両者とも似た慎ましい生き方を求めている。共にいわば克己の哲学。求めるのは精神の安定。小欲―欲望の節制。「快楽主義」として推奨（すいしょう）されるのもわずかなものにも満足して享受できる慎ましい姿勢。実際、エピクロスは魂の平静（アタラクシア）を求めて弟子たちと清貧の共同生活を送った。社会と距離をとって隠遁（いんとん）したから誤解が正される契機がなかった。▼自宅近くの丘に頂上まで伸びる長い階段がある。猛者（もさ）たちが下りては再び駆け上がるトレーニングを繰り返す。彼らの禁欲は快楽に直列でつながる。未来でなく「いま」へ集中すると不安を忘れられる。

わんクリック　ストア哲学はいまも健全な教えだから安心してお勧めできる。ただ過去の人々が信じてきた思想体系の多くはいまの観点では「オカルト」とみなされるものも多い。幻想文学、異端の世界に通暁する高山宏のような学者が描く世界史は筆者が理解してきた世界史とまったく違う。過去の時代をあったがままに再現、理解しようとする試みが学問としての歴史学。高校世界史はいまの世界の理解とつながるものを取り上げる。それ以外は「人々がいまとまったく違った世界観の中に生きていた時代があった」と言及することで現在を絶対視することの戒めにする取り上げ方にならざるを得ない。

History Literacy　作品はそれが作られた年代だけでなく、それが再発見（評価）された年代にも属する。

第３章　地中海世界と西アジア世界

1　都市国家から世界帝国へ　＊1

西地中海の諸民族

①ローマ建国

・前 10c、頃イタリア人（インド・ヨーロッパ語族）の南下

・前８c 頃、ラテン人がティベル河畔に都市国家ローマ建設

└ イタリア人の一派、ラテン語方言　＊2

当初はエトルリア人の王に支配される王政　＊3

②共和政ローマ

└ res publicus(公のもの)、パブリックは「公に開かれている」こと（官を意味しない）

・前６c 末、エトルリア人の王を追放、ローマ人による共和政樹立

└ ギリシア民主政の基礎確立（クレイステネスの改革）の頃

・貴族（パトリキ）が官職独占（貴族共和政）

統領（コンスル）　：最高行政官、２名、任期１年　＊4

元老院（セナトゥス）　：国政の諮問機関、300 名、終身議員

独裁官（ディクタトル）：非常時（戦時など）に全権、１名、任期半年

③身分闘争

・平民（プレブス）が経済的に台頭

国防の中心が貴族の騎兵から重装歩兵へ変化

└ 市民皆兵、武具自弁原則などはギリシアと同じ

・前 494 年、護民官、平民会設置

聖山事件が契機

護民官は平民から２名選出

コンスル・元老院の決定に対する拒否権付与　＊5

ローマ最古の成文法、貴族（パトリキ）による法独占を打破　＊6

・前 367 年、リキニウス・セクストゥス法

コンスルの一人を平民から選出、土地所有の制限（約 125ha）

・前 287 年、ホルテンシウス法

平民会の議決が国法となり、貴族と平民の法的平等達成（※）

PROPOS　＊1

「一切の古代史は、いわば一つの湖に注ぐ流れのようにローマ史に注ぎ、近世史の全体は、ローマ史の中から再び流れ出る」（ランケ）。ローマ史は古代史の集大成であり、以降の歴史の出発点。ローマは建国（前 753）から共和政成立まで約５世紀かかった。“Rome was not built in a day.” である。

PROPOS　＊2

一方言だったラテン語はローマの発展で広大な地域に広がり、西欧の公用語となる。現在は基本的に死語。ラテン語由来の単語として「例えば」（の意味で使われる）“e.g.” (Exempli Gratia の略語）。あるいは “cf.”(Confer の略語）で意味は「参照せよ」etc. どこの国の国語でもない利点、死語のため変化しない利点から学名にも用いられている。

PROPOS　＊3

エトルリア人は地域の先進民族。アーチなど土木技術に優れた。ローマは彼らから多くを学んだ。学んだ後、エトルリア人、彼らが占めていた「王」という存在、そして彼らが存在した記憶、をローマから追放。

PROPOS　＊4

コンスルは首相でなく複数いる執政官。官職を複数にして互いに牽制（けんせい）させた。イタリア半島の共和国サンマリノ（現代に残る都市国家）はいまも２人の執政官が統治。

PROPOS　＊5

加盟国が大小にかかわらず一票を持つ国際連合。人口 15 億人の国と３万人の国に同じ１票を与える不平等が、その決議が実効力を持てない一因。その矛盾を緩和する仕組みが５大国に与えられた拒否権 (veto)。これはローマの護民官に由来するが、この拒否権濫用が国連機能不全の主因。

PROPOS　＊6

法は社会を成立させる基本。文字より先に不文法（慣習法）と生まれ、文字の誕生で成文化。法は公開されて規範として機能。

画蛇添足

▼民主政と共和政は対立する概念ではない。王を戴（いただ）かないことが共通点。両者を円に見立てて図化すれば両円はほぼ重なり合う。理念重視が民主政、現実重視が共和政という感じか。独裁者を防ぐ仕組みが共和政とも指摘される。▼人間が強い指導者に魅せられることを知っていたローマは共和政であることを誇りとした。身分闘争で貴族政は否定したが、元老院に強い権限を残した。「ローマには王はいないが、３００人の元老院議員一人一人が王である」とあるギリシア人は記す。元老院は国政の諮問機関（意見・助言を行う）だったが終身身分の元老院議員たちの見識には権威があり、行政の長である執政官（コンスル）はこれを尊重した。ローマ人は行動基準に「父祖の遺風（ふそのいふう）」を重視。元老院議員によく受け継がれた。▼元老院が持った権威はアメリカの上院にその名残がある。アメリカは上下二院制。当初は2階にあったため日本では上院（じょういん）と訳すが、これは正式にはSenate（セネト）―元老院（セナトゥス）に由来する名称でそのように訳すべき。選挙制度でいえば上院が日本の参議院、下院が衆議院。下院議員は人口比に応じて選ばれ、任期4年。上院は州の大小に関係なく各州2名選出されて任期6年。下院がより民意に近く、民意を反映する。▼しかし両院は対等で、下院を優越させない。選挙民と距離がある分、Senator（セネター）（上院議員）は選挙を比較的意識せずに大所高所からの見識を発揮できる。そこに権威が宿る。大統領の前職は上院議員が多い。参議院議員から首相が選ばれない日本と対照的（制度上は可能）。▼民主主義の理念には合わないが、現実にはこの方がより民主主義がめざすものに近い政治になる、という現実感覚に裏打ちされている。ローマ人は共和政を誇りにした。

わんクリック　ホルテンシウス法で「法的平等」が達成された。これは「実質的には平等でない」ということ。そのように補って読む必要がある。ここで止まったのは、平等が大切、と考えられていなかったからだろう。逆に「実質的平等」といって法文上に不平等が残っていても運用面で平等が実現しているものもある。行政用語で「原則禁止」は禁止のことではない。「いくらでも例外（抜け穴）はありますよ」ということ。こういった補い読みもまた大切。ところで「平等」という概念である時代を評価するなら、この概念が各社会で存在したのか、などの基礎研究が不可欠。前近代では自明の概念でない。

History Literacy　「平等」のように近代社会での最重要概念も、どの時代にも存在したわけではない。

地中海世界の統一 − 文明の広がりと文化の消滅 （※）

①イタリア半島統一

- 中小自作農民である重装歩兵の従軍により支配拡大
  - └ イタリア半島は穀物栽培可能な農業国家（ギリシアとの相違） ＊1
- エトルリア人（北部）、ギリシア植民地（南部）などを征服
- 前271年、タレントゥム陥落でイタリア半島支配
  - └ ホルテンシウス法制定は前287年

②ローマの半島統治

- 分割統治
  - └ Divide and rule(分割して統治せよ)

  征服した都市と個別に同盟（異なる権利と義務） ＊2

  植民市、自治市、同盟市
- 軍道設置　最古の街道アッピア街道
  - └「すべての道はローマに通ず」

  →征服した都市の団結、反抗を防止

③ポエニ戦争とローマの地中海支配

a. 原因

- 地中海覇権をめぐるローマとカルタゴの対立
  - └ フェニキア人植民市カルタゴは西地中海覇権を掌握（前9c～）

b. 経過（前264～前146年）

- 第1回（前264～前241）

  最大の穀物栽培地シチリア島の争奪戦

  →シチリア島はローマ初の海外領土（属州）
- 第2回（前218～前201）

  ハンニバルがカンネーでローマを奇襲
  - └ 戦象を使いアルプス越えしたカルタゴの名戦術家 ＊3

  大スキピオは帰国したハンニバルにザマで勝利（前202）
  - └ ローマの名戦術家　└ 項羽と劉邦の垓下の戦いと同じ年
- 第3回（前149～前146）

  小スキピオのカルタゴ攻撃で、カルタゴ滅亡

  →ローマが西地中海の覇権掌握（第2回ポエニ戦争時） ＊4 ＊5

PROPOS ＊1
イタリアはギリシアと比べると海岸線が単調で良港が少なく、海上交通は発達しなかった。地方、平野部が広がり穀物栽培が可能だったため農業が主要産業となった。イタリア料理一皿目はパスタ（原料小麦粉）。小麦だけでなくイタリア米もおいしい。北イタリアでは15世紀から米が栽培。リゾット、ドリアなど名物に米料理が並ぶ。

PROPOS ＊2
ローマは敗れた都市国家にローマの優越性を認めさえすれば同盟国として扱った。そして内部の政治には口を出さなかった。

PROPOS ＊3
ハンニバルは類まれなリーダーシップで寄せ集めの軍隊でアルプス越え。カンネーの戦いで「戦術の天才」ぶりを発揮。しかし彼の高まる名声が妬（ねた）まれ、失脚した。

PROPOS ＊4
ギリシア人歴史家ポリヴィオスは敗れて人質としてローマに連行された。しかしスキピオ家がその非凡な才能に気づき好遇。彼は常に小スキピオに随行してローマの隆盛を間近に見聞することになる。歴史は循環していると見た彼は『ローマ史』で政体循環史観（政体は「王政→貴族政→民主政→衆愚政→王政」と循環を免れ得ない）を唱え、そこからローマ隆盛の理由を説明した（混合政体論）。単一の政体なら循環するため長続きしないが、ローマは君主政の要素（非常時における独裁官への大権委任）、貴族政の要素（貴族からなる元老院による国政指導）、民主政の要素（平民会、護民官の存在）を同時に持つ。そこに隆盛の要因をみた。

PROPOS ＊5
混合政体は近代政治体制のモデル。世界史では特徴のある部分を強調して「民主政」とか「貴族政」とするが、どのような政体にも実際は様々な要素が組み込まれているのが普通。今の日本政治システムにも君主政、共和政、民主政の要素が混在している。

画蛇添足

▼模倣の天才ローマ人。アケメネス朝のダレイオスに由来する「王の道」システムを全土に取り入れ、「すべての道はローマに通ず（All roads lead to Rome.）」（ラ・フォンティーヌ）とされる道路網を作り上げた。道は征服地までを直線（最短距離）で結ぶ。エトルリアから学んだ土木技術で川に橋を架け、山にトンネルを穿（うが）つ。道路はコンクリートで舗装された。▼異なる手段をとっても最終的に同じ地点に到達できる、とのニュアンスで通用してきた言葉だが、これは「すべての道はローマ以外には通じていない」の意味（※）。いまも地方都市間の移動は遠回りでもいったん首都に出たほうが早いことがある。▼各都市を異なる条件で統治して互いを離反させ、諸都市が団結して反抗するのを防いだローマのイタリア半島統治。ローマは征服した地方都市間に交通路を設けず、ローマとの間だけに道路を敷いた。分割統治は近代の植民地統治の常套手段となる。▼強い石も楔（くさび）を打ち込めばわずかな力で割れる。征服地の支配階級に特権を与えて民衆と離反させた。社会に亀裂を見つけては楔を打ち、対立を作った。19世紀のイギリス植民地支配が分割統治の代表例。宗主国が去った後、現地諸勢力間に憎しみが残された。▼ダレイオスの統治システムで素晴らしい業績を残してきたのがオーケストラ。卓越した指揮者が全体を掌握、各パートに的確な指示を出して名演奏を生みだしてきた。ただ各演奏者から見れば「道は指揮者以外に通じない」状態。最近、指揮者を置かない試みがあった。自然と各パート間に助言しあう回路が生まれ、それが素晴らしい演奏会につながった。複雑化した社会ではもはや「管理」は困難。新しい脱統治システムが求められている。

わんクリック　人間は動物を戦争の道具としても使ってきた。馬を中心に戦場には常に動員された動物がいた。象の巨体の威圧感は敵に恐怖感を与えた。象の突撃は重装歩兵の密集戦法で止められなかった。象の寿命は長いから、いったん調教に成功すれば長く使えた。逃げ出す気持ちを失わせることから仕込んだ。弱点は前進、直進のみで小回りが利かないこと、音と臭いに弱いこと。ザマの戦いでは象の習性を熟知していた大スキピオにその弱点をつかれた。その後もインドで戦象は使われ続けたが、近代になって火砲が普及すると、音で興奮し、また大きくて格好の標的にもなる象の出番はなくなった。

History Literacy　言葉を反転させることで（反転読み）、そこに隠れていたものだけでなく本質が見えることがある。

c. 結果

・地中海世界統一

前2世紀以降、ローマは東地中海(ヘレニズム世界)にも進出

└(第2回)ポエニ戦争による西地中海覇権確立以降

ヘレニズム諸国征服

マケドニア(前168)、ギリシア(前146)、小アジア(前133)、シリア(前64)

・前30年、プトレマイオス朝エジプトを征服

└最後のヘレニズム国、女王クレオパトラ

共和政国家の限界

①属州統治と貧富の差の拡大

・属州獲得によって変質するローマ社会 ＊1

ポエニ戦争後、ローマが獲得した海外領土

ローマの収奪対象(徴税の対象、奴隷の供給源)

・稚拙な属州統治 ― 私腹を肥やした総督

元老院任命の総督による支配

徴税は徴税請負人が担当 ＊2 ＊3

└入札により最高額の租税徴収を請負ったものが着任

・騎士階級の台頭 ＊4

属州からの搾取で台頭した社会階層

貴族との通婚により新貴族(ノビレス)階級を形成

②中小自作農民の没落

└重装歩兵としてローマ発展の原動力だった

・長年の征服戦争の従軍で疲弊

属州からの安価な穀物流入で打撃

→中小農民は土地を手放す

→新興騎士階級は土地を集め、大土地所有者へ

→ラティフンディアの発達 ＊5

└イタリア半島とシチリアなど限定された地域

奴隷を使用した商品作物栽培(大農場経営)

└オリーブ、ぶどう

PROPOS ＊1

農業国ローマは中小農民が重装歩兵として従軍。イタリア半島征服、海外発展の原動力となった。しかしその海外領土の獲得が、彼らの没落というローマ社会の変質をもたらした。これは「カルタゴの復讐」とされる。都市国家ローマには広大な領域を統治する準備ができておらず、半島支配と比較して初期の属州支配は稚拙だった。

PROPOS ＊2

ローマ帝国支配下のパレスチナで成立したのがキリスト教。『新約聖書』での悪の象徴として描かれるのが取税人(パリサイ人と取税人の比較など)。イエスはローマの属州ユダヤで活動。当時の属州はローマにとって収奪の対象でしかなく、その収奪業務を担った取税人(徴税請負人)が酷かった。「(総督、徴税請負人は)一人の貧乏人として豊かな属州にはいり、金持ちとなって、貧しい属州をあとにした」とされる。一般に社会変動期は、うまく立ち回った「成功者」とそうでない者の格差を作り出す。

PROPOS ＊3

属州支配の果実の分配は不均等。果実の大部分は総督、騎士階級に帰され、中小農民は没落の一路をたどり貧富の差は拡大。「富める者はますます富み、貧しいものはますます貧しくなり」という現象は、聖書の叙述からマタイ効果と呼ばれる。

PROPOS ＊4

騎士階級とは、騎士として従軍できるほどに富裕な市民、といった意味。必ずしも実戦には関係していない。徴税請負などに従事して巨富を得た新興成金階級(※)。当時の馬はいまの高級スポーツ車。馬はステータスシンボル。時流に乗って蓄財した。

PROPOS ＊5

ローマは自給自足の「農業国ローマ」から、属州から安価な穀物を輸入し、国内では奴隷を使ってもうけの多い商品作物を栽培、輸出する「商業国ローマ」へ変化した。

画蛇添足

▼ローマ史には「人類の経験のすべてがつまっている」(丸山真男)とされてきた。人はしばしば指針を求めてローマ史をひも解く。最近、キケロ『老年について』を読んだ。奥付に「前44年出版」と記される本が今も広く読まれていることに感慨を新たにした。▼ジャーナリストが書いたローマ史の入門書がモンタネッリ『ローマの歴史』。「歴史でこんな面白い本はちょっと例がない。シェイクスピア劇が連続上演されているようだ」(辻邦生)は誇張ではない。日本でよく読まれる塩野七生『ローマ人の物語』。あくまで歴史小説として読むものだが面白い。理念よりも現実に即して行動したローマ人。ローマ史はビジネス書的読み方が合う。▼第2回ポエニ戦争で敗れたカルタゴ。すべての海外領土の放棄、軍備撤廃、賠償金支払い、他国との戦争禁止という苛酷な講和条件を突き付けられた。この条件下で戦後50年にして再び繁栄を取り戻し、再びローマの脅威となった。カルタゴ復興のこの過程が戦後の日本に重ねられ、ある時期に日米貿易戦争のアナロジーとしてポエニ戦争が語られた。アメリカがローマ、カルタゴが日本に見立てられた。ローマはカルタゴの脅威を最終的に取り除くため第3回ポエニ戦争に踏み切った。▼火を放たれカルタゴは焦土と化す。ローマはそこに塩まで撒いた。小スキピオ将軍は炎上するカルタゴを前に「アッシリアはすでに滅び、ペルシア、マケドニアも滅びた。そして今やカルタゴも炎上しつつある。次にくるのはローマであろうか」と呟いた、と同行したポリヴィオスは伝える。何ゆえ勝利の瞬間に滅亡の時を思ったのか。その後のローマは「カルタゴの復讐」といわれる厳しさに直面し変質していった。

わんクリック 学校で公金を使って一定額以上の物資を購入したり、業務を委託する場合は、必ず合い見積もりをとって入札を行う。そして最も安い価格を入札した業者を指名する。以前は随意契約で言い値で支払う公金の無駄遣いがあった。逆に最高額を入札した者に徴税を任せるのが徴税請負制度。徴税される方には悪夢。最も多く税を徴集すると請け負った者がやってくる。当然、彼らは請負額以上に取り立てて、それで私腹を肥やした。社会技術の中でも徴税は難しい技術。支配とは課税権のこと。徴税による公的収入をどう再分配するかが統治。徴税を納得させる再分配ができるのが高度な文明。

History Literacy 成功者を「成金」と見下すのは貴族の視線－そこに視線を重ねることが、貴族を貴族にする。

③ローマ社会の不安定化

・没落した自作農民は遊民(無産市民)化して都市流入

→重装歩兵の没落、軍隊の傭兵化による国防力弱体化

・政治対立の激化

ラティフンディアの成立がローマの海外発展を加速

└ 無産市民と騎士階級の利害は一致 ＊1

→貧富の差拡大

→閥族派(オプティマテス)と平民派(ポプラレス)の政治対立

└ 元老院の権威を基礎(保守派) └ 無産市民と騎士が支持(改革派)

「パンとサーカス」提供で大衆の支持獲得 ＊2 ＊3

└ 古代ローマ詩人ユウェナリスの風刺 └ 富の再分配システムの側面も

内乱の一世紀

①グラックス兄弟の改革(前133 ~ 前121)

└ 護民官

・中小自作農民の再建が目的

└ ローマのために戦ってきた人が没落した不条理を正そうとしたグラックス兄弟

・リキニウス・セクスティウス法の厳格な実施

→ラティフンディア経営者の反対で失敗(兄—撲殺、弟—自殺)

└ 合法的改革が暴力で妨げられる

②内乱の一世紀 ＊4

・兄弟の改革失敗からオクタウィアヌスの権力掌握までの約1世紀間

└ 前121 └ 前31、アクティウムの海戦

・社会不安の増大

同盟市戦争(前91 ~ 前88)

同盟市の市民権を求める反乱 ＊5

私兵を率いた閥族派のスラが鎮圧

→ローマはすべての同盟市民に市民権を付与

└ ローマの支配者層に編入(アテネ市民権は両親がアテネ市民の場合のみ)

スパルタクスの乱(前73 ~ 前71)

剣闘士奴隷の反乱 ＊5

→ポンペイウスとクラッススが鎮圧 ＊6

PROPOS ＊1

ラティフンディアは大規模ほどスケールメリット(規模の利益)が働く。そのため土地兼併が進展。奴隷供給を絶やせないからローマは海外進出して属州を獲得、奴隷を輸入。ローマの海外発展はラティフンディアのための奴隷狩りの自転車操業。

PROPOS ＊2

野心を持つ政治家は大衆の票を目当てに戦車競争・剣闘士試合・猛獣狩りなどの食事(パン)付の見世物(サーカス)を主催。サーカスで敗れた剣闘士を助命するかはアリーナの大衆が決める。人びとは全能感に酔った。既視感ある風景。今のアリーナはSNS上にある。あちこちで炎上。自分が正義と疑わない人びとが叩く。飽きれば「これぐらいで許そう」と次の犠牲者を探す。

PROPOS ＊3

携帯なしでは成り立たない日常生活。その携帯料金の値下げという「パン」、さらに現代の「サーカス」オリンピックが成功すれば国民は熱狂、自分の再選は固くなると考えた首相が感染症急拡大の中で開催を強行したのが東京オリンピック(2021)。

PROPOS ＊4

ローマの海外発展と「内乱の一世紀」は同じ時期。有力者らによる「勝ち残りトーナメント戦」がローマ帝国の地中海支配を完成に導くエネルギーとして働いた。

PROPOS ＊5

「反乱」は為政者の視点、教科書の乱表記は「何とかの不服従運動」と表記すべきか。どういう表記が適当なのか(※)。

PROPOS ＊6

映画『ベンハー』(1959)、『スパルタカス』(1960)、『クレオパトラ』(1963)。半世紀前にハリウッドが巨費をかけてセットで時代再現した歴史スペクタクル超大作。CGとはまた別の「生」迫力。3 ~ 4時間の長尺ものだが作品自体が歴史的遺産。

画蛇添足

▼「ローマは3度世界を征服した。」(法学者イェーリング)。最初はローマ帝国(武力)、2回目はローマ教会(宗教)、最後はローマ法。ローマ人がいまの日本を見たら戸惑うだろうが、裁判官は日本でも仕事が続けられるとされる。日本は明治期に大陸法(ローマ法)を継承。この社会を動かしているいわばOS(オペレーションソフト)がローマ法。▼ローマ法はどのようにして普遍性を獲得したのか。そこにはローマが市民権を開放し続けたことが関係する。市民権(citizenship)—元来、「市民」とは都市に住む人。市民権とは市民になる権利。いまの国籍とほぼ互換可能な概念。国などの共同体のメンバーになる権利。▼いったん市民権を得れば、その共同体が提供する様々な便益を享受できる。参政権をはじめ、その共同体による保護、今日であれば教育、福祉サービスであろうか。もちろん納税、国によっては徴兵などが市民の義務として課せられる。この便益を選挙権など公の側面に限定する場合にはcitizenshipは「公民権」と訳される。▼アテネ市民権は両親がアテネ市民であることを要件として閉ざされていた。それに対してローマは市民権を少しずつ開放した。そのためには諸制度を変える必要がある。異なる文化的背景を持った者も包摂できる制度へ変える必要がある。法律もラテン人のみを対象とした市民法から、普遍性を持った万民法へと発展した。▼外部に門戸を閉ざした社会に発展は期待できない。しかし無制限に拡大すれば当時者意識を弱め、共同体を内部崩壊させる。どの時代、社会もこれをめぐり内部葛藤する。参考になるのは人体の細胞膜の仕組み。閉じつつ開くという絶妙のバランスが巧みに細胞を新陳代謝させている。

わんクリック ローマ帝国の統治機構は「小さな政府」。保護・庇護の人間関係—親分・子分関係(パトロネッジ)がローマ社会を動かしてきた(マティアス・ゲルツァー)。いまもこの地域ではマフィアにその残滓がある。ヴェーヌ『パンと競技場』は、上に立つ人間には「気前のよさ」が求められ、民衆はそういう人の支配を受け入れた、とする。民衆がこの皇帝の支配は正当であると受け止めなければ社会は安定しない。皇帝支配は多くの場合、皇帝と民衆の合作。ローマ皇帝位はロシア皇帝に受け継がれた。ここでも民衆のツァーリ(慈悲深い皇帝)信仰、それに応える皇帝の振舞いが社会の求心力を作ることになる。

History Literacy 教科書の「乱」表記—支配下にない勢力の抵抗まで「乱」とされて平定正当化が図られる。

③第１回三頭政治（前60～前53）

- 元老院軽視（共和政軽視）の政治
- 三有力者による政治 — ポンペイウス、クラッスス、カエサル
  - └ 富豪、パルティア遠征で戦死
- カエサルの台頭
  ガリア遠征『ガリア戦記』で名声高まる　＊1
  →元老院と結んだポンペイウスと対立し、打倒

④カエサル独裁　＊2

- 最高司令官インペラートルの称号、終身ディクタトル就任
  - └ 共和政は事実上崩壊、帝政へ傾斜
- 貧民救済、属州政治の改革（徴税請負制度の廃止など）
- クレオパトラ（プトレマイオス朝エジプト）と関係
  太陽暦（ユリウス暦）の採用
- ブルートゥスら共和派により暗殺（前44）

⑤第２回三頭政治（前43～前36）

- 三有力者による政治 — オクタウィアヌス、アントニウス、レピドゥス
  - └ カエサルの養子　└ カエサルの部下
- 前31年アクティウムの海戦
  オクタウィアヌスはアントニウスとクレオパトラの連合軍を破る
  - └ 意義として①内乱の一世紀終了、②ヘレニズム時代終了、③ローマの地中海世界統一

帝政への移行

①帝政への移行
└「皇帝なき帝国」

- オクタウィアヌスは元老院よりアウグストゥスの称号（前27）　＊3
  - └「尊厳なる者」の意
- トイトブルクの戦い（9）でゲルマン人に敗れる
  - └ ゲルマン人がローマを破った快挙としてドイツ（ゲルマン人）史で強調
  →以後、ライン川とドナウ川がローマ帝国の北方国境線
  - └ これ以上領土拡大をしないことがアウグストゥス（オクタウィアヌス）の遺訓となる

PROPOS　＊1
いまのフランスは当時ガリア（仏語でゴール）とされたケルト系民族の居住域。無文字文明でその聖職者（ドルイド）は口承で知識を伝達。そのことで自らの権力を守った。カエサル（によるラテン化）に抵抗したウェルキンゲトリクスはラテン系国家フランスの英雄（なのがアイデンティティの機微）。その抵抗はナチスへの抵抗（レジスタンス）時に想起された。結局、フランスはローマに征服されてラテン化。のちに北からのゲルマン人（フランク人）侵入でゲルマン文化の影響も受ける国になる。今も南のオリーブ油圏、北のバター圏など南北差を持つが基本的にはラテン色の強い国。

PROPOS　＊2
後世から事実上の皇帝とみなされたユリウス・カエサル（英語読みがジュリアス・シーザー）。各国の「皇帝」名は彼に由来。カイザル（独）、ツァーリ（露）。エンペラー（英）はインペラートル（独裁官）由来。彼が世に出現した仕方から帝王切開手術をCaesarian operation（シーザー式手術）という。

PROPOS　＊3
怒りに駆られた時「アルファベットを数え始め、怒りを鎮（しず）めた」とされるアウグストゥス。当時も、怒りが美徳でなかった、と分かる。現代人に必須なのがアンガーマネジメント。怒りを抑える理性が働くまでに６秒かかるので、６秒をやり過ごすのがポイントらしい。いまは怒ったら負けの時代。感情をコントロールできない（怒りに支配されている）人の烙印（らくいん）が押される。確かに怒りの感情は初期値（実害）を増幅、摩擦を必要以上に大きくする。ただし社会の不正に対しては怒ることが必要。怒るべき時は怒る、怒りを支配するための６秒とすべきか。日本社会（特に職場）は上司の「怒り」（パワハラ）に寛容すぎる。教師にも大きな声を張り上げる恐怖原理で生徒を萎縮させる「瞬間湯沸かし器」系がいる。アウグストゥスは怒りっぽさなど欠点の多い人物だったがのちに大成したとされる。

画蛇添足

▼ガリア（現フランス）に遠征したカエサル。その時の様子をvēni,vīdī,vīcī（ウェニー ウィーディー ウィーキー）（来た、見た、勝った）と簡潔なラテン語でローマに書き送り、人びとの心をつかんだ。現在もカエサルの文体は散文のお手本。ラテン語学習のテキスト。読みやすく「ラテン語が読める」錯覚を学習者に与えている。▼カエサルの政敵キケロも雄弁を武器にコンスルに上り詰めた。彼も「私は最も正しい戦争よりも、最も不正な平和を好む」など多くの名言を残したがカエサルには一目置いた。カエサルのガリアからの戦況報告にローマ市民は熱狂。日ごとに高まるカエサルの名声を恐れたポンペイウスと元老院はカエサル打倒を企て、ローマ帰還命令をだす。▼「自分の味方でない者は敵」と態度決定を迫ったポンペイウスに対し、カエサルは「中立でいかなる派にも属さない人を、自分は味方に数えようと思う」と寛恕（かんじょ）で応えた。ルビコン川を軍隊を連れて渡るのは元老院に反旗を翻（ひるがえ）すことを意味した。▼カエサルは熟考の末、渡河を決断。「ルビコンを渡る」（crossing the Rubicon）は意訳すれば「清水の舞台から飛び降りる」か。名言「サイは投げられた」（The die is cast.）もこの時生まれた。「人事を尽くして天命を待つ」と訳すべきか。「３月15日に気をつけよ」とされたその日。「ブルートゥスよ、お前もか」が最期の言葉になった。▼言葉が力を持ち、生き生きと交わされていた時代。それに比べていまは空語（くうご）ばかり…と嘆くのは、ある時代のよかったところを選択的に取り上げて過去を振り返ることでおこる錯覚。失われたものへの哀惜（あいせき）の念で過去を振り返るのは懐古（ノスタルジー）。理想は過去でなく未来に投影するもの。「古きよき時代は存在しない。よい時代は未来にしか存在しない」（アイザック・アシモフ）。

わんクリック　世界史で学ぶべきは過去の出来事に関して「何が分かっていて、何が分かっていないか」の区別。ローマ史の為政者ーアウグストゥスの生涯は細かく分かっている。しかし彼と同時代に生きたイエスの生涯の大半（最後の２年間以外）はまったく分からない。為政者と庶民の記録量には著しい非対称さがある。歴史は分からないことは省略して、すべてをフラットに叙述するからそのことが読み取れない。世界史教科書には、空行、空ページもまた置かれるべきだと思う。ほとんどのページが空白の書物になるが、少なくとも過去における未知と既知の比率がどういうものかは分かる（※）。

History Literacy　「物語り」を叙述する教科書にはあるべき「空白」「空ページ」がない━年表（空欄に価値）を併用する。

②元首政

- アウグストゥスはプリンケプス（市民の第一人者）と自称
  形式上は元老院との共同統治 — 元首政（プリンキパトゥス）
  →事実上の皇帝独裁（帝政－前期帝政－の開始）
  └ 元首の地位は世襲、しかし「共和政」（元老院尊重）の建前と形式は守る
- アウグストゥスの諸改革
  属州徴税請負制度廃止、属州の直轄領化、官僚組織、皇帝直属常備軍設置

2　ローマ帝国の繁栄

ローマの平和

①ローマの平和（「パックス・ロマーナ」）（ギボン）　＊1 ＊2

- アウグストゥスからアウレリウス・アントニヌス帝の２世紀（前27 ~ 180）

②五賢帝時代（96 ~ 180）

└ 帝位の世襲廃止、養子制へ、ネルウァ以外は属州出身（トラヤヌス、ハドリアヌスはヒスパニア）

- ネルウァ　　：人格高潔、次期皇帝に優秀なトラヤヌスを指名
- トラヤヌス　：ダキア征服で最大版図
- ハドリアヌス：ブリタリアに長城建築
  └ ブリテン島まで追い詰めたケルト系民族の反攻に備えた（全120km）
- アントニヌス・ピウス
  └「歴史に書き残す材料が少ないのが特徴」（ギボン）という最高のほめ言葉（平穏な時代）
- マルクス・アウレリウス・アントニヌス：ストア派哲学者『自省録』
  活発な季節風貿易で南インドと貿易、奢侈品輸入　＊3
  └「ヒッパロスの風」
  チャイナに使者（大秦王安敦）
  └ 166年日南郡に到達と『後漢書』に叙述、オケオからローマ金貨
- 属州にローマ風の都市建設（数百都市）
  現在のパリ、ロンドン、ウィーンが建設
  └ ルテティア、現在「カルチェラタン（ローマ地区）」とされる文教地区

③その他

- 212年カラカラ勅令 —「ローマ」の拡大　＊4
  帝国の全自由民に市民権を付与

PROPOS　＊1

歴史家ギボン（18c）は「過去をたたえ、現在を貶すのが歴史家の常であるとはいえ、帝国の繁栄と安泰は、ローマ市民ばかりでなく属州民たちも強く感じており、正直にそれを告白しているものもある」と称えた（『ローマ帝国衰亡史』）。他方、この時代を生きたタキトゥスは「ローマ人は廃墟を作ってそこを平和という」と風刺。

PROPOS　＊2

アウグストゥス帝後、大食漢ティベリウス、狂気の皇帝カリグラ、愚帝クラウディウス、暴君ネロと続いた。12代ネルウァ即位までのローマ皇帝は暗愚。それでも支配が揺るがなかったのはローマ帝国は「小さな政府」による運営のため。征服した都市に自治は任せていた。人口約6千万の大国が数百人の官僚で統治されていた。

PROPOS　＊3

ストア派の哲人セネカの後見で善政の評価もあるネロ帝。ローマ大火を新宮殿建設のために自ら火をつけながら新興宗教キリスト教の仕業にして迫害したと批判されるがそれは濡れ衣だという歴史家もいる。

PROPOS　＊4

貿易に便利なのは季節風。貿易風は一年を通じて同一方向に吹く恒常風。当時、trade に貿易の意味がなかった。改名の必要な名称。陸海の比熱の差で一年に一度吹く方向が変わるのが季節風（モンスーン）でこちらが「貿易風」。三角帆のダウ船は両側の舷側をココヤシの紐で結び合わせた簡単なもの。片道1万キロ。訪問先で風向きが変わるのを待ち一年で一往復。ルートをずらせば貿易風との組合せ利用も可能。

PROPOS　＊5

暴君カラカラ。その所業は「人類共通の敵」（ギボン）。属州民への市民権拡大で出自による差別はなくなる。市民はローマという土地と無関係になる。これが文明。ただこれは税収増加を狙った施策とされる。

画蛇添足

▼プラトンの理想（哲人王）が実現した数少ない例がストア派の哲人皇帝マルクス・アウレリウス。皇帝としての多忙な日々の中でわずかな時間にも自らを省み、日々の行動を点検して感じたことを書き留めた。▼政治家の『自省録』は自省の名を借りた自慢録になってしまうのが通弊だが、これは自分自身の生きるための指針として書き溜めた雑記帳で、推敲もせず同じことを何度も書いている（だから通読は不要）。人に読まれぬようにギリシア語で書いた。死後、偶然その存在が知られるようになり、書き写されて今日まで伝わった。▼政治性がないこともあり、読む人を選ぶことがなかった。「これは後世に残さなければいけない」と感じた誰かが写本をとる。このような襷リレーで「残されたもの」と偶然「残ったもの」で歴史は構成される（※）。『自省録』は後者。▼「皇帝化させられてしまわないように、染められないように注意せよ」「復讐する最善の方法は、自分も同じような者にならないこと」と自省する。「或ることをなしたために不正である場合のみならず、或ることをなさないために不正である場合も少なくない」。責任ある立場の人間の「不作為」の責任は現代的な問題。見ないことにしている問題は多い。▼彼はホラティウスの「その日の花を摘め（carpe diem）」（筆者は学年通信でこのように訳して使った）にも触れている。その上で「人生は短い。熟慮と正義を携え、今を無駄にしてはならない」とさらに自らに厳しい条件を課した。その思慮深い彼が養子後継にかえて実子を後継に指名。そのコンモドゥス帝は名君の父と比較されて実像が分かりにくいが、後世の評価は情緒が安定しなかった暴君と芳しくない。身近な者の評価は難しい。

わんクリック　TED Talks（有名なネット上のコンテンツ）で登壇者がアウシュヴィッツの生き残りの女性から聞いた話を紹介している。彼女は移送される列車の中で弟に「靴を失くすなんて何てバカなの」と叱り、その言葉が最後になってしまった。生き残って収容所を出た彼女は「それが最後の言葉になったとしたら耐えられないような発言は二度としない」と誓いを立てた（ベンジャミン・ザンダー『音楽と情熱』）。セネカ『倫理書簡集』、アウレリウス『自省録』にも同趣旨の言葉がある。綿々と受け継がれてきた言葉の一つ。「明日死ぬかのように生きよ。永遠に生きるかのように学べ」（ガンディー）。

History Literacy　「残っているもの」で構成される歴史—意図的に「残されたもの」と偶然「残ったもの」がある。

ローマの文明

①特色

・ギリシア文化を継承、帝国内に広める

精神文化ではエトルリア、ギリシア、ヘレニズム文化の模倣、継承

「征服されたギリシア人は、猛きローマを征服した」(ホラティウス『書簡詩』)

・実用技術に独自性を発揮

法律、土木技術が特に優れる

②法律 ＊1

・「ローマは三度世界を征服した」(法学者イェーリング)

一度目は武力、二度目はキリスト教、三度目は法によって

└ ローマ帝国 └ ローマ教会 (カトリック) └ ローマ法

・十二表法→市民法→万民法

領土拡大、自然法思想、ストア哲学の影響の結果

└ 実定法を支える普遍的基盤として構想された

・ローマ法の集大成『ローマ法大全』 ＊2

ユスティニアヌス帝がトリボニアヌスらに編纂させる

└ 東ローマ帝国全盛期 (6c) の皇帝 └ 法体系をまとめるのは高度な知的作業

③土木技術 — すべて築 2000 年物件でいまも構造上の問題なし

・アーチ構造、セメントの使用 ＊3 ＊4

└ エトルリア人から受け継ぐ、石の間で押しあう力が働くこと、石が圧縮に強いことの発見

パンテオン、コロッセウム、水道橋

└ 直径 42m の完全な円球、最少の石材で最大の高さと空間を現出

軍用道路、凱旋門

└ 19 世紀にアスファルト舗装が登場するまで用いられた舗装技術

劇場、公共浴場など

└ ギリシアは劇場都市、ローマは浴場都市、ともに市民の結束力を高める場所として機能

④哲学

・ヘレニズム哲学の継承でストア派哲学が主流

セネカ『幸福論』、『倫理書簡集』— 生き方の手本を示す

└ 富の空しさ、禁欲を説きながら蓄財に励む (※)

マルクス・アウレリウス・アントニヌス『自省録』

PROPOS ＊1

ローマは様々な民族を含む巨大な国家に膨らんでいった。文化、習慣の違う人びとが摩擦、対立なく生活していく上で法律の整備は必要不可欠だった。当初は When in Rome,do as Romans do.(郷に入れば郷に従え) とつれなかったが、様々な価値観を受け入れてローマは変わっていった。十二表法(前5c) から、千年の時のふるいにかけられる中で内容を洗練させて普遍性を高めた。

PROPOS ＊2

膨大な法を相互に矛盾なく法体系として機能させるのは容易でない。新しい法律を作るのはいま動いているプログラムに新しいものを付け加えてバグを起こさせないこと。膨大な法律を齟齬なく、バグなく動かせる技術。私たちは法で縛られていると思いがちだがそうではない。法により守られている。これが「法の支配」(権威主義体制が法を統治手段に使うのは「法による支配」でまったく別物)。『ローマ法大全』は人類の貴重な遺産。日本の民法も影響を受ける。

PROPOS ＊3

石の間に押し合う力を用いて堅固な建物を作るアーチ技法。アーチを重ねれば高さも追求できる。アーチの頂上部分にある石をキーストーン (要石) というが実際はどの石を失っても建物は崩壊する。アーチ技法は石が圧縮に強いことの発見でもあった。組積造という原始的に見えて精巧な技術。セゴビア (スペイン) の水道橋は 18c まで使われた。残念ながらコロッセウムは石切り場として使われたのでいまは廃墟化しているが、建物が崩れたのではない。

PROPOS ＊4

最少の材料で最大の強度を持つ形態が卵。自然界が作り出した完全な楕円形、卵形。白色電球を想像したい。脆弱にみえる卵形が材料比で最強であることの発見はコロンブスの卵。あの薄さで他の形であればすぐに壊れる。建築では強・用・美の三要素が大切。パンテオンに体現されている。

画蛇添足

▼南仏に残るローマの水道橋ポン・デュ・ガール。アーチ技法による高さ50mのスリムな巨大建築物。最上部が導水管だが幅3m。かつては自己責任で渡ってよかったが、筆者は怖さで立ちすくみ一歩も踏みだせなかった。古代ローマを憧憬していたルソー(18世紀)。ローマ人への畏敬のあまり足を踏みだせなかった、と書く(『告白』)。こう書くものか。▼50km先の水源から水を運ぶ。平均斜度は1キロあたり25センチ。この勾配をつける技術の高さ。それほどにこの地方では水が貴重だったのか。▼アーチを展開させたのがドーム。ドームは建物の形を変えた。ローマにある半円球(直径42m)のパンテオン(万神殿)。建物が完全な球(世界)を内包することに成功。「すべての神々の神殿」という発想が神々しい非日常空間を生み出した。世界で最も美しいコンクリ建築。コンクリが施工次第で二千年の耐久性を持つ証明ともなっている。鉄骨を入れてないから錆びない。19世紀に鉄骨構造(RC工法)が生まれるまで人類はローマの建築技術水準を超えられなかった。▼経年変化が劣化になりがち(施工次第)、土に還元しないので廃墟時が醜悪。それゆえ低く扱われるコンクリ建築。木に温かさ、コンクリに冷たさが割り当てられてきた。コンクリの硬化は水和作用。木と同じように何十年もかけて硬さだけを加えていく。この頑丈さが私たちの命を守り、私たちの生活を下支えしてきた。▼内部に入った瞬間、見たことも想像したこともない空間の広がりに心打たれる豊島美術館(設計西沢立衛)。広場の概念が変わる神奈川工科大学のKAIT広場(設計石上純也)。コンクリ建築の挑戦が刺激的。造型の自由さで驚くべき空間を作り出している。

わんクリック 私事だが慢性的な足底腱膜炎に往生している。人間は二足歩行を選び、体重すべてを足にかけるようになった。猿人以降、重みの分散のため 26 個の骨をアーチ状にして「土踏まず」の箇所が生じる形状に変化 (アーチが低いのが偏平足)。これで走ってエサをとれるようになる (走れないとエサになる)。アーチの機能は力の分散。アーチが崩れて荷重が 1 カ所にかかると炎症で痛むことになる。人体の仕組みは構造物へ応用されてきた。エッフェル塔は大たい骨の構造を模倣した。肋骨の形が持つ強度も分析されてきた。骨格標本を観察してデッサンするのが長く古典的な美術教育の一つだった。

History Literacy 「どの口が言う」と言いたくなる—立派なことを書いている人 (有名な人) が立派な人とは限らない。

⑤文学

- ・ラテン語とラテン文字(ラテンアルファベット)の普及　＊1
- ・ラテン文学が発達
  アウグストゥス時代が黄金期
  キケロが修辞を洗練、『国家論』『友情論』　＊2
  └ 共和政末期の散文家、弁論家、カエサルの政敵
  ウェルギリウスの叙事詩『アエネイス』
  └ アウグストゥス帝時代のローマ建国叙事詩
- ・ホラティウス、オウィディウスらの叙情詩人
  └「その日の花を摘め」『叙情詩集』 └『転身譜』(ナルキッソスが水仙、エコーが木霊に変身)

⑥歴史学

- ・ポリュビオス『歴史』
  政体循環史観に基づきローマの地中海世界発展を記録
  混合政体という発想で分析
- ・カエサル『ガリア戦記』
  ガリア遠征の記録、初期ゲルマン社会を知る貴重な記録
- ・リウィウス『ローマ建国史』
  ローマ建国からアウグストゥス帝時代までを記す記録
- ・プルタルコス『対比列伝』
  ギリシアとローマの英雄を対比した伝記
  └ シェイクスピア史劇『ジュリアス・シーザー』『アントニーとクレオパトラ』の種本
- ・ストラボン『地理誌』
  帝政期にゲルマン人の風俗、地誌を記す

⑦自然科学

- ・プリニウス『博物誌』　＊3
  └ 自分の目で確かめずにおれない好奇心が集めた古代の厖大な知識
  噴火するヴェスヴィオス火山調査に向かい殉職
  └ 噴火を「神の怒り」と考えなかった最初の人
- ・プトレマイオスの天動説は以後1500年間用いられる
  └ 主著『アルマゲスト』

⑧宗教

- ・現世的多神教(ローマ12神)、東方の神秘的宗教(ミトラ神など)

PROPOS　＊1

ローマ字はフェニキア人が作ったものにギリシア人が母音を加える改良をしてできた。字体はローマ時代に完成。ローマにある「トラヤヌス帝碑文(TRAJAN COLUMN)」に刻まれた碑文の文字が「ローマ字」の基本。高級チョコレートブランドのロゴにも使われている(答えは最下段)。

PROPOS　＊2

「口は災いのもと」「雉も鳴かずば撃たれまい」といった「沈黙を金」とする日本の以心伝心文化。日本で修辞(レトリック)は軽視。いささか論理(ロジック)に基づいて「考える」ことが強調されすぎている。歴史の主役は人間。人は論理よりは感情で動く。その現実を見ない議論は非論理的。「考える」ことを強調する人ほどあまり考えていないのではないか、と人を責めるのはやめよう。「過つは人の常(許すは神の常)」"To error is human , to forgive, divine."という。言葉を美しく装うことで振り返ってもらえるようになり人びとに届くこともある。言葉で人を説得する技術—修辞にキケロが果たした役割は大きく、ラテン語を雄弁な言葉とした。修辞に関しては香西秀信の一連の著作が入門用によい。『議論入門—負けないための5つの技術』など(過つは人の常—先の英文にも誤りがある。答えは最下段)。

PROPOS　＊3

誰が人間を描き始めたのか。プリニウス『百科全書』は、恋人の肖像を得ようと壁に落ちる影をなぞった行為が絵画の起源、と紹介する。絵画の起源については、大地に映る自らの影を描こうとした行為、に絵画の起源をみる説もある。動く者が動くものを描くなど不可能に思えるが、人間の認識行為の本質を衝いた説明にもなっている。恋人の唯一の肖像が絵画の起源というプリニウスバージョンの美しさも捨てがたいし、描くことの不可能性、物とその影の非対称性を暗示するあとの説も魅力的。

(答えチョコはGODIVA、errorはerrの誤り。)

画蛇添足

▼彫刻が巧みだったキプロス島の王ピグマリオン。理想の女性像を造形。その彫像に恋して飽かず眺めた。美の女神アフロディテがこれを哀れに思い、彫刻を人間に変えた。「こうあってほしい」とずっと念じたことは実現するというピグマリオン効果の由来。▼オウィディウス『転身譜』。罰として他人の言葉を繰り返すことしかできなかったエコー。少年ナルキッソスを愛したが、同じことしか繰り返せない。「退屈だ」と捨てられた。エコーは悲しみのあまり姿を失い、声だけが残る木霊になった。ナルキッソスも他人を愛せなかった罰として自分しか愛せなくなる。▼ある時、水を飲もうと水面を見て、そこに映る自分の姿に恋したナルキッソス。そこから離れられず衰弱したとか、水面に映った自分に口付けをしようとして水死したとされる。ナルシシズムの由来。ナルシスト(自惚れ)、ナルシシズムの現代版が「私探し」という自己愛。ほどほどに。▼ピグマリオンの現代版がオードリー・ヘップバーン主演の『マイフェアレディ』。aをa、つまりグッバイをグッダイと発音する下町言葉で花を売る娘イライザ。ある言語学教授がこの花売りの発音を矯正してレディーに変身させようと奮闘する話。The rain in Spain stays mainly in the plain. で頻出するaが発音できた喜びで「踊り明かそう」と歌い踊る。▼好きな映画だったが、現代の社会規範を持ち込めば、この教授は言葉の多様性を否定する差別主義者、その行為は地位を利用したアカハラ、好みに人間を仕立てようとする歪んだ情熱の持ち主(ストーカー)、になってしまう(※)。冒頭の女性像ピグマリオンに「触られるのが嫌で人間になって逃げた」の解釈までできた。

わんクリック　バビロニアで数百年にわたる観察で蓄積された天文データ(オリエント文明)と幾何学(ギリシア文明)が融合して生まれたプトレマイオスの天動説。1500年間人々を支配した。天動説がまったくの誤りで地動説が正しいわけではない。どちらが天体現象をよりシンプルな数式で記述できるかの問題。CGで天動説の美しさを再現したのが『Almagest 天動世界のメカニズム』(5分弱、Youtube)。スケールを変えて見ることの楽しさ。『パワーズ・オブ・テン:宇宙・人間・素粒子をめぐる大きさの旅』。42枚の美しい写真で10^{25}mのマクロから、10^{-16}mのミクロまでを見る経験。「歴史」版が見たい。

History Literacy　当時の社会規範で描かれたものを現在の社会規範で読む—歴史も基本的には同じ性格を免れない。

地中海世界の諸宗教とキリスト教

①属州ユダヤ

- パレスチナはローマに併合（前63）― 属州ユダヤ
- ローマ帝国の苛酷な圧政（属州統治）

  人びとは救世主（メシア、キリスト）を待望

  └ヘブライ語 └日本語慣用読み、ギリシア語起源

- ユダヤ教の現実 ＊1

  パリサイ派が律法遵守を強調、律法が形骸化、民衆救済軽視 ＊2

②イエスの活動

a. イエス（前4頃～30頃）の生涯

誕生（前4頃）

→ヨハネによる洗礼（バプティスマ）(30才頃)、メシアの自覚

→伝道（2～3年、ガリラヤ地方）

└イエスはアラム語話者（ギリシア語理解できず）、読み書きはできず何も書き残さず

→十字架上で刑死

b. 伝道の内容

- 律法の形式的遵守を批判

  →悔い改めによる律法の内面化 ＊3

- 神の愛という愛のあり方が存在することを説く

  └ギリシア語でアガペー、ラテン語でカルタス

  cf. これまで存在した愛の形はエロス（プラトン）

  民族、階級を越えた全人類愛

  民族宗教（選民思想）から世界宗教へ

  →神の愛にならい隣人を愛することを説く ＊4

  「あなたの神なる主を愛せよ。隣の人を自分のように愛せよ」（マタイ）

  「人にしてもらいたいと思うことは何でも、あなたがたも人にしなさい」（マタイ、ルカ）

c. 十字架上での刑死

- 教えの内面性

  「地上の国」でなく心の中に「神の国」到来

  現実的救済を望む民衆の失望

- 十字架上で処刑（属州総督ピラト） ＊5

PROPOS ＊1

国家を失ったユダヤ人は律法を守ることを紐帯とした。しかしある程度豊かでなければ律法は厳守できない。特に厳格な食物の戒律。安息日には家畜に餌を与えるのも労働だから禁止。裕福な者は異教徒を雇って代わりにさせる。その余裕がなく自分で餌をやるしかない人は救われない。これでよいのか。イエスはここにこだわった。

PROPOS ＊2

私たちの心に律法主義は潜んでいる。自分は規則を守ってきた。守らない人に厳しくしてほしい。事情や人間存在の弱さを斟酌する神―神は「赦す神」ではなく「裁く神」であってほしいと願う心が律法主義。

PROPOS ＊3

ユダヤ教とイエスの対立は「戒律（外面）か信仰（内面）か」の側面がある。自分の初期設定がどうなっているか。その意識を持つことが歴史的存在である私たちにとっては大切。学校では礼という儒教的な外面的行為が重視されるが、社会では内面を重視する言説が支配的。内面重視が私たちの初期設定。近代以降キリスト教（特にプロテスタント）に影響を受け、ユダヤ教とイスラームの影響を受けなかったため（※）。

PROPOS ＊4

隣人とは誰か。誰も助けようとしなかった行き倒れの人を、自分のこともままならない貧しいサマリア人が助けようとした。

PROPOS ＊5

イエスの活動は同時代人にとりユダヤ教内部の異端運動。これほどの発展は予測されておらずイエスに関しては、晩年の言動を記す史料しかない。いろいろな説明があるが、歴史学ではイエスの前半生は知りようがないと確認されている。イエス自身も自らをユダヤ教徒でその改革運動をしていると自己認識していた。新宗教の祖としての認識もない。しかし刑死後、「ユダヤ人がイエスを殺した」と記憶されていく。

画蛇添足

▼私たちは普段から恋愛という言葉を、恋と愛の違いを区別した上で使っている。知らない間に学んでいる。犬を愛するというが、犬に恋したとは誰も言わない。「愛と恋の違いを説明しなさい」。無意識に理解していることをどれだけ言語化できるか試してみようと先日、教室で指示した。▼恋は落ちるもので一瞬、愛は続けるもので永遠、動作と持続時間が違う。ベクトルの向きが違う。相手本位が愛で自分本位が恋。恋多き人は多いけど…等々。発言の度に「そうだ」と教室は活気づいた。20世紀初頭の神学者ニーグレンの「愛の二分法」理解―愛をアガペー、恋をエロスに分ける理解を皆さんは知らぬ間に学んでいる。▼真善美など価値あるものに向かうのが恋、ギリシア的愛のエロス。「あのようになりたい」「あれを手に入れたい」と自己を高めようとする上昇運動。これが人間を向上させる。しかしエロスには価値あるものしか見ない自己中心性（エゴイズム）がある。▼ここに人間の原罪を見たのがキリスト教。神は、エロスという求める愛しか知らない人びとに対して、別の愛の形があることを示した。自分の子（イエス）を犠牲に差し出した神の愛。対象を選ばず生きとし生けるものすべてに向かう捧げる愛。▼人間は何かを釣るときは丁寧。水の中の魚の様子に耳を傾け相手に合わせる。しかしいったん釣り上げたらあとの扱いはぞんざい。小ぶりだったとむしろ欠点を見るようになる。欠点を含めてその人をどれだけ愛せるか。▼恋から愛への移行が難しい。恋と違い、愛は対象の問題ではない。自らの愛する能力の問題。その理解から愛するためには成熟した人格を必要としたのがエリック・フロム。そのような愛が造形されて世に示された。

わんクリック 「ユダヤ人がイエスを殺した」ほど政治的な言葉はない。イエス自身がユダヤ人だから無意味な言明。日本人の間で殺人事件があっても「日本人の○×が日本人の○△を殺した」と言わない。単に「○×が○△を殺した」だが、これを「日本人~~の○×~~が~~日本人の~~○△を殺した」と恣意的な省略をすると別の意味を帯びる。いまも「○○人の男が逮捕された」と強調するマスコミがある。ところでイエスの表記。イエス・キリストと呼ぶと、彼は救世主、という価値判断が入るので、イエスとしている。他方で孔丘のことを孔子（孔先生）と呼んでいる。「統一できていない」とつっこみ読みすること。

History Literacy 自分に何が入っていて何が入っていないかを意識―「入っていない」に気づきにくいことを留意。

③キリスト教の誕生

- 処刑3日後に墓を確認したら中の遺体が消滅　＊1
  - └ 冒涜を嫌って、あるいは神聖化を避けるため、誰かが移動させた、が普通の解釈
  - →「復活」したとの信仰が発生　＊2
- 使徒パウロが十字架上のイエスの無力な死の意味を解釈　＊3
  - イエスは救世主（キリスト）
  - 十字架上における死は人類の罪を贖う行為
  - 人間は罪（原罪）を背負っているという人間観（キリスト教の人間観）
  - └ ここでの罪とは罪刑法定主義による crime ではなく sin ― 人間の自己中心性（エゴイズム）
  - →この解釈を受け入れた人びとの発生（キリスト教の誕生）　＊4
    - └ 十字架 ― 処刑のための道具を信仰のシンボルとする宗教の誕生
- 原罪の思想
  - └ キリスト教だけでユダヤ教、イスラーム教には存在しない
  - 教父アウグスティヌスが言及
  - └ アダムが禁断の果実を食べたことが象徴（食べた覚えのない子孫にも及ぶ集団罪責論）

④使徒の活動とキリスト教の世界宗教化

- 使徒が帝国内布教
  - ペテロ… 12使徒の筆頭、ローマで殉教
  - └ ピーター（英）、ピエール（仏）、ピエトロ（伊）、ピョートル（露）
  - パウロ…異邦人の使徒で世界宗教化の道を開く
- 奴隷、下層市民など社会的弱者から信者を拡大
  - └ 裕福なエリート間でも信者は拡大、そのため教義が洗練（ギリシア化）された
- 各地に信者が集う教会が建立
- 『新約聖書』の成立（2～4c）
  - └ 新約、旧約はキリスト教の観念
  - 四福音書（イエスの言行）、使徒行伝、書簡など27文書が徐々に正典化　＊5
  - └ 多くの福音書の中から選択（四福音書も対立する内容含む）
  - コイネー（共通ギリシア語）で叙述（多くの信者を獲得できた要因）
  - └ イエスはアラム語話者でギリシア語理解せず（音声面）、読み書きはできず

PROPOS　＊1

イエスの処刑はユダヤ社会での出来事。処刑は金曜の午後。翌日は安息日で墓の様子を確認できず日曜にでかけたら墓は空だった。のちにキリスト教徒は日曜日を、その後に成立したイスラームは金曜を安息日とする。なおキリスト教では最後の審判での復活に遺体が必要なので土葬。復活しては困る異端と魔女は火刑に処せられる。

PROPOS　＊2

キリストの復活を祝う復活祭（イースター）はクリスマスと並ぶキリスト教の最大の祝日。バッハの受難曲が各地で演奏。ペテロの否認に続く第46番「ペテロは外にでてさめざめ泣いた」。「この音楽を聴いて胸を突かれないとしたら、その人はもう音楽を聴く必要などまったくない人である」（吉田秀和）。

PROPOS　＊3

キリスト教を作ったのはパウロ。元パリサイ派のユダヤ教徒。キリスト教徒を迫害していたが回心して熱心な伝道者となった。十字架上の死を「罪の贖い」と解釈。ユダヤ教的な供犠の発想。誰かがスケープゴート（贖罪の仔羊）となることで他が救われる発想。彼の異邦人伝道（ユダヤ人以外への伝道）がキリスト教を世界宗教とした。ローマ市民権を持つ彼はローマの平和期に帝国内を自由に往来できた。イエスの素朴な教えは彼によりインテリ向けに洗練されて変質。祝福されて生まれたはずの人間が原罪を背負い生まれたことになった。

PROPOS　＊4

イエスを認めなかった人びとはユダヤ教徒として今もメシアの到来を待つ。イエスをメシア（救世主）としたユダヤ教徒は異端扱いされたがのちに分離（キリスト教）。

PROPOS　＊5

福音は「良い知らせ」（ギリシア語でエヴァンゲリオン、英語でゴスペル）。『聖書』は神の言葉が少ないのが特徴（『コーラン』と対照的）。イエスの言行自体を福音とする。

画蛇添足

▼宗教の存在意義は「人間にとって計り知れない存在」を意識させることにある。神という存在を置くことで自らの有限性を自覚できる。有限性を自覚した人間が無限という観念、超越的存在を作り出した。▼宗教の教義の中には「なるほど」と膝を打つ有り難い教えもある。しかし、そのように思わせる教えは人間が作った枠を越えていない。キリスト教は違う。普通は物事を分かりやすくするために譬えを使う。ところが理解できない譬えで満ちているのが『聖書』。これは偶像崇拝を多くの宗教が禁じるのと同じ理由。▼何かが理解でき、何かを偶像化してしまったら、「計り知れなさ」を消去したことになる。「分かる分からない」を問題にせず、「信じるか信じないか」を問題にするのが宗教。「天使」とか、「復活」とか、にわかに信じがたいものが宗教にとり決定的に重要な構成要件。▼生誕年も誕生日も不明（※）。分かっている事実は、最晩年に社会的活動をしたこと、十字架で刑死したこと、その翌々日の朝、埋葬したはずの墓が空っぽだったこと、その日の朝を境に、12人の弟子達の態度が180度変わったこと。▼特に最後の2つの間接的事実から、イエスの「復活」があったと信じる人びと、そしてイエスの十字架上の死は人類の罪を償ったものであると見なす人びと―キリスト教徒が誕生した。▼「空っぽの墓」―空洞には意味が読み込める。そこに「信じるか信じないか」の主体的選択を行う余地が与えられる。神が遣わしたイエスが人類の罪を背負って犠牲死をとげ、復活した。これこそが神の業と呼ぶべきものなのだろう。後に眼窩を空洞にした殉教者たちを塑像したのが舟越保武「原の城」。そこは「虚ろ」で満たされている。

わんクリック　4年に1度、4で割り切れる年に行われる夏季オリンピックとアメリカ大統領選挙。後者は11月第1火曜日実施。「なぜこんな大切な選挙が火曜なのだろう」。平日の選挙に違和感を持ち、「どうしてだろう」と疑問を持った人はいるだろうか。「なぜ火曜日か」という問いを出すことが大切。ただ問いに引きずられたら答えはでない。「なぜ日曜日でないのか」と問い方を変えることができれば、日曜日は安息日で投票ができないから、と答えにたどり着ける。ついでに民主主義国でなぜ大きな欠陥のある大統領選挙（選挙人総取り制や複雑な投票用紙）を続けるのか、といった疑問も持ってみよう。

History Literacy　誕生曜日を知る人は少ない（あなたは何曜日に生まれですか）―日本は誕生曜日を重視しない文化。

ローマ帝国の混乱

- 「3 世紀の危機」 ＊1
- マルクス・アウレリウス・アントニヌス (~在位 180) 治世末期
- 異民族の侵入

 東方：ササン朝と抗争

 └ シャープール 1 世 (3c) の時、皇帝ウァレリアヌスは捕虜に

 北方：ゲルマン人の侵入

 →軍人の発言力増大「軍人皇帝時代」(235 ~ 284)

 約 50 年間 (3 世紀半ば) に 26 人の皇帝 ＊2

3 古代末期の社会と地中海世界の解体

ローマ帝国の変貌

①専制君主政開始 (後期帝政)

 └ T．モムゼンが帝政を前後期に分け後期を専制君主 (ドミナートゥス) 政とした

- ディオクレティアヌス帝 (在位 284 ~ 305)

 帝国の危機に強力な権力 (軍備力増強、官僚制強化) で収拾

 └ チャイナでも同じころ西周の統一 (280) で「危機の 3 世紀」を収束

 皇帝権の絶対化 (跪拝礼の導入)、元老院廃止 ＊3

 →皇帝崇拝拒否のためキリスト教徒迫害

- 四分割統治 (四分治制)

 帝国を四分し、東西正副二帝により統治 (ディオクレティアヌスは東の正帝)

②コンスタンティヌス帝 (在位 306 ~ 337)

- 帝国再統一
- 313 年、ミラノ勅令

 キリスト教を公認、帝国支配に利用

- 330 年、ビザンティウム遷都 (コンスタンティノープル改称)
- 職業と身分の世襲と固定化、コロヌスの移動の自由禁止

③テオドシウス帝 (在位 379 ~ 395)

- 392 年、キリスト教国教化 ＊4
- 死後、帝国二分 (395) 西ローマ帝国 (~ 476)、東ローマ帝国 (~ 1453)

PROPOS ＊1

3 世紀の危機―2c 後半から寒冷化。寒冷化で生産力が落ちると税収は減り、国家の維持は難しくなる。草原地帯など高緯度ほど寒冷化の影響は大きく、騎馬遊牧民の南下がはじまる。チャイナでは後漢末の黄巾の乱 (184 ~) から約 100 年間で人口は激減、三国分立時代となる。ローマ帝国でも五賢帝時代が終わり (180)、軍人皇帝時代の群雄割拠状態になる。ペルシアでも 5 世紀間続いたパルティアからササン朝に変化 (226)。荒廃する社会で人は宗教に拠り所を求める。チャイナでは道教、仏教が、ローマではミトラ教、キリスト教が広がる。混乱は西晋による統一 (280)、ディオクレティアヌス帝即位 (284) で一旦終息する。

PROPOS ＊2

これは王朝の末期症状。明朝最後の崇禎(すうてい)帝が人を信じられず 18 年間で 50 人も宰相を替えた。軍人皇帝時代のローマを現代日本も経験。日本も田中内閣 (1972) から野田内閣 (2012) まで 40 年間に 23 人も首相が替わった。この後半が「失われた 20 年 (失われた 30 年―その最初の 20 年)」。

PROPOS ＊3

広大な地域の統治のためには君主に跪拝(きはい)させる絶対的権力が必要。ペルシア風統治は理に適っていた。20c 初頭にほぼすべての帝国は崩壊したが、逆に言えば、文明史の大部分は帝国統治に覆われていた。これが当たり前だったことを理解したい。専制支配といっても多くの場合、支配者層内部のことで一般民衆には関係がない。教科書が叙述するのは支配者層内部のこと。

PROPOS ＊4

国教化されたキリスト教はその後は一転して他宗教を弾圧する側になる。約千年間、オリンポスの神々と歩んできたローマはこれらを異教として弾圧して、キリスト教に一本化 (392)、程なくローマ帝国は滅亡 (476)。帝国はキリスト教の力を借りることで延命しようとしたが手遅れだった。

画蛇添足

▼何かを肯定的に描くとは何かを否定的に扱うこと。英雄はヒール(悪役)と共に登場する。キリスト教誕生の引き立て役を割り振られたのはユダヤ教、そしてキリスト教を弾圧したローマ帝国。これらがバランスよく叙述されているとは言い難い。▼バランスの取れた歴史叙述はそもそも存在しない。膨大な過去の営みからすべてを分け隔てなく取り上げることは不可能。知るべきと取り上げられるものには多数派の関心が反映する。歴史叙述では多数が正義(※)。読み手はそのような歴史叙述のクセを知って頭の中で修正するヒストリーリテラシーが必要になる。▼キリスト教徒を弾圧した帝政ローマ史は好意的には描かれず、ほとんどキリスト教受容史になっている。キリスト教公認以前のローマ社会は「危機の三世紀」とその時代のローマ人の退廃と共に言及される。この描き方はキリスト教受容、国教化の決断により社会がよくなったとの印象を作る。▼棄教したユリアヌスは立派な皇帝だが「背教者」として全否定される。ディオクレティアヌス帝は名君。専制君主政に舵をきる改革でローマの社会混乱を収拾。ストア派信奉者として権力にしがみつかず自らの意志で退位(した唯一の皇帝)。余生は畑作で過ごした。しかしキリスト教徒を弾圧したので悪帝扱い。▼ローマはオリンポス12神をはじめとする多神教世界。どの宗教に対しても寛容。神は一つとして寛容を認めない宗教(キリスト教)―不寛容に対しては不寛容だった。ローマから見れば従来の神々を否定するキリスト教徒は無神論者。話は変わるが、突然の眠りから覚めたポンペイの遺跡が貴重なのは、これが多神教時代のローマに何も上書きされていない遺跡であることにある。

わんクリック 繰り返すがこのあたりは完全にキリスト教視線の叙述になっている。ユダヤ教が律法主義に凝り固まっていたというが、それはイエス側の言い分。批判されたパリサイ派はユダヤ教の中のあくまで一部。キリスト教がローマ帝国に迫害されたというのもキリスト側の一方的な主張。ローマは多神教社会。人にはその人の神があってよいという寛容を大切にした社会で、一神教のキリスト教徒は独善的に映っただけでなく、それを他者にまで強いようとしたから摩擦が起こった。ローマ帝国側から見ればキリスト教はいまでいう反社会的団体だった。もちろんそこにこそ宗教の存在意義があった。

History Literacy 歴史では多数になったものを正義として叙述する―世界史の多数派の一つがキリスト教。

④コロナートゥス制

・奴隷制大農場（ラティフンディア）の行き詰まり

└ イタリア半島、シチリアのみ

奴隷供給停止（「ローマの平和」）、頻発する奴隷反乱、奴隷労働の非能率性

→コロヌス（小作人）に土地を貸し出し

└ コロヌスは穀物栽培　└ 移動の自由禁止（コンスタンティヌス帝）

→社会の地方分権化、自給自足化

└ 農民が土地に縛りつけられる傾向強まる、といった程度

迫害から国教化へ

①迫害の時代

・キリスト教徒はローマの伝統的祭儀（多神教）に参加せず、皇帝崇拝拒否

→皇帝の迫害で多くの殉教者

ネロ、ディオクレティアヌス帝の迫害　＊1 ＊2 ＊3

・キリスト教徒は地下墓所カタコンベで信仰維持

②公認と教義統一 ― 正統と異端

・313年、ミラノ勅令による公認（コンスタンティヌス帝）

・325年、ニケーア公会議

三位一体説（アタナシウス派）が正統教義　＊4

父なる神、子なるイエス、聖霊が同質（三位一体、トリニティ）

└ 神の受肉化（人間化）　└ トリオの語源

イエスの神性を重視（イエスは神と同質＝神の被造物ではない）

└ ただし人性も認める両性説

→アリウス派は異端とされ、ゲルマン人の間に伝播

イエスの人性を強調（イエスは神の被造物―神よりワンランク下の位置づけ）

・431年、エフェソス公会議

ネストリウス派（東シリア教会）は異端とされペルシア、チャイナに伝播

└ イエスの人性と神性を分離

・451年、カルケドン公会議

人性は神性に吸収されるとする説を単性派（非カルケドン派）として異端に

→アルメニア教会、コプト教会（エジプト）として非カルケドン派は存続

└ 最も早くキリスト教国教化(301)したアルメニア　└ イスラーム圏最大のキリスト教会

PROPOS ＊1

アッピア街道沿いのクオ・ヴァディス・ドミネ（主よ、いずこへ行かれたもう）教会。ローマの迫害から逃れてきたペテロが、そのローマに向かうイエスに出会った場所にある。ペテロの問いにイエスは「汝が見捨てたローマへ」。恥じたペテロはローマに戻って殉教。イエスの十字架上の死以来、信者の死を「殉教」と正当化する宗教。

PROPOS ＊2

宗教は社会批判から起こる場合が多く、基本的に反社会的存在として国家権力から迫害される。その中で権力と妥協し、社会批判を弱め、角を丸く毒を失ったものが大きな宗教団体へ発展する。社会規範とある程度の整合性を保つのがチャーチで、大きく隔たり緊張感を作り出すのがカルト。

PROPOS ＊3

現在のキリスト正統教義は4cのニケーア公会議以降に整えられた三位一体説。信徒は礼拝で「私は三位一体説を信じる」と信仰告白を行う。三位一体説は合理的に理解できない（理解できた方がおかしいので、ここは分からなくてよい）。「理解」するものではなく「信じる」対象。世界には理解できないことがある、だからそれを信じる、というのが信仰。信仰という一種の跳躍が必要になることもある、という信仰。

PROPOS ＊4

ラテン語のペルソナ（英語でパーソン）は「仮面」を表す。社会的に担っている役割（仮面）という意味。そして複数のペルソナが一つになったものが「私」という人格（パーソナリティ）。一つずつ仮面を剥いでいったら何も残らない。三位一体とは見かけは別々の形（位相）だが、実際は一体という教え（1+1+1=1）。水みたいなものと理解すべきか。水、水蒸気、氷は別の形をとるが分子レベルに還元すれば同じH_2O。とにかくこの難解さが教義の中心にあるためローマ（カトリック）教会は布教に際しては分かりやすい偶像崇拝に頼ることになった。

画蛇添足

▼物事の見方には二つある。本質主義と構築主義。簡単に言えば、どこかに「本物」（ここでは「本来のキリスト教」）があり、それが「正しさ」の基準になる、が本質主義。歴史のどこかの地点を正しいとみる態度。この基準で他が批判されることになる。▼それに対してすべては作られる（構築される）途上にあると、どこにも完成形をみない態度が構築主義。「これが正しい何トカ」の発想をとらない。これまでの歩みの全体を「キリスト教」として正しさとは別次元で肯定する態度。▼神との関係の中でイエスをどう位置づけるか。これまで様々な論争があった。アタナシウス派の勝利は僅差で、難解で無理のある解釈でその教えの定着には紆余曲折があった。結果的に三位一体説以外は異端として排除されていく。宗教での「正統教義」は権力闘争の結果。正しさとは関係ない（※）。シリアには古いキリスト教共同体がありイエスが誕生した頃の教えに近いものが残っている。それもまた正しさとは別問題。▼ところで「三位一体」という言葉は聖書に見つからない。これを正統とした「教会」も聖書に登場しない。しかし聖書に書かれていないことがそれを否定する根拠にはならない。聖書もキリスト教が発展していく過程で編まれた歴史的存在。のちにルターが「聖書に戻れ」とした運動が宗教改革、プロテスタントの誕生につながるが、ローマ（カトリック）教会は聖書にそこまで特権的な地位を与えていない。議論はかみ合わない。聖書があってそこから信仰が生まれたのではない。▼そもそもキリスト教自体がユダヤ教から分離した異端。何が正しいかではなく、正統と異端がせめぎ合うダイナミズムがキリスト教拡大の原動力となったことに着目したい。

わんクリック　最初のページの答えはイエス。三位一体説が正統教義となり、イエスは人間だけでなく神性も帯びた存在とみなされるようになり、イエスの記録から人間の定義に由来する特徴（「笑う」など）が取り除かれたという（宮田光雄『キリスト教と笑い』）。ややこしいがニケーア公会議で両性説（イエスは神性と人性を持つ）が採られ、エフェソス、カルケドン会議ではその2つがどのように1つであるかが議論された。両者の分離を強調したのがネストリウス派、神性の中に人性が包み込まれているとしたのが単性派（単性派というけれど両性説）。両者共に間違った考え―異端とされて排斥された。

History Literacy　「多数派とは、自分たちを多数派として認めさせることに成功したひとびと」（J.S.ミル『自由論』）

③国教化と組織の充実

- 392年、キリスト教国教化

  テオドシウス帝はキリスト教以外の神々を棄教(ききょう)

  └ これまで1000年以上ローマの発展を見守ってきた

- 教会の組織化、聖職者・教会の序列化進展
- 教父によるキリスト教義の体系化　＊1

  └ ギリシア哲学を借りてキリスト教義を構築

- アウグスティヌス(354～430)　＊2

  └ 最後はヒッポ(北アフリカ)の司教、ヴァンダル人の包囲下で亡くなる

  『告白』『神の国』　＊3

  └ 西ゴートのローマ略奪(410)で高まるキリスト教国教化への非難への応答

ローマ帝国の滅亡とその背景

①直接契機

- 376年、ゲルマン人の侵入
- 395年、ローマ帝国が東西に二分(テオドシウス帝)
- 467年、最後の西ローマ皇帝の退位(西ローマ帝国滅亡)

  ゲルマン人傭兵隊長オドアケルが幼帝の廃位

  └ イタリア領主を名乗り、皇帝と称せず

- 東ローマ帝国は存続(～1453)

  └ ただしギリシア化進行(7c以降公用語はギリシア語)で「ローマ」とは別様の国家に

②背景　＊4

- 帝国の地方分権化(封建化)進行

  3世紀の危機で増大化した国防費を都市に転嫁(都市に増税)

  └ 多数のゲルマン人などを傭兵として雇用

  →都市が衰退し、経済、文化も衰退(帝国の求心力失われる)

- 社会の封建化(農奴制の広がり)進行

  社会不安の高まりで人びとは遠くの皇帝でなく身近な有力者を頼る

  └ 帝国の重税、ゲルマン人の収奪

  →地域の有力者に身の安全と経済的保護を委ね自由を手放す(農奴化)

  └ 移転の自由を失う

  →自給自足の封建社会へと変質

PROPOS　＊1

イエスの言動を記した『聖書』は素朴な書物。多くの奇跡物語と分かりにくい比喩。インテリのパリサイ人の律法主義への批判から生まれたキリスト教は聖霊、奇跡などに特徴づけられる神秘性、反知性的な側面があった。これでは当時の知識人層に受け入れられない。ギリシア哲学を援用して教義理論が整えられ、学問体系(神学)が発展。

PROPOS　＊2

教父アウグスティヌスは北アフリカのベルベル人。熱心なマニ教徒だったが回心してキリスト教徒になる。その過程の心情を吐露した『告白』はいまも読まれる。「信仰は目に見えぬものを信ずることである。そして信仰の報酬は、信ずるものを見ることのできることである」。普通、信仰は自分で選ばない。だから回心者の信仰は深い。

PROPOS　＊3

「救い」には一般的に2パターンある。人間の働きかけ―信仰が重要な役割を果たすという立場(人間の自由意志の重視)と、神の側からの働きかけを重視する立場(神の恩寵(おんちょう)の重視、アウグスティヌスの立場)。前者は自力、後者は他力。とはいえ「恩寵は迎え入れる真空のあるところにしか入っていけない」(シモーヌ・ヴェイユ)ものであり単純に二分化できるものでもない。

PROPOS　＊4

ローマ帝国の滅亡原因を探ることで歴史学が発達したといえるほどに『ローマ帝国滅亡史』(ギボン)など多くの歴史書が書かれてきた。複数の要因が絡み合う。今日の問題関心からは、3～4cの気候寒冷化が長期的にローマ帝国を衰退させたと指摘されることが多い。寒冷化で遊牧民が南下、押し出されたゲルマン人の帝国内侵入へ対応するための軍事支出増加が財政を圧迫。寒冷化による作物の不作で税収が減少したことがその追い打ちとなった。商業に重心を移していた東ローマ帝国はその点での打撃が少なく滅亡を免れた、との理解である。

画蛇添足

▼何とかの滅亡、成立とは歴史教科書のお決まり表現だが、実際にそれはどういう事態なのか(※)。特に国家の滅亡は千差万別であり、想像が難しい。国家の枠組みがほぼ固定されている近代では別の政治主体が継承するので国家そのものが消滅する事態はまず起こらない。▼近代国家とそれ以前の国家を混同すべきでないがここで国家の最も基本的な役割について確認したい。様々な勢力(武装勢力、実力集団)が各地域を仕切って抗争を繰り広げている無政府状態では人びとが安心して安全に暮らせない。これらから「暴力」を回収して国家しか暴力行使できないようにして人の安全と生存を確保するのが国家の役割。▼国家の暴力行使とは対内的には警察による治安の確保。対外的には軍隊による国防の維持。警察と軍隊の二つだけに暴力行使を許して人びとの安全と生存を保障する。その二つを維持する財源のために徴税権を行使する。これが国家の基本形(夜警国家)。暴力の回収に失敗して首都周辺しかコントロールできていないのが「失敗国家」。徴税したものを再分配できれば応用形。▼ローマ皇帝はゲルマン侵入以降、帝国内の人びとの安全の保護―国家の役割を果たせなくなる。人は自らの土地と自分の自由身分を地域の有力者に委ね、身の安全と経済的保護を受ける代わりに土地に束縛された農奴として生きることを選択した。▼かつてはローマ帝国が世界で人びとはその中を自由に往来した。それが生まれた村から出ることなく生涯をそこで過ごす。小さな村が新たな世界となった。このような世界の変質過程がローマの滅亡。ただローマはなぜ滅んだかでなく、なぜこれほどまでに長く維持できたのか、を問うべき存在と思う。

わんクリック　市民皆兵原則から傭兵制への移行で国防力が低下、国家衰退の原因となることが歴史上繰り返されてきた。近代になって徴兵制で国民皆兵が徹底するが2度の大戦を経て、いま徴兵制を採る国は減り、どの国も兵士の員数(いんすう)自体を揃えるのが難しくなっている。日本の自衛隊も少子化が主因だが、定員割れが続く。米軍は大学奨学金、医療費無料などの特典で貧困層をリクルートしてきた(経済的徴兵制)。それがさらに「戦争のアウトソーシング化(戦争の民営化)」まで進んでいる。特に傭兵企業ブラックウォーター社が暗躍したイラク戦争(2003)は「民営化された戦争」と別名がついた。

History Literacy　言葉はごまかしが利く―「○○国(朝)おこる・滅亡」はどういう事態なのか(日本がおこる、とは)。

4 地中海世界と西アジア

パルティア王国

①イランにおける王朝の変遷　＊1

- メディア（前9c～前550)(イラン系）→アケメネス朝（前550～前330)(イラン系）
  →アレクサンドロス支配→セレウコス朝（前4c～前63)(ギリシア系）
  →バクトリア（前3c～前2c)の独立（ギリシア系）

②（アルサケス朝）パルティア王国（前248頃～後224)　＊2

- イラン高原北東部（首都クテシフォン）、遊牧イラン人が建国（カスピ海東南）
- 前半はヘレニズム文化の影響下、後半はイラン化が回復
  └ 貨幣の記銘がギリシア語からペルシア語（文字はアラム文字使用）に
- 東西交易で5世紀間繁栄、中国史書に安息と記載
  ローマ帝国（前1c半）と国境を接して抗争

ササン朝

①ササン朝（ペルシア）(224～651)　＊3

- イラン高原南西部、農耕イラン人が建国
  └ ファールス（ペルシス）地方、ペルセポリス遺跡などアケメネス朝の故地
- アルダシール1世がパルティアを倒す(224)
- ゾロアスター教国教化　＊4

②全盛期

- シャープール1世時(3c中頃)、強勢
  西　ローマ帝国を圧倒（軍人皇帝ヴァレリアヌス捕虜に）
  └ エデッサの戦い(260)、命乞いするローマ皇帝のレリーフ
  東　クシャーナ朝と接する（インダス川）
- 遊牧民エフタルのため動揺(5c)
- ホスロー1世時（在位531～579)、最盛期
  西― 東ローマ帝国と抗争、東― 突厥と結びエフタルを挟撃

③滅亡

- ムスリムの攻撃で衰退
  642年、ニハーヴァンドの戦いに敗北、滅亡(651)　＊5

PROPOS　＊1
「アレクサンドロスの大遠征」「イスラームの大征服」「モンゴルの大遠征」、名だたる世界遠征軍が通り、支配したのが現在の中東の大国イランがある場所。カスピ海とペルシア湾の間、東西交通路の要衝にある。

PROPOS　＊2
現在のイランの領域を支配したかつての政治勢力の中で、アケメネス朝、ササン朝は王朝名で呼ばれ、アルサケス朝パルティア王国はパルティア王国と国号で呼ばれる。これは、パルティアはイランでない別の国という現在のイラン人の民族的歴史観―アルサケス朝、ササン朝を正統、アルサケス朝は傍流とする見方、の反映（※）。

PROPOS　＊3
アブヤーネ村ではササン朝時代の言葉パフラヴィー語（ゾロアスター文献に使われる言語）がまだ使われており、イスラーム化以前の文化習俗が残る。標高2000m山腹の孤立した地形のためにこの村は残った。

PROPOS　＊4
日本にも伝わってきたという説がある。奈良の飛鳥には用途不明の大型石造物が散在。訪ね歩くのが人気。これらの石造物はゾロアスター教の拝火壇と推測するのが松本清張『火の路』で玄人はだしの推論。

PROPOS　＊5
最初の世界帝国アケメネス朝以来、千年以上の歴史を持つイラン人。かたや歴史に登場してきたばかりの粗野なアラブ人。歴史と伝統を持つイランが粗野なアラブ人に征服される驚天動地の出来事がニハーヴァンドの戦い(642)。この少し前、アラブからみすぼらしい身なりの使節がササン朝皇帝を訪問。生まれたばかりのイスラームの教えを熱心に説いた。これに皇帝は「土くれを持たせよ」と土嚢を担がせて追い返した、という。使節はこの土嚢を「ペルシアの土地は私たちのもの」と解釈できる瑞祥とみた、とされる興味深い逸話がある。

画蛇添足

▼ローマのクラッススは退却するパルティアを深追いしてユーフラテスを渡河。命取りとなる。後退しながら振り向きざまに矢を放つ戦法（パルティアンショット）に意表を突かれて大敗北。敗走するローマ軍は「卑怯な」と捨て台詞を吐いて返したに違いない。▼捨て台詞をパルティアンショットという。教室で机間巡視する教師。横を通り過ぎ去ったので安心したところを振り返られて何々君と当てられた経験はないだろうか。つい「どうして」と言いたくなる。▼遣隋使が持ち帰ったとされる四騎獅子狩文錦（正倉院御物）はこの騎射法が意匠になっている。この受領以来これは日本古来の騎射法として発展してきた。いまも各地で流鏑馬として披露される。馬上で安定した姿勢を保つのは難しい。砲兵出身のナポレオンは騎乗を苦手とした。ロバでアルプスを越えたのに白馬で越えた、と繕った話が知られている。騎馬上での戦闘となればさらに難しくなる。馬術部と弓道部の両方で全国大会に出場するレベルと言えばよいのだろうか。▼流鏑馬が拍手喝采を浴びるのは騎上で扱いの難しい長弓を巧みに操ることにもよる。騎乗での長弓、という取り合わせ―意外感を持たないのは鎌倉武士以来の伝統があるからだろう。騎馬といえば遊牧騎馬社会。ここでは短い複合弓を使った。動物の骨や腱、角など複数の材料を膠などの接着剤で張り合わせて騎上での取り回しをよくしたもの。射程と破壊力に優れた。▼鎌倉武士と比較したくなるのが西欧の騎士。ところが彼らは騎上で弓は引かずもっぱら剣と槍で戦った。弓矢を使ったのは歩兵。騎士道というキリスト教的規範が強く、十字架代わりの剣、真実の象徴である槍を使うことが求められた。

わんクリック　現在のインド最大のタタ財閥はパールスィー（ペルシア人の意味）と呼ばれるゾロアスター教徒の子孫が作った。ササン朝滅亡でインド（ムンバイが中心）に避難したゾロアスター教徒。ヒンドゥー教徒との間で布教しないと約束。改宗を受け付けないため信者は現在15万程度と少なく消滅に向かっている。富裕層が多く、社会的に強い影響力を持つ。有名どころでは指揮者ズービン・メータ。クィーンのフレディー・マーキュリー。ゾロアスター教の善悪二元論、キリスト教に影響を与えたが、世の中を正義の味方と悪者に分けて描く手法はアメリカのハリウッド（映画）で受け継がれている。

History Literacy　国民史を寄せ集めた性格から脱却できない世界史―しかもその国民史は各国主流派の自己認識。

イラン文明の特徴

①イラン文化の形成

- パルティア時代はギリシア文化の影響が残る
  →次第にイラン文化復活
- ササン朝期にイラン民族意識高まる
  └ 近代的な民族意識ではなく、ギリシア文化に対して土着文化への回帰
  ゾロアスター教の国教化と経典『アヴェスター』編集
- マニ教の成立 ― 消えた世界宗教
  ササン朝下でマニが創始
  ゾロアスター教、キリスト教、仏教などを折衷した教え
  異端とされたのち各地へ伝播（世界宗教化）
  　東方：ウイグル、チャイナ（唐代）
  　西方：北アフリカ
  　　└ 教父アウグスティヌスは当初、マニ教徒
  →世界各地でマニ教の影響大

②美術工芸

- 銀器、ガラス器、毛織物、彩釉陶器など
  動物、植物文様などの意匠（デザイン）にすぐれる　＊1
  →イスラーム時代にさらに発展
  　└ 偶像崇拝禁止のため

③東西世界への影響　＊2

- 東方：ローマ帝国
- 西方：チャイナ（南北朝、隋唐代）
  →日本の漆胡瓶、白瑠璃碗（正倉院）、獅子狩文錦（法隆寺）　＊3 ＊4

PROPOS　＊1
イランでは意匠（デザイン）が発達した。意匠―イメージ（意）をかたちにする（匠）こと。同時代のギリシア・ローマの宗教美術ではなく、写実性と装飾性を調和させた意匠が発達した。動物、植物の写実を超えた意匠は東西世界に伝播し、愛好された。中でも蔦や葡萄の唐草文（植物の茎や蔓を表した文様）が人気。蔦は生命力を表し、葡萄は実の粒が多いので豊穣やワインの材料として歓楽の象徴。これらはイラン起源で最も長く使われてきた意匠。日本の正倉院御物の多くはササン朝から伝わってきた。

PROPOS　＊2
イランは東西貿易路に位置した。そのためここで起こったことは他地域へ影響した。ササン朝で特筆すべきは①ローマとの抗争（イスラーム成立のきっかけ）、②融合宗教マニ教の成立、③意匠の誕生、の３点。

PROPOS　＊3
正倉院の宝物を運んだのはソグド人か。東大寺正倉院「白瑠璃碗」。同様のガラス器が現在のイラン周辺から多数見つかることからシルクロード経由で日本へもたらされたと推測。紀元前後から 11 ～ 12c までの約千年間、シルクロードの交易をほぼ独占した民族がオアシスの民ソグド人（イラン系）。ソグド人の特徴である深目高鼻―窪んだ目と高い鼻を持つ彫りの深い顔つきのお面が正倉院にいくつか残されている。

PROPOS　＊4
日本にガラスは伝わったが、割れ物で重量があることもあり大量には伝わらなかった。当初、日本でガラス文化は広がらなかった。容器として物を変質させない素材で密閉もできる。透明で煌めくガラス。内部に物だけでなく光をも満たすことができた最初の容器。いまガラス工芸がすごい。富山市ガラス工芸美術館の「富山ガラス大賞展 2021」。個人的に近年でベストの展覧会。現代アートはコンセプト重視でクオリティが低下。ガラス工芸が両方を備えている。

画蛇添足

▼現在は消滅した世界宗教マニ教。ゾロアスター教から受けついだ二元論的教義で各地に強い影響を残した。一神教のキリスト教にとり二元論は脅威だった。唯一神で世界を説明しようとする時に立ち塞がるのは次の問い。▼神が全能の万物の造物主なら、なぜこの世界に悪の存在を許したのか。なぜ地上の悲惨に対して神は沈黙するのか。戦争、虐殺、大災害―世界史を学んでいると、あまりの凄惨さにこれはホラー映画かと錯覚する。なぜ悪が存在するのか。人間を試し、鍛えるためか。▼アウグスティヌスはアダムとイヴが禁断の果実を食べたことに求めた。現世の悪を神に帰すわけにはいかず、人間に罪をなすりつけた。悪がはびこるとき神はどこにいるのか。旧約聖書『ヨブ記』以来、のちに神義論（ライプニッツ）と呼ばれた問題を主題に、ゲーテ『ファウスト』、ドストエフスキー『カラマーゾフの兄弟』、遠藤周作『沈黙』など小説世界でもこれに応えようとする多くの試みがなされた。▼善を存在させるために悪があるのか。二元論なら簡単に説明できる。人間の精神は清らかだがそれが宿る肉体は悪魔が造形している。この説明は肉体的弱さから罪を犯しがちな私たちは受け入れやすい。世界の成り立ちを対立する二つの要素で説明する二元論は分かりやすい。▼キリスト教は、現世否定的な善悪二元論にたつ考え方（カタリ派、アルビジョワ派など）に揺るがされ続けた。その背後にあったのがマニ教。とはいえ、一神教的な確信「すべて存在するものは善きものである」（トマス・アクィナス）も人びとのよりどころであり続けた。二元論と一神教―相反する考え方が時の篩にかけられながらも残ってきたのは共に存在の意味があるからだろう。

わんクリック　ゾロアスター教は善悪二元論（※）。いまはいったん悪くみなされると徹底して叩かれる時代。叩いても向かってこない安全な相手とみなされれば「水に落ちた犬は叩きまくる」とばかりに SNS 上に悪意―冷笑と悪罵が並ぶ。他方で善とみなされれば、何をしても「神対応」と絶賛される。分断の時代はすべてを悪と善に分けていく。そういう認識の単純化を生み出す善悪二元論自体が「悪」ではないかと感じさせる。この世や人間の内なる悪の可視化はずっと図られてきた。悪の存在を、心の闇と片づけずに向かい合ってきたのが文学―何といってもドストエフスキー『カラマーゾフの兄弟』。

History Literacy　二元論下では他者を攻撃する弊害（「悪」）に陥りやすい（誰もが自らを「善」－正義、被害者側に位置づける）。

第4章　南アジア世界

1　北インド世界の展開

インドの風土と人びと ― インド語の存在しないインド　＊1 ＊2

- 南アジア（インド亜大陸）の地形
  周囲を高い山脈、海に囲まれた閉鎖的地形
  └「インド洋海域世界」（家島彦一）は交易の舞台
  西北のカイバル峠より多くの民族が侵入
- 気候は典型的モンスーン気候
- 民族は北部にアーリア人（インド・ヨーロッパ系）、南部はドラヴィダ系
- 多くの言語（独立後は言語分布で州を再編成）、ヒンディー語など
  └ 憲法公認言語だけでも17　　└ 南部ドラヴィダ系（タミル語）と異なる

インダス都市文明　＊3

①インダス文明

- 前26c～前19c頃の約700年間
- 民族系統不詳（ドラヴィダ系説が有力）
- インダス流域の青銅器段階の都市文明
- 代表的遺跡
  インダス川上流のハラッパー、下流のモエンジョダーロ
  └ パンジャーブ地方　　└ シンド地方

②特徴

- 計画都市、街路整備、上下水道、焼きレンガ家屋　＊4
  └ 燃料用の森林の存在
- 「沐浴場」、穀物倉庫が存在するが神殿は存在せず
- インダス文字を刻んだ印章、綿布など出土
  └ 未解読　＊5　　└ 牛などの動物文様

③滅亡

- アーリア人侵入説、洪水説、生態系破壊説、など諸説（詳細不明）

PROPOS　＊1
古代インド史は宗教を中心に展開。古代インドでは現世への関心が薄く、政治的事件を書き残した史料はとても少ない。「汗牛充棟」（牛が運ぶのに汗をかき、倉庫にいっぱいになるほど）とされるほど歴史書を残したチャイナと対照的。こういった歴史に意味を置かず、記録を残さなかった地域の「歴史（インド史）」を綴ってもそれは虫食いだらけのものになり見劣りする。記録に意味を見いださなかった地域（インド）の過去を「歴史」として綴ったもの（インド史）を通じて学ぶことの意味、私たちの尺度で学ぶ意味を考える必要がある（※）。

PROPOS　＊2
インド文明はチャイナ文明に影響を与えた（特に仏教）が、逆方向の影響がない非対称性がある。こういう「ない」ものを想像することが重要。文明は高い方から低い方に流れる、だけでは理解できない現象。

PROPOS　＊3
「インダス」文明と呼ばれるが遺跡はインダス流域にとどまらず、ドーラヴィーラー、ロータルなどからも遺跡が発掘。インダスの名でまとめられない広域文明。

PROPOS　＊4
インダス文明は文字未解読のため謎が多い。王墓、神殿など権力の象徴となる建物、遺物を欠く異例の文明。強力な権力を持たない地方分権的な社会構造と推測される。シュメール文明（メソポタミア文明）とは海陸路を通じた交易で影響を受けた。しかし日干しレンガでなく焼きレンガを使ったり、馬を用いなかった、などが違う。

PROPOS　＊5
解読できないインダス文字。文章は平均で5文字、最長で26文字と短いのが解読の障壁。ロゼッタ石のようなバイリンガル資料がないので手がかりがない。印章だから押印されたものが正字だろうが、文字ではなく、装飾ではないかとの推測まである。

画蛇添足

▼内部にいれば差異が、外からみれば類似性が際立つ。多様性の中にある類似性。「インド」はそのような存在。「インドとは何か」と類似性を取り出そうと試みるとはたと困る。内部のあまりの多様さに輪郭がぼやけはじめる。▼外形はシンプル。インドは逆三角形ではなく菱形。「小さなアフリカ」と呼ばれる形。南端は赤道に届かない。三方は大洋に囲まれ、季節風を通じて外部世界とつながる。ただ海岸線は単調で良港が少ない。▼気候の多様性がインドの多様性につながった。世界最大雨量を記録するアッサム地方から乾燥したタール砂漠まで。首都デリーの冬は東京の冬と同じ。冷涼な北インドは小麦栽培に向き、雨が多く暑い南インドは米の産地。ともに世界第2位の生産量を誇る。北で主菜（カレー）はチャパティと食べるが、南ではライスで食べる。結果的に「12マイル歩けば言葉が違う」多様な社会が形成。現在200を超える言語が用いられる。この多様性を彩った季節風。熱帯の海を長距離に渡り、たっぷりの水分を運んでくる夏の南西季節風が水の大陸インドを作った。▼恐竜を絶滅させた溶岩マグマの大噴出で形成されたのが中央部のデカン高原（標高1500m）。このような溶岩台地が見られるのは地表でここだけ。その玄武岩が風化した黒色肥沃土が綿花の大産地を作った。冬になると一転してヒマラヤから吹き下ろしてくる乾いた北東季節風。▼宗教ネットワークが強く、政治権力が抑えられたためインド史は分裂が常態。この分裂は統一を是とする価値観での表現。この時代が地方を発展させて多様性を作り上げた。しかし教科書は例外的な統一期だけを取り上げて「多様性に満ちたインド史」としれっと叙述する。

わんクリック　インドの特徴が「多様性」にあると指摘しながら、世界史教科書はインド史の例外的な「統一期」の事ばかりを叙述する。多様性が作られた分立状態は省略される。多様性と書くのは簡単だが、その具体的な叙述ほど難しいものがないことも関係する。いまの国民国家が形成された過程―ネーションビルディングの物語としてのナショナルヒストリー、各国の物語を寄せ集めたのが世界史教科書。統一した王朝の成立過程、その中央集権的システムのあり様に強い関心を寄せるのが世界史教科書。そういうものだと思って読むことが世界史教科書との付き合い方、ヒストリーリテラシーの基本。

History Literacy　歴史に意味を見いださなかった地域の過去を「歴史（私たちの尺度）」として学ぶ意味を考えたい。

アーリア人の移住

①アーリア人の移動
- アーリア人（インド・ヨーロッパ語族）は中央アジアの遊牧民
- インダス川流域（前15c頃）、ガンジス川流域（前10c頃）移動

②初期アーリア社会
- 部族長に率いられる部族社会
- 自然崇拝の多神教 ― 自然現象の神格化
  牛を神聖視 ＊1
  聖典『ヴェーダ』に神々への讃歌や儀礼を記す
  最古のヴェーダは『リグ・ヴェーダ』
  └1000年間にわたる自然観察の蓄積
  →バラモン教として発展
  バラモンがつかさどる『ヴェーダ』による宗教儀礼（言葉の持つ呪術性）

③カースト（身分）制度の成立 ＊2
- アーリア人の非アーリア人に対する皮膚の「色」に基づく差別
- ヴァルナ制度が原型
  バラモン（僧侶）、クシャトリア（武士・貴族）
  ヴァイシャ（庶民）、シュードラ（奴隷）
- 中世に同職・内婚（ないこん）集団であるジャーティ制度に分化
- 近世にポルトガル人がこれらの身分制度をカーストと呼称
- インド全土で2～3000のジャーティが存在（各村に10～20のジャーティ）
- 各ジャーティ間に複雑な上下関係
  └上位と下位は固定的だが中間の序列は曖昧（あいまい）で流動的
- 内婚制（通婚禁止）、職業固定、共食など ＊3 ＊4
  └同じジャーティの者と結婚する内婚制、各ジャーティは職能集団（仕事は世襲）
- 不可触民（ふかしょくみん）の存在
  └ヴァルナ制度の枠外にいる「人間未満」とされる存在（ダリット、現在も約2億人）
  「輪廻転生、浄－不浄の観念」を利用した序列化
  └ルイ・デュモン『ホモ・ヒエラルキクス』での分析概念
- 歴史的に社会を固定化、近代化の阻害要因
- 現行憲法ではカースト制度に基づく差別禁止、農村部を中心に残存

PROPOS ＊1
インドでは牛が聖なる存在として大切にされる。牛の畜力が必要な現実的側面もある。理由が別の理由を隠すこともある（※）。松茸（まったけ）林のオーナーは山に「マムシ注意」の看板をおく。「人食い人種」がいるとされた後背地は高価な交易品の産地。イスラームで豚は禁忌（きんき）。厳しい自然環境の下で、雑食の豚が同じ雑食の人間と食糧を奪い合うの避ける、雑食で何を口にしているか分からないという理由もありそうだ。牛は人間が食べられない植物を乳や肉に変換する。

PROPOS ＊2
貧しかったインドの経済成長が著しい。現在はBRICsの一角を占め、15億人に迫る巨大市場の存在感が高まる。世界のＩＴ産業の中心地はバンガロール。多様性がインド発展の原動力とされる。様々な言語が存在するため、英語が共通語であること、主要な英語圏と時差が大きく異なる所に位置する強みが指摘される（実際は英語を話せない人の方が多く、国内分断の要因でもある）。

PROPOS ＊3
私たちがカーストと認識するのはジャーティ集団のこと。各村にその特徴に応じて十数～数十の上下関係を持ったジャーティ集団がある。その数はインド全体で数千。

PROPOS ＊4
インド憲法はカースト制は認めて、それに基づく差別は禁止することで不平等を解消する道をとった。本来、数少ない職業を分け合う必要のある農村で発展した制度。都市化の進行、産業構造の変化で変化している。しかし依然としてインドの格差社会の原因。ヴィカス・スワラップ『ぼくと1ルピーの神様』（映画『スラムドッグ$ミリオネア』原作）などがその現状を描く。今もインドの新聞は多くの結婚相手募集広告を掲載。ジャーティ間の通婚が難しく、恋愛結婚が難しく、恋愛がタブーの社会。ただインドは女性の誘拐が世界で最も多い。実際は駆け落ち。親が誘拐と被害届をだす。

画蛇添足

▼日本は給食が当たり前だが、学校で一律の食事を出せる社会は多くない。食のタブーがどの宗教にもある。ヒンドゥー教では牛食は禁忌（きんき）。イスラームは豚。何がタブーなのか。それなりの理由はあるが、おそらくは「食のタブー」を設けること自体に目的がある。これを持つ集団の凝縮性は高くなる。ここに潜在的な機能がある。▼インドのジャーティ間の共食禁止は、穢（けが）れから身を守るという理由で強化された。ヒンドゥー教において極度に発達した浄・不浄と業（ごう）、輪廻の観念がこの制度を支えた。穢れは来世でのよりよき再生を妨げる。上位ジャーティほど穢れが少ないというフィクション。現在もレストランの調理人、街角の水売りにバラモンが多い。バラモンの作った料理、バラモンが注ぐ水ならば誰でも受け取ることができる。▼すべての職業がジャーティに分担されて相互に補完しあう関係のため、どこかのジャーティに属さなければ前近代的社会の中で生きることは困難だった。しかしどこかに属すれば食いはぐれることはなかった。今から見れば不合理でも長く続いてきた制度には外部の人間には理解できない何らかの合理性があった。因習だけで制度は続かない。▼20世紀初頭まで、人間の最大の関心事は食べるものの確保。これが決定的に重要だった。人間は食べて生き残ることにエネルギーを費やしてきた。その段階を脱した現在、生業を奪うのは生存権を奪うこと、と特定の仕事（特に過酷な仕事）を特定のジャーティに固定する制度を擁護できない。▼日本の学校では当たり前のように清掃活動があるがこれもインドでは考えられない。学校給食が当たり前と書いた。アレルギー、様々な文化背景を持つ子どもたちの我慢がある。

わんクリック　歴史教育は暗記であってはだめ、という強い社会的圧力にさらされてきた歴史教師は何とか授業に考える要素をいれようと苦労してきた。インドが貧しかった頃は、インドの近代化がカースト制度で阻害されていることと、身分制度を撤廃できた日本が近代化に成功したことを対比させて考えさせるような誘導をしていた。インドの発展が著しくなるとこの説明では調子が悪い。今度はIT産業の隆盛をインドがゼロの観念を生み出した国であることとの関係を考えさせたりした。しかし千数百年の隔たりがある両者に因果関係を認めるのなら何でも言えることになる。冒頭の前提がおかしい。

History Literacy　理由はしばしば別の理由を隠す―物事の原因は複数あるが、主因を決めると他が見えにくくなる。

新しい思想の出現

①ガンジス流域での国家形成

- 前7c～、北インドを中心に16王国並立
- 前6c～5c、コーサラ国（ガンジス中流域）、マガダ国（ガンジス下流域）有力
- バラモン教の祭式万能化

『ヴェーダ』に基づく祭祀、儀礼などの祭式中心

→バラモンは自己の特権保持のため儀式を複雑化

口伝で知識を独占

└一般の人びとを事実から遠ざける方法（文字化には民主化の要素）

→台頭してきたクシャトリヤ階級やヴァイシャ階級が批判

└国家統合進展が背景　└商工業発展が背景

②ウパニシャッド哲学（前7c頃）

└前5c前後数百年間に哲学が誕生。「世界史の枢軸時代」（ヤスパース）

- バラモン教形式化へのバラモン内部からの批判

→宇宙万物の根本原理を探求

- インドの世界観 ― 輪廻転生からの解脱

輪廻転生

業（カルマ＝前世の行為）により生まれ変わる　＊1

→これを苦しみと認識して、解脱（救済）を求める

- 梵我一如を説く　＊2

└「如」とは言葉で示せない真理、そこから来たものが仏教では「如来」

梵と我は同じ、の真理を知れば輪廻転生の苦しみから離脱できる

ブラーフマン（梵）（宇宙の根本原理）

アートマン　（我）（人間存在の根本原理）

→口伝で伝えられる奥義を様々な手段で体得　＊3

世俗的生活を捨てた禁欲的な修行（苦行）の実践

PROPOS　＊1

よいことも含めて自分の行為の報いを自分自身が受けることを自業自得という。筆者自身「自縄自縛」「これは身から出た錆」「因果は巡る」と反省したり、歴史を読んで「平家を滅ぼすは平家」「六国を滅ぼす者は六国なり」と理解したり、この世界観の影響下にあると実感することが多い。

PROPOS　＊2

宇宙の根源、絶対者である存在がブラフマン（梵）。人間存在の根本原理がアートマン（我）。この両者は対立するのでなく同じもの（梵我一如）。この説明が難しい。言葉にして理解できるものではなく体得するべきものとされるが、言葉で仕事をする筆者が「言葉では表現できない」と白旗をあげるのも癪なので、言葉を尽くして梵我一如の説明を試みたい（→PROPOS＊3）。

PROPOS　＊3

「水の中に溶け込んだ角砂糖の気持ちになってみよう」はいきなりシュールすぎるか。「川の流れの中にカゴを沈めるとカゴの中にも水が満ちてくる。カゴの中の水（我）も流れている水（梵）も同じもの」。だめか。「全身の力を抜いて暖かい海で浮かんでいると想像しよう。次第にどこまでが身体でどこまでが海水なのか皮膚という境界線がなくなり一体感を得るようになる（身体の大部分は水。とりわけ人間の体液と海の水はよく似た組成）」。どうだろうか。サーファーの「挑むのではない、待つのでもない。波そのものになる」（ジェリー・ロペス）という感覚。あるいは空気との一体感。宇宙の気と一体になって呼吸と動きを行う太極拳。冬の朝、布団から出られない、布団と自分が一体になった感覚。ある僧侶は読経していて、自分の声だが自分の声でないように本堂の方から聞こえてくるようになる、唱和していると自分の声が皆の声に聞こえると説明する（山川宗玄『禅の知恵に学ぶ』）。これは梵我一如でなく仏教の無我の説明か。似ているな。要するに、言葉での説明には限界がある、ということ（※）。

画蛇添足

▼バラモン教は祭式万能主義に陥ったと批判される。その批判からウパニシャッド哲学、仏教をはじめとする諸宗教が生まれたと説明される。当時のヴェーダを中心とした宗教（バラモン教）への批判として正鵠を射ている。祭祀階級バラモン自身が自身の権威付けのために次第に教義を難しくしていった面がある。▼哲学者ニーチェは、キリスト教とは僧侶が権力を得るための道具、とキリスト教批判を展開した。彼は僧侶が権力を得るために二つのことを民衆に信じ込ませたとする。まず真理が実在するように人びとに信じ込ませた。次にその真理への道を自分たちだけが保持していると信じ込ませた（『権力への意志』）。▼これはキリスト教批判というよりも、宗教一般、さらに言えば学校を含め組織一般に対する批判としての射程を持つ。あらゆる組織はこの批判を招き込む面を持つ。教えがシンプルで誰でも理解できるものだと僧侶の存在理由が脅かされる。よく分からない言葉が確信をもって語られるから、人は僧侶を有り難く思う。▼バラモン教はヒンドゥー教の核心にいまもあるが、バラモン教は仏教の前史として扱われている。ユダヤ教がキリスト教の前史として描かれるのと同じ構図。世界史教科書を学んだり、筆者の説明を聞いて、皆さんの中から、律法主義のユダヤ教や祭祀万能主義のバラモン教に共感する人がでてくることはないだろう。▼宗教学者の藤原聖子は日本の教科書でユダヤ教に「形式主義（律法主義）」という言葉が使われていることに関して、「主義」というのは、人を揶揄するときによく使う表現」とする（『世界の教科書でよむ〈宗教〉』）。教科書に頻出する「主義」に注意したい。筆者も自分の語り方を再点検したい。

わんクリック　日本には言葉を切り詰めた俳句や短歌がある。それが読む人の頭の中に豊かな情景を描かせる。その逆に、あれこれと書いて、学問や知識をひけらかすことを衒学的、ペダンチックという。こういう言葉を使うこと自体が衒学的。高校現代文の問題に使われがちな現代思想は晦渋尊大な文体で書かれるのが常。問題文の「作者がいいたいことは何か」には「（こんな文章を書ける）自分は賢いといいたいのだろう」と解答しておけばよい。本当に伝える必要のある内容を持つ人は平易に書く。聖書の中でもファンが多いコヘレトの言葉。「言葉が増せば虚しさも増す」（「コヘレトの言葉」第6章）。

History Literacy　言葉で伝えられること（歴史）には限界がある（牛肉と豚肉の味の違いは言葉で説明しにくい）。

③仏教

- ガウタマ・シッダールタ(前6c/5c、不明)創始
  └シャカ族の王子、クシャトリヤ出身、サンスクリット語(パーリ語・上座仏教でシッダッタ)

a. ブッダの生涯 ― ガウタマ・シッダールタ(釈迦)からブッダ(仏陀)へ
  └奇跡のないブッダの生涯、ただし神話的要素も強い
- 四門出遊で衝撃、出家(29)して修行
  →悟り(35)(ブッダガヤ、菩提樹)でブッダ(仏陀)へ　＊1
    └「悟り」「諦」→「覚り、覚者」
  →初転法輪(サールナート、鹿野苑)
  →入滅(80)(クシナガラ、沙羅双樹)

b. 教え　＊2
- 無常観に立ち、八正道の実践による解脱を説く　＊3
- 「四諦」
  └「諦める」は明らかになる、の意味(「叶わぬ恋と諦めた」は「と分かった」の意味)
  苦諦…人生は苦(四苦八苦)という悟り
    └生・老・病・死・愛別離苦・怨憎会苦・求不得苦・五蘊盛苦
  集諦…煩悩(欲望)が原因という悟り
  滅諦…涅槃が目標という悟り
  道諦…中道による八正道の実践
    └正見、正思、正語、正業、正命、正精進、正念、正定
- 仏教の利他行 ― 無財の七施
  └優しい眼差し(眼施)、和やかな顔(和顔)、優しい言葉(言辞施)などで人と接する

c. 仏教の世界観　＊4
- 縁起説に基づき存在を説明(※)
  └別の言い方が「空」(空っぽ ―「何も存在しない」ではない)
  諸行無常…時間の中ですべては移り変わる　＊次ページ5
  諸法無我…空間の中ですべてはつながりの中で変化　＊次ページ6、7、8
  すべてのものは関係の中で存在、そのもの自体としては存在しない
    └「何も存在しない」ではない
- ヴァルナ制否定、バラモンの権威否定でクシャトリヤ階級の支持
  └バラモン中心の社会体制に対する批判

PROPOS　＊1
仏陀の教え(仏教)は常識的な道徳にみえるが、シッダールタが悟りに達したことを「信じる」ことが出発点なので仏教は宗教。「オレ、粋だろう」と言う人は粋がっているだけで粋でない。「私は悟りを開いた」と言う教祖もたくさんいる。仏教の場合、悟りを開いた時に「私」は消えている。弟子たちは釈迦が悟ったと感じ、信じた。

PROPOS　＊2
無常・無我の理法を悟ることで物欲や自我への執着から解放され、煩悩の炎の消えた静かな安らぎの境地へと解脱できる、が仏教のエッセンス。ただこの「欲を捨てたい」もまた欲であり、すべての煩悩の火の消えた涅槃の境地への到達は簡単でない。

PROPOS　＊3
仏教が他宗教と根本的に違うのは神のような絶対者(造物主)を仮定せずに存在を説明する点。この世のすべての存在を「諸行無常」「諸法無我」の縁起説で説明。すべての存在はそれ自体単独で存在しない。あれがあるからこれがある、というあり方で存在する。私たちの普段の言葉遣い「おかげさまで」が縁起説(筆者も「何かの御縁」で「皆さんが生徒なので教師として」説明しています)。裏表で勝者と敗者が決まるコイントスと違い「じゃんけん」の勝ち負けは関係で決まる。これも縁起説。私たちのふるまいを無意識に規定する縁起説。

PROPOS　＊4
インド仏教を漢訳したチャイナ仏教の概念で私たちは仏教を理解。そこには先祖崇拝(儒教の中心的儀礼)が加わる。先祖崇拝とは数十代先までの先祖の崇拝。私たちが法事として執り行うものは儒教的要素が強い。チャイナ社会で出家(家出)は論外。チャイナが受容したのは在家の大乗仏教。ただ出家は在家のサポートがあるから可能でこれも関係性の所産。出家者―依存(ケアされる者)と在家者―自立(ケアする者)の関係でもない。逆でもある相互依存の関係。

画蛇添足

▼今からみれば荒唐無稽でも長く信じられてきたことをどのように理解すべきか。たとえば輪廻転生説。人はそれぞれの業―前世の行為により死と再生を繰り返すとする世界観。現世での悲惨を受忍させる説と受け取りがちだがそれだけではない。▼存在したものがなくなることに人は不安を覚える。なくなっても再び現れると理解できれば世界は安定する。太陽は沈んでもまた昇る、過ぎ去った季節もまた巡ってくる。けれども逝った人はもう戻ってこない。最愛の子を不慮の事故で亡くした人が、その魂が誰かに転生したと信じることでしかその死を受け入れられなかったと書く。▼命は失われたのではなく新しい命に生まれかわった―転生の思想はグリーフケアとして働いてきたのかもしれない。慕われた高徳の僧が亡くなってもその徳が他の人に移ったのであれば救いになる。私たちの身体は幾つかの基本元素からなり、死んだ後はまた空中へと放出されて別の生命の構成分子となる。人の魂は生まれ変わって復活する、はまったくの謬見と言い切れない。▼転生後のことを人びとが考えて行動することで社会秩序が維持されてきた面もあるだろう。それでも輪廻転生は苦しいものとして、この輪からの離脱(解脱)をめぐる思索が展開されてきた。輪廻転生は、そう見えるだけで梵我一如の理を悟れば、そのようなものが存在しないと分かり、囚われなくなる、と説くのはウパニシャッド哲学。▼仏教、釈迦は転生するような我の存在は否定するが、輪廻転生そのものは否定せず、そこからの離脱を説いた。しかしインドで残ったのは輪廻転生を全面受容したヒンドゥー教。輪廻転生とのうまい付き合い方を説いた生活規範書が『マヌの法典』。

わんクリック　七五調のいろは歌「色はにほへど散りぬるをわが世たれぞ常ならむ有為の奥山今日越えて浅き夢みじ酔いもせず」(これを作れるのは弘法大師とされてきた)、「祇園精舎の鐘の声、諸行無常の響きあり。おごれるものも久しからず」『平家物語』に仏教思想が反映。仏教のエッセンスは京都の竜安寺の「知足のつくばい」の四文字。石庭がある方丈庭園の北側。お手洗い時につくばいに注目したい。とはいえ言うは易く行うは難し。一般に日本仏教では、幾度も輪廻転生を繰り返しながら修行を続けてようやく成仏できる、と考える(三劫成仏)。生まれた身で成仏できる(即身成仏)は例外的事例。

History Literacy　「正統があって異端」なのか「異端があって正統」かの議論―それを問題にしないのが縁起説。

④ジャイナ教　＊1

- ヴァルダマーナ（5c頃）創始
- 厳格な戒律主義による解脱を説く
  徹底した不殺生、無所有、不盗、不淫、真実語の五戒
  └ ヒンドゥー社会に影響を与えてベジタリアン文化形成（ヒンドゥー教徒の3割程度）
- カースト制度否定、ヴァイシャ階級の支持

最初の統一王朝　マウリヤ朝

①マウリヤ朝の成立

- 前4c後半、アレクサンドロス大王遠征が統一への刺激
- 前4c末、チャンドラグプタが建国（ナンダ朝マガダ国を滅ぼす）
- インド初の統一王朝（インド最南部を除く）、首都パータリプトラ

② アショーカ王の治世 ― マウリヤ朝全盛期

- 前3c頃、アショーカ王時代が全盛期
- ダルマ（法、人間の普遍的倫理）に基づく統治
  カリンガ地方平定時の惨禍以後、仏教に深く帰依
- 統治の基本方針を磨崖碑や石柱碑に刻む
- 第3回仏典結集を行い、各地に仏塔（ストゥーパ）建立
- 王子マヒンダによるセイロン布教

南インド

①南インド世界

- ドラヴィダ語族民族（タミル語など）が主要民族、ヒンドゥー化進展
- 「海の道」の中継地にあたり海上貿易で繁栄

②サータヴァーハナ朝（アーンドラ朝）（前1c～3c）

- ドラヴィア人がデカン高原北西部に建国、ローマとの海上貿易で繁栄
  └ アーリア人に追われた　└ デカン東部のアーンドラ人を支配

③タミル3王朝の併存（南インド）

- チョーラ朝（前期は前3c～後4c、後期は9c～13c）
  10c、ラージャラージャ1世時より海上貿易で勢力拡大
  └ ブリハディーシュヴァラ寺院建設（11c）
- パーンディヤ朝（前3～14c）、チェーラ朝（前3～14c）

PROPOS　＊前ページ5

諸行無常の世界観。すべて命あるもの、形あるものは滅びる。それらへの執着は無意味。そこからこの一瞬を大切にする一期一会の精神が生まれた。仏教で愛は執着として否定される。ブッダは悟りを開いたあと、その内容の伝達不可能性にたじろぎ自分一人にとどめようとした。しかし弟子たちに請われ、悟りの内容を伝えることで人びとを救おうと決めた。真理をみんなと共有する。そのような他者への慈しみの心が「慈悲」（与楽、抜苦）。それを優先してブッダは相手に応じて語り方を変えた。それが方便。高校世界史もまた方便（※）。

PROPOS　＊前ページ6

「私」は他者との関係で変化。「本当の私」は存在しない。なのに「私とは何か」と自我の確立に執着する。存在しないものへの執着が苦しみを生んでいると仏教は説く。ところでウパニシャッド哲学の「我（アートマン）」は他とは無関係にそれ自体で存在する「我」。仏教はこういう「我」のありかたを批判。自律的な我がないことが無我。「自分がない」という意味ではない。

PROPOS　＊前ページ7

繰り返す。「私が」の「が」が「我」。「私が大きくしたのに」の「が」が執着の「我」。すべては「おかげさま」の世界。ないのにあると考えるから苦しい、と考える仏教。

PROPOS　＊前ページ8

思想はその時々の課題に対峙する中で生まれる。その思想に普遍性を持たせるのは後世。諸法無我が否定するのは、「我」存在を前提とする梵我一如の考え方である（ウパニシャッド哲学）。キリスト教の「敵を愛せ」の「敵」は当時のユダヤ人。

PROPOS　＊1

ジャイナ教の戒律実践は厳しい苦行。無所有の解釈をめぐり空衣派（裸形の実践）と白衣派に分裂。他宗教を批判せず、布教活動もしない。だから影響力は少ない。

画蛇添足

▼言葉は単に何かを伝えるための道具ではない。私たちの思考は言葉の枠組みにとらわれ、言葉に呪縛されている。と、このように言及する時、すでに別の囚われの中にある。言葉の「意味」の側面にとらわれている。▼言葉とは何よりも「音」であり続けた（約50万年間）。文字でもあるようになったのは最近のこと（約5千年間）。言葉が文字化されると音は引かれてしまう。文字に残響は認めにくく意味が強く前面に出てくる。▼人を魅惑する力を含めて、言葉そのものに神聖な力、霊威が宿るという言霊信仰。「噂をすると影」—言葉にするとそれが現実になる。だから「噂をすれば…」で慌ててあとの言葉を飲み込む。「縁起でもないことを言うな」とたしなめられる。「四」を死という音をさけて「ヨン」と呼ぶ。神道でも祝詞は現代語訳しない。一字たりとも間違えてはいけない。仏典でも原音を残す箇所がある。▼音に魅入らされる。人間は依然として呪術的存在でもある。長く人間は音を鍛え上げてきた。その古代における結晶が『ヴェーダ』。美しい音を総動員して神を称えることでその加護を祈る。言葉にすることで物事を解決するのが『ヴェーダ』の発想。▼他方で日本は「言挙げせぬ国」（柿本人麻呂『万葉集』）。同じように言葉に力があることを知っているがゆえに、あえて言挙げしてこなかった。そこからあえて言わないことをよしとする日本文化が形成された。国際会議で司会をする難しさはインド人を黙らせることと日本人に発言させること、というステレオタイプ。言葉（音）に力があると考えるからインド人は喋り、日本人は黙るわけではないだろうが、私たちにはヴェーダのような発想が分かりにくく、軽く扱いがちになる。

わんクリック　徳川幕府の巧みな宗教政策で行政機構に組み込まれた仏教寺院（寺請制度）。コンビニ店舗数を超えるお寺があるが日本は仏教国ともいえない。欲望の実現ではなく、欲望を失くして物事に執着しないことを説く仏教。反社会的ではないが非社会的な仏教。現実に無関心であろうとする教えに若い世代が関心を持てないのは正常な反応。しかし、今はつながることが重視される時代。自分の存在は「つながり」という関係性の中で生じる、という理解は仏教的。つながりの中で私があり、そこに私らしさも生じる。「命」という言葉は複数形。無駄なことは何もない。無駄にする人がいるだけ。

History Literacy　高校世界史は「方便」—世界史の初学者向きに単純化した語り。

クシャーナ朝と大乗仏教

①マウリヤ朝分裂後の西北インド

- 西北インドにギリシア人が侵入
  →バクトリア(前3c～前2c)にヘレニズム文化が伝播
  └ バクトリア伝播説には異説あり、クシャーナ朝とローマの海上交易伝播(1c)説あり
- 多くの民族の興亡
  トハラ人(スキタイ系)→大月氏→クシャーナ人(イラン系)

②クシャーナ朝(1～3c)

- 1c、クシャーナ人が建国
  └ イラン系
- 首都プルシャプラ(現ペシャワール)
- 2c頃、カニシカ王時代全盛期
- 東西交通の要衝に立地し、東西貿易で繁栄

③カニシカ王の治世

- 第4回仏典結集を行う　＊1
- ガンダーラ美術 ― 仏像の誕生
  └ 仏教も基本的には偶像崇拝禁止
  ヘレニズム文化の影響を受けた仏像中心の仏教美術
- 大乗仏教の確立

④上座仏教と大乗仏教 ―「悟り」の宗教から「救い」の宗教へ　＊2

- 上座仏教
  従来の個人救済を目的とする教え　＊3
  └ ブッダの教えを文字通り守っていこうとする
  セイロン島から東南アジア各地へ伝播(南伝仏教)
- 大乗仏教
  菩薩信仰による衆生救済を目的
  └ ブッダの教えの精神を汲む　└ 利他行で他人が救済されることで自己も救済される
  クシャーナ朝(イラン系)下で形成
  └ 仏教の内在的に発展にイラン系文化からの影響が加わる
  ナーガールジュナ(竜樹)が教義確立(空の思想)
  中央アジア、チャイナ、朝鮮から日本(北伝仏教)

PROPOS　＊1

シャカは35歳の時、ブッダガヤの菩提樹の下で悟りを開きブッダとなった。弟子に請われて悟りの内容を言葉で伝えようとして、言葉はいつも足りず、日常の意味に引きずられていつも過剰となることに戸惑いつつもサールナート(鹿野苑)で初説法を行う(初転法輪)。以来、80歳でクシナガラの沙羅双樹の下で入滅するまで45年間説法を続けた。伝えることを優先し、相手に応じて語り方を変えた結果、お経とまとめられたものは8万強を数えた。仏典結集が行われるまで弟子たちはこれを記憶により受け継いだ。経典は「如是我聞(このように私はお釈迦様から聞きました)」と断りから始まる(歴史教科書も「とみなされてきました」で始めたい)(※)。本書の内容も「筆者はこのように理解してきました」というもの。重視するお経の違いが宗派を生んだ。多くの宗派に分かれたが宗派間の争い(宗教戦争)が起こらなかったのが仏教。

PROPOS　＊2

ブッダ入滅後、500年ほど経って起こった仏教の革新運動で大乗仏教が成立。一切衆生悉有仏性―すべての人がブッダになれるとの確信の下で、菩薩という存在を登場させ、その慈悲で在家のままでも成仏できるというラジカルな考え方をとった。ここに仏教は「悟り」の宗教から「救い」の宗教へと転回。しかしこれは仏教なのかと批判が起こる。ブッダは菩薩による衆生救済を語っていない。批判に対して、言葉は言葉通りに解釈するものではなく、その言葉を使って伝えようとした精神の方をくみ取るべき、と反論する。また法(ダルマ)は、ブッダも発見したが、彼とは無関係に存在すると反論する。実際は別の宗教だろう。

PROPOS　＊3

熱帯でないと出家して最小限の衣服で生活するのは難しい。上座仏教はその土地が生み出した「文化」ともいえる。それが他地域に伝えられる中で変容を余儀なくされ、世界宗教―普遍的な「文明」となった。

画蛇添足

▼「なぜこのようなことが起こったのか」。問題意識があるから過去を振り返る。まず現在の問題と無関係と思われることをノイズとして取り除く。過去を歴史としてまとめるためには無視すべき事柄を知らなくてはならない。▼問題意識があるとは、結果を知っているということ。ただこの「結果を知っている」バイアスが過去を見る目を曇らせる。結果につながらなかったことに関心を向けない偏見である。仏教はインドから北伝と南伝の二ルートで東方へ伝播したと学ぶ。そのように学べば「なぜ仏教は西伝しなかったのか」と考える人は少ない。けれどもそのように逆方向を見ることから考えることは始まる。▼東伝にしても、大乗仏教はすんなりとインドからチャイナ、朝鮮経由で日本に伝わってきたわけではない。特にチャイナへの伝播には障壁があった。その障壁を知ることは仏教理解に不可欠であるが、「伝わった」結果から見れば、この障壁はノイズとして取り除かれる対象。失敗したことにしか「原因」はない、との至言がある。成功は必然とみなされ、際立った成功以外はなされるべき「原因」への言及が捨象されることも多い。▼チャイナで当時支配的だったのが儒教。何より親、先祖を大切にする教え。それに対して出家(いわば家出)を勧めるのが仏教。「父母を敬え」との教えは当初の仏教にない。そのような仏教がチャイナで受容されたのは、伝播したのが在家を中心とする大乗仏教だったこと、当時は南北分裂時代で「異民族王朝」北朝が儒教を保護する南朝に対抗するため受け入れたことなどが関係している。▼言及されない「原因」に関心を向けることで、受容されたこの仏教は相当変容しただろうと想像ができる。

わんクリック　神を人間の似姿で彫るギリシアの偶像崇拝文化と仏教というインド文化の出会い。これが仏像を生んだという説明は高校世界史のハイライトの一つだった。いかにもギリシア然としたガンダーラ仏。ところがガンダーラ地方でギリシア的でない古仏が出土するようになり、この説は歴史学では有効性を失いつつある。アレクサンドロス侵入とクシャーナ朝には3世紀の開きがあり、バクトリアという中間項を使っても説明に無理があるという。いずれにせよ仏像芸術は日本で発展。平安期の定朝が基本形を定め、鎌倉時代に運慶・快慶がより高みに引き上げた。仏像なしの仏教は考えられない。

History Literacy　歴史の本質は「伝聞」―歴史叙述では文頭の「如是我聞(このように私は聞いた)」が省略されている。

2　グプタ朝とヒンドゥー教の成立

①グプタ朝 (4 ~ 6c)

- 4 世紀、チャンドラグプタ 1 世建国、首都パータリプトラ
  - └ マウリヤ朝 (マガダ国) を理想とする、建国者名・首都同じ
- ガンジス川中流域に建国し、北インド支配
- 4 世紀後半、チャンドラグプタ 2 世時代全盛
  - └ 超日王

東晋僧法顕来印、仏国記』に繁栄の様子
  └ 往－陸路、復－海路

②ヒンドゥー文化
  └ この時代をヒンドゥー文化の「黄金時代」とするのはイデオロギー　＊1

a. ヒンドゥー教　＊2

- バラモン教と民間信仰が融合したインドの民族宗教
- 特定の教義、開祖は存在せず
- 実質的な聖典は『マヌの法典』、『ヴェーダ』など
  - └『マヌの法典』は欲望はほめられたものではないが欲望がない状態は考えられないとみる
- 多神教
- シヴァ神が人気、最高神ブラフマー神、ヴィシュヌ神など
  - └ 破壊と創造の神、モンスーン気候の持つ二面性を体現　＊3
- カースト制度と補完関係
- 業と輪廻の思想、「浄－不浄」の観念が背景　＊4
- 聖地の一つヴァラナシ (日本の慣用読みでベナレス)

b. サンスクリット文学
  └ バラモンの言葉としてのサンスクリット語 (梵語)

- 宮廷詩人カーリダーサ『シャクンタラー』
- 二大叙事詩

  『マハーバーラタ』『ラーマーヤナ』
  └ 様々なバージョンが存在 (オリジナルは存在しない)

PROPOS　＊1

インドは人口の 8 割強がヒンドゥー教徒。しかし少数派のムスリムも 1.9 億人を数え、世界 2 位。インドは屈指のイスラーム大国でもある。国別ムスリム人口 (2017) はインドネシア 2.3 億、インド 1.9 億、パキスタン 1.8 億、バングラデシュ 1.4 億。後 3 カ国は元英領インドであわせて 5.1 億。いまインドでヒンドゥーナショナリズムが台頭。インドの「古典文化」はグプタ朝時代に形成されたと主張。これを古典と強調すると「インドはヒンドゥー教国」という政治的意味を作ってしまうので注意。

PROPOS　＊2

「化身」の思想で何でも飲み込むヒンドゥー教。ブッダもヴィシュヌ神の化身として取り込まれた。インドでは仏教をヒンドゥーの一派と考える人が多い。日本も明治での神仏分離まで神仏習合 (本地垂迹説) だった。「宗教」はヨーロッパで生まれた概念。開祖がいて教義があり、それが聖典に記されている、は信仰の普遍的なあり方ではない。ヒンドゥー教は「インド人の生活の仕方」。『マヌの法典』が生活指南書。

PROPOS　＊3

多量の雨をもたらし洪水で自然を破壊するモンスーン。その後、大地に様々な生命が息吹く。破壊がなければ創造はない。モンスーン気候を体現したのがシヴァ神。その乗り物が牛で神聖視され、数億頭を超す。かつては駅の構内など涼しい所は我が物顔の牛のたまり場になっており、長く近代化を妨げてきた。日本での神の乗り物は鹿。奈良公園、厳島神社等での限定保護は正解。鹿が全国展開したらインドみたいになる。

PROPOS　＊4

輪廻転生では上位のジャーティ (カースト) ほど転落の可能性にさらされており、現世で守るべきことも多くなる。下位の者はそれほどではない。だから上位ジャーティが現状維持に熱心になる。基本的に大文字の文化は支配者階級に属する (※)。

画蛇添足

▼ガンジス河畔の街ヴァラナシ(ベナレス)はヒンドゥー教の聖地。ガート(沐浴場)では多くの教徒が全身を丹念に清める。日常生活で避けられない穢れを聖なるガンジスの聖なる場所で清める浄化儀礼。不浄のままでは来世でのよりよい再生は望めない。▼死期のせまった人間が集まってきてこの街で死を待つ。近代社会は老病死、とりわけ死を日常から隠す。死に慣れていない眼には人間の生老病死がさらけ出されるここは衝撃的。訪れた者はブッダが四門出遊で目撃したことを追体験することになる。▼ここで死ぬことができた亡骸が岸辺のいたるところで荼毘に付される。ヴァラナシでは否応なく死を間近に生を見つめざるを得ない。かつて日本の若者は藤原新也『メメントモリ(死を想え)』をバイブルにインドを放浪した。筆者もヴァラナシの安宿に投宿してガートに通った。▼生…死…生…死…。熱帯での生命循環のサイクルは短い。この風土で発展した輪廻転生の思想。ヒンドゥー教徒にとり現世は人生のすべてではなく、前世、現世、来世とつながった一部。▼現在の自分の姿は前世の業の結果。来世での自分は今の生き方により決まる。したがってヒンドゥー教徒はその義務を忠実に果たす。来世でのよりよい生活を願い、現世での貧困も苦痛も甘受する。ここにヒンドゥー教とカースト制度は結び付く。カーストは今もヒンドゥー教徒の所属先、アイデンティティの重要な拠り所。▼現実の悲惨さを宗教は変えようとはしない。人びとの関心を来世に向けることで、宗教は現状を維持するものとして働いている。のちにマルクスは「宗教はアヘン(麻薬)」として宗教を否定。現実を変えるために共産主義を構想した。

わんクリック　かつてのインドは生産力が低い社会。一人では生きていけず、共同体を維持することで何とか生きていけた社会。結婚は生殖のため。親同士のアレンジで、互いに会ったこともない二人が結婚 (内婚集団ジャーティ内)。そこに愛といった感情が入る隙間はなかった。女性は 10 人近い子どもを産むが、育つのは数人。その子どもたちの労働力もあてにして何とか共同体が食いつないでいく。このようにして人間は集団で生き抜いてきた。老病死だけでなく生こそが厳しい世界。死期を悟った父が息子と聖地ヴァラナシへ行く映画『ガンジスに還る』でインド人の死生観にふれることができる。

History Literacy　国民国家成立まで、各地で社会は支配者層と被支配者層に分断されて、それぞれが自律的に展開。

c. 数学

ゼロの観念の発見

└ ゼロという表現の発見、位取り記数法

d. 美術

・グプタ美術

エローラ、アジャンタ石窟寺院　＊1

└ 自然の岩山に仏像を彫りだしたもの

インド文化圏の成立

・グプタ朝下でヒンドゥー文化が南インド、東南アジアに拡大

サンスクリット語とブラーフミー文字

└ それまで宗教言語だったのが広範に使われるようになる

ヒンドゥー諸王国の分立

①ヴァルダナ朝成立

・ヴァルダナ朝 (606～647)

・７ｃ頃ハルシャ・ヴァルダーナが北インド統一、都カナウジ

・仏教の衰退

信仰としての仏教は衰退、教学（学問）研究が中心に　＊2

└ 現在のインドの信者はチベット仏教（インド周縁部）、新仏教運動 (20c) での改宗者

・ナーランダ僧院

大乗仏教の教理研究の中心地

・唐僧玄奘の来印、『大唐西域記』

└ 往－陸路、復－陸路　＊3

・唐僧義浄の来印、『南海寄帰内法伝』

└ 往－海路、復－海路　└ 7c 後半、ヴァルダナ朝滅亡後

帰路にシュリーヴィジャヤで滞在

②分裂

・ヴァルダナ朝のあと北インドは分裂

・地方王朝が並立

ニクンバ王朝 (9c) など

└ チャンド・バオリの階段井戸が美しい

PROPOS　＊1

壁画で知られるアジャンター石窟寺院は、舞台がエローラに移ったことや仏教の衰退で忘れ去られた存在だった。イギリス軍人によって密林で偶然発見 (1819)。茶系のモノトーンの色調、群衆表現に特徴がある。その中に法隆寺金堂壁画に影響した有名な蓮華菩薩像がある。右手に蓮華の花を持つ。泥水の中で美しい花を咲かせる蓮の花は仏教のシンボル。いまも仏像は蓮台の上に置かれる。張りのある肩からくびれた胴への優雅な姿態。この菩薩の首と腰を逆方向にひねる動きがストレッチに、シヴァ神のポーズが体幹トレーニングによい。

PROPOS　＊2

インドで仏教は王朝の保護を失うと弱体化。インドから姿を消した。「なぜ仏教がインドで根付かなかったのか」が問われ続けてきた。仏教教団は出家者の組織で農村（地域）との結びつきが弱かった。結婚・葬儀などの通過儀礼や年中行事の祭祀とかかわりを持たなかったためと指摘される（現代日本の葬式仏教と異なる）。ただ現世を否定する仏教が現世で広がらないのは自明の理。欲望の実現ではなく、欲望の消滅を説くようでは経済、社会が成り立たない。むしろ、なぜ「なぜ根付かなかったのか」と問われ続けたのか、を問うてみたい（※）。

PROPOS　＊3

玄奘の旅も相当のものだが、先駆者法顕の求法の旅が過酷。60 歳を超えてから旅にでた法顕。当時のインドでは仏教は廃れ、仏教とは逆に、矛盾に満ちた現世を全面肯定するヒンドゥー教国となっていた。往路、復路とも過酷な陸路をとった。道中を記した『仏国記』は地理書としても貴重。タクラマカン砂漠の叙述が壮絶。「沙河には悪霊、熱風多く、皆死に絶え一人も生命を全うするものはない。上には飛ぶ鳥なく、下には走獣なし。見渡す限り渡ろうとせん所を探すも何もなし。死者の枯骨を道標にするだけ」。何十人も出かけていって 14 年後に戻ってこれたのは法顕だけだった。

画蛇添足

▼「数字は解答欄にアラビア数字（算用数字）を用いて記入すること」はおなじみの指示。世界で最も用いられる文字はローマ字だが、ローマ数字は時計の文字盤に残る程度。漢数字と同じで計算ができない。「ゼロ」表記がなく位取りできないのが致命的欠陥。▼数字はいまでこそ計算にも用いられるが元来は数の記録のために生まれた経緯がある。いま世界中で利用されるアラビア数字はアラビアではインド数字と呼ばれる。呼称がこの数字の伝播過程を物語る。「ゼロの観念」はインドで発見（発明）された。日本ではゼロ歳の発想がなかったから生まれてきたら即一歳で正月に一斉に歳をとった（満年齢）。▼目の前に何かが「ある」ことの認識は容易。「何個ある」と記数することも難しくない（本当はすごいこと）。しかし何かが「ない」ことの認識、さらにそれを記数する方法は、実用的才に長けたローマ人は（だから、か）思いつかなかった。▼「0個のリンゴがある」と、「ない」ものに形を与える発想。何もないところに0という空位を表す数字を他の数字に混ぜて記数する。同じ数字でもそれが書かれている場所により異なる数を表す「位取り」の仕組み。１９０９には9が2回使われるが、どの桁で使われるかで指す数は異なる。▼『ゼロの観念』の発明は吉田洋一『零の発見―数学の生い立ち』が面白い。「零の発見」ではなく「零という表現の発見」かも、あるいは発見でなく発明なのかもしれない。とにかくこれが計算（演算）が加速するきっかけともなった。「ない」の発見から二千年。0と1を組み合わせるデジタル処理が発明されてコンピュータが発達。桁外れに早くなった演算処理が、この半世紀に世界を加速度的に変化させた。

わんクリック　鈴木薫『大人のための「世界史」ゼミ』は世界史を５つの文字圏から見ることを提唱。文字がないと文化は伝播しにくい。言語は数えきれないほどあるが文字は比較的少ない。鈴木によれば、ラテン文字世界、キリル文字世界、アラビア文字世界、漢字世界、それに梵字世界が五文字圏。梵字はインドのサンスクリット語を表記するブラーフミー系の文字。東南アジアのカタツムリが並んだような文字（タイ文字、ビルマ文字、クメール文字）は梵字文化圏。漢字世界のチャイナと対立するチベット（文字）は梵字世界、ウイグルはアラビア文字世界。なるほど見慣れた世界の景色が違って見える。

History Literacy　学んで問い、問うことで学ぶのが「学問」―既存の問いより自分の問いが、学びを面白くする。

第5章　東アジア・内陸アジア世界

1　東アジアにめばえた文明― チャイナ文明

黄河文明のあけぼの

①風土

・ユーラシア大陸東部地域

農耕地帯 (チャイナ東部・朝鮮・日本)、遊牧地帯 (北方の草原・砂漠地帯)

狩猟・採集 (東北部の森林地帯)

②民族

・人口の大多数は現在「漢民族」、周辺に少数民族　＊1

③チャイナの南北差 ―「南船北馬」

・秦嶺(しんれい)山脈と淮河(わいが)を境として南北差大　＊2

└ 年降水量 1000mm の線、梅雨・秋雨前線北限

華北…黄河中下流域の肥沃な黄土地帯　＊3

乾燥寒冷で、粟(あわ)・黍(きび)などの雑穀中心

華中…長江中下流域、高温多湿で、米作中心

華南…南嶺(なんれい)山脈以南の珠江(しゅこう)流域

④チャイナ文明

a. 黄河文明

・仰韶(ヤンシャオ)文化 (前期、前 5000 年 ~ 前 3000 年頃)

黄河中流域中心、代表的遺跡 ― 仰韶遺跡

粟、黍などの雑穀栽培と豚、犬、鶏の飼育　＊4

└ 西アジアとの違い　　└ 牛、羊と違い、狭い場所での飼育が可能

彩陶の使用

└ 厚くて重い

・龍山(ロンシャン)文化 (後期、前 3000 年 ~ 前 1500 年頃)

黄河下流域中心、代表的遺跡 ― 龍山遺跡

土器製作技術の進歩 (高温での焼成、ろくろの使用)

黒陶(こくとう)の使用、三足(さんそく)土器が特徴、普及版が灰陶(かいとう)

└ 薄くて強い、ゴキブリ色　└ 鬲 (れき) と鼎 (てい)

PROPOS　＊1

現在の中国は 56 の民族による多民族国家。中国銀行券には様々な文字が印刷。実際は漢民族が 9 割。この漢民族がどのように形成されたのかはっきりしない。様々な民族が同化 (漢化) したり、させられたり (今も進行中) で巨大化したとみられる。

PROPOS　＊2

広大な領土だが長方形で面積の割に海岸線が著しく短い。海から隔たった内陸部は乾燥、砂漠が広がる。秦嶺山脈と淮河が降水量 1000mm 線と一致して大陸を南北に分ける。華北は畑作 (雑穀→小麦) で南部は稲作。中華料理の主食は北部は饅頭(マントウ)、麺類、南部は米。ただし小麦の普及は漢代で麺化は宋代。ラーメンは「チャイナ四千年の味」ではなく千年の味。この南北差は東アジア世界全体にわたる。南北軸より東西軸を優先する方位観がある日本では東日本、西日本と東西差が強調される。北緯 35 度線による南北差への着眼も重要。

PROPOS　＊3

チャイナ古代文明は肥沃な黄土地帯に育まれた。黄土は直径 0.05mm 以下の岩石微粒子で「空飛ぶ砂」(黄砂)。春先に日本に飛来する。通気性と透水性に富み、多量の石灰分とアルカリ分を含み肥沃。華北の年降水量 500mm の地域でも施肥せずに稚拙な道具で耕作できた。この黄土が 10 ~ 数 100 m も堆積して沃野を形成している。

PROPOS　＊4

粟(あわ)、黍(きび)、稗(ひえ)などを「雑穀」と括る見方は雑だ。雑という言葉で括ったものを私たちは雑に扱いがち (雑草、雑用、雑談…)。これは現代の見方を過去に投射した典型。日本でもこれらは長く主食作物。増産に成功した米が主食になったのは昭和期。健康の視点から、固くてよく噛(か)む必要がある食物繊維が多い稗食の見直しがすすむ。生肉を食べるのが肉食動物。そもそも人間は雑食動物。筆者もヤギ系で半世紀間欠かさず 1 日 4 食で栄養を摂ってきた (1 食は紙類)。

画蛇添足

▼「中国史」という名称枠組で大陸で展開された過去を振り返るのは適当でない。「中国」は中華民国(1912)の略称として20世紀に登場(梁啓超(りょうけいちょう)の造語)。中華人民共和国の略称としても用いられる現代の用語。▼メソポタミア文明を「イラクの黎明(れいめい)」と位置づけないのと同じことで50万年前の地層から出土した人骨に「北京原人」と命名したり、殷を「中国最初の国家」と位置づけると過去の誤読になる(※)。▼現在の中国の多数派「漢民族」がいつどのように形成されたかも不明なことが多い。少なくとも殷代には存在しない。現代用語を過去に遡行させ、その説明に用いるのはできるだけ避けたい。ただそれが殆(ほとん)どできないのが歴史叙述の現実。▼中国の「中」とは中華思想を指す。自己を世界の中心(中華)とみなし、周辺を夷狄(いてき)―と呼んで低く見る世界観。ただ夷狄が自分たちの文明を受容すれば中華に組み込んでいく。中華とは指示対象(領土)が拡大する地理的限定のない概念。中国とは特定の地名も民族名も含まない、脱領域的、脱エスニックな国名。周辺諸国を警戒で構えさせる名称。▼とはいえ中国以外でこの国を中国と呼ぶのは漢字を共有する日本ぐらい。中華人民共和国は自国の英語名に China を採用。内外でここまで国名が異なるのは珍しい。ただ世界はずっとこの国を最初の統一王朝「秦」から派生した音「チャイナ」を国号の代用として呼称してきた。▼「中国人」と呼ばれる集団がずっといて、現在の中国の領域で王朝を興亡させてきたのではないことを理解するのが世界史学習。本書では、この地域の近代以前の名称枠組みとして、世界がこの地域に言及する時に使う名称 China に合わせてチャイナという呼称を使っている。

わんクリック　大陸で展開した各王朝は国号 (国名) を持たなかった。王朝は大陸の中心存在、国号 (名前) は周囲が持つものだった。区別する必要のない存在に名前は不要。近代国民国家体制下で国名が必要となり、「中国」と称するようになった。本書ではそれ以降 (20c 初以降) は「中国」、前近代史では「チャイナ」と表記する。日本では戦前までチャイナの訛(なま)りでシナ (支那) と呼んでいた。本来は問題のない名称だが、日中戦争時、この言葉に強い侮蔑(ぶべつ)感情が乗せられ意味が変質した。私たちがアメリカからジャップ (ジャパニーズの略称) で呼ばれたくないのと同じ。シナ名称は使うべき

History Literacy「縄文」を「日本」(7c 以降の枠組み) の枠組みで見るのは誤読。そこにユートピアをみるのは妄想。

b. 長江文明　＊1

└ 黄河と異なる安定河川、流域で異なる文化が併存、長江文明と呼べる一体感の有無が議論

・前 5000 年頃 ~ 前 2200 年頃、長江中心

・水稲耕作を中心とする文化、代表的遺跡 — 河姆渡遺跡、良渚遺跡

└ 黄河中流域が世界の稲作の起源の有力候補地の一つ

邑制国家の誕生

①夏王朝（伝説）

・黄河中、下流域で集落（邑）が発達し、これらを統合する国家が成立

└ 城壁の有無は様々　└ 二里頭遺跡、黄河治水の禹が建国か　＊2

②殷（商）

・前 16c 頃 ~ 前 11c 頃

・都の一つ殷墟（河南省安陽市小屯）の発掘

└ 城郭なし　└ 20 世紀初頭

甲骨文字解読によりチャイナ最古の王朝の実在が証明

└ 甲骨文字の王名と『史記』殷本紀（殷滅亡後千年後の叙述）の王名の大部分が一致

甲骨文字は漢字の原型、文字は殷王朝以前から存在と推測

③殷王朝の政治

・商という中核にある大邑が他の邑をしたがえた連合体（邑と邑の間は原野）

└ 商が自称、殷は周からの他称（盛んである — 殷賑であるとの美称）

・神権政治

亀甲獣骨に穴をあけ火であぶり、亀裂から神意を占い政治を行う（卜占）

占いの内容を亀甲に書き留める

└「甲骨文字」はそれが書かれた媒体に由来する珍しい命名

→宗教的権威で他の邑を支配　＊3

・多数の青銅器が出土　＊4

└ 奇怪な怪獣文様（饕餮文）、酒器など

④周王朝

・前 11c 頃 ~ 前 221 年

・陝西省の渭水盆地より発展、首都鎬京（東周は洛邑）

・武力で殷から権力を奪取（易姓革命）

└ 牧野の戦いで周の武王が殷の紂王を討つ（放伐）、正当化のため「天、天命」の観念創造

PROPOS　＊1
かつては仰韶文化と竜山文化が黄河文明として世界の「四大文明」の一つに数えられてきた（両者は新石器段階で文明の目安の金属器段階でないが）。黄河流域以外にも同様の文明の跡が確認されると「中国文明」（本書ではチャイナ文明と表記）とまとめられるようになった。先に「四大文明」は誰が提唱者か分からない日本の独自用語と指摘した。何でも「三大」と括るのが慣例だから「四大」には少しだけ独自性がある。

PROPOS　＊2
黄河は激しい侵食作用で下流に広大な沖積平野を形成。「水一石に泥六斗」と呼ばれる大量の泥土の堆積と急激な水量の増減のため黄河は平野部よりも高い天井川となる。有史以来 4 年に 3 回の決壊と 26 回の河道の変化を招き、「黄河は天井から降ってくる」「30 年経てば川の東だったところが西側になる」と周辺住民を悩ませた。それゆえ「黄河を制するものが天下を制す」とされた。黄河治水に最初に成功したのが夏王朝の創始者禹とされる。孔子は「禹なかりせば我それ魚か」と表現。日中戦争時、日本軍進撃阻止のため蔣介石は黄河の堤防を破壊、大惨事を招く。彼は戦争の勝利にかかわらず中国の支配者になれなかった。

PROPOS　＊3
青銅器は赤銅色に輝き祭祀に用いられた。錆びて青くなったため青銅器とされる。ここに鋳込まれた文字が金文（色に由来）。殷代の青銅器は世界史上最高レベル。全体を一度の鋳造で仕上げてある。魑魅魍魎をこの文字と共に溶かし込んだような文様。今は失われた技術。多くは酒器。優品を白鶴酒造が収集している（神戸の白鶴美術館）。

PROPOS　＊4
殷の湯王は毎日使う青銅器のたらいに「苟日新、日々新、又日新」の九文字を刻んだ（「苟に日に新たに、日日に新たに、又日新たなり」）。使うたびにこの言葉を唱え、日日新たになるよう自戒に努めたという。

画蛇添足

▼チャイナ史上の暴君として殷の紂王、秦の始皇帝、隋の煬帝などがあげられる。チャイナ史は基本的に正史に基づいて構成される。ある王朝の正史はそれを倒した次の王朝により編纂される。前王が暴虐であるほどにそれを倒した新王朝の正当性（正統性）は保障される。最後の王は悪く書かれるしかない（※）。▼死後の諡に「紂」という悪字を与えられた殷王朝の最後の紂王。悪評は司馬遷『史記』の叙述「酒池肉林」で亢進した。もちろん等身大以下に低く評価されたということで、なべて王は暴君である。▼ある甲骨文に「生け贄として十人の羌の首を切るか」とある。占いの結果は「凶」。三度目に「三十人では」と占って、ついに「吉」とでた。羌とよばれた捕虜の悲惨な運命が暗示される甲骨文だが、甲骨文にはこのような悲惨な内容が多い。殷墟からは祭祀用の青銅器と共におびただしい殉葬者が出土した。周代以後にこのような例はない。▼青銅器の表面には祖霊を悪霊から守るための精巧で怪奇な文様（饕餮―怪物の顔の一種）が施されてある。のちに孔子が退けた「鬼神の世界」。殷には後世から見て理解が難しい異質さがあった。殷（商）が周に滅ぼされた後、土地を失い亡国の民となった殷（商）の遺民は、商いによって生計を立てるしかなかった。商の遺民が営んだ業が「商業」の由来。▼天が崩れ落ちてこないかと心配をする愚か者を杞憂と嗤う故事。この杞の国は殷により滅ぼされた夏の遺民の国。亡国の民に対して世間は容赦ない。殷の印象が陰鬱なのには理由がある。「甲骨文字は占いの内容であるため、占いの対象とならないものは記述されない」（落合淳思『甲骨文字に歴史を読む』）。そのため内容が前述のようなものに偏っている。

わんクリック　China は大文字で始めると国名のチャイナ、china と小文字で始めると陶磁器のこと。陶磁器は陶器（土器を含む）と磁器の合成語。陶器と磁器は異なる。陶器の材料は土。磁器の材料は石（薄手で指で弾いた時、金属的な音がする）。材料が違う、焼くときの温度で焼成する成分が違うこともある。低温だと粘土分だけ焼成（土器）、高温だと粘土にガラス分も焼成（陶器）、さらに高温だとガラス分が中心に焼成される（磁器）。土が主材料の土器と陶器も違いは大きい。土器より陶器の方が高温で焼くので固く焼締まり、吸水性も少ない（吸水性があると植木鉢によいし、ないと湯呑によい）。

History Literacy　王朝最後の王は悪く書かれる—そのことで新政権の正統性が高まる仕組みがある。

⑤周の政治　＊1

- 国家構造は殷と同じ (周王は諸邑連合の盟主)
  - └ 殷も周も基本的には邑の連合体、邑がゆるやかに政治統合したもの (邑制国家)
- 封建制度

  支配者間の土地を媒介とした主従関係　＊2

  └ この点で、中世ヨーロッパのフューダリズムや日本の封建制と類似

  血縁を基礎とした氏族的な政治システム

  土地 (邑) 授与　　土地 (邑) 授与

  周王　⇔　諸侯　⇔　卿・大夫・士

  軍事奉仕　　軍事奉仕
- この主従関係は血縁関係が中心

  └ ヨーロッパのように契約や自発的意志にもとづいて結ばれる主従関係ではない

  宗法によって宗族の血縁的団結を維持

  └ 宗族は明清代に多く作られた

周の封建制

①春秋時代

└ 魯国の年代記『春秋』による命名

- 前 770 年、遊牧民が鎬京攻略

  └ 封建制は 400 年近く存続　└ オルドス地方の犬戎による攻略 (幽王と褒姒の故事が有名)

  →洛邑に遷都、以後東周と表記　＊3

  └ 西周、東周というのはあくまで今日からの命名 (当時の人にとって東周も周)

  →周王室の権威衰退、諸侯割拠 (~前 403)　＊4
- 有力諸侯は諸侯として尊王攘夷をかかげて勢力拡大

  春秋の五覇…斉の恒公、晋の文公 、楚の荘王、呉王闔閭、越王勾践ら

②戦国時代　＊5

└ 縦横家の談義を集めた『戦国策』による命名

- 前 403 年 ~ 前 221 年

  └ 大国晋の漢・魏・趙への分裂 (前 453) を追認、司馬光『資治通鑑』の歴史観
- 周王室の有名無実化、実力者が王と称する実力万能の時代
- 戦国の七雄…趙、魏、韓、楚、秦、燕、斉

  →西方の秦が次第に強国化

PROPOS　＊1

現タイ人に近い人びとが担った夏王朝。満洲からきた狩猟民が彼らを追い出して殷を建国、その殷を西からきた遊牧民が追い出して建国したのが周。夏、殷、周の交代は同質の集団による王朝交代ではない。高校世界史で「中国史」とされるが、いまの「中国」とされる領域でいまの「中国人」の祖先が王朝交代を繰り返したのではない。チャイナを舞台に様々な民族が興亡する中でいまの主流「漢民族」が形成された。王朝交代史を基軸に過去を叙述するのは、国民育成のための国民史叙述と異質の形態。

PROPOS　＊2

商のように祭祀の主催でなく周は人間関係で他の邑を支配。土地の授受が実際に行われたわけではない。封建制は他地域では否定すべきものだが、チャイナでは既得権を守りたい各地の有力者にとり理想的支配制度。ただそれはあくまで支配者間での話。チャイナは支配者と被支配者が別の社会。

PROPOS　＊3

黄土高原を流れる黄河は、洛陽付近で急に低地へ溢れでる。黄河下流域の扇形の地域を支配するには扇の要にあたる長安や洛陽が好便。10 世紀まで、チャイナの都は長安と洛陽の間を往復した (この 2 点を中心に描いた楕円の内側が中原とよばれた)。

PROPOS　＊4

チャイナ史叙述には「チャイナは統一が常態」という価値観 (歴史観) がある。それはチャイナが秦により統一されてそれが標準になったため。統一王朝がない時代は分裂期と否定的に描かれることになった。

PROPOS　＊5

戦国七雄の一つ、趙の首都邯鄲。この街で盧生という男が、ある道士から枕を借りて寝たところ、夢で次第に立身出世し栄華を極めたが、目覚めてみるとわずかな時間だった。人の世の栄枯盛衰は夢のようにはかない、というたとえが「邯鄲の夢」。

画蛇添足

▼国家が福祉国家として機能し始めたのは20世紀以降。今は何か問題があると「国は一体何をしているのか」とその不作為を責める時代だが、それは比較的最近のこと。国しか頼るものがなくなったことの裏返しの現象でもある。▼人は一人では生きられないからこれまで地縁、血縁によって様々な相互扶助の中間団体、ネットワークを作り上げてきた。国家によりその機能が代替されるようになると、地縁、血縁はしがらみとして排除されるようになり、公しか頼るところがない無縁社会へと変化しつつある。▼いま地球の表面は国境線により約二百の国民国家に分割されている。ただその地表はいくつものネット (網) が被さっている。とりわけ地球の隅々にまで張り巡らされているのがチャイナネットワーク。国家の崩壊を知らない日本では「遠くの親戚より近くの知人」が有効だが、チャイナでは政治状況が不安定になると血縁を頼って遠方に逃げ込む。そういう場所を確保するように備えている。▼起源は周代の宗族にまで遡る。チャイナでは姓が同じ父系の親族集団が宗族、その結束と内部序列を維持するルールが宗法。例えば同姓婚の禁止、つまり部外婚のきまり。女性は宗族以外、部外から嫁いでくる。ただ結婚しても夫の姓を名乗れない。日本で両性平等の観点から唱えられる夫婦別姓はチャイナでは古くから実施されたがこれは女性軽視。▼部外婚の目的は外部にネットワークを広げることで非常時の保険をかけること。宗族から一人でも科挙合格者が輩出できればその法外な特権で一族は安泰となった。宗族内で優秀な子どもを探し、資金を集めて英才教育を施す。宗族は規模が大きいほどに有効に働く。受験は昔から団体戦。

わんクリック　日本の村の境界は明確で住民も固定。徴税は村単位で集団責任制がとられた (ムラ共同体)。チャイナは村の境界が不明瞭。日本、インドと違って、職業は世襲されず封建制も発展しなかった。基本的に流動性の高い社会。特に有事には人が移動 (流浪) する。そこで助け合いのための人間関係のネットワーク―宗族、互助組織 (幇など) などが作られ、宗族間で激しい戦闘があった。生きるために、人びとはこの維持にエネルギーとお金を注いで生活基盤とした。内に対しては親切だが、外に対しては他人。人間関係、実利優先―利益の互恵関係で動く社会 (※)。「あんないい人が外では」の世界。

History Literacy　人間の最大の関心事は「今日、食えるか食えないか」―個人あるいは集団が生存競争をしてきた。

変動する社会

- 鉄製農具と牛耕で農業生産力向上　＊1
  - └ チャイナの鉄は大量生産できる鋳鉄、硬いが脆いので武器には不適、農具として使用
- 小家族による小農経営広がる
  - └ 100 畝 (3.6ha) の土地で家族 5 人程度を養う→ 100 畝がチャイナでの給田の基本単位に
- 青銅貨幣の流通と商工業の発展
  - └ 交換手段として用いられた子安貝、「貨」「貯」と経済用語に「貝」が使われる
  - 布貨（韓魏趙）、刀貨（燕斉）、蟻鼻銭（楚）、環銭（秦）など

諸子百家の思想 ― 多様性がチャイナ思想の特徴（だった）　＊2

- 諸侯が富国強兵のため学者を招く
  →諸子百家と呼ばれる多くの思想家、学派出現

a. 儒家　＊3

- 孔子（前 551? ~ 前 479）
  仁に基づく礼の実践　＊4 ＊5
  └ 孔子の思想の核心、基本は孝悌と忠恕（親に対する孝が別格、日本では忠が上になる）
  →修身斉家治国平天下、徳治主義
  └ これは朱子学で強調、修身が治国につながる、という徳治（つまりは人治）の思想
- 孟子（前 372? ~ 前 289?）
  └ 宋学（朱子学）以降に再評価された（朱子により『四書』の一つに格上げ）
  性善説の立場
  有徳の君主による王道政治（徳治主義）を説く
  └ 徳治とは人治、今も中国は法治でなく人治　└ 王道政治の逆が覇道政治
  民衆のための政治、経済の重要性主張（「恒産なき者は恒心なし」）
  └「民、貴しとなす。社稷これに次ぐ。君、軽しとなす」
  易姓革命説で革命を是認（禅譲と放伐）
  └ cf. ジョン・ロックの革命権　└ 実際は権力簒奪正当化のための茶番劇
  「天命革まり姓易わる」― 皇帝権に一定のたがをはめる機能
- 荀子（前 298? ~ 前 235?）
  └ 法家に近い立場、弟子に法家の韓非、李斯
  性悪説の立場

PROPOS　＊1
春秋戦国時代に国家のあり方が殷・周の邑制国家（都市国家の連合体―ブドウ型）から秦・漢の中央集権的な領域国家（リンゴ型）へ変化。富国強兵をめざし諸侯が辺境の開拓競争をした結果。鋤の発明（土壌の天地返し）、牛力を借りることで生産力向上。森林で覆われていた土地を開拓していく。日本列島も稲作が始まる前は一面樹海。人間の可住地は主に川の流域だけだった。

PROPOS　＊2
チャイナの伝統思想はこの時代に出揃う。孔子が周代（封建制度も）を理想としたことで「理想は過去にある」とするチャイナ文明の尚古的な基本的性格が定まる。

PROPOS　＊3
世の中が安定すれば儒教（徳治）はコスパが高い統治技術だが乱世はこれでは治まらない。もちろん平時も徳治だけでは治まらない。実力で脅さなければ従わない連中もいる。様々な手段を使う混合政体。何を表向きの看板にだしているかの問題。チャイナは徳治という人治の国（今はこれと党治）。「法」といってもいまの中国で法は個人を守るものではなく国を守るもの。

PROPOS　＊4
「仁」の定義は難しい。孔子は「巧言令色 少なし仁」など消去法でその輪郭の表現を試みた。確かなのは「仁」が「人が二人いるとき」に生じること（誰を「人」とするかが問題）。仁が形をとったのが礼。社会生活を送る上での潤滑油。仁のない礼が虚礼だが、この虚礼という言い方は礼そのものが虚であることを隠す危険な罠（※）。

PROPOS　＊5
現実主義者だった孔子。「鬼神を敬してこれを遠ざくるは知と謂うべし」（『論語』）と死や鬼神（神幽霊など）の問題を敬して遠ざけ（敬遠）―距離をとろうとした。来世でなく現世での生き方を問題にするのがチャイナ思想。来世的なインドと対照的。

画蛇添足

▼「起立」の号令で立ち上がり、先生に向かって「礼」をすることではじまる授業。これは儒教文化圏の中等教育の特徴。世界では一般的でない。本来、礼は「仁」の心に裏打ちされる必要があるが、この礼が形だけの虚礼であることは生徒を経験した者なら誰でも知っている。▼内面が伴わないから駄目なのではない。外面の強制で社会が円滑にまわり、遅れて内面が整うのであれば、虚礼に意味があると考えるのが儒教。外面は内面の一番外側、見かけによらないことはあまり起こらない、と現実的に考える。形式を守れば権力は内面に踏み込まない。受け入れられやすい考え方。▼儒教の基本は仁という差別愛。仁は相手との距離によって濃淡を変える愛、すべての人に平等に働かずどこかで無色になる。生徒手帳の中に仁は潜む。忌引の項目。自分との近さで喪に服する期間が違う。遠い人が死んでも悲しくないはず、服喪は不要、と書いてある。▼現実的な孔子は博愛などは絵空事と退ける。誰かは誰かに愛される。全体は愛でカバーされるという発想。また儒教において関係とは上下関係。対等の関係の存在が想定されていない。▼日本の近代の基調は儒教色の排除。明治以降、「天は人の上に人を造らず、人の下に人を造らずと言えり」と福沢諭吉が、戦後は丸山真男の影響下に「戦後民主主義」が形成された。それでもまだ私たちは儒教文化に浸されている。▼私たちの考え方、行動を無意識に規定する文化。文化とはコンピュータの基本ソフト（OS）のようなもの。何かのOSがなければ動かない。私たちの社会がどのようなOSの上で駆動しているのか、自分の中に何が入っているか、そして別のOSがあることを知るために歴史を学ぶ。

わんクリック　性善説はチャイナで主流の人間観。人間を罪深い存在―性悪説でみるキリスト教社会との違い。ただ人間一般が性善か性悪かは不毛な議論。荀子は士以上は礼、それ以外を法によって統治する立場。礼で治まるのが士以上で、治まらないのが民衆、とむしろ礼の有無を支配者階級と被支配者階級にわけるリトマス試験紙とみる理解。礼とは、その時、場、目的に応じて適切な服装で、適切な言行をすること。とはいえ「悪の中にひそむ善、善の中に巣食う悪」（『菜根譚』）で一人の中に両要素がある。人間の性は弱い―性弱説が妥当な理解。いかに自分の性善な側面を育てていくかがポイント。

History Literacy　「虚礼」という言い方に注意―「礼」そのものが「虚」であることを隠している。

b. 墨家　(※)

- 墨子 (生没年不明だが儒家に次いで現れしのぎを削った)

  └ 技術者集団、「墨守」で評判

  儒家の仁を差別愛と批判、兼愛 (無差別の愛) と非攻 (戦争否定) を説く　＊1

c. 道家 (老荘思想)

- 老子が祖、荘子が発展 (共に生没年不明)
- 儒家の礼を人為的なもの (人為は偽) と批判、無為自然を説く

d. 法家

- 儒家の礼の自律性の無効性を批判、他律的な法による秩序維持を説く
- 商鞅 (? ~ 前 338)

  └ 秦の孝公に仕え、富国強兵策

- 韓非 (? ~ 前 233)、李斯 (? ~ 前 210)　＊2

  └ 「矛盾」『韓非子』でも有名　└ 秦の始皇帝の宰相

e. 縦横家　＊3

- 外交政策を説く、『戦国策』
- 蘇秦 (？ ~ 前 317)

  合従策 (秦以外の６カ国の同盟) を説く

  └ 「寧ろ鶏口となるも牛後となるなかれ」と韓王に秦への対抗を説く

- 張儀 (？ ~ 前 310)

  └ 秦の宰相

  連衡策 (秦以外の６カ国は秦との個別同盟) を説く

f. その他

└ 『諸子百家』は白髪三千丈式の誇張表現なので「間引き読み」こと、実際は 10 家程度

- 兵家 (兵法を説く、『呉子』『孫子』)
- 陰陽家 (自然界、人間界を陰陽の二気により説明)

g. 春秋戦国時代の文化

- 五経 (儒学の基本経典) の成立

  └ 経とは経糸のこと ― 時代を貫通して拠り所となるもの

  『易経』『書経』『詩経』『礼記』『春秋』＊4

  └ チャイナ最古の歌集　└ 周代の「礼」について

- 『楚辞』の成立　屈原の詩歌が中心　＊5

  └ 北方の『詩経』に対して南方の『楚辞』

PROPOS　＊1

戦争は「兼愛」に反する。そこから「非攻」思想がでる。墨家は防衛戦争のみ容認。墨家は技術者集団でもあり攻撃を受けている小国の防御の手助けをした。「墨守」は彼らの守り方に由来。儒家から見れば博愛などは人間の本性にもとる絵空事になる。

PROPOS　＊2

韓非は韓の王族に生まれ、李斯とともに荀子に学ぶ。祖国の前途を憂い、韓王を諫めたが、口べたなために受け入れられず自己の見解を文章にした。この著作が秦王政の手に渡ると、政は大いに感心し、顧問の李斯に韓非を招くように命じた。李斯は韓非が登用されれば、自分が失脚すると思い、韓非を欺き、自殺させた。李斯は性悪説を唱えた荀子の弟子。さもありなんという話。

PROPOS　＊3

手を結んだり離れたりの合従連衡。戦国時代の論客蘇代 (蘇秦の弟)。隣国の趙の圧力を受けていた燕。燕王は「趙王を思い止まらせてほしい」と蘇代に依頼。彼は趙王に、燕をハマグリ、趙をシギにたとえ「漁夫の利」を説いた。漁夫の利をしめるのが当時、西方で勢力拡大を意図する秦である、という蘇代の説得に趙王は出兵をやめた。

PROPOS　＊4

天の意向を知る占いはチャイナで重要な位置を占めてきた。いま日本で忖度と名前を変えてそれぞれの組織で行われている。

PROPOS　＊5

屈原は戦国の七雄、楚の王族。屈原は秦の張儀の連衡策を見抜き、秦に対抗する方策を王に進言。しかし秦と内通する同僚に都を追われる。失意の流浪生活の中で憂国の情を綴ったのが『楚辞』。屈原は秦の大軍が楚の都を陥れた前 278 年 5 月 5 日、汨羅の淵に身を投じた。その死を悼む人びとは命日に米をおうち (栴檀) の葉で包み、糸で縛って彼に捧げた。川の中の怪獣に食べられないため。これがちまきの由来。

画蛇添足

▼日本でのチャイナ史は「漢民族」と周辺「異民族」の抗争史と描かれがち。この前提にあるのは、漢民族、異民族と呼ぶことのできる集団がいつの時代にも存在していた、という認識。本当にそのように語ることのできる集団が通史的に終始一貫して存在したのか。▼内陸アジア史家の杉山正明は「そう呼ぶに値するそれなりの実体が、はたしていつ中国史上に出現・形成されたのか」と疑問を呈し、「異民族などという特定の価値観を内包させた不可思議な語は、使う必要はない」(『疾駆する草原の征服者』) と断じる。▼いまの中国の圧倒的主流派は漢民族。世界の5人に1人が漢民族とされる一大エスニックグループ。漢民族という呼称の登場は文字通り漢代。それ以前にそもそも民族観念が存在したのか、が怪しまれている。中原とされる黄河中流域では様々な人びとが混じっていた。その中で、次第に漢民族意識が作られていった、と考えられている。▼漢代に形成された漢民族は6千万人。内陸アジア史家の岡田英弘は、黄巾の乱までに5百万までに減り、その後の五胡十六国時代に様々な民族集団が交じりあう「漢化」で漢民族の再編成が行われたとみる。名前こそ漢民族で一貫するが、その中身は折々に入れ替わった可変的なものとみるべきなのだろう。▼漢民族とは身体的特徴を持つ集団ではなく「漢字を識っている人びと、および漢字を識ろうと願っていた人びと」(橋本萬太郎)、「帝国官僚の選抜試験にエントリーするために、儒教的な思考法や風習を身につけた人々」(与那覇潤)。支配者層に限定しているが、異なる言葉を話す人びとも文章語の漢語を受け入れれば漢民族とする定義。阿倍仲麻呂もまた漢民族として仕官したことになる。

わんクリック　経書は表意文字の漢字で書かれているため、当時の読み方は分からなくなっているが、いつの時代でもその時代の言葉で読める。そのことによってチャイナ社会を文字通り「経 (たて)」に統合した。日本語でも訓読 (書き下し文) で読める。漢字を読み書きできるのが漢人―人口の 1% ぐらい。科挙に合格すれば大きな見返りがある。何としても経書を読めるようになって、官僚になりたい、その見返りの大きさが求心軸となって社会の「漢化」統合が進んだ。いまの日本社会では英語が話せることが所得向上に直結しない。おそらくそれが国の英語力があがらない理由、英「化」しない背景。

History Literacy　歴史は後世の編集 (本ページは儒教を中心にまとめた各思想の見取り図だが、儒教が中心思想になったのは漢代のこと)

2　中華帝国の誕生

秦漢帝国

①秦の台頭

- 商鞅（法家）の変法で富国強兵化（前4c、孝公が登用）
  戸籍制度導入、相互監視制（什伍制）などで財源確保　＊1
  └ 血縁を基礎にする家族と別の概念「戸」、いまでいう「生計を共にする」集団、世帯
- 前221年、秦王の政は斉を征服し、チャイナを統一
- 自らを皇帝と称す始皇帝、首都咸陽　＊2

②始皇帝の内政 ― 文書行政（共通の文字を使った統治）のはじまり

- 郡県制 ― 中央集権体制
  全国を皇帝直轄地とし、36郡（のち48郡）に分割、中央から官吏派遣
- 三権分立
  中央官制　丞相（行政）、大尉（軍事）、御史大夫（監察）
- 法家思想の採用
  丞相に法家の李斯登用、思想統制として焚書坑儒
  └ のちの国教になる儒教弾圧、始皇帝の暴君イメージの源泉
- 経済的統一
  貨幣半両銭、度量衡、文字（小篆）の統一　＊3
  └ 重さが半両　└ 度（長さ）・量（容積）・衡（重さ）
- 阿房宮、始皇帝陵、馳道（幹線道路）の建設、富豪を首都強制移住　＊4
  └ 西国の六国をにらむ地下軍団兵馬俑、項羽が破壊？未発掘　＊5

③外征

- 将軍蒙恬による匈奴討伐遠征
- 万里の長城修築
  匈奴対策に戦国時代に各国が築いたものを修築（土塁）
- 南越を討ちベトナム北部まで支配、南海郡など3郡を置く

④滅亡

- 性急な改革と大土木工事、始皇帝病没（前210）、2世皇帝の即位
- 陳勝呉広の乱（前209）、前206年秦滅亡
  └「王侯将相（おうこうしょうしょう）、いずくんぞ種有らんや」（※）

PROPOS　＊1
海岸線が限られて内陸部が深いチャイナで、塩の専売は比較的容易で効果があった。秦が大国になった要因の一つはここ解池（山西省）の岩塩を独占できたこともある。

PROPOS　＊2
チャイナで相手を本名（諱）で呼んでよいのは親だけ。それ以外は字で呼ぶ。皇帝の場合、在位中はその文字を使うことも許されない（犯罪になる）。皇帝は死後、生前の業績から武帝、文帝など諡がつけられる。これは評価、批判でもあり、秦王政は諡法を廃して自らを始皇帝、次を2世皇帝と呼ばせた。諡は長くなる傾向があり、次第に廟号（太祖、高宗など）で、明以降は、年号で呼ばれた。教科書表記は慣例で不統一。

PROPOS　＊3
始皇帝が字体を統一（篆書）。複雑だが当時の文字は刻むもの。読み方は各国で自由。チャイナで形成されたのは漢字（文字）文化圏。各地方で言葉は通じない、しかし書字システムの共有で中央からの文書は読めるようになった。ところで中央から派遣される官僚は赴任先の言葉は分からないから現地で吏を採用する。官僚同士は官話（マンダリン）を話して互いに意思疎通可能。今も中国に共通音声言語「中国語」はない。

PROPOS　＊4
膨大な人員を動員した秦。チャイナ史上最初の農民反乱は国境警備に徴発された陳勝と呉広が起こした。大雨のため期限内に到着できず、どうせ死罪ならと決起。「王侯将相いずくんぞ種あらんや」。秦は信賞必罰の法家思想で統一し、統一を失った。

PROPOS　＊5
『史記』に言及のない兵馬俑の発見（1974）に人びとは驚いた。なぜ自らの似姿を等身大の人形に塑像したのか。死の恐怖を紛らわせるためか。容貌が現代人に似ているのも驚き。一つとして同じ容貌がない。そう作ったのか、そうしか作れなかったのか。

画蛇添足

▼秦の始皇帝に対して「暴君」イメージを持っていたら、それは多分に彼らを「暴君」として描きたかった人びとの見方をなぞっている。チャイナ史の暴君は秦の始皇帝や隋の煬帝。いずれも短命王朝で、その正史は彼らを倒した王朝、倒したことを正当化する必要のある権力者によって叙述されたため、始皇帝や煬帝の暴君ぶりは誇張された。▼正しいことを描くから正史なのではなく、自らの権力が正統であると描くのが正史。歴史とは権力の所在を示す見取り図。教科書の中の為政者の評価は正負を問わず割り引いて受け取る必要がある。勝者は美化され、敗者は実際以上に貶められて叙述される。▼始皇帝の暴君評価は焚書坑儒で決定的になる。死後百年たった漢の時代の司馬遷『史記』。洛陽の紙価を高からしめた『史記』が「術士を坑す」と記す。「坑す」は「あなうめ・す」と読む。ここでしか使われない生き埋め専用の文字（名詞では立坑がある）。ただ埋められたのは術士であって儒者かどうかの言及はない。▼儒教が影響力を持つのはもっと後の時代。始皇帝の時代にはそれほど大きな影響を持っていなかった。決定的悪役イメージは儒教の力があった後世のもの。世界史図表でおなじみの図は明代の『帝鑑図説』(1572)。ここに「坑儒焚書」と書いてある。善悪を明示する必要のあった当時の時代状況を背景としている。▼明代（16世紀）の価値観が前3世紀の叙述に参入している。それがいつの時代の評価の反映なのか。「もうひとつの年代（16世紀）」が明記される必要のある叙述。二つの年代を記す必要のある出来事がある。もう一つチャイナ史で貶められたのは「匈奴」などマイナスイメージの漢字を重ねて音訳されてきた遊牧民。

わんクリック　青銅貨幣は交換の後で溶かして青銅器の材料にされたこともあった。これでは物々交換。価値が青銅の価値から離れられなかった。「半両銭」―形状がそれっぽくなり、重さが半両と決められたことで、貨幣価値と実際の価値が乖離するきっかけになった。金属そのものの価値として流通するのが貨幣。刻印した額面の価値で流通するのが通貨。額面以下の価値しかないものを流通させて「通貨」にするのは発行主体の信用（柿沼陽平『中国古代の貨幣』）。例外が1円作るのに3円かかる1円玉。レジでしか使えないので誰もがここで使う。レジ作業が煩雑で人件費がかさむ。何のために存在するのか。

History Literacy　同じ言葉でも内実は違う（チャイナの農民一揆の目的は王朝打倒だが、日本は年貢減免要求で体制打倒をめざさない）。

⑤漢王朝の成立　＊1

・秦の滅亡後、漢の劉邦と楚の項羽が抗争

└ 名文の誉れ高い司馬遷「項羽本紀」『史記』のハイライト ― 鴻門之会、四面楚歌

→前 202 年、垓下の戦いで劉邦勝利、漢王朝樹立、首都長安

⑥漢の高祖　＊2

・郡国制

郡県制に封建制を併用（直轄地 ― 郡県制、地方 ― 封建制）

└ 旧六国（東半分）に性急に郡県制を施行して反発を招いた秦の経験を踏まえる

・匈奴の指導者冒頓単于に敗北、和平

└ 白登山の戦い（前 220）で匈奴の冒頓単于に包囲される、以後消極和親策

この時代は匈奴の冒頓単于（前 209 ~ 前 174）の時代　＊3

⑦呉楚七国の乱

・第六代景帝時代、中央集権化政策に対して、呉、楚など諸王の反乱

→鎮圧後、実質的に郡県制へ移行

⑧武帝の時代（前 141 ~ 前 87）

a. 匈奴への反攻開始

└ これまでは臣従してきた、従来の対匈奴政策（和親策）の変換

・張騫を大月氏に派遣

匈奴を大月氏と挟撃する同盟画策のため

西域の事情が分かり、西域経営の端緒となる

・匈奴遠征（衛青、霍去病など）

オルドス、甘粛地方を獲得し敦煌郡など四郡を設置

・李広利の大宛（フェルガナ）遠征、汗血馬獲得　＊4

b. 東北地方進出

・衛氏朝鮮を倒し、楽浪など四郡を設置

c. 南方進出

・南越を討ち、南海など九郡を設置

└ 以後、ベトナム北部は約 1000 年間チャイナの支配下

d. 経済政策

・度重なる外征で財政破綻

→塩・鉄専売、均輸法、平準法実施　＊5 ＊6

国家が物流に関与（均輸）し、物価騰貴を防ぐ（平準）政策

PROPOS　＊1
今日の中国の主要民族を漢民族、文字を漢字というように、いまの人びとは漢王朝をチャイナ文明の古典時代とみなしている。後世への影響力が大きかった王朝。

PROPOS　＊2
法で統一して法で滅んだ秦（これは儒家である司馬遷の見方）。その秦の煩雑で苛酷な法に対して劉邦は「法は三章のみ」と殺人、傷害、窃盗のみを罪にして簡素化した。

PROPOS　＊3
私たちは結果を知る現在から過去を眺めるから、漢が最初から強力な王朝だったと見てしまう（※）。漢が安定したのは第7代武帝時代。従来のチャイナ史に内陸アジア史の視点から見直しを迫る杉山正明は、当初の漢王朝は地方政権の一つで、勝者は冒頓単于と強調（『遊牧民から見た世界史―民族も国境もこえて』）。この時代、チャイナの権力は「始皇帝→冒頓単于→武帝」と移行。始皇帝の死の翌年に冒頓単于が即位。

PROPOS　＊4
無欲恬淡で部下を愛した李広、兵士は匈奴が恐れた彼の下で戦うことを望んだ。司馬遷は愛惜と敬慕を込めて「桃李もの言わざれども、下自ずから蹊を成す」と描く。

PROPOS　＊5
塩・酒の専売は日本も影響を受けた。日本政府は日清戦争後の 1899 年、財政難から酒税をとるため自家用酒製造を全面禁止、今日にいたる。国策（増税）のため作るものだった酒が買うものに、生活文化（自家用濁り酒作り）が犯罪（密造酒作り）となる。

PROPOS　＊6
単に増収策というだけでなく物流（ロジスティック）への国家の介入の最初の事例が武帝の施策。地方で調達した物資をどのように中央まで輸送するか。これに携わり利益を上げた大商人を抑えて物価を安定させた。国家による民業圧迫が問われた。

画蛇添足

▼『おまえは』と老人は訝しそうに訊き返した。『おまえは、史記などに書いてあることを信用するか』」（山本周五郎『彦左衛門日記』）。これが警句として新鮮なのは人びとの間に『史記』への強い信頼があるからだろう。▼高校時代に漢文で「四面楚歌」『史記』に触れ、司馬遷の筆力に圧倒されるのが日本人の国民的経験。劉邦は乱世でなければ功名を遂げられない貧しい生まれ。無学だが人を惹きつける魅力があり陣営の集団知は高かった。他方の項羽は名門出のエリート。個人の能力は高かったが、自ら恃むところが強く、人の心を離れさせて四面楚歌を招いた。多くが自らの中にこの両面をみる。それを二人に振り分けて、双方に感情移入を可能にした司馬遷の叙述力。▼武帝に命じられ匈奴討伐のために出兵した李陵。それに倍する匈奴に敗れて捕虜となる。怒った武帝は李陵一族を罰しようとするが、巻き添えを恐れて李陵を弁護する者はいない。弁護して武帝の怒りをかい宮刑に処せられたのが司馬遷。▼司馬遷はこの屈辱から『史記』を書き上げた。自分に起こったことは過去にいくらでもあったに違いない。歴史の敗者に心配りした叙述は悲憤慷慨の文体となった。そのように司馬を紹介したのは武田泰淳『司馬遷　史記の世界』。その司馬観の影響力は強い。▼妻子の処刑を聞きながら漠北に没した李陵。匈奴に捕われながら、最後まで漢への忠誠を忘れなかった蘇武。そして司馬遷。『山月記』で知られる夭折作家中島敦は『李陵』で三者の生き方を、漢と匈奴の抗争の中に描いた。武帝もまた「歓楽極まりて哀情深し」と詠った感受性の豊かな皇帝（『秋風辞』）。文学性が豊かな『史記』の描く世界は日本文学の如く親しまれている。

わんクリック　匈奴発祥の地「オルドス」地方。黄河屈曲部の内側の高原地帯。西・北・東を黄河、南を万里の長城に囲まれた地方。匈奴の本拠になったようにチャイナ農耕地帯を支配するための玄関口。逆にチャイナがユーラシア大陸を支配するための玄関口で長く争奪の地。いま「内モンゴル」自治区の南部にあたる地域は中国領。一帯一路の出発点。オルドス市がいま超近代都市に変身している。ところで万里の長城。モンゴルの視点からチャイナ史を読み直す楊海英は、この長城は匈奴の侵入防止ではなく、漢民族がより自由な遊牧社会へ逃亡するのを防ぐために作ったとする。（『内モンゴル紛争』）。

History Literacy　過去を見る目を曇らせる最大の偏見は、結果を知って過去を見ること（現在と関係しないものを見ない）。

前漢から後漢へ

①武帝以降の混乱

- 武帝以降、宮廷内で宦官、外戚の横暴
  - └ 武帝時代に社会は疲弊、宣帝(前74～前49)の時、「中興」期
- 外戚の王莽(前45～後23)が帝位を奪い、新を建国
- 各地で反乱(赤眉の乱)

②後漢

└ 前漢と区別するための日本での呼称

- 劉秀(光武帝)が漢を復興(後漢)(25～220)、首都洛陽

③漢代の社会

- 豪族の台頭
  没落した農民を吸収して勢力を拡大した大土地所有者
  →郷挙里選により豪族は政界に進出
  - └ 地方長官の推薦による官吏登用法
- 特に劉秀(光武帝)は豪族の援助で漢を再興
  →後漢は豪族に支えられた王朝
- 党錮の禁(166)
  幼帝が続き、宦官の専横、宦官が官僚を弾圧　＊1 ＊2 ＊3 (※)

漢代の文化

- 儒教の国教化(儒学の国学化)
  - └ 儒家の教えが特権的な地位となる(他の教えが異端にはならず)
  武帝(前漢)時代の董仲舒の提案
  - └ 現在この説は否定されている、儒教が国家と結びつく特別な地位になるのは前1世紀頃
  五経が教典、経典ごとに博士官(五経博士)の設置
- 訓詁学の発達(後漢)
  五経の整理、字句解釈の学問、馬融、鄭玄(後漢)ら
  - └ 文章全体の意味の解釈でなく、部分的な語句の意味解釈、訓読みの由来
  チャイナ最初の字典『説文解字』(許慎)としてまとまる
- 宦官の蔡倫が製紙法を改良実用化
  - └ それまでは木簡、竹簡(書き損じは削り直して利用可、再利用も可)を使用

PROPOS ＊1

短命の皇帝のあとに次の皇帝が幼少で即位する悪循環。外戚・宦官など側近が政治に関与。外戚だが能力の高い王莽。彼が皇帝位を「簒奪」する様は支配者階級の権力闘争の凄まじさの象徴。新王朝で様々な理想主義(復古)的改革をするが混乱を招き短命。彼は簒奪者扱いだが、他王朝も禅譲という簒奪で始まる点で変わりはない。

PROPOS ＊2

宦官とは去勢された男子。世界各地にあり特にチャイナの歴代王朝、オスマン朝、ムガル帝国などで発達。日本は未導入(去勢技術を知る遊牧社会との接触がなく、湿潤気候で術後が悪いことなどが背景)。理念上「天子」の皇帝の世話を普通の人間にさせられない。そこに「人間でない人間」宦官の存在理由がある。皇帝からみて、子孫を持てない宦官に権力を奪取される危険は少ないが、皇帝に最も近い所にいるので政治介入されがち。去勢で性格は穏やかになるがコンプレックスから嫉妬深く、金銭、権力に執着する。後漢、唐、明は宦官で滅んだ王朝。宦官は当初は宮刑者、捕虜から供給されたが、清朝末期は志願者が中心。宦官への志願が貧しい人びとが権力に近づく唯一の方法。試験を受けて権力に近づいた官僚、手術を受けて権力に近づいた宦官。

PROPOS ＊3

後漢末期の腐敗する朝廷で硬骨漢の官僚李膺は人気があった。彼から認められるのが名誉。黄河上流のある急流におびただしい鯉が集まってくるがどれも登りきれない。登りきった鯉は竜になれるという言い伝え。李膺に認められるとはその端緒につけたとして登竜門という言葉が広まった。

PROPOS ＊4

宦官の政治介入に対抗するために派閥を組んだ官僚。逆に宦官派により徒党を組むものと弾圧されて党錮の禁が起こった(上述の李膺も党錮の禁で殺害)。チャイナでは漢、唐、明の各王朝で宦官が横暴になった。

画蛇添足

▼歴史に「もし(if)」を持ち込むことには異論が強い。しかし、秦がもしチャイナを統一せず、始皇帝がもし皇帝という王の上位概念を作らなければ、チャイナの歴史は別様だったかもしれない、と考えるのは無意味でない。戦国の七雄はそれぞれ1カ国で独立できる規模がある。▼本書ではチャイナとしているが私たちは「中国」の存在を自明として、「中国初」といった語りをする。そのような統一体が最初からあったわけではない。一度統一され、それをモデルとして統一が繰り返される中で、その領域・単位を自明視するまなざしが生まれた。▼では現実にチャイナという広大な地域をどのように支配したのか。特に南北に広い地域の統治は難しい(気候の違いから文化差が大きい)。例えば漢王朝の四百年の安定的支配を可能にしたのは漢字文書による行政。漢字は意味を伝える文字(表意文字)であり、読み方は読み手に任される。日本では意味で読む「訓読み」まである。dogを「イヌ」と発音するような奇妙な読み方。それだけに読み書き、習得は難しい。そこに王朝の統治の鍵がある。▼支配者層とは、漢字の読み書きが可能で情報を共有した人びと。彼らは一つになれた。他方に読み書きできず、言葉も互いに通じないため連帯できない人びとが多数存在した。この情報の非対称性が広大な中国が一元的に統治されるようになった理由の一つ。▼日本人は中国語を理解しなくとも中国の看板を何となく読める。異なる言葉を話す人びとの意思疎通を可能にする漢字。習近平を「しゅうきんぺい」と読んでも構わない。ただこの日本語読みでは世界で通用しない。中国を英語で語れず、世界のコミュニケーションからはじかれる。これが漢字の罠。

わんクリック　君子の意思を伝える「官僚は電線」(宮崎市定)。科挙に合格した「官僚」は地方に赴任。官僚のポストは縣(県)知事まで(縣は「直属」の意味、人口数万の規模)。赴任しても土地の言葉も実務も分からないから現地採用の「胥吏」が実務を受け持つ(これが郡県制)。親子代々、職を世襲して実務の表裏を熟知。縣(県)以下は地域の自治の二重構造がチャイナ社会の特徴。官吏登用制度と「官」と「吏」をまとめるが両者は行動倫理も別物。官僚は皇帝への忠誠心を持つが、吏が持つのは皇帝に対する忠でなく家族に対する孝。今の日本で「官僚」がキャリア組、「胥吏」がノンキャリア組にあたる。

History Literacy　皇帝名は時代の名称として使われることもある(6歳の幼帝、順治帝の北京入城は順治帝の業績でない)。

・司馬遷が『史記』を記す（前漢の武帝時代）

紀伝体による叙述

└ 皇帝の業績を記した「本紀」と重要人物の伝記「列伝」からなる、『春秋』は編年体

・班固が『漢書』を紀伝体で著す（後漢）

└「楽浪海中に倭人あり」 └ 紀伝体が中国正史のスタイルに

秦・漢帝国と世界

・秦漢時代に皇帝統治の国家体制（中華帝国）の枠組み成立

例 ― チャイナ (China)、漢字といった呼称　＊1

・57 年、倭人の使者おとずれ、光武帝より『漢委奴国王印』の金印

・班超がカスピ海以東の 50 余国を服属させ、西域都護を置く

└「虎穴に入らずんば虎児を得ず」　＊2

甘英をローマ帝国（大秦国）派遣 、パルティア（安息）の妨害で失敗

・166 年大秦王安敦の使者が日南郡（南海貿易の拠点、ベトナム中部）に来航

3　東方の世界帝国

南北の対立

①4 ~ 6 世紀の民族大移動（ユーラシア大陸）

・２世紀後半からユーラシア大陸の寒冷化「危機の３世紀」

→各地で民族移動（東 ― 北方民族の移動、西 ― ゲルマン民族の移動）

・北方遊牧民族の華北への侵入

→漢人は華北から江南（長江下流域）へ移動（江南開発）　＊3

②魏晋南北朝時代と隋・唐王朝の性格

・北方遊牧文化の華北への流入、北方民族（鮮卑系）系の王朝としての隋・唐

③後漢末期の群雄割拠

・黄巾の乱 (184 年)　＊4

民間信仰太平道、指導者張角中心の農民反乱

→乱鎮圧後、豪族が各地に割拠

→魏の曹操による統一失敗（赤壁の戦い）、三国分立へ

└『三国志』の世界 ― 劉備（諸葛亮、三顧の礼）、天下三分の計

→ 220 年、後漢滅亡（魏の曹丕が禅譲で帝位を獲得 ― 漢魏革命）

PROPOS　＊1

現在の中華人民共和国（略称「中国」）という国名には地名も民族名も含まれない。脱エスニックな名称。旧ソ連も同じ。しかし、ソ連の方はソ連料理といわずロシア料理と呼ばれたのに、こちらは中華料理という。民族料理ではないということか。しかし中国の英語名は Peoples' Republic of China。こういう辻褄のあってなさを、なぜだろうと考えていくのも面白い。「チャイナ」音は『エリュートゥーラ海航海記』にある秦に由来。本書でも前近代で使用。

PROPOS　＊2

「虎穴に入らずんば虎子を得ず」に対して「君子危うきに近寄らず」。両者は矛盾していない。前者は risk について述べる。「虎の子」―大切なものを得るためにはリスクがつきもの (No risk , no gain.)。後者の「危うき」は danger について述べる。リスクは取るもので取らないことがリスクになる。危険は無条件で避けるもの。管理できるものとできないもの、という定義もある。

PROPOS　＊3

チャイナ史には様々な性格がある。「北方民族との抗争史」（「北方」という言い方は誰の視点かに注意）としての性格（両者が融合してチャイナ文明が形成）と「江南開発史」の側面が重要。長江下流域の江南は温暖で農業の適地になりえたが、そのためには大規模な水路開発などが必要だった。

PROPOS　＊4

2c 末からの寒冷化で生産力が低下、飢饉を引き起こした。食べられなくなった農民は土地を離れ、豪族の庇護に入るか流浪した。国家の税収は落ち、軍事力の維持も難しく後漢は衰退する。黄巾の乱 (184) から西周の統一 (280) までの 1 世紀間、社会は混乱する。この間、飢饉や干ばつに苦しんだ農民の間で、五斗米道や太平道といった宗教が広く信者を集めた。この五斗米道や太平道が発展して、チャイナの民族宗教道教が成立する。寒冷化を背景とした同様の事態がローマ帝国末期でも展開された。

画蛇添足

▼劉備に「三顧の礼」で迎えられた諸葛亮。「天下三分の計」で曹操による中国統一を阻む。劉備の死後も「出師の表」を出して魏と戦ったが五丈原で陣没した。出陣に際しての「出師の表」は「これ読んで泣かずは人にあらず」とされてきた（王安石『万言書』も同じ）。▼『三国志』は西晋に仕えた陳寿が著した正史で魏を正統とする。漢から魏、晋に「正統」が継承されたとする。「正史」とは「正しい歴史」ではない。自王朝の「正統性を示す歴史」のこと。陳寿は魏に滅ぼされた蜀の人間。魏を滅ぼした晋に評価されたが、その筆法には隠された意図もある。諸葛亮を高く評価したのはもともと蜀の人間だった陳寿。評価するほどにその進撃を止めた司馬懿（陳寿が仕える晋を建国した司馬炎の祖父）の顕彰につながるから憚る必要がなかった。▼史書『三国志』に小説的潤色を加えた『三国志演義』。公式に「本当にあったこと」が正史で、「本当にあった」と信じられてきたのが演義。人間が育つためにはロールモデルが必要。民族叙事詩『演義』がこれに相当する。『演義』は正史とは逆に曹操を悪役に、劉備を善玉に描く。正史『三国志』と同様『演義』にも儒教的なバイアスや判官びいきが入り込む。漢から帝位を奪った曹操に対する強い非難など。▼日本では歴史小説からアニメ、ゲームにいたるまで『三国志』は高い人気だが、多くが劉備を美化して魅力的に描く『演義』の影響下にある。そこで共感的に描かれる登場人物に心を寄せることで、登場人物に体現される儒教的価値観を気づかぬうちに身につける。20世紀に入って（中国の近代化を阻害したと）儒教批判が強まると逆に曹操の再評価が進んだ。歴史は「現在」によって書き換えられ続けている（※）。

わんクリック　チャイナでは多くの王朝が「漢」と称した。すべて「漢」と表記すると区別できないので別の呼び方を使う。いま中国では漢王朝を西漢、東漢と呼ぶが、日本では前漢、後漢と呼ぶ。するとのちの五代にも統一王朝の漢があってそれとも区別が必要になり、後漢（ごかん）と後漢（こうかん）に呼び分けて区別する。その点では、前漢を西漢、後漢を東漢と読むのが合理的だが、そのままになっている。そのように呼ばれてきたという慣用表現ももはや歴史の一部。三国時代の蜀（漢）も後世の言い方で、当時は漢だった。後世からいまの日本は何時代と呼ばれるか。慣例に従えば「東京時代」か。

History Literacy　歴史は「現在」により書き換えられる（「歴史修正主義」は「改ざん」のニュアンスがあるので「修正」は使わない）。

④三国時代

└ 華北を統一した魏（曹操）の天下統一（南下）の試みが赤壁の戦いで阻止される

・魏 (220 ~ 265) 曹丕が建国

└ 父の操、弟の植と並ぶ詩人　＊1

華北（都洛陽）を支配　＊2

・蜀 (221 ~ 263) 劉備が建国、諸葛亮が補佐

└ 孔明は字

四川（都成都）を支配、魏に併合 (263)　＊3

・呉 (222 ~ 280) 孫権が建国

江南を支配（都建業）、晋に併合 (280)（チャイナ再統一）

⑤晋 (265 ~ 316)

・司馬炎（武帝）が魏を奪い建国、呉を征服してチャイナ再統一 (280)

└ 魏の将軍、祖父が諸葛亮の北伐を阻んだ司馬懿（仲達）

・都洛陽

・皇族諸王を要地に封じる

・占田・課田法

身分に応じた土地保有限度を制定（給田ではない）

└ 後漢末以降の混乱で登録戸数は 1~2 割程度まで激減したことが背景

・八王の乱 (290 ~ 306)　＊4

└ 司馬氏一族が各地で挙兵、周辺の異民族の力に頼る

五胡の侵入を招き（永嘉の乱）、滅亡 (316)

└ 匈奴の力を借りた劉淵が漢として自立、その子が首都攻略

⑥五胡十六国 (304 ~ 439)　＊5

・五胡…匈奴、鮮卑、羯、氐、羌

・十六国（五胡十三国と漢族3国）が興亡する分裂状態

⑦東晋 (317 ~ 420)

・江南において西晋の一族、司馬睿が晋を再建

・都建康

└ 呉の建業（現南京）から名称を建康に変更（業という字が忌み名になったため）

・土断法

北からの移住者を戸籍に登録して課税対象とする

PROPOS　＊1

曹操は詩人として有名。赤壁の戦いを前に「酒に対して当に歌うべし　人生幾何ぞ　譬えれば朝露の如し　去り行く日は苦だ多し」『短歌行』。息子の曹丕、曹植と漢詩の黄金期を現出（建安の文学）。曹丕は「文章は経国の大業にして不朽の盛事なり」と文化と社会の安定を結び付けた。弟曹植の才能が、父曹操から寵愛されると兄の曹丕から疎んじられるようになる。七歩進む内に詩を作らねば殺すと脅かされ作った「七歩詩」。兄弟が憎しみ合う虚しさを詠った。

PROPOS　＊2

東方の島国倭国の大乱は3c初に卑弥呼が収めた。卑弥呼は三国の中で魏に使いを送り「親魏倭王」の称号を得た。これを記す2千字の『魏志』倭人伝の読み方をめぐり素人の邪馬台国所在地論争が続く。歴史家は尻込み。外せば学者生命が危うい。

PROPOS　＊3

蜀は周囲を険しい山岳に囲まれ、外界から閉ざされた世界だった。中原からここに入るには蜀の桟道—垂直に切り立った絶壁に穴を開けて丸太を差し込み作った危険な道、を通過せねばならなかった。「蜀道の難は青天上るよりも難し」（李白）。他地域から孤立した閉鎖的な場所のため、ここにはしばしば独立政権が成立した。安史の乱で玄宗皇帝も蜀に逃れようとした。この広大な盆地は後になって灌漑がすすみ、「天府（天の穀物倉）」とされる肥沃の地になる。

PROPOS　＊4

皇族を軽視した魏は、将軍家の司馬氏に国を奪われた。帝位を奪った司馬氏（晋）は自分のような人間を警戒して皇族を重用。今度はその皇族が抗争した（八王の乱）。

PROPOS　＊5

北方から伝播したものには「胡」の漢字が使われる。さて次の漢字を読めるだろうか。胡麻、胡瓜、胡桃、胡椒、胡坐—最後などはかなり胡散臭い読み方になります。

画蛇添足

▼中国の個人名には姓（氏）と諱（名）と字の三種類ある。本名を家族、主君、先生以外が使うのは無礼として忌避される。この「忌み名（諱）」の公での使用は封印され、名は字で代用されてきた。日本での綽名は別の名の意味で字とは別物。▼後世の人間が歴史上の人物に言及する時は姓と諱を使うのが原則。諸葛孔明の孔明は字。教科書は諸葛亮と、諱の亮を使う。陶淵明の淵明も字なので、陶潜と諱を使う。白楽天も白居易と諱で表記。ただ原則とは例外を作るためのルール。原則は例外を伴う。蒋介石の介石は字。蒋中正と諱を使わない。人気者になれば劉備玄徳（備が諱、玄徳が字）のようなフルコース表記になる。言葉は長いほど丁寧。もちろんこれにも例外があって長すぎると慇懃無礼になる。▼言葉の音素的役割は低下しつつあるが、美しく響く名がついて引き立つ魅力もある。どのような名前でもよいわけではない。「バラは他の名前でも芳しい」（『ロミオとジュリエット』）としたシェイクスピアに対してモンゴメリは「絶対にそんなことはないと思うわ。薔薇が薊とか座禅草とかいう名前だったら、あんないい香りはしないはずよ」とアンに反発させた（『アン』）。名前の持つ音の響きへの好悪は記憶の定着に関係する。マチュピチュ遺跡の高い人気は言葉の響きに負っている部分もあるだろう。▼さらに、バラは薔薇でなくてはならない、と旧かなづかいを擁護したのが三島由紀夫。「「薔薇」はどうしても「バラ」ではいけない。薔薇といふ字をじつと見つめてゐてごらん」とこのややこしい二文字の美を解説、「この字を見てゐるうちに、その馥郁たる薫さへ立ち昇ってくる。」（三島『薔薇と海賊』）とする。名前には様々な文化が宿っている。

わんクリック　三国時代と書くと、三国は対等との勘違いを生んでしまう（※）。大雑把だが、国力は魏呉蜀で 9:3:1 ぐらいの差があったとされる。三国は同格でなく、このように扱ってもらうだけでも蜀にとっては望外の扱い。世界史では物事を三つにまとめて表現することが多いが、これは偽の等価性を作り出してしまう胡散臭い「三」。一度に記憶できる最大数なのかもしれないが、こうすることで三つは同格となり、他のものが取り残され、記憶から外れてしまう。三大悲劇詩人を記憶することは他の詩人を忘れることである (PROPOS ＊5の読み方は、ごま、きゅうり、くるみ、こしょう、あぐら、うさんくさい。

History Literacy　併記の対象でない（偽の等価性）ものに注意—基準に満たない議論を同じ土俵にあげてはいけない。

⑧北魏 (386 ~ 534)　＊1

- 鮮卑の拓跋珪が建国、都平城
  - └ 隋・唐は鮮卑系の王朝　└ 大同盆地、農耕・遊牧の境界地帯、郊外に雲崗石窟（僧曇曜）
- 439年、太武帝が華北統一、モンゴル高原の柔然と対立
- 孝文帝 (471 ~ 499) が漢化政策
  - └ 最初から「漢」的な文化はなく、この鮮卑文化の流入も含めて「漢」的なものが形成

  洛陽遷都、均田制、三長制の実施、胡服・胡語使用禁止
- 東西分裂 (535)

⑨南北朝 ― 六朝をリクチョウと呼ぶ時代　＊2

└ 淮河を挟んで対立

a. 北朝 (439~581)

・北魏 ↗ 東魏 ⟶ 北斉
　　　 ↘ 西魏 ⟶ 北周 ⟶（隋）

- 皇帝権比較的強く、南北の主導権握る
  - └ 征服王朝のため

b. 南朝 (420 ~ 589)

- 宋、斉、梁、陳の4王朝　＊3 ＊4
  - └ 日本は古墳時代、5c 大和王権「倭の五王」が宋に献上品（『宋書』倭国伝）

  六 朝…呉・東晋を加え、都を建康（建業）においた六王朝
- 皇帝権は相対的に弱体で、貴族社会が展開

⑩豪族の台頭

- 官吏登用法
  - └ どのようにすれば私利私欲追求の豪族でなく、王朝に忠誠を尽くす人物を採用できるか
- 九品中正法（魏）

  →中正官が評判にもとづいて人材を九品（等級）に分けて推薦

  └ 郷品二品と評価されれば四品下の六品で任官し、最終的に二品まで昇進

  →特定の豪族の子弟が高級官僚を独占、名門家柄の固定化

  →「上品に寒門なく、下品に勢族なし」

  └ 特定の豪族が高位官職（一品、二品）を独占して門閥貴族（名門貴族）に

  →豪族の門閥貴族化　＊5

  └ 唐代まで中国の支配者階級、「寒門」も豪族のこと、あくまで選ばれるのは豪族

PROPOS　＊1

チャイナ史には「遊牧民族との抗争史」としての側面がある。そのうち華北を征服して建国した遼・金、全土を征服して建国した元・清の4王朝を征服王朝、それに対して五胡十六国の諸国や北朝を「浸透王朝」として区別するのは東洋学者ウィットフォーゲルの見方。もちろん異論もある。

PROPOS　＊2

後漢滅亡後、隋の統一までの四世紀間の大分裂時代が魏晋南北朝時代。「分裂」を悪いと感じるのは作られた価値観。分裂して競い合う際、様々なエネルギーが生まれる。魏晋南北朝時代に江南開発が進んだ。

PROPOS　＊3

梁の武帝時代が南朝の最盛期。「溺仏」とされる、仏教に心酔した皇帝。都建康には多くの寺院が甍を連ねた。杜牧（晩唐）はこの時代に思いを馳せて「南朝四百八十寺 / 多少の楼台 / 煙雨の中」と詠った。

PROPOS　＊4

「行灯を毎日点ける修行を実行した」を読めますか。漢字音には三種類ある。「行」を「ぎょう」と読む呉音（南北朝時代）、「こう」と読む漢音（唐代）。遣唐使が持ち帰った当時の唐朝での発音（漢音）に対して、それ以前にすでに伝わっていた発音が呉音。呉音は仏教用語に多い（礼拝、殺生、執着など）。「あん」と読む唐音（宋代以降）は椅子、蒲団、箪笥など類推で読めないものが多い。

PROPOS　＊5

地方の名望家、豪族は郷挙里選、九品法を通して官僚を世襲。家格をあげて「貴族」（内藤湖南）となった。これら貴族が婚姻関係を結んでつくった閥（私的なグループ）を形成（門閥）。いまの日本では特定の大学卒業生が学閥を形成して影響力を持つとかいうが、政府要職に就く政治家の家系図を見れば福沢諭吉が「親の仇」とした門閥制度はまだ残る。この特権階級―門閥貴族は宋代まで中国社会の支配者層となる。

画蛇添足

▼愛の宗教キリスト教が結婚式を担当し、仏教はもっぱら葬式を担当する日本。当初、出家主義をとり葬送儀礼と関係を持たなかった仏教（上座仏教）。そのため庶民とつながらずインド社会に根付かなかった。それがいまや葬式仏教とまで呼ばれている。▼チャイナで仏教が変容した。何より家と祖先を大切にするチャイナ社会で、大乗仏教とはいえ人倫、五常（仁・義・礼・智・信）などの社会的人間関係を蔑ろにする（と儒教が批判する）仏教が受容されたのは驚くべきこと。当時の儒教が不振だった。社会安定のために国教に引き上げられた儒教が逆に魏晋南北朝の分裂を招いた。儒学は五経の解釈にこだわり、心に響かない御用学問（訓詁学）となり魅力を失った（儒教と儒学はほぼ同じ。礼教的側面に言及するときは儒教、学問面を強調するときは儒学）。▼そんな折に大乗仏教が受容された。大乗仏教は一切衆生悉有仏性という相当ラジカルな考えを持つ。誰でも例外なく、つまり在家であっても仏になれるとする。家を否定しないこの思想は、儒教の主流である孟子の性善説と平仄があい、両者は習合へと向かった。▼私たちが仏式と考える葬式もその中身はかなり儒教式。例えば仏教で拝む対象は仏像。葬式の際はその代理を果たす掛け軸。しかしこれに向かい、仏の慈悲により亡き人を成仏させてあげてください、と手を合わせる人がどれほどいるだろうか。参列者の多くは故人を偲び、その遺影に手を合わせている。これは儒教の招魂再生の儀式に連なる。▼葬式だけでなく、遺体・遺骨へのこだわり、その墓への納骨、様々な法事。これらは儒教の根幹をなす祖先供養と同じ。法事は、それを通じて家族・親族が結束を確認していく仕組みとして機能。

わんクリック　魏晋南北朝から唐末までは「貴族政治」で特色づけられる、と宋以降の「君主独裁制政治」と対比して説明したのが中国史家内藤湖南。チャイナ史を「貴族政」「皇帝独裁」と理解するのは日本。当時の支配者層の自称は士・士大夫・士族、いまの中国史学では「士族」。「貴族」は現代用語（※）。また中国史学では「皇帝専制」を使う。専制と独裁は別の概念。独裁はある状況下で被治者が認めた政治体制（形式的には民主政に含まれる）。そのような考え方から本書ではチャイナの王朝時代の政治体制に「独裁」でなく「専制」を用いる (PROPOS ＊4の答えは、あんどん、しゅぎょう、じっこう)。

History Literacy　「貴族」は後世の歴史用語（生まれで人生が左右される―いまのスラング「親ガチャ」のあたりパターン）。

⑪土地政策による豪族対策・財政政策

- 屯田制（魏）　＊1

  後漢末以降の混乱で人口激減、生産力回復のため

- 占田課田法（西晋）と戸調式施行
- 均田制（北魏）

  成年男子、成年女子、奴隷・耕牛にまで給田

  └ 唐との違い └ 隋唐との違い、豪族への妥協

  税徴収のための戸籍整備　村落（隣保）制度（三長制）実施

南北朝の文化　＊2

①特色

- 北朝

  西方文化の影響、質実剛健の文化

  仏教の受容 、道教の成立

  └ 北方民族は漢民族の儒教への対抗上仏教を保護（中国にとり最初の外来思想受容）

- 南朝

  貴族文化

②仏教文化

a. 仏教の伝来

- 紀元前後（漢代）に中国に伝播、信者は増えず
- 五胡十六国時代、北方、西方の民族が仏教保護

b. 仏典翻訳

- 西域僧仏図澄(ぶっとちょう)（4c）が洛陽で布教

  └ 中央アジアの亀慈（クチャ）出身

- 西域僧鳩摩羅什(くまらじゅう)（4～5c）が仏典漢訳　＊3

  └『妙法蓮華経』など彼の訳が現在の仏典の基本テクスト

- 東晋の僧法顕渡印

  └ 西域を陸路横断する求法の旅に出た時、法顕60歳、帰国時80歳

  旅行記『仏国記』

c. 仏教遺跡

- 北魏時代の石窟寺院敦煌、雲崗、竜門　＊4

  └ 初期の都平城郊外、「砂漠の大画廊」莫高窟

PROPOS　＊1

班田収受法（日本）につながる均田制。基本概念「給田」の最初が魏の屯田制。後漢末の混乱で土地を捨て流浪する農民が激増。無主となり荒廃した土地に農民を定着させて税収入を確保するために曹操が開始。国境付近には軍屯を置いた。これは平時は農民、有事に兵とするもの。内地には民屯を置いた。ここから土地を国家が分配して農民に耕作させ、収穫をおさめさせる土地政策（均田制）が進展。ただし歴史上公地公民の発想はうまくいかない。ソ連のコルホーズも中国の人民公社も失敗した。

PROPOS　＊2

「南北朝」表記に、一つであるべき中華帝国が二分されたイレギュラーな状態という中華史観が強く滲んでいるとみる丸橋充拓。南北朝時代を、「馬の世界」の南半分と「船の世界」の北半分の出会いで形成された世界、とみる。「馬の世界」は中国北半分から内陸アジア、ロシア・東ヨーロッパまで及ぶ世界。「船の世界」は中国南半分、その周辺海域から東南アジア、インド洋にまで一続きに広がる世界。中国を「東南アジア（海域世界）の北部」と「内陸アジア（草原世界）の東部」が出会う場所とみる（『江南の発展』）。両地域が一体であるべき、とは強いイデオロギーとの指摘でもあろう。

PROPOS　＊3

仏教の中心概念「無」に「空」の訳語をあて多くの仏典を漢訳した鳩摩羅什。「色即是空(しきそくぜくう)、空即是色(くうそくぜしき)」（「存在は即ち空であり、空は即ち存在である。」『般若心経』）など流麗達意の名訳で意味の通じなかった箇所をなくした。これを玄奘が改訳したものが今も使われている。「色即是空」の「色」には色々な意味があるが、ここでは形あるもの―「存在」の意味で使われている。

PROPOS　＊4

僧曇曜(どんよう)が国家事業で雲崗石窟を開削。豪壮な大仏が9体。皇帝の顔に似せ、仰ぎ見た時、皇帝の顔と二重写しになる趣向。

画蛇添足

▼語学教育という名で翻訳教育を続けてきた日本。おかげで日本語が読めれば世界中の主要著作にアクセスできる翻訳大国となった。科学技術分野でも日本語だけでノーベル賞レベルの研究が可能。▼高等教育（大学以上）を自国語で受けることができる国は少なく、日本はその一つ。それが日本人が英語を必要としない（つまり話せない）理由。これは日本の強みでもあり弱みでもある。耳で追うべき音を、目で音の影である文字を追ってしまう。音読より黙読が情報処理的には効率的だが、翻訳教育が作った身体が英語を話せない理由のひとつ。▼ただし隣国の膨大な漢籍の日本語翻訳は少ない。ヴェルレーヌの詩は「秋の日のヴィオロンの ためいきの ひたぶるに 身にしみて うら悲し」と上田敏により原詩以上に訳出された。唐詩にこのような日本語訳がない。▼日本は漢籍の漢文に返り点を打って日本語で読む漢文訓読という驚くべき方法を編み出し、翻訳せずに内容を直接吸収してきた。そのため中国文化（漢文）に対しては日本語のバリアが働かず、直接的な影響を受けてきた。▼さらに訳すことも訓読もせず音読してきたのが仏教経典。その結果、お経は何を唱えているのか分からない珍文漢文(ちんぷんかんぷん)となった。何を言っているか分からないから有り難い、という心性が僧侶を支えてきた面もある。漢訳仏典を音読するからお経を聞いても内容が分からない。▼世界史を学びながら、不思議なことを不思議と思える身体、学ぶことと問うことを地続きにできる身体を作りたい。仏典漢訳を学んだ折に「なぜ仏典は日本語に訳されなかったのか」と疑問を、漢文の授業時に、漢文訓読自体に違和感を覚えて、「なぜ」と問う身体に鍛えたい（※）。

わんクリック　近代以前、仏典が他言語に翻訳されたのは、羅什訳や玄奘訳に代表される漢訳とチベット語訳だけ。漢訳ではチャイナ文化に着地させるため中心概念の多くが道家、老荘思想的な「中道」とか「空」（最初は「無」と訳された）という訳で落ち着いた。絶妙な訳語も多く、日本は重訳を避けて漢訳経典をそのまま使った。日本は漢訳仏典を通してチャイナ化した仏教を受容した。法事での僧侶の読経は、ただただ早く終わらないかと願う時間、足が痺(しび)れる時間になった。日本語に訳されず理解不能なことで神秘的な権威づけがされてきた。「はい、分かっています」―筆者の授業も大差ありません。

History Literacy　教室での「各自で読みなさい」の指示に黙読する（音読しない）のは歴史的身体（音でなく意味の偏重）。

③道教の成立

・チャイナの民族宗教　cf. 儒仏道

└ チャイナは階層社会、階層で準拠する思想が異なる

・現世利益を中心する

└ 日本文化の中に、お守り、お札、雨乞い、お中元、などとして影響

・様々な要素を含む

源流は後漢末の民間信仰大平道、五斗米道

老荘思想、神仙思想、陰陽五行説などを含む

・仏教盛行の影響を受け寇謙之が組織化、教団（新天師道）設立

・道士、道観

④清談の流行

・老荘思想に基づく超越的談義

・竹林の七賢（阮籍ら）が中心

⑤学芸

a. 文学

・陶潜（淵明）（東晋）『帰去来辞』＊1

・四六騈儷文　昭明太子選の詩歌集『文選』　＊2 ＊3

b. 書画 ― 芸術とした王羲之、顧愷之　（※）

└ これまで書画は職人の領域（工芸）

・画の横に字を書き込んでいく

└ 写実性は重要せず　└ 余白の観念もたず

・書聖王羲之（東晋）『蘭亭序』　＊4

草書、楷書、行書の三体　＊5

└ 勘違いしやすいが先に草書体ができてその後楷書体ができた

・画聖顧愷之（東晋）『女史箴図』

└「春蚕、糸を吐くがごとし」、原画はないが唐代の模写がアロー戦争で英国博物館に

c. 実学

・地理書『水経注』、農学書『斉民要術』など

d. 歴史書

・陳寿『三国志』（西晋）

└ ただし後世に影響を与えたのは千年後に作られた物語『三国志演義』の方

PROPOS　＊1

会社勤めで「五斗米の為に腰を折らず」―こう言って辞表を出せたらと夢想した人は多いだろう。微禄のために上役に身を屈することを潔しとせず郷里に戻った「隠逸詩人」陶潜。その隠者像が「五柳先生伝」。

PROPOS　＊2

六朝時代に発達した詩文の技法。人間が左右対称なように詩文も対句仕立てが自然とする。騈とは二頭立ての馬。対句を基調とし、一句が4字か6字のためこの名がついた。しかし技巧が優先されるため、次第に内容がおろそかになって文章の迫力を失った。唐代になって司馬遷の文章などの散文を理想とする古文復興運動がおこる。

PROPOS　＊3

美文を集めたアンソロジー。編者の昭明太子による序文「事は沈思に出で、義は翰藻に帰す」。文学の条件は「深い思索から生まれ、美しい言葉によって書かれたもの」と選考基準、当時の文学観を示す。遣隋使が持ち帰った『文選』は以来、日本でよく読まれた。21cに入ってなお元号「令和」が張衡「仲春令月、時和気清」（『文選』）から採られた（正式には『万葉集』が出典）。

PROPOS　＊4

『蘭亭序』は王羲之自ら「神助あり」とした出来映え。真筆は彼に入れ込んだ唐の太宗が墓（未発掘）に副葬する暴挙を働いたため現存しない。唐代の科挙は王羲之の書体で答案を書かねばならず多くの模本が残る。日本画家小林古径は大英博物館で顧愷之『女史箴図巻』を模写。美しい描線の習得に生涯を賭けた。それが『髪』『三宝柑』などの作品に結実している。

PROPOS　＊5

篆書は日常業務に不適（石に刻む字体）。漢代に字の両端が垂れる隷書となる。これは行政用の書体で感情は表現できない（トメ、はねがない）。紙の改良もあり王羲之により草・楷・行の書体が作り出された。

画蛇添足

▼乱世に儒教は無力。魏晋南北朝時代には老荘思想（道家）が受け入れられた。「バラに刺があると不平を唱えることもできるし、刺のある木にバラが咲くと喜ぶこともできる」（トム・ウィルソン）。老荘思想に特有の逆転の発想は現世を少し生きやすくする。▼道家は「無為自然」で生きることを推奨。道教の「道」とは名付けることのできない何かで、説明は難しい。「大義廃れて仁義あり」（老子）と儒教の人為性を否定するための対抗概念。▼人としてのあるべき道。儒学はこれに仁と礼をあげる。ここに作り物のあざとさを見るのが道家。これを人為として退ける。うまくいっている社会に特にルールは必要ない。公園で人為的につけられた歩道。しかし、必ずしも散策者はそこを歩かない。そこには「自然」に「けもの道」ができていく。この道ができるプロセスが「無為自然」。▼「無為自然」が人間にとって理にかなった生き方とする道家。スポーツでも「自然体」がしばしば賞賛される。無理なく自然に打つ、走る、跳ぶ。もちろんそれは決して自然には習得できず、そこには自然に見える仕組みがあるだけかもしれない。▼儒教的な礼教の拘束に反発し、世俗的な政治論を避け、老荘思想を中心とした高踏的な議論（清談）に遊んだ竹林の七賢。清清と風にそよぎ、節を曲げない竹の姿を好んだ。強い力に対してもたわむことでやりすごす竹。そこを好んだ一人が阮籍。世俗の人物は白眼で追い返し、超俗した人物を青眼で歓迎した。▼いま竹林に天敵知らずでストレスなしに生きるのはパンダ。竹林以外では赤塚不二夫が描くバカボンパパ。あるがままを深く首肯―「これでいいのだ」。ただ世の中が全員バカボンパパになったらいったいどうなる。それがこの老荘思想の限界か。

わんクリック　老荘思想に関しては、「生き方のヒント」として著者が語りたい人生訓を語る類書があふれる分野。そういう取っつきやすいものから入って少しずつ本格的なものを読んでいくのは一つの方法。上記、「画蛇添足」の老荘思想とバカボンとの連想はドリアン助川から得た。ドリアン助川『バカボンのパパと読む「老子」』で雰囲気をつかんで、新書レベルの専門家の入門書、例えば湯浅邦弘『入門　老荘思想』などに進むことをお勧めする。人間社会のことを問題にする儒教は小さい、と老荘思想はもっと大きな自然の世界を問題にし、自然の摂理―天道（タオ）を説いた。もっとも「自然」は要注意。

History Literacy　小見出しがミスリードする（文字と絵画を分けるのは欧米文化。チャイナでは詩、書と絵画を区別しない「書画」）。

隋唐帝国の時代 ― 拓跋系国家　＊1

①隋の統一

- 581年、北周（北朝）の外戚楊堅が建国

　└ 漢化政策への反発から北魏分裂、反対派の西魏、北周の流れ

- 589年、陳（南朝）を滅ぼして南北統一
- 都大興城（長安）

②文帝の中央集権化

- 南北朝の諸制度を継承

　均田制（北魏）、府兵制（西魏）を継承

- 官吏登用制度として九品中正にかえて選挙制度

③二代目煬帝の政治

- 大運河の開削 ― いまも一日数千の船が行き交う大動脈

　政治の中心華北と経済の中心江南を結ぶ

　└ 全長2700kmの大運河の北端は涿郡（北京）、黄河と交わる所が開封、南端が杭州　＊2

- 高句麗遠征失敗（3回、612～4）　＊3 ＊4

　└ 煬帝は突厥と高句麗の同盟を警戒

④隋の滅亡

- 大土木工事、急激な改革、高句麗遠征失敗、煬帝暗殺

⑤唐の建国　＊5

- 618年、山西の豪族李淵が建国
- 都長安
- 太宗李世民（626～649）

　└ 李淵の次男、唐建国の功労者、兄を殺して即位（626年玄武門の変）

　律令体制確立、「貞観の治」とされる善政

- 唐の最大領土 ― テュルク系騎馬遊牧民の軍事力活用

　高宗の時、唐は最大版図

　└ 太宗の時、東突厥を支配下に、このトルコ系騎馬遊牧の軍事力活用で建国、対外拡張

　都護府による間接統治（羈縻政策）

　└ 羈は牛の手綱、縻は牛の鼻綱

　朝鮮で百済・高句麗を破り、安東都護府を置く（668年設置）

　西突厥破り西域に安西都護府、ベトナムに安南都護府

PROPOS　＊1

隋を倒して唐王朝が成立するが共に鮮卑系の王朝（李淵は煬帝の従弟）、制度面の連続性も強く、隋唐三百年とするのが一般的。

PROPOS　＊2

中国史で「こうしゅう」と呼ばれる都市は主要なもので三都市ある。市立を「しりつ」と読むと私立と区別できないから前者を「いちりつ」、後者を「わたくしりつ」と読むのが湯桶読み。「くいしゅう」は杭州、「ひろいしゅう」が広州、「にかわしゅう」が膠州。授業であえて湯桶読みするのは他に「科学と化学」「市長と首長」など。

PROPOS　＊3

1回目の使節が軽く扱われた厩戸王子（聖徳太子）は対等に扱われるべく冠位十二階や憲法十七条制定などの国政改革をしたのち第2回遣隋使を派遣。その際、小野妹子に失礼な国書を持たせてしまった（607）。その文言「日出づる所の天子、日没する所の天子に書を致す、恙なきや」『隋書』は煬帝を怒らせた（※）。一人だけの天子を名乗り「日出づる所」の高所、上から目線のため口「恙なきや（元気ですか）」に呆れながら、煬帝は裴世清に返信を持たせた。日本が高句麗と結ぶことを警戒した。

PROPOS　＊4

隋がチャイナを統一できたのは突厥が東西に分裂して弱体化したから。再び勢力を盛り返した突厥が高句麗と連携しないように高句麗遠征。その負担に耐えかねた人びとの反乱が各地で起こる。揚州に避難して酒宴に明け暮れた煬帝は家臣に殺された。

PROPOS　＊5

この時代（7~8c）、日本では8代6人の女性天皇が続く。「日出づる処の天子」は東アジア最初の女性君主推古天皇。36年間在位。その補佐が甥の厩戸王。白村江の戦いに百済救援軍を出したのは斉明天皇（派遣軍遠征直前に崩御）。天武天皇とともに律令国家の基礎を築いた持統天皇など。

画蛇添足

▼父と兄を誅殺して即位した隋の二代目皇帝「煬帝」。皇帝の諡に火扁の字が使われるのは異例。これを日本では「ようだい」と読み、「こうてい」と呼ばないことで彼をさらに蔑む。正史に淫行無度（淫らさに際限がない）とある。何をしたらここまで書かれるのか気になる。▼唐の二代目皇帝が太宗李世民。兄建成を殺害して皇帝に即位。同じ肉親殺しだが太宗は「善政」を行った「名君」と誉れ高く、隋の煬帝と評価が真逆。短かった隋の歴史を書いたのは唐。王朝簒奪を正当化する必要があった。▼太宗がどこまで懐の深い名君だったのか。出発点の汚点を取り戻そうと改心したのか。それとも相当な美化が施されているのか。功績を太宗に帰したすぐれた臣下にも恵まれた。諫臣の魏徴、深謀の房玄齢、決断の杜如晦。名君を賢臣が支えた理想の「善政」は貞観の治と呼ばれる。▼太宗と臣下の政治問答『貞観政要』はトップに立つ者の必読書。「創業と守成のどちらが困難か」の問いで知られる。問われたのは守成のありかた。「名君と暗君の違いは」の問いに魏徴は「名君の名君たるゆえんは広く臣下のことばに耳を傾けることです」と応えた。▼魏徴は太宗へ諫言できた。太宗が耳を傾けたからだという。その魏徴が君命を帯びて反乱軍を討つために函谷関を出る時に吐露した心情が「人生意気に感ず　功名誰かまた論ぜんや」。魏徴の詩「述懐」の最後にある。▼『貞観政要』には人びとが考える理想の君主像が描かれており、後世に多大な影響を与えた。源頼朝、徳川家康から歴代天皇にまで読まれた。最近の政治家はどうなのだろう。「その暗き所以の者は、偏信すればなり」（お気に入りの臣下の言葉だけしか信じないのが暗君）と魏徴は続ける。

わんクリック　多くの前近代的国家では領域内を一元的に支配することはない（領土でなく版図と表現する）。中心部の支配ができても周辺にいくほどに拠点と交通路だけの支配となる。交通路は水系である場合が多い。最大版図といっても全域の実効支配ではない。唐の場合も都護府は現地官の任命。羈縻政策といって馬や牛をつないでおく紐にたとえて、その紐の伸びる範囲なら自由に活動が許される間接統治。都護府が唐の官職を返納すれば領土は風船のように縮小する。実際に東突厥再興（682）で唐は「世界帝国」と呼べる状況ではなくなる。世界帝国と呼べる状態はせいぜい25～50年程度。

History Literacy　勝手な歴史として切り取らない（戒め読み）（煬帝の不興を買った無知外交を「対等外交の鑑」としたら何も学べない）。

⑥唐代の制度と文化

律令体制

a. 中央官制

三省六部（さんしょうりくぶ）

中書省：詔勅の起草（しょうちょくのきそう）

皇帝　門下省：詔勅の審議…門閥貴族の牙城（がじょう）「封駁権（ふうばくけん）」

尚書省：詔勅の実行

六部（りくぶ）（吏・戸・礼・兵・刑・工）　＊1

御史台（ぎょしだい）

b. 地方官制

・州県制（道―州―県）

c. 法典の整備

・律（刑法）・令（それ以外）・格・式

└「格式ばった」の語源

d. 官吏登用制

・科挙　秀才・進士・明経科（めいけいか）など　＊2

父の官位に従って任官できる蔭位（おんい）の制

⑦律令体制の基盤　＊3

a. 均田制（北魏起源）― 土地制度

└ 実際にどの程度実施されたかは不明、「均田」は後世の司馬光の概念

成年男子（丁男）へ土地（口分田（80畝）・永業田（20畝））支給

└ 併せて100畝（5.5ha）で広いがこれだけないと食べられない土地の生産性の低さを示す

官人営業田あり

b. 租調庸 ― 税制度

租（穀物）、調（特産物）、庸（中央官庁の労役）

└ 年間20日、調で代納可

雑徭（ぞうよう）（地方官庁の労役）

└ 年間4~50日の負担で最も重い、「ぞうよう」の読みがよい（「ざつよう」は別の意味）

c. 府兵制（西魏起源）― 兵制度　＊4

均田農民を折衝府で訓練、防人（辺境防備）・衛士（都の防備）に

└ 約600カ所、総勢60万人　　└ 今も国会の警備は衛視

租調庸雑徭は免除されるが、武具自弁

PROPOS ＊1

科挙の試験を実施したのは礼部。採用は吏部。今の官僚の採用も同じ。国家上級試験に合格した者は各省をまわって採用面接を受ける。ところで当時、この吏部に門閥貴族が影響力を持っていて、受験生の身のこなし、言葉遣いなどをみた。この人事権と封駁権が門閥貴族の権力基盤だった。

PROPOS ＊2

宮崎市定『科挙 中国の試験地獄』(1963)は読みやすい名著。図表が掲載する有名な「カンニング用下着」は同書が紹介。四書五経とその注釈全60万字を細かい楷書でシャツの表裏全面に詰め込んだ努力の結晶。京都の藤井斉成会有鄰館（さいせいかいゆうりんかん）が所蔵。秋にだけ公開。一方「最も美しい科挙合格答案」とされる清代の乾隆37(1772)年殿試で首席合格した金榜（きんぼう）の答案が圧巻。美しい楷書に見とれる。最優秀答案は他の答案の上に置かれた。他の答案（巻物）を圧するので圧巻とされた。いまでも解答用紙に「解答は楷書で書きなさい」と指示があるが、そこでいう楷書とはこのような文字のこと。東京の東洋文庫で常設展示。いわば歴史の表裏の展示だが、いずれからも勉強しようという気持ちにさせられるのが不思議。

PROPOS ＊3

均田制、租調庸制、府兵制は一つが崩れればすべて機能しない三位一体の関係。しかし実際にどの程度施行されていたのか。均田制の機能は限定的とされる（※）。

PROPOS ＊4

徴兵忌避のために若い頃に、大きな石で自らの腕を叩き折った老人を歌った白居易の歌（新豊の臂（うで）を折りし翁）。鬼哭啾啾（きこくしゅうしゅう）―これは杜甫の『兵車行』の一節。「君見ずや　青海の頭（ほとり）　古来　白骨　人の収（おさ）むる無く　新鬼は煩冤（はんえん）して旧鬼は哭（こく）し　天陰り　雨湿やかに　聲（こえ）啾啾たるを」。唐発展の陰の均田農民の犠牲。眼前の生々しい事実を生々しい言葉で語る写実性に優れていた。カメラの登場で言葉による描写力は低下する。

画蛇添足

▼国を動かすやりがいのある仕事が官僚。官僚をどのように採用するかは多様。いま霞が関で官僚として国家行政に携わるためには国家公務員試験総合職に合格すればよい。大学を卒業していれば誰にでも門戸が開かれている。▼とはいえ、日本社会の最難関試験。合格は容易でない。書店で過去問題集を手に取ってみれば、その難度に驚き、官僚を見る目は変わる。広く開かれた試験を実施すれば幅広く有為な人材を集められる。▼この試験は中国で千三百年間続いてきた科挙をモデルに導入した高等文官試験（1894）が起源。逆に言えば日本は科挙を導入しなかった。能力よりも血、血よりも家を重視した日本社会。官僚制は明治中期以後から本格稼働。政治は二流、三流の日本を実質的にまわしたのは官僚。▼日本の採用直後、中国は科挙を廃止（1905）。科挙を生み出した中国はいま共産党一党独裁。共産党員でなければ官僚になれず、腐敗が問題となっている。ただあの経済成長の背後に相当に優秀な官僚たちがいるのは間違いない。アメリカの官僚は政治任用。政権交代の度に大統領が指名した数千人の官僚が前任者と交代する。第七代ジャクソン大統領が導入した猟官（りょうかん）制度。政策の一貫性をある程度損なうが腐敗は防止できる。▼どのようにして有為な人材を採用するか。中国の歴代王朝の試行錯誤に未だに答えはない。推薦（郷挙里選・九品中正）かペーパーテスト（科挙）か。テスト秀才と実務能力は別物。日本の官公庁はテストで採用したあとで推薦で昇格させていく運用をする。大学も学生の獲得に同じ問題を抱える。推薦入試か一般入試か。高校教師の立場から見ても甲乙つけがたい。誰もが点数化できない力を持っている。

わんクリック　科挙の出発点は、皇帝が門閥貴族勢力に対抗できる人材を登用しようとしたことにある。今、日本では政治家の二世、三世が政権与党国会議員の3分の1を占める世襲王国。政権中枢にいくほど世襲の割合が大きく、門閥貴族化が進む。歌舞伎役者と政治家が日本の二大世襲家業になっている。さらに官邸（政治）優位で官僚の人事権を抑えて官僚支配も進める。官僚は試験で採用されただけで、選挙で国民の負託を受けた存在でないから官邸（政治）優位が民主主義の理念には合致しているが、問題はその民主主義の運用面での劣化。著しく適格性を欠く政治家が選ばれる制度的欠陥がある。

History Literacy　制度が制定されても、それがどのように運用されたか（額面通りか、抑制的か、されなかったか）は別問題。

唐の社会と文化

①社会

・都長安の繁栄

人口 100 万の国際都市、基本的に政治都市、坊市制

└ 8c 当時は他にバグダードのみ

・東西貿易

陸路…ソグド人の活動　＊1

└ ソグディアナ地方、「砂漠の船」ラクダの利用　＊2

海路…イスラーム商人の活動

└「海のラクダ」ダウ船の利用

港市の発達

貿易管理機関として広州に市舶司設置

外国人居住区（蕃坊）設置

└ ササン朝滅亡 (651) で多くのペルシア人が唐へ

・貨幣経済の発達

送金手形として飛銭　＊3

②文化

a. 特色

・貴族的文化、国際的文化

b. 宗教

・仏教　帝室の保護、留学僧による教理研究

玄奘『大唐西域記』（往路 ― 陸、復路 ― 陸）　＊4

└ 義浄『南海寄帰内法伝』（往路 ― 海、復路 ― 海）

会昌の廃仏など仏教弾圧も

└ 道教に傾倒した武宗による会昌年間 (9 c 中頃) の弾圧

・道教　帝室の保護（老子の姓が帝室と同じ李のよしみ）

・「三夷教」の西漸

ネストリウス派（景教）、ゾロアスター教（祆教）、マニ教（摩尼教）

└ 大秦寺に『大秦景教流行中国碑』　＊5

c. 儒学

・訓詁学の発展、孔穎達が『五経正義』編纂

PROPOS　＊1
唐とイスラームの国境地帯、ソグディアナ地方（サマルカンド中心）を拠点に中継貿易で活動したソグド商人。当時はこのあたりまでイラン世界（イラン語圏）。ソグド人に関しては不明な点が多い（文字なし）。ゾロアスター教徒が多かったが、仏教徒、景教徒もいた。子どもが生まれると口に蜜を含ませ、手に膠を持たせたという。口から甘い言葉が出るように、いったん手に入れた利益は絶対に手離さない商才を育てるためという。商人だけでなく武人としても北朝、隋唐などの政権中枢部に入り込んだ。

PROPOS　＊2
砂漠の船ラクダ。時速 4km で 200kg 前後の荷物を積み一日 50km 近く移動できる。こぶは脂肪。砂漠でこれを取り崩してエネルギーに転換。日本には百済から到来。

PROPOS　＊3
紙幣の前提条件として、紙の普及、印刷術の一般化、が必要。さらにそれ自体に価値がない紙切れに価値を持たせるためには政府の信用がなければ流通しない。金銀を持っての長距離移動は危ない。民間発行の為替手形、飛銭が紙幣の先駆的形態。

PROPOS　＊4
玄奘の 17 年にわたる旅行は貞観の治の時代。原典を求めて国禁を犯して出国。ナーランダ僧院で学び、ハルシャ・ヴァルダナ王に講義。持ち帰った経典を翻訳。鳩摩羅什の漢訳仏典を改訳。今も使われる。

PROPOS　＊5
西安の碑林。石碑に刻まれた漢字の総数 65 万字。漢字辞典の中を歩く感覚。『大秦景教流行中国碑』もある。知らないものに関心を持たないのが人間。どれだけ「それをどこかで見たことがある」「どこかで聞いたことがある」経験をしているか―他の考え方、他の見方がある、と知っているか―それが教養。何かと接した時にそれをひっかけるためのフックを身につけよう。

画蛇添足

▼「中国五千年の歴史を知りたければ西安（長安）に、五百年の歴史なら北京に、百年なら上海に行け」という。冷戦時代、東側は「鉄のカーテン」、中国は「竹のカーテン」の帷の中にあり、隣国だが簡単には旅行できなかった。▼鄧小平の改革開放政策（78）で主要都市が外貨獲得のため外国人に開放されはじめた。個人旅行は許されていなかったが、当時の自由都市英領香港に行けば入国ビザがとれた。86年雀躍して初めて中国の地を踏んだ。当時は日中友好の時代。南の玄関口広州から千年の歴史が待つ西安に直行、駅前の解放飯店のドミトリーに投宿した。メモに一泊10元（400円）とある。▼ここに1週間滞在して16の王朝の都が置かれた古都を満喫。当時の中国、とりわけ内陸部は貧しかった。どの時代に迷い込んだのか判然としない砂塵舞う街中を、同部屋になった香港人と自転車を借りて走り回った。▼郊外は1日バスツアーに参加した。新石器文明仰韶文明を代表する半坡遺跡から現代史の謎、西安事件の舞台華清池まで、途中、周の幽王の狼煙台（旧鎬京）、始皇帝陵、兵馬俑（旧咸陽）に立ち寄った。すべてが指呼の距離。五千年をバスでめぐってわずか5元（200円）だった。▼半坡遺跡は深い濠で囲まれ、長安旧市街は見上げるばかりの高い城壁で囲まれていた。当初は虎など野生動物の侵入を恐れ、直に夜盗（人間）の方が恐ろしいと知ったのか。兵馬俑の劇的な発見から10年少し。公開されたばかりだった。彫が深く一つとして同じ表情を持たない六千体の等身大の人形俑が始皇帝を守る（※）。彼は何を恐れたのか。チャイナはどこかで殉死者を俑に変えた。経済発展した中国はいま世界最大の軍事大国。何を恐れているのか。

わんクリック　チャイナでは「三武一宗の法難」（仏教側からの言い方）とされる激しい仏教弾圧が幾度かあり、いままで続く仏教は禅宗ぐらいになっている。弾圧は皇帝が道教に振れた時に起こりがちだが、経済的な問題も大きかった。仏教は教団を組織、寺院という皇帝権が入れない空間を作る。それが国家財政を減少させることが警戒された。天台宗は最澄、真言宗は空海により日本に伝えられて日本で存続。日本は一向宗（浄土真宗）のような一神教的傾向のある仏教は警戒から弾圧されることもあったが（西本願寺と東本願寺への分割）、総じて仏教弾圧は強くなく、日本で多くの宗派が重層的に残った。

History Literacy　「一つとして同じものがない」―作れなかったのか、作り分けたのか、相反する見方が可能。

d. 詩文　＊1

・盛唐期 — 詩仙李白、詩聖杜甫、王維　中唐期 — 白居易『長恨歌』

・古文復興 (四六駢儷体への批判)

└ 技巧的、装飾的な文体ではなく漢代の素朴な達意の散文に戻るべき、という主張

・唐宋八大家　韓愈 (韓退之)、柳宗元

└ 古文復興とは仏教を排斥し儒教の復権をはかることでもあった

e. 書画

・唐初三大家 — 欧陽詢、褚遂良、中唐期 — 顔真卿　＊2

f. 陶磁器

・唐代より窯業発達　唐三彩の製作　＊3 ＊4

広がる中華文明

①雲南地方

└ 中国とインドを結ぶ交通の要衝でチベット・ビルマ系民族が居住

南詔 (8c ~ 10c)　唐代に大理を中心に交易で繁栄

②チベット高原

・古代チベット帝国の出現 — 中国史書で吐蕃

7cチベット高原にソンツェン・ガンポが建国

250年にわたり多民族帝国として強盛

唐の都長安を一時占領 (763)

唐の太宗の娘が和蕃公主として降嫁 (文成公主)

└ 他地域では普通の国際結婚、中華思想のため「降嫁」

チベット仏教 (ラマ教) 成立、チベット語の発明

→チベット文化圏成立

③ベトナム

・漢代より支配続く、唐代には安南都護府が設置

朝鮮半島と日本列島

①衛氏朝鮮

・衛氏朝鮮 (前2c) →漢の支配 (楽浪以下四郡)

・高句麗 (前1c ~ 7c) の発展

半島北部 ~ 中国東北地方、楽浪郡を滅ぼす (313)、広開土王 (4 ~ 5c) 時最盛期

PROPOS　＊1

杜甫と李白については高島俊男『李白と杜甫』がよい。加えて『お言葉ですが』シリーズが漢字の知識がついて面白い。揚子江の水面に映った月を抱きしめようとして溺死した李白。すべては月下の出来事。白居易の易は平易の易。文字の読めない老女に読み聞かせ、理解してもらえないところは書き改めた。日常のささやかな喜びを主題とする (閑適詩) という主題の平易さもあり大きな影響力を持った。唐詩が盛んになったのは科挙の進士科の試験に詩の創作が課せられたため。いま世界史は受験科目からはずされようとしている。何が起こるか。

PROPOS　＊2

楷書の名品は欧陽詢『九成宮醴泉銘』。小中学校での臨書のお手本。引き締まった優美で端正な字体。楷書の完成は褚遂良。

PROPOS　＊3

19cの鉄道工事で、埋葬されていた三色に彩色された陶器が多く出土。唐三彩と命名。かつては中国土産の定番だった。かさばるのでもらっても処理に困る「いやげもの」(みうらじゅん) の典型。もともと副葬品。土に返せばよいと結論。埋葬して事なきを得た。出土した唐三彩から当時の風俗の様子がうかがえる。西安の永泰公主墓、壁画「宮女図」は唐代の女性群像の傑作。ふくよかな頬、おちょぼ口、切れ長の目、三日月眉が当時の「美人」のデファクト・スタンダードになった。高松塚古墳壁画や正倉院の鳥毛立女図屏風と比べれば、唐文化を手本に日本の天平文化が花開いたこと、唐文化の国際的広がりがよく分かる。

PROPOS　＊4

土が素材なので陶器でも素焼き段階では微細な孔があるため吸水性がある (植木鉢に使える)。この陶土にある種の石の粉末を塗って焼くと表面が溶融してガラス質でコーティングされる。強度、防水性といった実用性が高まり、また艶がでて美しくなる。これが釉薬 (ゆうやく、うわぐすり)。

画蛇添足

▼南詔、大理に関連してしか言及されない雲南。日本とほぼ同じ広さ。全体として二千mほどの高地。ここには長江、メコン、イラワディなどアジアの大河の源流が深い峡谷を刻み、その中に大小の盆地が点在する。しばしばシャングリラ(桃源郷)と形容されてきた美しい地域。こういう地形のところで大国家は形成されない。▼雲南に国家ができて唐王朝と交渉を持った、と教科書は書く。しかし大切なのは、こういった名称を覚えることではなく、このような大国家が形成されなくとも人びとが豊かに生活していける地域がそれなりに存在していると理解すること。国家が形成されないと安定しない、という知見は基本的に温帯平地で展開された歴史に帰するもの(※)。私たちを縛る温帯平地史観を相対化したい。▼いまも雲南地方には多くの少数民族が暮らす。「少数」民族であるとは、その程度に豊かだったということ。こういうところに多彩な文化が生み出される。しかし国家に随伴されない文化を歴史教科書がとりあげることは少ない。▼多様な少数民族が暮らすシーサンパンナ(西双版納)。赤米、なれずし、納豆、味噌など馴染みの深い食文化が展開され、ここに日本の原風景を重ねる人も多い。大理というペー族の街。大理石の産地。気候は温暖、人びとの気質も穏やか。北西高原のナン族が暮らす麗江。間近に6千m級の神々しい山が迫る美しい古都。ずっと居たくなる長閑さ。▼常春の国があると聞いて移住した養蜂家。すると春に懸命に蜜を集めていた働き蜂たちが蜜を集めなくなり、当てが外れたという逸話がある。働き蜂の勤労観すら変えてしまう長閑さ。世界史教科書は事件のない、こういった地域の人びとの暮らしに無関心。

わんクリック　高句麗はいまの北朝鮮と中国の東北部にまたがる—現在の国家領域と異なる地域枠組み。高句麗がチャイナ史に含まれるのか、朝鮮史に含まれるのかで、中国と韓国の間で論争がある。高句麗が存在した時にいまの韓国も中国も存在しない。今の国家の領域を過去に投射するまったく不毛でナンセンスな政治的論争。そのような論争とは距離をおいて、いまの国家の枠組みと違う枠組みがあったことを知り、現在を絶対視しない視点を得ることが歴史学習の目的の一つ。現在の中国、北朝鮮、ロシアをまたいで存在した「渤海」も国民史を相対化する存在。渤海は渤海、どの国の前史でもない。

History Literacy　歴史は温帯平地に適合的な価値観 (国家形成が地域を安定させる、などの知見) に支配されている。

②朝鮮半島

・百済 (4 世紀前半 ~ 660)　＊1

「日本」に仏教など、先進文明を伝える

└「仏教公伝、御参拝 (538)」　└ 倭国の協力を得て半島で生き残ろうと画策

新羅と唐の連合軍により征服される (660)

白村江の戦い (663) ―「日本」最初の対外的危機　＊2

「日本」は百済に援軍するが唐・新羅の連合軍に大敗

・新羅 (前 57 ~ 935) による半島統一 (676)、首都慶州

└ 唐は安東都護府を平壌から遼東へ後退

唐の律令体制、都城制度を導入、身分制度骨品制

仏教美術の発達 ― 仏国寺の石塔、石窟庵石仏

③満洲

・渤海 (698 ~ 926) ― 中国から「海東の盛国」

高句麗滅亡後、遺民大祚栄が遺民をまとめて建国

唐の律令体制を導入、狩猟と農業が生業

日本海を挟んで日本と交流

└ 遣唐使 (20 回) だけでなく遣新羅使 (28 回)、遣渤海使 (14 回) も行われる

④日本

・中央集権化急ぐ、「日本」国号、「天皇」称号の成立

└ 白村江での新羅・唐の復讐に備える (結果的に両者対立のため日本侵攻行われず)

・遣隋使、遣唐使による大陸文化の流入

律令体制、平城京、均田制の模倣 (班田収授の法)、天平文化

唐の滅亡

①武周革命 (690 ~ 705)

・「則天武后」が帝位に、国号を周へ (「武韋の禍」)　＊3

└ 病気がちの凡庸な高宗 (最大版図時) の皇后　└ 武周革命

科挙合格者の積極的任用などの改革　＊4 ＊5

②玄宗の時代 (712 ~ 756)

・中興期 (開元の治)、文化史上では最盛期 (盛唐)

└ 李白、杜甫、顔真卿らの活動した時代を起点にみる

・タラス河畔の戦い (751) で製紙法西伝

PROPOS　＊1

詩人茨木のり子『ハングルへの旅』。ふるさとの言葉を習っているような詩心に溢れた書。朝鮮文化を体現する格言を紹介。「水は深いほど音をたてぬ」「行く言葉が美しくて返る言葉も美しい」「旧官が名官」「人と山は遠くで見るに限る」など (※)。

PROPOS　＊2

ここの叙述はおかしい。百済を支援したのは「倭」。白村江の戦い (663) で敗北して撤退、唐･新羅に侵攻される危機に直面。中大兄皇子 (天智天皇) が国号「日本」、称号「天皇」、元号などを制定。律令国家「日本」の体裁を整えて侵攻に備えた。そして初めて「日本国」を名乗り、遣唐使を再開。「日本」が使えるのは、白村江の戦いの後。

PROPOS　＊3

海に守られ、他民族による殺戮を受けることなく穏やかな国民性を培ってきた日本では外圧がない限りは内在的な変革が起こりにくい。変革をもたらした外圧は白村江の戦いの敗北後の唐王朝の脅威、2 度の元寇、そして幕末の黒船来航の 3 回、程度。

PROPOS　＊4

History を His・Story と分節して、歴史とは男性史と指摘されることがある。実際、歴史教科書にはほとんど女性が登場しない。男性中心社会ゆえ、①女性が活動する場所がなかった、②女性が成果をだしても正当に評価されなかった、ことによる。世界史の知識は男性中心。世界史を学ぶほどに偏見が強化される。武則天は皇帝に即位しながら「則天武后」、皇后として叙述され、その治世は「武韋の禍」と否定される。

PROPOS　＊5

凡人の高宗に求められ玉座の背後から助言 (垂簾政治)。出自が低く、貴族は反発。権力闘争のため科挙を利用して優秀な人材を選抜。彼女に登用された官僚が後に開元の治を支えた。権力欲の強さが強調されるがそれは権力者の特徴。そこに性差はない。

画蛇添足

▼宗主国は植民地に本国以上に立派な建物を建設して相手を圧倒、気後れさせる。大日本帝国が建てた朝鮮総督府はソウルの王宮内に建てられ、その威容で街を睥睨してきた。戦後、恥辱の象徴として取り壊されるまでは国立歴史博物館として活用されてきた。▼この博物館では百済室に新羅室が続き、両室はあまりに対照的だった。瓦礫の展示が目立つ百済室と絢爛たる純金の装飾品の数々が並ぶ新羅室。見えるものに我々の眼は奪われる。今でも輝きを失わない純金の装飾品は眩い。閑散とした百済室と違って、新羅室には人だかりがあった。▼百済の人はここでくやしい思いをするという。百済室の展示が瓦中心なのは新羅と唐の連合軍に敗れ、新羅によって焼き尽くされ、礎石など役立つものは持ち去られ、役に立たない瓦だけが残されたため。▼瓦礫も見るべき人にとっては歴史を物語る瓦歴として見えるはずではある。そのような眼を持つ人に微笑むのが百済の古仏。日本文化のふるさと百済の中心地扶余に行けば微笑みを湛えた石仏に出逢える。日本の中宮寺や広隆寺でもなじみ深い、あるかなしかの古拙の微笑。ギリシアのアルカイックスマイルと双璧を成す。▼日本の国宝第一号は飛鳥時代の半跏思惟像(京都広隆寺)。これは新羅の金銅弥勒菩薩半跏思惟像と瓜二つ。日本の仏教美術の源流が朝鮮にあったことを示す。この新羅仏にも百済の微笑が受け継がれている。▼日本では高句麗を「こうくり」、新羅を「しらぎ」と現地語読みに即して発音するが、百済は「ひゃくさい」読みもあるがもっぱら「くだら」と発音してきた。これは日本が百済をクンナラ(大国)と尊称した名残ともされる。日本との関係の深さが背景にある。

わんクリック　百済の滅亡、新羅の滅亡―朝鮮半島で政権交代がある度に、人々は先進技術を携えて日本列島に亡命。仏像とともに仏教が伝えられた。人々は仏像にさぞ驚いたことだろう。それまで日本にこのような精巧な人型の像はなく、それを拝む習慣もなかった。しかし以後の日本で、仏像と切り離した仏教は考えられない。日本文化ほど豊饒な偶像崇拝文化はない。筆者は亀井勝一郎『大和古寺風物誌』、土門拳『古寺を訪ねて』を片手に古寺巡礼した世代だが、仏像を見てはいちいち驚き、喜ぶ基本姿勢を堅持している、いとうせいこう、みうらじゅん共著『見仏記』が仏像探訪の王道、いや仏道だろう。

History Literacy　遠いものはよく見える (「旧官が名官」「人と山は遠くで見るに限る」)―時空の遠近法の読解法が不明。

③均田制のいきづまり

・募兵制への移行

└ 均田農民の徴兵困難で府兵制実施困難

辺境に駐兵した軍鎮の司令官（節度使）を 10 カ所に配置

晩年の玄宗は楊貴妃を寵愛、節度使安禄山重用　＊1

・安史の乱（755 ~ 763）

三節度使を兼任した安禄山と史思明が挙兵　＊2 ＊3

└ ソグド、モンゴル系、トルコ系遊牧民などの諸族連合軍

都長安を陥落、安禄山の死、ウイグルの援助などで鎮圧

└ 玄宗は楊貴妃と四川に向け逃避行　└ 唐朝も反乱軍と同じく諸族連合軍を組織

→華北は荒廃、経済の中心江南地方は無傷

└ このため唐はその後 150 年続く

→乱平定時に内地にも節度使（藩鎮）設置

└ 藩屏（防備のための囲い）のための軍鎮の意

④律令体制の崩壊

・均田制の崩壊（8c 初より）

安史の乱で加速

→府兵制、租調庸制の崩壊

→募兵制（8c 中頃）へ移行、両税法の施行

・両税法（780 年 ~ 明代）

宰相楊炎の提案

内容　現実の土地所有に応じて課税

夏秋の二期に課税、銅銭納と穀類の二本立て

└ 両税法の名前の由来、華北と江南で収穫期が違うため

意義　大土地所有進展

⑤唐の滅亡　＊4

・安史の乱後（760 年代 ~ 830 年代）は唐、ウイグル、チベットの三勢力が鼎立

・宮廷で宦官・外戚の争い、藩鎮（節度使）が事実上、独立勢力へ

・黄巣の乱（875 ~ 884）　＊5

塩の密売商人王仙之、黄巣が指導

全国に波及、江南が打撃

・907 年、節度使の朱全忠が唐王朝を滅ぼす

PROPOS　＊1

出会いの時、玄宗 61 歳、楊貴妃 27 歳。権力者の醜い老いらくの欲望が後に文学の力、白居易『長恨歌』で悲恋ロマンスに高められた。早朝に政務をとるので朝廷とされたが玄宗は次第に出てこなくなる。

PROPOS　＊2

辺境の募兵集団を指揮するのが節度使。敵情に詳しい非漢人が任命されることも多かった。安禄山はソグド人。ソグド商人の資金力で強大な軍事集団を率いて時の宰相楊国忠と対立。「明を思う」という名の史思明。ゾロアスター教徒との憶測もある。

PROPOS　＊3

安史の乱で最後まで官軍にあって戦った硬骨漢、と言いながら筆者が「顔真卿」と楷書で板書すると、「卿」が教科書に書いてある字体と違います、と指摘された。教科書は活字体という簡略化された字体が使われている。複雑な字は物理的に彫れない。手書き時の字体が楷書体。実際に顔真卿の真筆が図表に掲載されているので確認しよう。彼は「卿」（楷書）と署名している。活字字体と手書き字体は別物（※）。

PROPOS　＊4

唐衰退期の詩人杜牧。科挙受験生でありながら天子を諌めた。「六国を滅ぼすのは六国なり　秦に非ざるなり　秦を族するものは秦なり　天下に非らざるなり」（『阿房宮の賦』）。衰退原因を内因にみる洞察力。杜牧はまた敗れた項羽に捲土重来を期した（『題烏江亭』）。失敗した者が盛り返すこと。

PROPOS　＊5

ウイグルに支払う莫大な報酬のため唐は塩を専売、価格を吊り上げげた。塩は生活必需品のため密売が横行。それを取り締まる費用が塩価格に転嫁されて価格は高騰。高騰するほどに密売の需要も利益もあがる悪循環。密売商人は摘発に備えて武装した秘密結社を全国に張りめぐらせる。それを一般の人びとが支持。塩の密売商人が挙兵。

画蛇添足

▼90年代巨漢で圧倒的に強かった関取が小錦（ハワイ出身）。当時の相撲協会の差別体質ゆえ横綱になれなかった。まだ外国人横綱には抵抗があった時代。ある学校に勤務していた時、体育大会でデコレーションを作ることになっていた。▼あるクラスが、当時無敵の小錦関を高校生が寄り切る絵を大描きした応援パネルを制作した。その横に「何のこれしき」と力強く書き添えてあったのが爽やかだった。翌年だったか。「愛は地球を救う」という番組が恒例化されはじめた頃、柔道着姿の高校生が地球を投げて一本決める絵が登場した。その横に「愛は地球をすくい投げ」。当時のもやもや感を吹き飛ばす快作だった（高校生のしたことですので御海容下さい）。▼安禄山は小錦級の巨漢。三百キロはありそうな体。その突き出た腹に何が入っているのかとたずねる玄宗に「帝への真心だけです」と応えて寵を得ようとし、玄宗も目をほそめた。▼結局、求めた寵が得られず、安禄山が反旗を翻した時、官軍は恐れをなして四散。この時、官軍にあって「何の」と立ち上がったのが顔真卿。書体に似た剛直な生き様だったという。「書は人なり」と書体を人格の反映とみるのは顔真卿（楷書体）への欧陽脩の評価に由来する。漂泊の詩人李白は南方を旅行中で難を逃れた。王維は陶淵明の詩風をつぐ自然派詩人。心ならずも反乱軍に加わり挫折詩人となる。▼杜甫は人びとの姿を目の当たりにして社会派詩人として生まれ変わる。『春望』は荒れた都長安をうたう。「国破れて山河あり　城春にして草木深し　時に感じては花にも涙をそそぎ　別れを恨んでは鳥にも心を驚かす」。安史の乱は、盛唐期の詩人たちを巻き込む大乱となった。中国で城とは都市のこと。

わんクリック　「国」の正字は「國」で、これはある地「域」を城壁で囲ったものを表す。実際に城壁で囲まれるのは都市。チャイナだけでなく海外の都市はかなり高い城壁で囲まれる。落城したら城門の鍵を相手に手渡す。日本は古代から象徴的な存在として門は置いたが、城壁は作らなかった例外的な国（門構えだけにこだわる）。千年の都京都も城壁で囲まれていない。必要なかった。異民族の侵入が一度しかなかった歴史が作った、現在に続く緩い防衛意識（世界標準としたい）。したがって日本で城内と城外を分ける発想、例えば「城内平和」という発想は弱い。日本は国内、海外という分け方が一般的。

History Literacy　見えているが「見えないことになっている存在」が舞台の黒子—歴史叙述では「語り手」と字体。

4　騎馬遊牧民国家の興亡

騎馬遊牧民の社会

①遊牧の誕生

- 1万年前、草原地帯で遊牧という食料生産がはじまる
  - └ 衣食住を家畜に依存（「生きた魔法の缶詰」（江上波夫））、ただし食べたのは肉でなく乳

②騎馬遊牧民の登場

- 前9～8世紀、騎乗する技術の発明
  - └ 農耕民に対して軍事的に圧倒的優位

馬の口の中の構造（歯槽間縁）の発見

→ハミ（銜、轡）をかませ（その両端に手綱をつける）て馬を操縦、鐙も発明

└ 直線状の金属棒　　└身体の安定

→騎馬遊牧民の登場

スキタイと匈奴

①騎馬遊牧国家の登場　（※）

- 文献上は南ロシアのスキタイ人（前6c頃）が最初の騎馬遊牧国家
  - └ ヘロドトスの叙述　└ 金属器文化、動物文様　└ 実際はもっと古い
- 「草原の道（ステップ）ルート」の成立
  - └ 16世紀に海域世界の交流が盛んになるまで世界はこの道を媒介につながっていた

②モンゴル高原の騎馬遊牧国家　＊1

└ 今日の名称、当時はトルコ系民族の本拠地で「トルコ高原」

- 前4世紀頃（中国は戦国時代）、モンゴル高原諸民族が騎馬遊牧化
  - └ 馬は乾燥・寒冷仕様、熱帯・亜熱帯での使用は不適

匈奴、烏孫、月氏　＊2

匈奴は冒頓単于の時、全盛→ のち東西・南北分裂　＊3

- 鮮卑（4世紀）→柔然（5世紀）→突厥（6世紀）→ウイグル（8世紀）
  - └ モンゴル系　└ モンゴル系　└ テュルク系　└ テュルク系
- 農耕社会との接触不可欠

遊牧社会は農耕社会で産するものなしに自立できず

→平時は交易、非常時は略奪、遊牧社会のリーダーは公平に分配

PROPOS　＊1

内陸アジアの地形をグーグルアースなどで確認しておこう。日本列島と同じ大きさの天山山脈（東西2000km以上、南北150～350km）。天山山脈とここからアラル海に注ぐシル河の線で南北を分ける。その北が草原地帯（モンゴル、ジュンガル、カザフ、南ロシア、ウクライナ、ハンガリーの各草原）で草原の道（ステップルート、天山北路）がここを通る。北京から黒海まで1万kmの高速ルート。フン（4～6c）、アヴァール（6～8c）、マジャール（9～10c）、モンゴル（13c）はここを騎乗して駆け抜け、歴史を変えた。先の南北分割線の南側には砂漠ベルト地帯が東西に広がる（ゴビ、タクラマカン各砂漠）。その北縁がオアシスの道（天山南路）。

PROPOS　＊2

「匈奴」「蒙古」といったマイナスのイメージの漢字をあてられた集団。漢字の分かる私たちは偏見をもたされているので注意。

PROPOS　＊3

匈奴は東西、次に南北分裂。北匈奴が西進して他の遊牧集団も糾合して「フン人」とされる集団になりゲルマン人の移動のきっかけとなったらしい。南匈奴は華北に侵入して西晋を滅ぼす（永嘉の乱）。匈奴は冒頓単于以降、6世紀間、影響力を持った。

PROPOS　＊次ページ

「オアシスの道（シルクロードの命名は19c）」は漢代に張騫が開拓。ふたこぶラクダが絹（シルク）など奢侈品を運んだ。美しい光沢を放つ絹は金と同価格で取引。絹は軽くて価値が高く、貨幣代わりに用いられた。遊牧民は絹馬交易で絹を求め、中国は貴重な馬を得た。「オアシスの道」の難所は「世界の屋根」パミール高原越え。天山、カラコルムなどの山脈がまじわる平均標高5000mの大高原。酸素の薄い中、玄奘もここを越えた。天空を間近にする絶景が広がる。この道の危険は自然環境だけではない。怖いのは人間。山賊の襲撃に備え、大人数でキャラバンを組んで移動した。

画蛇添足

▼騎馬文明の中核が馬に乗る発明。肉食獣から逃れるため早く走るように進化したのを人間に見込まれた。口の中にハミ（銜）をかませ手綱をつなぐ。鐙に足を置くことで踏ん張りを効かせる。これらの馬具の発明で乗馬に拍車がかかった。こうして人類は馬力を得た。いまでこそ人と馬はウマが合うが、当初は違った。▼誰が馬に騎乗しようと考えたのか。他方で反りが合わなかったシマウマ。懐かなかった。シマウマの気性がもう少し穏やかであれば遊牧騎馬民はアフリカから生まれたかもしれない。ともあれ馬を飼い馴らし、巧みに操って千頭近い羊などを管理する技術を作り出した。他方で現代人は駆ける馬にもっぱら賭ける存在へと退化した。▼馬に跨るためにズボンが発明された。それまで人間の衣服は基本的に一枚の布を身体に纏わせただけのものだった。ズボンは騎馬遊牧文明の影響を受けた寒冷地域限定の服装。縫製が面倒で高温湿潤地域ではべたつく。ズボンを留めるだけでなく、馬上での激しい運動による脱腸防止のためにベルトが発明された。女性のズボンはイブサンローランが発表したパンタロンで一般化。▼同じ所で同じ作物を作り続ける農耕民。動かないと次第に保守的になる。縄張りにこだわるようになり、考えが固定化する。他方、広大なステップを常に移動した遊牧民。伝統にとらわれず進取の気性に富んだ。ただ私たちは動くものの把握が苦手。遊牧社会は理解しにくい。▼現代では遊牧民の定住化が進む。代わって出現したのがデジタルノマド。端末があればどこでも仕事ができる時代。移動距離と創造性は比例するとばかりにデジタルノマドは滞在費の安い街々を端末を抱えながら移動して感性を磨く。

わんクリック　馬（中央アジア、寒冷地が原産）は平均1t弱の大型獣。馬耳東風、馬の耳に念仏―周知のように馬は人間の言うことなど聞かない。簡単には馴致できない。蹴る力が強く、蹴られたら致命傷。人間はまず馬を家畜化（紀元前4千年紀）、次に戦車を曳かせた（前2千年紀）、最後におそるおそる騎乗（前1千年紀）を試みた、が正しい順序。人馬一体の手綱さばき－騎乗が最も高度な技術。遊牧民は騎乗して「生きた魔法の缶詰」家畜を遊牧させた。他方で米作文明も「藁文明」の側面があり、衣食住のすべてを米作で賄った。藁を使って外套、靴、カバン、布団―すべてを作ることができる。

History Literacy　何でも包める「風呂敷用語」―「国家」がその代表（前近代の「国家」は、いまの近代国民国家とは別物）。

オアシス都市とシルクロード

- カナート掘削技術の開発
  - └ イランでの名称、アフガニスタンではカレーズ
- 「オアシスの道(シルクロード)」の成立　＊前ページ
  ソグド商人(イラン系)、のちウイグル人(トルコ系)
  →キャラバン(隊商貿易)の拠点

草原地帯のトルコ化とイスラーム化

①テュルク(突厥(とっけ(く)つ))(6~9c、トルコ系)　＊1 ＊2 ＊3 ＊4
└ Türk(テュルク)の漢字音写が「突厥」、カタカナ音訳「トルコ」

- 最初のテュルク系(トルコ系)国家
- モンゴル高原で大遊牧国家を形成
  - └ 柔然を滅ぼす　└ ササン朝と結んでエフタルを挟撃して西トルキスタンを支配
- 北朝、隋唐と並立
- 東西分裂(583)で隋服属→隋滅亡後、東突厥強盛→唐支配下で再興
- 騎馬遊牧民として最初の突厥文字(オルホン碑文)(8世紀、突厥再興後)

②ウイグル(トルコ系)

- 8~9cに大遊牧国家形成
  安史の乱で唐朝支援、乱後の東アジアは唐、チベットとの三勢力並立
  唐朝と絹馬(けんば)交易などで繁栄、ウイグル文字使用
  └ ソグド文字の影響
- 宗教　マニ教国教化、のち仏教受容、東方シリア教会も伝播
  └ 国教化はウイグルのみ
- キルギスの攻撃で滅亡(840)
  トルコ系住民は西方へ移動(トルコ系民族西進のきっかけ)
  中央アジアのトルコ化 ― トルキスタン成立
  └「スタン」は「~の土地」の意味
  中央アジアがテュルク化、テュルク系遊牧民の定住化
  └ 1924年にスターリンにより5カ国に分割される(トルキスタンの解体)
  →のちに地中海岸までトルコ世界が広がる端緒となる

PROPOS　＊1
チャイナの北のモンゴル高原は騎馬遊牧民の本拠地。歴史的にここがモンゴル人の拠点となったのは13cのチンギス・ハンの登場以降。それ以前はトルコ人がここで活動。本来は「トルコ高原」。9cからトルコ人は中央アジアに移動。モンゴル人は高原北東部に暮らす遊牧民だった。チンギス・ハンの登場でトルコ系やチベット系の言語を持つ民族も、次々と自分たちもモンゴル人であると自称し、トルコ高原はモンゴル高原へと衣替え。いまモンゴルとトルコ圏を隔てるのが4000m級のアルタイ山脈。これより東がモンゴル語圏、西はトルコ語圏。歴史的経緯から両言語はよく似ている。

PROPOS　＊2
遊牧国家は指導者次第で急速に伸縮する。優秀な指導者(農耕社会から必要物資を貿易、必要に応じて略奪して、それらをきちんと分配できる人物)が出現すれば諸部族がそこに集まる。来るものは拒まない寛容さが遊牧社会の特徴。遊牧国家の興亡は支配部族(リーダー)の交代であり、全体の構成メンバーにそれほど大きな変化はない。

PROPOS　＊3
突厥以前にもトルコ系国家はあっただろうがトルコ語による石碑を残した最古の国家が突厥。現段階ではトルコ系最初の国家とされる。今の中国北辺、満洲北西部のアルグン河畔が発祥の地。Türkから日本語の「トルコ」、英語の「ターキー(Turkey)」音が派生。言葉は話者が自文字で綴る度に原音から離れて変化していく。Turkeyには侮蔑の意味もあり、英語名称がTürkiye(テュルキエ)に変更された(2022)。

PROPOS　＊4
テュルクの訛(なま)りがトルコ。世界史ではトルコ共和国国籍を持つ人をトルコ人、それ以外の中央アジアのトルコ系住民をトルコ系、あるいはテュルク系として区別する傾向がある(本書もこれに従う。区別せずに共にトルコあるいはテュルクとする例もある)。

画蛇添足

▼楽しい旅行記を読んだ。大木茂『ぶらりユーラシア　列車を乗り継ぎ大陸横断、72歳ひとり旅』。「ぶらり」から始まり題名を構成する要素すべてに魅かれる。ユーラシア横断にはシベリア鉄道利用が一般的だった。プロ写真家の著者は中央アジア、トルコ世界の方を鉄道を乗り継いで横断。写真で酔わせる旅行記。▼ユーラシア大陸の布置(ふち)。その中央の草原地帯には東西に広くトルコ世界が広がり、その両端(辺境)に中国とヨーロッパがくっついている。世界史学習は両端だけを勉強するキセル乗車でお茶を濁してきた。著者のように全線踏破しないと全体像は分からない。▼ユーラシア大陸中央部。東から移動してきたトルコ人により征服された。「A国がB国を征服した」「A化した」とはB国の人びとがA国の言葉を使うようになったことも含む。中央アジアは被支配者までがトルコ語を話すようになった。▼もともと様々な人びとが居住する地域。同じ民族と思わせる身体的特徴の共通性はない。しかしテュルク諸語(トルコ語の方言)を話すので互いに通じ合う。のちに西からイスラーム教が浸透。これがユーラシアの布置。▼現代の国名でいうと中国の新疆ウイグル自治区、そして中央アジアに入ってウズベク、カザフ、キルギス、トルクメンの各共和国、そしてコーカサスのアゼルバイジャン経由でアナトリアのトルコまで一つの言葉で旅することができる。▼語順は日本語と同じ。「てにをは」があって単語の語尾につけていく。こういう「てにをは」が膠(にかわ)でくっつけられたようなので膠着語(こうちゃくご)という。語彙だけ入れ替えれば頭を切り替えなくとも話すことができる、と書いている筆者はトルコ語を話せないので話半分に聞いてほしい。

わんクリック　フィンランドの探検隊が発見したオルホン碑文(1889)。フィンランドは当時、帝政ロシアの支配下にあってナショナリズムが高まっていた時期。フィン語もトルコ語と同じアルタイ系。探検隊を率いたヘイケルにとっては自分たちの民族の起源探しの意味合いがあった。そのことで帝政ロシア支配の正当性を否定、フィンランド解放につなげたかった。しかし彼は解読はできず、解読はデンマークの言語学者ヴィルヘルム・トムセンによってなされた(※)。これは突厥文字(アラム文字の影響)と漢字で8世紀の王の業績を記した碑文。突厥の再興を祝して、唐の玄宗が書き送ったもの。

History Literacy　歴史学という名の語学(特に中央アジア史学者は中国、モンゴル、トルコ、ペルシア、ロシア各語ができる必要がある)。

第６章　東南アジア世界

東南アジアの基層文化　＊1

①東南アジアの風土と人々　＊2

- 大陸部と島嶼（諸島）部からなる複雑な地形、複雑な民族構成
- 大陸部

  熱帯、亜熱帯のモンスーン気候 ― 稲作を中心とする農耕社会
- 島嶼部 ― 東南アジア最大の特徴「島嶼性」

  海上の交通の要衝に立地、港市を中心としたネットワーク

  └ 島々は海で隔たっているのではなく結びついている

  海の道（香料の道、陶磁器の道）の形成

  季節風を使ってインド商人の来航（「海のラクダ」ダウ船）

  漢の領域拡大（武帝の時）

  南越国を滅ぼし、南海郡、交趾郡、日南郡など九郡設置

  →南海交易の拠点に

  ローマ皇帝（マルクス・アウレリウス・アントニヌス）の使者来航（日南郡）

②初期の文化

- ドンソン文化（前４c～）　銅鼓などの青銅器文化

  └ 富と権力の象徴（威信財）

港市国家の誕生　＊3

①港市国家

- １～２世紀、沿岸部に港市国家成立、４世紀以降、インド文明の影響　＊4

②扶南（1、2～7c）

└ クメール系 or オーストロネシア系

- １～２世紀、メコンデルタ地帯、タイ湾沿岸部の港市国家

  └ 現在はベトナム南部
- 貿易で繁栄（当時はマレー半島横断（クラ地峡）ルート）、４世紀からインド化進行
- 外港オケオ遺跡からローマ金貨出土

  └ 現ベトナム南部　　└ マルクス・アウレリウス・アントニヌス帝の刻印
- ７世紀、真臘（クメール）により滅亡

PROPOS　＊1

海上貿易の要衝、東南アジアでは古代から様々な文明が存在し、近代になると帝国主義各諸国の野心がここで交差。大陸部では漏斗のように北から様々な民族が南下してきたため、民族、言語分布は世界屈指の多様さを持つようになる。いま東南アジアの国名はその国の平地部を占拠した民族の名称となっている。どの国も、領土内に先住していた多くの少数民族を含んでいる。

PROPOS　＊2

音声言語は大陸部では多様。ベトナム語は中国の影響で声調がある。同じ言葉でも音の上がり下がりで別の意味になる。島嶼部はマレー語が広く使われた。現在のマレーシア語とインドネシア語は通じ合う。フィリピンのタガログ語もマレー語の一種。文字言語は、大陸のタイ、ミャンマー、カンボジアなどはインド系のブラーフミー文字を使う。例外はベトナムでローマ字。島嶼部では、マレー語、インドネシア語、タガログ語などがローマ字を使っている。

PROPOS　＊3

豊かさとは土壌とそこに注ぐ太陽エネルギー。東南アジアの熱帯土壌は貧しいが、注がれる太陽エネルギーの豊かさは図抜けている。熱帯の地で感じる光の濃密さを一度は味わってほしい。加えてモンスーン気候がもたらす大量の水。人びとは自然の恵みを受け、他地域との交易に依存しなくても自立して日常生活を営めた。衣食住に困らない地域。100畝（5～6ha）もの広大な露田を給付されないと生活できない中国の均田農民（土地生産性の低さ）。土壌はやせているが、ヤシの木一本の下で一家が暮らせる東南アジア。どちらが豊かなのか。外見とは反する豊かさをめぐる背理が存在。

PROPOS　＊4

東南アジアはインド文明の影響を受けたが、人々が移動する流動的な社会。そのためインドの影響を受けたが、身分制度（ヴァルナ制）は一部を除き定着しなかった。

画蛇添足

▼世界史教科書でツマラナイ箇所の一つが東南アジア史。西洋由来の「国」の枠組み（国民国家）を使ってみるのには不適な地域。様々な民族集団が雑居する地域。「国家」「民族」の枠組みで社会が動いていない。熱帯雨林のジャングルは人が住むに適しない。そこに境界を伴う領域国家は成立しえない。今も人々の居住域は国境に関係なく広がる。▼国家同士がどこかで境を接する―国境という発想は均質な内部が持てる温帯平野部で意味を持つ。しかし現実に地表は均質でなく、人口にも粗密がある。東南アジアは小人口世界として知られ、人口はまばらだった。縄文文化が平和だったのと同じで人口が少ないと人間の接触もトラブルも少なく、事件が起こらない。▼東南アジアでは歴史的に非領域的な社会が成立。土地を基盤としない交易中心の国家―交易拠点としての港市は成立したが、後背地のジャングルにまで広がる領域国家は島嶼部では発展しなかった。形成されたのは港市のネットワーク。従来の国家概念ではとらえられない分散的で非集権的なもの。図化もイメージもしづらい。教科書では便宜的に「何々国」と呼ぶがその枠組みは民族、言語、文化の広がりと重ならない。▼歴史学のアプローチが効きにくい地域。文献資料が少なく、断片的なことしか分からない。歴史学の手法では虫食いだらけの見劣りする歴史しか編めない。熱帯雨林で樹々は通年で成長する。年輪を残さない樹々が広がる地域の編年史は難しい。▼西洋由来の諸概念で地形も気候も大きく違う地域の過去を叙述してもツマラナイものにしかならない。ただそのことを知り、自らの世界観、国家観を相対化する契機とできることが東南アジア史を学ぶ楽しさだろう。

わんクリック　世界史は「人々の営み」を扱うから人口密集地域の叙述が中心となる（※）。19世紀後半まで東南アジアは人口密度５人（1㎢）程度の人口希薄地域。この人口密度では土地所有は不要。土地といっても熱帯雨林では激しい雨で栄養分は流されていて、栄養分は動植物の形でしか存在していない。だから焼畑が中心になるが、焼き畑の人口支持力は少ない。ジャングルにはマラリア原虫を持った蚊がいて人間は立ち入れない。居住域は交易を行う海岸部と、大河流域の沖積平野に限られた。人口の少ない東南アジアの労働力は奴隷になるが、簡単に逃亡できる地域なので緩やかな扱いだった。

History Literacy　歴史は事件史なので人口密集地域（温帯平野部）の叙述が中心になる（人口希薄な所では事件も起こらない）。

③林邑（チャンパー）(2 ~ 15c)　(※)

└ オーストロネシア系、中国史書で林邑、環王、占城、4c にインド化でチャンパーと称す

- ２世紀、ベトナム中部にチャム人が建国

  └ S 字を縦に引き延ばした形の現ベトナム、その中央部のくびれた箇所

- 沈香の産地、海上貿易で千年以上繁栄

  └ 水に沈む木片、薄く削って火にくべると類いまれな芳香 (cf. 織田信長の正倉院立ち入り事件)

  徳川家康はこれを求めて御朱印船貿易

- 聖地ミーソンはヒンドゥー寺院、チャム彫刻

  └ 焼成レンガを接着剤を用いず積み上げる（失われた技術）

- 15 世紀、ベトナム人（黎朝）により滅亡（現在は 10 万人程の少数民族化）

海路を支配する国家

①スマトラ島

- シュリーヴィジャヤ (7 ~ 14c)　＊2

  └ マラッカ海峡ルートが中心となり、扶南の滅亡後、その遺民が建国

  ７世紀、スマトラ島中心、首都ムラユ（現パレンバン）

  香辛料貿易で繁栄　＊3

  唐僧義浄が滞在、『南海寄帰内法伝』を著す

  └ 前後３回、約 10 年間

  大乗仏教が信仰されていたと記す

  └ 元々東南アジアは大乗仏教圏、上座仏教伝播は 11c 以降

②ジャワ島

- シャイレーンドラ朝 (8 ~ 9c)

  ジャワ島中央部に成立

  大乗仏教遺跡ボロブドゥール造営 (9c)

  └ 仏教の世界観を具現した立体曼荼羅　└ 19 世紀まで 10 世紀間、土の下に埋もれていた

- 古マタラム王国 (8 ~ 11c)

  ジャワ島での最初のヒンドゥー教王朝、多くのヒンドゥー教寺院建立

  └ シャイレーンドラ朝との関係は不明　└ 壮大なプランバナン寺院群 (9c)

- クディリ朝 (928 頃 ~ 1222)

PROPOS　＊1

海上交通の要衝マラッカ。様々な国がマラッカを領有。現在のマラッカは多文化が混じり合う美しい古都。マレー料理と中華料理がミックスされたニョニャ料理がおいしい。中国食材をマレー独特のスパイスを使って味付け。またこの町の名物はオオトカゲ（約 2m)。大型爬虫類が街路を歩く。

PROPOS　＊2

「島の熱帯」東南アジアでは、熱帯特有の産品を取引する港町の交易ネットワーク（港市国家）が形成。基本的に港の後背地に広がる熱帯ジャングルはマラリヤなどがあり人は立ち入れないし、後背地まで支配する必要はない（例外はアユタヤ朝、のちにオランダ東インド会社は陸に上がって後背地も支配）。最初の港市国家は扶南でマレー半島横断ルートに立地。しかし隋唐帝国の成立で貿易が活発になると荷の積み替えが不要なマラッカ海峡ルートの需要が増加。海上交通路は陸上と比べて維持コストが安く大量輸送に向く。この海域の航行安全を保障する政治勢力としてシュリーヴィジャヤが台頭。ただ史料不足で詳細は不明。漢籍に「室利仏逝」と登場する時期 (7 ~ 8c)、シャイレーンドラ朝の支配下にあった時期 (8 ~ 9c)、「三仏斉」と総称される諸国の一つとして活動した時期 (10 ~ 11c) に活動した。

PROPOS　＊3

クローブ（丁子）は最も防腐・殺菌力が強く、肉独特の臭みを消す効果がある。甘く刺激的な香り。ウスターソースの香り。ナツメグはハンバーグなどひき肉料理に欠かせない。大量に使うと幻覚作用をもたらすので注意。当時は前者はモルッカ諸島、後者はバンダ諸島でしか産出しなかった。最近では、香辛料は文字どおり香辛料として、あるいは医薬品用途として使われた、と肉の防腐目的を否定的に見る説も強い。様々な動物、昆虫がいる熱帯では植物も生き抜くためには強い成分（毒）を持っていることが必要。クローブの香りは防虫剤によく、ペスト菌を運ぶノミ除けにもなった。

画蛇添足

▼私たちの祖先は五感を研ぎ澄まして安全を確保してきた。味覚は直接接触、嗅覚は至近距離接触による感覚。危険を察知する最後の砦。これでは手遅れもあるので私たちは視覚、聴覚の遠隔感覚も持って危険に備えてきた。▼その中で最も記憶に残る嗅覚。この匂い—見えないが確かに存在する不思議な存在だった。今は匂いの正体が揮発性の物質と知っている。食べ物から立ち上る微小な物質。これが鼻腔の奥にある嗅細胞に接触して刺激を作る。知るとは不都合な事実も耳に入ってくること。「うんこの匂いがする」は人のうんこが自分の鼻の中に付着したこと（村山斉『最後の授業』）。不都合は耳でなく鼻に入ってくるのか。▼匂いの正体を知らなかった頃、人びとは香木や香料を焚いて神々に感謝を捧げた。天に向かい立ち上る煙に感謝と願いを託した。中でも沈香が好まれた。地中に埋まった倒木の傷ついた部分に長い年月をかけてたまった樹脂が正体。類まれな甘い香りを放つ。▼この貿易による富で精密なレンガ建築物とチャーミングな彫刻—優れた造形美を残したのがチャム人。それを実際に見たくてベトナムが刷新政策を始めた折に、まだジャングルの中に放置されていたミーソン遺跡を訪ねた。以来、チャム彫刻の無作為に見せる所作の虜になった。▼現実にはその多くは旧宗主国に持ち帰られた。いまは遠くパリのギメ美術館にある。東南アジア彫刻の優品を集めた小さなミュゼ。訪れる度に見とれて半日は過ごしてしまう。彫刻はギリシアと決めつけんばかりの世界史教科書。「おかしいね」と同意を求めるでもなく呟いてフロアを見渡せば、チャム仏やクメール仏たちが微苦笑を返してくる空間。彼らはまだ囚われの身。

わんクリック　マラッカ海峡（長さ 80km、幅 80km) には無数の岩礁があり、またモンスーンの風向きに直行するため帆船での航海は難所中の難所だった。立ち往生、座礁した帆船には海賊が殺到。いまも５分に１隻が通過する大動脈。浅いため 30 万トン以上の通過は禁止。船舶には「マラッカマックス」というサイズが存在。西側諸国のネックはホルムズ海峡だが、中国にとってのネックがマラッカ海峡。ここの周辺国はすべて親米国家。有事の際の封鎖を危惧する中国はクラ地峡に運河開削を考えている。また石油を陸路のミャンマー経由、パキスタン、カシミール経由で運搬する構想をすすめている。

History Literacy　林邑、室利仏逝などは漢籍での表記。その読みは、日本でこう読んできた、という歴史を示す。

大陸国家の発展　＊1

①真臘 (カンボジア)(6 ~ 13c)

└ 漢籍では一貫して「真臘」表記だが覚えるのは心労が…

- ６世紀、クメール人が建国、下流に発展して扶南を滅ぼす

　└ 現カンボジア人　└ 以後、デルタ地帯もクメール世界 (~ 17c)

- アンコール朝 (9 ~ 15c) 時代に繁栄 ― アンコール帝国　＊2

　└ スールヤ・ヴァルマン２世時全盛

- 都城アンコール・トム、寺院アンコール・ワット造営　＊3

　└ ヒンドゥー、のち大乗仏教寺院 (両宗教は混淆して一体化)

　巨大な貯水池バライ、水利施設で稲作

- 13 世紀より元 (モンゴル人)、タイ人、ベトナム人の侵入で衰退

②ベトナム ― 海岸沿いに南下してきたキン (ベトナム) 人が支配　＊4

- 北ベトナム (キン人が主要民族) は 1000 年間中国の支配下
- 李 (リー) 朝 (11c~13c) が初の長期的独立、国号大越(だいえつ)と称す

　└ 最初の独立は五代十国の時の呉朝、呉権が独立して王を自称 (938)

③チャオプラヤ川水系 ― のちに南下してきたタイ人が支配拡大

- ドヴァーラヴァティ (6 ~ 11c)　＊4

　└ 玄奘は「堕羅鉢底国」と漢字をあてる (読めない)、キラキラネームの起源か

　モン人がチャオプラヤ川流域に建国した港市国家

④エーヤーワディー水系 ― のちに南下してきたビルマ人が支配拡大

- 多民族地域

　中流域にピュー (驃) 人、下流域にモン人が勢力

　└ 南詔の攻撃 (9c) で滅ぶまで 1000 年近く活動　└ タイ中部にかけて活動

- 11 世紀、パガン朝成立

　流域に南下してきたビルマ人による王朝

　上座仏教受容、元朝の侵攻 (13c) で滅亡

　└ 往時は１万以上、いまも２千以上の仏塔と寺院が立ち並ぶ世界三大仏教遺跡の一つ

PROPOS　＊1

メコン川は全長 4500㎞。チベット高原に源を発し、雲南省 (中国)、ミャンマー、ラオス、タイ、カンボジアを貫流してベトナムに注ぐ。各流域で異質多様な文明を育てた。カンボジア貫流時にクメール文明を育む。東南アジアの大国は今はインドネシアだが、かつてはクメール (カンボジア)。

PROPOS　＊2

アンコール朝の領域。現在の国民国家の領域的枠組みと合わない王朝。現在の国家の枠組みを大きく越えた地域に影響力を及ぼした帝国。こういう存在が理解しにくいことを理解するのも世界史学習の目的の一つ (※)。かつて (いまでも) 人びとは水域ごとに集住していた。アンコール朝の領域はいま「メコン圏」(80 万㎢) とほぼ重なる。このメコン川水系以外にチャオプラヤー川水系、エーヤワディー川水系がある。

PROPOS　＊3

アンコール遺跡群の白眉はバンテアイ・スレイ寺院 (10c)。アンドレ・マルローがこの発見をモデルに『王道』を書く。そして自然の脅威による驚異がガジュマルの木に飲み込まれたタ・プローム寺院 (12c)。

PROPOS　＊4

Ｓ字を縦に伸ばしたような形の、長い海岸線を持ついまのベトナムの領土。主要民族キン人はハノイを中心にした北部が本拠地。ドンソン文化の担い手、あるいはチャイナの人びとが土着化した集団とみられる。中部にはチャム人のチャンパーが長くあり、南部はクメール世界。そこにキン人が南下して支配を広げたのがベトナムの歴史。東南アジアで唯一チャイナ文化の影響を受け、インド文化の影響を受けなかった地域。秦の始皇帝の遠征、漢の武帝の南海郡以下９郡、唐代は安南都護府 (現ハノイ) 設置。チャイナからは辺境「越」とされた地域。この間、強い反チャイナ感情が形成された。１c に漢の支配に反乱を起こしたチュン (徴) 姉妹はベトナムの民族的英雄。

画蛇添足

▼カンボジアも他の東南アジアと同じで衣食住に困らない豊かな土地だった。巨大な権力の存在を必要としない。ジャングルの中になぜあれほど大規模な都城、建築物が必要だったのか。アンコール朝をめぐっては分からないことが多い。▼15世紀にアユタヤ朝（タイ）の攻撃で破壊されて放棄された都城はジャングルに飲み込まれて荒れるに任せられた。19世紀にアンリ・ムーオが密林から再びアンコール遺跡群を発見。地元の人は存在を知っていた。しかし価値あるものと認識していなかった。▼これを価値ある遺跡として世界へ知らせたのがアンリ。いわば価値の発見。江戸初期にここを訪れた日本人の侍の落書きがあり、その人生の一部が歴史に残った。いま同じことをすれば文化財破壊。ＳＮＳ上で叩かれて人生を失う。同じことも文脈(コンテクスト)次第。▼20世紀に内戦（70～93）で再び荒廃。戦場となり多くの銃痕が刻まれた。アンコール・ワットは左右対称美(シンメトリー)を強調した伽藍配置。ローマのアーチ技法を知らなかったクメール人は愚直に石を積み上げた。重量感のある建物だが見どころは壁面にめぐらされた浅い浮彫(レリーフ)。観る人の足を止める。▼都城アンコール・トム。東西に巨大な人工貯水池。灌漑システムを整備して東南アジアでは例外的な中央集権的国家が作られた。雨季に貯水することで乾季の稲作、三期作が可能となり生産力はあがり、こういった大規模建築物の建立を可能にした。▼54基もの四面仏顔塔が立ち並ぶバイヨン寺院。「バイヨンの微笑」として知られる菩薩像。深い瞑想が生む穏やかな表情。衆生(しゅじょう)（あらゆる人）に救いの手を差し伸べようとする慈悲の面差し。国土隅々まで届くように四面に向けた。モナリザと並ぶ謎の微笑。

わんクリック　インドでは見られない階段状建築アンコールワット。その階段は危険。第３回廊への階段が急傾斜。かつては上った観光客が下りられなくなっていた。高低差 13m。見下ろすと体感的に垂直に近くに見える俯角。足が震え身はすくむ (最近一カ所に手すりがついた)。海外では自己責任型観光地が多い。他にはピサの斜塔 (伊)。最上階は防護柵があるが、以前は上る途中のテラスに防護柵がなく、迂闊にでるとその傾きとつるつるの床に身を持っていかれた。とはいえピサの斜度は４度。最近 18 度傾斜させた高層ビルができた。アラブ首長国連邦のアブダビにある 35 階建てのキャピタル・ゲートビル。

History Literacy　現在と異なる枠組みが貴重な存在―理解しにくいものが、現在を相対化させてくれる。

第７章　イスラーム世界の形成

1　イスラーム世界の成立

預言者ムハンマド

①アラビア半島と貿易路の変化　＊1

- 極度の乾燥地帯（砂漠）、アラブ人が遊牧生活
- 多神教で偶像崇拝（カーバ神殿に様々な神像）
  └ ムハンマド征服後はカーバ聖殿
- ６世紀後半、ビザンツ帝国とササン朝の争いで東西交易路途絶
  →アラビア半島西部（ヒジャーズ地方）経由の迂回路（紅海～シナイ半島）発展
  →中継都市マッカ（メッカ）、ヤスリブ（メディナ）の発展
  →貧富の差の拡大で社会矛盾

②預言者ムハンマド　＊2

- 名門クライッシュ族ハーシム家の商人ムハンマド
- 神の啓示を断続的に受け預言者との自覚（40 才頃）
  └ モーセ（ヘブライ語）、イエス（アラム語）に続く、「最後にして最大」の啓示（アラビア語）
- 神への絶対的帰依（「イスラーム」）を説く
- 622 年、ヒジュラ（聖遷）
  └ イスラーム暦元年は、ムハンマドの生まれ年でも、啓示の始まった年でもない
  メッカで迫害を受け、少数の信者でメディナに脱出
  └ 血統を重んじる部族社会（特に富裕者）の反発　└ 預言者の街の意味
  ムスリム（イスラーム教徒）がウンマ（イスラーム共同体）建設　＊3
- メッカ再占領（630）、アラビア半島ほぼ全域征服、ムハンマド死（632）

③イスラームの特徴

- 唯一神アッラーへの絶対帰依、神の前の平等、偶像崇拝禁止
- 信仰上の実践（六信五行）　＊3
  六信 …アッラー、天使、コーラン、預言者、来世、予定
  五行 …信仰告白、礼拝、断食、喜捨、巡礼　＊4
- 経典『コーラン』（アラビア語）　＊5
  預言者ムハンマドを通じた神の啓示の記録、当初は文字化禁止で口誦

PROPOS　＊1
イスラーム生誕にかかわるこの説明には根拠がないとの異論あり（後藤明など）、この説明を掲載しない世界史教科書もある。

PROPOS　＊2
偉大な教えも伝える人がいなければ存在しないのと同じ。神も預言者を必要とした。イスラームの六信で使徒（預言者）は複数形。ムハンマド（571 ~ 632）はその一人。「聖徳太子」（574 ~ 622）と同時代人。彼は基本的に商人であり家庭人。ブッダやイエスのような世捨て人ではない。預言者であってそれ以上でない。とはいえ特別な存在でムスリム男性は彼をまねてヒゲを生やす。

PROPOS　＊3
イスラームに聖職者はおらず教えは商人を通じて隣接地域に拡大。毎回、異なるモスクでの礼拝が推奨されるように人が動くことを前提にした商人の宗教。分かりやすさが特徴。ウラマー（イスラーム法学者、多くが世俗の仕事を持つ）が影響力を持つ。

PROPOS　＊4
「なぜ豚肉がタブーか」の理由は「コーランに書いてあるから」がすべて。神の意図の詮索が神への最大の冒涜。神の意図は矮小な存在である人間に理解できない。疑わずに従う。イスラームはこの人間観に貫かれている。一人で生きられない砂漠の過酷な自然環境を背景に五行など様々な義務ができた、と穿った見方をしない。禁酒の宗教は珍しい。酒は人を酔わせて人と人をつなぐだけでなく人と神をつなぐ宗教にとり不可欠のツール。砂漠での酩酊は死に直結するからか、などと考えるのは邪道。

PROPOS　＊5
アラビア語のカタカナ表記は難しい。複数表記がある場合、両者の真ん中の音が近似値。イスラーム（イスラム）、コーラン（クルアーン）、メッカ（マッカ）、メディナ（マディナ）。ところで二重母音を長音記号（ー）で表記するのは日本語表記の最大の特徴。

画蛇添足

▼「神の啓示」を胡散臭いと考えないこと。「神がいて、人間に対してしばしばメッセージ（啓示）を送ってくる」と信じられている文化がある。世界に何があるかは言語により異なる。「啓示」は私たちの世界に存在しないがセム系の言語では存在する。セム系の宗教風土の中で神が一つであることもまた常識。しかしそれは世界の非常識でもある。▼文化とは世界の切り取り方。切れ目のない混沌とした世界をどう分節して理解するか、が文化。例えば GODISNOWHERE という文をどう分節するかで、信仰を持つ者にも無神論者にもなる。人間は特定の文化を通してしか世界を認識できない。誰からでもない、どこからでもない視点は存在しない。自分の文化の特徴を知ることが世界を認識する出発点（※）。魚屋さんに行って「お魚ちょうだい」ではお使いを果たせないのが日本文化。▼人間はどこかの文化に生まれ落ちる。宗教も文化の一つ。特定の宗教を信仰している人も、多くは自ら選び取った信仰ではない。宗教は人間が主体的に選び取るものではなく、神から一方的に与えられるもの。実際は親の宗教だから、が現実。▼神への絶対的帰依（服従）が「イスラーム」の意味。「イスラーム教」表記は不適切との見解もある。世界史教科書はここだけ「イスラーム世界」として他の地域と扱いを変える。この地域の特性のすべてが宗教により規定されているかのようだ。▼石油危機以前、イスラームに無知で無関心だった日本社会。反動からイスラーム理解は進み、イスラームが「宗教」の範疇で理解できないことなどは共通理解となった。ただ異文化性を際立たせすぎているかも知れない。現代社会においては複数のアイデンティティの一部という人もいるだろう。

わんクリック　イスラームはユダヤ教と並んで戒律を重視する教え。五行など戒律の厳しさが目立つ（ただしイスラームに原罪の観念は存在せず、五行は贖罪のためではない）。どのような文化であっても、そこに属する人は内部の行動規範に従っている。それが戒律として明示されているかいないかの違いでもある。日本文化では明示されていないので、常に世間を気にしてそれに忖度をめぐらす必要がある。いったいどれほどの見えないルールに従って私たちが日常生活を送っていることか。ところで戒と律は本来違うもの。戒は自分で守るべき自律的な規範（自戒）。律は罰則付きの他律的な規則。

History Literacy　分節の仕方が文化―敬虔な人は God is now here. と、無神論者は God is nowhere. と読むのか。

ムスリムによる大征服

①正統カリフ時代 (632 ~ 661)　＊1　(※)

- カリフ (ハリーファ)(ムハンマドの後継者) を選挙で選出
  アブー・バクル、ウマル、ウスマーン、アリーの４名
- 征服活動ジハード (聖戦) の開始
  - 東…ササン朝征服 (651)
    └ オリエント屈指の伝統国消滅、ニハーヴァントの戦い (642) 敗北
  - 西…ビザンツ帝国よりシリア、エジプト
    └ 陸上交易の拠点　└ オリエント最大の穀倉地帯
- 急速な領土拡大 (「大征服の時代」) の要因
  宗教面…自己犠牲をいとわないジハード (聖戦) の情熱
  政治面…異教徒への寛容性 (「コーランか、貢納か、剣か」)
  社会面…人口増加したアラブ人の移住の必要性 (軍営都市ミスル)

②ウマイヤ朝 (661 ~ 750)

- 四代カリフ、アリー暗殺 (661)
  └ ムハンマドの娘婿
- ムアーウィヤが五代目カリフ就任、首都ダマスクス
  └ シリア総督、ハーシム家に対抗するウマイヤ家　└ シリアの中心地
  →息子にカリフ位を世襲 (ウマイヤ朝という世襲王朝の成立)
- 征服活動の継続
  西…マグレブ (マグリブ) 諸国 (北アフリカ) 征服
  └「日の没する処」で元来はリビア以西、今はチュニジア、アルジェリア、モロッコ
  - ベルベル人の世界
    - 西ゴート王国征服 (711)(イベリア半島征服)
    - トゥール・ポワティエの戦い (732) 後、ピレネー山脈以南に後退
      └ フランク王国カール・マルテルに撃退される
- アラブ帝国としての性格 ― アラブ人の征服活動により成立
  支配者　アラブ人
  被支配者　被アラブ人 (啓典の民を含む)
  人頭税 (ジズヤ) と地租税 (ハラージュ) 負担
  改宗者 (マワーリー) も負担

PROPOS　＊前ページ
イスラーム圏で物乞いにお金を施しても感謝されない。逆にこちらに「ありがとう」と感謝の言葉を要求される。喜捨は義務であり、物乞いがいるから私たちはその義務が実現できる、という発想になっている。喜捨の文化がワクフ (公共財の寄進) につながり所得再分配機能を担ってきた。イスラームが根付いている地域では餓死する人は少ないとされる。イスラームは一種の相互扶助システムとして機能してきた。

PROPOS　＊前ページ
神は「読め」と預言者に命じた。コーランは黙読されるものではなく、声によって唱えられるべきもの。音に霊威があるとの考え (言霊信仰の一種)。イスラームは聴覚型の宗教。聖なるものは「鳴り響く声」として顕れると理解された (イスラームに限らず、神は見えない存在であるから、神を感じる手段として五感のうち聴覚が最優位になりやすい)。当初は口誦で文字化、他言語への翻訳も禁止された。聖なるものの視覚化 (聖人の絵画化) が拒まれた。コーランには難しいことは書かれていない。神の言葉だけ。神の言葉がほとんど書かれていないキリスト教の『聖書』と対照的。早い段階でまとめられたので異本がないのも特徴。

PROPOS　＊1
ムハンマドの死後、アブー・バクル、ウマル、ウスマーン、アリーの４人が理想の統治をしたとするスンナ派の価値観がはいった用語が「正統」カリフ時代。他方でアリーとその子孫だけに資格があるとみなすのがシーア派。息子３人が早逝したムハンマドがわが子同然に育てたアリーはムハンマドの娘ファーティマと結婚。そのアリーを暗殺してムアーウィヤがカリフ位につき、彼がカリフ位を息子に世襲させた (ウマイヤ朝の成立)。反対派はアリーの次男フサインを擁立して抵抗したが全員殺害された (殉教した)(カルバラーの悲劇)。この時、反ウマイヤ勢力としてシーア派が誕生。被害者意識は人びとを結集させる。

画蛇添足

▼宗教の存在が持つ意味は人によって違うが、絶対的な存在を意識することで私たち人間はその有限性を自覚することができる。今日にあって宗教がなお意味を持つとすればこの点だろう。▼そこで大切になるのが偶像崇拝の禁止。イスラームはこれに厳格。キリスト教は同じオリエント生まれだが、ヨーロッパ育ち―神々を人間に似せて彫るギリシア彫刻の伝統がある風土で育ち、これを形骸化させた。▼偶像崇拝とは聖像を絵に書いたり、彫ったりして崇めることだけではない。信仰を形にすることを問題にする。人間をモデルに神が図像化されがちだが、これでは神が神でなくなる。そのように表現したら、それは人間の枠組み、サイズで理解、擬人化してしまったことになる。「神様」という表現 (擬人化) も神を崇めているようで、神への冒涜に近い。▼人間を超えた存在を想定することに意味がある。それを人間を基準に理解しない。宗教が宗教であるために偶像崇拝の禁止がある。「神の啓示」を人間の観点から解釈するのも偶像崇拝。啓示は理解の対象ではない。理解そのものが偶像になってしまう。神は理解でなく信じる対象。▼ある人が救われるかどうかは「予め決まっている」予定説。予定という名の決定。絶対神を戴けばこれが教義の核心にくる。救済は人間の力ではどうにもならない。人が祈る―必死に祈って神へ働きかける。しかしそれで意思を変える存在は絶対神ではない。▼ムスリム商人が契約に際して添える「イン・シャー・アッラー (神の思し召しがあれば)(契約は履行される)」は異教徒商人に大変不評。実際、契約不履行の大義名分にも使われているが、人間の有限性を踏まえるこの発想がイスラームの基底にある。

わんクリック　「宇宙人の存在を先生は信じますか」と聞かれた時は、いつも「もうこの教室にいるかもしれない」と答えることにしている。「宇宙人」と擬人化してはいけない。地球外生物は、地球にない元素で構成されていて私たちには見えない、感知できない存在である可能性も十分にある (生命の定義も関係してくるが…)。最近、流行っているのがウイルスの擬人化。ウイルスに意志があり、自らが生き延びる生存戦略を持っていて、宿主が死なない程度に弱毒化していく戦略をとっている、などと解説される。実際は、宿主を死なせるような病原体は広がらない、という事実があるだけではないか。

History Literacy　歴史用語は価値観を含む―中立風の用語より、価値観の見えやすい用語の方が潔くて役に立つ。

③スンナ派とシーア派の対立

- スンナ派（ムスリムの9割、多数派） ＊1
  預言者の言行（スンナ）を尊重
  └ムハンマドがウンマを指導した23年間に行った慣行など
  その伝承（ハディース）からウラマー（イスラーム法学者）たちが判断
- シーア派（ムスリムの1割、少数派） ＊2
  4代アリーとその子孫だけをイマーム（導師）として認める ＊3
  └ムハンマドの従弟で最初の信者、ムハンマドの娘婿
  シーア派の中でも十二イマーム派（イランの国教）が主流
  └分派多い └アリー以下12人のイマームを承認、以降は「お隠れ」状態と理解
  のちにイラン人の民族感情と結びつく（16世紀、サファヴィー朝成立以降）
  └新興アラブ勢力の支配下にはいった伝統国イラン（血統重視の伝統）の反発

平安の都バグダード

- アッバース朝（750～1258）
  └約500年間、後半は実質的にはイラクの地方政権
- ウマイヤ朝はアラブ帝国としての性格（征服地改宗者にも課税） ＊4
  →アブル・アッバースらアッバース家を中心にした革命運動 ＊5
  └シーア派も利用、ただし樹立したのはスンナ派政権でアッバース家がカリフ位世襲
- イスラーム帝国としての性格
  a. 税制改革
  ムスリム（支配者層） 土地所有者に地租（ハラージュ）
  └アラブ人地主にとってはハラージュは追加負担
  人頭税（ジズヤ）
  └非アラブ人でも改宗すれば負担の解消
  非ムスリム（被支配者層） ハラージュとジズヤの両方を負担
  └税負担者としてイスラーム世界で必要な存在で大切にされる
  b. 政府の要職にイラン人を登用
  └アケメネス朝建国以来、国家運営のノウハウを持つ
  c. イスラーム法（シャリーア）に基づいた政治
  ウラマー（イスラーム法学者）がイスラーム法を解釈・合意 ＊6
  d. 新都バグダード造営

PROPOS ＊1
ムハンマドの言行。ある状況で彼がそれを止めなかった、ということも、それを容認した言行と解釈される。言行はしなかったことも含む。「先生はあの時は何も言わなかったのにどうして今回は…」とよく責められる。しかし筆者はムハンマドでない。

PROPOS ＊2
シーア派は、アリーはムハンマドを完全に理解してコーランの奥義に通じている、と主張。ウラマーの解釈によらなくともアリーの子孫であるイマーム（導師）は神の意思を直接会得する秘儀を持つと考える。シーア派はスンナ派より戒律が緩やか。礼拝も1日2回程度。偶像崇拝禁止も緩く、ムハンマド、イマームの肖像画も出回っている。シーア派は「イラン化したイスラーム」。イスラームは規範性が強い宗教で一括りにされやすいが多様性もまたある。

PROPOS ＊3
ムハンマド、娘のファーティマ、その婿のアリー、その子フサイン。この組み合わせた名称がイスラーム世界の尊称。

PROPOS ＊4
世界史図表では地図が隙間なくべた塗りされる。多くの場合、それはミスリーディングを誘う。ムスリムの分布などは当初は都市を中心にしたネットワーク的な分布だった。面的なベタ塗りは実態にあわない。

PROPOS ＊5
アッバース革命の拠点となったのがホラサーン地方（ペルシア語で「太陽が昇る」の意味）。交通の要衝。最もペルシア文化が継承されている地域。現イランの東北部。

PROPOS ＊6
日本で「イスラーム聖職者」と紹介されがちなウラマー（イスラームに聖職者はいない）。「知識を持った人」の意味で、イスラーム社会の知的エリート。ウラマーは生計のために様々な世俗の職業を持っている。

画蛇添足

▼「インテル入ってる」—自分には何が入っているか、自分の頭の初期設定の確認が世界史を学ぶ目的の一つ。例えば私たちはプロテスタント（キリスト教）の影響が強く入っていて外面より内面を重視する。他方でイスラームの影響はほとんど入っていない（※）。▼時に、頭の中から前者の影響を引き、後者の発想がないことを確認する演算が必要となる。「法」と聞くと「法律」（明治期の造語）のイメージに引きずられる。法はむしろ「人間のとるべき道」の意味で使われてきた。未知は既知の中にひそむ。よく知っている単語ほど辞書を引きたい。イスラーム法も人間のあるべき姿、といった意味。神により預言者を通じて指し示された、とされる。▼具体的にはムハンマドが預かった神の言葉（『コーラン』）や彼の言行（スンナ、その伝承であるハディース）を通じてイスラーム法学者が解釈して時代に必要な法としていく。「○と△が言ったと□が言った」という膨大な伝承の記憶が必須で法を確定するのは大変な労力がかかる。▼スンナ派ではカリフに法を解釈する権利はなく、あくまで法を施行する存在。ムスリムは世界中どこでも彼らにより同じ法が適用される。この共通のルールのおかげでムスリム商人は安心して国際商業に従事できた。▼ただ変化の激しい現実社会でムスリムの「あるべき姿」をハディースなどから類推するのは緻密な知的作業。「コーランに書かれたことだけ」しか認めないイスラーム原理主義なら煩雑さを回避できる。いまどの宗教でも原理主義が勢いを得ているが、それは反知性主義の変形という側面もある。絶対神の教えは時代によっても変化しないという絶対的確信を持つ原理主義者を説得するのは難しい。

わんクリック イスラーム世界全体を束ねる象徴カリフ制が1300年続いたのに、ムスタファ・ケマルによって廃止（1924）。カリフ空位という異例の事態もまもなく100年になる。私たちには「いま」を正常とみなして物事を考えるクセがあり（正常性バイアス）、カリフ不在にもはや違和感を持たない。日本でも上皇など日本史教科書の中だけの存在と思っていたが、現実に日本に上皇がいる状態にもすぐ慣れた。自分の親しんだ過去を伝統として固執する、自分の経験した過去だけを参照して、長期的視点で過去を眺めようとしないのが伝統主義者だが、じきにいまの状態を伝統と呼ぶようになるだろう。

History Literacy 因果関係の叙述が歴史の本質—「影響を受けた」が強調され、「受けていない」は捨象される。

2 イスラーム世界の発展

地方政権の時代 ＊1

①後ウマイヤ朝 (756 ~ 1031)

・ウマイヤ朝の一族がイベリア半島でウマイヤ朝再興
　└ アッバース革命で追われる
・首都コルドバはイスラーム文化の中心地に ＊2
　└ 巨大な当時のモスク (スペイン語でメスキータ) などが現存
・当初はアミール (大将軍) と称し、カリフを尊重
・10 世紀にカリフを称す (929)
　└ ファーティマ朝国王がカリフを称した (909) ことに対抗

②アッバース朝の最盛期 (8c)

・ハールーン・アッラシード (在位 786 ~ 809)
　└『千夜一夜物語』の主人公として登場
・9世紀以降、領内からイラン人、トルコ人が独立 ＊3

シーア派の隆盛

①ファーティマ朝 (909 ~ 1171)

・シーア派の一派がアッバース朝カリフに対抗して建国
　└ イスマーイール派　└ チュニジア
・建国当初より国王はカリフを称する (909)
　└ アッバース朝の権威に対抗
・エジプトを奪い (969)、新都カイロ造営
　└ アッバース朝より　└ 世界最古の大学アズハルモスク ＊4
　以後、次第にエジプトがイスラームの中心に
　└ 現在「エジプトはアラブの盟主」(アラブの4人に1人はエジプト人 ― 人口約1億)

②3カリフ国の並立

・後ウマイヤ 朝、ファーティマ朝、アッバース朝にカリフ並立
　└ 西カリフ国　└ 中カリフ国　└ 東カリフ国

PROPOS ＊1
核が分裂時に多大なエネルギーを放出するように、人間関係も社会も分裂時にエネルギーを発生。イスラーム世界も帝国分裂のエネルギーを使って全体として拡大。

PROPOS ＊2
スペイン南部アンダルシア地方のコルドバ。街路樹がレモンだったりオレンジだったりで、柑橘(かんきつ)系の香りに包まれた街。街の中心に「柱の森」とされる壮観なメスキータ(モスク)がある。イスラーム建築の特徴「パティオ(中庭)」でも知られる街並み。

PROPOS ＊3
サーマーン朝が輩出したイブン・シーナー。首都ブハラの図書館の蔵書をすべて読破したという余人の及ばぬ卓越した学識の持ち主。図書館が火災で全焼した時、彼の博識をねたむ者は、彼が知識の独占を図って火を放ったと噂をたてられた。『医学典範(てんぱん)』はその後長く医学教科書の標準となる。典範とは canon(正典)の別名。

PROPOS ＊4
アズハルモスク付属の学院マドラサ(学院)がアズハル大学。世界最古の大学の一つでいまもイスラーム世界で大きな権威を持つ存在。卒業式にガウンをまとう習慣はこの大学から。熱い地域では服はゆったり。

PROPOS ＊補足
国民国家が成立する要件はその内部に一つとして束ねられる同一性があるか、隣接する他との間に区別する異他性があるか。例えば日本と韓国は言葉や文化が違う。中近東の22カ国(4億人以上)はイスラーム信仰とアラビア語(正確には共通の書き言葉)を共有。本来は「アラブ」という一つの国民国家になるべきだったが、1次大戦後にオスマン帝国が崩壊した時、西欧諸国は恣意的に国境線を引いてこの地域を22の国家に細分化して巨大国家の誕生を阻止した。それぞれの地域で権力を得たものはそれにしがみつくためこの状態が常態化。

画蛇添足

▼聞いたこともない様々な王朝名にウンザリするイスラーム史。王朝名の暗記に意味を見いだしにくい。大きな流れが理解できればよい。イスラーム世界を生み、拡大させたのはアラブ人(正統カリフ時代・ウマイヤ朝)。しかし広大になった帝国運営にいき詰まり、帝国が「神の前の平等」の実現、イスラーム帝国へ変質していくと、特権的地位から降りることになる(アッバース革命)。▼代わって帝国を実質的に切り盛りしたのはペルシア人(イラン人)。その中から独立国家を形成(サーマン朝)するものが出て、イスラーム世界の実権を掌握するようになる(ブワイフ朝)。▼各王朝が分立して競い合うようになった頃、騎馬技術に優れ、軍事的に秀でたトルコ人が西進してくる。各王朝はトルコ人を傭兵として採用。その中からトルコ人が台頭し(カラ・ハン朝)、ペルシア人に代わってイスラーム世界の実権を掌握する(セルジューク朝)。その後は長くトルコ人がイスラーム世界を担う(オスマン朝)。ただしそれを実際に官僚として補佐し、政権中枢で重要な役割を担い続けたのはペルシア人。▼20世紀にアラブ人居住域に石油が湧出すると、再びアラブ人が主導権を奪いかえす。中でも最大の産油国で聖地を押さえたのがサウジアラビア(スンナ派)。しかしこのアラブの王族国家の関心はサウード家支配、王家、王政の存続。これに強く反発するのが宗教革命(79)で成立したペルシア人のイラン共和国(シーア派)。両国の対立が今日の中東を理解する鍵。▼王朝名の暗記に意味を見いだしにくいが、思考は具体的な出来事でつなぎとめておかないと抽象に流れる。抽象的思考は極端に振れやすい。考えを暴走させないために固有名詞で語ることが大切になる(※)。

わんクリック 次の2行程度の理解で十分。「十六世紀末までの政治史は、強大な軍事力をもち、高いレヴェルでの政策決定権を有するトルコ系の人々と、幅広い教養を持ち徴税や財務などの行政実務を担当するイラン系の人々が協力してできあがった政権の織りなす歴史である。」(羽田正(はねだまさし)『イラン史』)。ではなぜ簡略化されないかといえば、これだと世界史教師の仕事がなくなってしまう、からだろう。冗談ではなく社会の大半の仕事はこういった『ブルシットジョブ』(デヴィッド・グレーバー)。本当に必要な仕事は、食糧生産(獲得)―人間が生きるために必要なエネルギーと有機物を得る仕事だけだろう。

History Literacy 思考を暴走させないために固有名詞で現実に係留させて語る (現実が複雑であることを忘れない)。

③イラン系地方政権の成立

・サーマーン朝 (875 ~ 999)

└ イラン人最初のイスラーム王朝 (スンナ派)

ホラサーン地方で自立、東西貿易で経済的繁栄 (首都ブハラ)

└ アッバース革命の原動力となった地域、歴史的にペルシアの中核地域

トルコ人をイスラーム化し、マムルークとして西アジアへ供給

└ 騎乗したまま矢を射ることができる

イブン・シーナー『医学典範』

・ブワイフ朝 (932 ~ 1062)

カスピ海南岸でイラン系住民が自立

親シーア派王朝

└ 国教ではないが、住民にシーア派が多い

946 年、バグダード入城

アッバース朝カリフよりイスラーム法施行の権限 (アミール) ＊1

土地の徴税権を軍人に与える制度 (イクター制) 導入

スンナ派の反撃

①トルコ人の台頭

・西進してきたトルコ人

ウイグルがキルギスの攻撃でモンゴル高原を去り、西進

→トルキスタン成立

└ パミール高原 (標高 5000m) を境に東西トルキスタン

・トルコ人のイスラーム化

個人レベルで、傭兵としてイスラーム世界へ ＊2

└ マムルーク (白人の軍人奴隷)、トルコ人は騎馬遊牧として優秀

集団レベルで、サーマーン朝の影響でイスラームへ集団改宗

└ 隣接するイラン系の王朝 (スンナ派)

・カラ・ハン朝 (940 頃 ~ 1132) ― トルコ系で最初のイスラーム王朝

サーマーン朝を滅ぼし、東西トルキスタン全土をイスラーム化

・ガズナ朝 (962 ~ 1186)

アフガニスタンに建国、インドのイスラーム化をすすめる

フェルドウスィー (フィルダウシィー)『王の書 (シャー・ナーメ)』 ＊3 ＊4

PROPOS ＊1

権威と権力の分離 (二権分立)。日本で天皇は神輿(みこし)に乗る権威、将軍は馬に乗る権力。天皇制が長く続いたのは、天皇が時々の権力者にとって脅威にならず、むしろ権威としての利用価値が大きかったからだろう。権力者にとり正統性の確保は最大の関心事。権威を温存して、そこから承認を受ける。その代償に権威を保護するのが効率的。イスラーム世界のカリフとアミール、スルタンの関係は天皇と将軍の関係に似ている。バグダードはさしずめ京都。実力者の京都入洛がバグダード入城の意味。カリフの権威で自らの権力に正統性を付与した最初の例がブワイフ朝。この方法が各王朝で踏襲(とうしゅう)された。カリフは名目だけ存続。戦後、米国中心の占領軍 (GHQ) は、昭和天皇の戦争責任を追及せずに温存、強い反発が危ぶまれた占領政策をスムースに遂行。

PROPOS ＊2

「丸太小屋から大統領」(リンカーン) がアメリカンドリーム。「傭兵からスルタン」がターキッシュドリーム。騎馬遊牧のトルコ人のイスラーム化で、彼らの農耕社会進出にジハード (聖戦) の性格が重なった。

PROPOS ＊3

トルコ人の台頭でイラン社会崩壊の危機感から、フェルドウスィーはイラン各地に口承で伝わってきた神話、伝説を収集。30 年の歳月をかけて 6 万行の対句でペルシア建国からササン朝までの物語『王の書』をペルシア語でまとめた。サーマーン朝が滅亡したためガズナ朝の君主に献呈した。

PROPOS ＊4

ペルシア語は現イラン、アフガニスタン、タジキスタンの公用語。ペルシア文字は事実上アラビア文字。アラブ人に征服された時に取り入れた (日本語表記に漢字を使うのと相似)。同時に語彙は充実。東方イスラーム世界ではアラビア語に代わる共通言語、ペルシア語圏を形成。「市場」はアラビア語ではスークだが、ペルシア語でバザール。

画蛇添足

▼「恋する者と酒飲みは地獄へ行くと言う、根も葉もないたわごとにしかすぎぬ。恋する者や酒飲みが地獄に落ちたら、天国は人影もなくさびれよう。」(ウマル・ハイヤーム『四行詩集』)。一切は虚無、摘むべき花は早く摘め、と歌う時のウマール・ハイヤームは集合名詞かもしれない。人々の気持ちを代読している。▼作品と作者の関係は時代、場所によってまちまち。作品名と作者名を等号で結ぶのは18世紀頃から始まった文化(※)。いま私たちは有名であることを肯定的にみる価値観の中に生き、インフルエンサーになりたがる。しかし無名であること、「これを作った自分のことは神のみぞ知る」ことに無上の喜びを感じた人々によって物事が作られた時代が長かった。▼神への捧(ささ)げ物として作られるものは作者名の不要な職人仕事であり、彼らは作品に署名しなかった。作品とは「自分を表現する」ものという考えが主流になったのは近代。音楽ではハイドンまでは職人、ベートーベンからが自己表現者。▼詩は身体を通る―口承で伝えられるなかで次第に洗練されていく。伝えやすいように脚韻を踏み、伝えたくなるように内容が洗練される。口承で印象に残る母音には重要な役割がある。定型句を使いながら韻を踏んでいくことで無意識に言葉を紡ぎだす韻踏みの技術はいまはラップに継承されている。作者はこの伝言ゲームに携わった無数の人々。作品からその時代の人々の心性を知ることができる。▼内容が改変されていくとは、オリジナリティ(独創性)に価値を置かないということ。現代はデジタル媒体で書記する時代。そこでの文法は「コピペ」。以前の状況へ回帰しつつある。本書の文章も自由にコピーしてお使いください。

わんクリック ペルシアは詩人の地位の高い国。誰もが大切にしている詩があるという。おすすめはサアディー (13c)『薔薇園』。1 ページ読み切りの教訓抒情詩。彼の人生経験、ペルシアの知恵が詰まる。馥郁(ふくいく)と匂いたつ薔薇園を逍遥(しょうよう)する感じ。イランの家庭に常備される「ペルシア語のコーラン」が神秘主義者ハーフィズ『詩集』。酒賛歌の抒情詩だが「比喩は真実への架け橋」とする神秘主義者。文字通りの酒賛歌でないという。ハイマールの四行詩の簡潔さと対照的。フェルドウスィー『王の書 (シャー・ナーメ)』(11c) は民族叙事詩。普通に読みやすく面白い。ロスタムとソホラーブの悲話が有名。

History Literacy 作品名と作者名を等号で結ぶことができるのは一つの文化のあり方。

②セルジューク朝 (1038 ~ 1157)　＊1

・トゥグリル・ベクが建国

・1055 年、バグダード入城し、スルタンの称号

└ アッバース朝カリフより

・アナトリア高原進出 (1071 年、マンジケルトの戦い)

③セルジューク朝の政治と文化

・官僚としてペルシア (イラン) 人が補佐、近世ペルシア語が公用語

└ 文字はアラビア文字に代わる

トルコ語は未熟 (部族語レベル) で行政に使えず、ペルシア語が使われる

└ 15 世紀にチャガタイ・トルコ語 (文語) が発明

・宰相ニザーム・アルムルクの時、全盛期　＊2

・全土にイクター制施行でイスラーム世界封建化

└ ブワイフ朝の時導入、軍人に給与を支払いの代わりに土地の徴税権を授与

・学問の育成 (ペルシア人が担い手)

スンナ派擁護のための高等教育機関マドラサ (学院) 建設　＊3

ニザーミーヤ学院という名のマドラサが各地に建設

ガザーリーがスンナ派 とスーフィーの対立を克服

└ イスラーム最大の哲学者、主著『誤りから救うもの』

ウマル・ハイヤーム『ルバイヤート (四行詩集)』　＊4

④アッバース朝の滅亡

・1258 年モンゴルによるバグダード占領・陥落

└ フラグの西征

→カリフがいったん消滅

→地中海に進出したフラグをマムルーク朝が撃退 (1260)

└ 第 5 代スルタンのバイバルス

・イル・ハン国はガザン・ハンの時、イスラームに改宗

└ フラグが建国　└ マムルーク朝との対立解消

⑤イル・ハン国時代のペルシア文学

・サアディー『薔薇園』(1258) ― 短い教訓抒情詩

└ イル・ハン国が創始された頃、ペルシアを代表する詩人

・ハーフィズ『詩集』

└ イル・ハン国の最後の君主 (14 世紀前半) に生まれる

PROPOS　＊1

モンゴル高原を出発したトルコ人は「約束の地」アナトリア高原 (小アジア) に到着、以来、ここに居住している。沃土エジプトには強力なファーティマ朝があり、進出を阻止された。今はトルコ共和国。首都アンカラ (旧名アンゴラ)、寒い高原でここの羊の毛がセーターによい (アンゴラセーター)。

PROPOS　＊2

セルジューク朝 (トルコ人) の統治行政はペルシア (イラン) 人官僚が担った。その象徴が、ニザーム・アルムルク (ペルシア人)。マルク・シャーの帝王学のために『統治論』で政治の理想を分かりやすく説き、セルジューク朝の全盛期を作り出した。トルコ人の武力を利用してイスラーム法による理想の統治を実現しようとした。

PROPOS　＊3

ニザーム・アルムルクは学院 (マドラサ) を設けて、自らに因んでニザーミーヤ学院と命名。この教授に迎えられたのがガザーリー (ペルシア人)。彼はスンナ派を擁護しようとしたが、主知主義に対する深い懐疑にいたり学院を去る。10 年以上の放浪の後、スーフィズム (神秘主義) にたどりつき、正統派信仰の中にスーフィズムを位置づけた。自伝『誤りから救うもの』が面白い。視覚では金貨よりも小さな星が地球よりも実は大きいと理解するのが理性、と評価しつつも、信仰との調和について思索した。

PROPOS　＊4

無常感漂う『四行詩集』の詩人ウマル・ハイヤーム (ペルシア人)。ペルシアで四行詩は珍しいためタイトルとなっている。詩は四行で書く、と誤ったメッセージも運ぶ (基本的に本書も含め、珍しいことが書物のタイトルになる)。正確なジャラリー暦も作成した多才。ニザーム・アルムルクの暗殺でセルジューク朝は衰退に向かう。暗殺指令を出したのがシーア派でも過激なイスマイール派の暗殺者(アサシン)教団長ハサン・サッバーフ (ペルシア人)。暗殺者 (Assassin) の由来。

画蛇添足

▼できの悪い訳語がある。例えば「神秘主義」。言葉は何かの対(つい)概念であることが多い。対概念は何か、と考えることが理解の助けになる (※)。神秘の対語は「言語」。この場合、言葉で語りつくせぬこと、言語化できないものが神秘と言語化されている。▼仕方ない。言語を使いながら、言語化できないものとの二重の世界に生きるのが人間。言葉で語らないことでより多くを語ることができることがあるが、その所在は神秘として言語で指示するしかない。▼大切なのは戒律など外面的制度の遵守(じゅんしゅ)か、それとも内面的な心のあり方なのか。たとえば信仰の核心にある「祈り」。祈りは沈黙のうちになされなければ嘘になる。発する言葉は否応なしに社会性を持つ。様々な配慮が周囲に目配りのきいた形式的なものにしてしまう。▼ウラマーが確定したイスラーム法(シャリーア)の遵守。外面的な戒律の遵守だけで内面で神と繋(つな)がらなくて大丈夫か、という信者の不安。知識を通した理解でなく神を感じるあり方が模索された。一心に神の名前を唱えながらの旋回舞踏などスーフィーの様々な実践。▼「自分は直接神とつながった」と感じている人はやっかい。これまで神と信者を媒介してきた既存権威の否定になる。合一感を持つとは神と人間の間にある一線をなくしてしまう。神秘主義は警戒された。▼ところがスーフィズム体験とは神との一体化ではないという。すべてが神に由来していると分かり、私たちはアッラーがなければ消えてしまう儚(はかな)い存在、とむしろ神の絶対性、神と人間の決定的な隔絶の再確認をすることになるのだという。こういう理路で「語りうること」と「語りえないこと」を架橋したのが、ウラマーであり、スーフィーだったガザーリー。

わんクリック　別の文化に接して受ける衝撃をカルチャーショックという。イスラームでは、一度神秘体験を達成したものが日常生活に戻ってくると、世界がいままでとは違ってみえるという。それもまたカルチャーショックだろう。イスラームには聖職者がいないので修道院という発想もない。ウラマーは世俗の仕事を持つし、スーフィーも日常を送りながら実践する。それゆえ日常生活が浄化される。ところで過去は非業の死者で埋め尽くされている。少々のことには「ショック」を受けない精神の強靭さも身につけたい。とにかく世界史を学ぶことで日々が新たになる―そう思ってもらえる授業をしなければ。

History Literacy　「対概念は何か」と考える―言葉は何か (多くは先行概念) の対(つい)概念であることが多い (「自由」だけは例外)。

カイロの繁栄

①アイユーブ朝 (1169 ~ 1250)

・エジプトでサラーフ・アッディーンが建国

└ ファーティマ朝の宰相、クルド人の武将

・アッバース朝カリフを認め、スンナ派信仰回復

└ シーア派のファーティマ朝にとってかわる

・聖地イェルサレム回復し、第３回十字軍と抗戦

└ リチャード獅子心王 (英) と戦う

・マムルーク採用による軍事力強化　＊1

②マムルーク朝 (1250 ~ 1517)

・サラディン死後、マムルークが独立傾向

・エジプトがイスラーム世界の中心に　＊2

モンゴル軍 (フラグの西征)、第６・７回十字軍を退ける

└「イスラーム世界の保護者」となる

・首都カイロの繁栄

バグダードにかわりイスラームの政治・経済・文化の中心地

└ アッバース朝滅亡 (1258) 後、亡命カリフを保護

紅海貿易でカーリミー商人の貿易を保護

北アフリカのベルベル人王朝

①ベルベル人の改宗

・11 世紀、ベルベル人の間で熱狂的な改宗運動

└ 現在のモロッコの主要民族 (50%)　＊3

・ムラービト朝 (1056 ~ 1147) 建国 (首都マラケシュ)

└ いまも当時に近いフナ広場　＊4

ガーナ王国を征服 (1076)

→黒人アフリカのイスラーム化　＊5

レコンキスタに対抗し、イベリア半島進出

・ムワッヒド朝 (1130 ~ 1269)

レコンキスタに対抗し、イベリア半島進出

イブン・ルシュドが仕える

PROPOS　＊1

いわば次の王を奴隷に求めるシステム。優秀な少年を奴隷 (マムルーク) として買ってきて立派な軍人に育てる合理的なシステム。「イエ」の存続を血統より重視した日本の養子制度もこれに似ている。商家では優秀な番頭を婿にとるのが一般的。ただアラブ世界では血統が重要な意味を持つ。

PROPOS　＊2

今のイスラームの中心はエジプト。人口が多い。国土のほとんどが砂漠なのにナイル川両岸の緑地帯とデルタ地帯に約１億人もが住む。これがナイル川の人口支持力。

PROPOS　＊3

ベルベル人はいまはカビール人として山岳地帯に住んでアラブ化から距離をとる。仏統治時代、フランスはイスラームのアラブ人に対抗させるためカビール人にキリスト教を勧める分断統治をとる。そのため独立後は難しい立場に置かれて渡仏した者も多い。サッカーの英雄ジダンはその一人。

PROPOS　＊4

モロッコの旧市街、特に市場はいまも往時からさほど変わっていないとされる。マラケシュやフェズの、往時と変わらない街並みがそのまま残されている旧市街、細い路地が張り巡らされて迷宮のような市場は、タイムトリップが経験できる稀有(けう)な場。

PROPOS　＊5

2050 年にはアフリカの人口は増大し、倍以上の 24 億人。世界の４人に１人はアフリカ人になる。これからはアフリカの時代。ただ「アフリカ人」はあまりに大きく乱暴なくくりかた。もともとローマ時代にマグリブ地方だけを指した言葉。私たちはどのようなレンズを使って対象を見ているか―35mm 普通レンズなのか、広角 200mm レンズなのか、その見え方の特徴を意識してうまく使い分けることが必要。ニジェール川流域まではイスラーム化したがすぐ南からはキリスト教世界が広がる。

画蛇添足

▼劇作家ブレヒトの「英雄のいない時代は不幸だが、英雄を必要とする時代はもっと不幸だ」(『ガリレオの生涯』)。アリストテレス以来、私たちは舞台上の主人公に心情を重ね、感情移入して涙を流してきた。この同化がもたらす一体感の醸成とカタルシス作用が劇の存在理由だった。それとは逆に、劇場を見慣れたものから距離をとる異化作用が働く場にしようとしたのがブレヒト。▼イスラームの「英雄」サラーフ・アッディーン。第１回十字軍でキリスト教徒に奪われた聖地イェルサレムを再び奪還。この戦いでの捕虜への寛容さなど「敵将ながら立派」とキリスト教世界で尊敬を集め、サラディンという慣用名が広がった。当時の十字軍、キリスト教徒の堕落ぶりを非難するために称揚された面もある。▼サラディンはキリスト教徒から聖地イェルサレムを奪回したイスラーム世界の英雄というだけでなく、エジプトをシーア派から奪回したスンナ派の英雄。またサラディンは「国家なき民」クルド人。クルド社会の英雄でもある。様々な出来事がサラディンを英雄とするように結像している。▼「名将」「名城」とされるものがある。自分の武功を自慢するため、手間取ったことの言い訳のため、敵将が名将、名城と持ち上げられる。そんな名将を攻略した自分を自慢。手こずったのは相手が強かったから、と言い訳(※)。▼「一人を殺したら殺人だが、大勢を殺せば英雄になる」という風刺。戦争は正当化が必要だから美化される。「流れを変えたから英雄なのではなく、流れを表現したから英雄となる」(プレハーノフ『歴史における個人の役割』)。現れるべき土壌があったから英雄は出現した、時代の流れにうまく乗ったのが英雄ということか。

わんクリック　アトラス山脈を南に越えた山麓。雪解け水の恵みによるオアシス都市が点在。７世紀にアラブ人に追われたベルベル人がここに逃れた。最も大きなものがワルサザートでサハラ砂漠のゲートシティ。近くにアイト・ベン・ハッドゥという５世紀前の日干しレンガのカスバ (砦) からなる集落がある。外敵から身を守るためにつくられた奇観。各地で人々が生きるために、どのような集落 (都市の前段階) を作ってきたか。原広司『集落の教え 100』が参考になる。モロッコの家は壁が厚く、開口部が小さくみすぼらしい外観だが、建物の中は絨毯が敷き詰められ、楽園のような美しい空間が広がる。

History Literacy　額面ではなく裏面を読む―「名将」「名城」は自分の武功自慢、手間取ったことの言い訳。

②イベリア半島の情勢

└ 半島北側にキリスト教徒、南部海岸部にムスリムが主として居住

・11 世紀、「レコンキスタ (再征服運動)」 ＊1

└ キリスト教側からの視点が強くでた言葉、「国土回復運動」訳は問題

キリスト教世界の拡大の一環、後ウマイヤ朝の滅亡 (1031)

・ベルベル人 (ムラービト朝、ムワヒッド朝) が対抗

・ナスル朝滅亡 (1492)

イベリア半島最後のイスラーム国、首都グラナダにアルハンブラ宮殿

拡大するイスラーム世界と神秘主義教団 ＊2

①貨幣経済の発展

・イスラーム文明は都市の文明、商人の文明

・ウマイヤ朝、アッバース朝は貨幣と現物の二本立てで租税徴収

現金で俸給支払い (アター制) ― 貨幣経済の発達

→アッバース朝の衰退で中央政府の力が弱まる

→イクター制へ移行

分与地 (イクター) を与え、その地の徴税権を与える

ブワイフ朝で導入、セルジューク朝で一般化

②スーフィズム (イスラーム神秘主義) ＊3

・民衆に広がった、内面で神とつながることを求める信仰

・身体的実践が特徴 (特定の文言を繰り返し唱えたり、旋回舞踏したりする)

・ガザーリーがスンナ派信仰の中に位置づける

インドのイスラーム化

・ガズナ朝 (977 ~ 1187)

アフガニスタンに建国したトルコ系王朝

・ゴール朝 (1148 ~ 1215)(イラン系)

・デリー・スルタン朝 (1206 ~ 1526)

デリーに首都をおいたトルコ系が中心の 5 王朝

奴隷王朝、ハルジー、トゥグルク、サイイド、ロディー各王朝

└ 建国者アイバクが奴隷 (マムルーク) 出身だったことに由来、インド最初のイスラーム王朝 ＊4

PROPOS ＊1

世界史の転換点 1492 年。スペインによるレコンキスタが完了。イベリア半島はキリスト教地域となる。この年、スペイン女王イサベルは待ちかねていたコロンブスに援助を許可。この年、コロンブスはパロス港を出帆。アジアに直行しようとした。

PROPOS ＊2

中東生まれのイスラームだが信者数でみれば、インドネシア、インド、パキスタン、バングラデシュが、現在のイスラーム人口のボリュームゾーン。南アジアに信者数は集中。ここはヒンドゥー社会。ヒンドゥーとイスラームの教義は水と油ほども違うが、現実には今のインドにムスリムは２億人近く居住する。共生とはいえないが共存。

PROPOS ＊3

言葉を使って真理にたどり着く方法に対して、身体性を重視する方法がある。モスク、教会といった聖なる空間に身を置くこともその一つ。 最近、でんぐり返しとかフィギュアスケートのような「まわる」経験をしただろうか。「まわる」ことで非日常性を得ることができる。旋回舞踏で知られるメヴレヴィー教団もスーフィの一つ。一心に南無阿弥陀仏を唱え続ける。これもそのことで自我を薄めて、超越的な何かに近づいていく身体的実践かも知れない。

PROPOS ＊4

世界史学習では「奴隷」という言葉に要注意。雑な風呂敷用語 (※)。奴隷とされても実態は、時代、地域、誰が主人かにより異なる。奴隷と呼ばれないがよりひどい隷属状態に置かれた人びとを取りこぼした用語。世界中でみられた「年季奉公」(期限付きの雇用契約) も奴隷労働とみなされる。奴隷なき奴隷制度が存在するので「奴隷制はなかった」は無意味な言明。イスラーム世界にも奴隷は存在。インドの「奴隷王朝」(13c)。スルタンをはじめ支配層の多くが奴隷出身者だったため奴隷王朝と呼ばれる。解放されて社会上昇する奴隷もいた。

画蛇添足

▼ある詩人が「その比類ない美しさに匹敵するものを見つけるのは難しい」としたアルハンブラ宮殿。その美を味わうビューポイントは二点。一つは外から眺める視点。近くの「ムーア人のためいきの丘」。シエラネバダ山脈の白を借景にした赤漆喰の宮殿、その裾野に広がる緑 (緑はイスラームの神聖色)、その調和の妙なるさまを目の当たりにできる。▼キリスト教勢力に敗れた最後のムーア人はグラナダを去るとき、この丘でこれが見納めと振り返り見て、大きくため息をついたという。後世、ここを訪ねたタレガがその失楽園の悲しみから曲想を得て、ギターの名曲『アルハンブラの思い出』を書いた。▼もうひとつは宮殿の内部に座る内からの視点。京都のお寺で枯山水の庭を見る時、どこに座るか。座敷のもっとも奥に下がった畳の間、その中央に座っているだろうか。そこから見たときに最も美しく見えるように作庭されている。庭園が、床や天井、襖で四角に切り取られ額装される。▼アルハンブラ宮殿の主人公もまた大理石の床に絨毯を敷いて座って「獅子の中庭」を眺めた。訪れた折には、立ち歩いて回遊するのではなく、床に敷かれたタイルに腰を沈めたい。噴水は権力のシンボル。とりわけ乾燥地では自らの水に対する支配力を示す。いたるところにある優美な噴水から水が湧き出し、細い水路を伝って室内を通り抜けて流れる宮殿。▼北アフリカの砂漠からきたベルベル人にとってこれは楽園と同義。腰を下ろして静かに座っていると、この水音がかえって静寂を誘うことに気づく。水の豊富な日本では枯山水庭園が発明。水を使わず源流から大海までの水の流れを表現した。こちらは静寂の中から水音が聞こえてくる。

わんクリック ギターの名曲といえば、近代ギターの祖タレガの名曲『アルハンブラの思い出』(1896)。 高度な演奏テクニックであるトレモロ奏法が使われていて、これを弾けるようになりたいとギターリストの憧れの曲。憧れ―イスラームの建築家はコーランにある来世の楽園に憧れ、これを再現しようとした。それがパティオ (中庭) という小宇宙。日差しの強い世界にあって建物で囲まれた日陰の空間。そこに水のせせらぎ、水盤が作る光の揺らぎ。視覚的にも聴覚的にも静謐で官能的な空間が作られた。アルハンブラ宮殿「獅子の中庭」―落城で失楽園となったことで美しさは比類なきものになった。

History Literacy 何でも包み込む「風呂敷用語」―「国家」と並んで指示内容が広いのが「奴隷」。

アフリカのイスラーム化

①ナイル上流

- クシュ王国 (前 10c ~ 後 4c) ― 最古の黒人アフリカ王国
  - └ 現スーダン、詳細は不明、エジプト文明の影響 (ヌビアのピラミッド) ＊1
  - メロエに首都があった時代に製鉄で繁栄、メロエ文字 (未解読)
- アクスム王国 (前 5c ~ 12c)
  - └ 現エチオピア、4000m の高原、ソロモンとシバの女王の子が建国者メネリク (伝説)

②西アフリカ

- ガーナ王国 (7c ~ 13c)
  - ニジェール川流域に建国
  - └ 流路に注意 (サヘルを東進して南に湾曲、ギニア湾が河口 ― 長く不明で探検が続く)
  - 金の産地 (ニジェール川とセネガル川の上流地帯)
  - ムスリム商人との塩金貿易 ＊2 ＊3 ＊4
  - ムラービト朝の攻撃により衰退 (11c)
  - →黒人アフリカのイスラーム化の契機
- マリ王国 (1240 ~ 1473) ＊5
  - 首都トンブクトゥ
  - 鉄、綿布生産、金産出で経済発展、西アフリカに交易ネットワーク
  - 国王マンサ・ムーサのメッカ巡礼
  - イブン・バットゥータの訪問
- ソンガイ王国 (1464 ~ 1591)

③東アフリカ

- 東アフリカ東海岸諸都市
  - ムスリム商人がインド洋貿易
  - マリンディ・モンバサ・ザンジバル・キルワなど
  - スワヒリ語の普及 バントゥー語＋アラビア語 (語彙)
  - └ 東アフリカのリンガフランカ (Lingua franca)(地域共通語)、習得の容易な言語の一つ
- モノモタパ王国 (11c ~ 19c)
  - ザンベジ川流域、鉱産資源とインド洋貿易で繁栄
  - ジンバブエ遺跡 ― 黒人アフリカでは例外的な石造建築物

PROPOS ＊1

ヌビアのピラミッドはエジプトのものに比べて小振りだが (とはいえ高さ 30m がある)、傾斜角約 70 度とエッジが立つ。現存数 220 基とエジプトの倍近くも残る。

PROPOS ＊2

大半が砂漠で商業が生業のイスラーム世界。サハラ北部の岩塩と南部に産出した金 (ニジェール川流域で砂金として採取) と交換するヒトコブラクダを使った塩金貿易。イスラーム諸国は商業活動安定のため純度の高い金貨を、サハラ南部は塩を必要とした。両者を砂漠を越えて取引すれば価値が生じる。ラクダは分厚い岩塩の板 2 枚を背負いサハラを 2 カ月かけて金を産出するガーナ王国に向かう。アラブ人が従事する以前からこの交易ネットワークは存在。

PROPOS ＊3

海水から塩を抽出しようとしても完全に不純物を分離できない。自然が年月をかけて分離したのが岩塩。切り出された塩の板はかつて金と同じ価値を持った。トンブクトゥとの往復 1500km。1000 年を超えて遊牧民トゥアレグ (ムラービトの子孫とされる) のラクダを使った交易が続く。デコート豊崎アリサ『トゥアレグ 自由への帰路』が面白い。4WD 車を使わない理由が分かった。砂漠の中での故障が厄介なのは想像内。ラクダは燃料費、維持費がかからず、オアシスでその糞を食糧に交換できるから。

PROPOS ＊4

おいしい草を牛が食べ、牛の食べ残しを羊が食べ、その食べ残しを含めてすべてを食べ尽くす山羊 (だから遊牧民は山羊を少なめにする)。そうしてもう草が残っていなければ土でも食べるのがラクダ。この順序で粗食度と乾燥強度が強くなっていく。

PROPOS ＊5

マリ王国のマンサ・ムーサ王 (14c) がメッカ巡礼途上で金を惜しみなく喜捨。金価格が暴落、「黄金の国マリ」伝説が生まれた。

画蛇添足

▼人気ミュージカル『ライオンキング』にはアフリカのイメージが充溢(じゅういつ)。ここにでてくる動物が同時に見られる場所は現実世界にはないが、私たちの中では「アフリカ」という場所が浮かんでいる。私たちは日本製「アフリカ」の中で生きている。▼世界の地表面積、人口で2強の存在であるアフリカだが、世界史教科書に占める割合は数ページ程度の存在感。だからアフリカ認識が『ライオンキング』止まりになってしまう。国際スポーツ大会で決まって「高い身体能力」と感嘆の対象になるのがアフリカのチームや出身選手。アフリカ内部の多様性などはまったく捨象されている。▼シマウマは「白地に黒のシマ」なのか「黒地に白のシマ」なのか。私たちは何を図として、何を地 (背景) としているか。黒人アフリカの人びとは後者と知るのは驚き。白図だけを見ていると世界の見方がやせ細る。地と図を反転させる異化体験を探りたい。プレゼンのシートを黒地に白抜き文字で作るだけでも新鮮。▼サハラ以南の黒人アフリカは長く無文字世界であり、過去の出来事は口承、歌謡、太鼓の音などによって伝承されてきた。この地域をフィールドワークしてきた川田順造は、石に文化を刻み込んだサハラ以北の北アフリカ文明 (エジプト文明など) に対して、黒人アフリカ文明を「文字を用いず土と草木で建造物を築く」「歴史を表象しようとする意思をもたなかった」と説明する (『アフリカの声』)。▼だから「歴史」教科書の黒人アフリカ叙述は少なくなる。インド文明への言及時にも述べたが過去を「歴史」として残さなかった地域を「歴史」の物差しをあてて叙述するのは発想が貧弱。過去を「歴史」として残すのは文化のあり方の一つである (※)。

わんクリック マリには日干しレンガ建築として世界最大のジェンネの大モスクがある。中央のミナレット (尖塔) の高さは約 20 m。泥とわらで作った日干しレンガをヤシ材で補強。毎年外壁を塗り替える。この造形にインスパイアされたのが建築家ガウディ。その代表作サグラダ・ファミリア (バルセロナ) と見比べてみよう。全く別物に見えるが思わぬところに影響関係が隠れている。そういうものを探すのは楽しい。それから日干しレンガ作りの「世界最古の摩天楼」(現存は 10 世紀初頭) がイエメンのシバーム。この 2 都市が世界の奇観 2 都市ではないか。土でできた建築物なので大地とつながっている。

History Literacy 過去を「歴史」として残すのは文化の一つのあり方。過去を表せない言語もある。

東南アジアのイスラーム化

・イスラーム商人の活動 (8c)

└ 三角帆の「ダウ船」は順風だけでなく逆風でも航海可能

スマトラ島に最初のイスラーム国家 (13c)

・マラッカ王国 (14c ~ 1511) がイスラームの本格的受容　＊1

イスラーム世界の都市と商業

・イスラームは商業を中心とする都市の文明　＊2

商人の他、軍人、職人、ウラマーなどが都市に居住

・都市の中心にモスク、マドラサが隣接

モスクの構造：ミフラーブ (くぼみ)、ミナレット (尖塔) など

・市場 (スーク) が生活の中心

└ ペルシア語でバザール、現代も中世の迷宮 (モロッコのマラケシュ、フェズの市場など)

・ワクフ (寄進) による相互扶助で都市生活成立　＊3

モスク、マドラサなどはカリフ、スルタン、有力者のワクフで建立

イスラーム文化の特徴

①融合文明

・イスラームと各地の諸文明の融合　＊4

イラン・イスラーム文明、トルコ・イスラーム文明

例　『千夜一夜物語 (アラビアンナイト)』

インド、イラン、アラビア、ギリシア起源の説話集、16c に集大成

②固有の学問

・神学、イスラーム法学、歴史学のこと

・ムハンマドの伝承 (ハディース) の収集で歴史学が発達

イブン・ハルドゥーン『世界史序説』　＊5

③外来の学問

・ギリシア語による学問をアラビア語で発達させた学問

ギリシア・ローマ文明の成果をアラビア語に翻訳

└ バグダードの「知恵の館」、コルドバなど各地に大図書館

製紙法の伝播 (751) による紙の普及が背景

PROPOS　＊1

マラッカ王国がイスラームを受容してイスラーム商人の貿易ネットワークに加わり交易言語マレー (ムラユ) 語、イスラームで特徴づけられる「マレー・イスラーム世界」が成立。マラッカがポルトガルに占領されたことで、活動していた人びとが東南アジア各地に離散。貿易は活況を呈し、東南アジアの「交易の時代」(15 ~ 17c) を活性化させた。鄭和の遠征も要因の一つ。

PROPOS　＊2

仏教は現世否定の現実離れした非社会的宗教だが、イスラームは貿易に従事する商人が作りだした社会的で常識的な宗教。奇跡はムハンマドの昇天ぐらい。

PROPOS　＊3

イスラーム社会の特徴の一つがワクフ (寄進)。富める者が財産を寄進して公共設備を整える。もちろん善きことは匿名。

PROPOS　＊4

現在、世界中で「ムスリムの大移動」が進行。シリア、北アフリカ諸国からの難民 (いずれもアラブ人) のヨーロッパへの移動。インドネシア人、マレーシア人を日本が労働力として受け入れる。日本の「コンビニ外国人」にも多くのムスリム。その圧倒的多数は移動先の価値観を尊重。イスラームと折り合いをつけて生活している。

PROPOS　＊5

大著『省察の書 (略して、世界史)』の序文が本文より有名 (『世界史序説』)。遊牧民は集団の紐帯が強く、都市を征服して王朝を創始するが、3 代 120 年の定住化で連帯意識も薄れて滅びる、とイブン・ハルドゥーンは世界史の法則性に言及。イスラーム王朝の交替史が複雑なのも道理。「イブン・バトゥータの話は嘘だと思う」と洩らしたら、時の宰相に「牢獄で育った人間は羊の話を聞いてもネズミのようなものとしか想像できない」と諭された、と書く。晩年にティムールと会見。三人は同時代人。

画蛇添足

▼女性不信に陥った国王が毎晩女性にお供をさせては殺害していく。シェヘラザードは王に面白い夜伽話を聞かせ、もっと聞きたいと感じさせたところで「続きはまたあした」。命がけで王の女性不信を解いていった。▼続けた話をまとめたのが『千夜一夜物語』。広がったイスラーム世界各地の説話から取材。寝床で気楽に読める平易さが魅力。ただ全体として残酷な話が多く、寝付けなくなるかも。ハールーン・アッラシード時代のバグダードが舞台。当時を知る史料としても貴重。▼現代になり今度は多くの作品がここからスピンオフ。ディズニー映画『アラジン』を筆頭に『波乗りシンドバッドの冒険』、「開けゴマ」の『アリババと40人の盗賊』、『空飛ぶ絨毯』など枚挙にいとまない。▼シェヘラザードの傍らには常に妹ドゥンヤザードがいた。「なんて面白い話なの」と合いの手をいれては、王が関心を失い、姉が処刑されるのを防いだ。▼皆さんを未知の世界へ誘おうとする世界史プリント。「何とかファースト」と世界を閉じようとする力が強く働くいまだからこそ「開けゴマ」と世界を開くチカラを身につけてほしい。プリントの固有名詞の一つひとつが未知の世界へのラビットホール (『不思議の国のアリス』)。ところでアリスは話を聞くのに退屈して旅立った。皆さんも筆者の話に物足りなくなったら行間にダイブしてほしい。▼千夜はほぼ高校三年間。お互いに妹役を務めて最後まで励ましあおう。コロナ禍の音声配信リモート授業で開始音楽に使ったのがシューマン「見知らぬ国と人々について」(『子供の情景』)。その未知に漕ぎ出そうという示導動機として挿入したのがリムスキー・コルサコフの交響曲『シェヘラザード』でした。

わんクリック　ずいぶん昔にテレビで『若き日の偉人』(ソ連、1982) というイブン・シーナー (10 ~ 11c) の伝記的映画を見た。シーナーが少年時代に目の見えない少女に出会って、何とかしてあげたいと医学の勉強をはじめて、手術して彼女の眼を開くのに成功するという話。ブハラの街でのロケだった。その後、十字軍でキリスト教徒の兵士たちは負傷した時、敵側のイスラームの医者に手当してもらうことを望んだ。イスラームでは手足を切り落とす時もすでに麻酔を使っていた。南イタリアのサレルノ大学が医学で有名になったのもヨーロッパでここが最新医学 (イスラーム医学) に近かったため (※)。

History Literacy　医学史は試行錯誤と失敗の歴史 (インチキ治療、薬害など) だが、教科書は輝かしい成果しか載せない。

イスラーム世界の芸術

①外来の学問

a. 哲学

・アリストテレス哲学の研究
　イブン・シーナー（ラテン名アヴィケンナ）　＊1
　└ アラビア医学の集大成『医学典範』　＊2

・イブン・ルシュド（ラテン名アヴェロエス）

b. 数学

・ギリシアより幾何学

・インドよりゼロの概念、インド数字導入（→アラビア数字）

・フワーリズミーの代数学、三角法発達
　└ 著作の題名が代数学 (algebra) の語源、彼のアラビア名がアルゴリズムの語源

c. 天文学

└ 1日5回の礼拝時刻を知る必要、ムスリム商人による遠洋航海の必要

・ウマル・ハイヤーム『ジャラーリー暦』＊3
　└ 暦の制定は為政者の権威の源泉、ズレは不信感を広げる

d. 化学

・錬金術をきっかけに化学が発達　＊4
　└ 卑金属から貴金属を作る試み

②文学

・ウマル・ハイヤーム『四行詩集（ルバイヤート）』

・フェルドゥーシー『王の書（シャーナーメ）』

・イブン・バットゥータ『三大陸周遊記』　＊5
　└ モロッコ生まれ、14c　　└ アジア、ヨーロッパ、アフリカ

③美術・建築

・モスク建築中心
　└ 丸屋根は、天から吊り下げられたものを人が地上から支える形

・アラベスクが発達（偶像崇拝禁止のため）― 神に捧げた文様
　└「アラブ風」の壁面装飾、幾何学・植物・組み紐・文字文様、平面性の追求
　無限に広がる幾何学文様は神の無限の力の象徴

・ミニアチュール（細密画）が発達

PROPOS　＊1

名前の呼び方にその文化の価値観があらわれる。アラブでは父系の血統が大切で名前も父の名を使いイブン・シーナーのように名乗った。「シーナーの息子」の意（イブンは息子の意味）。預言者ムハンマドは、「クライッシュ家のムーサの息子のアリーの息子のムハンマド」と呼ばれていた。

PROPOS　＊2

キリスト教は神が作った身体を解剖することを禁止。そのためイブン・シーナー『医学典範』が長く教科書として用いられた。

PROPOS　＊3

現実世界では「正確さ」は絶対的な価値でない。「価格」「使いやすさ」も大切。よく日本製品はオーバースペック（過剰性能）だと忌避される。日本のベアリング技術は100年ものだが、それを部品とする自動車は100年も使わない。メインテナンスに費用がかかるのも忌避される。ジャラーリー暦は正確だが使い勝手が悪く、グレゴリオ暦（西暦）が世界で使われている。気づかれにくいが西暦は「紀元前」という概念に汎用性があり、とても使い勝手がよい。

PROPOS　＊4

卑金属から金は作れないと分かった。失敗した錬金術 (alchemy) からアラビア語の接頭詞 al が取れて化学 (chemistry) となった。いまは金融工学という名の錬金術が盛ん。きゅうりにハチミツをかければメロン味になる、は錬味術。味の中心は匂いと判明。一度、鼻をつまんでカレーを食べてほしい。

PROPOS　＊5

『三大陸周遊記』。本は退屈なところは読み飛ばし、面白いところを摘み読みすればよい。彼から見た14c世界が記録。ウラマーとして各地で厚遇されたり、強盗にあったり…。旅行が可能だったのは巡礼のための交通路が整備されていたため。しかし、来日はなかった。行間の、書かれていないことを読んで「どうしてか」と考えたい。

画蛇添足

▼錬金術の試みは失敗に終わった。しかし、「これではうまくいかない」という知見を人類にもたらし、副産物として化学を生んだ。けれども錬金術に携わった人びとの名前は教科書に記されない。いまでも学問ではうまくいったことしか学術論文にならず、書籍化されない。▼出版バイアスというものがある。書籍化されるのはそれが例外的な珍しい事例だからだが、私たちは真に受ける。そのことで生じる認識の歪み（バイアス）。「こうして偏差値を飛躍的に伸ばした」「こうして劇的に痩せた」「こうしてがん細胞を消した」とか。▼これらは特殊事例で一般性に乏しい。後者はそもそも誤診だった可能性が高いと指摘される。エジソンの数百の発明はそれに数百倍する失敗に連なっている。彼の口癖は「この方法ではうまくいかないことが分かった」だった。▼ところでイブン・シーナーは哲学者、それとも医学者なのか。ウマル・ハイヤームは詩人、天文学者、それとも数学者なのか。彼ら自身はいずれの自己認識もなかった。学問はすべてつながっていて分けられない。そして彼らは分けなかった。教科書での学術分類はあくまで現在の分類を過去にあてはめたもの。▼「分ける」ことが「分かる」—全体を解ける問題に分解する要素還元的な手法は近代、デカルト以降の考え方。かつて「分けない分かり方」があった。いま人工知能（AI）も全体を全体として認識している。猫の画像を分解せずに猫として分かる。先日、猫しか見かけない公園で何かが横切り、すぐに狸と分かった。狸が横切ったことより、それを即座に狸と分かった自分（人間の認知能力）に驚いた。ほどなく近所で狸が話題にあがった、と申し添えておく。狸は狸に化けない。

わんクリック　距離の測定は大変だが角度を図るのは簡単。測量には三角法が使われる。船の位置を知る航海術にも応用された。沿岸が見えない遠洋航海、星との距離は測れないから角度に頼った。ただそれは天文学的な計算を必要とした。そこで膨大な数を折りたたむ方法として対数が発見された (17c)。これで煩雑な計算から解放されて遠洋航海がより安全になった。大きな数の最悪の折りたたみ方が文字化。1億円、1兆円と言ってしまうと違いがまったく想像できなくなる。1万円札を重ねたとき1億は1mの高さ、1兆は10kmの高さ！ 同じ問題が、過去を歴史として文字表象する時に生じている（※）。

History Literacy　大きな数の最悪のたたみ方が文字化（過去を歴史へと文字表象する際にも同じことが生じていると思われる）。

第8章　ヨーロッパ世界の形成と発展　＊1

1　西ヨーロッパ中世世界の成立

うっそうとした森

①風土　＊2

- 大西洋～ウラル山脈以西、がヨーロッパ
- 大西洋岸はメキシコ湾流（暖流）、偏西風の影響で高緯度だが温暖
- 北東部にいくほど乾燥、寒冷な大陸性気候

②民族

- インド・ヨーロッパ語族が中心
- ウラル、アルタイ語族
  └アジア系のマジャール（現ハンガリー）、フィン（現フィンランド）、フンなど

ゲルマン人の大移動とフランク王国

①原始ゲルマン

- 現住地はバルト海沿岸、先住のケルト系民族を圧迫しながら南西に移動
  └現アイルランド、ウェールズ（英）、ブルターニュ（仏）へ
- 人口増加による耕地不足でゆっくりとした移動
  紀元前後にローマ帝国と国境を接する
  └「ライン～ドナウ」ライン
  →ローマ社会に平和的接触（コロヌス、傭兵）
  ローマ側の史料に当時のゲルマンの様子が記載
  カエサル『ガリア戦記』（前1c）、タキトゥス『ゲルマニア』（1c末）　＊3
  約50の部族集団（キヴィタス）、移動時は約10の大部族
  成年男子自由人が全員参加する民会が最高機関

②ゲルマンの移動

- フン人の西進（375）がきっかけ　＊4
  └アジア系の遊牧民、時期的に（北）匈奴が西進か、気候の寒冷化が背景
- 黒海西岸の西ゴート人がドナウ渡河（375）
- 部族単位で移動、以後200年にわたり断続的移動

PROPOS　＊1
ピレネー、アルプス両山脈以南が南欧（ローマ帝国旧版図）。夏少雨で冬温暖の地中海性気候。一方、スカンディナヴィア半島、ユーラン半島が北欧。さらに両者に挟まれた地域を、エルベ川で東西に西欧、東欧（中欧）と分ける。西は温暖な大西洋岸気候（夏もクーラーが不要だったが最近は温暖化の影響で夏が酷暑になる）。東にいくほど寒暖の差が大きい大陸性気候になる。黒海の北は肥沃な黒土（チェルノーゼム）が広がる大穀倉地帯。ヨーロッパの東方の草原地帯はずっと東方までつながっていて、東からのアジアの人びとの侵入を防げない。

PROPOS　＊2
ヨーロッパ文明は「森の文明」。アルプスより北は鬱蒼たる森林の大海。森とそこに住む狼を人びとは恐れた。グリム童話「赤ずきん」が生まれた背景。今日のような耕地と牧場の景観が広がったのは、中世の大開墾時代。自然が破壊された後の作られた風景を私たちは「美しい」と感じている。

PROPOS　＊3
原始ゲルマンを知る史料がタキトゥス『ゲルマニア』。帝政ローマ期を生きた彼は質実剛健の気風がよく残るゲルマン社会を描くことで、文明が爛熟して退廃するローマ社会への警鐘にしようとした。ゲルマンの民会の慣習にふれ、ローマのような形式だけ立派な法典を作る社会より、良き慣習が行われる社会のほうがよいとした。そのように書くタキトゥスの文体自体が簡潔。凝縮の美を湛え、どのように訳しても原文を損なうとされる。名文の誉れが高い。

PROPOS　＊4
4cにユーラシアの東西で民族移動が起こった。4c初頭に南匈奴が華北に侵入してチャイナは五胡十六国時代にはいる。4c後半、北匈奴と考えられるフン人が西進してヨーロッパに侵入したことでゲルマン民族の大移動がはじまる。内陸部の寒冷化がその背景にあるとみられている。

画蛇添足

▼『眠れる森の美女』—寝ているのは森なのか美女なのかを考えると夜も眠れなくなる。そうこうしていると肝心の森が消えはじめた。ドイツの都心に近いシュヴァルツヴァルト（黒い森）までもが酸性雨で枯死してにわかに問題が前面化。▼人は食べねば生きていけない。人類史は、三大栄養素—糖質（炭水化物）・脂質・タンパク質をどう確保するかの闘いだった。それらを主食と主菜に振り分け、日本では米と魚、西洋は小麦と肉として確保してきた。日本はいまも天然魚を獲って食べる世界有数の魚食社会。自然の恵みに依存して栄養をとる狩猟社会の伝統の中にもある。▼人間を取り巻く自然環境—風土の違いが世界各地に異なる文化を形成させた、と風土に着目したのが仁豊野（姫路）出身の倫理学者、和辻哲郎（『風土』）。和辻はヨーロッパを牧場型文明とした。夏涼しく雨量が乏しいヨーロッパでは稲作はできず小麦栽培となる。森を開拓して牧場にした。小麦は米に比べて収穫量・栄養価とも劣り、主食になり得ない。栄養は牧場で育てた家畜を食べて補う。▼愛情をかけて育てた命を屠殺しないと生きていけない文化。命に線引きして割り切る必要のある「肉食の文明」（筑波常治）。鯨食を難詰されてつい「あなた方の肉食はどうなのか」と感情的になりがちだが、文化はそれぞれの事情を抱えている。ヨーロッパの夏だと草も柔らかいままに成長が止まる。牛には食べ頃。日本の雑草は堅くて牛にとっても歯ごたえがある。▼さて、寝ているのは森なのか美女なのか。実際に見れば直ちに了解できるものも言葉にするとややこしくなる。これが過去と歴史の関係（※）。せめて『眠れる美女』と、形容詞と被形容句は近づけて書きたい。

わんクリック　ヨーロッパの先住民ケルト人。「未知の人」の意。「ケルト人」という一体的な民族意識を持った人びとがいたわけではなく「ケルト系」表記がよい。ケルトは無文字社会。彼らが残した装飾を通じてケルトの魅力を語るのが鶴岡真弓『ケルトの想像力』。ヨーロッパは古くから人の出入りが激しい土地。彼らの前にも別の先住民が住んでいたらしい。ずっと遡っていくとクロマニョン人が住んでいた。いまはムスリムの流入が止まらない。いま筆者が住んでいる場所に、100年前、200年前、300年前にどのような人が住んでいたのだろうか。地域の古地図を前に想像力を働かせて見ると楽しい。

History Literacy　「百聞は一見に如かず」—言葉で説明することで分からなくなることがある（『眠れる森の美女』）。

③各部族の移動と建国 (現住地→建国先、存続期間、征服された国名・王朝名の順)

└ 各部族を以下すべて「○○人」として表記する

a. 西ゴート人 (国)(418 ~ 711)　＊1

黒海北岸→イベリア半島、ウマイヤ朝により滅亡

b. ヴァンダル人 (429 ~ 534)

└ アンダルシア地方、vandalism に名称の名残　＊2 ＊3

ドイツ中部→北アフリカ、ビザンツ帝国により滅亡

└ カルタゴの故地チュニス (チュニジア)

c. ブルグンド人 (443 ~ 534)

ドイツ北部→イタリア、フランク王国により滅亡

└ 現在のブルゴーニュ地方 (仏) に名称の名残

d. 東ゴート人 (493 ~ 555)

黒海北岸→イタリア、ビザンツ帝国により滅亡

└ 当初はフン人に服属、アッチラ帝国滅亡後移動

e. ランゴバルド人 (568 ~ 774)

黒海北岸→イタリア北部、フランク王国により滅亡

└ ロンバルディア地方 (伊) に名称の名残

f. フランク人 (481 ~ 848)

ライン川→ ガリア、分裂

g. アングロ・サクソン人 (449 ~ 1066)

ユーラン半島・エルベ川下流

→ブリテン島、ノルマンにより征服

④フン人の大帝国

・移動してきたフン人は指導者アッティラの下で大帝国形成　＊4

→カタラウヌムの戦い (451) ですぐに崩壊　＊5

└ ローマ帝国とゲルマンの連合軍に敗れる

⑤西ローマ帝国の滅亡

・476 年、オドアケルが西ローマ帝国を滅ぼす

└ 当時は東西ローマ帝国に分割、当時の人びとには西ローマ皇帝がいなくなった感覚

・ローマの滅亡は古来より人びとの最大の関心事

└ ギボンの大作『ローマ帝国衰亡史』(18c)

・滅亡原因は諸説 (200 説以上) ある ― 複合的要因で何かを主因にはできない

PROPOS ＊1

前時代を否定することで現在を正当化するのが歴史の役割。ルネサンス時代 (14 ~ 16c) に否定された様式が「野蛮」の含意で「ゴシック (ゴートっぽい)」様式と命名。ゴート人に負のイメージが被せられた。

PROPOS ＊2

野蛮はvandalism(ヴァンダリズム)。フランス革命 (18c) がキリスト教会を攻撃して破壊した時に、ヴァンダル人が想起されて造語された。ゴート人に続く濡れ衣。キリスト教も異教の祭壇を破壊しては、その上に教会を建立してきた。人間は自分のしてきたことを棚に上げる存在。攻撃は最大の防御。誰かをある言葉で非難すれば自分もそうであることを隠せる (※)。だから攻撃的になる。

PROPOS ＊3

ヴァンダル人による北アフリカ席巻(せっけん)時のヒッポ (北アフリカ) 司教が教父アウグスティヌス。ローマ帝国がキリスト教を公認した (313) ため、ゲルマンの侵入 (375) を招いた、との湧き起こる批判に対して教会を擁護するために『神の国』(426) を書いた。

PROPOS ＊4

「アドリア海の真珠」ヴェネツィア。フン人のアッティラの侵攻にアドリア海の干潟に逃げ込んだ人びとが、そこに杭を打って作った類い稀な「水の都」(425)。最近は高潮のたびに水没の危機に直面する。

PROPOS ＊5

高校世界史の親学問、歴史学はドイツ生まれ。ヨーロッパ中心史観的叙述がいまだに強い痕跡(こんせき)を残す。ペルシア戦争がオリエント専制主義に対するギリシア自由主義の勝利だとか (ヘロドトスの見方)、アッティラへの勝利がアジアの野蛮に対するヨーロッパの勝利とか。ローマ教皇レオ 1 世がアッティラを説得して退却させた妄想図 (16c ラファエロの作品) まで図表に掲載する。ローマ教皇を権威づけたいキリスト教会の演出を無批判に使うのは駄目だろう。

画蛇添足

▼かつてない規模で人びとが移動するグローバリゼーション時代を私たちは生きている。とりわけヨーロッパへの人口流入が激しく、イギリスのEU離脱の動きを促した。ゲルマン人、ノルマン人の移動は第1次、第2次民族大移動と呼ばれるが、現在進行中の移動は後世から第3次民族大移動と命名されるだろう。▼イスラーム圏のシリア、北アフリカ諸国から政治、経済難民が安全とよりよい生活(仕事)を求めて大量流入が続いている。人間は簡単には生まれた土地を離れない。離れざるを得ない事情(PUSH要因)と受け入れ国が必要とする事情(PULL要因)があってはじめて人は移動する。グローバル化を主導するのはアメリカをベースにする多国籍企業。その意味でアメリカナイゼーションとの言い換えが可能。19世紀の西部開拓(西漸運動)がまだ続いている、と見なすこともできる。▼つい最近まで公式には労働鎖国をしていた日本。実際は「技能実習生」の名目で多くの外国籍の人たちを就労させており、すでに人口の2%少し、実数で288万人(2020)もの外国籍の人たちが生活している。実質的に日本はゆるやかに移民社会へと移行しつつある。都市部では「コンビニ外国人」が目立つように特定の仕事に従事。この2%はローマに入ってきたゲルマン人の割合3%に近い。彼らはコロヌス、傭兵といった仕事にローマ帝国内で従事した。▼移民の割合が日本とは一桁違うロンドンやパリでは、ジェントルマン(白人男性)、パリジェンヌ(白人女性)概念そのものが失効している。両都市ともに3百ほどの言語が飛び交うコスモポリス。かつてパリを象徴した北駅周辺、とりわけそこを通る地下鉄4号線の車内はもはやアフリカ世界。

わんクリック　デイビッド・モントゴメリー『土の文明史』は、ローマ文明崩壊の原因を「土壌」の崩壊に求める。筆者はどうして世界史を教えることで生きてこれたのか、不思議に思う。いまの日本で農業従事者は 136 万人 (2020) で人口の 1% 強。その生産力が、残りの人びとが違う仕事に従事することを可能にしている。その生産力は地球の皮膚「土壌」の肥沃さに由来する。人口が増加したローマ文明では土壌の生成が消費速度に追いつかなくなり失われてしまったとする。いま深刻なのは世界の水不足。大規模農場で地下水をくみ上げすぎて枯渇寸前。将来、『水の文明史』が書かれる可能性がある。

History Literacy　何かを言挙(ことあ)げして歴史とすることには、言葉にされないことを隠す機能もある。

カトリック教会とキリスト教の発展

①フランク人の発展　＊1

・小部族の集合体、ライン右岸から北ガリアへの膨張的発展で民族性保持

②メロヴィング朝フランク王国 (481 ~ 751)

└ 権力はあるが権威はないフランク王国

・クローヴィスによる統一

└ フランス建国神話で最初の国王、Clovis の変化形が Louis(ルイ)

アタナシウス派改宗 (496) でゲルマン中で唯一のカトリック王に

└ 何からの改宗かは不明　└ 西ローマ帝国滅亡 (476) の直後

→ローマ教会と提携　＊2

└ 権威はあるが権力のないローマ教会、統治のために住民の信仰を利用したフランク

他のゲルマン人はアリウス派

└ ニケーア公会議 (325) で異端、以後ゲルマン社会に広がる

・ガリア全域支配

ブルグンド王国支配 (534)

・分割相続による王家衰退で宮宰(きゅうさい)職が実権掌握

→カロリング家が宮宰職世襲で台頭

・732 年、トゥール・ポワチエの戦い

└ 726 年に東ローマ皇帝が聖像禁止令を出した直後

宮宰カール・マルテル (カロリング家) が侵入したイスラーム軍撃退

「西方キリスト教世界」を防衛

③カロリング朝 (751 ~ 987)

・751 年、ピピンが王位簒奪し、カロリング朝創始

└ カール・マルテルの子　└ この際、ローマ教皇の支持

・「ピピンの寄進」(756)

└ 王位承認の見返り

ランゴバルド王国からラヴェンナ地方を奪い、教皇に寄進

└ モザイク壁画の宝庫

ローマ教皇領の起源

→フランク王国とローマ教皇の利害が一致

└ 権力正当化の権威が欲しい　└ 東ローマ帝国に対抗できる新保護者を希求

PROPOS　＊1

フランスを南北にわけるロワール川。北仏と南仏では文化が違う。ロワール川を渡河されるとパリまでは小麦畑 (平原) で守れない。ここが最後の防御線で川沿いにシャトー (城) が並ぶ。実際、トゥールとポワティエの間のどこか (電車で 1 時間ほども離れていて漠然としすぎ。よくわかっていない戦い) でイスラームの侵入をカール・マルテルが (8c)、オルレアンでジャンヌ・ダルクがイギリスの侵入を阻止 (15c)。このトゥールからオルレアンにかけてのシャトーが点在する車窓風景が楽しい。凝った庭園が見もののヴィランドリー城、城下の雰囲気のよいアンボワーズ城、佇(たたず)まいの優雅なシュノンソー城などがおすすめ。

PROPOS　＊2

ゲルマンの侵入で西ローマ帝国は崩壊。ローマ教会は自らの保護を遠方の東ローマ皇帝に頼ることになる。その東ローマ皇帝はイスラームの脅威に直面。イスラームへの信者流出を防ぐために、聖像禁止令 (726) で自ら襟(えり)を正そうとする。ところがローマ教会にとって聖像は信者拡大の重要な道具。イスラームの脅威も他人事。東ローマ皇帝とはやっていけない、別の保護者を、と思い始めていた矢先に、思いもしないイベリア半島からイスラームの侵入を受ける。これをトゥール・ポワティエ間で食い止めたのがカール・マルテル (732)。ローマ教皇は自らの新しい保護者を彼に認めるがまだ彼は国王でない。そこで「力あるものが王たるべし」と援護射撃してその子のピピンのクーデタにお墨付きを与えた。王位を簒奪(さんだつ)したカロリング家はお礼にラヴェンナ地方をローマ教皇に寄進 (ピピンの寄進)。教皇はそのお返しに取り置きしていた持ち主不在の「ローマ皇帝帝冠」を与えて、自らの保護者とした。これをカールは恭(うやうや)しく受け取る (カール戴冠)。打算が激しく往復した権威と権力のランデブー。西欧では世俗権力者は「神の代理人」ローマ教皇から頭上にローマ皇帝冠を載せてもらって皇帝となる奇妙な慣習が生まれた。

画蛇添足

▼キリスト教会の基本教義が三位一体説。父 (神) とその子 (キリスト) と聖霊は同質、三位一体で不可分。この理解の難しい教えに疑義をはさむと異端として弾圧の対象になった。ローマ教会だけでなく、プロテスタント教会でも礼拝では参列者が「三位一体説を信じます」と唱和する。▼これがキリスト教徒の信仰告白。イエスが人間性だけでなく神性もあわせ持つなど論理的には理解できない。それ故、「不合理ゆえに我信ず」(テルトゥリアヌス) という逆説的な態度がむしろ論理的になる。福音の物語の荒唐無稽(こうとうむけい)さをそれゆえ人為的な作り話ではありえない、と信じる根拠にする。分からないから信じるので信仰は強くなる。これが信仰の神秘。▼カトリックには多神教的要素がある。多くの聖人崇敬、聖母マリア信仰など。様々な異教的要素を飲み込んで大きくなった。三位一体説自体が多神教的。そのような寛容性で成立した教えであるのに異端には厳しかった。異端は正統とは「異なる」解釈のこと。本来は「誤った」解釈ではない。三位一体説も当初は政治的妥協の産物だったが採択された後は、ローマ教会は「神の子」「救世主 (メシア)」とイエスの神格化を進めていく。▼しかし帝国内でもローマから離れた東方ではこのイエスの位置づけに納得しない人が多かった。イエスの人間性を強調するアリウス派は影響力を持ち続けた。そのことが厳格な一神教であるイスラームがローマ帝国の東方シリアなどで急速に受け入れられた背景となった。イスラームの信仰告白は「ムハンマドは神の使徒なり」。イスラームがムハンマドを「預言者 (人間)」と強調する意味はキリスト教の信仰告白、三位一体説と並置した時に明確になる (※)。

わんクリック　世界史教科書に登場する名前のあり方はいろいろ。複雑なので教科書はいちいち注釈しない。ゲルマン人は名前しかなく、その名前は親子で同じ場合も多く、後世からは遠近の区別がつかない。個人の識別が難しかったからあだ名が付けられた。獅子心王、失地王、黒太子、航海王子など。また王朝で王名はほとんどが同じ場合もある。プトレマイオス朝のクレオパトラ、ブルボン朝のルイなど。後世が第何世と区別する。日本の歌舞伎界も同じ名前を襲名する。誰それは何代目、として区別する。襲名は、本名は変えないが、意気込みを変える。最近はペンネームを使う作家も珍しくなった。

History Literacy　関係項を探す―意味は関係の中で生じる、関係項を明示されてはじめてその意味が明確になる。

④ローマ・カトリック教会の発展

・教会の発生と発展

ローマ帝国内各地に教会が成立

→五本山が有力教会へ

ローマ・コンスタンティノープル

アンティオキア・イェルサレム・アレクサンドリア

└ この三教会はイスラーム支配下に

・ローマとコンスタンティノープル両教会が対立

→西ローマ滅亡後、コンスタンティノープル教会優位

└ 世俗の保護者を失ったローマ教会に対し東ローマ皇帝の保護下

⑤ローマ教会の首位権主張

・ペテロ殉教の地に存在、ゲルマン人教化の実績

└「天国の鍵」を預かった使徒

→首位権を主張し、司教を教皇（法王）と称す

└ 現在はプロテスタント、ギリシア正教会に対してローマ・カトリックと称す

・歴代ローマ司教（教皇）

└ papa の日本語訳はかつて「法王」、1981 年以降は「教皇」

レオ１世 (440 ~ 461)

グレゴリウス１世 (590 ~ 604)　＊1

└ ゲルマン布教でローマ司教の権威向上（初代ローマ教皇）、グレゴリオ聖歌 (9 ~ 10c) の由来

⑥聖像崇拝論争

・キリスト教の偶像崇拝をイスラーム勢力は批判　＊2

└ モーセの十戒の第二戒「あなたはいかなる像も造ってはならない」（『旧約聖書』）

・726 年聖像崇拝禁止令

└ 最終的に撤回 (843) 以後はイコン崇拝がギリシア正教会の特徴に

東ローマ皇帝レオン３世が発布

└ イスラームに最前線で接する東ローマ帝国、シリア・エジプトを奪われ経済的に打撃

・ローマ教会は反発、新保護者を求める

└ ゲルマン布教に必要との立場から

・ローマ教会はヨーロッパ世界で成長

└ 神々を人型で見事に造型する美的表現を持った文化

PROPOS　＊1

「音楽はことばを遠く神のところに運ぶ乗り物」と誰かが言った。言葉に誇張がはいり強度が高くなると羽が生えて遠くへ広がる。神に届けるために節を最初につけたのが単旋律のグレゴリオ聖歌。名前はグレゴリオ１世に因むが、成立したのは後世のフランク王国時代 (9 ~ 10c)。こういうのが出た時は、それまでの 1000 年間礼拝で音楽が使われていなかった、と反転読みしたい。それまでは音楽（歌舞音曲）は異教のもの、悪魔の誘惑として退けられていた。

PROPOS　＊2

目に見えないものは理解が難しい。「そこに木が何本あるか」は分かりやすい。しかし「木と木の間がいくつあるか」の植木算になると途端に難しくなる。何もない空間を認識する難しさ。見えないものをモデルという像を使ってイメージすることで思索を発達させてきたのは科学。分子、原子モデルも像である。これらは私たちの理解を助けてきたが、他面で理解を妨げてもきた。宗教においても、像を使わずに布教したり、信仰を維持するのは難しい。目に見えないものを表す「像」には功罪がある。

PROPOS　＊次ページ 1

「マホメッドなくしてシャルルマーニュなし」と呼ばれるベルギーの歴史家アンリ・ピレンヌのテーゼ。イスラーム勢力が地中海を支配したことでヨーロッパ商人が地中海から閉め出され、中世ヨーロッパ世界という閉ざされた世界が成立したとの説明。出来事の理解のためには、どの程度の枠組み（スケール）のもとに切り取るかが大切。ピレンヌテーゼはかなり大きなスケールで歴史を切り取る。妥当性には議論がある。

PROPOS　＊次ページ 2

カール大帝は文字通りの 2m を超える大男。身体尺にフィート (1 フィートは約 30cm) がある。カール大帝の足のサイズに由来するという俗説もある。身体尺としては少し大きめのサイズになっている。

画蛇添足

▼かつて「右手で一番高いのは…」とバスの乗客に見立てたお客に右側上方を振り向かせ、一拍おいてから「中指でございます」と笑いをとる漫才があった。しかしこれを私たちは無邪気に笑えない。「月を見よ」と指さされた時、道具である指（言葉）に囚われてしまうのが人間。▼その彼方に月を見た場合、その指は「icon（アイコン、ギリシア語でイコン）」として無事に機能したことになる。キリスト教世界では神をイメージした聖像を造形してきたが、それはあくまでイコンとしてだった。パソコンの画面上のアイコンはイコンに由来する。▼イコンとはそれを介してその彼方にある信仰対象、つまり神とつながるための窓口（※）。それ自体を崇拝対象にしてしまった時、聖像は「偶像」（idol、アイドル）に堕してしまう。これに手を合わせるようになると、そのイメージに引きずられ、信仰のつまずきとなる。アイコンにすぎない聖像、それを有難がることが偶像崇拝。▼それに代わる何ものによっても表象されない—そういう存在が神。ちなみにギリシア正教世界で広がった聖像画(イコン)が没個性的なのは、そこは画家の個性が発揮されるべき場でなく、定型によって支配される場であるため。▼世界史教科書の固有名詞の連打に食傷(しょくしょう)する人は多いと思うが、これらはすべて「アイコン」。以前に「ラビットホール」（『不思議の国のアリス』）と表現した。これらを暗記するだけでは過去そのものは分からない。あくまで過去そのものへの窓口。これらに囚われるとむしろ過去理解の躓(つまず)きとなる。好奇心を持って覗き込み、クリックしてほしい。ところで正教のイコンは現実には各家庭に普及していまアイドル以上の存在になっている。理屈と現実—強いのは現実か。

わんクリック　国家は人工物。全体を束ねる求心軸が必要。いまは安全と福祉の提供だが、長く国王が役割を果たした。外部に敵を作ってまとまるよりは健全。王位を世襲とすれば権力の継承がスムース。無用の権力闘争も回避できる。それが王朝の存在意義。ただし世襲国王に名君は期待できないからそこは別の工夫でカバーする。カール大帝の長寿はフランク王国安定につながった。ただ国王が長生きすればいいものでもない。ルイ 14 世（フランス、17c）の場合は長すぎて子ども、孫に先立たれ、とんでもない曽孫(ひまご)が帝王教育なしにルイ 15 世として幼少で即位。「物事には適度がある」（ホラティウス）。

History Literacy　歴史用語は過去へのアイコン（窓口）、暗記だけで終わった時、アイドル（偶像）となる。

西ヨーロッパの政治統合

①カール大帝 (シャルルマーニュ)(768 ~ 814)　＊前ページ1 ＊前ページ2 ＊1

a.「ヨーロッパ」再統一　＊2

└ ゲルマン移動以降の混乱収拾、キリスト教世界の守護者としての性格

・ランゴバルド王国征服、異教徒ザクセン人を改宗させる

└ イタリア北部のローマ教会の脅威、征服領を教皇に寄進

・アジア系アヴァール人の侵入阻止　＊2

└ アジアから断続的に移動　フン人 (4c)、アヴァール人 (6 ~ 9c)、マジャール人 (9 ~ 10c)

・イベリア半島のイスラーム勢力に対抗

└ レコンキスタのさきがけ、フランスの叙事詩『ローランの歌』(ローランはカールの甥)

b. 内政・文化

・中央集権体制、全国を州に分けて伯を設置

└ ビザンツ帝国 (東ローマ帝国) に対抗できる大国に

・「カロリング・ルネサンス」(中世史家アンペール (19c) の造語)

宮廷所在地アーヘンに神学者アルクィンを英より招く

└ 首都はなく伯を牽制のため各地に移動 (移動宮廷、巡幸王権)　＊3

古典古代の文献を筆写 (保存)

└ この時期に限ったことでなく、「ルネサンス」と特筆すべきでないとの批判もある

②カール戴冠 — ローマ教皇が作ったローマ皇帝　＊4

・800 年、ローマ教皇レオ 3 世がローマ皇帝冠をカールに

・西ヨーロッパ世界が成立　＊5

ビザンツ皇帝からの政治的、精神的に独立

古典古代文化、ゲルマン文化、キリスト教要素

└ 地中海起源 (実際はローマ文化) └ バルト海起源　└ オリエント (中東) 起源

・三分された地中海世界

ローマ・カトリック圏 (西欧)、ギリシア正教圏 (東欧)、イスラーム圏

フランク王国の分裂

①フランク王国の分裂

・ヴェルダン条約 (843)、メルセン条約で三分割

└ この分割線がドイツ語圏、フランス語圏 (ベルギーを南北、スイスを東西) に分割

PROPOS　＊1

同名の王が多いヨーロッパでは区別のため愛称やあだなが添えられる。特にカール (これはドイツ語名—フランス語ではシャルル)。ピピン 3 世 (小ピピン) の父はその剛腕から「鉄槌 (マルテル)」、ピピンの子はその業績からカール「大帝」(フランスではシャルルマーニュ)。カールは英語でチャールズ、西語でカルロス。神聖ローマ皇帝カール 5 世はスペイン国王カルロス 1 世。

PROPOS　＊2

外征に明け暮れたカールが支配した地域が現在の「ヨーロッパ」の原型。EU は当初 20c の「カールの帝国」をめざした。そのためイギリスは加盟を躊躇(ちゅうちょ)した。「ヨーロッパとは何か」は「何がヨーロッパでないか」と他者を措定(そてい)、その排除あるいは内部化によって輪郭づけられていく。教科書もその過程、「○○を撃退」と排除を、「○○を改宗」と内部化する過程を叙述する。

PROPOS　＊3

フランク国王は各地に巡幸。姿を見せ、声を聞かせて王の存在を示した。当時はまだ首都を定めて国王がそこで常駐して統治できるほど王権が強くなかった (※)。

PROPOS　＊4

クリスマス礼拝時。ローマ教皇レオ 3 世に招かれ、聖ペテロ大聖堂 (ローマ) を訪れたカール。祈りから立ち上がろうとした彼の頭上に教皇レオ 3 世は用意していたローマ皇帝の冠を載せた (カール戴冠)。「こんなことになると知っていたら教会には入らなかっただろう」と、満更(まんざら)でもなかったはずのカールが不本意なそぶりを見せた、と記す (アインハルト『カール大帝伝』)。「推されたから」が権力者の典型的なふるまい。

PROPOS　＊5

ヨーロッパ人の行動にはキリスト教徒としてよりは土着の要素、そしてローマの要素の方が強いのではないか、との指摘も多い。宗教的アイデンティティは強くない。

画蛇添足

▼キリスト教は、オリエント生まれのヨーロッパ育ち、信者数ではいまは南北アメリカ大陸、アフリカ南部に主舞台を移した宗教。もともと荒涼とした地で生まれたが、鬱蒼(うっそう)とした森で覆われたヨーロッパで成長した。ローマ帝国の国教となってからはゲルマン人のいるヨーロッパ世界で布教。森の文明を取り込んで変容していった。▼教会の堂内は柱が林立し、ステンドグラスをはめ込んだ窓から堂内に光が漏れる。これは森と木漏(こも)れ日のイメージ。12月25日をイエス生誕の日クリスマスとして祝う。イエスの生涯はほとんど不明。誕生日など知る術もない。この日は森に棲むゲルマン人の冬至の祭。この祭典で使われたのがもみの木(クリスマスツリー)。布教を優先させて彼らの文化を受け入れた。▼多神教世界のローマ帝国でなぜ一神教であるキリスト教が国教になれたのか。キリスト教は一神教の看板を掲げるが、実際は諸聖人信仰を認めて多神教的要素も取り込んだ。天使の存在もアニミズムの名残り。土俗の信仰を融通無碍(ゆうずうむげ)に取り込むことで変容を厭(いと)わず、信者を取り込んで拡大していった。▼いまヨーロッパでは教会離れが進む。日曜に礼拝に行く人はもうわずか。キリスト教信仰の中心は冒頭で触れた地域に移った。ニューヨーク滞在が日曜ならハーレムの教会を訪ねるとよい。福音(ゴスペル)を歌い上げるソウルフルな熱気に圧倒される。アメリカは公式の場面で God bless you.(神の加護あれ) という言葉が飛び交う国。▼比喩としてでなく文字通り聖書を読み、本気で神の創造説 (進化論の否定) 信じる人がいる。ただアメリカなどでキリスト教は大きく変質。この世界史で学ぶキリスト教とは別物になりつつある印象を持つ。より深く信仰を持つようになると、無信仰者との分断も深まっている。

わんクリック　12 月の時候の挨拶に「メリークリスマス」でなく「シーズンズ・グリーティングス」と配慮をする人が増えている。様々な宗教の人がいる。こういう言い換えは political correctness(「政治的正しさ」) として行政主導で進められてきた。人権に目配りした言葉づかいをしようとする動き。普段使いの言葉が思考に影響を持つから大切なこと。ただ PC 用語が「無難だから」として使われると、形式的になって本来の言い換えの趣旨と逆の事態を招いてしまう問題もある。「一人客」でいいのに「お」と「様」をつける過剰気遣い「おひとり様のお客様です」が慇懃無礼(いんぎんぶれい)でしかないのと同じ現象。

History Literacy　「首都」表記は現代の価値観の反映 (都が複数で首都のない、都が固定されない、都すらない時代、地域もある)。

②東フランク（ドイツの原型）

・カロリング朝断絶（10c）後、選挙王政

・オットー1世（936 ~ 973）

アジア系マジャール人、スラヴ人撃退　＊1

└ レヒフェルトの戦い（955）

→マジャール人はパンノニアにハンガリー建国（996）　＊2

└ 現ハンガリー平原　└ この存在がスラヴ人世界を南北に二分

・962年ローマ教皇ヨハネス12世が戴冠（オットー戴冠）

→神聖ローマ帝国（962 ~ 1806）の起源　＊3 ＊4

・皇帝はローマ教皇保護のためイタリア遠征（政策）、ドイツに不在がち　＊5

③西フランク（フランスの原型）

└ 12c頃から「フランス」の名称（おそらくは「フランク」に由来）

・カロリング朝断絶（10c）

・カペー朝（987 ~ 1328）

パリ伯ユーグ・カペーが創始

└ ヴァイキングからパリを防衛して台頭

王権はパリ周辺のみで王権は不振

└ パリ周辺は典型的に封建制が展開した地域

④イタリア

・カロリング朝断絶（9c）

・神聖ローマ皇帝の干渉、イスラーム勢力侵入のため分裂

2　封建社会と都市

攻撃される西ヨーロッパ

①ノルマン人の活動

・原住地スカンディナヴィア ~ ユトランド

└ ゲルマン人の一派（第2次ゲルマン人の移動）、人口増加が原因か

・河川を遡行して内陸部まで遡行、「海賊・略奪」行為、交易

・9c ~ 11cに活動

└ 793年に最初のイングランドの修道院襲来の記録、11世紀に突然活動停止

・三大拠点　ヨーク（英）、ダブリン（アイルランド）、ルーアン（仏）

PROPOS　＊1

北方スラヴ人に備えるために北方辺境伯領（ブランデンブルク辺境伯領）(12c)、東方マジャール人に備えるために東方辺境伯領（オストマルク辺境伯領）(9c) を設置。それが、オーストリアとプロイセンに発展（※）。

PROPOS　＊2

マジャール人が建てたのがハンガリー。フン人の子孫だからハンガリーと言うのは俗説だがフンと鼻であしらうのも惜しい。こういう俗説も活用して覚えておきたい。

PROPOS　＊3

この「帝国」は15c以降、つまりビザンツ皇帝がいなくなったあと唯一のローマ皇帝の継承者として「神聖ローマ帝国」と広く認識された。名前と実体が乖離した国。帝国はイタリアのローマ教皇を守る神聖な使命があると自負。その使命は神に由来すると神聖を使った。ローマ教会の保護者であるローマ帝国の後継者を自任して皇帝と称した。逆に教皇はこの名称を嫌いドイツ王と呼んだ。神聖ローマ帝国（皇帝）はドイツ王国（国王）と読み替えて理解すればよい。しかし今日の国境線とは一致しない。

PROPOS　＊4

ヴォルテールが国民国家を念頭に「神聖でもローマでも帝国でもない」と揶揄した神聖ローマ帝国。しかし、国民国家のあり方が問われる現代では、首都を持たず、ナショナリズムと無縁だった神聖ローマ帝国のようなあり方が見直されている。図表で、支配地域を色で塗りつぶすことができない国―そういう「国家」も存在した。

PROPOS　＊5

イタリア政策のため、イタリアに出かけてドイツに不在がちだった皇帝。ドイツ国内の諸侯はそれを歓迎、独立傾向を示した。ドイツ皇帝が常にやってくるイタリアもまとまらなかった。両国とも19cまで分裂。しかし、この強い中央権力の不在が魅力あるドイツ、イタリアの地方文化を育んだ。

画蛇添足

▼ノルマン人には船を副葬する風習があり、10隻以上が当時のまま出土。全長30m、幅5mほどの細長で船底のキール（竜骨）アーチがスタイリッシュ。その造形は機能美。70人ほども乗れる。帆を張れば外洋航海も可能な安定感もある。▼喫水線が1mほどと浅く、ヨーロッパの河川であれば内陸奥深くまで遡行できた。滝とされる日本の川と違ってヨーロッパの川は緩傾斜。運河でつながり河川ネットワークが張りめぐらされている。軽いのも特徴。陸上で持ち運べたのでどこが攻撃されるか予想できなかった。その神出鬼没は人びとを恐怖に陥れた。ヨーロッパ内陸部の山の頂など「こんなところに」という所にノルマンの侵入に備えたとされる隠れ村がある。▼近代日本は英、仏やプロイセンなどノルマン人の被害を受けた国をモデルとしてきた。私たちはこれらの国の視線で、ノルマン人を敵として、海賊イメージを重ねてみてしまう。「ヴァイキング」という海賊の含意がある表現を使ってしまう（本来は「入り江の民」の意味）。▼ノルマン人が襲ったのは教会や修道院。その行為を記録したのは襲われた聖職者。当時、読み書きができたのは彼らだけだった。教会、修道院を襲うノルマン人の行為を、彼らは神を畏れない野蛮な異教徒の行為と断罪。もっともノルマン人が教会、修道院を襲ったのは―鼠小僧次郎吉が大名屋敷ばかり狙ったのと同じ―そこに金銀が蓄えられていたから。▼同じ頃、キリスト教徒がイスラーム世界に対して行った残虐な攻撃は「聖戦」と書き残された（『ローランの歌』）。ノルマン人の航海の主目的は交易であり、略奪のような海賊行為は例外的。彼らの商業活動が商業復活につながった、とも評価されている。

わんクリック　ダブリンのヴァイキングアドベンチャー。ビジネス街のありふれたビル。入場すると人工の川、船に乗せられる。船に乗って見学する趣向なのかとリラックス。トンネルを抜けると中世の村。すると寄ってきた村人に船から降ろされ「どこからきた」と誰何された。そこではじめて「タイムトリップして11世紀に遡行したのだ」とゲームのルールに気づく趣向。「よく来た、うちに寄れ」と連れていかれた昔の住居でダブリンの成り立ちを学ぶ運び。情報も何もなく博物館のつもりで入場したのでこの展開には動転した。大学の演劇部の学生が村人を演じていた。いまもあるのだろうか

History Literacy　「辺境」は中心からの見方―むしろ異なる社会（別の中心）との「最前線」（交易を行いやすい場所）。

②デーン人

・セーヌ河を遡行

・ノルマンディー公国 (911) 建国者ロロ

西フランク王に臣従してセーヌ河口に建国 (首都ルーアン)

→ここを拠点にノルマン征服、両シチリア王国建国

└ ルッジェーロ 2 世が建国、首都パレルモ

③スウェーデン系のノルマン人

・リューリク 率いるルーシがドニエプル川沿いに南下

└「ロシア」の語源

→ノブゴロド (9c)、キエフ公国 (9 ~ 13c) 建国

④ノルウェー系のノルマン人

・アイスランド、グリーンランドから北米到達　＊ 1

⑤デーン人とイングランド　＊ 2

a. ブリテン島前史　＊ 3

・アングロサクソン七王国 (ヘプターキー)(449 ~ 829)

ゲルマン人の一派アングロサクソン人が移住、建国

・アングロサクソン朝 (829 ~ 1016) ― イングランドの成立

ウェセックス王エグバートが統一

アルフレッド大王がデーン人の侵入防ぐ

└ イギリス史唯一の「大王」の呼称

b. デーン人のブリテン島攻撃

・デーン朝 (1016 ~ 1042)

1016 年、クヌートが征服

一時期、北海を中心にクヌートの王国樹立

・アングロサクソン朝復活 (1042 ~ 1066)

・1066 年、ノルマンの征服 (ノルマンコンクェスト)　＊ 4

ノルマンディー公ウィリアムがヘースティングスで勝利

⑥ノルマンコンクェストの意義

・中央集権的封建国家の成立

└ 全土 (土地、家畜数) を悉皆(しっかい)調査、ドゥームズデーブックに記録して課税

・英仏抗争の原因 (英王は仏王臣下)　＊ 5

・仏文化の英への流入

PROPOS ＊ 1

アイスランドは命名の失敗で入植希望者が現れなかった。そこで次に発見した島にグリーンランドと名付けた。虚偽広告のはじまり。彼らはその後、北米に到達したが植民活動に失敗、後世への影響は少ない。

PROPOS ＊ 2

セーヌ河を遡行してきたデーン人に対してパリ周辺を本拠地としていたカペー朝は臣従礼をとらせて河口の広大な領土を与え (ノルマンディー公国)、セーヌ深奥部へのこれ以上の侵略を阻止。そのため、デーン人の侵略の矛先はブリテン島と地中海へ向かう。フランスの内陸部の河川沿いのここかしこに、要塞都市が残っていて奇観を作っているが、これらはヴァイキング対策。いかに脅威だったかが分かる。地中海沿いではエズ村がその最高傑作。下からは村があることすら窺(うかが)えない。気配を消した村。

PROPOS ＊ 3

私たちが「イギリス」と呼ぶブリテン島とアイルランド島の北部にまたがる国の正式名称は United Kingdom of Great Britain and Northern Ireland―イングランド、スコットランド、ウェールズの三つの国と北アイルランドという地域から構成される。呼称としてはＵＫあるいは連合王国でよい。

PROPOS ＊ 4

イングランドの歴史を 1 日で決めたヘースティングスの戦い。ウィリアム王征服に正当性があると主張するために王妃らが刺繍(ししゅう)した長大な絵巻物『王妃マチルドのタペストリー』(70m) がバイユー (仏) に残る。王位は武力でとれるが、その正当化に失敗すると統治はできない。英先王エドワードは王妃の弟ハロルドでなく従妹である私、マチルダに王位継承を約束した、と主張。

PROPOS ＊ 5

イギリス国王には様々な称号が連なるがその称号から「フランス国王」が外れたのは 1800 年。それほど昔のことではない。

画蛇添足

▼豚は生きている間は pig と英語で呼ばれるが、いったん料理されてお皿に乗ってでてくるとフランス語起源の pork となる (スコット『アイヴァンホー』)。ノルマンの征服でフランス語を話す者がブリテン島では支配者階級となったからである。家畜の世話をするのは英語を話す人びとで、食卓に上がるとフランス語を話す人が食べた。▼cow は beef に、sheep は mutton という具合。英語は他の言語に比較して語彙が多い。基本動詞も「始める」に begin と commence、「終わる」に end と finish、とアングロサクソン起源の前者、フランス語起源の後者が混じる。▼先に「ブリテン島」と呼んだが、この地域の呼称は難しい。ここに現在あるのは連合王国。四つの地域からなる連合王国をその一部の呼称 England や、ここから派生した「イギリス」で呼ぶのはあまり適当でない。日本を東京と呼ぶようなもの。England はアングロ人がここに移住して、ここは自分たちの土地 (Angle's land) と主張したことから生じた地名。ブリテン島の南東部しか指さない。▼またここをローマ時代のブリテン島、ブリトン人に由来する British と呼ぶと北アイルランドの人びとを排除してしまう。堅苦しいが「連合王国 (UK)」と呼ぶしかない。ちなみにこのブリトン人の一部はローマ、アングロ・サクソン人の侵攻でその一部がフランスに逃れた。そこで彼らブリトン人が住んだ地域がブルターニュ。▼そこと区別するため本来のブリテンを「大ブリテン」と呼ぶ慣習が生まれた。それだけのことなので日本語に訳す時に British を「大英」と訳す必要はない。英帝国でよい。同じように British Museum は大英博物館でなく英国博物館 (しかし本書は慣用表記を使う)(※)。

わんクリック　文明の十字路シチリア島。地中海の交通の要衝で諸文化が融合。11 世紀には北方のノルマン人が征服、ムスリムとも共存。ルッジェーロ 2 世は様々な文化圏に属する学者を首都パレルモに集めた。のちにフェデリーコ 2 世 (のち神聖ローマ皇帝フリードリヒ 2 世) のような型破りの君主を輩出した島。彼はその学識から「世界の驚異」、教皇批判から「王座の最初の近代的人間」(ブルクハルト) と評価された。人間は複雑な存在で全面的な肯定評価は難しい。安心して評価できる人物がいると絶賛状態になる。フェデリーコ 2 世はそんな一人。ただ、評価のものさしが「近代」になっている。

History Literacy　慣用表現も歴史の一部―そのように表現されてきた、ということも歴史を形成する一部。

⑦デーン人と両シチリア王国　＊1

- 両シチリア王国 (1130 ~ 1860)

⑧スカンディナヴィア三国の形成

- 活動を通して帰属エスニシティを次第に形成
  - └ 歴史的、文化的に構成された集団 (民族)

デンマーク人、ノルウェー人、スウェーデン人

⑨ノルマンの活動の影響

- 北海、地中海の商業活動の促進、西ヨーロッパ封建制成立促す

封建社会の安定

①フューダリズム　＊2

a. 定義

- 領主間の主従関係、荘園制に立脚

b. 特徴

- 双務的契約で違反時の反抗権、破棄の自由あり
- 原則として契約は一代限り→のち世襲化
- 複数の主君に仕えることも可能
  - └ 最大 20 人の例もあり、「二君にまみえず」の日本と相違
- のちに軍役義務は年間 40 日程度に限定
- 国王を頂点に諸侯、騎士の連鎖的君臣関係
  - └ 公爵 duke・侯爵 marquess・伯爵 earl・子爵 viscount・男爵 baron

c. 成立

- 古ゲルマンの従士制とローマの恩貸地制が結合　＊3
- 8 世紀ごろから成立 (~ 10c)

外敵侵入に対して、領主は近くの有力者と主従関係を結び自衛

外敵　ノルマン人、マジャール人、イスラーム

- 11 ~ 13 世紀が最盛期

②荘園制度

a. 成立

- ローマ的要素、ゲルマン的要素の結合で成立
- ロワール川 ~ ライン川間で典型的に発達　＊4
  - └ フランスを南北に分ける　└ ここだけのローカルな現象との指摘もある

PROPOS　＊1

ノルマン (デーン) 人により作られた地中海の両シチリア王国 (南イタリアとシチリア島の「両」地域)。ここで 7 世紀間にわたりゲルマン人、ノルマン人、アラブ人、ユダヤ人など様々な民族が共存した。それがシチリア島、中心都市パレルモの魅力。

PROPOS　＊2

ヨーロッパ中世世界は「戦う人」(諸侯・騎士)、「祈る人」(聖職者)、「耕す人」(農奴) の三階層からなった。前二者が支配者階級で封建制の主従関係はこの内部で成立。その際、授受された封土が荘園。荘園内で彼らは領主として被支配者階級の「耕す人」(農奴) を支配。社会は男性だけで構成されている、と言わんばかりの表現でもある。

PROPOS　＊3

小領主が有力な大領主に臣従して奉仕の義務を負う代わりに保護を受けるこの主従関係はゲルマンの従士制に起源がある。この主従関係にローマ起源の恩貸地制という土地の授受をからませたのが封建制度。恩貸地制とは土地の所有者が土地の使用権 (所有権ではない) を一定期間、恩賞として与える制度。借り手に有利な制度。ゲルマンは主従関係を持っていたがそれに土地を介在させる慣習はなかった。これはフランク王国カール・マルテルがイスラームと戦うために、教会や修道院領を没収して、家臣にその土地を分け与え、重装騎兵として準備させたことに由来するという。教会もキリスト教世界防衛のために領土の没収を黙認。その教会に対する代償として後に創設されたのが十分の一税とされている。

PROPOS　＊4

モンパルナス駅 (パリ) から TGV(高速鉄道) で南に 10 分も走れば延々と小麦畑が広がる中世そのままの風景 (荘園のモデル図) がロワール川まで約 1 時間続く。領主の館のほとんどはフランス革命 (18c) 時に手放され、いまはシャトーホテルなどとして再活用。手ごろな値段で利用できる。

画蛇添足

▼「君、君たりて、臣、臣たり」「臣下の臣下は臣下でない」という性格を持つ feudalism。封建制度と漢訳せずに理解すべき。西周 (チャイナ) での封建制度と似ているが別物。両者の相違点を述べよ、が大学入試では定番の問い。▼人間は似ているものをまとめないと認識できないのだが、別物を同じ範疇で括って、その異なる点を述べよ、はマッチポンプ的 (※)。マッチで火を付けてポンプで消火する一人二役。社会でも学問でも、大した問題でないのに「それが問題」と過度に危機感を煽り、焼け太りを狙う一人芝居が多い。▼「契約」の持つ特徴、その双務性、契約性を強調したのが冒頭の言葉。主君が家臣に対する義務を果たさない時、臣下は義務を破棄できるし、契約は当事者間にしか及ばない。友達の友達は「友達でない」という認識。日本で封建制は「君、君たらずといえども、臣、臣たらざるべからず」の理不尽なものに変化した。▼君臣関係は託身と忠誠の誓いの儀式で結ばれた。ある者の臣下になろうとする者は、主君と仰ぐ者の前に武器を持たずにひざまずき、両手を前に差し出す。主君はこれを両手で包む。手は人格全体の象徴。手を手に委ねるとは全身を委ねることを意味。この名残が現在の握手。両手が基本。▼いまでは任侠系でしか残っていない「杯を交わす」ことで兄弟の契りを結ぶ儀式に似る。ただこちらは足を洗うことが難しい、という語りもマッチポンプ的だろう。強力な権力が不在で社会が不安定になれば人びとは相互扶助のネットワークを張り巡らせて自己防衛をはかる。ヨーロッパ中世において、持って逃げられない不動産―土地 (荘園) を所有する領主 (支配者) 間で結ばれた相互援助関係がフューダリズム。

わんクリック　フランク王国、と現代の感覚ですぐに「何とか国」と表記する。前近代にいまと同じような国家はなかった。近代国家は主権、国民、領土を持ったもの。それ以前、国王は地方の有力者と庇護関係のネットワークを張り巡らせた。フランク王国は支配者階級内での属人原理に基づいた国家 (いまは属地原理に基づいた国家)。当初は、支配者階級内での契約 (臣従礼) は代替わりごとに行われたが、次第に形式化していったと考えられている。この主従関係にまつわる紛争の解決のために「法廷」が、「臣下の誓い」から憲法が発生したとも言われている。いずれにせよ農民には無関係の雲の上の話。

History Literacy　その比較対象は適切か―「上」や「下」を比較対象に選び、過少、過大評価しがちなのが人間。

b. 荘園の構造

- 中央に領主の館、教会、耕地、共同放牧地
- 耕地　＊1

  領主直営地と農民保有地が混在（耕地混在制）

  └ 耕作者には判別可、日当たり・水はけのよしあしのため

  生け垣、石垣で囲まない短冊状の耕地（地条制）

  └ 鉄製有輪犂使用のため（方向転換難）　└ 200m程の畝状（排水よい）
- 三圃制　＊1

  11~12世紀に普及

  └ 普及はフランス北部、ドイツ西部、イングランドなど限定、ロワール川以南は二圃制存続

  春耕地（夏作地）、秋耕地（冬作地）、休耕地に三分

  └ 豆類の耕作開始で窒素固定（チャイナでは古代から）└ 地力豊かなアジアでは不要の発想

  重量有輪犂、繋駕法改良で深耕可能、生産力増大　＊2

  └ 牛だけでなく「馬力」も導入、複数等の馬と重量有輪犂をつなぐ方法、蹄鉄も発明

③農奴

- 不自由身分

  財産所有権、保有地の耕作権はあるが職業選択、移転の自由はなし

  元コロヌス、解放奴隷、ゲルマン平民の没落者
- 経済負担

  賦役（労働地代）：領主の直営地耕作（週2～3日）

  貢納（生産物地代）：生産物を支払う

  十分の一税　：教会に支払う

  その他の雑税として結婚税、各種の使用税、死亡税

  └ 労働力移動の補償　└ のちの相続税の原型
- 経済外負担

  領主の領主裁判権、不輸不入権

  └ 主従関係からみた観点

④封建社会の特徴 ― 国王はいても国土も国境も国民もいない　＊3 ＊4

- 地方分権（政治面）、自給自足（経済面）、身分社会（社会面）

⑤騎士道精神

- 武勇、主君への忠誠、神への敬愛、婦人・弱者へのいたわり

PROPOS　＊1

アルプス以北のヨーロッパは概して寒冷で土地が痩せた貧しい地域。ヨーロッパの農家一戸あたりの耕地面積が広いのは土地の人口支持力が小さいため。豊かに見えるものが実は貧しいから、という逆説がある。三圃制が普及する13cまで小麦の収穫量は播種量の3倍程度。次の播種用に残すのを取り置けば、生活がやっとの生産力。中世西欧は自給自足のムーミン谷が林立しているイメージ。この地域が世界史の舞台となるような経済的余裕はなかった。

PROPOS　＊2

地中海岸の砂質の土壌なら軽量犂で表土を引っ掻いて、土中の水分の蒸発を防ぐようにしておけばよい（毛細管現象を断ち切る）。ところがアルプス以北の粘り気のある重い沖積土を深く掘り返すためには重量有輪犂が必要。さらに撥土板をつけて深く抉った土を反転させて地表の雑草を地中に埋め込む。こんな重量犂を引っ張るのは大変。犂をどの角度で土に食い込ませるか。深く掘り返せば土地は肥えるが牛馬の負担は大きい。角度をつけないと犂は上滑りしてスキーになる。彼らに「しんどい」と思わせない牽引の工夫（繋駕法の改良）で肩に力を分散させ、今までは喉を詰まらせていた馬も牽引のために使えるようになった。

PROPOS　＊3

中世の国家には領土も国境も国民もない。国王はいても支配が及ばない地域が多かった。長い間、人間は国家なしで生活してきた。このことを忘れさせるのが「何トカ国」ばかり叙述する世界史教科書（※）。

PROPOS　＊4

森の主人公は狼。群れで行動して家畜を襲った。人間を襲うこともあり牧畜を生業とする地域では恐怖もあって忌み嫌われ、狼に負のスティグマ（烙印）が押された。森の開墾は狼の住処を減らす目的もあった。狼の絶滅で大型草食動物が増加、鹿しかいなくなりそれが新たな脅威となった。

画蛇添足

▼騎士に期待された美徳の体系が騎士道。今でも欧米人の行動のひな形のはず。出入り口で男性が女性と鉢合わせた時に、After you. と言ってさりげなく進路を譲るふるまい「貴婦人への敬愛」。あるいは「弱者へのいたわり」からくるお年寄りへの気配り。列車に乗降する際に代わりに荷物を持つのは西欧でごく普通の風景。▼騎士道の体現者として名高いシャルル8世（15世紀）はアンボワーズの城館に騎乗したまま入ろうとして入り口の上框に頭を打ち亡くなる。事故物件にもかかわらず今は観光でにぎわう（内部のダ・ヴィンチの墓への墓参客も多い）。入り口が往時のままなので注意。ただあなたが女性なら心配無用。彼が現れて「お嬢さん、頭にお気をつけなさい」とエスコートしてくれる。究極の騎士道の実践なのか。▼立派な徳目が掲げられているのはそれが守られていないことを示す。「みんな仲良く」と小学校の教室の標語。実現しているならそのような徳目は不要になる。国名に「民主」と名が付く国に民主主義がないのも同じ。ただ掲げられた言葉に肯定的価値が付与されていたことは分かる。▼騎士道は日本の武士道と比較される。武士道は「武士」が否定されて存在しなくなった明治に、武士を知らない新渡戸稲造が作り出した彼の願望（『武士道』）。騎士道もまた、火器を使う歩兵にとってかわられ、騎士が時代遅れとなった頃に作られた。▼共に失われたアイデンティティを求めて、過去を美化するノスタルジックな視線が作り上げた観念。実際の武士、騎士の行動規範とは別物。だが、直截な表現になるが人を殺すことが仕事の武士と騎士。その暴力を無制限に昂進させない歯止めとして武術が武道に昇華されたのだろう。

わんクリック　最も古い農具が犂（プラウ）。犂の先の刃板で土を帯状に削りだした「れき土」をよじって反転させ、上層の土や雑草を埋め込むのが撥土板。この反転耕をするようになってさらに生産力は高まった。同じ農法がチャイナでは賈思勰の『斉民要術』(6世紀）に記してある。深耕して大きくなった土塊を反転させて破砕。地力を維持する農法はチャイナでは北魏の頃に成立していた。こういう技術に興味を持っていると、民具館で犂の形状の違いなどを楽しめる数寄者になれる。使い方は好きずき。牛に引かせるのが犂。人手で、スコップのように使うのが鋤、上から振り下ろして土を耕すのが鍬。

History Literacy　雨の写真がないアルバム－その人の人生に雨はなかったと思わないが、教科書叙述ならどうか。

カトリック教会の発展と教会改革

①ローマ教会の権威と腐敗　＊1

・土地の寄進による教会の領主化、世俗化

・十分の一税による農民の搾取

・聖職位階制（ヒエラルキー）成立

└ 英語で hierarchy（ハイアラーキー）、日本ではドイツ語読みの「ヒエラルヒー」由来が慣用読み

教皇・枢機卿（すうききょう）・大司教・司教（修道院長）・司祭（修道士）の階層化

→教会の腐敗、堕落おこる

・神聖ローマ帝国の教会への人事介入（帝国教会政策）

└ 諸侯・騎士の次男、三男を聖界諸侯に任命（世襲の弊害がない）、俗界諸侯に対抗

高位聖職者の聖職売買

└ 地位を得るのにかかった費用を就任後に回収しようとするのが人情

②修道院

・各地で個人で隠遁生活をする修道者はこれまでも存在

・ベネディクトゥスがモンテ・カッシーノに修道院開設

ベネディクト戒律 — 西ヨーロッパの修道院の基本原則

貞潔、清貧、服従の三戒律中心　＊2（※）

└ 厳格な聖人をめざすものではなく、中庸の戒律を制定

「祈り、働け」がスローガン

└ 世俗権力への経済的依存から脱却するため自ら働いて生活の糧を得ようとした

・修道院の果たした役割

教会の世俗化、腐敗に対する防止、大開墾時代を主導

特にシトー派修道院が農業技術改良、開墾運動指導　＊3

└ 森や荒野に設立し、自らの労働で荒地を開拓　＊4

写本や学問研究による古典古代文化の保存

③修道院の改革

・クリュニー修道院（10c 創設、フランス）の創設

└ ベネディクト戒律の厳格な実施

→ 11 世紀教会刷新運動の中心に

・托鉢修道会の出現

フランチェスコ修道会　アッシジの聖者フランチェスコの清貧の実践

PROPOS　＊1

神に身を捧げた人びとが禁欲的な共同生活を送る場所が修道院。歴史は同じことはともかく近似的なことを繰り返す。例えば「権力は腐敗する、絶対権力は絶対に腐敗する」（ジョン・アクトン）。もちろん「絶対ということは絶対ない」と反論可能だが「魚は頭から腐る」（組織は頭から腐る）は実感。模範となるべき教会が腐敗し、腐敗を正すべき修道院も腐敗。修道院には信仰とは無縁の、相続にあぶれた貴族の次男、三男が入ってくる。これが腐敗要素になった。

PROPOS　＊2

貞潔が掲げられたのは乱れていたからだろう。清貧は豊かになった時の問題意識。唱えられるほどに豊かな社会だったのだろう。清貧は必要以上に食べない、持たないことで無所有とは異なる。トマス・アクィナスが所有権を認めて以来、教会は所有権を否定しない。だから無所有に近い主張をした聖フランチェスコは異端かと警戒された。のちの話になるが教会は共産主義を資本主義とともに人間の尊厳を冒すものと否定する。第三の道として共同体主義をとる。

PROPOS　＊3

ワインの栽培限界を工夫と努力で北緯50度まで押し上げた修道士。クリュニー修道会（黒衣）、対抗したシトー派修道会（白衣）が競って開墾してできたのがブルゴーニュのワイン畑（1本100万円超のロマネ・コンティができる畑はクリュニー修道会が開墾）。いまは地球温暖化がワインの北限とアルコール度数を押し上げる（気温が高いとアルコールに分解される糖分があがる）。

PROPOS　＊4

トラピスト修道会（厳律シトー派）は北海道の僻地（へきち）を開拓。かつて北海道土産はここの発酵バター関連商品（バター飴、ビスケット）しかなかった。ここに商機をみて参入したのが「白い恋人」。新千歳（ちとせ）空港（札幌）は一転してお土産最激戦区になった。誰か「赤の他人」を作って参入してみないか。

画蛇添足

▼もともと修道士は発話（おしゃべり）の欲望を抑えるため砂漠、荒野へはいって苦行を実践した。修道院は「祈りの共同体」。祈りには沈黙が必要とされた。声に出す祈りが偽善になりやすいこともあるが、発話することによって陥る罪（他人への中傷―隣人愛、不平不満―服従、に反する）を避けるためだった。▼彼らは無言の会話を交わした。これが手話のおこりともされている。「祈り、働く」ためには土地が必要。その理念に共鳴した人びとから土地の寄進を受けて広大な領土を持つ修道院が出現（クリュニー修道院など）すると、それが腐敗の温床となった。▼ジレンマを回避するために自ら荒野を切り拓こうとしたシトー派修道会、あるいは日々の糧をその日その日の托鉢（たくはつ）で賄（まかな）おうとする托鉢修道会が出現した。イエス以来、最もキリスト的な生涯を送ったとされたのがアッシジのフランチェスコ。富裕な織物職人の息子。若い時の放蕩（ほうとう）から回心。所有物を捨て、托鉢だけで命をつなぐ生き方を選ぶ。無所有とはベネディクト戒律の一つである清貧（せいひん）の実践。▼彼の死後、人びとの献金で聖フランチェスコ修道会は拡大。彼の教えを広げようと教団を組織化すればその教えが形骸化されるジレンマに直面。教会の建立自体が無所有の教えに反し、その精神を形骸化する、との批判も起こった。無所有とは所有物を最小限にとどめること。私たちが肉体を持ち、生きようとする意欲を持つ限り、無限に無欲ではありえない。▼思考を極端へ振らないこと。生活は質素に志は高く―かつての日本の美徳。いまミニマリストという生活態度が流行。いかに自分が物を所有していないか。手段のはずのものを目的化して無所有度を誇る姿勢は、所有を誇るのと同じで痛々しい。

わんクリック　栄光と富を誇ったクリュニー修道会に対抗したシトー派修道会は清貧を重視。人里離れた山間に隠れ建つ。そのロマネスク建築の堂内は天上の神を瞑想する空間。装飾、眼福を排した究極のミニマリズム（Less is more.）が南仏のル・トロネ修道院。厚い石だけで作られた壁。穿（うが）たれた小さな窓から差し込む光が美しい陰影を作る。ロマネスク建築は日本の数寄屋（すきや）造りに通じる。無駄を削ぎ落した四畳半の狭い空間（茶室）。「数寄」は、削ぎ落し、何も置かない狭い空間「空（す）き家（や）」とも定義できる。見る人が好きなものを見ることができる空間。置かれた一輪の花に「装飾」の美しさも再確認できる。

History Literacy　「反転読み」が必要な標語、スローガン（「授業中の私語厳禁」の張り紙がある大学に行くと後悔する）。

④聖職叙任権闘争

a. 帝権と教権の対立

・聖職叙任権闘争

グレゴリウス７世の教会改革

└ クリュニー修道院出身

聖職売買、聖職者妻帯の禁止、聖職叙任権の奪回

└ 家族を持つとアガペー(無差別愛)の実践は難しい　└ 権力とは人事権

神聖ローマ皇帝の反発

└ オットー１世以来、帝国教会政策

・1077 年、「カノッサの屈辱事件」(※)

教皇は皇帝を破門　＊1

→皇帝が冬、積雪のカノッサ城門で教皇に赦免求める　＊2

→ヴォルムス協約 (1122)

両者の妥協、皇帝は聖職叙任権を放棄

b. 教権の勝利

・1095 年、ローマ教皇ウルバヌス２世が十字軍宣言

・13 世紀、インノケンティウス３世の時、極盛期

英王ジョン破門、仏王フィリップ２世を屈服、第４回十字軍提唱

→「教皇は太陽、皇帝は月」

十字軍とその影響

①背景

・封建社会の成熟 (11 ~ 13c) による農業生産力向上

→人口増大でヨーロッパ社会の拡大

修道院の開墾、オランダ干拓、スイス建国、東方植民 (エルベ以東)、

イベリア半島の国土回復運動、巡礼の流行、十字軍　＊3 ＊4

②契機

・セルジューク朝のアナトリア進出

→ビザンツ皇帝はローマ教皇に救援依頼

・1095 年、クレルモンでウルバヌス２世が十字軍宣言　＊5

└ フランス中部　└ 初のフランス人教皇

聖地イェルサレムの回復決議

PROPOS　＊1

神聖ローマ皇帝の破門が宣言されると、皇帝権増大を望まない諸侯は忠誠の誓いを破棄して皇帝から離反。破門されたキリスト教徒の救済は不可能。そんな人間を主君にできない。武力を持たないローマ教皇の武器が破門。効力はその時々の政治情勢に依存。この時は効果があった。皇帝ハインリヒ４世は情勢を読み違え、破門を解いてもらう以外に窮地を脱出できなかった。

PROPOS　＊2

イメージが先行したカノッサ事件。実際は神聖ローマ皇帝ハインリヒ４世も教会改革の必要を認めた。ローマ教皇グレゴリウス７世とは手法をめぐり対立。しかしその対立の過程で、皇帝がローマ教皇にひざまずいたことは、教会側に教皇権優位の格好の宣伝材料として用いられてしまった。

PROPOS　＊3

国土の４分の１が海抜以下のオランダ。オランダの歴史は干拓(ポルダー)の歴史(「世界は神が作ったが、オランダはオランダ人が作った」)。干拓は 11c 頃から本格的にはじまる。海沿いに偏西風を利用した排水用風車が並ぶ風景はオランダの象徴。

PROPOS　＊4

ローマ、イェルサレムと並ぶ三大巡礼地がスペイン北西部のサンティアゴ・デ・コンポステラ。サンティアゴ(ヤコブ)はスペイン布教担当の 12 使徒の一人。最初に殉教。今も多くの人たちがフランス各地からピレネーを越えてサンティアゴまで約 1500km の巡礼路を２~３カ月かけて歩く。世界中からやってきた老若男女が励ましあいながら歩く人気の巡礼路。目的は様々。

PROPOS　＊5

ローマ教会はカペー朝のフランス国王の頭越しにクレルモン(公会議ではない)でフランス諸侯に号令できた。王権の弱い当時のカペー朝は「教会最愛の子」と言われた。フランスは「カトリック教会の長女」。

画蛇添足

▼読者に価値判断を委ねるため価値中立的であるべき世界史教科書だが、あからさまな価値観を含んだ言葉も少なくない。たとえばモボクラシー(mobocracy)の定訳「衆愚政」。大衆主導の政治を「愚」とみる哲学者プラトンの見方を無批判に踏襲する。▼真打ちが「カノッサの屈辱」。スポーツ紙並みの小見出しが長く教科書で使われてきた。最近の教科書はこれを「カノッサ事件」と無色透明風に叙述するがこれはいただけない。ドイツにとり屈辱だった、という感情が実際に歴史を動かしてきたことが見えなくなる。何を教科書に書き、何をとりあげないかが価値観。書かれた時点で価値中立でない。怪しげな用語の方が価値が見えてよい。▼ドイツの国民国家成立は19世紀までずれ込んだ。これを阻んできたのが汎ヨーロッパ的組織カトリック教会。ドイツ統一を主導したのはプロテスタントのプロイセン。彼らにとりカトリック教会は国民国家の敵だった。事件から8世紀もたって首相ビスマルクは「我々はカノッサには行かない」とカトリック教徒と二度と妥協しない決意を述べることで国民統合を果たそうとした(文化闘争)。▼「カノッサの屈辱」は以後、人口に膾炙した言葉。酷寒の年、雪のカノッサ城に滞在するローマ教皇に面会を求め、素足で粗末な外套で赦免を懇願する皇帝。このイメージが強められた。実際は破門を解かれたあとハインリヒ４世は勢力を回復。逆にグレゴリウス７世を追い詰めて憤死させた。▼歴史は実際に何が起こったかだけでなく後世のイメージ操作で書き換えられる。事件の教訓は、高齢になっての憤激は命とり。人間の脳は肥大化したが血管が薄いままのため脳卒中が人間の死因の一つとなっている。

わんクリック　破門されたら天国にいけない、十字軍で戦死したら罪の許しが得られる(ウルバヌスはこのように贖罪を約束)―人間はこういうフィクションの下で生きている。日本でも、政府側の戦死者は英霊となり靖国神社に祀られる―というフィクションがあり、これがいまだに国政を左右する。神社側がA級戦犯を合祀。合祀も分霊も祭礼を執り行えばそのようになる、というフィクション。そのため首相の公式参拝が近隣諸国との緊張を高める。中国の共産党政権(宗教否定)は合祀など真に受けていない。しかし反発するふりをすれば日本国内世論が割れるのだから政治的に利用しないわけがない。

History Literacy　そのように理解されたことが大切(カノッサでの出来事は「カノッサ事件」でなく「カノッサの屈辱」)。

③経過

- 2世紀間 (1096~1291) にわたって7回　＊1
- 第1回十字軍 (1096 ~ 1099) —「神がそれを欲したもう」(第1回十字軍)　(※)
  フランスの諸侯、騎士が中心
  聖地イェルサレム回復し、イェルサレム王国建国 (1099 ~ 1291)
- 第3回十字軍 (1189 ~ 92)　＊2
  └ 3回目までは受難の追体験で陸路を徒歩行軍
  サラーフ・アッディーンによる聖地再奪回が背景
  英王、仏王、神聖ローマ皇帝による遠征、聖地回復は失敗　＊2
- 第4回十字軍 (1202 ~ 4)　＊3
  └ 陸路で聖地奪回めざした 第1 ~ 3回と異なり、第4 ~ 7回は海路で経済的動機優先
  教皇インノケンティウス3世の提唱
  ヴェネツィア商人に操られ、コンスタンティノープル攻撃
  ラテン帝国樹立 (1204 ~ 61)
- 第6回十字軍 (1248 ~ 54)、第7回十字軍 (1270)
  聖王ルイ9世がエジプト、チュニスを攻撃、失敗
  └ ウィリアム・ルブルックのモンゴル派遣　　└ マムルーク朝がイスラームの中心に

④影響

a. 宗教的影響
- 教皇権の衰退
- 宗教騎士団の成立
  修道院精神と騎士道精神の結合、聖地巡礼者の保護
  ヨハネ騎士団、テンプル騎士団、ドイツ騎士団　＊4 ＊5

b. 政治的影響
- 諸侯、騎士の没落、王権の伸長
  └ 王権は相対的に教皇、国内的に諸侯・騎士に対して権力伸張

c. 経済的影響
- 人と物の移動、交通路の発達、都市の成立 (北イタリア諸都市)
- 東方貿易 (貨幣経済)

d. 文化的影響
- ビザンツ文化、イスラーム文化の流入
  └ 両地域が当時の先進国、古典古代文化を継承

PROPOS　＊1
ビザンツ皇帝からの援助要請を、東西両教会統一、教皇権強化のチャンスとみたローマ教皇ウルバヌス2世。クレルモンでの巧みな演説で民衆を扇動。「神はそれを導き給わん。神の正義のための戦いに倒れたるものには罪の赦しあらん」。熱狂した群集は準備ももどかしく旅立った。

PROPOS　＊2
神聖ローマ皇帝フリードリヒ1世は往路で渡河の際に溺死。慣例により大鍋で煮られ骨だけが帰国 (シチューにされた皇帝)。仏王フィリップ2世は英王リチャード1世とけんか別れして帰国。結局、サラーフ・アッディーンと戦ったのは英王だけ。その勇敢さから「the Lionheart(獅子心王)」、「血のあるところリチャードあり」と評された。

PROPOS　＊3
船賃がないことをヴェネツィア商人につけこまれ彼らの商売敵、同じキリスト教国のコンスタンティノープルを攻撃させられた第4回十字軍。慌てた教皇はこの十字軍を破門。「信仰とビジネスはコインの裏表」「神の名を借りた戦いは儲けになるビジネス」(ダン・ジョーンズ『十字軍全史』)。

PROPOS　＊4
最初の国際金融資本がテンプル騎士団とされる。寄付寄進と税制上の特権で資金力を持った。治安の悪い道中、巡礼者がヨーロッパで預けたお金をイェルサレムで受け取れる自己宛為替手形を作った。その手数料として集めた莫大な資本を運用した。イギリスとの戦争で財政難に陥っていたフィリップ4世に狙われ全財産を没収された。

PROPOS　＊5
グリム童話『ハーメルンの笛吹き男』。鼠退治を依頼した市当局が約束のお金を支払わず、怒った男が笛を吹きながら町を歩くと子どもたちがついていきそのまま帰ってこなかったという話。ドイツ人の東方植民を背景にした実話 (1284) ともされる。

画蛇添足

▼小説など文芸作品でひとつの事件に関して様々な語り手を設定して多声的にするのが基本文法。これと程遠いのが世界史教科書。特に十字軍の語りは西欧の視点をなぞった単声的性格の強い独白(モノローグ)にとどまっている。キリスト教徒によるイスラーム世界への独善的な侵略が聖戦と言わんばかりに描かれる。▼イエスを磔(はりつけ)にした厭(いと)うべき刑具「十字架」が一転してイエス受難(パッション)の象徴として、信仰のシンボルへと意味を変えたのは10世紀頃。この作りやすいシンボルは信仰の見えやすい徴(しるし)として各地に置かれ始めた。十字の印を服に縫いつけて出征したため、十字架が行進しているかのような光景を出現させた十字軍。以後十字軍という言葉は聖戦の代名詞となった。▼生産力の高まりで生活にゆとりがでる中で宗教的情熱が高まった。人びとは罪を贖(あがな)い、救いを求めようと、イエス受難の地イェルサレムへの困難な巡礼を行うとした。イエスの受難(パッション)を追体験しようとした。受難(パッション)を求める気持ちは情熱(パッション)となった。達成が困難なほどに高じるこの情熱を引き受けることになったムスリムにとってはまさに受難。▼世界史をどの視点で描くかは難しい。基本的にはその時々で世界を主導していた先進地域からの叙述が中心になる。この時代はイスラーム世界が先進地域。十字軍はイスラーム、あるいはアラブの視点から「フランクの侵入と撃退」として描かれるべき出来事。▼道中で遠くの敵(ムスリム)よりも近くの敵(ユダヤ人)という敵対意識が働いて、激烈なユダヤ人迫害が行われ、後のユダヤ人迫害の出発点にもなった。世界人口4億の時代に100万のユダヤ人とムスリムが殺害されたとの試算もある。十字軍の世界史教科書叙述見直しは必至。

わんクリック　アラブの視点から十字軍を語る小説や現代アート作品などが作られている。アミン・マアルーフ『アラブが見た十字軍』を下敷きにした人形劇がワエル・シャウ(ス)キー『十字軍芝居』(全4時間)。アラブ世界の視点から描かれ、言語はアラビア語。ヴェネツィアンガラスの美しい操り人形。一体の人形が複数の糸で操られているのが見える。私はいったいどれだけの糸で操られているのだろう、などと思いながら一部だけを見た。ちなみに「十字」を先に刑具としたが、キリスト教は神への愛と隣人への愛を唱えた。縦の線が神への愛、横の線が隣人への愛を示す、という説もある。

History Literacy　隠れた発話主体に着目する (「神はそれを欲したもう」—誰が背後で神を糸で操っているのか)。

商業と都市の発展

①商業の復活（商業ルネサンス）

- 封建社会の成熟 (11~13c) →余剰生産物の発生と交換
- ムスリム商人の商業活動による貨幣経済、十字軍などによる遠隔地商業

②商業圏

- 地中海商業圏 ― 主としてレヴァント貿易

  ヴェネツィア、ジェノヴァ、ピサなどの北イタリア諸都市

  └「アドリア海の真珠」　└コロンブスの生誕地？

  東方から香辛料、絹織物など奢侈(しゃし)品

  ミラノ、フィレンツェで毛織物業、金融業

- 北ヨーロッパ商業圏

  ハンブルク、リューベック、ブレーメンなど北ドイツ諸都市

  海産物（ニシン、タラ）、木材、穀物など生活必需品

  フランドル地方は毛織物生産

  └現在のベルギー、ブルージュが中心地

  イングランドが羊毛輸出　＊1

- 二大商業圏を結ぶ都市

  シャンパーニュに定期市、アウクスブルク

③都市同盟の結成　＊2

- ロンバルディア同盟 (12c~)

  神聖ローマ皇帝のイタリア政策への対抗、北イタリア、盟主ミラノ

- ハンザ同盟 (13c ~)　＊3

  北ドイツ、盟主リューベック、ハンブルク

  └バルト海　└エルベ川沿い、北海

  四大商館　ベルゲン（木材）、ノブゴロド（毛皮）、ロンドン、ブルージュ

  └14c にノルウェー沖がニシンの漁場に、19c までノルウェー最大の都市

④自治権

- 各都市は国王、諸侯、司教などの封建勢力の支配下

  →各都市は特許状を得て自治権を獲得 (11 ~ 12c)

- イタリア型（独立国家）　貴族、大商人主導の自治都市（コムーネ）　＊4
- ドイツ型（諸侯と同格）　有力都市は皇帝直属の自由都市（帝国都市）

PROPOS　＊1

羊毛はすごい。人間が勝手に抜け落ちない白いウールがとれる羊を栽培種として作り上げた。保温性の高さだけでなく、ウールは水をはじき、火にも強い。調湿機能もあり夏もそれなりに涼しい。加工する毛織物産業には高度な技術が必要。当時の後進国イギリスにその技術はなく、原料である羊毛を対岸のフランドル地方に輸出した。

PROPOS　＊2

商業が発達しても道中の治安は悪かった。特に陸路は悪路で危険であった。旅 (travel) は trouble の派生語。ハンザ同盟も都市間での陸路の安全のための協定からはじまった。ヨーロッパでは陸路より航路のほうが安全。主な交通路としては河川が用いられ、主要都市も河川沿いに成立した。内陸奥深くまで運河が張りめぐらされ、パリ（セーヌ河から離れたまったくの街中にヨットハーバーがあり驚かされる）から地中海まで内陸部を船で抜けることすらできる。

PROPOS　＊3

ハンザ同盟に対抗して北欧三国はデンマーク国王の下で同君連合を結び結束。スウェーデンのノルマン人がドニエプル水系に沿って南下したように北欧は東ヨーロッパ、ビザンツ帝国にいたる交易路に進出。

PROPOS　＊4

イタリアは小規模の都市共和国が分立。市場が小さいため産業も家族経営(ファミリービジネス)が中心となった。それがかえってうまくいき、多くのブランド価値を持つ企業を作り出した。そのような中世イタリアにあった自治都市の中で現代まで生き残ったのがサンマリノ。人口は3万だが観光客は300万に上る。お目当ては消費税がかからないこの国でのショッピング（ヨーロッパ諸国の消費税は20%前後）。ナポレオン戦争、イタリア統一戦争、2つの世界大戦―戦争では常に中立を保ったため避難民が押し掛けた。周辺諸国にとって、税収は失うがこういうアジール（安全地帯）の存在は必要だった。

画蛇添足

▼鮮魚の輸送が難しかった時代に回遊魚ニシンは大量に獲れて、塩漬け、燻製(くんせい)、干物と加工しやすく貴重な動物性たんぱく源として重宝された。食べ残しから骨の文様(ヘリンボーン)まで編み出した（日本では杉綾）。日本ではその卵、数の子も好まれた。▼難点は突然ルーティーンを変えて姿を消すこと。ニシンは小樽(おたる)に繁栄をもたらしたが突然姿を消し、その繁栄も持ち去った。ノルマンが9世紀に突然、イングランドの修道院を襲って活動を開始したのもニシンが回遊コースをイングランド周辺に変えたから、と噂される。▼バルト海はニシンの産地でハンザ商人がこれを商(あきな)った。カトリック圏で金曜日は「魚の日」。イエスが磔刑(たっけい)になった金曜日、復活祭前の40日間は獣肉を断ち魚を食べる。ニシンが重宝された。ハンザ同盟の衰退は三十年戦争だけでなく宗教改革での常時肉食開始も一因だがニシンの南下も大きい。17世紀前半にオランダ沖に移動、その繁栄を支え「オランダの金鉱」とされた。▼赤みを帯びた燻製(くんせい)ニシン (red herring(レッドヘリング))。猟犬の嗅覚を鍛える際、キツネのにおい消しに使われるため「人の注意を他にそらすもの」の意味も持つ。「ナポレオンはいつも赤いズボン吊りをしていた。なぜか」。答えは「ズボンがずるから」。問いの「赤」に惑わされてミスリードされる。▼この赤が red herring。ジェフリー・アーチャーの Twelve Red Herrings.（『十二の意外な結末』）。目を眩(くら)まされる短編が並ぶ。地上の人間の動きに目を奪われがちだがそれは燻製ニシン(レッドヘリング)。真の原因、歴史を動かしたのはニシン。いやその餌となった小魚、いやそれを動かした海流、いやその海流を動かした太陽エネルギー。どのレベルの理解が脱歴史化させせない語りなのか。

わんクリック　いろいろなものが世界を回遊。「天下の回りもの」カネを筆頭に、ヒト、モノ、情報。最近は耳目をひくために単純化されたフェイクニュースの回覧速度が特に早い。回覧板がまわる範囲がひとつの世界。それはさておき、地球が球形であるために太陽エネルギーが不均等に注がれることによって引き起こされる大気の循環。いま吸った大気は数日前にアフリカを通ったものかもしれない。この風や海流の循環を利用して人間は航海してきた。海流に多くの日本人が流された。しかしすべてを「太陽のせい」（カミュ『異邦人』）、と脱歴史化してしまったら歴史を学ぶ意味は失われてしまう（※）。

History Literacy　それは出来事を脱歴史化する縮尺ではないか―「縮尺の大きさ限界」を意識する。

都市の自治と市民たち

①都市のかたち ―「自由」が可視化された空間

- 都市の規模は小さく、城壁で囲まれる
  └ この中に住む人びとがブルジョワジー
- 都市の中心は広場(市場)、広場に面して市庁舎、教会　＊1 ＊2 ＊3
  └ 市庁舎に大時計(13c から歯車機械式)
- 城壁の中は自由な空間 ―「都市の空気は自由にする」
  └ 近代社会の先駆となる「自由」な空間が誕生　└ 封建的諸制約からの自由
- 商人ギルド
  大商人が相互扶助、市場独占のため結成
- 同職ギルド(ツンフト)
  手工業者が職種別に結成
  →大商人の政治独占に対抗して市政参加闘争(ツンフト闘争)

②同職ギルド

- 組織
  親方、職人、徒弟の身分秩序
  └ 親方のみギルドの組合員、職人までが有給(マスターピースの提出が必要)、徒弟は無給
- 内容
  生産統制(生産量、価格統制)、技術保持
  └ ギルドは自由競争禁止、フリーの職人、商人は存在できない仕組み
- 役割
  市民(ブルジョワジー)の活動を経済的に保証、成長を保護
  中世封建社会の身分制秩序崩壊の端緒
- 問題点
  ある一定以上の経済的発展を疎外
  └ ギルドは徐々に既得権益保護団体としての性格強まる

③富豪の登場

- フィレンツェのメディチ家
  一族から教皇(レオ 10 世)を輩出、ルネサンスの保護者
- アウクスブルクのフッガー家
  皇帝選出に影響力

PROPOS　＊1

市政を司る権力、市庁舎は市民の自由を象徴。たいてい広場を挟んで向かい合うのが教会で宗教的権威。その両者の均衡が建物の配置から読み取れる。近代の大都市になると広場から少し離れたところに王宮がある。教会の宗教的権威に対する世俗権威。

PROPOS　＊2

学校といえば時務(今しなければいけないこと)を知らせるチャイム。鐘は修道院で聖務日課を知らせるために使われはじめた。そして教会の鐘。この鐘が聞こえる範囲(時間を共有する人びと)が一つの共同体だった。ミレー『晩鐘』のイメージ。当初は不定時法。季節により鐘の音の間隔に長短があり各地で鳴る時間はまちまち。だから鐘の聞こえるところが一つの世界だった。教会の鐘の音に包まれる生活を人は望み、鐘の音が聞こえる所に住みたいと願った。それにつれて鐘も大型化、鐘楼も高くなった。大阪のメインストリート御堂(みどう)筋。御堂(本願寺)の鐘が聞こえる所に店を構えるのが浪速(なにわ)の商人の夢だった。夢を叶えた大企業が御堂筋に並ぶ。のちに中世都市で機械仕掛けの時計が発明された。地球の自転周期に合わせた一日、公転周期に合わせた一年。それを歯車の組み合わせで表現。この時間の可視化で人びとは一定のスピードで進む「時間」を意識しはじめた。

PROPOS　＊3

エディット・ピアフのシャンソン『谷間の三つの鐘』。村の教会の鐘が自分のために鳴るのは、誕生の時、結婚の時、死が訪れた時―人生の三つの節目と歌われる。自分で意識的に聞けるのはウェディングベルだけ。普通は鐘を「誰のため…」つまり「誰が死んだのだろう」と聞く。「誰(た)がために鐘は鳴る」―イギリスの聖職者ジョン・ダンの説教の一節。自分と無関係な他人などいない。誰もがそれなりに私とつながっていて、他の人の弔鐘(ちょうしょう)はあなたのためにも鳴っている。「誰の為に鐘は鳴る」などと考えるのはやめなさい、という説教。

画蛇添足

▼大相撲現役力士の退き方には、「引退」と「廃業」の二種類がある。ほとんどの力士は廃業して相撲以外の仕事、ちゃんこ鍋屋や体格を活かした仕事に就く。一方、一握りの力士が日本相撲協会に親方として残る。これを(現役)引退という。▼105の定数がある親方になれる力士は少数だが、それゆえ親方になれば定年まで収入は安定する。この仕組みがギルドで、日本に残る最後のギルドが日本相撲協会。その封建的な体質がしばしば問題となるが、ギルドだからという面は否めない。(職業専門)学校がなかった時代、仕事上の技術はギルドに加入している親方の下で徒弟として働かなければ学べなかった。▼強い力士になるためには親方が構えるどこかの部屋に弟子入りして技術を学ぶしかない。力士は幕下までは無給(「徒弟」扱い)、十両に昇進してはじめて関取と呼ばれて給与がでる(「職人」扱い)。そしてその中の一人だけが親方が引退した時に部屋を継承できる。これは生まれたばかりで不安定だった市民が自分たちの経済的安定をはかるために作った仕組み。▼生産協定(カルテル)や談合のような規制を張りめぐらせて自らの成長のためのシェルターを作り上げた。これらは他方で新規参入を防ぎ、自由競争を阻害するものだから、経済がある段階に達するとそれ以上の発展を阻害した。それゆえギルドに守られて成長した市民が起こした市民革命(フランス)でそのギルドは廃止された。▼始まった時には画期的だったものも終わるときは問題の方が多くなる。私たちは時代の先から過去を振り返るから、過去の出来事をその終点の局面でとらえがち。同時に出来事の起点にも遡(さかのぼ)って物事を起点と終点の双方から理解するのが複眼的思考(※)。

わんクリック　「都市の空気は自由にする」は当時の言葉ではなく 19 世紀に作られた法格言。いまではドイツの一部の中世都市での現象で一般化できないとされる(佐藤団「世界史教科書にみる法格言「都市の空気は自由にする」『法學論叢』)。教科書では消えたり出たり(復活したり)の幽霊語。幽霊の説明だから教科書の説明もまちまち。入試でまだ出す大学がある。受験生に「載ってなかった」と思われるのが教科書会社は幽霊より怖い。ところで自由は定義が難しい言葉の一つ。概念は対義語を意識して理解としたが、自由を何かの対義語としてみてしまうと、その対義語に束縛されてしまい自由でなくなる。

History Literacy　複眼思考が重要―出来事をその起点と終点の双方向から見て意味を統合する。

3 中世ヨーロッパ文化

中世のルネサンス

①カロリング・ルネサンス

・8c カール大帝時代 (8c) がアルクインら学者を招く

②スコラ学 ─ 終わった学問ではない、多くの考える手がかり　＊1

└ 閑暇 (スコーレ) →教会、修道院付属学校 (スコラ) →スクール

教会の権威の理論的確立のため、信仰を論理的に体系化

└「哲学は神学の婢（はしため）」

③普遍論争

・普遍論争　＊2

実在論と唯名論 (名目論) の対立　(※)

実在論　普遍は事物に先立つ

└ プラトンのイデア論の系譜に位置づけられる

唯名論　実在するのは事物のみ

└ アリストテレスの系譜に位置づけられる

a. 実在論 (信仰の優位)

アンセルムス (11c) が実在論主張

└「余は知らんがために信じる」

b. 唯名論 (理性の優位)

アベラール (11 ~ 12c) が唯名論主張

└ 弟子のエロイーズとの恋愛、『アベラールとエロイーズの往復書簡』から書簡体小説

c. 実在論と唯名論の調和 (信仰と理性の調和)　＊3

アリストテレス哲学の逆輸入の衝撃 (12 世紀ルネサンス)

└ イヴン・ルシュド (「アヴェロエス」というラテン名で知られる)

トマス・アクィナス (13 ~ 14c) が実在論と唯名論を調和

両者の調和を主張

『神学大全』でスコラ哲学大成

d. 信仰と理性の区別

ウィリアム・オッカム (14c) が両者の分離を主張 (名目論の優位)

└ 信仰と理性は別次元のことで両者の関係は詮索できない、として普遍論争を棚上げ

PROPOS　＊1

聖書に書いてあることは素朴。これを普遍的な宗教理論へ高めたのが神学。最初はローマ社会のインテリに受け入れられるためプラトン哲学もどき (新プラトン主義) を援用 (教父哲学)。ところがピピンの寄進以降、教会が「地上の国」も支配するようになるとプラトン的二元論 (「神の国」と「地上の国」) では不都合となる。そのような折にイスラーム経由でアリストテレス哲学が再流入。キリスト教的世界観しか知らなかった人びとの前に、それ以前からあったまったく別の壮大な世界観が登場。キリスト教義の絶対性が脅かされる事態となった。何としても両世界観が矛盾しないことの証明が必要となった (教会の教えとアリストテレス哲学は矛盾するからプラトン哲学を援用してきたが、この矛盾を力ずくで解消する必要が生じた)。ドミニコ会修道士のトマス・アクィナス (13c) がこの難題、理性と信仰の調和に取り組み、アリストテレス的な中庸を求め折衷的に調和を図った。

PROPOS　＊2

アリストテレスは現実世界の中に形相 (エイドス─プラトンのイデア) が内在すると考える。そこから神は天上でなく現実世界に遍在（へんざい）する─「普遍 (カトリック)」の発想が誕生。ローマ教会を神の普遍性の顕（あらわ）れと正当化。すべての存在は神が造ったもの─「すべての存在は善である」という考えを導いた。西洋中心史観からの脱却が世界史の課題。この西欧文明が「普遍性」を標榜するのがやっかい (「人権」の普遍性など)。

PROPOS　＊3

トマス・アクィナス『神学大全』。人に読んでもらおうなどと微塵（みじん）も考えていない文体と量。壮大かつ綿密な神学体系を構築。突然、やはり言葉ではかけない、と放棄。弟子にすべて焼却するよう命じたが弟子がその命に背（そむ）いたため今日まで残った。半世紀かかった日本語訳 (45 巻、創文社) もある。日本語を読めれば、世界のほとんどの書物にアクセスできる。「翻訳超大国」日本。

画蛇添足

▼一人ひとりの「個別の人間」は存在する。実際に無数の人間がいる。その個別性とそれが作り出す多様性を無視して、私たちは時に「人間とは」と「人間一般」を語る。しかし個々の人間を超えた「人間一般」などは存在するのだろうか。存在する、とするのが実在論。いや「人間一般」は頭の中にだけ存在する普遍的な概念であって、そのようなものは存在しない、が唯名論 (名目論)。▼ただし名目だけの存在だとしても無意味とはならない。名目なのに語ることがなぜ必要か、と考察は進む。個々の人間の本質が語れないことも関係しているかもしれない。アダムとイヴが禁断の果実を口にした罪。それがどうして果実のご相伴（しょうばん）にあずかっていない私も含め人間の原罪として全人類に及ぶのか。全員が同じ「人間」という名で呼ばれるからか。▼この普遍論争に隠されているのは「神は存在するか、しないか」の議論。人間一般という「普遍」的存在を問題にするとは、「神」を問題にするということ。実在論とは「神が存在する」とする議論。いわば「神が人間を作った」とみる立場。それに対して唯名論は「人間が神を作った」とみる立場。前者は信仰、後者は理性にそれぞれ対応し、形の上で「信仰か理性か」と議論は展開された。▼議論があったが、最後はオッカムが切れ味鋭く処理した。説明に不必要な事柄を切り落とすことの比喩表現が「オッカムの剃刀（かみそり）」。「神を信じている人はたくさんいる」─この事実は、この文の前に「神が存在するから」という文を置かなくても成立する。それならばこの説明に不要なものを切り落とそうとする思考節約の原理。存在を否定してはいない、と批判をかわしながら、神の問題を棚上げ。切れ味の鋭い剃刀。

わんクリック　ローマ教会は、目には見えないが普遍的な神が実在するとする (実在論)。それが現実界では教会として現象しているとみる。唯名論は無神論への傾きを持っているが、当時の唯名論は無信仰ではない。人間は実在 (神) に言及できない、が当時の唯名論。人間の理性は脆弱であり、その人間存在、理性の限界を受け入れることが信仰、という立場。唯名論の信仰もまた深いものがあった。思うに、「脳で考えること」と「心で信じること」は、「眼で見ること」と「耳で聴くこと」ほど違う別次元の精神の営みではないか。眼が音を見ることができないように、脳は神を見ることができないのではないか。

History Literacy　実在論と唯名論の問題は、過去 (実在) と歴史 (名目) の関係の考察と重なる。歴史は重要な名目。

④自然科学

- 自然科学の先駆者ロジャー・ベーコン (13c)
  - └ 科学は「仮説→実験→検証」のプロセス重視、彼が 13c に実験の重要性を主張

⑤大学の誕生

└ 教会、修道院、王権から自由な自治団体、ギルドの一種として誕生

法学のボローニャ (伊)、医学のサレルノ (伊)

神学のパリ、オクスフォード、ケンブリッジ

- 自由七科 — 自由になるための学問 (リベラルアーツ) (※)
  - 言葉に関わる文法・修辞・論理、数に関わる算術・幾何・天文・音楽
  - 神学部、法学部、医学部など専門課程前に習得する科目

美術と文学

①教会建築　＊1 ＊2 ＊3 ＊4

- 11 世紀農業生産力の向上で建築ラッシュ
- ロマネスク建築
  - └「ローマ風」の意味、歴史上ヨーロッパは幾度もローマに回帰
  - 特徴　重厚素朴、円頭 (半円) アーチ、水平感
    - └ 厚い石壁で建物を支持、小さな窓、薄暗い堂内
  - 代表例　シトー派各修道院 (フランス各地)、ピサ大聖堂
    - └人里離れたところに立地する修道院建築が多い　└ 瀟洒、例外的事例
- ゴシック様式
  - └「野蛮なゴート」風の意味、森林のメタファー (石の森)
  - 特徴　尖頭アーチ、ステンドグラス、垂直感
    - └ 柱で建物を支えるため大きな窓、巨大な吹き抜け空間、大都会に立地
  - 代表例　ケルン、シャルトル、ノートルダム (パリ) 各大聖堂

②騎士道物語

- 騎士道物語
  - └ 中世文化の中にあって教会の影響が少ない分野、口語表現
  - 『ニーベルンゲンの歌』『ローランの歌』『アーサー王物語』
    - └「ドイツのイリアス」とされる民族英雄叙事詩、ワーグナー『指輪』などに影響
- 叙情詩　吟遊詩人 (トゥルバドゥール、ミンネジンガー) が普及
  - └ 文学が本の形で広がるのは活版印刷術の発明後　└ それぞれ南仏、ドイツでの呼称

PROPOS　＊1

ロマネスクは 19c の用語。「これは何様式ですか」が試験の定番。これは「過去がどうだったかが分かっていますか」ではなく「私たちがこの時代 (過去) をどのように理解しているかが分かっていますか」と仲間にふさわしいかを試す加入儀礼(イニシエーション) (※)。

PROPOS　＊2

建築方法は昔から二通り。壁を作ってから窓をあける方法 (組積造(そせきぞう)) と、柱でフレームを作ったあとで穴を塞(ふさ)ぐ方法。前者がロマネスク様式で、後者がゴシック様式。

PROPOS　＊3

隣街よりも広大な空間、高い尖塔を持つ教会を建設しようと高層建築ラッシュが起こる (13c)。巨大な石材を精確に切り出せるようになった建築技術の向上が背景 (ジャン・ギャンペル『中世の産業革命』)。高さへの憧れが文明を駆動した。深さは人間に見えない。深い河ほど静かに流れるので気づきにくく、多くは測鉛(そくえん)を垂らす術を知らない。ゴシックの特徴はステンドグラス。ここを通り彩色された光は太陽や雲の動きに呼応して微妙な変化を堂内にもたらす。「シャルトルの青」とされるステンドグラス。深い海底にいるような奇跡の青。巡礼者は大平野の麦畑の中に尖塔を認めて感動する。教会内部の多くの浮き彫りは文字を読めない人びとにとって「石の聖書」。

PROPOS　＊4

ア・カペラ (「教会で」の伊語) という伴奏のない声楽は、反響のよいロマネスク教会で発展。しかし大都会で大人数を収容するために作られたゴシック大空間では音が抜けて響かなくなった。バッハのフーガ技法。移調などで基本旋律が文字どおり追いかけっこする (フーガとは「逃げること」)。「おーたまじゃくしは…」の途中から「おーたま…」と追いかける技法。それでいて不協和音を発生させない職人技。響きがなくなったゴシック教会で音を人為的に響かせようとする試み。箱の変化が中身を変えた。

画蛇添足

▼自由に考えるために必要な7科目―リベラルアーツ。これを教えるのが教養学部、これは「人を自由にする」諸技法(アーツ)。私たちは生物的、歴史的、言語的制約の下にあり、自由に物事を見て、自由に考えることはできない。制約から自由になるための諸技法がリベラルアーツ。▼「恋愛は12世紀の発明」(シャル ル・セニョボス)―恋愛は人間が持つ普遍的な感情ではなく、中世西欧の騎士階級という限られた場所で生まれた不道徳な感情。いまは恋愛から始まって結婚にいたる、と両者を結び付けて理解するのが普通だが、結婚は長い間、政略結婚。財産と財産が引き合うかの計量、経済行為だった。日本でも仲人が「釣り合い」がとれているかを見計らってアレンジする見合い結婚の伝統がある。▼恋のような不確実なものをベースに社会設計はできない。社会が不安定にならないように結婚制度が作られた。結婚から愛が発展することもあるが基本的に愛は家庭以外の場所にあった。西欧中世で身分のある既婚女性は跡継ぎを生んだ後に社交界デビュー。年下の騎士を相手に感情のときめきを楽しんだ。他方で若い騎士は貴婦人を慕い憧れた。貴婦人に視線を向けられて喜び、無視されて苦悩。その困難への挑戦を成長とみなした。いまでは恋愛は火薬と並ぶ、中世が発明した悪徳とみられている (アンドレ・モーロワ)。▼発明は大げさ。貴婦人と騎士間の感情に、恋愛と名前が与えられ、詩という形で広がった。無関係だった恋愛と結婚が結びついた「恋愛結婚」の誕生は比較的最近。固定観念(とらわれ)から自分を放ち自由になる。世界史を学ぶとは自由になるための諸技法(リベラルアーツ)を身につけること。世界は思っているようなものではない、と知って驚くこと。

わんクリック　ゴシックの大聖堂の代表パリのノートルダム (私たちのマリア) 寺院。11 世紀まで農村で農民は土着信仰を維持。裁く神、笑わないイエスなどに人は心を寄せない。12 世紀に都市が繁栄、都市民の間で抱擁してくれる聖マリアに対する崇拝、信仰が急激に拡大。またこの大聖堂で最初の多声音楽 (ポリフォニー) が生まれる。最初に響き渡ったときの人々の驚きをレオニヌス「地すべての国々は」などを聴いて想像したい。その後、数多くの「アヴェ・マリア」曲が作られ捧げられた。「オレたちは知ることで自由に、そして自分自身になっていくんだよ」(ジャズピアニスト、セロニアス・モンク)。

History Literacy　複雑なものを「様式」としてカテゴリー化してその代表的事例を添える－文化史叙述の特徴。

4　東ヨーロッパ世界の成立

ビザンツ帝国　＊1

①成立前史

・ローマ帝国のコンスタンティノープル遷都 (330)

└「新しいローマ」の誕生、穀倉地帯エジプトに近い

・ゲルマン民族の移動開始 (375)、ローマ帝国の東西分裂 (395)

・西ローマ帝国滅亡 (476)

└東ローマ帝国はゲルマン人の侵入の影響少なく、その後 1000 年間にわたり存続

②ユスティニアヌス帝 (527 ~ 565) 時代

└ 6 c までを「ローマ帝国」とみる見方あり、7 c から版図が急速に縮小してギリシア化

a. 外征

・ローマ帝国の再建をはかる — 地中海を再び「我らの海」に

└実際はベリサリウス将軍の業績　└地中海の内海化がローマ帝国の基本的外形

ゲルマン人国家征服 (東ゴート王国、ヴァンダル王国)

└旧西ローマ帝国領支配　└イタリア　└北アフリカ

ササン朝と抗争

→相次ぐ財政負担に反発 (「ニカの乱」) で国力消耗

b. 内政

・トリボニアヌス編纂『ローマ法大全』、ハギア・ソフィア聖堂建立

・絹織物業おこす　＊2

③帝国のビザンツ化 (領土縮小、ギリシア化)(7 c ~)

・帝国領土の縮小

シリア、エジプトをウマイヤ朝に、イタリアをフランクに奪われる

└東西交易拠点 └穀倉地帯

首都コンスタンティノープルは死守　＊3 ＊4

スラヴ人がバルカン半島移動、ブルガリア帝国建国 (ブルガール人)

└バルカンはスラヴ人の世界に

・帝国のギリシア化

領土は首都周辺のギリシア語圏 (小アジアの一部、バルカン一部) のみに縮小

公用語もラテン語からギリシア語、文字はキリル文字

PROPOS　＊1

「ビザンツ」は滅亡後につけられた蔑称。ローマを名乗りながら支配が首都 (旧名ビザンティウム) 周辺のみ、と蔑(さげす)まれた。オドアケルにより西ローマ皇帝が退位させられた出来事は「西ローマ帝国の滅亡」と呼ばれているが、当時の人びとはローマ皇帝が再び一本化されたと理解。彼らにとってはローマ帝国は続いていた。ローマから遠く離れたがローマ人、ローマ帝国の意識を持っていた。ただ客観的には別物だった。

PROPOS　＊2

ローマは絹の製作技術を知ろうとしたが人を魅了するシルクの光沢がまさか生物の排出物とは想像外。桑の葉しか食べない蚕(かいこ)。5 千年前に人間が馴致(じゅんち)、家畜化した唯一の昆虫。野生には存在しない。餌がなくなっても逃げられないように弱くしてある。孵化(ふか)してから 20 日間糸を吐く。繭(まゆ)は 1 個から約 1km とれるが服 1 着作るのに数千匹は必要。だから高価。軽いため貨幣代わりにも使われた。この蚕をネストリウス派修道士が杖の中に隠して持ち出した。

PROPOS　＊3

ウマイヤ朝軍はコンスタンティノープルを包囲。しかし新発明の火炎放射器「ギリシア火」で撃退された。この火は水で消えずかえって海面に燃え広がった。製法は不明。ベトナム戦争時に米軍が使った非人道的兵器ナパーム弾と同種の焼夷弾か。勝てなかったウマイヤ朝は内乱が起こるなど大きく動揺した。他方でビザンツ帝国は「神に守られるローマ帝国」意識を強化した。

PROPOS　＊4

首都攻略を断念したウマイヤ朝軍は矛先を変えて、北アフリカ、イベリア半島経由で西ヨーロッパに向かう。1 年にわたる首都攻防戦時、東ローマ皇帝レオン (レオ) 3 世が出したのが聖像禁止令 (726)。この 1 年の余裕が、カール・マルテルに重装騎兵を準備する時間を与え、ひいてはトゥール・ポワティエ間の勝利につながった。

画蛇添足

▼私たちの頭の中にある認知地図でビザンツ帝国は遠く、歪んでいる。ビザンツという名称自体が蔑称に近い。この国が滅亡後に生まれ、19世紀にランケが使ったことで普及した後世の用語。▼歴史は、現代の言葉で当時の出来事を叙述する営みだから、後世の用語を使うことは問題でない（※）。ただ byzantine は、今でも一般名詞として「瑣末(さまつ)に拘泥(こうでい)する」「煩雑な」「曲学阿世(きょくがくあせい)」といい意味で使われない。後継国家 Turkey も酷い使われかたをしている。▼ドイツのランケから近代歴史学がはじまる。これが私たちがいま学んでいる世界史の親学問。この頃のドイツはまさにこの地域に進出しようとしていた。歴史学を生んだ西欧から見て、ビザンツ帝国はなじみのない他者。ビザンツはこうだけど、自分たちはこう、と自らの輪郭を形作る時に使われた他者。専制主義のビザンツに対して、自分たちは自由、民主主義に価値を置いた、とその比較は他者を劣ったものに、自分たちを優れたものとして理解した。▼つまりビザンツとは近代西欧の自画像の裏返し(ネガ)。私たちが「ビザンツ」と呼ぶことが、近代西欧の歴史意識を無批判になぞることにつながらないように注意する必要がある。ビザンツ帝国の歴史的意義として、イスラームに対する防波堤、古典古代文化の保存とルネサンスへの刺激、スラヴ民族の教化、などへの言及をいまだに散見する。▼ビザンツは西欧を守るためにイスラームと戦ったのでも、西欧へ伝えるためにギリシア・ローマの文献を書きついだのでもない。それらはあくまで西欧からの見方。イギリスの歴史家ギボンは千年続いたこの文明を偉大なるデカダンス（退廃）としたが、千年を生き延びた柔軟性に学ぶことがある。

わんクリック　年代を覚えるのはしんどく不評。それでも時代の画期となった年代は記憶しておきたい。例えば 529 年。東ローマ帝国のユスティニアヌス帝治下でアテネにあった 2 つの学校、プラトンが作ったアカデメイアと、アリストテレスが作ったリュケイオン (共に 900 年続いた) が閉鎖された (529)。職を失った多くの学者がササン朝下へ移動、亡命した。この同じ年にモンテ・カッシーノでベネディクトゥスが僧院を開いた。世俗の学校が廃止され、修道院が誕生。古代から中世への画期として理解されてきたのが 529 年。閉鎖されたアカデメイアはアカデミー (学術機関) の語源として残った。

History Literacy　歴史は現代の言葉 (概念) で当時の出来事を叙述する営み。当時に存在しない言葉で物語られる。

ビザンツの社会

①中央集権体制

- ローマ帝政期の皇帝専制支配継続、巨大な官僚制
- 皇帝教皇主義

  コンスタンティノープル教会を影響下に

  └ 実際にはコンスタンティノープル総主教と皇帝の関係は複雑

  総主教の任命権、公会議の召集・主催、聖像破壊令 (726) など

  ゲルマン諸国、ローマ教会も東ローマ皇帝に服従

  └ これを不満として新たな保護者を探す中でフランク王国に接近
- 地方軍事、行政制度として軍管区 (テマ) 制 (7c ~) と屯田兵制　＊1
- ビザンツ帝国最盛期 (10 ~ 11c)　バシレイオス２世 (位 976 ~ 1025)
- 11 世紀以降、プロノイア制導入で地方分権化すすむ　＊2

②商業の隆盛

- 首都コンスタンティノープルを中心に貨幣経済 (商業) 継続

  └ 旧西ローマ帝国領は自給自足に移行　└「中世のドル」ソリドゥス金貨、ノミスマ金貨　(※)

③ビザンツ文化

- 古典古代文化はビザンツ帝国が継承
- ビザンツ様式

  特徴　ドーム、モザイク、ギリシア十字

  代表例　ハギア・ソフィア聖堂、サン・ヴィターレ聖堂　＊3
- イコン (聖像画)　＊4

  聖像禁止令 (726) は撤回 (843 年公会議決議)

スラヴ人の諸国家

①スラヴ人の移動

└ マジャール人 (ハンガリー) の存在がスラヴを南北、南と東西 (北) に分断

- 東スラヴ　ロシア人、ウクライナ人、ベラルーシ人
- 西スラヴ　ポーランド人、チェック人、スロヴァキア人など

  └「スラヴ」の言い方 (方言) の違いが「スロヴァキア」と「スロヴェニア」(いまは別の国)
- 南スラヴ　セルビア人、クロアチア人、スロヴェニア人、マケドニア人、モンテネグロ人、ブルガリア人など

PROPOS　＊1

イスラームの攻撃を前に各軍団の司令長官が属州総督にかわり行政権も掌握するようになる。これがヘラクレイオス１世による軍管区制 (テマ制)。一般に軍隊の管轄が行政区にもなったものを軍管区制という。各軍管区は強い権限でイスラームに対抗できた。ただのちに半独立的存在となる。

PROPOS　＊2

国家への軍事奉仕と引き換えに土地所有権、徴税権を認めるプロノイア制。一種の封建制で 11c にビザンツで成立。イスラーム世界でもイクター制がセルジューク朝により西アジア全域に広がったのが 11c。西欧封建制も 11c から13c にかけて成立。

PROPOS　＊3

ハギア・ソフィア大聖堂 (ギリシア語、トルコ語でアヤ・ソフィア)。キリストの知 (ソフィア) を象徴する高さ 56 m の巨大なドーム (東京ドームと高さ同じ) が広大な空間を現出。ユスティニアヌス帝は感極まり「ソロモンよ、われ汝に勝てり」ともらした。千年近くにわたり世界最大の聖堂として君臨。構造的には限界で一度崩壊、その後も崩れそうになり補強が繰り返された。

PROPOS　＊4

個性や写実性を作品の評価軸とするのは近代。イコンは定型で神を表現する無名の職人仕事。画面上から作者の痕跡(こんせき)は消されている (表面を滑らかに仕上げて筆跡を消すのは後の油絵技法と共通)。職人に「名前は神のみぞ知る」との気持ちがあったのか。イコンに見られる無名性や非写実性はビザンツだけでなく中世キリスト教世界の特徴。遠近法 (後のルネサンス時代の発見) で現実感を出すことを避け、聖なる時空間を創出。それは世界観の違いであり技術の稚拙ではない。特にビザンツ文化は人間の視点ではなく神の視点に貫かれる。教会は天から見て十字に見える形になっている (ギリシア十字型の教会堂)。また画面上の人物も天から見てすべて等距離に描かれた。

画蛇添足

▼スラヴ世界も遠い。近代にいたるまでハプスブルク、オスマン、ロシア各帝国などの支配下にあり独立国でなかったことや、戦後は冷戦下で鉄のカーテンの向こう側にあったことが政治的要因。さらにこの地域には言葉の壁と文字の壁が加わる。▼この地域の多くはキリル文字文化圏。言葉だけでなく文字まで違うと敷居が高くなる。スラヴ世界はキリスト教を受容したが、その大多数は正教会でキリル文字 (ロシア文字) を同時に受け入れた。スラヴ人はヨーロッパ東部からロシア平原にかけて住んでいるスラヴ系の言語を母語としている人びと。▼ゲルマン系諸言語と違い、言葉の分化が遅かったため、スラヴ系諸言語間にはさほどの違いがないとされる。人びとはだいたいの意思疎通ができると言われている。こうした親近性を背景に19世紀にはロシアが中心になって汎スラヴ主義が唱えられた。▼しかし親近性があるから親近感があるかといえば、そうとも言えない。「微差のナルシシズム」(フロイト) という現象がある。近いほどに互いの些細(ささい)な差異が気になって、その差異を出発点に「自分たちは彼らとは違う」というアイデンティティを作ってしまう、という指摘である。傍(はた)から見ればよく似た地域なのに民族紛争が多いのがスラヴ世界の特色。▼いまのスラヴ世界ではロシアの存在感が際立つが、ずっとそうだったわけではない。セルビアが地域の大国だった。いまの大国アメリカとロシアは歴史的に18世紀まではローカルな国家。世界への影響力を持たなかった。ロシアは17世紀のピョートル大帝、18世紀のエカチェリーナ時代に国力を伸ばし大国化。アメリカ、ロシアは時代によって存在感が全く違う。物事は通時的に変化する。

わんクリック　単純接触効果―私たちは繰り返し接するものに親しみ、次第に好感をもつ。だから 15 秒のテレビ CM が成り立つ。何度も繰り返すことができる 15 秒の短さが意味を持っている。政策通で知られるある議員が「結局、選挙は名前の連呼」と書いていた。反復の味を恋愛成就に応用しようとまめまめしいのもいる。「あの顔を見るとよく分からないけど安心する」となればいいが、「あの顔はもう見たくない」と逆効果の場合もある。逆に言えば私たちは「知らない名前」には関心を向けない。そのことで新しい出会いを失っている。本書でも重要な固有名詞は繰り返し使うように心がけている。

History Literacy　倒錯が歴史の基本表現 (「現代のソリドゥス金貨」ドルでなく、「中世のドル」ソリドゥス金貨とするのが歴史表現)。

②東スラヴ人 — ロシア、ウクライナ、ベラルーシ

・国家活動の開始

東スラヴ人居住地域にスウェーデン系のノルマン人が南下

→ノブゴロド王国、キエフ公国建国

└ ノルマン人は先住民に同化（スラヴ化）

・キエフ・ルーシ（キエフ公国） ＊1 （※）

ルーシと呼ばれたノルマン人のリューリックが統治 ＊2

└「ロシア」の国名の由来

ウラジーミル１世のギリシア正教改宗

ビザンツ風の専制君主政継承、農民の農奴化

└ ローマ帝政後期の特徴

東スラヴ世界は西欧と別の文化圏形成 ＊3 ＊4

→モンゴルの支配下に（「タタールのくびき」）

③南スラヴ人

・セルビアは ギリシア正教受容

14 世紀にバルカン半島を支配する大国に、その後オスマン帝国支配下

・クロアティア、スロヴェニアはカトリック受容

④西スラヴ人 — カトリック化した人びと

・チェック（チェコ）人、スロヴァキア人はカトリック受容（両者は当初未分化）

・モラヴィア王国 (9c)、チェック人はボヘミア（ベーメン）王国形成 (10c ~)

└ マジャールによる滅亡後も支配下に留まったのがスロヴキア　└ 神聖ローマ帝国支配下 (12c)

・ポーランドはカトリック受容 ＊5

カジミェシュ大王下で繁栄 (14c)

└ 首都クラクフ、現在カジミェシュ地区はユダヤ文化の中心地

リトアニアと同君連合（ヤゲウォー朝）(14c)

└ バルト三国の中でリトアニアだけがこの影響でカトリック

現ウクライナ、ベラルーシ、ロシアの一部も含む大国化

16 世紀に黄金時代、コペルニクスを輩出

⑤スラヴ系以外

・ブルガリア (7c)（アジア系だが圧倒的少数で、スラヴに同化される）

ブルガリア王国 (12c) として全盛期はビザンツを凌ぐ、のち併合される

・ルーマニア（ラテン系）は正教、マジャール人（アジア系）はカトリック受容

PROPOS ＊1

いまのロシアはウクライナの首都キーウ（キエフ）をロシア生誕の地とみなす。ロシアにとってここはヴラジーミル１世が持ち帰った正教の聖地。ただキエフ公国とはキエフ公がいてその家産としての土地があり臣民がいた、というもの。当時はロシア人もウクライナ人も存在していない。ところでキエフ表記に関してロシアのウクライナ侵攻 (2022) 以降、日本はウクライナ語の呼び方キーウと改めた。ロシア語話者はロシア共和国だけでなく各国に幅広く存在する。「キーウ（キエフ）」表記が妥当か。

PROPOS ＊2

自分たちで統治できず、いがみ合うことに疲れたスラヴ諸民族が、ノルマン人の王に統治を頼んだのが「ルーシ」誕生の経緯と年代記は記す。そこにやってきたのがリューリック。５代目がウラジーミル。

PROPOS ＊3

ロシアは長くローカルな小国だった。モンゴルから２世紀間にわたり支配された（タタールのくびき）。この影響の大きさ（ロシアの発展の遅れ、ロシアの忍耐的な国民性）を指摘する説もあれば、否定する説もある。

PROPOS ＊4

スラヴ人は文字を持っていなかった。キュリロス兄弟がグラゴール文字を考案。そのあと弟子が作った別の文字（グラゴール文字を簡略化したもの）がキリル文字と呼ばれた。スラヴ人の多くはギリシア正教会。正教圏の文字はキリル文字。ただポーランド、チェック、スロヴァキア、スロヴェニア、クロアティアはカトリック、ラテン文字。

PROPOS ＊5

ポーランドはカトリック国。ドイツ人の東方植民で強まる神聖ローマ皇帝の圧力にローマ教皇の権威で対抗しようとした。冷戦末期のヨハネ・パウロ２世はポーランド出身初の教皇（ローマ教皇はイタリア人中心）。彼が冷戦終結に一定の役割を担った。

画蛇添足

▼コンスタンティノープルのハギア・ソフィア堂内に足を踏み入れたウラジーミル1世の家臣。「天のものか地のものか分からなくなるほど」の荘厳さに神の存在を確信。その報告でギリシア正教に改宗したという（『ロシア原初年代記』）。▼正教会の典礼は五感に強く訴える。お香の焚かれた薄明かりの中での司祭の壮麗な衣装、厳粛な仕草、金地のイコン画が揺れる。福音書を厳かに奉読する輔祭の重々しいバリトン、司祭の澄んだテノール。聖歌隊の合唱。それが天を象ったドーム（ビザンツ様式の特徴）の下で奏でられる。人を包み込むドーム下での正面性のない音楽。▼天国は見えないがその世界に鳴り響く音楽を体感することでその近くにいると信徒に感じさせる。そのような「荘厳」という感覚を私たちの多くは失っているかもしれない。私たちは少々のことでは驚くことができない。刺激の強度が上げられた結果、繊細さへの感応ができず、感性は鈍麻している。▼普遍を掲げたカトリックに対して正教は土着主義。正教会は各国ごとに独立した組織を持ち、各総主教は対等の存在。民族単位で民族語による礼拝。ギリシアではギリシア語を典礼語として用いたのでギリシア正教とされる。信徒は神の言葉（福音）を自国語で聞けた。カトリックの教皇の権威主義、プロテスタントの個人主義と異なる共同体主義をとる。▼教義の違いは罪の理解。正教は人間が生まれながらに罪を背負う（原罪）と考えない。神は人間に自由意思を与えた。この自由意思により神に従うことが人間のあるべき姿で、神に背くことを罪とする。とはいえ基本的に教義に大きな違いはない。クリスマスが1月7日なのが違うように見えるがこれは旧暦を使って祝うため。

わんクリック　イエスの教えを要約すれば、「心をつくし…主なるあなたの神を愛せよ」「自分を愛するようにあなたの隣人を愛せよ」（マタイによる福音書）。旧約聖書から新約聖書まで説かれてきたこと。神を愛することと人を愛することは同じ。つまり神を愛する人は人を愛し、人を愛する人は神を愛する。特に正教は、人が神に似せて造られたことの意味を強調する。であれば人を象ったイコンに問題があるはずもない。正教会はイスラームの脅威に直面して聖像崇拝禁止令を出して (726)、聖像破壊（イコノクラスム）を行った。しかし 10 世紀頃からはイコンは偶像崇拝にあたらないと考えるようになった。

History Literacy　地名表記に正解はない—本書は慣用読みに従う（「キーフ」もウクライナ建国まではロシア語で「キエフ」表記）。

自然の脅威と封建社会のほころび

①農奴解放

・貨幣経済の農村への浸透　＊1

→領主は貨幣を欲求

→領主直営地の廃止、生産物地代の廃止

└ 非効率だったことも一因、農民保有地と生産力に差

→地代の貨幣地代化　＊2

→農奴解放の可能性

領主は現金欲しさで解放金と引き替えに農奴解放に同意

→独立自営農民（イギリスではヨーマン）

→黒死病（ペスト）大流行による人口減少（3分の1）　＊3

└ 14世紀、寒冷化による飢饉も背景

→農民の価値上昇　＊4

→困窮した領主の封建反動

ジャックリーの乱（仏、1358）

└ 百年戦争中

ワット・タイラーの乱（英、1381）

「アダムが耕し、イヴが紡いだとき誰が領主であったか」（ジョン・ボール）

②諸侯、騎士の没落

・荘園制崩壊によって経済的基盤を失う

└ 諸侯、騎士は荘園領主

・火器の使用による戦術の変化 ― 火薬と火器のあいだ　＊5 ＊次ページ

③王権の伸張

・市民階級と協力して中央集権化促進

市民にとっては市場統一

└ 常備軍の財政援助

・没落した諸侯、騎士

国王の廷臣化、地主化

└ 地代をとるだけの存在、「領主－農奴」関係が「地主－農民」関係へ

PROPOS　＊1

貨幣（お金）の魅力。物々交換では交換できるものが限られる（自分が不要で相手が必要、という二重の偶然が物々交換の成立条件）が、貨幣に換金して手許に置けば、いつでも好きな時に好きな物と交換できる。

PROPOS　＊2

貨幣地代への移行。農作物で貢納しなくてもよくなった農民は生産物を売って換金。貢納して残った貨幣を蓄積できた。領主は農民が蓄えた貨幣を、農奴身分から解放する条件と引き換えに獲得しようとした。貨幣経済の農村への浸透により、農奴はその身分から解放される道が開かれた。

PROPOS　＊3

感染すると皮膚が黒くなるため黒死病と呼ばれたペスト。「メメント・モリ（死を忘れるな）」という警句が人びとの間に広がった。1348年にマルセイユにペスト菌が上陸。その拡大図は「いかに人びとが北へ北へと逃げていったか」の生々しい軌跡になっている。最後の流行は19c末。カミュ『ペスト』に詳しい。抗生物質発見でペストは致死の病でなくなる。17cにニュートンはペストの流行を避け故郷に閉じこもり研究に没頭。その間に彼の発見が続いた「奇跡の一年半」。ペストによる唯一の副産物。

PROPOS　＊4

病気は社会的弱者を襲う。インフルエンザは高校生ではなく、乳幼児、高齢者にとって脅威。当時は農奴に犠牲が多く、そのことで彼らが希少価値を持った。いま若年労働力不足で苦しむ日本。若者にはチャンス。

PROPOS　＊5

「火薬」は宋代のチャイナでの発明、閃光と爆音で相手を驚かせる火器。これを使って弾をはじいて飛ばし、相手に打撃を与える、相手の体を貫通して失血死させる「火砲」として本格利用したのはヨーロッパ。結果を知る私たちは「火薬＝火砲」として理解。爆竹で止まる可能性もあった。

画蛇添足

▼猫と鼠（ネズミ）は宿命のライバル。人間はやっかいな鼠を捕る猫に肩入れしてきた。人類の歴史は感染症との戦い。動物の家畜化が関係している。いま最大の感染症コロナ。戦いの帰趨（きすう）は予断を許さない。▼これまで克服した感染症の中で致死率が最も高く、繰り返し流行して膨大な人びとの命を奪ってきたのがペスト。14世紀の流行では世界の人口の約3分の1が失われたと見積もられている。それがペスト菌による感染症だと分かったのは19世紀のこと。▼ペスト菌はノミによって人間に媒介。そのノミが宿主（しゅくしゅ）としたのが鼠。人間に見えるのは鼠の方。気の毒に鼠は出るたびに「うわっネズミ！」と嫌われてきた。猫が横切っても誰も驚かない。鼠は種類が多いが、ペスト菌を運んだのはクマ鼠。元々、北アジアにいたのが14世紀の寒冷化で移動し、はるばるヨーロッパまで到達したらしい。寒冷化で南下したのは人間だけではない。▼ところでこのクマ鼠のライバルがドブ鼠。私たちに見えていない世界で両者は戦いを続けてきたらしい。人間との接触が少ないドブ鼠が勝ってネズミ界の覇権を握ったことがペスト鎮圧に関係したという。ずる賢いなど負のイメージを背負い続けた鼠を一躍人気者ミッキーマウスにしたのはディズニーの功績。以来、ミッキーはいつもミッキー。子どもたちの期待を裏切らない。▼ただ伸び続ける前歯をすり減らすために、何かを齧（かじ）り続けるのが鼠の宿命。これが人間にとってやっかい。夜半に赤ん坊の耳を齧ったり、電線を齧ったり悪さする（鼠は夜行性）。ある一時期、その鼠（マウス）を握りしめたまま「カチャカチャ」と夜通しスクリーンに向かうヒトがネズミ算式に増えて問題にもなった。鼠の伝染力は計り知れない。

わんクリック　近代以前に人口統計はない。黒死病で3分の1というのも象徴的数字（「エゼキエル書」『旧約聖書』での黙示録的表現）で、もっと多かったという説もあれば、少ないという説もある（※）。300年周期で流行、3度目の流行（19世紀末）の際、香港でペスト菌を発見（1894）したのがコッホの弟子北里柴三郎。世界は黒死病の恐怖から解放された。集住―都市化により人間は感染症の危険と隣り合わせになった。ペロポネソス戦争で、市民が城壁内に避難したアテネで腸チフスが猛威をふるったが、コレラをはじめ今の感染症の多くは19世紀に生まれた。都市化の急速な発展がこの背景にある。

History Literacy　曖昧さ耐性を持つ―不確かな数字（過去の出来事の数値化は困難）は歴史の知の本質的曖昧（あいまい）さの象徴。

動揺する教皇権と王権の進展

①背景

- 号令をかけた十字軍の失敗、教会の世俗化の進行
- 荘園制崩壊による財政難（十分の一税の徴収額減少）

②過程

- アナーニ事件（1303）

  聖職課税権問題がきっかけ　＊1

  フィリップ 4 世がボニファティウス 8 世を監禁、教皇憤死

  └ この前年（1302）、三部会で国民の支持取り付け　　└ 高齢での怒りは致命傷

- 「教皇のバビロン捕囚」（1309 ~ 77）

  └ 当時のイタリア人からの見方、フランス人教皇が仏王の後ろ盾で教会改革

  ローマ教皇庁が南仏アヴィニョンに移動、仏王の影響下に　＊2

- シスマ（教会大分裂）(1378 ~ 1417)

  └ 百年戦争で教皇を抑える力なくなる

  アヴィニョン教皇とローマ教皇が擁立

  └ 仏王らが支持　　└ 神聖ローマ皇帝、英王らが支持（百年戦争の最中）

③ 14 世紀の教会刷新運動　＊3

- 学者が聖書に基づき教会制度、教皇権を批判

  └ 11 世紀はクリュニー修道院を中心とした教皇側からの教会刷新運動

- ウィクリフ（英、オックスフォード大学教授）

  聖書主義を主張し、英書を英訳

- フス（ベーメン、プラハ大学総長）

  └ 当時、ドイツ（神聖ローマ帝国）の支配

  聖書主義、教皇権の否定

- コンスタンツ公会議（1414 ~ 1418）

  提唱　神聖ローマ皇帝

  └ 当時、チェコの民族運動の側面

  結果　シスマの解決、フスの火刑　＊4

  └ ローマ教皇を正統とする

  影響　教皇の権威衰退を促進、フス戦争（1419 ~ 36）

  └ 公会議が上位機関として教皇の問題を解決

PROPOS　＊前ページ

火薬を用いた大砲（火砲）の出現（14c）により戦い方は変わり、中世の戦場の花形、騎士の存在感は低下した。15 c には破壊力を増した火砲が歴史を変えた。難攻不落のコンスタンティノープルも陥落（1453）。そもそも騎士は槍が強くなれば甲冑を強く（重く）する必要のある矛盾含みの存在。最後は自重で身動きがとれなくなった。

PROPOS　＊1

日本では宗教団体の収入の多くは非課税。僧侶に「いくら払えば」と尋ねても「あくまでもお気持ちで」とかわされる。対価を示せばお布施でなくなり課税対象になる。財政難で消費税を増税しても、この聖域見直し議論は起こらない。神々には課税できない。信者以外は買いそうにない教祖本が一般全国紙に大きく広告。おそらく広告という名の新聞社への献金。「批判しないで」との牽制。国に税を収める代わりに政治家に政治献金。宗教団体を敵に回したら当選はおぼつかない。国より自分の懐に入る献金の方がありがたい。美貌王フィリップ 4 世はここに踏み込んだ。破門されたが破門状を焼き捨て、逆に教皇を捕えた。

PROPOS　＊2

洪水で流され途中までしかないアヴィニョン橋。♪アヴィニョンの橋の上で、踊ろうよ、踊ろうよ♪で知られる。いま踊るぐらいの利用法しかない橋。本来の機能を失ったものを橋と呼び続けてよいのか。

PROPOS　＊3

ある教皇は独身の戒律にもかかわらず私生児をもうけてそれを甥（nepos）と偽って引き立てた。縁故主義（ネポイズム）の由来。

PROPOS　＊4

フスは異端として、生きながらにして火刑に処せられた。フスのもとに信心深い老婆が薪をくべた。老婆はその行為が善行を積むと信じている。死にゆくフスはこれを見て「聖なる単純さよ」とつぶやいた。

画蛇添足

▼中世において聖書は庶民にとって手の届かぬ存在。まだ紙はなく神の言葉は羊皮紙に記された。一匹の迷える子羊を救う教えが記した聖書を一冊作るのにヒツジ数百頭分の皮が必要で高価だった。しかもラテン語だから庶民には読めない。その両面で聖職者が聖書を独占していた。▼15世紀以降、活版印刷術の発明（1455）によって安価な紙メディアが普及すると聖書の敷居は幾分下げられた。文字を読める人の数は限られていた。それでも14世紀の教会刷新運動が失敗し、16世紀の宗教改革が成功したのにはこのメディアの変化がある。▼チェコの民族的英雄ヤン・フス。プラハのベツレヘム礼拝堂で民衆の言葉チェコ語を使い、言葉を飾らず分かりやすく説教した。教会大分裂期に、教会と教皇は人間の発明物として信仰における唯一の権威は聖書と説いた。召還されたコンスタンツ公会議でも信念を曲げず、異端として処刑された。▼権威の源泉を『聖書』に求めるのはプロテスタントの特徴。対して教会に求めるのがカトリック。日本の近代はプロテスタントの影響を強く受けているから聖書中心の主張に与しやすい。「聖書に戻れ」というが、教会や教皇に先んじて成立していたとはいえ聖書もまた後世の産物。また書かれたことだけを認めるのは言語化できるものへの偏重となる。これに対してカトリックは信徒の身体に働きかける儀礼を重んじてきた。▼翻訳の正確性の問題もある。聖書に限らず経典の翻訳、とりわけ口語訳にすると逐語訳ではなく意訳になりがちで、内容の変容を防げない。聖書を読むことで人びとの読み書き能力を向上させたが、他方で読めない人びとを置き去りにした。聖書中心主義は腐敗した教会の権威への対抗という文脈では有効だった（※）。

わんクリック　いまは何でもオープンであること（開かれていること）をよしとする民主主義的価値観が支配的。筆者もこの立場だが、社会の安定にはある程度の権威が必要で、その権威は秘されることで保たれてきた面もある。最も失墜したのが学校の先生の権威。それも学級崩壊を招いた一因。聖書が庶民に遠い存在であることで、聖職者と教会の権威は守られた。宗教には翻訳できない秘伝的要素もある。ラテン語聖書（これ自体翻訳）を俗語へ翻訳したら歪み、不正確になると恐れられた（加えて重訳にもなる）。テクストへのアクセスの難しさが権威を作ってきた。敷居の高さ―高さなりの意味があった。

History Literacy　歴史は特定の文脈に依存する知―文脈から切り離して一般知とするのが歴史の濫用。

英仏の王権と身分制議会　＊1

①イギリスの王権

・ノルマン朝 (1066 ~ 1154)

征服王朝として中央集権的封建制度が展開 (強い王権)

・プランタジネット朝 (1154 ~ 1399)　＊2

└ 今の英仏にまたがる「アンジュー帝国」

ノルマン朝断絶後、アンジュー伯 (仏) がヘンリ２世として即位

└ 仏王臣下だが仏王の 10 倍の領土 (フランス西半分) 領有

②ジョン王の失政とマグナカルタ

・ジョン王 (失地王) の失政

└ ヘンリ２世の子、リチャード獅子心王の弟

仏王フィリップ２世と戦い、フランス領の大半失う

教皇インノケンティウス３世と争い、破門される

└ カンタベリ大司教任命問題

・マグナカルタ (大憲章)(1215)　＊3

ジョン王の失政に貴族が反抗、既得権を文書化、王に署名を強制

内容

└ 従来の慣習法の確認 (それゆえ内容は封建的、特権階級間の取り決め)

新課税には貴族、聖職者の承認 (12 条)、都市の特権確認など (13 条)

法か裁判によらない逮捕、拘禁の禁止 (38 条)

意義

立憲政治、法の支配の基礎

└「法の支配」確立 (17c) の際の参照点となる

王といえども古来からの慣習を尊重する義務がある

→王権が制限されることを文書で確認

└ 憲法は権力者 (の権力) を縛るものとして歴史的に生まれ、継承されてきた　(※)

PROPOS　＊1

イギリスとフランスの中世史は対照的。征服王朝としてはじまったイギリスでは強い王権に対して議会が形成。議会は王権に対する抵抗の拠点となる。最終的に「王は君臨すれども統治せず」の立憲君主政が成立。他方、フランスでは弱い王権からスタート。国王が中央集権化 (仏の場合は教皇権の排除) を進める過程で議会が作られた。

PROPOS　＊2

ウィリアム征服王の孫娘が仏のアンジュ伯と結婚したことで、現在のイギリスとフランス西半分を領有する広大なアンジュ帝国 (プランタジネット朝) が成立。そのヘンリ２世は王妃と不仲になる。王妃は子どもたち (三男リチャード獅子心王、末子ジョン) を使い反乱を起こさせる。この王室内の憎悪を描く映画『冬のライオン』。獅子心王はアンジェ (仏) 近郊の修道院に眠っている。

PROPOS　＊3

イギリス憲法は存在しない (イギリスは不文憲法の国)。マグナカルタ (1215)、権利の請願 (1628)、権利の章典 (1689) などが実質的に「憲法」として機能している。これらの歴史的文書から帰納的に推理した時、この国の「かたち」が見えてくる (「帰納法の国」イギリス)。日本で「憲法」と訳す Constitution とは「かたち」の意味。一つの文書では明確には記されていないが、複数の文書、判例などこれまでの経緯を考慮すると、イギリスの政治はこんな感じで動く、とその輪郭―「かたち」が浮き上がる。

PROPOS　＊次ページ

近代以降の国民の代表から構成される議会 (国民議会) と異なり、特定の身分のものだけが出席を許された初期の議会を身分制議会という。議会と聞くと、民主主義と結びつけがちであるが民主主義とは無関係。議会が王に認めさせた権利も特権階級の封建的な権利。ただ、議会は身分制議会としてスタートしながら、次第に今日の国民議会、議会制民主主義へと変化した。

画蛇添足

▼人口81人の国家で9つの選挙区（有権者は各9名）に分かれている小選挙区制（各選挙区から1人の代議士）の議会制民主主義を採用している国。同志が何人集まれば権力を掌握できるか。答えは25人（考えてみよう）。これは極端な想定ではない。▼現実に日本では同じような支持率（得票率）の政党が野党の分裂にも助けられて政権を担いつづけている。多数決を2回とる議会制民主主義では権力の掌握に過半数は必要ない。それでも熱狂により作られた民意が政治に直接反映する事態を防ぐ長所がこの短所を相殺してきた。近代日本はこれを統治システムにしたので、世界史でこの成立過程を丁寧に学ぶ。▼しかし、以前からUKではどの政党も過半数をとれないハングパーラメント（宙づり議会）が続いており十全に機能していない。現在、議会制民主主義が機能しているのはこの30年間の台湾。教科書が詳述するならこちらだろう。▼議会制と民主主義は親和性のある概念ではない。議会は王権に対抗するため、貴族（地主）たちが既得権益を守るために作ったもの。民主主義的動機によらない。民主主義を損なう、とその敵とみなされがちなポピュリズム—民衆（大多数）の支持を取りまとめる手法、の方が外見的にはより民主主義的。▼ところでイギリスの議会は長方形。2つの政党が顔を突き合わせて議論する。議場が空襲で破壊されたあと、他国のような半円形の議場にしようとする議論があった。その時、この形が民主主義を担保してきたと強く反対したのがチャーチル。「私たちが建物をつくり、そのあと建物が私たちをつくる」と現在の形に再建。大きな話は措（お）いておこう。いま考える必要があるのは、私たちをつくる建物—学校の教室のかたち。

わんクリック　社会を誰が支配するか。一人 (王) が支配するモナーキー (王政)、少数 (貴族) ならアリストクラシー (貴族政)、多数 (民衆) ならデモクラシー (民主政)。ただ多数の内実は様々。煽動されて「烏合の衆」化した多数の支配がポピュリズム。その多数が一人に権力を付託したのが独裁政 (大衆独裁政)。「支配する / される」発想から離れて「誰も誰をも支配しない」のがアナーキー。ここで上の解説。9 選挙区のうち 5 選挙区をとれば多数決で意志が通る。だから 4 選挙区は捨てて 5 選挙区に候補者を立てる。小選挙区制だから各選挙区で 5 票とればよい。つまり 5 × 5 ＝ 25 人の少数で 91 人の国を支配できる。

History Literacy　知恵の尊重は歴史への囚（とら）われとは違う―理由があって作られ、長く継承されてきたことがある。

③イギリス議会の成立　＊前ページ

・1265 年、シモン・ド・モンフォール議会

└ イギリス議会 (Parliament) の起源

ヘンリ３世の大憲章無視に対して、王に迫り議会を招集させる

・1295 年、模範議会

従来の聖職者、貴族に加え、州代表 (騎士)・都市代表 (市民) が参加

└ この構成が当時の社会の実情にあっていたため Model Parliament と呼ばれた

・14 世紀、二院制分離

上院 (聖職者、貴族) と下院 (ジェントリ、市民) に分離

④フランスの王権の伸長　＊１

・カペー朝 (987 ~ 1328)　＊２

カペー朝下のフランスで典型的封建社会が展開 (弱い王権)

・フィリップ２世 (在位 1180 ~ 1223)

└ 第３回十字軍を早退して英王との対決に備えた賢王 (オーギュスト王)

ジョン王と争い、仏国内の英領の大半を奪う

アルビジョワ十字軍　＊３ ＊４

アルビジョワ派は南仏諸侯の保護下

・ルイ９世 (聖王)(在位 1226 ~ 70)

└ 第六・七回十字軍を指揮、仏国王で唯一列聖された信仰の強い王

アルビジョワ派を根絶して、南仏諸侯を支配

・フィリップ４世 (在位 1285 ~ 1314)

└ 外見から「ル・ベル (端麗王)」

聖職課税権問題で教皇ボニファティウス８世と争う

1302 年、三部会開催

1303 年、アナーニ事件で教皇を屈服

1309 年、教皇庁をアヴィニョンに (教皇のバビロン捕囚)

⑤フランスの身分制議会

・三部会

聖職者、貴族、平民の各身分からなる

国王の諮問的性格で、今日の国民議会と異なる　＊５

└ 決議権がない　　└ 国権の最高機関

王権の伸張過程で誕生し、王権確立で停止 (1614 三部会停止)

PROPOS　＊１

北仏のパリを本拠地とするカペー朝の国王がフランスの中央集権化を進めるためには国内にいる三つの勢力―イギリス国王、ローマ教皇、南仏諸侯と戦う必要があった。

PROPOS　＊２

カペー朝の影響力はパリ周辺にしか及ばなかったが、直系の正嫡男子が 3c にわたり生まれ続け (カペー朝の奇跡)、諸侯につけいる隙を与えず安定をもたらした。教会の腐敗を背景に 12c 後半から民衆に基盤を置いた大規模な異端運動が出現。リヨンの裕福な商人ヴァルドが清貧を追求し、禁欲的生活をはじめたことではじまったヴァルド派、カタリ派などがあげられる。

PROPOS　＊３

「正統があっての異端」(堀米庸三) なのか「異端があって正統」(丸山真男) なのか。

PROPOS　＊４

「清められた者」を意味するカタリ。腐敗した教会の聖職者を認めず、徹底した禁欲的生活を実践する自らの指導者をペルフェクト (完徳者) と支持。南仏諸侯は住民の多くが信じたカタリ派を保護。典型的な二元論。人間の肉体を含めて現世的なものは悪魔の創造による悪しきもの、人間の魂とそれが帰るべき天上世界のみが神の創った善なるもの、と理解。現世も神による被造物であり善とする教会の理解と対立。カタリ派は教会、聖職者を通しての救済も認めなかった。教会にとり容認できない異端。教皇インノケンティウス３世は仏国王フィリップ２世にアルビジョワ十字軍を命じた。聖戦という教皇のお墨付きを得た国王は勇躍南下。これを通して南仏諸侯を勢力下におさめ王権を南仏にも伸張。

PROPOS　＊５

アドバイスを求められたことだけを議論する諮問議会。為政者は聞きたくないことを諮問しない。何を議題とするかを決める (アジェンダセッティングする) のが権力。

画蛇添足

▼当時のカトリック教会の問題は教会に固有というよりは、組織一般に見られる普遍的問題。組織にとり不可避の問題がいちはやく世界最大の組織となったカトリック教会で顕在化した。▼組織が大きくなるとそれを生活基盤とする者が生まれ、組織の存続自体が目的となる。組織の維持には規律が不可欠だが、いつしか規律の遵守が目的に取って代わる。巨大化した組織はときに暴走する。戦前の日本の軍隊は途中から制御できなくなった。軍縮とは戦艦を沈め、艦長ポストを減らすこと。抵抗は大きかった。将校の夢は艦長になること。組織論は現代の経営学の主要テーマ。▼信仰に生きたカタリ派の人びとは、巨大な教団組織の規律をみだすものとされ徹底弾圧された。異端として火刑にされたカタリ派側の記録は少ない。だから多くの作家が想像力で歴史の欠片をすくいとろうとしてきた。例えば、帚木蓬生の歴史ミステリー『聖灰の暗号』。▼例えば、作中にどちらの立場にも与しない「路上の人」に視点を置いて、組織と人のありようを観察させた堀田善衛『路上の人』。高位聖職者に対し「いまイエスが再臨したら」との問いを対置し「無視すればよい」との実に興味深い独白をひきだしている。▼組織が巨大になるとは様々なものを呑み込むこと。世俗化の進行は信仰の純粋さを失わせた。他面で、必要に応じて告解や煉獄などの制度を作る融通無碍さ、クリスマスや聖母マリア信仰をとりこむ土着性などの懐の深さ、を教会に付け加えた。批判は往々にして「わら人形」たたきとなる。組織化されて初めて実現することも多い。人間は組織の中で生きる存在。どのようにすれば人間を生かす組織を作って維持することができるのか。

わんクリック　為政者のことばかり探求する歴史学のアンチテーゼとして登場したのが社会史 (アナール学派)(※)。その代表作がル・ロワ・ラデュリの『モンタイユー』。13 世紀の末、ピレネー山脈の麓の村モンタイユーで、アルビジョワ十字軍のあともカタリ派信仰が残っていた寒村、村人に対する異端審問裁判の記録からそこでの村人たちの生活、人間関係をこと細かに再現。読みだしたらやめられない。ただこういう局地的な歴史を、私たちが知る必要があるのか、という疑問もでてくる。その疑問を反転させて、ではどうして遠い中央にいた支配者の歴史を知る必要があるのか、として考えてみたい。

History Literacy　文献資料に依拠する限り、歴史は支配者のものになりがち (被支配者の記録は文献資料に残りにくい)。

百年戦争

① 原因

・フランドル地方とアキテーヌ地方（英領）をめぐる争い　＊1

└ イギリス羊毛の輸出先　└ ボルドー周辺のブドウ酒産地

・ヴァロワ朝成立に際し英王エドワード３世が王位主張

└ カペー朝断絶（「カペー朝の奇跡」終わる）　└ 母がカペー家出身

②経過

・1339年、イギリスがフランスに侵入（～1453）

└ フランスを戦場に間欠的に戦いが起こる　└ ビザンツ帝国滅亡年

・イギリス優勢

イギリスの長弓隊がフランスの騎士軍に連勝（クレシーの戦いなど）

エドワード黒太子の指揮

・フランス亡国の危機

連戦連敗に黒死病流行、ジャックリーの乱が重なる

└ 1348～　└ 1358

国内の内戦に発展（アルマニャック派対ブルゴーニュ派）

・「フランス救国の乙女」ジャンヌ・ダルク（1412～31）の出現

└「神の声」を聞いて故郷を出て戦争に加わった16歳の少女

オルレアンの包囲を解き、閉塞していた戦況を打開

└ 彼女の登場に、何らかの理由でオルレアン側は勢いづけられ、イギリス側は動揺

→シャルル７世の戴冠式挙行

→ジャンヌはブルゴーニュ公国の捕虜となり英軍に引き渡される

└ 英側で参戦、当時は現フランス国内諸国が敵味方に分かれて戦う

→ルーアンでの異端裁判で火刑（1431）

└ 神学者の妬み、シャルル７世戴冠式の正統性否定のためなど

・フランスの勝利

シャルル７世はジャック・クールら大商人と提携し常備軍編成

③結果

・両国の封建的ねじれ関係の清算、大陸の英領はカレーのみ　＊2 ＊3

└ 後に失うが現在、ジャージー島などは英領

・諸侯・騎士の没落（とりわけ戦場となったフランス）　＊4

PROPOS　＊1

キリスト教会のミサ（聖餐式）にキリストの血の象徴としてブドウ酒が必要。だが高緯度のイギリスでブドウ栽培（栽培北限50度）は不可能（温暖化で最近は可能になった）。イギリスはアキテーヌ（ギエンヌ）地方（中心ボルドー）を死守しようとした。

PROPOS　＊2

エドワード３世により包囲されたカレー市。市民の勇戦にもかかわらず降伏のやむなきに至った。この街を根拠地にしてきた海賊の略奪に苦しんできた英王がカレー市に提示した条件は過酷。市の有力者６名が頭を丸めて首に縄をかけ、城門などあらゆる鍵を持って裸足で英王のもとに出頭せよ、という内容。英王はカレーを破壊するつもりで条件を出した。しかし予想に反して６名の市民がこの条件を受け入れて出頭。その結果、カレー市は破壊から免れた。

PROPOS　＊3

19c末、市は彫刻家ロダンにこの６名の英雄像を依頼。制作されたのが『カレーの市民』群像。しかしこれは市が思い描いていた英雄像と隔りがあり、当初は拒絶された。教科書に言及されるものの多くは、当時は理解されなかった、時代を先取りしたこのロダンのような作品。当時人気のあったものは言及されないことが多い。世界史教科書は「当時そのまま」を描かない。ところでこの作品は彫刻ではなく塑像。ロダンは15体作って鋳型を破棄。作品の「本物」は世界に15体ある。日本では上野の国立西洋美術館と倉敷の大原美術館（右端の単身像のみ）。それにしてもいまだに英雄の銅像は多いが、市民の群像は少ない。

PROPOS　＊4

百年戦争中に意外なことに長弓を用いる歩兵（平民）が戦場で大きな戦闘力を発揮するようになり騎兵（貴族）の優越が崩れた（歩兵革命）。さらに銃（マスケット銃）が使用されて弾が甲冑を貫通するようになると軍事上、騎士は主役でなくなった。

画蛇添足

▼どの国の歴史にも国民意識を高めるために作られた神話が混じる。フランスが普仏戦争に敗れて国民の自信が揺らぎ、国家統合に綻びが見られた第三共和政期（19世紀）に作られた神話が「救国の乙女」としてのジャンヌ・ダルク。▼寒村で生まれた無学な農民の娘が「フランスを救え」の「神の声」を聞き、シャルル皇太子に会って信頼を獲得。乙女が男装して平民ながら貴族を従えてオルレアンの囲みを解き、イギリスに先駆けてフランス王の戴冠式を実現させた。▼彼女に関しては多量の異端裁判の記録が残る。なぜ彼女にだけ「神の声」なのかと神学者たちの憎悪を受け、異端として処刑された。後世に、彼女がフランスを救った、という神話が誕生する（戦争の転機となっただけで、当時「フランス」国民意識はなかった）。事実には実際に起こった事とは別次元の事実―社会的事実もあり、それも教科書には書かれている。▼21世紀のジャンヌはスウェーデンの環境保護活動家グレタ・トゥーンベリか。彼女の真摯な発言と行動が地球を破滅の淵から救った、と理解される日が来てほしい。今すぐに二酸化炭素排出を止める行動を、とストレートに訴える彼女の声を大人は素直に受け止めなくてはいけない。▼危機に直面しているのに利害関係者に遠慮して実際には不作為を決め込む政治家。そんな言葉だけの政治家を激しい言葉で非難するグレタ。その語り方を問題にして焦点をずらしたり、現実が分かっていないと冷笑する大人たち。いまここにある危機―現実を分かっていないのは大人の方。▼15世紀のジャンヌは利用価値がなくなると、敵国に引き渡され、教会により火刑に処せられセーヌに放りこまれた。私たちは言いにくいことを少女に代弁させることを繰り返してはいけない。

わんクリック　実像と虚像。事実と相違しても社会で受容、定着すれば社会的事実となる（※）。日本では用明天皇の子、厩戸皇子。死後に神格化されて信仰の対象―聖徳太子となる。日本社会は聖徳太子の名に、和を重んじ、仏教を厚く敬う理想像を投射してきた。「それがどうであったのか」の実像の探究が歴史学の営み。ジャンヌに関しては高山一彦『ジャンヌ・ダルク―歴史を生き続ける「聖女」―』。当時の裁判資料に即し、「神の声」を信じて一途に行動した少女が、時々の政治状況で、大人により異なった意味づけをされる過程を追う。歴史学は社会、人間を見る目を深めさせると思わせる好著。

History Literacy　事実ではなくとも、社会で受容、定着した「社会的事実」（聖女ジャンヌ・ダルク）も歴史の構成要素。

④百年戦争後のイギリス

・ばら戦争 (1455 ~ 85)

王位継承をめぐるランカスター家とヨーク家の対立

└「ばら戦争」呼称は 19 世紀　└ 赤薔薇が紋章　└ 白薔薇が紋章

諸侯、騎士を二分した抗争が長期化し、諸侯、騎士は没落

・テューダー朝 (1485 ~ 1603)

内乱を収拾したヘンリ 7 世即位で成立

星室裁判所を設置して、王権の強化

└ ヘンリ 8 世時代設置の特別裁判所、チャールズ 1 世時代に濫用され革命で廃止 (1641)

ドイツ・イタリア・北欧の状況

①ドイツ

・ドイツ国王はローマ皇帝を自称 (ローマ帝国)

└「神聖ローマ帝国 (皇帝)」の名称使用は 16 世紀から

イタリア政策、自由都市の発達など

└ ホーエンシュタウフェン朝期 (12 ~ 13c) にローマ帝国の故地イタリア支配を狙う

→大空位時代 (1256 ~ 73)

└ ホーエンシュタウフェン朝断絶で皇帝選出されず (ドイツ王は存在)

・1356 年、金印勅書　＊1

└ 大空位時代から金印勅書までの 80 年近い「空白」があるが気にしないこと

皇帝カール 4 世が皇帝選出権を七選帝侯に承認

└ 選帝侯の地位を安定させ、選出原理に多数決を採用

→ハプスブルク家が皇帝位世襲 (15 ~ 19c)

└ 4 選帝侯がカトリックなので基本的にドイツ皇帝はカトリックが選出される

ハプスブルク家は本拠地オーストリア経営に専念

→ドイツは約 300 の領邦に分裂　＊2

└ 諸侯の領土のこと、事実上主権を持つ存在

・ドイツの東方植民　＊3

ドイツ人がエルベ川以東 (スラヴ人居住地域) に進出

ブランデンブルク辺境伯領、ドイツ騎士団領

→農奴解放進まず (領主の封建反動成功)

└ エルベ川以東では 19 世紀中頃まで農奴制存続

PROPOS　＊1

ドイツはゲルマンの伝統に由来する選挙王政で、皇帝は世襲ではなく選出されたため王の実質権力は弱かった。担ぐ神輿は軽い方がよい、のはいずこも同じ。金印勅書後、皇帝位はハプスブルク家が独占したが王家は所領の経営に関心があり、皇帝としての野心は薄かった。ハプスブルク家はスイスが本拠地だったが、次第にオーストリアに重心を移した。多産の家系で戦争でなく婚姻で自然に所領を増やしていった。

PROPOS　＊2

「ドイツ」史と「日本」史はよく似ている。現在の両国の面積はほぼ同じ、人口はドイツの方が約 8 千万と少ない。この両地域には 19c にいたってもまだ「ドイツ」も「日本」も存在せず、ともに約 300 の政治単位に分かれていた。この程度の単位が統治の最適規模かも知れない。「領邦」「藩」が事実上の主権を持つ存在だった。ドイツでは今でも州の権限が大きい。地方色の豊かさがドイッチュラント (ドイツ語、Deutschland)(日本での呼称はドイツ) の特徴。

PROPOS　＊3

ドイツのライン川対岸には大国フランスが控えており、こちらへの進出は常に火種となった。フランスはライン川を国境にするのが宿願で自然国境説をとった。他方のドイツにとってラインは父なる川であり両岸の領有を切望した。ドイツはライン左岸 (ラインラント、アルザスとロレーヌ地方) を領有しようとフランスと摩擦を引き起こした。他方、ドイツの東方には広大な未開地が広がり、こちらに向かって東方植民が行われた。こちらではポーランドとの摩擦が引き起こされた (ドイツ騎士団がポーランド王国の宗主下におかれたり、その後進のプロイセンが逆にポーランド分割をしたりした)。東方に開けている地政学的な条件がドイツの強み。現在、ドイツ製品がその品質とコストで EU 内で独り勝ちなのも、東方に広大な市場、安い労働力市場が広がり、そこにアクセスできることが大きく関係する。

画蛇添足

▼ヨーク朝最後の国王リチャード3世は文豪シェイクスピアによって英国史上、屈指の悪漢、残忍狡猾な男として造形された(『リチャード3世』)。亡き兄エドワード4世から2人の王子の後見を頼まれながら、王位に就きたかった彼はこれら甥っ子をロンドン塔に幽閉して殺害したと断定された。▼彼の名誉回復を図ろうとしたのがジョセファン・ティ。『時の娘』(1951) は歴史推理小説の名作。怪我で所在なくしていた現代の警察官が、5世紀前のリチャード3世の犯罪を調査する趣向。歴史はその時々の権力を正統化するための道具として使われてきた。推理にあたり彼はそういう歴史の作られ方を問題にする。▼当時を代表する知識人トマス・モアもその「犯罪」の経緯を書き残した。しかし彼もテューダー朝を支えた人物。その正統性を宣伝するために前ヨーク朝の最後の王を悪人に仕立てた可能性があった。「真実は時の娘」という古い諺からとられたタイトル。ただ時間は真実を明らかにすることもあれば、遠ざけることもある。▼これは上質なエンターテイメント作品。巷間「実はこうだった」と権威化した通説をひっくり返して読者を驚かせる。いくつかの事実もフィクションの装飾として使い、全体を真実のように錯覚させる。こういうものを読むのも読書の愉しみ。読者が勘違いしない限り、問題はない。▼麦を籾殻から篩にかける能力。真実と嘘の見極めがいまほど大切な時代はない。ところで昔のチャイナに馬を見分ける伯楽という名人がいた。ただ彼は自分の贔屓客には駄馬の見分け方を教えた。滅多に存在しない名馬より、世に溢れる駄馬を見分ける方が実用的と考えた(※)。駄馬を駄馬として親しみ、愛おしみたい。

わんクリック　日本と並んでドイツは近代まで統一が遅れたおかげで豊かな地方文化が花開いた。フランスとドイツ、地方都市の名を挙げよ、と言われたらドイツの方が比較的多くあがるのではないか。ミュンヘン、フランクフルト、ハンブルクなど。ベンツの本社はシュトゥットガルト、BMW の本社はミュンヘン、フォルクスワーゲンの本社はウォルフスブルク、といった具合。首都ベルリンが田舎だったこともあり、早くから中央集権が進んだフランスのようにパリ一極集中になっていない。日本も地方文化が豊かだったが、近代化で、画一性で上書きされた。街歩きしたい気持ちを掻き立てる都市が少ない。

History Literacy　タイトルに「真実」を打つ歴史書はない―歴史家は真実を追求するが「真実」を掲げない。

②スイス建国　＊1 ＊2

- 高地に建国、ハプスブルク家領より独立、国際的承認 (1648)
  └ 峠は南北交通の要所　　└ 国家の独立は国家間の相互承認
- 独立時の戦いぶりから、スイス人は傭兵として各国から需要

③イタリア

- 教皇領、自治共和国、シチリア王国、ナポリ王国などが分立　＊3
- 党争
  皇帝派 (ギベリン)　神聖ローマ帝国下にあることを誇りとする
  教皇派 (ゲルフ)　イタリアでの強力な権力を嫌うローマ教会側

④両シチリア王国

- ノルマン人による建国、地中海交易の中心地として繁栄
- ノルマン朝 (12c)、シュタウフェン朝 (ドイツ)(12c 末)
  └ ルッジェーロ 2 世の統治　└「世界の驚異」フリードリヒ 2 世の統治

⑤北欧

- 1397 年、カルマル同盟
  デンマーク、スウェーデン、ノルウェーの北欧三国が同君連合
  └ デンマーク王母マルグレーテが主導

ポルトガルとスペインの台頭

①レコンキスタ (国土回復運動) の進展
　└ スペインからみた一方的な見方

- カスティーリャ (10c)、アラゴン (11c)、ポルトガル (12c) の成立　＊3

②スペイン王国の成立 ―「カトリック王」の国

- 1479 年、イサベルとフェルナンドの結婚、共同統治
  └ カスティーリャ王女　└ アラゴン皇太子
  領域的にいまのスペイン、政治的には同君連合が続く (~19c)　＊4
  └「スペイン王国」は通称　└ カスティーリャが主導権、スペイン語はカスティーリャ語

③レコンキスタの完成

- 1492 年、ナスル朝滅亡
  └ イスラーム最後の拠点アルハンブラ落城
- 半島からムスリムとユダヤ人を追放 ― カトリック色の強い国家へ
  └ グラナダ陥落はモスク、シナゴーク、教会が良き隣人だった時代の終わり　＊5

PROPOS　＊1

お騒がせな果物はいまならドリアン。歴史的にはリンゴ。息子の頭上のリンゴを射落としたヴィルヘルム・テル伝説。射貫かれたリンゴはスイスのシンボル。アダムとイブが蛇に唆されて食べた禁断のリンゴ。トロイ戦争は黄金のリンゴをめぐる女神の争いが発端。万有引力発見のきっかけはニュートンの落ちたリンゴ。大きなリンゴ (ニューヨーク) が資本主義を牽引、ひと齧りされたリンゴのロゴ (アップル社) が世界を変えた。次はどんなリンゴなのか。

PROPOS　＊2

高地地方の貧しいスイス。映画『第三の男』でオーソン・ウェルズは「スイスの同胞愛、500 年の平和と民主主義は一体何をもたらした？鳩時計だよ」と嘯いた。出稼ぎ中心の経済。国内家族に送金する必要から金融業が発達。19c に観光がレジャーの主役となると風光明媚さで人びとをひきつけた。それまでは貧しい国だった。

PROPOS　＊3

国家名カスティーリャと名物菓子カステラ名はレコンキスタで建設された城 (カスティリョ) に由来。菓子が日本にきた時「これは何ですか」と尋ねられて、菓子を載せた皿の絵が聞かれたと勘違いして「お城です」と答えたことに由来 (するらしい)。

PROPOS　＊4

同君連合―潜在的に抗争する可能性のある隣国が同君連合を組んでおけば未然に対立を回避できる。欧州で生まれた知恵。

PROPOS　＊5

8c 間のイスラームとの軍事対決―レコンキスタを通じてスペインの基本的性格―教会と軍が影響力を持つ国家が形成。産業育成が後回しになった。レコンキスタ後、ムスリムは棄教か追放かを迫られた。社会の凝集性を高めるためにカトリック国であることが利用され、対抗宗教改革の中心となる。多様性の排除が後進性を決定づけた。

画蛇添足

▼カトリック教会は組織引き締めのために異端の摘発（異端審問）をはじめたが、煩雑な手続きを省略するため魔女の存在が発明された。悪魔と契約して人間に害を及ぼす存在（性別は関係ない）がいるとした。もちろん全員が冤罪。▼物証（直接証拠）がある訳もない。「あなたを魔女集会で見かけた」という証言（間接証拠）がある、と捕らえられた（魔女狩り）。摘発された魔女も公衆の面前で「自ら魔女である」と告白したから人びとはその存在を信じた。魔女はその後に火刑に処せられた。トリックは「魔女であると皆の前で自白すれば、まず縛り首にしてやる」という悪魔の囁き。魔女は火刑。処刑がまぬがれなくなった者の最期の望みは、生きたまま焼かれることを避けることだった。▼逮捕されると身柄は中立的立場の拘置所に移されてそこで警察の取り調べを弁護士同席で受けるのが世界標準。日本では取り調べる側の警察の留置所に置かれる（代用監獄制度）。そこで連日続く長時間の取り調べ。正義感と被害者の無念を晴らしたい気持ちに思い込みが重なって取り調べがきつくなる。「やっていない」と罪を否定すれば留置（欠勤）が続き、勤め人は社会的生命を失う。そこに「自白すればここから出れる。無罪は裁判で主張すればいい」という悪魔の囁き。▼トリックを知らないと「無実の人が自白するはずがない」と考える。冤罪発生のメカニズム。供述偏重が冤罪を生む。悪魔は魔女でなく、それを生み出した側に潜む（※）。魔女狩りの全盛期は中世でなく近代（16～18世紀）。魔女を生み出す心性、制度は過去のものではない。スペインで始まった異端審問が簡略化されて魔女狩りへ変質（スペインは異端審問中心で魔女狩りは少ない）。

わんクリック　イベリア半島の小国ポルトガル。曲がりくねった狭い急坂を軒先すれすれに路面電車が走る坂の街首都リスボン。国名の由来になった港町ポルトは半世紀前に時間が逆戻りしたような活気のある下町。アズレージョという青色タイルで街が装飾されている。甲乙つけがたくそぞろ歩きが楽しい 2 古都。大学の街コインブラ、壮麗な図書館の落ち着き。漁村ナザレの鄙びた風景。巨石の隙間に住居をこしらえたモンサント村の奇観、断崖絶壁の上の村マルヴァオンの壮観。ユーラシア大陸最西端が強風のロカ岬。石碑に「ここに地果て、海始まる」とある。小国だが変化に富むのがポルトガル。

History Literacy　酷いミスリードをするネーミングもある―悪魔は、魔女でなく、それを生み出した側に潜む。

第9章　東アジア世界の変容とモンゴル帝国

1　唐の崩壊後の東アジア

五代から宋へ

①五代十国 (907 ~ 979)

- 907年、節度使の朱全忠が唐を滅ぼし、後梁建国
- 華北で五王朝 (後梁、後唐、後晋、後漢、後周) 交替、華中・華南で十国　＊1
  後唐以外は首都開封
  　└ 黄河と大運河の結節点、江南の物資の集積地
  いずれも藩鎮 (節度使) による武断政治
  　└ 後梁以外はテュルク系武人による王朝　└ チャイナ史の例外 (基本は文治主義)

②社会の支配者層交替 — チャイナ史の大きな転換点

- 唐末五代の混乱期に支配者層が交替
  門閥貴族の没落 (門閥貴族は漢～唐代の支配者層)
  　黄巣の乱による荘園喪失 (経済基盤喪失)、武断統治 (政治権威喪失)
  　　└ 朱全忠による唐の高官虐殺 (白馬の禍) で貴族は決定的に没落 (『資治通鑑』)
  士大夫の台頭 (士大夫層は宋～清代の支配者層)
  　経済的に地主、政治的に官僚、文化的に読書人の三位一体的性格
  　　└ 官僚を出した官戸には税制上などの種々の特権
  地主として小作人 (佃戸) に土地を貸し出す

③宋の建国

- 960年、後周の節度使趙匡胤が建国、首都開封
- 二代目太宗の時、統一 (979)

④宋の内外政

- 皇帝専制政治の開始
  　└ 皇帝権は安定、宋以降は易姓革命説 (禅譲) による交代はない
- 兵制改革で文治主義へ回帰
  節度使から権力を奪い、欠員に文人を任命、禁軍 (皇帝親衛軍) の強化
  科挙の完成 — 殿試の創設　＊2
  →遼、西夏の侵入招く (澶淵の盟、慶暦の和議)　＊3

PROPOS　＊1

二君に仕えることを節操のなさ、不忠の象徴とするチャイナ社会にあって異色の宰相だったのが馮道。「君に忠ならずとも国に忠なり」と五代十国時代、「五朝八姓十一君」に仕えた。異端の思想家李卓吾 (明代) は孟子の「民を貴しとなし、社稷これに次ぎ、君主を軽しと為す」を根拠に彼を民衆を節度使の暴力から守ったと評価。

PROPOS　＊2

科挙は隋唐代に導入されたが、当時は補助機関。貴族に対抗するため則天武后が科挙を使い実力ある人材を登用したのが例外。科挙は宋代以降機能。3年に1回、省都での「郷試」合格者が挙人。ここで任官せずにさらに礼部の「会試」と「殿試」(これは形式だけ) を受験して合格した者が「進士」で高級官僚となる。ただこれは官吏の「官」の話。圧倒的多数の「吏」は現地採用。科挙は公教育制度を伴わない試験だから現実には地主からしか合格者はでない。ただ官僚身分が世襲されること (門閥貴族化) がなくなった。特権のある官戸も官位も一代限り。どの家にとっても没落が背中あわせだった。宋以降のチャイナは皇帝以外は比較的平等で流動的な社会となった。

PROPOS　＊3

西夏に対処した仁宗を補佐した名宰相が范仲淹。「天下を以て己が任となし、天下の憂いに先んじて憂え、天下の楽しみにおくれて楽しむ (先憂後楽)」(『岳陽楼の記』)。東京、岡山にある庭園「後楽園」の由来。官僚が国を支えている、との自覚、エリート (士大夫) の社会的責任を吐露した言葉。士大夫とは士 (行政担当者) と大夫 (その上位者) からなる支配者階級。形勢戸という別の言い方もあるが、そこには「成り上がり」という侮蔑感が入る。士大夫の実際に関しては朱熹が編纂した『宋名臣言行録』がよい。ビタミン剤代わりに自己啓発本を読むのならこれで十分。百名近い宋朝の名臣のエピソードが並ぶ。それでも宋朝は衰退した—諸行無常の理には逆らえない。

画蛇添足

▼黄巣の乱は十年にわたりチャイナ全土を戦乱に巻き込んだ。この中で功名を求める一人の将軍のためにどれだけの人生が犠牲となったか。それを目の当たりにした曹松は「一将功成りて万骨枯る」と嘆じた。70歳で科挙に合格した詩人の名はこの七言 (原文は七言詩) で残った。▼当初、乱側にありながら唐側に寝返ったのが朱温。皇帝から「全身それ忠なり」と全忠の名前を下賜された (朱全忠)。その唐から帝位を奪うことで返礼とした。彼の名より「一将功…」の七言を残した曹松を記憶すべきと思うが、世界史教科書がゴシックにして記憶を強いるのは朱全忠。▼チャイナでは10世紀、唐王朝の滅亡と同時に門閥貴族階級が消滅。チャイナの皇帝政治は二千年の歴史を持つが、前半の千年間は、事実上、名門とされた門閥貴族と宦官によって皇帝権は制限を受けた。五代の武断政治はその門閥貴族と宦官を一掃。そのことに節度使出身の二人—朱全忠と趙匡胤が重要な役割を果たした。▼節度使の朱全忠が門閥貴族を滅ぼし、節度使の趙匡胤がその節度使という存在を滅ぼした。この結果、皇帝専制体制が生まれる。皇帝専制体制は宋代にはじまり明代に完成する。五代十国時代は春秋戦国時代と並ぶチャイナの転換点。この半世紀を挟んだ唐と宋は対照的な王朝。唐が国際的な政治大国なのに対して、宋は国粋的な経済大国。唐の長安が政治都市だったのに対して宋の開封・臨安は商業都市。▼日本は宋銭を輸入して使用。事実上の日本最初の通貨。輸入する途中に沈没した船が引き上げられ、そこから数百万枚もの宋銭が発見。千年前の古銭なのにネット上のオークションで数百円程度の値しかつかない。それほど大量発行された経済大国。

わんクリック　開封の往時の賑わいは『清明上河図』に詳しい。行きかう人びとの中に軍人の姿がない。宋は文治主義。書き手の文人が軍人を嫌い、彼らを意図的に描かなったとの指摘もある。開封は黄河と大運河の結節点として繁栄したがここは黄河の氾濫原。後の氾濫ですべては土砂に埋まる。開封市街にはいま観光用に上河図の賑わいが再現されているが当時の街は地下 11m にある。黄河だけでなく前近代のチャイナは流動性の高い社会。「いわゆる封建制的なるものは、帝政時代の中国にはほとんどなかったと言っていい」(岸本美緒)。縛る規制も少なく、人びとも自由に動く流動的な社会 (※)。

History Literacy　規則のない自由な社会とは保護されない社会 (別の規則—宗法を作って自分を守ったチャイナの被支配者階級)。

⑤王安石の新法

- 文治主義による財政難

  歳幣費の増大、官僚増加による人件費の増大
- 王安石を第６代神宗が宰相に抜擢
- 新法とされる富国強兵策

  大地主・大商人・官僚の利益を制限し、中小農民・商人を保護

  青苗法…植え付け時の農民への低利融資

  募役法…労役（負担重い）を免役銭で他の人に代行（希望者を雇用）

  市易法…中小商人への低利融資

  均輸法…物資流通の円滑化と物価安定策

  保甲法…民兵の訓練や治安維持のための農村組織

  保馬法…軍馬を民間に委託（平時に農耕転用）
- 司馬光ら旧法党の反対で神宗死後、王安石失脚

  └『資治通鑑』の著者　└ 大地主・大商人・地主の反対

  政府が民間経済に介入することの是非をめぐる争い

東アジアの変動

①周辺諸民族の独立 ― 10c 東アジアの地殻変動

- 唐の影響で周辺諸民族は文明化
- 唐の滅亡（907）、唐末五代の混乱、宋の消極的対外政策

②モンゴル高原

- トルコ系居住地域からモンゴル系居住地域へ

  └ 以前の「トルコ高原」がいまの「モンゴル高原」に
- ウイグル（トルコ系）がキルギスに追われ四散、契丹（モンゴル系）が支配

  →中央アジアのトルコ化（トルキスタン）

③朝鮮半島

- 高麗（918 ~ 1392）　＊1

  王建が建国、首都開城

  両班（ヤンバン）による官僚制発達

  世界最古の金属活字（材質不明）発明　＊2

  仏教保護、大蔵経刊行、青磁の生産　＊3 ＊4

  モンゴルに抵抗するが屈服、属国（13c）、日本出兵（元寇）を強制される

PROPOS　＊1
朝鮮半島を統一支配したのは新羅、高麗、朝鮮の３国（いずれも国号）。KOREAは高麗に由来。殺生を戒める仏教国（今は韓国で２割程度）にかかわらず、モンゴルとの接触で肉食が普及。戦後の半島分断でこれを「朝鮮料理」と呼称できなくなり日本では「焼肉」と呼ばれた。もはや日本の国民食になった。高麗の支配者階級は両班階級。宋朝の士大夫層にあたる知識人階級。よほどのことにも動じない振る舞いは大人と称された。大人とは「臨危不変」（三木清）な態度。すぐにあたふたするのが小人。

PROPOS　＊2
活字を拾って印刷組版を作る活版印刷。いまはほぼなくなった。活字は再利用、組み替えができるので木版印刷より効率的。活字が金属だと木版より多く刷れる。出版部数は一国の文化のバロメータ。世界最古の金属活字は高麗。ただ油性インク、輪転機を伴わず実用性が低かった。本を買うときは本の履歴、奥付を確認すること。初版が何年で、それがいま第何版か。版を重ねたものは時の篩にかけられている。ただそれを逆手にとって初版を少なめに印刷して品薄感をだし、すぐに重版をかけて「たちまち６版」と売れているように見せかける商法もある。活字は16cに日本に伝わった（京都圓光寺で日本最古の活字が展示）が種類が多い漢字は木版印刷の方が適しており、江戸時代は木版印刷が中心だった。

PROPOS　＊3
仏陀の加護によるモンゴル撃退を祈願して作られた大蔵経。仏教経典すべてを網羅したもの。経蔵は仏陀が説いたこと、律蔵は戒律（僧の生活規範）、論蔵は経の注釈。13cに木版印刷で刊行された。全８万枚。

PROPOS　＊4
高麗は青磁。韓国の大統領府は青磁の瓦で葺かれていて青瓦台（Blue House）と呼ばれる。ニュースで「青瓦台は」は「韓国大統領（府）は」と発信源をぼかした言い方。

画蛇添足

▼人類の永遠の課題は貧困解消。貧困層に対する小口融資はその切り札。春先に数十ドルさえ融資してもらえれば苗を買え、あとは自助努力で貧困から脱出できる農民は多い。しかし、その数十ドルを妥当な利子で貸してくれる人がいない。そこで高利貸しを利用せざるを得ず、収穫の大半が返済にまわり、貧困のサイクルから抜け出せない。▼銀行は手間がかかるだけで儲からず、焦げ付く恐れが強い小口融資に消極的。その常識を覆したのがバングラデシュのムハマド・ユヌス。「貧困を博物館へ」を合い言葉に貧困層対象の小口融資のグラミン銀行を創設してビジネスの軌道に乗せた。▼ボランティアでの社会改革には限界がある。同じことをビジネスモデルに構築できれば継続性がでる。貧困対策をソーシャル・ビジネスとして展開。批判もあるがバングラデシュの最近の目覚ましい経済急成長の基盤を作った。もちろん人は仕事を通じて社会をよりよい場所にしようとしている。多くの仕事はソーシャル・ビジネスの側面を持っている。▼千年前に似た試みをしたのが王安石。政府による低利融資である青苗法、市易法は画期的試みだった。王安石は21歳で科挙に首席合格した秀才。望んで地方官を歴任し、実務経験をつむ。その上で皇帝に提出した復命書が若い神宗の目に留まった（意見書『万言書』）。▼王安石は唐宋八大家に数えられる名文家。神宗に抜擢されて宰相となり「祖宗の法、恐るるにたらず」と二人で新法を実施。ただ性急で他の意見を聞こうとしない姿勢は穏健派（司馬光、蘇軾ら）を反対にまわし社会を混乱させた。「抜本的改革」に胸はすくが、よきことは、ゆっくりと確実に、と私は思うが、ここは意見が分かれるところ。

わんクリック　世界史教科書は大項目としてまず政治を立項。次いで経済、最後に文化（※）。この配列は、世の中を動かすのは政治、と語っている。経済が社会を動かしている、とする見方もある（唯物史観）。経済のあり方に応じて政治が行われるという見方。最後に置かれるのが文化。そのため政治の枠組みで文化が語られ、唐代は唐文化で宋は宋文化、とまるで王朝が変わると文化まで一変するような書き方になっている。近代になると人名の後ろに括弧書きで国家名が添えられ、文化が国家の持ち物のように叙述される。「ショパン（仏）」表記（活動地優先）か、「ショパン（ポーランド）」が論争にもなった。

History Literacy　順序（叙述）とは価値観の序列―政治、経済、文化と並べる教科書はそのような価値観を持つ。

④雲南地方

・南詔(~10c)にかわり大理(10~13c)

⑤日本

・国風文化　仮名文字、大和絵などの発達

自立する北方諸民族

①遼(916~1125)

・モンゴル高原でモンゴル系契丹の興隆　＊1

└ シラ・ムレン河流域(現内モンゴル自治区)が本拠地で農耕も可能

・916年、耶律阿保機が契丹族をまとめる

└ 漢字を使った音訳、『古事記』での万葉仮名と同じ使い方

・契丹の発展

渤海を滅ぼし(926)、中国東北地方支配

燕雲十六州を獲得、長城以南の農耕地帯支配　＊2

└ 後晋の建国を援助した代償として獲得

澶淵の盟(1044)

宋を攻撃、和議

宋を兄、遼を弟として宋が遼に歳幣(銀10万両・絹20万匹)を払う　＊3

・遼の政治

二重統治体制　＊4

狩猟、遊牧、農耕の契丹族→部族制で北面官が統治

農耕の漢民族、渤海族　→州県制で南面官が統治

契丹文字作成

・宋と金に挟撃され滅亡

→一族の耶律大石が中央アジアで西遼(カラ・キタイ)建国

└ 約80年間東西トルキスタン支配で繁栄

②西夏(大夏)(1038~1227)　＊5

・甘粛、陝西地方でチベット系タングトが興隆

・李元昊が建国、東西貿易路を支配して繁栄、西夏文字

・慶暦の和議(1044)

PROPOS ＊1

各国語で中国をあらわす呼称は秦に由来するChina(チャイナ)。他に契丹に由来するCathay(キャセイ)がある。ロシア語でチャイナはКитай(キタイ)(キリル文字)。

PROPOS ＊2

燕雲十六州―燕(北京)雲(大同)を含む十六州は海抜1000mの高地。ここを押さえられると華北の防衛は難しい。宋の太宗は2度奪還を試みて失敗。ここを拠点に遼、金、元がチャイナを4cにわたり支配。漢民族は明代までここを取り戻せなかった。

PROPOS ＊3

11cに条約によって1世紀以上の平和が保たれた。宋王朝は軍事小国だが経済大国として繁栄。遼との澶淵の盟、西夏との慶暦の和議など、平和を軍事費でなく、いわば経済援助で買った。支払った銀、絹で遼、西夏は貿易に従事。これらは宋に還流したから、経済活性化の効果があった。

PROPOS ＊4

チャイナ最初の征服王朝は北魏だが漢化政策をとり民族性を失い、浸透王朝という位置づけ。遼や金は圧倒的存在であるチャイナ文明へ同化吸収されるのを避けるため二重統治体制をとる。独自の文字作成もその一つ。日本でもこの頃(11c頃)、かな文字が使われるようになる。地方から上京して東京の色に染まらずにいるのは難しい。

PROPOS ＊5

「大夏」と名乗った国が「西夏」と表記されている。黒遼(カラ・キタイ)も「西遼」と表記されている。共にチャイナから見た表現。方位の入る固有名詞は、誰から見てその方角なのか、そこに隠れている主語を意識したい。日本の東北地方、西南諸島なども東京からの命名。陝西・オルドスの岩塩をおさえた「西夏」。海水は塩分濃度が低くて不純物が多い。そこから塩を析出・製造するのには技術が必要。また塩味は産地で微妙に違う。岩塩は品質が安定する。

画蛇添足

▼壁画で知られる敦煌莫高窟。その名が知られたのは20世紀初頭の『敦煌文書』の発見による。それまで敦煌の石窟は長く寂れ、中には人が住み着いていた。そんな折、ある道士が壁の裏に密室が隠されていることに気づく。▼壁を崩すと小部屋があり数万点の古文書が積まれていた。歴史的な敦煌文書の発見。古文書自体が貴重な史料だったが、それらが反古(使い古しの紙の裏側)に書かれていた紙背文書だったことも、これらの文書群の価値を高めた。▼そこには正史に書かれることのない人びとの日常の営みを知る手がかりが記されていた。これらの文書がどのような状況で密封されたのかは分からない。西夏による敦煌占領が関係する、と推理したのが井上靖の『敦煌』。▼日記をつけよう。それもできるだけ広告の裏など反古紙を使って書き残そう。何十年後に読み返した時、面白さが違う。あの頃はこんなものが流行っていて、こんな値段だったのかと振り返ることができる。反古紙と日記―両者に共通するのは後世からの取捨選択という編集を免れていること。そのことが当時のありのままへアクセスする通路になっている。▼歴史教科書で使われる文体は「物語り文」と呼ばれる。それは三つの時点をふまえた回顧的文体。「1618年に三十年戦争がはじまった」が典型的物語り文(※)。その叙述が「歴史」と呼ばれている。1618年に始まった戦争が1648年に終わり、それがいま三十年戦争と呼ばれて重要視されている、ことを知る者だけが書ける文体。そこに描かれる歴史とは、過去というよりは現在。対極にある文体が結果を知らずに書いた「日記文」。教科書に記されているのは歴史、過去は反古紙、日記文などの史料にある。

わんクリック　唐滅亡後、周辺国家では独自の文字が作成された。しかし漢字をベースにより複雑にした使い勝手の悪いものが多く(西夏文字、契丹文字など)ほどなく廃れた。ベトナムの陳朝のチュノムも声調を表記するため複雑化。17cにローマ字基調にとって代わられた。生き残ったのは日本の仮名文字。直線系の表意文字である漢字文化圏にあって、曲線系の表音文字、柔らかく丸みを帯びた造形。表音文字の発想は万葉仮名からあった。元の漢字がどんな感じか分からないほどに崩して簡単にした平安貴族の逆転の発想。漢字かな混じりで使う発想も現実的で、今日まで千年間使われ続けている。

History Literacy　最後を知る者が語る「物語り」文で歴史は叙述―「あれが最後と知っていたら」が現実の切なさ。

金の華北支配と南宋

①金 (1115 ~ 1234) の台頭

- 満洲でツングース系女真が興隆
- 完顔阿骨打が遼より独立して建国
- 宋と同盟して遼を挟撃して滅ぼす
- 華北に侵入し、宋の都開封占領 (1126 ~ 7)(靖康の変)
  民族性の保持のため二重統治体制 (猛安・謀克 (ムンガン・ムゲ) 制)
- 女真文字の作成

②金の華北支配

- 1125 年宋は新興国の金と提携して遼を滅ぼす
  └ 当時、急速に台頭　└ 念願の燕雲十六州を遼から奪取
  →金が違約を理由に華北に侵入
  └ 宋は金の実力を侮り、金との盟約を何度も破る背信行為
- 1126 ~ 7 年、靖康の変
  上皇徽宗、皇帝欽宗など皇族、官僚三千人が捕虜連行される　＊1＊2
- 南宋 (1127 ~ 1279)
  宋の皇族高宗が江南に逃れ建国 (「宋の南渡」)
  └ 欽帝の弟

③南宋 (1127 ~ 1279)

- 首都臨安　＊3
  └「臨時の安在所」の意味、大運河の南端、現在の杭州
- 金と和議
  金との和平主張の秦檜と抗戦主張の岳飛の対立
  →和平派の勝利、岳飛の処刑
  →金と和議 (紹興の和議)
  宋を臣、金を君とし、南宋は金に歳貢 (銀・絹) をおくる　＊4
  └ 名実ともに臣従、のちに叔甥の関係となるが上下関係は固定化、歳貢は歳弊へ緩和
  淮河と大散関を境とする
  └ 境といっても中華思想に国境概念はないので注意
- 和議後、南宋は 150 年の繁栄
- モンゴルにより首都臨安陥落 (1276)、崖山の戦いで滅亡 (1279)　＊5

PROPOS　＊1

風流天子徽宗。書では「鉄を屈げ、金を断つ」痩金体で知られる透明な硬質感。画では院体画を確立。描かれた孔雀を見て「これは間違い。孔雀は高いところに登るときに右足から踏み出す」と非凡な観察力を披露。曲線の優雅さで人びとを魅了した花鳥画『桃鳩図』は 26 歳の時の作品。足利義満が所蔵。奥行表現の難しい側面画ながら体毛の細密描写で体躯の膨らみを表現。

PROPOS　＊2

徽宗は前帝の 11 番目の子だが期せずして皇帝となる。書画に稀代の才能を発揮したこの才人にとっても、また世界にとっても不運だった。『水滸伝』では暗愚ぶりが強調されるが、運悪く権力欲の強い宰相蔡京など超弩級の奸臣に囲まれた。その政治の乱れを見透かされて金が侵入。徽宗は息子欽宗に譲位して事態収拾を図ったが、結局、捕虜となり極寒の地で生涯を閉じた。

PROPOS　＊3

大運河の終着点として繁栄した杭州。「上に天国あり、下に蘇州・杭州あり」と称えられ、町の中心の西湖周辺の「西湖十景」と呼ばれる風景は多くの詩人に詠まれた。

PROPOS　＊4

歳貢は文字通り、目上の相手にこちらから土産物持参で会いにいくイメージ。土産物を「貢ぐ」屈辱。これが歳幣となると、経済的に豊かな方が、そうでない方に行う経済援助のようなイメージとなる。圧倒的経済的大国の宋がお金で平和を買った。

PROPOS　＊5

宋の滅亡は平家政権の滅亡に似ている。通常は首都が落城すれば王朝は終わる。しかし南宋の家臣団は幼帝を連れて南へと逃れて、モンゴルへの抵抗を続けた。壇ノ浦の戦いで敗北した平氏一門は次々と海へ身を投じた (1185)。それから一世紀。崖山に追い詰められた家臣団、最期は幼帝とともに海にはいり、宋朝を閉じた (1279)。

画蛇添足

▼領土問題は人間をナショナリストにする。中国では、北半分を女真人の金に渡した秦檜を売国奴と貶め、金に抵抗して戦うことを主張した岳飛を神格化して記憶してきた。このような「無二の忠臣と売国奴―岳飛と秦檜」と物事を二項対立的に理解するのは貧しい。▼秦檜は金の捕虜からただ一人突然帰国。金から政治工作のために送り込まれたと疑われた。高宗は現状維持によってしか皇帝の正統性が保障されない人物。彼に支持された秦檜は開封まで迫っていた岳飛に撤兵を命じ、彼を謀殺。結果的には秦檜が権力闘争に勝ったことが南宋百五十年の繁栄をもたらした。秦檜は金の内情を知悉。戦えば南宋まで失うとの現実的判断ができた。▼戦前の日本にもアメリカ帰りの知米派がいた。開戦時の連合艦隊総司令官山本五十六。米国と開戦して勝ち目がないこと、日本の破滅につながることを誰よりも分かっていた。人格者で徒党を組んで権力闘争できなかった山本は秦檜になれず、良識派を多数派にできなかった。軍部―何人もの岳飛に主導権を取らせてしまった。最後は主戦派に与して「半年は暴れてみせましょう」と真珠湾を奇襲。▼軍が著しく政治化する中で軍人としての分際をわきまえていた。ただあとは政治、外交で収拾してくださいの含意は伝わらなかった。分かっていたはずの山本にも分かっていないこともあった。主力艦隊を叩けば敵は戦意消失すると読み違いしていた。逆にアメリカのナショナリズムが沸騰した。いま人びとは岳飛廟に詣で、「捕らわれた秦檜夫婦像」に売国奴と唾棄する。その姿は稚拙に映るが、ナショナリズム感情、劣情の巧みなガス抜き装置として機能してきた。単に唾棄すべきものでもない。

わんクリック　「ヤルートアブチ」の音訳が耶律阿保機、「ワンヤンアグダ」の音訳が完顔阿骨打、「クマラジーヴァ」の音訳が「鳩摩羅什」―という無意味綴り。カタカナを持たないチャイナでは外来語の音訳に際して、漢字を無意味(意味が発生しないよう)に綴った。だから正確に覚えることに意味はない。その点、夜露死苦。かつて暴走族が威圧感のある漢字の当て字を好んで使った。「匈奴」などの漢字音訳も同じ発想。テストで当て字を正しく綴れるかを出題するのはナンセンス。「だから覚えにくいのだ」ということを覚えておこう(※)。なお漢字はどのように日本語読みしてもよいのが漢字の読み方ルール。

History Literacy　漢字音訳を覚えるのは無意味―それが無意味綴りである、と覚えることは意味がある。

2 宋代の新展開 ― 都市の時代のおとずれ

江南経済の発展

①江南開発の進展

- 「宋の南渡」で開発 ― 囲田(いでん)の造成、占城(せんじょう)(チャンパー)米　＊1
  └ 人口の南北比率逆転　└ 海水流入防止　└ 日照りに強く早熟(台風前に収穫可)
  →江南が経済の中心「江浙(こうせつ)熟すれば天下足る」
- 飲茶(いんちゃ)(ヤムチャ)の普及、窯業(ようぎょう)の発達　＊2

②都市経済の発展

- 都市の商業統制(時間、場所制限など)撤廃
  └ 夜間営業可　└ 唐の長安などの坊市制撤廃
- 首都開封(北宋)、臨安(南宋)は商業都市　＊3
  └『清明上河図』で描写　└ その繁栄をマルコ・ポーロが伝える
- 地方に小規模交易場草市(そうし)発展→鎮(ちん)・市に発展
  └ 粗末な市の意　└ 小商工都市
- 茶馬(絹馬(けんば))貿易　遊牧民との間で馬と茶、絹を交換　＊4
- 同業組合　商人の行(こう)、手工業者の作(さく)
- 貨幣経済発展 ― 紙、印刷技術と政府の信用
  銅銭、政府発行紙幣交子(こうし)(北宋)、会子(かいし)(南宋)流通
  └ 銅の産出がなく鉄銭しか使えなかった四川で最初に発行
- 日宋貿易　＊5
  遣唐使停止(9c末)以降、民間交流活発化(最盛期は1170年代平清盛の頃)
  仏僧の派遣　源信(延暦寺)がとりまとめ、重源、栄西(禅と茶)ら
- 経済発展で人口が宋代に1億人突破(チャイナではずっと人口6千万の壁が存在)

宋代の文化

①宋の文化の特徴

- 士大夫が担い手の伝統的文化
  └ 儒学を身につけた知識層、読書と静座を重んじる

②歴史学

- 司馬光『資治通鑑(しじつがん)』(編年体通史)が支配者の正統性や君臣の名分を強調　＊6

PROPOS　＊1
今も中国の米の主流はインディカ種のチャンパー米(東北地方はジャポニカ米)。収量は多いが味が淡泊。後に孫文が(ジャポニカ米を食べる)日本人は握るとおにぎりになる(団結する)が、(インディカ米を食べる)中国人はパラパラとこぼれると嘆いた。

PROPOS　＊2
汝窯(じょよう)の青磁は「雨過天青雲破処(うかてんせいくもやぶれるところ)」―雨上がり、雲間から広がる空の青色、この理想の青を表現した陶磁器の傑作。大阪市立東洋陶磁器美術館で見ることができる。また天下一品とされるのが「窯変天目茶碗(ようへんてんもくちゃわん)」―窯変で生じた瑠璃色の文様が宇宙に浮かぶ星のように椀内で美しく輝く。一品とは比喩。実際は三点現存。一つを大阪の藤田美術館で見れる。何事も目利きになるにはまず本物を見ること。その後で他作品を本物との引き算で見る。名品は関西にある。中国史家内藤湖南(ないとうこなん)の斡旋で関西財閥が収集。

PROPOS　＊3
宋代の商業都市の発達は西欧の都市の復活と同時期。西欧では都市が自治権を獲得し、市民階級が生まれたがチャイナでは「商人が金持ちになること以外は何も起こらなかった」(J. ジェルネ)―西洋中心的な見方。

PROPOS　＊4
野菜のない遊牧民にとり茶は貴重なビタミン源。遊牧民と農耕民は平時は協力関係。

PROPOS　＊5
日宋貿易は遣唐使と比較にならない規模の民間貿易。陶磁器、茶、生糸、書籍、宋銭を輸入。日本は火薬の材料硫黄(いおう)を輸出(「硫黄の道」)。元寇も硫黄狙いが背景。

PROPOS　＊6
何かが主張されるのは現実がそうでないから(※)。中華であるべき(南)宋が、夷狄であるべき金とどういう序列関係をつくるべきか。理想を論じた大義名分論。北方民族の力が強い現実が生んだ「べき論」。

画蛇添足

▼船を安定させる底荷(バラスト)として用途外使用もされた宋銭。持ち込まれた日本で貨幣として流通。世界的にも珍しい現象。日本は10世紀を最後に、17世紀の寛永通宝発行まで本格的な自国鋳造の通貨がなかった。▼貨幣を発行して人びとに信用される通貨とするのは高度な統治技術。宋銭の場合、滅んだ王朝の貨幣で追加供給がなく価値が安定しているとみなされた。使い込まれた摩耗(まもう)感が信用を作り出した。何が流通の保障になるかは予想できない。▼生産されたモノは流通、消費される。この時、モノの流れと逆方向に同じ価値の貨幣が動く。したがって通貨量相当分しかモノは流通せず、通貨量の限界が経済発展の限界となる。宋朝では価値の低い銅銭(宋銭)では活発な経済活動を支えきれず、それが世界最古の紙幣の誕生につながった。それ自体に価値がある。それ自体に価値のない紙幣を流通させるには政府の信用が必要。▼物々交換、あるいはそれが贈与とお返しとして行われていた時代。常にどちらかに「借りがある」負債感情を残した。それがある面では両者の人間関係を継続させた。これが貨幣による等価交換ではその都度に清算が済む。人間関係もその場限りの乾いたものに変えられた。▼正確には等価交換ではない。ある人はあるモノが額面以上の価値があるとみなすから買い求め、他方はその価値がないと思うから手放す。交換(つまり社会)は誤解―あるいは価値観の違いに基づき成立する。誰かの不要が誰かの必要。等価だから交換されるのではなく、交換されたから等価である。ただ物々交換は、そのモノが必要な者と不要な者が出会う二重の偶然が必要なので頻繁には成立しない。貨幣経済は社会を大きく変えた。

わんクリック　チャイナ文化圏の食文化の一つの画期が宋代。「醤(ジャン)」の使用、「炸(ツァー)」(油で揚げる)料理法が普及。いまのチャイナ文化圏の特徴「屋台での外食」も始まった。唐代の条坊制が崩れ、夜禁が弛緩(しかん)して夜市(よいち)が登場。さまざまな外食店が昼夜を問わず出現して飲食空間が広がった(この雰囲気はいま台湾の夜市で楽しめる)。飲茶もその一つ。この飲茶は日本は禅僧(栄西)により禅宗の修行の一環として伝えられ、さらには茶道に高められた。日本では単なる土(金でない!)で焼かれた茶碗、しかも欠けた茶碗、壊れたものを金継(きんつ)ぎして修復した茶碗などの不完全さに美、価値を見いだす文化を生み出していった。

History Literacy　実現していることは主張されないが、理解したいのはそちらの方―主張されるのは理想。

③儒学

・朱子学 (宋学) — すべては「気のせい」だから心配無用

存在論 (宇宙論)、「形而上」(『易経』) の領域に踏み込む

└ 従来の儒学が扱わなかった領域、新儒学 └ 程頤が気を形而下、理を形而上のものと説明

物事の存在を理・気で説明 (理気二元論)

└ 材料 (質料) としての「気」、それを動かしていく原理としての「理」

朱子は格物致知、性即理を主張

└ 理は人間に内在するとの理解

従来の訓詁学への批判、禅宗 (哲学的、思弁的要素) の刺激

周敦頤 (北宋)、程顥・程頤の思索を朱熹 (南宋) が完成 — 宋学

└ 万物が宇宙の自己運動によって生成することを『大極図説』で説明

明、朝鮮、日本で官学

└ 朝鮮で朱子学は結晶化して大きな影響、日本では形だけの採用で根づかず

『四書』を新たな経典として重視 —『大学』『論語』『孟子』『中庸』

・大義名分論の提唱 — 体制側の教えと見られる理由

周辺民族の圧力を受けた時代背景の中で君臣、華夷の区別を絶対視

・陸九淵

主知主義的な朱子学に対し実践を重視

④絵画

・院体画　北宗画 (北画)　細密な描法よる写実的彩色画

・文人画　南宗画 (南画)　理想主義的 (主観的) な水墨画　＊1

⑤ 文学

・唐宋八大家による古文復興運動　＊2

韓愈、柳宗元 (唐代)、欧陽脩、蘇軾、王安石など　＊3 ＊4

・詞の流行

└ 詩にメロディがついた (歌) 詞を耳で鑑賞、いまも昔もこれが一般的な詩のあり方

⑥宗教

・儒教とともに禅宗

・全真教などが盛ん

道教の一派、王重陽が儒教、仏教の要素加える

⑦三大発明

・火薬、羅針盤、活版印刷　＊5

PROPOS　＊1

自然の模倣、写実を否定する芸術、文人画。一幅の中に近景、中景、遠景と心象風景を同時に描きこむ。「絵の中に棲む」自分を想像する独特の鑑賞法。墨絵は書き直しが利かず色彩もない。技巧よりも墨の階調 (墨五彩) をいかした精神性。「書き残し」が「余白」として意味を持つようになる。

PROPOS　＊2

文章にいちいち「インテルはいってる」と韻を踏まねばならぬことに困ってる人は多かったが、散文でよくなると、簡単に書けるようになった (朱子は多作)。また木版印刷術の普及で、多くの書肆とされる民間業者が生まれ、知識が広範に伝達された。

PROPOS　＊3

唐宋八大家の欧陽脩。少年時代に韓愈の骨太で雄渾な文体に魅了されて古文復興運動に取り組む。欧陽によれば文章作りの秘訣は「三多」と「三上」。多く読み、多く作り、多く考える。文章を書くのは、馬の上、枕の上、厠の上。科挙試験監督中、蘇軾の才能を見いだしたのも彼の大きな功績。

PROPOS　＊4

蘇軾 (蘇東坡) が「春宵一刻値千金」と詠んでから「春の宵」は魅力ある時間となる。王安石に反対して左遷される。そこで川に船を浮かべ、高い壁を古戦場『赤壁』に見立てて『赤壁の賦』を詠む。名物料理、豚の角煮を広く紹介 (東坡肉)。左遷の達人。

PROPOS　＊5

火薬はチャイナ社会を変えなかった。火薬 (硫黄などの配合技術) は靖康の変で金、それを征服したモンゴル、そしてルブルック経由で西欧へ伝播。そこで火砲は銃に発展。それがイエズス会宣教師経由で明末に逆輸入。チャイナの火砲は内部が単なる筒 (ライフリングされたのが銃) だったので劣った。軍事技術は近代チャイナのような中央が武力を独占した平和な所では発展しない。戦争で競い合った西欧各国で発展した。

画蛇添足

▼人間をはじめ万物は「気」を材料に、それを動かす「理」という原理によって自己生成される。朱子は気と理の次元の異なる二つで宇宙、人間などの存在を体系的に説明した。▼私たちは朱子学の語彙を使い、この枠組でいまだに世界を見ている。活気がある、気が散っている、と気の離合集散で万物が形成されるという世界観を受け入れている。儒学は長らく孔子がこうしたとか、孟子がこうもうしたとか、訓詁学にとどまってきたが、初めて存在論の領域に踏み込んだ。▼今ではすべての存在は百種類弱の元素の組み合わせによって説明できる。その生成の原理は理科で習う通り。「物事が動く原理を理詰めに考えて理解していくと…」と理を使わずに語るのが無理なほど理という言葉が日常に溶け込んでいる。▼朱子学は禅への対抗思想だが発想は似ている。形あるものを整えることで形のない心を整える。庭の塵を払うことで心の塵を払う、廊下を磨くことで心を磨く—禅の世界観でもあり朱子学の世界観でもある。▼朱子は理を人間に内在すると考えた。解釈の分かれる「格物致知」(『大学』)を「物を格すことによって知に致す」と読み、万物の存在原理「理」は物から離れて存在できずそれだけを取り出せない、と物に向き合うことの大切さを説いた。▼人間の中にも理がある。だから自己修養、教育によって誰でも理想の人間になれる。朱子学は儒教の宗教性ではなく道徳性を強調して学校教育に入り込んだ。孟子の性善説を再評価した朱子。学校教育に清掃、スポーツを組み込む日本。綺麗にするために清掃を、楽しむためにスポーツをするのではない。目的はあくまで人間形成と窮屈。その価値観の中にいまだに私たちはいる(※)。

わんクリック　悲憤慷慨の司馬遷『史記』と対照的な司馬光『資治通鑑』。「治に資し、通じて鑑みる」—政治に役立たせるための通史。史記以降の正史(断代史)一千四百年の歴史を編年体通史に編みなおした (全 294 巻、登場人物 5 万人、日本語全訳なし)。ただ出来事の流れが掴みにくいので再編集したのが『通鑑記事本末』(歴史教科書は記事本末体)。さらに朱子が大義名分論に基づき要約したのが『資治通鑑綱目』(59 巻) で後世に影響力を持った。華夷の秩序にうるさかった朱子学だが、これを官学にしたのは「夷」ばかり—朝鮮、日本、阮朝。日本は独自の日本型華夷思想から幕末に攘夷を唱えるにいたった。

History Literacy　私たちは歴史的存在—自分の初期設定 (「標準」と設定されているもの) がどうなっているかを意識する。

3　ユーラシア大陸をおおうモンゴル帝国

モンゴルの制覇

①モンゴル帝国

- 遼滅亡後のモンゴル高原でテムジンがモンゴル諸部族統合　＊1
- 1206年、クリルタイ（集会）でハン（カン）位にチンギスハン
- モンゴル帝国の軍事・行政組織　千人隊
- チンギスハンの西征（1219～25）　＊2
  東西交易路に沿って西方遠征（中央アジア・西アジアの草原地帯制覇）
  ナイマン、ホラズム、西夏を滅ぼす
  └旧西遼の地 └セルジューク朝の後継　└チンギスハンは征服直前に急逝

②モンゴル帝国の拡大

- オゴタイ（オゴディ）(2代目)
  皇帝（ハーン）称号、金を滅ぼして華北農耕地帯支配、新都カラコルム建設
  └皇帝以外の君主は「ハン」なので区別のこと
- バトゥの西征（1236～42）　＊3
  1241年、ワールシュタットの戦いでドイツ、ポーランドの連合軍破る
  └オゴタイハーンの死で遠征中止、ヨーロッパ世界は命拾い
- フラグ（フレグ）の西征（1253～59）　＊4
  1258年、バグダード占領（アッバース朝滅亡）

諸ハン国の並立 ― 元朝はモンゴル帝国の東の一部　＊5

- チャガタイ・ハン国（チャガタイ・ウルス）(1227～14c後半)
  東西トルキスタンの支配、ティムールにより滅亡
- キプチャク・ハン国（ジョチ・ウルス）(1243～1502)
  南ロシア、草原の道（ステップルート）を支配
  └ロシアは200年間のモンゴル支配下に（「タタールのくびき」）
- イル・ハン国（フレグ・ウルス）(1258～1353)
  イランを支配、イスラームの国教化（ガザンの改宗）
  宰相ラシード・アッディーンが税制改革などで財政立て直し
  └歴史家として『集史』執筆、遊牧世界の歴史全体を俯瞰した人類最初の「世界史」

PROPOS　＊1
遊牧社会の特徴は属人性。有能なリーダーのもとに人（部族）は集まり、そうでなくなれば人（部族）は去った。人（部族）の集合体がウルス。遊牧王朝は人（部族）の連合体。遊牧民は流れる雲のように離合集散。疾走しながら騎射できる遊牧民がまとまり、機動力、戦闘力を高めて侵略してきたとき、定住農耕社会は太刀打ちできない。ウイグル崩壊(9c)後はこの地に長く優れた指導者は現れなかった。指導者次第なのでその選出など重要事はクリルタイ（集会）の推挙で決定。選出は熾烈を極めた。

PROPOS　＊2
ソ連が健在でモンゴルがまだ共産主義だった冷戦時代、モンゴル国内でチンギスハンの評価は低かった。ソ連（ロシア）にとって彼は侵略者。歴史上の人物評価は時代の制約を受ける。冷戦崩壊までモンゴルは「ソ連のくびき」下にあった。過去を語るとは現在を語ることでもある（※）。

PROPOS　＊3
ヨーロッパ文化圏ではタタール(Tartar)として知られたモンゴル人。音がギリシア神話の地獄タルタロス(Tartarus)に重なりモンゴル人は「地獄の使者」と受け取られた。タルタルステーキなどにその名が残っている。これを焼くとハンバーグになる。

PROPOS　＊4
ブワイフ朝、セルジューク朝のバクダード入城とまったく異なる占領と破壊。モンケの死でフレグは遠征中止したが、帰還は間に合わず、ここに「イル・ハン国」を建国。最近は、人間の集まりであるウルスを使った「フレグ・ウルス」表記が一般的である。

PROPOS　＊5
オゴタイ死後、10年の内紛。弟のトゥルイの血筋に代わる。トゥルイの長男モンケ、次男フビライ、三男フラグ。モンゴル帝国は各ウルスがゆるやかに連合。フビライは「大元（ダイオン）」と全体をまとめた。

画蛇添足

▼トルコ系民族が興亡したチャイナ北辺の「トルコ高原」でモンゴル系の傑出した指導者チンギスハンが現れると多くが彼になびき、モンゴル系を名乗るようになって、ここは「モンゴル高原」と呼ばれるようになった。標高千m前後の草原地帯。▼いまはゴビ砂漠より北がモンゴル国（外モンゴル）、南は中国領の内モンゴルとして分断されている。先の経緯ゆえ、トルコ語とモンゴル語はよく似ている。モンゴル帝国は今日の呼び方。王国では大規模すぎるので帝国と呼んでおく、という程度の理由。この指摘も含め、現在の教科書のモンゴル史、チャイナ史叙述の歪みは日本のモンゴル史家が中心になって指摘し続けている。▼モンゴル軍の強さ。ヤサという決して優しくない軍規、軍馬の利用の巧みさ、騎射技術の高さ。しかし他の騎馬遊牧軍団と有意差はなかったともいう。モンゴルは残虐、との偏見がいまも残るが、それは彼らが「とてつもない殺戮と破壊を平然とする集団」だが「早く帰順した者ほど優遇される」と噂を流布して、実際以上に残忍に見せたことにもよる。先を急がず、噂が先行したのを見届けてから進軍。宣伝と威嚇に長けた。▼3回の西征で空前の大帝国を形成。13世紀ユーラシア世界が政治的に分裂していた。キリスト教世界とイスラーム世界の対立、チャイナでの金と南宋の対立―世界の分断、対立が出現したモンゴルへの抵抗を困難にした。いまの世界も分断、対立を抱えていることが懸念される。▼東西貿易に携わっていたイスラーム商人は交易路が安定した勢力により支配されることを期待。発信だけでなくこういった情報の受信にも優れたモンゴル。戦わずに情報戦で勝利した側面も指摘されている。

わんクリック　宋代に紙幣が登場。以後、偽札との千年戦争が開始された。紙幣専用策をとった元は死刑で偽造を牽制。日本のように高額紙幣（1万円札）が使われる国は例外（偽造されない印刷技術の存在）で高額紙幣廃止が世界の趨勢。高額紙幣は脱税の温床（自宅で多額の現金を隠せる）。匿名性と流動性の高い高額紙幣は非合法取引にも使われやすい。紙幣を生んだ中国がコロナ禍での現金忌避感情もあり、デジタル決済に移行した。日本は世界屈指の印刷技術を有するがゆえに世界の潮流から取り残されかねない。優れたHV（ハイブリッド）技術で世界に先行した自動車産業も同じ苦しみの中にある。

History Literacy　歴史上の人物評価は時代の制約を受けている―過去を語るとは現在を語ることでもある。

4　元朝の成立

元朝の成立

①フビライの即位

- フビライ・ハン（5代ハン）即位
  即位後、反対勢力と長く抗争ハ（カ）イドゥの乱（1280年代）など
- 大都に遷都、国名をチャイナ風に元（大元大モンゴルウルス）(1271)
- 南宋攻撃し、臨安陥落（1276)、南宋滅亡（崖山の戦い）(1279)　＊1

②フビライの東征 ―「アジアの元寇」（村井章介）

- アジア各地へ同時並行的に侵略
- チベット、高麗を属国（1259、1273)　＊2　＊3
  └ いまの中国がチベット領有の根拠
- 南征
  雲南地方の大理滅亡、パガン朝滅亡
  └ 以後雲南省の中心は昆明へ
  日本（1274・1281)、陳朝大越国（1257・1284・1287)、ジャワ（1292）遠征失敗
- サハリンのアイヌにも侵攻（1264)、服属（1308)

③元のチャイナ統治

- 従来のチャイナの統治機構を存続
- 地方　行中書省（ぎょうちゅうしょしょう）（行省）が、路―府―州―県、の地方行政統括
  監察官ダルガチが監視
- ~~モンゴル人第一主義~~
  ~~身分制度~~
  モンゴル人、色目人、漢人（金支配下の住民）、南人（南宋支配下の住民）
  └ 主要官僚独占　└ 西域出身者、財政担当　＊4
  科挙を一時廃止、~~漢文化を軽視、~~元代に伝統文化は空前の繁栄
  └ 約80年間
- 地主制は温存、モンゴルは武力を背景にチャイナ農耕社会に寄生

PROPOS　＊1
フビライは東征で南宋を、また南征を通じてチンギスハンがおさえた「草原の道」「オアシスの道」に加え、「海の道」をも支配する足がかりを得ようとした。フビライが日本に最初の服属入貢を要求したのは1268年。南宋攻略の最中であり、これは南宋包囲網を作る一環だった。南宋と貿易関係のある日本を切り離そうとした。

PROPOS　＊2
抵抗抗戦した高麗。王家が服属した(1259)後も軍の一部、三別抄（さんべつしょう）が江華島に遷都して抵抗。この間、フビライは高麗に日本遠征の準備を命じた。高麗は遠征を断念させようとしたが、フビライから「風濤険阻（ふうとうけんそ）を以て辞と為すなかれ」と退路に釘をさされた。鎌倉幕府の執権北条時宗は5度までもフビライの国書を既読スルー。フビライは三別抄を鎮圧(1973)した翌年に第1回遠征軍を派遣(1274)。

PROPOS　＊3
第2回まで7年間、フビライは日本に遠征軍を送れなかった。首都の臨安が陥落(1276)したが人びとの抵抗はやまず、南宋攻略に手こずった。南宋滅亡(1279)の翌々年、第2回日本遠征を実施(1281)。高麗4万に江南からの10万の大軍となった。7年間に土塁を築き2か月間上陸を阻んだ。その間の弱い風雨で大部分の船は沈没し、残った船は戦意を失って引き上げた。土塁は西南学院大学（福岡市）キャンパス構内など博多湾沿岸のあちこちに残っている。

PROPOS　＊4
色目人とはトルコ系ウイグル人、イラン系ムスリム商人など漢人とは異なる色々な人びとという意味。目の色が違うことではない。「色」には色々な意味があるが、ここはまさに「色々」の意味。またここでの漢人は旧金朝支配下の漢民族、女真人、契丹族、高麗人のことであって従来の漢人でない。ここの理解が肝心なところ。またこれらは区別であり身分制ではなかった。

画蛇添足

▼神風だけに救われたのではない。三度目がなかった元寇、文永の役(1274)と弘安の役(1281)は東アジア全体の枠組みで理解したい。教科書のアジア史叙述は、チャイナ史を本紀、周辺諸国の歴史を列伝として叙述する紀伝体風叙述となっていて因果関係が見えにくい。▼元寇前後の出来事を時系列順（編年体風）にノートにおこすと色々な出来事の関連が見えてくる。まず「元寇」（『大日本史』）は倭寇を意識して作られた後世、国学が隆盛だった頃の造語。鎌倉時代は「蒙古襲来」とされていた。▼日本遠征を命じたのはフビライだが、実際のモンゴル遠征軍は旧高麗（第1回）・旧南宋（第2回）の人びと。共にモンゴルに対して最後まで激しく抵抗した人びと。なぜ少しの風雨で元の軍船は沈んだのか。彼らが造船作業で手抜きしたとも言われてきた。ただこれを示す史料はなく、自分たちが乗る船を手抜きしたとは考えにくい。▼第2回遠征軍の主力江南軍の船には農具も搭載。フビライは南宋の人びとを日本に屯田という名目で追放しようとしたのか。国内に残しておけば不満分子となる旧南宋の人びとをどう処遇するか。打ち負かした国をどう支配するか、その戦後占領の問題も関係していたのか。▼次の日本遠征のため準備された船はベトナム（陳朝大越国）第3回遠征に振り分けられた。ベトナムはその艦船をあらかじめ無数の杭を打ちこんでおいたバクダン川に引き込んだ。1287年元軍船は引き潮の到来で杭に乗り上げ壊滅。同時に第3回日本遠征も座礁（ざしょう）した。モンゴルの活動は各地の動きが互いに影響する世界を作り出し、日本はその世界に救われた。西方でマムルーク政権、東方で日本がモンゴルの進撃を止め、世界に影響を与えた。

わんクリック　このページには打ち消し線で「見え消し」を使った。歴史の解釈は変わる―この理解が歴史学習では重要だが、いまの教科書叙述からは分からない。アメリカ合衆国憲法はよく修正されるが、修正前の条項も残して、以前からどう変わったかが分かるようにしてある。授業ノートを採るときはボールペンを使いたい。あるいは消しゴムを使わないのがよい。自分の過ちを見えるようにしておく。美しいノートは暗記用。考えを鍛えるためのノートを作りたい。歴史の改ざんをホワイトウオッシュという。事実を修正液で消して、自分に心地よく響くものを上書きしようとする行為のこと(※)。

History Literacy　打ち消し線の「見え消し」―歴史が常に書き換えられていく、普請中の存在であることを示す。

東南アジアの社会変動

①大陸部の変化

a. タイ　＊1

- タイ人が雲南地方からチャオプラヤー川沿いに南下
  - └ 広東・広西省から雲南省に居住、10世紀頃から徐々に南下(13世紀元の雲南支配以前から)
  - 大陸部はモン、クメール世界からタイ人世界に — タイランドの形成
- スコータイ朝(13～15c)
  - タイ人最初の王朝、仏教隆盛　＊2
  - ラーマカムヘン王(13c後半～14c初頭)の時最盛期
    - タイ文字作成
    - └ タイ文字で刻まれた最古のラーマカムヘン碑文「田に米あり、水に魚あり」
- アユタヤ朝(14～18c)
  - チャオプラヤー川中流、貿易港として4cにわたり繁栄　＊3
  - 日本人町が存在
    - 御朱印船来航、1000人以上の日本人が居住
    - 厳格な神権政治
  - ビルマ軍による滅亡(1767)、アユタヤは破壊され廃墟に

b. ベトナム

- 陳(チャン)朝(13c～14c)
  - モンゴル(フビライ)軍を撃退
  - 民族文字チュノム制定

②島嶼部の変化

- シンガサリ朝(1222～92)
  - ジャワ島東部、フビライの臣従要求を拒否、のち滅亡
- マジャパヒト王朝(13c～15c)
  - モンゴル(フビライ)軍を撃退して建国、ジャワ島を拠点に広域支配　＊4
  - シュリーヴィジャヤ王国(スマトラ島)を滅ぼし(14c)、海上交易路掌握

PROPOS　＊1
世界には「何とかランド(英語)」「何とかスタン(トルコ語)」と、「ここは自分たちの土地」と強調する国名がある。これは「そうでなかった」ことの裏返し。タイの正式国名はタイランド。タイ人の原住地は中国南西部。そこからチャオプラヤー川沿いに南下。かつてはモンゴルの雲南進出がここにいたタイ人の南下を引き起こした、と考えられていたがそれは否定されている。雲南はモンゴル支配をきっかけにチャイナ世界に編入されるようになった。

PROPOS　＊2
最初の王朝ができた古都スコータイ。仏教遺跡が点在する人気の観光地。モン人から仏教受容。ワット・マハタートの壮大な遺跡には優美な曲線が特徴のスコータイ仏が多く残る。次のアユタヤ朝は神権政治で仏像も生彩を欠いてしまったので、スコータイ仏の自由で優美な造形の人気が高い。この時代にクメール人から文字受容、「蛇がのたくったような」タイ文字も作られる。この文字のためタイ語学習は敷居が高い。

PROPOS　＊3
アユタヤは海から内陸に100kmほどチャオプラヤー川を遡った港町。蒸気船の発明前で、河川の遡行(そこう)がまだ難しい時代だったが、ここは潮の満ち引きが利用できた。インド洋とタイ湾の双方にアクセスできる良港で、貿易港として繁栄した。

PROPOS　＊4
モンゴルを撃退できたのは日本、ジャワ、ベトナムの海洋国家。ところで元寇で改めて意識されるのは、チャイナの歴代王朝が日本に無関心で、日本侵略の野心を持たなかったこと。「起こらなかったこと」は意識されにくい。そのおかげで日本は異民族の暴力的な侵略のない歴史を持ち、「平和ボケ」と揶揄(やゆ)される甘受すべき国民性が培われた。また危機対応に弱い「ゆるい」社会制度—能力がなくとも年長というだけで肩書と権威を持てるような社会ができた。

画蛇添足

▼いまラップトップ一つでリモートで仕事するデジタルノマド達。人気の滞在都市がタイのチェンマイ。以前から少数民族の村々をめぐるトレッキング拠点として人気だった。日帰りから象にまたがり数日間のものまで各種ある。気候が穏やかな街。世界中から集まるノマド達で街は多民族化した。▼ジェームズ・C・スコット『ゾミア—脱国家の世界史』が刺激的(※)。中国南部から東南アジア大陸部山岳地帯に連なる広大な非国家空間の存在を「ゾミア」という造語で紹介。約1億もの様々な少数民族が住むという。その文明から取り残された生活を見たい好奇心で参加するのがトレッキングだった。▼そうではなく、彼らは国家の徴税と賦役(ふえき)から逃れるために自ら山地へ生活拠点を移す生き方—非国家的な生き方を選び取った人々、とスコットは従来の見方を一変させた。彼らは自分たちの社会の内部から国家が生まれないための工夫まで編み出していると同書で紹介する。常識が揺さぶられる。▼いま私たちは学校で歴史を学ぶ。これは国民国家が国民を作るために始めた政策。思考、行動、生き方の準拠枠を国家、自国において疑わない人間が国民。その歴史は自国がなかった時代のことも自国の枠組みで叙述し、国家の枠組みに当てはまらないことは無視する。▼それを寄せ集めた世界史は、各国が支配枠を広げていく過程を、それが歴史とばかりに描く。地表の隅々にまで国家権力が浸透しはじめたのは19世紀末頃から。それ以前には国家に包摂されない地域も多かった。いまもゾミアのような国民国家史の外側の地域もある。歴史から学べるのは世界の偏った局面。まだ政治単位が小さかった時代人間の多くは非国家空間で生きてきた。

わんクリック　いま日本人は内向き志向になってしまったが、海に囲まれた日本人は周期的に海外にでていた。16c中頃(1543)から1630年代に多くの日本人が東南アジアで活動。浪人となった武士が新天地を求めた。ポルトガル人によって奴隷としてまずマカオに送られ、そこからムラカ、マニラ(1620年には3000人の日本人)、さらにそこからゴア、ヨーロッパ、新大陸へと送られていった。また御朱印船(全356隻)が中部ベトナムのホイアン、シャム(アユタヤ)などに多数寄港。各地に日本人町が形成された。詳細不明だがアユタヤでソンタム王の下で頭角を現したとされるのが山田長政(1612年頃)。

History Literacy　嘘を語ったら信用、ひいては収入を失ってしまう人の語る歴史をベースに物事を考える。

元の社会と文化

①交通路の整備

- 中継貿易による利益を重視→「タタールの平和」 ＊1
  駅伝制（ジャムチ）の整備でイスラーム商人の隊商往来
  パイザ（牌符）所有者に便宜供与 ― 公用語パスパ文字表記 ＊2 ＊3
  大運河の改修（金・南宋対立期に荒廃）、新運河の開削
- 海運の発達（江南→山東半島→大都）、泉州、杭州、広州など海港都市発達
  └「草原の道」「海の道」をつなぐ人工都市としての大都、外港としての天津
- 貨幣経済の発達　紙幣専用策、交鈔発行 ＊4

②元の文化

- 元曲の発達（『西廂記』『琵琶記』『漢宮秋』― いずれも女性が主人公）
  └ 九儒十丐、冷遇された儒学者のエネルギーが集中

③東西人物の往来

- プラノ・カルピニ (13c)
  ローマ教皇の命でカラコルム訪問
  └ 十字軍 (1096 ~ 1270) でイスラームと対立中、ワールシュタットの戦い (1241) 敗北後
- ウィリアム・ルブルク (13c)
  仏王ルイ９世の命でカラコルム訪問
- モンテ・コルヴィノ (13c)
  ローマ教皇の命で大都訪問、カトリック布教
- マルコ・ポーロ (13c)
  フビライに仕え、帰国後、『世界の記述』を口述
- 郭守敬らが授時暦作成

モンゴル帝国の衰退

- フビライ死後、宮廷のラマ教信仰で浪費、財政破綻
  →交鈔乱発で物価騰貴、天災を含めた社会不安増大
- 紅巾の乱 (1351 ~ 66)
  白蓮教徒の乱が指導の農民反乱
- 1368 年、朱元璋により元はモンゴル高原に追われる
  └ モンゴル人はチャイナから撤退した後も各地で活動、影響力

PROPOS ＊1
本書でここまで「世界史」を語ってきたが、実際には各地域は別個に展開。モンゴル人による征服活動がユーラシア大陸の一体化を促し、13c の「タタールの平和（パックス・タタリカ）」が各地域が相互に密接に関係しあう「世界」を成立させた。これ以降、「世界史」を語ることが現実に即したものになる。最初の「世界史」叙述は『集史』。イル・ハン国の宰相ラシード・アッディーンがペルシア（イラン）語で著した。

PROPOS ＊2
パイザは現在のパスポート（旅券）。このポートは港 (port) でなく、都市城壁の門 (porte) を通過する許可書。ローマ時代からある。査証（ビザ）なしで入国可能な国や地域が世界で一番多いのは日本のパスポート。観光目的なら 191 カ国 (2022) にビザなし渡航できる世界最強のパスポート。

PROPOS ＊3
モンゴル語の音の表記にはウイグル文字（テュルク系）起源のモンゴル文字が使われてきたが相性が悪かった。また帝国の広がりで様々な言語が使われるようになるとそれらの表記が難しくなり表音文字パスパ文字がフビライ・ハンの下で制作され国字となる（漢字は公用語にされなかった）。遊牧社会は複数言語使用が常態。多様な文化への寛容が多くの部族を束ねる要諦だった。ただ幾何学文様に似たパスパ文字は使いづらく、1 世紀で廃れて、改良モンゴル文字に戻る。ちなみに現代モンゴル語はモンゴル国がロシア文字（キリル文字）、内モンゴル自治区がモンゴル文字を使用している。

PROPOS ＊4
フビライは、専売品の塩の売買を紙幣に限定したこと、また偽造だけでなく流通を拒む者を死罪とすることで交鈔といういわば紙切れを流通させた。当時のヨーロッパでは錬金術が盛んだったが（化学誕生前夜）、交鈔の流通を知ったマルコ・ポーロは「フビライは最高の錬金術師」と感嘆した。

画蛇添足

▼マルコ・ポーロ。アジアを24年間にわたって大旅行した商人。大都を訪れフビライに仕えたらしい。帰国後、紛争に巻き込まれ、獄中で『世界の記述』を口述。『東方見聞録』は日本でのタイトル。▼圧倒的な知名度だが実像はベールに包まれている。本当にチャイナに行ったのか。見聞していれば語らずにおれない珍しい風俗―女性の纏足などに言及されていない。チャイナの史書にも彼の名が見当たらないという。▼内容は多岐にわたる。伝聞も混じるがその叙述は後世に多大な影響を与えた。欲望をかきたてる内容だったためだが、口述筆記（口語体）で読みやすかったこともある。誰もが無聊をかこつ牢獄で語られた話。刺激が少ない中で話は盛られたに違いない。目の前の聞き手を飽きさせないようについリップサービスしてしまう。政治家の失言が生まれる状況。▼『世界の記述』には『百万』の別名がある。マルコの語りは大げさで「百万」の単位がよく使われた。話に尾ひれ羽ひれが付いたので彼の話は一人歩きした。『世界の記述』とは「私は世界をこのように認識した」ということ。私が教室で語る世界史も『世界の記述』よりはましな程度の話なので話半分で聞くこと。皆さんの退屈そうな顔を前につい面白おかしく話を盛ってしまう。それが当時からの『世界の記述（世界史）』の宿痾（※）。▼「黄金の国ジパング」はコロンブスを刺激して大航海時代を開く端緒を作った。カスピ海沿岸で自噴する「燃える水」（バクー油田）の話は受け流された。人びとはありそうもない黄金の国の話を信じ、あっても不思議でない１２０cmの角を持つ「パミールの羊」の話は信じなかった。事実は逆。人は聞きたい話を聞き、信じたい話を信じる。

わんクリック　チャイナの文学史は漢字８文字で「漢文唐詩宋詞元曲」とまとめられる。漢代は文（散文）によいものがある。だから日本の漢文教育では司馬遷『史記』を学ぶ。唐は詩によいものがあるからこれも学校で学ぶ。特に、盛唐・中唐の「李杜韓白」と併称される４人はチャイナ文学史上最高の詩人（李白、杜甫、韓愈、白居易）。宋詞はメロディのついた詩と理解したい。メロディが失われてしまったので再現が難しい。元曲は演劇。この元曲は現在の京劇とは別物。限られた人しか享受できなかった文芸が、宋詞や元曲で一般庶民もフィクションの世界を楽しむことができるようになった。

History Literacy　再生回数が増えれば収入が増える人の語る歴史（ネット上のコンテンツ）はまともに受け取らない。

第 10 章　ユーラシア諸帝国の繁栄

1　イランと中央アジアの繁栄

ティムール朝

①ティムール朝 (1370 ~ 1507)

- ティムールはチンギスハンの子孫として権威づけ　＊1
  マー・ワラー・アンナフルを統一、イラン、内陸アジア貿易路支配
  └ アムダリヤ川とシルダリヤ川に挟まれた地域
- 1402 年、アンカラ (アンゴラ) の戦い
  └ 靖難の変で永楽帝即位　└ 現トルコの首都、特産アンゴラセーター
  オスマン朝を破り、バヤジット 1 世捕虜に
- 明への遠征途上、オトラルで病死 (1405)　＊2
  └ 永楽帝の朝貢要求に反発　└ 明の永楽帝との対決ならず

②トルコ・イスラーム文化

- シャー・ルフ (3 代目)、ウルグ・ベク (4 代目) が学芸保護
  明朝、オスマン朝と親善関係回復
- トルコ・イスラーム文化
  トルコ語文学の成立、天文学・暦法発達 (ウルグ・ベク)
- 首都サマルカンドの繁栄　＊3

③崩壊後の中央アジア

- ウズベク人によるブハラ、ヒヴァ、コーカンドの三ハン国並立　＊4
  └ 19c 後半に帝政ロシアに滅ぼされるまでは遊牧民の首長ハンが支配するハン国

サファヴィー朝

①サファヴィー朝 (1501 ~ 1736)

- 神秘主義教団 (サファヴィー教団) の長イスマイール建国
- ペルシア人の民族意識高揚
  イスマイール 1 世はシャー (イランの伝統的な王の称号) の使用
- シーア派 (十二イマーム派) を国教とする　＊5
  └ サファヴィー朝支配地域が十二イスラーム派、他にアゼルバイジャン、イラクの南部

PROPOS　＊1

モンゴルはチャイナから撤退したが、引き続き中央アジアで大きな影響力を持った。その広域支配、定住民統治のノウハウはティムール、サファヴィー、ムガル、清の各王朝に受け継がれた。広域を長期支配したので帝国と呼ぶこともある。一世一代の風雲児ティムールはイスラームによるモンゴル帝国再現をめざした。創始者名が王朝名で通用するのは珍しい。当初から都市の通商活動を保護。「チンギスハンは破壊し、ティムールは建設した」とされた。

PROPOS　＊2

オスマン朝を破ったティムールは 20 万の大軍、7 年分の食糧を用意してモンゴルの宿敵明朝打倒のために東方に向かい、途上で病没。永楽帝に勝利していれば、チャイナがイスラーム化した可能性もあった。

PROPOS　＊3

サマルカンドは現ウズベキスタンの古都。人口で中央アジア一の大国 (3 千万)。国境を接するすべての国が内陸国である内陸国 (2 重内陸国)。世界に 2 カ国だけ。一生海を見ない人もいる。私たちは何を一生見ることがないのか。チベットの青い空か。

PROPOS　＊4

最後の騎馬遊牧国家ティムール朝。ティムールは遊牧国家の寿命は 3 代 120 年とした歴史家イブン・ハルドゥーンと会見。ティムール朝も実質 3 代 120 年だった。

PROPOS　＊5

イランは少数派のシーア派 (厳密には十二イマーム派)。シーア派は、ムハンマドは自らの後継者に、アリーとその子孫を指名したとみなし、以降の 12 人だけをイマーム (シーア派指導者) とする。その 12 人目のイマームが姿を消した (「お隠れ」) が、いつかは再臨すると信じる。現在はイマーム不在の時期であり、イスラーム法学者が代行する。イスラームには奇跡が少ないがシーア派のこの「お隠れ」は宗教性が濃い。

画蛇添足

▼アメリカとイランの対立が激化している。イランはイスラームの中でも宗教色の強いシーア派。アメリカも宗教色を強めている。公の場での演説が「神のご加護がありますように (God bless you)」で結ばれるのはイスラーム諸国をのぞけばアメリカぐらい。名にし負うての宗教国家同士の対決。▼この対立は基本的には中東問題にリンクしたアメリカの国内問題。イスラエルを支持する国内福音派の動向が大統領選挙を左右するのでイスラエルの脅威であるイランに強硬姿勢をとらざるを得ない。どの国も為政者の最大の関心事は内政。外交は内政の延長 (※)。戦後のイランは中東屈指の親米国だったが、イラン革命 (1979) 以降は宗教色の強い国家へと反転。反米、反イスラエル色を強めた。核武装するイスラエルへの対抗から核開発を進めようとしている。この阻止はアメリカの内政問題。▼シーア派を奉じる国イランというアイデンティティの誕生はサファヴィー朝の時。血統を重視するシーア派はイランの伝統的価値観と親和的だったが、イランの多数派はスンナ派だった。変化したのはティムール帝国衰退後。モンゴル支配下で覚醒した民族意識はさらに東西にムガル帝国、オスマン帝国というスンナ派の大国が登場したことで高まり、近代特有のアイデンティティポリティックスが働いた。▼両国への対抗からシーア派がイラン社会に定着。「あなたがそうだからわたしはこう」として自己の輪郭を描いていく力学。対立激化とはいえイラン人の別の謂いはペルシア商人。世界を舞台に活動してきた現実感覚を持った人びと。イランを宗教国家と描きがちだが政府と国民は別。イランの人びとは世俗的で、アメリカ社会との親和性も高い。

わんクリック　チャルディラーンの戦い (1514)。イスマーイール 1 世率いる騎馬遊牧軍がオスマン朝のセリム 1 世が率いるイェニチェリ軍団 (銃を使う歩兵) に敗れる。世界史上における騎馬遊牧軍団と定住農耕民の力関係の逆転の始まりを意味。このあとその威力に瞠目(どうもく)した人びとによって戦いにおける銃の使用は東漸していく。60 年後、長篠の戦いで信長が大量の鉄砲を持ち込んだ。それが戦況にどう影響したかには議論があるようだ。日本では刀剣づくりを通じて高度な鍛造技術があったので小銃の生産に応用できたが、大砲を作る鋳造技術がなく、また使う必要もなかったため大砲は普及しなかった。

History Literacy　外交は内政 (の延長)―為政者の最大の関心事は内政、外向けの発言も実際は国内向けが多い。

②最盛期

・アッバース1世(1587～1629)時代

銃兵、砲兵などを整備、オスマン朝と抗争、アゼルバイジャン奪回　＊1

ポルトガルをホルムズ島(海峡)より追放

└以来、イラン領、S字カーブの最大の難所で封鎖が容易

ヨーロッパ諸国と外交・通商関係、ムガル朝とも友好関係

新首都イスファハン建設と繁栄　＊2

2　東地中海の強国 ― オスマン帝国

オスマン帝国の成立

①建国

・オスマン帝国(1299～1922) ― 当初は小さな王朝国家

└アナトリアで建国、首都ブルサ　└日本では鎌倉時代から大正時代まで

②発展

a. バルカン半島(キリスト教世界)に向かい発展

・ムラト1世時代(1360～89)

イェニチェリ(新軍)創設

キリスト教徒子弟を強制徴用(デウシルメ制)、火砲使用の常備軍

アドリアノープル(エディルネ)遷都(1366)

コソヴォの戦い(1389)でセルビアなどを破る

└セルビアにとり屈辱(民族的記憶)　└バルカン半島での中世の大国

b. 発展と一時中断

・バヤジット1世時代(1389～1402)

ニコポリスの戦い(1396)でハンガリー王ジギスムント破る　＊3

└神聖ローマ皇帝としてコンスタンツ公会議招集

アンカラの戦い(1402)で西進してきたティムールに敗れる

└アナトリアの諸君侯国が離反、一転して帝国は解体の危機

c. コンスタンティノープルの陥落

・征服王メフメト2世(1444～46、51～81)

1453年、コンスタンティノープル占領　＊4

エディルネより遷都、イスタンブルと改名、トプカプ宮殿建設

PROPOS　＊1

オスマン朝とサファヴィー朝の抗争でクルド人居住区が分断されてしまい、クルディスタンとしての独立が難しくなった。

PROPOS　＊2

イラン中央部ザグロス山脈のふもとの高地にある東西交易の要衝イスファハーン。イマーム広場を中心とした計画都市。広場には世界中から富が集まり、17cに「イスファハーンは世界の半分」とされた。広場に面するイマーム・モスクは50万枚の瑠璃色の彩釉タイルで被われ天空と混ざり合う。天国のイメージ。イスラームのドームは11cに青釉タイルが出現して以来、タイル装飾が主流となる。内部も光によって朝、昼、夕、夜と表情を変えて神秘的。

PROPOS　＊3

トルコといえば公衆浴場。ムスリムは礼拝前に身体を清める必要があるため公衆浴場が発達。社交の場でもあった。ローマ帝国と同じように、公衆浴場の発達が都市の繁栄の目安だった。入浴の習慣のないヨーロッパでもトルコに占領された歴史を持つハンガリーには多くの公衆浴場(温泉)が作られた。ブダペストは温泉都市。ゲッレールト温泉(アール・ヌーヴォー様式)が人気。

PROPOS　＊4

大軍でコンスタンティノープルを攻めたメフメト2世の前に立ちはだかったテオドシウスの三重の城壁(見れば難攻不落が納得できる厚さと高さ)。ボスフォラス海峡は潮流が速くて海からの攻撃は厳しい。穏やかな金角湾(入り江)に侵入されると致命的なので、ビザンツ帝国は金角湾の入り口を太い鎖を張り巡らして封鎖。その難攻不落の首都を攻略するために征服王メフメト2世がとった奇策が「山越え」作戦。船に山を越えさせ、数十隻の戦艦を山を越えて金角湾に入れた。船が山を登るのは指揮官が多くて混乱した時、が通り相場だが(「船頭多くして船山に登る」)、優れた指揮官の下でも船は山に登るということだろう。

画蛇添足

▼オスマン帝国は14世紀以来、3世紀にわたって世界最強国だった。秘訣のひとつはイェニチェリ(新軍)。文字通り新しいタイプの軍楽隊。揃いの制服で軍楽隊の音楽にあわせて整然と行進した。▼止まっていると遠目に人なのか人形なのか判別できない、と当時の人は書き残す。音楽とともに一糸乱れず行進する様は接する者を戦慄させた。これに着想を得て、多くの『トルコ行進曲』が作曲された。オスマンに包囲されたウィーン生まれのモーツァルトのものが有名。▼アナトリア高原に建国したオスマン朝。東方に強大な騎馬遊牧のティムール帝国が控えていたため、西方キリスト教世界のバルカン半島へ進出。ムラト1世はそこで異教徒キリスト教徒の少年を選りすぐり、強制徴集して教育を施し(デウシルメ制)、歩兵の常備軍イェニチェリを編成した。▼歩兵だが火砲を持たせたので騎馬遊牧軍団に対抗できた。スルタンに選ばれ育ててもらったから今の自分がある―スルタンの恩義に感謝する彼らとスルタンの絆は深かった。選ばれたことがエリート意識につながった。そのような常備軍に、傭兵中心の軍隊を使うヨーロッパは対抗できなかった。▼おしなべて繁栄した国家は社会から広く優秀な人間を登用するシステムを持った。イスラームでは奴隷身分から社会階層を上昇していけるマムルークがいる。イェニチェリも同じ系譜にある。チャイナでは科挙で優秀な人間をリクルート。家の存続が大切な日本では優秀な人間を養子とした。暖簾を守るために商家は優秀な番頭に後を任せた。優れた社会に共通する社会の流動性(※)。イェニチェリが世襲特権化して社会の上下の流動性が断ち切られてオスマン朝は衰退に向かった。

わんクリック　オスマン軍楽隊で不可欠な楽器ズルナ。日本でチャルメラになった。夜更けの受験勉強中、あのけたたましい音は「よし夜鳴きそばだ」と多くの受験生を走らせた。物悲しく泣くように聞こえた受験生もいた(夜泣きそば)。当時はあの旋律に「オスマンが来た」と戦慄が走ったのだろう。突撃ラッパの金管音は歩兵を鼓舞する。ラッパの音は甲高く、遠方まで響く。騒音の中でも聞き取れるから戦場に散開した兵士に指揮官の号令を伝えるのに使われてきた。フランス革命後は屋外での演奏会が増えて管楽器が発達した。パリ管弦楽団は管楽器がよい、といわれるが筆者には違いが分からない。

History Literacy　小さな布袋に小豆をいれて作るお手玉(内部は流動的)、こうして人びとを手玉にとるのが権力者。

d. オスマン帝国の勢力拡大

・セリム 1 世時代 (1512 ~ 20)

黒海周辺、メソポタミア、バルカン半島の大部分領有

1517 年、マムルーク朝滅ぼし、シリア・エジプト支配

└ ルター『九十五カ条の論題』発表、宗教改革はじまる

メッカ、メディナの保護権獲得

・アジア、ヨーロッパ、アフリカの三大陸に領土を持つ大帝国　＊1 ＊2

└ かつてのローマ帝国領に匹敵

③スレイマン 1 世 (大帝) 時代 (1520 ~ 66)

・カーヌーニー (立法者) として君臨

・ハンガリー支配 (1526 年モハーチの戦い)

・1529 年、ウィーン包囲

仏王フランソワ 1 世と同盟、神聖ローマ皇帝カール 5 世を圧迫

・1538 年、プレヴェザの海戦に勝利

ヨーロッパの連合艦隊を破り、地中海の制海権獲得

└ ローマ教皇、スペイン、ヴェネツィアのカトリック連合軍

→ 1571 年、レパントの戦いの敗北でオスマン不敗神話くずれる

└ 国際情勢に影響はなし

オスマン帝国の統治

①政治

・スルタンは強力な権力を持つ専制君主

└ 君主の称号としては別にパーディシャー (ペルシア語) も一般的

シャリーア施行とスンナ派信仰擁護　＊3

16 世紀からカリフ兼任 (スルタン・カリフ制)(作られた神話、との異説あり)

└ アッバース朝滅亡 (1258) でカリフが亡命していたマムルーク朝を滅ぼす (1517)

・カピチュレーション

スレイマン 1 世がフランス王フランソワ 1 世に恩恵として付与

オスマン領内での商業に対する治外法権、港湾での通商権など

└ 西欧各国とオスマンの力関係の逆転後、不平等条約的内容に解釈される

・最盛期人口

3000 万人程度 (3 分の 2 がムスリム、バルカン半島はキリスト教徒が大半)

PROPOS　＊1

文明の十字路イスタンブールの象徴は巨大な市場グランドバザール。快適に取引できるように屋根付きでメフメト 2 世が造営。世界中の商品が集まる店先を冷やかしながら歩くのが楽しい。商人は口達者、簡単な会話だが何カ国語も操る。店先に足を止めてもらっていくらの世界。絨毯を指でくるくる回しながら、日本人観光客が通るとすかさず「空飛ぶ絨毯、軽い、軽い」と日本語で軽口を飛ばす絨毯屋。無視して通り過ぎようとすると慌てた口調で「お客さん落とし物です」。客が首尾よく振り返れば、足元を指して「足あと」と脱力の片言ジョーク。会話がはじまり、相手が関西人だと分かれば「すんまへん。私、関西弁分かりまへん」とくすぐりトーク。絨毯爆撃のように繰り出される商人の手練手管。各国語毎に違うのが用意されているのだろう。オスマン帝国 500 年の無形文化遺産。

PROPOS　＊2

遊牧社会で机、椅子などに代わる家具が絨毯。テントの中の敷物として発展。毛足を立てれば布団代わり。ササン朝時代のデザイン、唐草文様やアラベスクなどは飽きないので絨毯の模様によい。イスラームでは砂漠で礼拝する際の敷物としても用いられた。移動のため丸めて携帯できるように軽量化。優美なものは権威、富の象徴。絨毯は中央アジアから日本へ 16c 以降、シルクロード経由で伝わってきた。日本の美のルーツの一つ。京都祇園祭を象徴する山鉾はその絢爛豪華な懸装品で「動く美術館」とされるがその中心がインド絨毯。経済力をつけた町衆が富を誇示した威信財。

PROPOS　＊3

イスラームでは利子をとるのは禁止。しかし現実の経済活動で金融は不可欠。融資にはリスクがあり、リスクの代償として利子を認めなければ金融活動は成立しない。オスマン帝国ではイスラーム法 (シャリーア) を現実的に解釈して、手数料のような形に読み替えて利子を実質的に容認。この柔軟さでオスマン帝国は経済的に繁栄。

画蛇添足

▼「あなたは自分で押してるつもりで、押されているんですよ」(ゲーテ『ファウスト』)―私たちは関係性の中で生きている。テラス席に座って行き交う人びとを見ているつもりが見られている。あるいは「見せる／見(魅)せられる」関係性。▼オスマン帝国の首都イスタンブルにはスルタンの権力の巨大さを見せつけるための巨大建築―いわゆる威信財が並ぶ。ビザンツ時代のアヤ・ソフィアを凌駕しようとしたスレイマンモスク、ブルーモスク。ドームの大きさは超えられなかったが、半円ドームを四つ付け足すことではるかに広大な空間を現出。スルタンの居城トプカプ宮殿はどこからでも見上げられる丘の上に建立された。▼人びとに「見上げ」させることで人びとを睥睨する巨大建築。威信財は高さと巨大さを競う。現代でも各国がビルの高さ世界一を、宗教団体は本山の壮麗さを競い合う。建築家の隈研吾は目立たせるために建築を作るから「大きさは建築の宿命」だが「物質の浪費」とする(『負ける建築』)。新国立競技場の設計にあたっては水平感を強調することで大きさの割に威圧感が少ないものに仕上げたという。こういうのは例外。▼世界史教科書にはより大きく美しく見せる工夫がなされた威信財が並ぶ。この点を承知して見なければ魅せられてしまう。時々の権力者が作った威信財に驚かせられないチカラ。見せたい人の意図に逆らい、その期待に応えない見方、ずらし方。試験のために「誰それが何々を作った」と覚えるのは必要。後でその「誰か」を学び捨て、私たちの先人の遺産として記憶に残す(※)。そのようなしたたかな見方を身に付けて、威信財が放つ力はうっちゃること。遺産は人類遺産として大事にしたい。

わんクリック　いまは海外旅行でも ATM を使って現地通貨を下ろせるので現金を両替する手間がなくなった。かつては店先で両替比率 (レート) と手数料を見比べて思案する必要があった。店頭に魅力的なレートが掲げてあっても手数料が高ければ話にならない。結局のところ手許にいくら残るか、旅行中はそんな計算ばかりしていた。イスラーム世界に利子は存在しないが手数料が存在し、手数料商売をする (低金利政策下で、日本の銀行も手数料商売にシフトした)。今の中国に土地の所有権はないが使用権がある。掲げられた言葉は違っても実体は同じことがある。大切なのは自分の手許、現実を見ること。

History Literacy　うまく学び、時にうまく学び捨てる―歴史の知はすべての知と同じく「力」(「知は力」)。

②社会

・軍事封土制（ティマール制）、イェニチェリの創設

└ イクター制を継承

・各宗派の共同体ミットレトを承認、各宗派が共存　＊1

└ 従来の社会制度や信仰を認めた（徴税のために使われた側面もある）

③文化

・トルコ・イスラーム文化の成熟

スレイマン・モスク

└ ハギア・ソフィアを小ぶりにしたもの、鉛筆型ミナレット

3　インドの大国 — ムガル帝国

ムガル帝国の発展

①成立

・1526年、バーブルがムガル帝国（~1858）創始　＊2

└ ティムールの子孫（チンギスハンの子孫）自称　└ ムガルは「モンゴル」の意味

アフガニスタンを根拠地に北インド進出

└ ウズベク人に追われカーブルへ、さらにロディー朝の内紛に乗じてインドへ南下

パーニーパットの戦い（1526）でロディー朝倒す（火砲使用）

インドの大半を支配する初のイスラーム王朝

首都デリー

②帝国の基礎

・第三代アクバル（1556~1605）が帝国の基礎

└ 実質上の帝国建国者　└ フェリペ2世（スペイン）とほぼ同じ

・全国の土地測量、中央集権体制、マンサブダール制導入　＊3

・ムスリムとヒンドゥーの融和に努める

非ムスリムへの人頭税（ジズヤ）廃止

└ インドのイスラーム化は人口の2割程度にとどまる（例外的事例）

ラージプート族と和解（ラージプート王女を王妃に迎える）

世界の諸宗教を折衷した神聖宗教を創始（失敗）

・アグラ遷都

└ ガンジス支流のヤムナー川沿いの交通の要衝、近くにタージ・マハル廟

PROPOS　＊1

紛争が絶えない中東、北アフリカ諸国、バルカン半島。これらの地域は1世紀前まで5世紀近くオスマン帝国により統治されてきた。遊牧トルコ人が創始したが、トルコは遊牧的性格から脱却、領内に様々な民族、宗教を抱える大帝国となった。3分の2を占めるムスリムが優遇されたが他信仰も許された。バルカン半島ではキリスト教徒の共同体が存続。5世紀の統治を経て19cにキリスト教国が独立。このような地域は珍しい。人は生まれ（民族）を選べないが宗教は選べる。過度の評価は慎むべきだが、生まれで決まるものを否定するのが近代とすればオスマンは近代的。

PROPOS　＊2

未熟だったトルコ語もチャガタイ・トルコ語という文語を持つようになる。これで書かれたのが帝国創設者バーブルの回想録『バーブル・ナーマ（バーブルの書）』。率直で飾らない文体、内容に驚かされる。一般に宗教に酩酊体験（神に近づける感覚）をもたらすアルコールは不可欠。それゆえかムスリムは飲めない。世界の3分の1が生涯、酒を飲まない。この飲酒をめぐる葛藤が本書に描かれる。「このままでは自分はダメな人間で終わる」と禁酒に挑むバーブルの率直さと、それを日本語で読めることに驚く。翻訳本の豊かさが日本文化の特徴。ちなみにアルバニア（バルカン半島）のムスリムはイタリアの影響でワインを、中央アジアのタジキスタン、ウズベキスタンのムスリムはロシアの影響でウォッカを飲む。

PROPOS　＊3

アラビア語で「偉大」を意味するアクバル。ラージプート諸王国の有力者を官僚機構（マンサブダール）に受け入れた。彼らには俸給額に相当する村落の徴税権（俸給としての分与地ジャーギール）が与えられた。任地は在地化を防ぐためにしばしば変更、世襲化されなかった。ラージプート諸王を支配階級に組み込んだ統治。彼らが政策決定にも関与したためジズヤの廃止が断行。

画蛇添足

▼火砲は世界史を変えた。本格的な火砲の使用はヨーロッパではじまる。その使用による戦術の変化は中世の花形、騎士を没落させた。16世紀に火砲は東漸しはじめ騎馬遊牧民の時代に終止符を打った。▼アンカラの戦いでティムールに敗れたオスマン軍はいち早く火砲を導入（イェニチェリ軍）、最終的にティムール帝国を圧倒、騎馬遊牧国家の時代に引導を渡した。続いてサファヴィー朝も圧倒（1514年チャルディラーンの戦い）。それを知って火砲を導入したのがムガル帝国創始者バーブル。圧倒的少数のバーブル軍がパーニーパットでロディー朝に火砲で勝利（1526）。▼火砲の衝撃波は東漸。極東まで届けたのはポルトガル人（1543）。いち早く活用した織田信長の鉄砲軍に武田勝頼の騎馬軍団も敗北（1575年長篠の戦い）。ただし織田軍の鉄砲三段撃ちに関しては異論が多い。▼戦国大名は鉄砲鍛冶の育成に力をいれ短期間で優れた鉄砲製作技術を作り出した。ところが江戸時代は帯刀した武士が支配階級となった。軍事上の技術革新が継承されない、どうしてこのような事態が起こったのか。詳細は藤木久志『刀狩り—武器を封印した民衆』、武井弘一『鉄砲を手放さなかった百姓たち　刀狩りから幕末まで』に譲る。タイトル通りの内容。▼江戸時代、鉄砲を使ったのは武士ではなく農民の方。火砲は日本で害鳥を払う農具に変質。農民は一揆に鉄砲を用いない約束で武士は世界最高品質の鋼を帯刀。もちろん大名は万が一に備えて大量の火縄銃を保持したが、泰平の世で火薬の需要もなくなる。窮した彼らが糊口をしのぐ手段として始めたのが花火。火薬を扱う技術者の多くは花火師に転身。軍事技術の民生利用が夏の夜空に大輪の花を咲かせた。

わんクリック　インドの歴史教科書は「アクバルは諸宗教と対話を持ち、真理の独占を主張できる宗教は無いと結論した」（万人の平和）と宗教融和策を強調。物事を相対的に見た。こんな話が伝わる。床に一本のロープを置いて側近に「このロープを短くしろ」と言ったアクバル。いまはやりの行動経済学、「店に千円と二千円のワインを置いていたが二千円のが売れない。どうすればいい」と同じ問題。それぞれ横に「長いロープ」「三千円のワイン」という「デコイ（おとり）」を置けばよい。非合理的な行動が合理的な時は非合理的に行動する、は合理的行動。そうではなく、人間は非合理的な行動をする（※）。

History Literacy　行動経済学は過去を見る参考になる（人間は合理的に行動するという合理的人間像をベースにしない行動経済学）

インド・イスラーム文化　＊1

- ヒンドゥー教とイスラーム
  バクティ信仰とスーフィズムの共通性　＊2
  └ ヒンドゥー教　└ イスラーム
- 宗教改革者カビール (1440 ~ 1518)
  カースト制度の改革など主張
- シク教
  ナーナク (1469 ~ 1539) が創始
  └ カビールの影響
  カースト制否定（万人平等）
  パンジャーブ地方中心、総本山アムリトサル
  └ ゴールデンテンプル（黄金寺院）
- ムガル絵画
  ペルシアのミニアチュール（細密画）の影響
- ウルドゥー語　＊3
  ヒンディー語にペルシア語語彙、アラビア語彙
  現在のパキスタンの国語、インドの主要言語の一つ
  └ ムガル帝国宮廷は当初ペルシア語（軍営（ウルドゥー）で使用）
- タージ・マハル廟　＊3
  インド・イスラーム建築の傑作
  └ 大理石象嵌装飾、透かし彫りの格子細工

ムガル帝国の衰退と地方勢力の台頭

- アウラングゼーブ (1658 ~ 1707) 時代
  └ 敬虔（けいけん）な（不寛容な）スンナ派ムスリム、父シャー・ジャハンを幽閉して即位
  帝国領土最大（デカン高原の大部分支配、インド南端を除く）
  ジズヤ復活でヒンドゥー教徒を弾圧
  └ 敬虔な信徒だったから説、あるいはデカン高原侵攻のため保守派の支持固め説など
- ラージプート族の離反　＊4
  └ クシャトリヤ（武人）階級（王侯、領主）、ヒンドゥー教守護者を自任
- マラータ同盟（デカン高原）の反乱

PROPOS　＊1
ヒンドゥー教とイスラームの教義は水と油ほどに異なる。ヒンドゥー教は多神教、偶像崇拝、階級制度（カースト制度）、司祭階級（バラモン）の存在、火葬、牛の神聖視。他方、イスラームは一神教、偶像崇拝禁止、神の前の平等、司祭階級を認めない、土葬、豚のタブー。こう列挙すると両者は共存不可能に見えるがこれは理屈上のこと。個人のアイデンティティは重層的。宗教上の帰属はその一つにすぎない。両者の融合、共存も進んだ。油と水は混じり合わないが、卵を介在させると乳化作用で混じり合い、ドレッシングとなる。イスラームも融通を利かせヒンドゥー勢力とうまく共存した。

PROPOS　＊2
バクティ信仰とスーフィズム。神の像を前にひたすら神を思い続け、神の名を唱え続ければ神の恩寵により神を見ることができるとするバクティ信仰。スーフィズムに通じるものがあり、両者融合のきっかけに。

PROPOS　＊3
各地から2万の職人を集め、22年かけた「大理石の夢」タージ・マハル。インドにあるペルシア建築。諸文明の融合的要素が強い。白い大理石で覆われる。北インドで岩は基本的に赤色で宮殿は赤砂岩づくり。そこに白一色の巨大な建物が出現。全面が手間暇のかかる象嵌（ぞうがん）で装飾。土台となる石の表面を文様の形に象（かたど）り、同じ形に削り上げた別の色の石をそこに嵌（は）める気の遠くなる作業。遠くで見て驚き、近くで見て驚きが倍化する。一つの素材に異質のものをはめ込む象嵌はまさにヒンドゥー社会にイスラームをはめ込むこの王朝の象徴。完全なシンメトリー（左右対称）美（内部で一か所だけ破綻）。月夜は夢幻的世界を現出。

PROPOS　＊4
ラージプートは今もインド西部ラージャスタン州で5千万人近くいる。クシャトリヤ（武人）階級を意味するカースト集団。イスラーム、マラーター勢力に対抗した。

画蛇添足

▼ターバンを巻いたおじさんがカレーライスのトレードマーク（登録商標）に使われたため二つの誤解が生じた。これがインドの主食という誤解と彼らがインド人の典型という誤解が生じた（※）。▼カレーライスは日本の国民食。起源はインドのスパイスを使った料理。宗主国イギリスでカレーパウダーが発明された。日本で小麦粉を混ぜてとろみをつけるルーに変容。そこにジャガイモ、ニンジン、タマネギの三兄弟が参加してカレーライスが誕生した。▼明治期の軍隊食、戦後の学校給食を通じて日本の国民食となった。団体客に出して文句がでないのが国民食。うどんでもラーメンでもきっと文句がでるが、カレーなら大丈夫。日本でカレーライスを食べたインド人が「おいしい。これは何という料理ですか」と尋ねてきたエピソードがある。天津飯も天津にはない。これも日本で生まれた料理。▼ターバンはシク教徒の民族衣装。彼らは宗教上の理由で髪も髭（ひげ）も剃らない。邪魔になる髪の毛をターバンで束ねる。ヒンドゥー教徒が多数派のインドでシク教徒は圧倒的少数派。カースト制（職業固定）を否定して万人平等を掲げるシク教徒。就く職業に制約はなく、金融などに従事するものが多く金銭に余裕がある。インドが全体として貧しかった時代、来日する余裕のあるインド人はシク教徒が中心だった。▼多くの宗教が食のタブーを設けて、異教徒と共食できないようにして宗派内の凝縮力を高めようとする。万人平等を掲げるシク教はその象徴として総本山ゴールデンテンプルで毎日十万食もの無料の食事提供をこの5世紀間続ける。映画『聖者たちの食卓』がその様子を伝える。毎回五千人。様々な人達が一線に並んで共食する様は圧巻。

わんクリック　話し言葉としてウルドゥー語はヒンディー語とほぼ同じ。アラビア文字を使い、多くのペルシア語語彙を使っているのでこれを学べばアラビア語、ペルシア語も学びやすくなる。さらにヒンディー・ウルドゥー語圏は世界第3位の話者人口。ただ習得は難しそうだからコスパがよいのか、悪いのか分からない。世界史で出てくる言語の多くは、初級会話を東京外国語大学言語モジュールで学べる。またアジア各国の新聞記事を翻訳した「日本語で読む世界のメディア」がとても有益。東京外国語大学は英語名で Foreign studies を標榜。世界史が好きな人はHPにアクセスすることをお薦めする。

History Literacy　身近な事例（よく目にする事例）を一般化してしまう利用可能性バイアス－歴史理解にも働く。

4　明と東アジア世界

14 世紀の東アジア

① 14 世紀の気候変動

- 14 世紀は寒冷化（小氷河期）、世界各地で飢饉、一揆
  - └ クマネズミの移動？→ ヨーロッパでの黒死病大流行、日本でも貧農の土一揆頻発（15c）
- 元朝末期に白蓮教徒（韓山童、韓林児ら）による紅巾の乱　＊1
  →貧農出身の朱元璋が頭角　＊2

②明王朝の成立

- 1368 年、朱元璋が金陵（南京）で即位
  国号明、年号洪武（洪武帝）
  - └ ミンと呼ぶ　└ 一世一元の制（以後、皇帝名は○○帝と年号で表記）

  元をモンゴル高原に退け（北元）、チャイナ統一
  - └ モンゴルの中心はティムール帝国、ムガル帝国に

  江南からチャイナ統一、中華の回復をめざした王朝

③皇帝親政開始

- 中書省廃止（その長官である宰相の廃止）、六部皇帝直属
  - └ 胡惟庸の獄で宰相以下 1 万人以上処刑、中書省廃止（門下省、尚書省はすでに実体を失う）
- 明律明令の作成
  - └ 唐律 750 年、明律 550 年　律は刑法典、令は行政法典

④農民直接支配 ― 社会の混乱を収拾

- 賦役黄冊（戸籍台帳）作成　＊3 ＊4
  - └ 農民を土地に縛り付けて税収を確保
- 魚鱗図冊（土地台帳）作成
- 戸単位での農民掌握（民戸と軍戸を区別）
- 里甲制　＊5
  民戸で組織された自治的村落組織
- 衛所制
  兵農一致の軍制、軍戸を各衛・所に集める
- 里老人が六諭を唱えながら巡回して農民を教化
  - └ 教育勅語に影響、声に出して耳に馴染ませる（書いて示しただけでは人には届かない）

PROPOS　＊1

弥勒仏が下生して苦しい生活から救ってくれる。衆生救済の大乗仏教では弥勒菩薩が遠い未来に出現するという上生信仰が一般的。チャイナでは近く出現するという下生信仰が広がった。自分が弥勒菩薩であると僭称する者も現れた。チャイナで皇帝権力は良くも悪くも農村に入らない。農民は宗族で助け合うが、宗族間の競争も激しい。生き残るために白蓮教などで結束した。

PROPOS　＊2

時代により名称は違うが官僚のトップが宰相。権力を皇帝に集中するため明の洪武帝は宰相を排した。ただ政治は官僚の上奏に対して皇帝が決済する形式で行われ、その文書の分量は膨大。当初は私的な秘書として殿閣大学士（のち内閣大学士）を置いた。結局、6 代正統帝が幼年で即位。内閣大学士が官僚の上奏に対する皇帝の諭旨を書くようになり、実質的に宰相が復活する。

PROPOS　＊3

商鞅の改革で生まれた戸籍。徴税のために個人でなく「戸」単位で農民を掌握する制度。日本に今も残る。個人でどうしようもない「生まれ」が意味を持たない社会をめざす時に弊害が大きい制度。訂正事項は消去でなく線消しで行うから過去の記録が残る。住民票との二重行政。いま誰が非嫡子かは戸籍を見なければ分からない。婚外子差別を続けるのなら必要な制度。

PROPOS　＊4

賦役黄冊。農民の抵抗があるので全土の検地は難しい。日本でも太閤検地のあと徳川時代を通じて全国規模ではできなかった。表紙が黄色だから賦役黄冊。白色は白書。政府の発行物は表紙が白く「防衛白書」「環境白書」などという。外交は「外交青書」。

PROPOS　＊5

公務員削減が叫ばれるが、国家の規模に対して日本の公務員は少ない。自治会が行政の仕事を無償で担う仕組みが関係する。

画蛇添足

▼チャイナ社会の最下層の極貧農から天下をとった朱元璋。乱世を勝ち抜いた豪傑さ、早くから儒学者を登用して政権を担う準備をした地頭のよさは高く評価される。他方で猜疑心が強くて残虐。労苦を共にした建国の功臣、官僚、知識人などに対する常軌を逸した粛清（殺害）を5回にわたり実施。数万人が犠牲になる（※）。▼距離をとって感情を交えた叙述をしないのが歴史家だが、彼に対しては嫌悪感を露わに「悪のかたまり」と断罪する歴史家もいる。評価が分かれる人物。宋代にはじまる皇帝専制政治は次段階にはいる。唐代は皇帝と大臣は互いに椅子に腰掛けて膝をつき合わせて話し合った。宋代では大臣は直立。明代になると直立も許されず、皇帝の面前で跪き、頭を床にうちつけることが要求された（三跪九叩頭）。君臣関係が絶対化された。▼王朝交代には粗暴な連中が役に立ち、多くの建国の功臣が生まれる。しかし王朝が樹立されると彼らは王朝の不安定要素。一転、粛清の対象になる。チャイナでは「皇帝の近くにいるのは虎の横にいるより怖い」とされた。そう思わせる非情で文治主義―「良い鉄は釘にならない。良い人は兵にならない」に回帰する。建国の功臣たちの武装解除を粛清ではなく酒席の巧言でなしたのは宋の趙匡胤ぐらい。▼社会的混乱の収拾のために強権的支配が必要な段階がある。有事の施策は平時の価値観で裁けない。しかし平時になお独裁者への抵抗が難しいのはなぜか。己の分を守っている限りは命と財産が保障されるのなら隷従を受け入れるのが人間。そのメカニズムに関して10代の少年による優れた洞察『自発的隷従』（エティエンヌ・ド・ラ・ボエシ）がある。人間は服従に充実感を覚える存在。

わんクリック　14 世紀と 17 世紀の二つの危機の間にあったのが明王朝。11 ~ 13 世紀が温暖で世界の活動が活発だったが 14・15 世紀は寒冷化で各地で社会の再編が起こった。16 世紀は暖かく大航海時代を現出。17 世紀がまた寒冷化して世界は不安定化。特にヨーロッパは「危機の 17 世紀」。気候変動に関しては、中川毅『人類と気候の 10 万年史　過去に何が起きたのか、これから何が起こるのか 』が優れる。長期的に気候は激しい温暖化と寒冷化を繰り返してきた。悪い方向に転がった時に破局的事態が予想されるものに対しては「悲観的に準備し、楽観的に対処せよ」の姿勢で臨むしかない。

History Literacy　漢字に注意―同じ読みでも一字違いで大違い（「粛清」と「粛正」、「偏在」と「遍在」）。

⑤明初の対外政策 — 大陸国家への回帰

・海禁政策

倭寇対策のため宋・元代の海上貿易推進策から転換　＊1

└ 前期倭寇 (14 世紀に朝鮮などを襲った北九州の倭人が中心)

貿易を朝貢形式に限定 (朝貢貿易)

└ 足利義満 (「日本国王」に冊封―例外的事態) の勘合貿易

永楽帝の治世と対外関係

①永楽帝時代 (1402 ~ 24)

・靖難の変 (1402)　＊2

└「帝室の難を靖んず」　└ アンカラの戦いと同じ年

燕王が二代目建文帝より帝位を簒奪して即位 (事実上の王朝交代)

・内閣大学士の設置、宦官の重用　＊3

└ 実質的に宰相となる　└ 靖難の変で暗躍？明の滅亡原因の一つに

・北京遷都

└ モンゴル対策、南京での帝位簒奪で人心掌握困難

万里の長城修築　＊4

・モンゴル親征 — タタール部、オイラト部 (西モンゴル) 平定

└ 全５回、親征帰途に死去　└ チンギスハンと無関係、のちジュンガル部

・鄭和の南海大遠征 (7 回、1405 ~ 33)

└ 宦官でムスリム　└ 現在の「一帯一路」政策の「一路 (海上の道)」

国威発揚目的で、アフリカのマリンディまでイスラーム海運の利用

└ 鄭和の遠征、船内でもやし栽培 (脚気を防止)

・ベトナムを一時支配、のち黎朝独立

②北虜南倭

・永楽帝死後、幼少の皇帝続く、宦官の台頭による政治の乱れ

・北虜　オイラト部 (西部) のエセン・ハンの侵入 (1449、土木の変)

タタール部 (東部) のアルタン・ハンによる首都北京包囲 (1550)

・南倭　前期倭寇 (14c ~ 15c 初)　「日本人」中心、海禁策と勘合貿易で収拾

└ 麗末鮮初倭寇　└ 実際は「倭人」としか言いようがない海洋民集団

後期倭寇 (16c)　「中国人」中心、海禁策への反発

└ 嘉靖倭寇、前期・後期別の表記は両者に連続性を作る名称、基本的に別物

PROPOS　＊1

元末、高麗末、南北朝—14c 後半の混乱期に、東シナ海を舞台に倭寇が活動。この倭寇が何者だったかについては様々な議論がある。チャイナを再統一した洪武帝は荒廃した土地の生産力回復、農業に重点を置き、倭寇対策のためもあり商業を禁止する政策をとる (下海通蕃の禁)。この政策への対策として商人は武装化して下海通蕃。政策と対策は卵とニワトリの関係である。

PROPOS　＊2

洪武帝の第四子燕王はモンゴルをにらむ北京の要地を任された。この権勢をおそれた甥の建文帝が勢力削減に着手。これに燕王は「君側の奸を除き、帝室の難を靖んず」と挙兵。「取り巻きが悪い」は定番の口実。帝位を簒奪して永楽帝として即位。朱元璋の粛清で建文帝を補佐する軍人は少なかった。建文帝は逃れたと噂された。帝位を簒奪した永楽帝はその影に怯えた。宦官鄭和は建文帝を探す密命を受けていたという。幸田露伴『運命』と高島俊夫『しくじった皇帝たち』を併読したい。遠征は７回。朝貢使が便乗して入貢、また帰国した。優れた航海技術はその後活用されなかった。

PROPOS　＊3

洪武帝は宦官の政治介入を禁止。そう鉄牌に刻んで宮中に立てた (これが鉄則)。しかし永楽帝が靖難の変に際して南京の宮廷内の情報を得るため宦官を重用したことから宦官が復権。民衆の判官贔屓 (負けた建文帝寄り) に対して永楽帝は宦官贔屓。大切なことは石か心に刻むべきか (※)。

PROPOS　＊4

宇宙船から肉眼で見える唯一の建築物とされた「万里の長城」(実際は見えない)。清代に文字通り無用の長物、五族共和のシンボルになる。改革開放政策で一転、チャイナ文明の閉鎖性の象徴として批判の対象となる。茫洋たる壮大さで今は人気の観光地。北京から気軽にいける距離。万里の長壁でなく長城。城は都市の境界を意味した。

画蛇添足

▼小さい時からキリンを知っている悲しさ。私たちはキリンを見て驚くことができない。詩人杉山平一に「かなしい晩」と称するよい詩がある。幼くして亡くなった息子にあてたもの。「孝ちゃんに一度動物園を見せたかった」「ワンワンしか知らなかった」「象やあざらしを見たらどんなに驚いたでしょう」。▼私はキリンに驚きたかった。チャイナで長く想像上の動物だった麒麟。鄭和の朝貢貿易でアフリカから運ばれてきた。人びとは首を長くしたに違いない。別の所だが、マリ王国からキリンがモロッコに送られてきた時の熱狂は「創造の不思議を示すズィラーファを見ようと人の上に人が乗るほどにごった返した」(『世界史序説』)。人がキリンになっている。各地から珍しい文物が北京に運ばれてくる度に皇帝の権威は高まった。北京の隠れ名所は動物園。▼権力のシンボルとして人間世界に君臨してきた獅子。それを仕留めることが権力の誇示になったライオン。高名だが当時のチャイナで拝顔の機会はなかった。それゆえライオンは狛犬、獅子舞と、「ゆるキャラ」(みうらじゅん) として表象されてきた。本物を見た時の興奮はいかばかりだっただろう。▼朝貢—お土産持参で挨拶にいき、頭を下げること。洪武帝は華夷秩序を再建するため周辺諸国に明朝への朝貢を求めた。朝貢すれば数倍するお返しを受け取れるから、周辺諸国は国内的に王の権威が損なわれることなどの損得を斟酌考量し、名を捨てて実をとった。朝貢の形をとった貿易。明朝の持ち出しが大きいから朝貢回数は制限された。閑話休題。黄色く首の長いあの重機。クレーン (鶴) でなくジラフ (キリン) と命名すべきでなかったか。首の長いキリンの高血圧も心配だ。

わんクリック　贈与の応酬で社会は構成されるとするマルセル・モース『贈与論』。贈与は、与える義務、受け取る義務、お返しの義務がセット。これが悩ましい。もらいものより少ないものを返したら自分の地位は下がる。もらうことは断れない。この仕組みの巧みな応用がデパ地下での試食。差出されるままに試食したら高くつく。食べてその場を去る生き方でよいのか、と無用の自問をしてしまう。贈与を受ける側には様々な拘束がかかる。「お返し」ルールを守れば相互扶助の共同体 (世間) で生きていけるシステム。「交換」から世界史を読み解き、いま世界的に評価されるのが柄谷行人『力と交換様式』。

History Literacy　歴史は語り継がれることで継承されていく—街中の石碑に目を止める人は残念ながら少ない。

明代の農業・商業の発展

①明への朝貢貿易を中心にした貿易圏

- マラッカ　…鄭和の寄港以来、東南アジア貿易の拠点
- 日本　　　…足利義満から勘合貿易、日本国王と冊封を受ける
- 黎朝大越国…明朝から独立
- オイラト　… 明朝との朝貢回数増加を要求
  └ エセン・ハンは明からの下賜品を分配することで求心力保つ
  土木の変 (1449) でエセン・ハンが正統帝を捕虜に　＊1

②明代社会の変化

- 地方権力者郷紳が支配者層
  └ 宋代では士大夫と呼ばれた
  城内 (都市) 在住の大地主で官僚、商人を兼任
- 佃戸制が定着、抗租運動 (小作料不払い運動) の発生

③経済の発展 ― 明初から一転して活況

- 長江下流域で農村家内工業による商品作物生産
  綿織物、陶磁器 (染付・赤絵)、絹織物生産　＊2
  └「南京木綿」ブランドで世界各地に輸出
  農家は水田を綿花・桑栽培に転作
  →穀倉地帯は長江中流域へ「湖広熟すれば天下足る」
- 銀の流入 (貨幣経済の発達) ― 海禁が緩み、密貿易で流入
  └ 馬蹄銀 (秤量貨幣) として流通
  日本銀、メキシコ銀が密貿易、互市場貿易で流入
  └ 石見銀山、生野銀山　└ ポトシ銀山 (ボリビア) →アカプルコ (メキシコ) →マニラ経由
- 全国的商人の活動
  山西商人 (山西省)(塩の取引)、新安商人 (安徽省)
  会館、公所 (同郷者・同業者の組合) の設立　＊3
- 朝貢体制から互市体制へ　＊4

④税制の変化

- 一条鞭法 (16c)
  張居正の改革で導入、徴税方法の簡素化、明朝の財政好転
  銀の流通を背景に各種の税を一括して銀納する税制

PROPOS　＊1

チャイナ史上の大失態が「土木の変」。宦官王振の言いなりの正統帝はオイラト部に対抗して親征。圧倒されて草原に呆然と座り込んだところを捕虜にとられた。

PROPOS　＊2

レアメタルの一つコバルトが微量でもはいれば鮮やかな青色が発色。コバルトブルーが美しいのが染付。発色の鮮やかさはコバルトの入手具合なので発色でその時の国力が分かる。一方、赤色が目立つのが赤絵。実際は五色。この赤は顔料「花赤」で発色させたもの。鉄を錆びさせて作る。毎日水を変えて錆びを進める。作るのに10年かかる顔料。1gで数万円ほどもする。

PROPOS　＊3

他郷にあって同郷人同士で助け合う。その中心となったのが会館。同業者の組合が公所。同一職業は同一地方出身者で占められがち。会館と公所は重なることが多い。出身地毎に仕入れることができる物は違い、営むビジネスも違うから棲み分けが可能。同郷人脈がモノ、情報の流通を支え、そこに連なる人間関係はソーシャルキャピタル (社会関係資本)。それは新規業者の参入障壁。セブンイレブンも沖縄に長く出店できなかった。会館・公所は科挙受験生の宿泊所でもあり官僚と商人が知り合う (癒着する) 場となった。東京に何とか県会館 (宿泊施設) がある。ホテル代の高い東京で使い勝手がよかったが最近は閉館が続く。

PROPOS　＊4

対外関係は「朝貢」だけではなかった、と見直しが始まっている。農耕地帯の産品なしには生活できない遊牧騎馬民。理屈に関係なく必要な時には侵略してくる。彼らに礼制に基づく「朝貢」は機能しなかった。彼らを懐柔するため国境地点に公認の対外交易場「互市」を設置して貿易。これが次第に主流になっていった。朝貢貿易は中国史家のJ.K. フェアバンクが、西欧の「条約体制」と対比する中で作った概念 (※)。

画蛇添足

▼取り締まる側から倭寇と呼ばれた人々。彼らをどのように抑え込むかが14世紀後半の東アジア諸国の共通の課題だった。明朝では「海禁＝朝貢システム」が構築された。自国民へは海禁、外国へは貿易を朝貢に一元化するもの。朝貢に際して物と物がやり取りされていることに着目すれば貿易。この時に随行した使節団が商取引をすることも一定程度認められていた。▼朝貢しない限りは、明朝との貿易ができない。日本は卑弥呼や倭の五王以来九百年ぶりに皇帝と冊封関係を結んで臣下となった。フビライの求めた朝貢を頑なに拒否して元寇を招いた日本だったが足利義満は進んで明に臣従。経済的利益を選択。手段として勘合符を用いた (勘合貿易)。▼中国の冊封体制を支えたのは華夷思想と王化思想。自己を中華、周囲を劣った存在 (夷狄) とみる。しかし天子の徳は礼を知らない夷狄をも感化し、天子を慕って来朝させることができるとする王化思想。朝貢してくる国の数が多いほど皇帝の権威はあがる。外国から朝貢使節が来ることが権力強化のために必要だった。▼朝貢する側にも打算がある。「名を捨てて実を取る」メリット。体面にこだわることなく、相手に花を持たせるが実はもらう。中国の朝廷とコネを持っていると外交上も使える。冊封すると儀礼上は中国の年号と暦を使う義務を負うが、基本的に内政には関与してこない。朝貢する方は皇帝の権威を後ろ盾に他国への牽制に用いることができる。▼明朝は朝貢の回数を著しく制限。その例外的存在が琉球。当初は回数制限などがなかった。日本や東南アジア各国の対明貿易を肩代わりする中継貿易として琉球を通して交易した。今回の画蛇添足は説明だけ。何の工夫も蛇足もなし。

わんクリック　世界で前近代社会とは概ね身分制を特徴とした社会であり、身分と職業は強く結びついていた。西欧、インドや日本がその典型例。ところがチャイナにはそのような身分制は存在していなかった。西欧では、農奴解放で「移動の自由」、仏革命で「職業選択の自由」が獲得された、と学ぶが、チャイナの農民はずっと移動も自由で、職業も好きなことをすればよい極めて流動性の高い社会だった。ただそれは生活が保障されていない、ということでもあった。そのため宗族を作ったが、そこには強い家父長的秩序、宗族倫理と宗法とされるルールがあり、そこでの別の身分制の束縛下にあった。

History Literacy　歴史用語は歴史家が作ったある時代をとらえるための概念―その有効性は常に見直しの対象。

14~16 世紀の朝鮮、日本、琉球王国

①朝鮮半島

- 朝鮮 (1392 ~ 1910)
  - └ 新国号 ― 李氏朝鮮、李朝と王朝名併用の必要なし (半島の国号は新羅、高麗、朝鮮)
- 倭寇を破った李成桂(り せいけい)が高麗を倒して建国

  首都漢城 (ソウル)

  朱子学を国教とし、仏教は排斥

  └ 科挙 (高麗以降) を通じて思想統制徹底

  両班(ヤンバン)階級が支配者階級形成　＊1 ＊2

  └ 武官、文官からなる両班だが、文官が優位で 500 年間の文治統治

  世宗(せじょん)が音標文字、訓民正音(くんみんせいおん)制定

  └ 発音記号を文字化、20 世紀になって「偉大な文字 (ハングル)」と呼ばれる

  李朝白磁　＊3

  日本 (徳川幕府) と国交再開 ― 相互に使節派遣、朝鮮通信使来日

  └ 家康は朝鮮出兵に不参加　　└ 日本からの使節は釜山まで漢城入城できず
- 明朝滅亡 (1644)、明清交替に強く反発

  └ 秀吉の侵略に対して援軍撃退してくれた明への感謝と強い華夷思想

  →二度の清朝の攻撃で服属、朝貢、自国が儒教の後継国と自負　＊4

②日本

- 元寇の余波で鎌倉幕府滅亡 (1333)

  御家人の生活苦、北条氏の権力集中 (得宗専制政治) への不満

  └ 体制行き詰まりが元寇への御恩なき奉公で拍車　└ 元寇の危機対処の側面

  後醍醐天皇らの挙兵で幕府滅亡 (1333)、建武の新政失敗 (1336)

  └ 楠木正成、足利尊氏、新田義貞ら　　└ 天皇独裁に対して足利尊氏の挙兵
- 室町幕府 (1336 ~ 1573) と南北朝時代 (1337 ~ 92)

  └ 足利尊氏が京都に新天皇を擁立して室町幕府樹立も後醍醐天皇が吉野で対抗

  将軍は地方の守護大名とのバランスで全国統治

  └ 初代足利尊氏、3 代義満、4 代義持

  日明貿易も経済基盤とする

  応仁の乱 (1467~77) 以降、各地の守護 (代) が独立して戦国大名に (下剋上)

PROPOS　＊1

朝鮮は科挙を導入。世襲貴族から地主に支配者階級が変更。科挙に合格した両班が儒教を権威に統治。隣国日本では世襲武士が官僚となり武威を背景に統治。武士は地主にならなかった。朝鮮は文治で 5 世紀も続くが末期に両班は腐敗、民衆の困窮を放置。その存在が近代化の阻害要因となる。

PROPOS　＊2

ソウル市内の仁寺洞通り(インサドンギル)にはかつての両班の住居を改装した韓式料理店が並ぶ。何を頼んでも机からはみ出さんばかりの小皿がついてくる韓定食を食べるのが楽しい。

PROPOS　＊3

純白の皿は料理を引き立てる。ヨーロッパはいかに白い器を作るかで陶磁器 (china) の歴史が展開。本場のチャイナで純白は好まれず、イランからコバルト顔料、ミニアチュール技術が渡来したモンゴル期には青い文様が好まれた (青花、日本で染付)。青で白を引き立てるのはチャイナと西アジア文化の融合。料理とは合わせにくい。朝鮮では滋味深い白 (李朝白磁) が好まれた。光を吸収する肌に近い白。柔らかな曲線 (この美しさに出会った柳宗悦が始めたのが民藝運動)。この時代の工芸品に対する特別な思いが「李朝」の名称に込められる。日本ではろうそくの灯で麗(うるわ)しい「うるし (japan)」の器が好まれた。木が傷ついた自らを守るために分泌する樹液を利用して硬質な被膜を作った。それぞれ独自の美意識が育まれた谷崎潤一郎『陰翳礼讃(いんえいらいさん)』を薦めたい。

PROPOS　＊4

「年長の人の前ではタバコを吸わない」など韓国社会ではいまも儒教がチャイナ以上に強く残る。そこには複雑な背景がある。かつて格下の夷狄(いてき)とみなしていた女真人の清朝に臣下として朝貢せざるを得なくなった朝鮮。事大(じだい)主義 (大につかえる) をとるしかない現実の下で、自国こそが中華文明の正統な継承者であるとの矜持 (小中華思想) を持つことで精神のバランスをとった。

画蛇添足

▼音声言語をその音が正確に再現できるように文字化するのは簡単ではない。発音記号を文字にすれば再現性は高まるが読み書きの利便性は損なわれる。再現性と利便性はトレードオフの関係にある。26文字で大抵の音を表記できるアルファベットがやはり優れている。▼日本のひらがなも48字と多いが習得が簡単。これが識字率を高めてきた。ただ母音を5音まで切り落としたので母音の響きの豊饒(ほうじょう)さが損なわれている。ただ日本語は、聞くこと話すことに限定すれば習得が容易とされる。中国語、ベトナム語などシナチベット系は声調があるから漢字表記は難しい。中国語はピン字をつけて、ベトナム語は結局、ローマ字基調のものにした(クオックグー)。▼舌の動きを表した発音記号を文字化した世界で最も合理的な文字ハングル(訓民正音)。パスパ文字を参考にしたとされる。合理性ゆえ発音の習得は簡単。ただ規則を知らなければ舌をまわす前に目がまわる(ハングル酔い)。「民を訓(おし)える正しい音」―当時は漢字の権威が強く、公式文書はすべて漢文。文字でなく音とせざるを得なかった。20世紀に入り周時経(チュシギョン)が普及に努めて「偉大な文字(ハングル)」と再評価。韓国では1970年代に学校での漢字教育がついに廃止。ハングルしか読めないのがハングル世代。漢字は漢文の授業で扱われるだけ。▼文字というと2次元の墨字(すみじ)ばかりをイメージするが、指の触覚で読む3次元の文字、点字もある(※)。音の再現力で優れているのは点字だという。16歳の少年ルイ・ブレイユが6点点字を発明。たった6つの点で世界中の言語をカバーできる。その点でハングルと似ている。日本語が点字で表記できるのはもちろんだが、ハングルを使っても表記できる。

わんクリック　朝鮮の首都ソウル。そのランドマークは景福宮の正門である光化門(クァンファムン)。ここから南に市庁方面へと続く広い道が世宗路(セジョンノ)でその中心が光化門広場となっている。ここに豊臣秀吉の朝鮮出兵の際に対峙した朝鮮水軍の李舜臣(イスンシン)将軍や、ハングルを作った世宗大王の銅像があって歴史が凝縮されている。かつて光化門のすぐ北側、景福宮の正殿との間に日本の朝鮮総督府の巨大な近代建築が建てられていた。威信財として総督府の御威光を示すために建てられた建築物で立派だったが、日本で言えば京都御所の紫宸殿(ししんでん)の前に近代ビルを建てるような暴挙。韓国政府の判断で 1995 年に爆破解体された。

History Literacy　国名は国号に近い区別できる名称が原則 (李朝は「朝鮮」、いまの「北朝鮮」―南が「韓国」なら北は「朝鮮」か)。

③琉球王国

└ 決まった時代区分（名称）はなく「グスク（城）時代」の呼称も

a. 古琉球（11c ~ 1609）　＊1

└ 東シナ海と南シナ海とを結ぶ交易の要地として繁栄

- 11 世紀頃に各地で指導者按司（あじ）の出現、グスク（城）築城　＊2

  └ それまでは国家形成の動きなし（貝塚時代）、和人の影響で農業が伝わり村落形成

- 14 世紀初、本島は北山、中山、南山の三勢力割拠、三山は明朝に朝貢
- 中山王尚巴志（しょうはし）が本島統一（1429）－ 琉球王国の成立

  明に朝貢、琉球国王の称号（冊封）を受けて王権拡大　＊3

  16 世紀に周辺諸島へ版図拡大　＊4

  └ 後期倭寇で朝貢貿易衰退が背景　└ 久米島、八重山、与那国島、石垣島など

b. 近世琉球（1609 ~ 1879）

- 日本と中国に両属　＊5

  └ 排他的な近代主権国家体制下では許されない

  1609 年、薩摩の島津氏に従属、日本の影響を受ける

  清朝にも朝貢

  └ 日本との関係を隠して両属（清朝も承知で知らないふり）、三者ともにそこから利益

PROPOS ＊1

琉球では 11c ぐらいまで国家形成の動きがなかった。共同体の規模が小さければ人々は国家がなくても生きていける。この国家がなかった時代は歴史の叙述対象外となる（どうしてこれほどまでに国家にだけ焦点をあてた歴史教育がなされるのだろうか）。これ以前は貝塚時代とされる。農業はしていない。14c にチャイナ文化圏の中で国家を形成、以後日本と交渉を持つようになる。

PROPOS ＊2

曲線を特徴とする琉球のグスク（城）は チャイナとも日本とも異なる独自の美意識。琉球が中山に統一される前、三山鼎立時代の北山王の今帰仁城（なきじんじょう）（14c）。長大な城壁の美しい曲線。手間がかかっただろう。薩摩藩に攻められ廃城になる。沖縄の人の名字には城（グスク）由来のものが多い。

PROPOS ＊3

沖縄といえば豚肉料理。琉球は中国文化の影響が強い。三線（さんしん）、ドミファソシドの琉球音階、空手、泡盛（醸造でない蒸留酒文化）。首里城正殿は紫禁城と同構造。また中国の暦を使った。沖縄「本島」という言い方がある。琉球王国には帝国的側面もある。

PROPOS ＊4

当初、琉球（沖縄本島）と先島（さきしま）諸島間に交流はなく、両者はまったく別の文化圏だった。八重山、宮古など先島諸島は台湾（オーストロネシア文化圏）の影響が強かった。琉球王国が統一されて第二尚氏（しょうし）王朝の尚真王（しょうしんおう）の時代に中央集権化が進められた。

PROPOS ＊5

幕府は秀吉の出兵で断絶した明朝との貿易再開の仲介を琉球に期待。島津は藩内の対立を外征でまとめたかった。幕府は琉球を独立国とカムフラージュ。幕府と島津氏は琉球人に異国として振る舞うことを強制。異国琉球の使節が上京することで幕府の威厳を高めようとした。また琉球が清朝と朝貢貿易することで利益を得た。

画蛇添足

▼日本と琉球、そしてアイヌの関係がよく分からない、と質問をよく受ける。まずカムチャッカ半島から与那国島まで連なる島々―この列島弧をヤポネシア（島尾敏雄）ととらえるのがよい。まず縄文人によるの縄文文化がこのヤポネシア全域に広がった（※）。▼偶然だが縄文文化が広がった地域は現在の日本の領土と重なっている。その後のヤポネシアには大陸から何度も人々が移動してきた。その中で弥生時代に朝鮮半島からやってきた人々との交雑具合で違いが生じた。多く交雑した結果が本州中心のヤマト人（和人）。▼交雑を受け入れず縄文人の特徴を色濃く残したのが北方のアイヌと南方の琉球人。アイヌと琉球人にとっては弥生人がもたらした稲作ができないので交雑の必要がなかったと推測される。この仮説はこれまで化石人骨の形態の変化から類推されて提唱されてきた。それが最近のゲノムDNA解析によって科学的に裏付けられた。▼言語も三者はある程度共通していたと思われる。それがアイヌ語、大和方言と琉球方言と分離していったらしい。言語学で言語と方言は区別しないが、ここでアイヌ語と書いたようにアイヌ語だけは別の言語に聞こえる。おそらく朝鮮半島からの影響を受けなかったからと推測されている。▼三者は長く別々の道を歩んできたが近代に入り、ヤマト人（和人）が国民国家の形成に先んじて「日本」を大国化した。そしてロシア、清朝への対抗から、近接する蝦夷地と琉球弧を実効支配しようと両地域を併合、支配をはじめた。その過程でヤマト人（和人）はアイヌ、琉球人を自文化に同化させる政策をとる。その中でアイヌ、琉球の文化は否定され、差別の対象となり同化変容を余儀なくされた。

わんクリック　弥生人のあともこのヤポネシアには海外から様々な人がやってきて、いまの日本社会が形作られた。渡来人、イエズス会宣教師、朝鮮人陶工、お雇い外国人、植民地時代に台湾、朝鮮半島から様々な理由で来日した人々―いまは日系人の里帰り、アジアからの技能実習生という名の事実上の労働移民。国民国家の重要な機能の一つは所得の再分配機能―つまり助け合い。これは「同じ国民」という連帯感がなければ成り立たない。様々な文化を背負っている人々が、日本国籍を持ってこのヤポネシア社会を担う一員、として連帯していく。そういう新しい時代における「新しい国民」作りが必要となる。

History Literacy　過去は分からないことの方がはるかに多い―太平洋（過去）に点在する島（歴史）のようなイメージ。

16 世紀東アジアの社会・経済の変動

① 16 世紀の日本　＊1

- 南蛮貿易の活発化

  ポルトガル人を乗せた倭寇のジャンク船が種子島漂着、鉄砲伝来 (1543)

  └ コペルニクスの『天球の回転について』の出版された年

  フランシスコ・ザビエルの鹿児島来航 (1549)、キリスト教宣教

  └ 大友宗麟ら (キリシタン大名) が保護、貿易で利益

  天正遣欧使節派遣 (1582)、スペイン船来航 (1584)

- 信長の全国統一事業

  └ 鉄砲の生産地の堺を獲得、鉄砲を活用して全国統一事業

  足利義昭と入洛 (1568)、室町幕府滅亡 (1573)、長篠の戦い (1575)

- 秀吉の全国統一事業

  太閤検地、刀狩令 (1588)、全国統一 (1590)、身分統制令 (1591)

  └ 武家政権のシステムの基礎固め　└ 身分の固定化 (兵農分離)

  朝鮮侵略　文禄の役 (壬辰倭乱)(1592)、慶長の役 (丁酉倭乱)(1597)　＊2

  →明の援軍、李舜臣の抵抗 (亀甲船)、秀吉の死による中止 (1598)

②明の衰退と滅亡

- 神宗万暦帝 (1572 ~ 1620)　＊3

  前半　宰相張居正による改革 (一条鞭法実施)

  後半　親政時代

  内憂　政争の激化　東林党と非東林党の抗争

  └ 官僚顧憲成　└ 劣勢のため宦官魏忠賢と組む

  外患　豊臣秀吉の朝鮮出兵で李氏朝鮮援助

  中国東北地方のジュシェンの強大化

- 重税と飢饉のために各地で農民反乱
- 1644 年、李自成の乱

  └ 北京占領、最後の崇禎帝自殺、しかし 40 日天下

PROPOS　＊1

16c の日本人に関してはイエズス会士の観察記録が多く残っている。16c に 3 回来日したアレッサンドロ・ヴァリニャーノ『日本巡察紀』(東洋文庫) など。お土産をもらったらお礼を言って喜ぶ。その場で開けて食べ物の場合には持ってきた人にもおすそ分けして食べる、と今の習慣が当時からのものであると分かる。「彼らは悲嘆や不平、あるいは窮状を語っても、感情に走らない。自らの苦労についてはひと言も触れないか、あるいは何も感ぜず、少しも気にかけていないかのような態度で、ただひと言それに触れて、あとは一笑に付してしまうだけである。」と褒める一方で「すぐに人を殺す」という叙述に驚かされる (※)。

PROPOS　＊2

「天下統一」といってもどこまでが「天下」なのかは様々。織田信長にとって東北地方は天下に含まれなかった。豊臣秀吉にとっては朝鮮半島までもが天下だった。朝鮮出兵、薩摩藩と慶長の役に参加した島津義弘(しまづよしひろ)は朝鮮人陶工 80 数名を薩摩へ連れ帰った。彼らが薩摩焼をおこした。司馬遼太郎『故郷忘じがたく候(そうろう)』は彼らの受難の物語。

PROPOS　＊3

「明は万暦に滅ぶ」神宗万暦帝―最悪の皇帝在位が 48 年続いた。政治への関心を早々に失い、蓄財に努めた。自らの陵墓建築に浪費。永楽帝以降の十三帝の陵墓「明の十三陵」は北京郊外にあり、万里の長城を見学したあとに立ち寄れるが、その中にチャイナの歴代皇帝陵で唯一発掘された万暦帝の定陵が見学できる。地下 30m に地下宮殿があり金製品を中心とした数万点の副葬品と帝の遺体が発見された。万暦帝の怒りを買い故郷に戻った官僚顧憲成(こけんせい)が再建した東林書院に優秀な官僚が集まり、政治改革を試みたが帝は聞く耳をもたなかった。30 年間臣下の前に姿を現さなくなった。のちに皇帝への阿諛追従(あゆついしょう)で権力を握った宦官魏忠賢(ぎちゅうけん)が思うままに政治を壟断(ろうだん)。無学の宦官に操られ明朝は滅亡へ向かった。

画蛇添足

▼社会の制度設計は「KISS(キス)の法則 (Keep it simple and stupid.)」が原則。制度はできるだけ簡単に、誰もが理解できるものであるべき。モデルは Apple 製品。一枚板から切り出されたボディとインターフェイスのシンプルさ。▼特に税制は簡単なほどよい。「公平、中立、簡素」が基本原則。税制が複雑になるほどに、税理士の指南を受けて制度を学ぶ余裕がある富裕層が有利になる。税制を知悉(ちしつ)すれば節税できる社会は不健全。国家も税を取りこぼしたことになる。▼何が公平かを決めるのは難しい。同一所得同一税負担に異論はでないが、どのような累進課税が妥当かになると同意形成は難しい。「公平とは何か」とは「正義とは何か」を考えること。中立や公平は概念としては存在するが現実には存在しない。この原則の実現は容易(たやす)くない。これらを考えるのが政治哲学。▼簡素は簡単。例外を設けない。そのお手本をチャイナ史が示す。明代の一条鞭法(いちじょうべんぽう)から清朝の地丁銀(ちていぎん)への変化。まず徴税方法が、次に徴税対象が簡素化。この税制改革で明清朝の税収は増して大国となった。愚策は消費税の軽減税率。何を軽減税率にするかの線引きは政治そのもの。飲食品はともかくなぜ新聞が軽減税率の対象なのか。邪推がでた段階で中立は損なわれている。▼ただ富裕者も貧困に苦しむ人々も同じ税率の課税対象「消費者」で括(くく)る消費税は簡素という名の乱暴。徴税能力の問題からきた原則でもある。増税も容易だから激しい反発を招く。塩への増税が黄巣の乱による唐王朝滅亡を、印紙法がアメリカ独立を招いた。所得税は煩雑だが各種控除により損得勘定で動く私たち、国民の行動を誘導できる。シンプルがよい、例外のない規則はない。シンプルがよい、とも言えないか。

わんクリック　製錬技術の進歩で高まった銀生産。16 世紀に石見銀山が発見された。朝鮮から伝わった鉛を使う製錬法 (灰吹法) で銀生産急増。明朝へ密輸出した。16 世紀後半にさらに精度の高い銀生産を急増させたポトシ銀山。危険な水銀をポトシでは使った。水銀で銀を引き寄せて合銀 (アマルガム) とした後に、沸点の違いを利用して水銀を蒸発させて銀を取り出す方法 (水銀アマルガム法)。捨てられた水銀で多くのインディオが亡くなった。同じ手法がいまアマゾン流域の金採掘現場で用いられ「アマゾンの水俣」病が発生。政府は気づいていながら開発優先のために見ぬふりをする構図まで同じ。

History Literacy　旅行記が言及するのは自文化と異なる姿―言及していないことが執筆者の国のシルエットを描く。

明代の文化

①小説

- 小説が隆盛（「四大奇書」） ＊1
  『金瓶梅』『三国志演義』『水滸伝』『西遊記』
  └ 官能文学、当時の市民階級の欲望を描く
- 陽明学
  └ 朱子学の主知主義、体制擁護的側面を批判、実践的側面の強調
  王守仁（王陽明）が心即理を主張して朱子学を批判 ＊2
  └ 朱子の論敵、陸象山の「心即理」継承 └ 朱子の「性即理」への懐疑
  致良知、知行合一など主張
  └「良知」は万人が持つ先天的な道徳知 └ 朱子の「知先行後」の否定
  陽明学の影響 外的権威の否定、実践的、反体制的
- 実学書
  『本草綱目』（李時珍）、『農政全書』（徐光啓編） ＊3
  └ 薬草書 └ 農政全般
  『天工開物』（宋応星）

②キリスト教会宣教師の活動

- イエズス会宣教師が明末清初（17c）に来航
  └ 対抗宗教改革の一環
  現地の文化、習慣を尊重して布教（イエズス会の「適応」主義）
- フランシスコ・ザビエル
  日本にキリスト教布教（1549）、チャイナ布教失敗
  └ マラッカでヤジロウ（殺人で逃亡）に会い、その手引きで日本上陸
- マテオ・リッチ（イタリア） ＊4
  世界地図『坤輿万国全図』
  明の高官徐光啓と『幾何原本』訳出
- 崇禎暦書 ＊5
  └ 全137巻で当時の最新の天文の成果（1634）

PROPOS ＊1
小説の対義語は大説。四書五経に対する注釈。これに対して講談から口語体の小説が発達。チャイナでは「詩言志（詩は志を言う）」（『書経』）と心の中の志を言葉にした詩が文学の中心。小説は低い位置づけ。

PROPOS ＊2
「冷に耐え、苦に耐え、閑に耐え、激せず、騒がず、競わず、随わず、以って大事をなすべし」（王陽明）。曽国藩を通じて知られ、多くの人が人生の拠り所としてきた言葉。

PROPOS ＊3
李時珍『本草綱目』（1596）。薬用になる動植物の博物誌。歴史が長く、膨大な知識が蓄積したチャイナ文明。世界に数百万種の植物があるが食用できるものはわずか。病気に効くのはほんのわずか。この症状にはこれを煎じて飲めば効く、の知識が本草。なぜ効くのかは追求しない。「効くから効く」が漢方の世界。初版本には李時珍の子が描いた、目を疑う下手な絵が添えてある。

PROPOS ＊4
宣教師マテオ・リッチ。正確な漢文で著作するまでにチャイナ語に熟達。イエズス会はインド布教での経験から日本、チャイナでは支配者層からの布教が必要と考えて北京に向かう。10年がかりで上京を実現。臨場感溢れる『キリスト布教史』。世界地図『坤輿万国全図』の中心にチャイナ、日本を持ってくる配慮がリッチならでは。地図は日本にも輸出。人びとに新しい世界観をもたらした。私たちはいまもこの影響下。

PROPOS ＊5
皇帝は天命を受け統治する天子。正確な暦は必要不可欠。皇帝が日月食の予言をしくじると人びとは天の警告と受け取る。元代に導入された授時暦は明末にズレが生じたが理論が高度で調整できない。アダム・シャールが改暦作業に協力。その間に明朝は滅亡、この新暦は清朝で採用。皮肉にもその正確さが新王朝、清朝の権威を高めた。

画蛇添足

▼行ってはじめて知ったといえる（You never know till you try.）（知行合一）が陽明学の基本的考え方。備前藩主池田輝政。この考えで質素な生活「一汁一菜」を実践。藩下の人びとにも強いた。人びとは具をご飯の下に隠して抵抗。これが見かけは質素だが中身は豪華な岡山の祭りずしの起源。▼陽明学の行動哲学は朱子学への批判から生まれた。実践が伴わないエリートの頭でっかちな学問、と批判される朱子学。物事を知れば知るほど、本を読めば読むほどに現実の複雑さに足をすくわれ、軽々に行動できなくなるのは知識人の陥穽。▼情報の海に溺れて行動に踏み出せなくなる。しばしば知識は行動の邪魔になる。時計が二つあると時間が分からなくなる。朱子学は結果的に現状を肯定、為政者にとり都合のよい体制擁護の学問となった。誰でも聖人になれる（朱子はなれなかったが）と学問を奨励したが、学問できるのは裕福な家庭の子弟。朱子学はエリートの教えになった。▼朱子は心を性と情に分けて、理は性に宿るとした（性即理）。性善の立場から心に理が宿るとしたが、理は情により歪んでいるとみた。正しいと考えたことも、自らの利害、感情に影響されている可能性がある。しかしこれらの情を完全に取り除いてから、と考えていてはいつまでたっても行動に移せない。▼情を理性を曇らせる雑音とみなかった陽明学。情に信頼を置いて心を分解せず、心そのものを理と言い切った（心即理）。だから直情径行、自らの善意（忠義心・愛国心など）の正しさを確信し、行動に移すのが陽明学の特徴。日本では吉田松陰など幕末の志士、昭和前期の国家主義者に受け継がれた。ただ思索が浅いとの誹りは免れ得ない。多くの有為の人材を夭折させた。

わんクリック 「勉強なんかしなくても聖人になれる」とちょっとヤンキーっぽい陽明学。朱熹の性格が悪く、彼が聖人になれなかったこともある。知識というよりはインテリが世の中を仕切ることへのバックラッシュは間欠的に起こる。日本でも大学紛争時には戦後民主主義のオピニオンリーダー丸山真男（東大法学部教授―エリートの頂点）が糾弾され、下町育ちで反権力、反知識人の立場をとる在野の思想家吉本隆明が高く評価された。いま世界はこの傾向のただ中にある（反知性主義）。学校でも思考力重視が掲げられるが、これは知識偏重へのカウンター概念。主流にしてはいけない、が本書の主張（※）。

History Literacy カウンター概念として掲げられたものを中心に据えない（カウンター概念はあくまで解毒剤）。

5 清朝と東アジア社会

清の建国と内陸アジア

①ジュシェン、女真（女直）の台頭
- 現中国東北地方の森林地帯で農牧、狩猟
  - └ 薬用人参、クロテン、砂金などを産出、輸出 ＊1

②後金建国 ― クロテンが作った大清帝国
- 1616年ヌルハチがジュシェン統一
  - └ それまで建州・海西・野人の各部族分裂、明の支配下
- 首都瀋陽、八旗制度、満洲文字制定 ＊2
  - └ ヌルハチの遷都後は満洲の中心地に、満洲国（日本）時代は奉天と呼ばれる
- 明を破る（1619年サルフの戦い）
- ホンタイジ（1626～43）
  - 内モンゴルのチャハル部 支配 ＊3
  - └ チンギスハン直系の子孫、現在の内モンゴル自治区
  - 自称をマンジュ、国号を大清（ダイチン）(1616～1912) に改称（1636）＊3
  - └ 元代にモンゴルが保管、明に渡さなかった玉璽をモンゴルより移譲され「天命」と理解

清の興隆と版図の拡大

① 大清のチャイナ支配（北京入城）
- 山海関の呉三桂が降伏、その手引きで北京無血入城（1644） ＊4
  - └ 当時は三代目順治帝（1643～61）、まだ7歳で叔父のドルゴンが実権
- 呉三桂などは雲南・広東・福建の藩王に（三藩）

②清朝の最盛期 ― 台湾・モンゴル・チベット・新疆
- 康熙（こうき）・雍正（ようせい）・乾隆（けんりゅう）の3代130年間（1661~1795）
  - └ ルイ14世親政の年
- 康熙帝（1661～1722）時代に三藩の乱の鎮圧（1673～81）
  - 当初、呉三桂ら投降漢人を優遇、その漢人武将の反抗を平定
  - 鄭氏一族の抵抗を鎮圧し、台湾領有（1683）
  - 鄭成功以来、台湾（1661年オランダから奪う）は反清復明の拠点
  - └ 鄭芝龍を父、日本人を母、朱姓を賜る（国姓爺）

PROPOS ＊1
朝鮮人参には様々な薬効がある。栽培できず野生種も希少な貴重品。戦後の日本では韓国への配慮から「高麗人参」という。毛皮の王様がクロテン（イタチ科）から作られるセーブル。ミンクよりも毛並みが深く光沢があり最高級。傷つけずに捕獲しないと商品価値が下がるので巣を燻（あぶ）り出して網でとる「走るダイヤモンド」クロテン。明の海禁策を尻目に、これら高級品交易で巨利を得た商才に長けた人物がヌルハチ。

PROPOS ＊2
マンジュの当て字が満洲。地名でなく集団名。「洲」が常用漢字から外れたので満州と書く。すると満州という地名のような錯覚が生じる。満洲と書くのがよいが、過去のことを現在の言葉で綴るのが歴史の特徴（※）。中国史の「中国」が現代用語。大陸で興亡した歴代王朝は中華思想に基づくから国号を必要としない。王朝名のみなのが中国史の特徴。国号代わりに最初の秦王朝の名称―チャイナが使われてきた。ホンタイジは国号を「ダイチン（当て字が大清）」とした。明は火徳。これに勝つためにサンズイの漢字（満・洲・清）を使った。本書は近代以前の中国には「チャイナ」、満州は「満洲」が妥当と考え、使っている。

PROPOS ＊3
モンゴルに揺さぶられた明朝と違い清朝はモンゴルと協力関係。それが清朝安定につながった。清朝滅亡後のモンゴルはソ連と中国により現在の3つに分断（ブリヤート共和国、モンゴル国、中国モンゴル自治領）。

PROPOS ＊4
李自成率いる農民軍が北京占領。崇禎帝は自殺（明朝滅亡）。その後、人口比で1%に満たない清朝が入関して明朝にとって代わる想像外の展開。山海関を任された呉三桂の背信。治安回復のために清朝の力を利用しようとした、が公式理解。ただ当時は彼の愛妾（あいしょう）が反乱軍に落ちたことに反発。彼はその私憤を優先させた、と噂された。

画蛇添足

▼民主主義への深刻な懐疑が広がる。変化がかつてなく激しい時代。意思決定に時間がかかる民主主義に限界をみる人びともでてきた。共産党一党独裁下での目を瞠（みは）る中国経済の成長。どこかで頭打ちと分かっていても、決められる政治を権威主義的体制と一概に否定できないのではないか、と自問が広がる。▼唐の太宗と並ぶチャイナ史上の名君が清の康熙帝（こうきてい）。帝に仕えたフランス人宣教師ブーヴェ『康熙帝伝』は数学好きの皇帝の日常生活、人となりを伝える。続く雍正帝（ようせいてい）―康熙、乾隆、と偉大な父と優れた子に挟まれて影の薄かった彼に随一（ずいいち）の名君をみるのは中国史家の宮崎市定（みやざきいちさだ）。▼明以降は官僚の上奏（じょうそう）に対して皇帝が決済する―諭旨（ゆし）を書く、ということの繰り返しで政治が行われた。雍正帝は大量の上奏文すべてに目を通し、端麗な字で自らの意見を書き込んだ。一日の睡眠時間は4時間未満。宮崎は帝は過労死だったと推測する。仕事が人を殺す国は現代日本だけでなかったようだ。▼宮崎は中国で専制君主政が続いてきた理由として「幸か不幸かいわゆる雍正帝のような名君なるものが現れて、涙ぐましいほどの善意にあふれた政治で民衆の信頼をつなぎ止めてきた」ためとしながらそれが悲しむべき結果をもたらしたと分析。▼「雍正帝の政治は善意にあふれた悪意の政治といわなければならない。しかもこの種の善意に満ちた悪意の悲劇はまだすっかり終わっていない」（『雍正帝』）。地獄への道は善意によって舗装されている（ヨーロッパの諺）。いまの中国で「安全、豊かさ、自由」と価値観が順位づけられている。自由がもたらす混乱より、専制下の安定した生活を選択する人びと。明日の世界の私たちという予感がしてならない。

わんクリック 一国の英雄も他国にとっては侵略者と評価が真逆になることが多いが、鄭成功の評価はいつの時代も高い。もちろん清朝の国賊だった鄭成功。それゆえ台湾では、大陸を不当支配した清朝と戦った英雄として高く評価されている。清朝をいまの共産党政権を重ねてみる政治的評価。鄭成功の唱えた「反清復明」と国民党政権の「大陸反攻」が重ねられた。ところがその大陸でも、彼がオランダ人を駆逐し、台湾を漢民族の支配下に解放した「台湾解放」の英雄として評価される。ちなみに日本統治時代も彼は日本の英雄。彼の母は日本人。そのことは台湾を支配しようとする日本に都合よかった。

History Literacy 過去のことを現在の言葉で綴るのが歴史（本来はほとんどの言葉が括弧書きの対象だが、煩雑なので外してある）。

③清朝の支配体制　＊1 ＊2

a. 中央官制

- 明の諸制度を継承
  - └ 同じくチャイナ全土を支配した元朝との相違、「明清」と括られる所以
- 満漢偶数官制、科挙実施
  - └ 漢民族に対する懐柔策、満洲人は人口で漢民族の 1% だから実際は差別そのもの
- 軍機処設置
  雍正帝が設置、当初は軍務のみ、のちに最高機関に
  - └ ジュンガル遠征時に軍事機密翻訳のため、現故宮 (北京) 内の質素な建物
- 理藩院設置
  藩部 (非漢字圏) の事務を総括、漢人官僚は用いず

b. 兵制

- 八旗…正規軍、満洲八旗・蒙古八旗・漢人八旗
  - └ 旗人は日本の武士に相当
- 緑営…漢人で組織する正規軍
  - └ チャイナ内地進出後、「漢を以て漢を制す」

④清朝の版図拡大

└ 中華民国、中華人民共和国が「版図」を中国領と読み替え、継承

- 康熙帝 (1661 ~ 1722) 時代
  ネルチンスク条約締結 (1689)
  - └ ロシアを藩部とみて理藩院が冊封体制内で処理、正文ラテン語

  当時のロシア皇帝はピョートル大帝
  ロシアとの国境をアルグン川と大興安嶺山脈に画定
  ジュンガル部平定
  - └ オイラト部が 17c に復興「最後で最強の遊牧帝国」(鉄砲など火器を使用した騎馬民族)

  モンゴル、チベットに領土拡大　＊3 ＊4
  - └ ゴビ砂漠の外側、ハルハ部 (今の外モンゴル)(1691) も支配下
- 雍正帝 (1722 ~ 35) 時代
  キャフタ条約 (1727) 締結
  ロシアとモンゴル、シベリアでの国境を定める
- 乾隆帝 (1735~95) 時代 ― 十回の遠征で清朝版図最大に
  ジュンガル部を平定し、東トルキスタンを新疆として組み込む

PROPOS　＊1

満州人が作ったのは「ダイチン (大清)」という国。二つの顔を持つ国。まずチャイナの農耕社会に対して「皇帝」として君臨した (チャイナ支配に関しては「清朝」と表記)。さらに内陸遊牧社会に対して「諸民族の長 (ハーン)」として君臨。遊牧民 (非漢字圏) のモンゴル、チベット、青海、新疆などを従えた。こちらは理藩院で統治。ここに漢人官僚も漢文も存在しない。ムスリムの住む東トルキスタンも組み込み、新疆とした。草原地帯が農耕地帯 (綿花など) となった。

PROPOS　＊2

活発になった貿易を禁止して、商人を武装へと追い込み、自ら「北虜南倭」状況を自作した明朝。いつの時代も壁の構築ほどの愚策はない。明代に作らざるを得なくなった万里の長城は多民族国家となった清朝のもとで無用の長物となる。藩部の内政に関しては干渉せず、属国も同様で儀礼上の関係 (属国は西欧での同君連合に似て隣国との抗争をなくす知恵)。防衛費の負担が軽減されたことも清朝繁栄の背景。

PROPOS　＊3

モンゴルは満洲人に帰順した時にチャイナ皇帝の公式印、玉璽をホンタイジに譲る。ホンタイジはこれを天命ととり「大清」と国号を改めチャイナ支配に乗り出す。ちなみにモンゴルは元がチャイナから撤退した後も元朝を維持 (北元として区別)、玉璽を返還しなかった。明の永楽帝の 5 度にわたるモンゴル親征はこれを取返すためとみられている。失敗して落命、明は玉璽を新調。

PROPOS　＊4

満洲人とモンゴル人、チベット人はチベット仏教を共通の紐帯に良好な関係を持った。モンゴルはチベット仏教を信仰。清朝皇帝もチベット仏教に帰依。そのためチベットも満洲人には服属。ただし 18 c から清朝が次第にチベット内政に干渉するようになるとチベットは清朝から離れてイギリスに接近。辛亥革命を契機に独立した。

画蛇添足

▼チャイナの歴代王朝の支配域は版図。現在の国境線を伴った領土とは異なる。基本的にすべてが天下であり、地域を線引きする発想、領土概念がない。版図というのは皇帝の感化力が及んでいる地域という精神的なもの。しかし図表などで図形表現すると境界線を引いて、その内部を均一に彩色するしかなく領土と同じものになる。▼またチャイナは中華思想に基づいた「冊封体制」をとった。周辺諸国はチャイナに対して臣下として朝貢する。チャイナで「関係」とは不平等しかなく、国家間にも対等の関係が存在しない。▼世界史教科書は東アジアの国際関係を、チャイナを中心とした朝貢体制 (冊封体制) が「西洋の衝撃」により崩壊、大小にかかわらずすべての国家を平等とする国民国家体制下の条約体制に移行していく過程として叙述する。歴史家フェアバンクの概念モデルを枠組みとして近代の東アジア外交を理解している。▼ところで領土を分ける国境線も二つある。現在の国境はバウンダリーという線概念。かつてはフロンティアという面概念があった。国家の支配力は辺境にいくほど減退していき、どちらが支配しているか不確定であいまいな地域が茫洋と広がる。水彩で着色して二色の狭間でどちらの色も減色して着色されていない帯のような空間。これがフロンティア。▼朝貢体制の別の言い方が「冊封体制」。東アジアの国際秩序を、封建性の国際版のように―中国皇帝と周辺諸国の君長との間で君臣関係が成立したと理解する、中国史家西嶋定生が作った概念モデル。実際にこのような制度があったのではない。あくまで現在から過去を見るときの理解枠組み。イメージが難しく、しっくりとこない概念モデル (※)。

わんクリック　ネルチンスク条約は清朝というよりは満洲人とロシア人間で締結されたもの。ラテン語が正文 (漢文は使われていない)。清朝が国民国家体制下で結んだ条約はアヘン戦争後の南京条約 (1842)、清仏戦争後のサイゴン条約 (1862)、日清戦争の下関条約 (1895)。下関条約で朝鮮の独立を認めたことで最終的に朝貢国がなくなった。これらはいずれも不平等条約。この間、下関条約 (1985) が結ばれるまで、日清間で結ばれていた日清修好条規 (1871) は日中両国双方にとって開国後はじめて結んだ東の間の対等な条約だったが長続きしなかった。隣国との善隣友好関係の樹立が近代以降の日本の課題。

History *Literacy*　「朝貢体制」「冊封体制」は理解のための概念モデル (批判もある)、現実に存在したわけではない。

⑤清朝の版図　＊1 ＊2

- 直轄地…満洲、チャイナ内地、台湾
- 藩部　…モンゴル、チベット、青海、東トルキスタン
  - └ だいたい現在の自治区、モンゴルはまだ内外（南北）に分けられていない

  理藩院（ホンタイジ設置）が統括
  - └ 藩部の内部には干渉しない間接統治
- 朝貢国…朝鮮、ベトナム、タイ、ミャンマー
  - └ 朝貢国は属国（独立国ではない）とみなされるが内政には干渉しない（自主外交も許す）

⑥清朝のチャイナ統治

- 懐柔策と威圧策を併用
- 懐柔策…満漢偶数官制、科挙実施

  大編纂事業（思想統制的側面、チャイナ文明の集大成）

  『康熙字典』
  └ 漢字辞典、約5万語、現在の漢字の規範（多くの漢和辞典が準拠）

  『古今図書集成』
  └ 百科事典、全1万冊、約100万ページ

  『四庫全書』
  └ 同時に内容検閲で威圧策の要素もあり

  cf. 明代も大規模編纂事業
  └「帝位簒奪者」永楽帝による思想チェック

  『永楽大典』『四書大全』『五経大全』
  └『四庫全書』のひな型　└ 朱子学に基づいた新解釈（唐の『五経正義』を意識）
- 威圧策…辮髪、胡服、文字の獄　＊3
  └「頭を留めんとすれば髪を留めず、髪を留めんとすれば頭を留めず」

PROPOS　＊1

明朝の版図は、漢民族が大勢を占め漢語でコミュニケーションがとられている領域としての「内中国（中国本土）」。これに対して清朝の版図を内中国＋外中国（中国外部）とみる見方がある。外中国とは内中国を北側から西側にかけて取り囲む領域でツングース系、モンゴル系、ウイグル系、チベット系などが居住し、それぞれの言語でコミュニケーションをとっている地域、という理解（妹尾達彦『長安の都市計画』）。

PROPOS　＊2

清朝にとっては内陸アジア支配が最重要。その統合原理はチベット仏教。モンゴル人を支配、モンゴル人が信仰するチベットを保護下においたことで漢民族支配も可能になった。漢民族に対しては儒教を正統思想として科挙を実施してエリートを採用、清朝は中華帝国とみなされた。逆に東アジア海域への関心が薄かった。日本にはほとんど関心を持たなかった。出島経由の互市貿易だけで、それ以外は琉球と朝鮮に任せた。琉球も両属のまま放置、台湾支配も東半分だけで全島支配はしていない。

PROPOS　＊3

威圧策の一つが文字の獄。清朝の忌諱に触れる語句を使うと槍玉にあがる。雍正帝時代に科挙試験の「維民止所（これ民のおるところ）」の出題者がとがめられて処刑。「維」が「雍」の、「止」が「正」の頭をはねていると難癖を付けられた。京都方広寺「国家安康」の鐘銘が「家康」を切り離している、と言いがかりをつけられ大坂冬の陣に利用されたのと似ている。授業では清朝の思想弾圧「文字の獄」を強調した。これはモジの獄でなく、モンジの獄と慣例的に読まれてきたと注意を促した。そのような些細なことに注意を促すことが、チャイナでは歴代王朝が思想を弾圧してきたこと、から私たちの注意を逸らすことになる（※）。まるで思想弾圧がこれまでなかったかのようなイメージを与え、異民族王朝清朝の厳しさばかりを誇張するように働く。

画蛇添足

▼「豚の尻尾」辮髪（queue）は強い抵抗を受けたから清朝は辮髪を拒否する者に死刑で臨んだ。人は首を切るか、髪を切るのかの二者択一を強いられた。清朝末期を舞台にした魯迅の短編『髪の話』。長髪の太平天国軍が勢力を増すと今度は辮髪を切る切らないが命の問題につながった。▼日本も明治まで、武士は月代を剃って「豚の尻尾」を畳み、丁髷に結った。辮髪スタイルの極め付け。長く日本人の身体的指標だった。倭寇は捕らえた者の頭を丁髷にして仲間に引きずり込んだ。この髪型で捕まれば倭寇として処刑される。従うしかない。▼人間は慣れる動物。人びとは次第に辮髪に愛着を覚えて清朝滅亡後には辮髪禁止令に反発した。中国の伝統衣装チャイナドレス。これは満洲旗人の民族衣装旗袍のアレンジ。深く開けたスリットは騎乗時に足を出して動きやすくするため。色気を出すためではない。詰め襟は満洲の極寒対策。中国の標準語は北京語。これは満洲人官僚が使ったブロークンな言葉。▼伝統と思いがちなものに意外に浅い起源が潜む。日本で既婚女性は眉を剃って歯を黒く塗った（鉄漿）。引眉は日本の伝統なのにいま眉毛を剃ると不良扱い。人気女優でも黒い歯で笑ったら視聴者は引く。大河ドラマに鉄漿をした女性は登場しない。▼先日、鄭成功が主役の文楽『国性爺合戦』（近松門左衛門）を観劇。「そこにこだわるか」と違和感の連続。感情移入できないのが過去に触れる醍醐味。それが楽しい。見台から乗り出さんばかりの義太夫の熱い語り、三味線の太棹の響き、人形の動きに圧倒された。三位一体と違い、義太夫、三味線、人形の三業一体は体感できる。熱さに引き込まれる。筆者の授業に足りないのはこの熱量の高さ。

わんクリック　国家による編纂作業は何を残すか（正当とするか）、何を残さないか（異端とするか）の思想選別と表裏の関係。あらゆる本をまとめた叢書『四庫全書』を編纂。すべての書物を経（経書）、史（歴史書）、子（思想書）、集（文学書）の四つのカテゴリーに分類。民間のものは借りて、すべてを書写。約7万9千巻。焼失を恐れて紫禁城内に文淵閣を建てて正本を置き、あと6部副本を作って分散保管した。実際3部がアロー戦争、太平天国運動で焼失。日本で発行された書籍5千万冊程は国会図書館が収納保管している。ナノテクノロジーの進展で、これらすべてを角砂糖一個の大きさで収納できるという。

History Literacy　何かを強調することは、何か別のものを意図的に（あるいは結果的に）隠すことでもある。

宣教師と実用技術

①イエズス会宣教師　＊1 ＊2

・アダム・シャール（ベルギー）

大砲鋳造技術、三藩の乱に際して大砲作成

・ブーヴェ（仏）

『皇輿全覧図』制作に協力

└ 国境の描かれていない地図（冊封体制のため）

・カスティリオーネ（伊）

西洋画法（遠近法、明暗法など）の紹介

離宮円明園設計

└ 北京郊外のバロック式宮殿

②典礼問題

・イエズス会は中国布教で中国伝統の儀式、習慣（典礼）を容認　＊3

└ 特に祖先祭祀

→ローマ教皇はイエズス会の方法を否定

・康熙帝の時、イエズス会以外の布教禁止

・雍正帝の時、キリスト教布教禁止（1724）

・乾隆帝の時、貿易を広州一港に限定（1757）

③中国文化の伝播　＊4

・ブーヴェ『康熙帝伝』

・科挙制　→英、仏の高等文官試験

・宋学（朱子学）　→ライプニッツ（独）、ヴォルテール（仏）

・庭園、装飾、陶磁器　→ロココ式芸術

└ ルイ 14 世は中国風のトリアノン宮殿造営

・シノワズリ（中国趣味）…ヨーロッパで流行した中国趣味の美術様式

PROPOS　＊1

イエズス会士は布教のため教皇の命で地球上のどこにでも赴く半ば軍人。土地の風習に合わせるのが特徴。中国でイエズス会士は中国服を着用、神を「天」「上帝」と表現。この言葉が人びとに祖先を連想させる可能性は承知。このような方針ゆえ、イエズス会は他修道会との摩擦が絶えなかった。このやり方は神の冒涜にあたる、と他修道会が教皇に訴えたことから典礼問題が起こる。結果的に中国のキリスト教布教は後退。しばしば弾は背後から飛んでくる。

PROPOS　＊2

イエズス会宣教師は少数精鋭の超エリート。世界のどの僻地にも出向くミッションを背負った（映画『ミッション』(1986)）。彼らは現地の言葉を短期間にマスター。今でも世界各地に設立されたイエズス会の大学（上智大学など）は語学教育に定評がある（今は JICA が海外青年協力隊員に 3 カ月で赴任国の言葉を理解させるメソッドを持つ）。布教先の言語を学ぶとはその文化を尊重すること。その柔軟さをローマ教会は警戒した。

PROPOS　＊3

信者が、祖先、孔子の祭祀に参加しなければ社会から疎外されることを恐れて棄教する可能性があった。イエズス会はそれは信仰ではなく感謝の表明と解釈して儀式を容認。日本では行政が地鎮祭などの神道行事に出費することに対して違憲訴訟がなされる。最高裁はこれを習俗的行為として合憲とする。こういう所にも影響している。

PROPOS　＊4

キリスト教は当初、祖先崇拝と無関係だったが拡大の過程でそのような要素も受け入れた。先祖は天にあって神のそばで私たちのために神へのとりなしをして祈ってくれている、というロジック。中国人の祖先崇拝をイエズス会は是認したが、カトリック教会自体が 11 月 2 日を「死者の日」としてすべての死者のために祈りを捧げる日を持っている。日本のお盆に似ている。

画蛇添足

▼18世紀世界で最も繁栄した大清帝国。康熙・雍正・乾隆各帝の名君ぶりは中国語に通じ、鋭い観察者だったイエズス会宣教師を通じて理想化されてヨーロッパ、特にフランスに伝えられた。▼啓蒙思想家の態度は分かれた。絶賛組がヴォルテール。来世を語らず現実を問う儒教、神を置かずに本格的な哲学的思索を展開する宋学を絶賛。父権主義的だが皇帝による仁愛に満ちた統治に君主の理想を見て「賞賛せよ、赤面せよ、模倣せよ」と各国君主に例示した。批判組はモンテスキュー。そこに権力の集中を見て『法の精神』で三権分立を説いた。▼その朱子学は清朝で考証学に代わられる。満洲人支配下で大義名分を掲げる朱子学は具合が悪かった。考証学は訓詁学と同じで経典の厳密な解釈を重視。ただ音韻への着目が新しかった。言葉は音と意味が合わさったもの。意味だけに着目してはいけない。今日と同じ用語でも、過去のテクストでは異なる意味で用いられているものがある。文字面だけを見ていてはいけない（※）。▼目、鼻、口、耳―意味に紛れはない。しかし音読して音 me, hana, kuchi, mimi に着目すれば芽、花、茎 (kuki)、幹 (miki) との近似性に連想が働く。「目」を見るだけでなく同時にそれに耳を傾ける。そうすることで言葉が初出時に持っていた意味に迫ることができる。▼音への着目はテクストの読み方を変えることもある。皆さんの気持ちが離れていくと感じながらも授業でダジャレ（言葉遊び）を連発するのは私がおやじだからではない。それが音への着目になるからである。また掛詞は日本の伝統技法。悲しいものを憐れ見るようなまなざしは間違っている。ダジャレのお手本は棋士の豊川孝弘、作曲家の池辺晋一郎。

わんクリック　国民国家体制が広がる中で超国家的な存在は立場が微妙になる。その代表格がイエズス会。莫大な財産を持ち、他の修道会の羨望と妬みの的でもあった。新大陸でその支配地域は「国家の中の国家」の様相を呈した。国王より教皇に忠誠を誓うイエズス会（教皇至上主義）。各国民国家にとって目障りな存在となり、各国で解散命令がだされた。典礼問題のあと、反イエズス会感情が高まり、フランス (1764)、スペイン (1767) から追放、財産没収され、諸国の圧力に屈した教皇により解散を命じられた (1773)。その後に再建された。現ローマ教皇フランシスコはイエズス会からの初の選出である。

History Literacy　今日と同じ用語でも、過去のテクストでは異なる意味で用いられているものがある。

清の経済と文化

①海上貿易の発展

・清朝は当初海禁策

・華僑の発生 — 華僑の世紀

└「海水到るところ華僑あり」→商業の世界的ネットワーク

福建と広東の貧民が東南アジアなどへ渡航　＊1

└ それまで熱帯の人口希薄地域のため高い賃金得られる地域

②人口増加

└ 現在、世界人口の五人に一人が中国人

・18 世紀の政治的安定（清の平和）、盛世滋生人丁の制定（1711）

→爆発的人口増加

→山間部、辺境地帯の開拓（新疆など）、南洋華僑の発生　＊2

└ 台湾やモンゴル高原、東トルキスタン（新疆）、満洲など周辺地域

③税制の改革

・地丁銀（雍正帝時代）

背景　丁銀の定数を固定化

内容　丁税を地税に繰り入れる（税が土地税に一本化）

└ 課税と対象の簡素化

④清代の文化

・「明末清初」の政治的激動期 — 抵抗か恭順か

・考証学の発展

└ 史上、最も緻密な古典学

根拠を明示して論証する実証的な学問

└ 朱子学、陽明学は自分自身の見解に基づいて経書を解釈（特に解釈の余地の多い『四書』）

黄宗羲（こうそうぎ）『明夷待訪録（めいいたいほうろく）』　＊3

顧炎武（こえんぶ）『日知録（にっちろく）』

└ 30 年間の読書備忘録の体裁をとった考証の成果、考証学の模範（全 32 巻）

・長編小説　＊4

蒲松齢（ほしょうれい）『聊斎志異（りょうさいしい）』…短編の怪異譚（文語体）

曹雪芹（そうせっきん）『紅楼夢（こうろうむ）』　…没落する満洲人貴族の物語

呉敬梓（ごけいし）『儒林外史（じゅりんがいし）』…科挙制度の腐敗を描く

PROPOS　＊1

いまでこそ世界中に華僑・華人がいてチャイナタウンがある。これはこの２世紀ぐらいの現象（※）。チャイナは基本的に大陸国家。海外進出には消極的だった。

PROPOS　＊2

コロンブスは新大陸で発見したトウガラシを別種と気づかず「辛いコショウ」（ホットペッパー）と呼んだ。ただ西欧ではここまでの辛さは不要だったので、甘めのピーマン、パプリカのみ受け入れられた。この辛さは暑さの厳しいアジアで役立った。特に山間部、辺境地帯が開発された清代のチャイナに唐ガラシとして根付いた。四川省が世界のホットゾーンとなる。栄養価はゼロに近いがこれがあると粗末な食べ物もおいしくなる。人間の舌は辛味を感じない。痛覚として受け取る。そのため早く消化しようとするので食欲増進材にもなった。また熱帯産胡椒と違いどこでも栽培できた。

PROPOS　＊3

「天下が主で天子は客」と孟子の民本主義を強調した『明夷待訪録』。清朝を批判して禁書にされていた。清末に黄宗羲は「中国のルソー」とされ革命派の経典になった。五・四運動など学生運動にも影響を与えた。

PROPOS　＊4

『紅楼夢』—曹雪芹が体験した名家の没落、人生の悲哀を小説で再現。雄大な構成、感情の機微を巧みに表現。『聊斎志異』—蒲松齢は白髪になるまで困窮の中で科挙の受験勉強を続けた（落第し続けた）。「好学深思、正直不阿」（よく学び深く考え、正直でおもねらない）。聊斎は彼の狭い書斎。果たせなかった夢、彼を受け入れなかった社会を風刺。呉敬梓『儒林外史』—これもまた科挙を取り巻く人間模様、悲喜劇。登場人物は 600 人を超す。様々なエピソードからなるオムニバス。合格できない受験生、科挙など関係ないと超俗を気取る人間など。その滑稽さ卑小さを読む人に、それは自分の事だ、と思わせて切なくさせる。

画蛇添足

▼未来の予想は難しいが、人口予想はかなりの確度で可能。いま80億の人口は、皆さんが社会の中堅となる2050年にほぼ100億に達し、そこで頭打ちになる。人口の半分はインドとアフリカで占められる。中国に代わりイスラーム圏のアフリカの成長が著しい。人口増加はこの4世紀ほどに限定された期間の特異な現象となりそうだ。▼人類の個体数は人類誕生以来、同じ水準で推移してきたが、18世紀から指数関数的に増えた（人口爆発）。西欧での産業革命による社会の近代化（死亡率低下）と、中国での人口増加が要因。古代から中国人口には6千万の壁があったが、宋代の農業革命（占城米の普及）でこれを超えて1億に達し、18世紀の清代に4億に爆発的に増加した。▼人口急増を支えたのは第二の農業革命。アメリカ大陸から伝来したトウモロコシ、サツマイモ、ジャガイモなどの作物が中国社会に定着。これらの作物は従来の作物では栽培が不可能だった山間部の傾斜地、荒地で栽培が可能だった。これら人口支持力の高い作物が、清代の人口急増を支えた。▼人口急増のきっかけは康熙帝の政策。帝は1711年以降の増加人口を「盛世滋生人丁（せいせいじせいじんてい）」と呼んで、これ以降に生まれた人口は課税対象としない決断をした。これにより古来から続いてきた人頭税が消滅。農民が子どもを産み控える理由も、生まれた子どもを隠す必要も消えた。▼帝が正確な人口を把握しようとしたのは、圧倒的少数の満洲人が漢民族を統治する上で漢民族の正確な人口把握が必要だったこともある。全員を食べさせる政治のためにまず人口把握が必要と考えた。これは施策の基本。帝の実直さが世界人口激増のきっかけとなった。

わんクリック　明代には上演されなくなった演劇、元曲が読み物（小説）として復活した。戯曲のセリフを示す「曰（いわ）く」の部分を抜き出したことに由来するのが白話文。これで書かれたのが小説。芝居民族と言われるほど芝居好きの国民性が作られる発端となる。チャイナ文学史は「漢文唐詩宋詞元曲」に「明清小説」を加えれば 12 文字で完結。井波律子（いなみりつこ）『中国の五大小説』が、長編でなかなか読めない『三国志演義』、『西遊記』、『水滸伝』、『金瓶梅』、『紅楼夢』の読みどころをしっかりと押さえてチャイナの小説世界に読者を引き込んでくれる。推敲を重ねて作り込んであるという『紅楼夢』が読みたくなる。

History Literacy　常識は変わる—いまは「当たり前」のことも少し前には「当たり前」でも何でもなかった。

徳川幕藩体制下の日本

①徳川幕藩体制の成立 — 265 年の安定政権　＊1

- 関ヶ原の戦い (1600)、徳川家康が江戸に幕府開府 (1603)
  - └ 全国統一急がず、大坂冬の陣、夏の陣で豊臣氏滅亡 (1615)
- 徳川幕藩体制
  - └ 三代家光頃までに整備、一種の連邦国家

  一国一城令、武家諸法度など巧みな大名統制
  - └ 士族身分は統制、御手伝普請、参勤交代の重い義務

  江戸幕府に将軍、400 万石の直轄領 (三都など主要都市)
  - └ 軍事組織 (中核に旗本・御家人) であり行政組織 (老中が幕政統轄)

  各地に藩 — 将軍の家臣である大名が独立した領知 (藩) を持ち統治

②徳川幕府の対外政策 — 朱印船貿易から「鎖国」へ

- 朱印船貿易 — 当初は幕府が公認する貿易船による活発な貿易

  長崎、平戸に多くの中国、オランダ、イギリス船が来航

  日本人の海外移住 — 東南アジア各地に日本町形成
- 「鎖国」体制　＊2　＊3

  キリスト教禁止を目的に日本人の海外渡航、帰国を厳禁 (1635)
  - └ 貿易拡大に伴うキリシタンの増大への幕府の危機感　＊4

  島原の乱 (1637)、ポルトガル船来航禁止 (1639)、貿易を出島に限定 (1641)
- 「四つの口」でアジアとの貿易継続

  長崎以外にも対馬、薩摩、北海道の松前も対外的な窓口

  松前藩はアイヌ、薩摩藩は (琉球経由で) 明清、対馬藩は朝鮮と貿易
  - └ 鮭や昆布、毛皮など　└ 生糸、絹織物など　└ 朝鮮人参、木綿など

③江戸初期の文化、元禄文化

- 江戸初期の文化 (寛永年間 1624 ~ 44 中心)

  桂離宮、修学院離宮などの数寄屋造の簡素な美、権現造の日光東照宮

  俵屋宗達の『風神雷神図屏風』—琳派の先駆
- 元禄文化 (17c 後半 ~ 18c 初)

  経済発展した上方の町人が担い手の現実的、人間的文化

  井原西鶴、松尾芭蕉、近松門左衛門など、尾形光琳『燕子花図屏風』
  - └『奥の細道』(1702)　└ 人形浄瑠璃『曽根崎心中』(1703)

PROPOS　＊1

家康は早々に引退して長男に将軍を譲ることで将軍家を徳川家が世襲することを示した。他の所でも述べたが、世襲王朝のメリットは予測可能性があること。特に後継者を長男と決めてしまえば争いも生じない。ただし世襲君主に名君は期待できない。人間的な尊敬の念も得にくい。そこで家臣に「忠」の価値観を注入して、主君に逆らうこと自体への強い罪悪感を植えつけた。

PROPOS　＊2

「鎖国」はオランダ通詞、志筑忠雄の造語。別にケプラーの三法則、ニュートンの重力説を訳して、地動説、重力、引力、求心力、遠心力など今日まで使われている訳語を作った。「開国」(1853) を論じる前提として「鎖国」が使われるようになった。

PROPOS　＊3

当時の東アジア、明・清、朝鮮、ベトナムも海禁政策をとっていた。世界が大航海時代に入り、日本も海外雄飛の時代となろうとした直後のこの対外政策の得失には多くの議論がある。銀を産出していた日本が海外大国になる可能性はあった。問題は家康が東国に根拠を置いたこと。海外進出すれば地の利のある西国大名が力を持つことになる。これを恐れて鎖国政策をとった。

PROPOS　＊4

「寺請制度」を施行。宗門改を行い、すべての人を寺の檀家として「宗門人別改帳」を町や村ごとに作らせた。また、九州では毎年絵踏みをさせて信者を発見した。誰が「絵踏み」など考えついたのか。禁教下で信仰を保持 (潜伏キリシタン) した人々が信じたものとは一体何だったのか。

PROPOS　＊次ページ

それまで山間部に住んでいた日本人。沖積平野の開発が進むと人口が 3 倍の 3 千万になった。幕府は天領 400 万石を持つ圧倒的存在として約 300 の藩を支配下において統治。他方で地方文化も栄えた。

画蛇添足

▼日本で歴史は長く日本史 (自国史) と「(自国を除いた) 世界史」の二本立てだった。世界史という名で、日本列島での出来事をほぼ抜いた歴史が教えられてきた。辺境に位置していてある時期までは国際的な存在感もなくそれで問題なかったが、13世紀頃からは世界の出来事に影響を与えてきた。▼世界史が重点的に叙述するヨーロッパ諸国。現在の日本の人口はどこよりも多い。17世紀の徳川幕藩体制の段階で、いまの北海道、沖縄を除いて統一され、人口三千万を数える世界有数の大国だった。面積でも大国。いまでもヨーロッパで日本より大きな国はフランス、ウクライナ、スペイン、スウェーデンのみ。▼世界史の中で日本史の叙述は自国史叙述の縮小版にはならない。デフォルメが必要になる。読者が、日本史が世界史の中ではこういう叙述になる、と知ることで、他地域の叙述も同様の縮尺を受けているのだろう、と想像できる書き方が求められる。▼「狸おやじ」イメージから食わず嫌いの人も多いが世界史的に徳川家康は傑出している。質素な私生活も特筆すべきだが、何より約260年間、戦争—内乱が起こらなかった江戸時代の秩序と安定の基礎を作り上げた。赤穂浪士の討ち入りが大事件になるような平和な時代を築いた。また近隣諸国との関係を改善した。▼この時代、江戸、京都、大坂などの都市を舞台に町人を担い手とする大文字の「日本文化」(歌舞伎、能など) が形成された。衣食住 (和服、寿司、天ぷらなど魚食文化、畳、襖などの日本家屋)、年中行事など現在の日本人の立居振舞につながる生活文化が形成された。これらは他文化にも影響を与えた世界史の重要な構成要素。これらに言及がない世界史叙述などありえない。

わんクリック　一時期、「鎖国」はなかった、と騒がしくなった。これは 19 世紀の言葉であり、言葉が実態に合っていない、と問題になった。代わって「四つの口」論、「海禁」論などが唱えられた。いまさらだが「括弧書き」は「いわゆる」と読む (※)。「鎖国」は「いわゆる鎖国」と読む。ただ歴史用語は基本的に後世の用語。いちいち括弧書きすると煩雑なので大概は外してある。その中で何となく「いわゆる」性が大きいものの括弧書きを残しているのが実情。江戸期の対外政策は「鎖国」表記でよいが気がするが…。少なくとも、後世の用語だからおかしい、がおかしいこと、をここで確認しておきたい。

History Literacy　「鎖国」は「いわゆる鎖国」と読む。両手の二本指での蟹のジェスチャー (エアクオート) も添えて。

④経済の発展と幕藩体制の動揺　＊前ページ　＊1

・新田開発、農業用具の開発で農業生産力向上

└ 財政を安定させるため幕府、諸藩が奨励　└ 深耕に適した備中鍬、灌漑用具、金肥の利用

・諸産業の発展、手工業の発展

・交通の発達（五街道の整備、海上交通活発化）

└「天下の台所」大坂を中心とした全国の物流活発化、江戸－大坂間は海路が大動脈

・商業、金融の発達

・商品経済と貨幣経済の全国への浸透で幕府の年貢収入減少　＊2

└ 全国で使える統一貨幣（金貨・銀貨）、銅銭寛永通宝の大量鋳造

⑤政治改革

・財政難対処のための三大改革など

・享保の改革（18 c 前半）

8 代将軍吉宗の年貢増収をめざし大規模な新田開発

→農村の困窮化

・田沼意次の政治

商工業に財政基盤、幕政の変更を図る

株仲間を増やし貿易を奨励（重商主義政策）　＊3

→賄賂の横行など政治腐敗、強い抵抗で挫折

・寛政の改革（18c 後半）、天保の改革（19c 中頃）　＊4

└ 老中松平定信　└ 老中水野忠邦

→共に民衆に厳しい倹約を強いて強い反発、幕府の命脈を縮める

⑥化政文化

・江戸時代後期、江戸を中心に武士、町人を担い手とした文化

・社会に対して批判的な傾向の文化

・小説　十返舎一九『東海道中膝栗毛』、曲亭（滝沢）馬琴『南総里見八犬伝』

└ 庶民生活の笑い、滑稽さ　└ 勧善懲悪の歴史小説

・浮世絵 ― のちに印象派にも影響

多色刷りの木版画で色彩表現技術の向上、基本は春画

喜多川歌麿の美人画、東洲斎写楽の役者絵、相撲絵など

風景画で歌川（安藤）広重『東海道五十三次』、葛飾北斎『富嶽三十六景』

・俳諧与謝蕪村、小林一茶や川柳、狂歌の流行

・歌舞伎、落語、相撲の興行など

PROPOS　＊1

最高度に発達した農業社会日本。江戸時代、農地に牛馬糞、人糞を導入して一反あたり二石（二毛作で米に換算）まで土壌の生産力を高めた。食料自給率 100% で外国と貿易する必要がなかった国。約 3000 万の人口のうち 100 万人が首都江戸に居住。この 100 万人の糞尿処理がいまリサイクルの観点から見直されている。湯澤規子『ウンコはどこから来て、どこへ行くのか―人糞地理学ことはじめ』がなかなか面白い。

PROPOS　＊2

天領からの年貢収入に財政基盤をおいてきた徳川幕府。貨幣経済の浸透は危機を招く（西欧の荘園の崩壊過程に似る）。農業の特質として、農業の生産量は少しづつ増えていく。新田開発で作付け面積が増え、農具の改良で生産効率もあがる。しかし問題は、生産（供給）ほどに需要が伸びないこと。人口増加はあったとしても、1 人が食べる量が 2 倍になるわけではない。その結果、貨幣経済が浸透する中で、米を市場に出して換金しようとすれば次第に米価は下落していく。それが幕府の財政を厳しくした。そのためにいろいろな改革がされた。

PROPOS　＊3

日本が最も欲しかったのは中国産の生糸。この生糸で高度な技術を持つ京都の西陣織（着物）が発達。代わりに輸出したのが「俵物」と言われた海産品。いりこ、干しアワビ、フカヒレ―いずれも蝦夷地の産品、この 3 つを俵に入れて輸出。これがチャイナで高級中華（宮廷）料理を発達させた。他方でアイヌ社会が変質を迫られた。

PROPOS　＊4

「ごまの油と百姓は絞れば絞るほど出る物なり」貧しい農民は飢饉に対する抵抗力（余力）を失い、飢饉のたびに激しい一揆がおこるようになる。各改革はそれなりに考えられたものだが、農民に我慢を要求する厳しいもので反発を招き、結果的には徳川幕府の終焉を早めることになった。

画蛇添足

▼私たちは空気を吸うように時代を吸い取り成長する。自分が何からでき上がっているのか、折々に確認する時間を持ちたい（※）。筆者は上方育ちだが日本史の教科書を読んでいて化政文化の影響が強いなあ、と驚いた経験がある。距離の近さより時代的近さの影響が大きい。▼年少の頃、お茶漬け製品のおまけの「富嶽三十六景」「東海道五十三次」カードを集めるのに夢中になり、いつかは五十三次を歩きたいと考えてきた。いつからか落語が好きで暇があれば寄席に立ち寄るようになった。その結果、オチのない話に落ち着かない、面倒な体質になってしまった。この『画蛇添足』もすべての話にオチをつけたかったが、途中で皆さんの腑に落ちればよしと妥協した。▼相撲や歌舞伎にもそわそわする。寄席もそうだが平日昼間の興業。しかも飲食しながらの鑑賞。典型的な当時の旦那衆の娯楽。仕事を休んでこんなところにいてよいのか、の背徳感。劇がはねた後、銀座に繰り出して回らない寿司を楽しむ自分を想像するのも楽しい。▼世界有数の大都市となった江戸。多くの資本が投下されて江戸湾が開発。江戸前寿司が生まれた。職人の仕事を見ながら、刷毛で煮切りがひと塗りされたネタを口に入れる至福を想像する贅沢。美味しいのは大阪のうどんだし。北前船できた北海道の昆布（「昆布の道」）。チャイナまで取引されるものもあれば、ここで四国からの鰹節と出会ってだしになるものもある。これは懐具合を気にせず流し込める。▼この時代、幕府政治の動揺や不安定な社会を背景に、皮肉や風刺も発達。そういうものをやんわり含める文章を書きたい。さて皆さんを形作るものは何か。それを探すつもりで歴史を学んでほしい。

わんクリック　江戸時代に朱子学が官学になったが科挙は取り入れられず、習得しても社会的出世は望めなかった。支配者階級には武士が居座っている。にもかかわらず、この時代、寺子屋、藩校など朱子学を被支配者階級に教える教育施設が全国的に広がり、教育大国日本の礎が作られた。キリスト教や仏教には、信仰の邪魔になるから小賢しい知恵はつけるな、という側面がある。朱子学にも真理の探究よりは聖人になることを目的にする面や、先祖崇拝の礼教としての宗教的側面（儒教）もあった。しかし他方で「学んで厭わず、人を誨えて倦まず」『論語』と勉強を奨励する学問の側面（儒学）も強く持った。

History Literacy　自分の中に何が入っているか意識する（筆者は生徒に対して「○○（例えばローマ）が入っているね」を口癖にした）。

日本思想の展開 ― 中国への対抗ナショナリズム

①日本での儒学の展開　＊1

・仏教より早くから伝来 (5c)、仏教と共存

・朱子学が徳川幕藩体制を支える官学に

└ 藤原惺窩 (16 ~ 17c) が 姜沆 (秀吉の出兵で拉致) から学ぶ、林羅山が幕府に仕える

貝原益軒 (17 ~ 18c)、新井白石 (17 ~ 8c)、雨森芳州 (17~8c) ら

└ 仕官した儒者、『西洋紀聞』　└ 朝鮮との通交実務に

・中江藤樹が晩年、陽明学に傾斜、弟子に熊沢蕃山

└ 内村鑑三が『代表的日本人』で世界に紹介した近江聖人、致良知を実践　＊2

②古学・古辞学 ― 朱子学への批判

a. 山鹿素行 (17c) の朱子学批判

└ その抽象性「理」屈っぽい側面を批判

朱子の注釈によらず直接経典から孔子、孟子の教えを学ぼうとする

└ ただ経典は字数が少なく、論語も注釈 (手引き) がないと意味がとりにくい

b. 伊藤仁斎 (17c) の古義学

└ 生涯権力に近づかず、仕官しなかった市井の学者 (町人)

・私塾『古義堂』で教育に専念、『童子問』

・古義学

直接経典を読んで本来の意味 (古義) を明らかにしようとする

・孔子の根本思想は「仁」　＊3

孔子が説いたのは日常的で具体的なこと (人倫日用の道)

→抽象的な「理」を強調する朱子学の否定

└ ライバルの禅宗を意識しすぎて日常のモラルを抽象的な「理」と勘違いしたと批判

③荻生徂徠 (18c) の古文辞学 ―「日本化した異端の儒教」(大澤真幸)

└ いわゆる異端はこのように発生

・訓読でなく白文 (しかも当時の中国の発音) で読むべきと主張

・「道」は古代の聖人たちが定めた人為的なもの

└「安天下の道」(先王が定めた天下を安んじる道)

・儒学の目的は個人の修養でなく経世済民にある

└ 政治を道徳から自立させる (日本のマキャベリ) └ 世を治めて民を救う、「経済」の語源

PROPOS　＊1

受験に関係ない科目は手抜きの対象になる。朱子学は幕府の官学となったが科挙は実施されなかった。朱子学 (儒教) は為政者を育成する教えだが江戸時代の支配者層は世襲の武士。朱子学を学んでも仕方がない。朱子学は体制の学問というよりは漢語が読める医者 (漢方医)、寺小屋教師など町儒者を中心に民間で広がり、反朱子学といえる自由な学問 (古学、古文辞学) が展開された。これが開国後に西洋の学問を短期間で咀嚼できる人材を作ることになった。

PROPOS　＊2

日常の行為で美しい心に到ろうとした。和やかな顔つきで、思いやりのある言葉で話しかけ、澄んだ目で物事を見つめ、耳を傾けて人の話を聴き、真心をもって相手を思う。何より正直であること。この知行合一が大切と説く。「三方よし」の近江商人。

PROPOS　＊3

『論語』『孟子』に抽象的な「理」など書かれていない。孔子の根本思想は、人と人の間に働く道徳「仁」、と指摘した。理で他者を判断する朱子学を「残忍酷薄」と批判。身近で具体的な道徳だった孔子の仁の教えが、禅宗を意識、その影響で深遠な理として理解されたのは間違い、と日本の町人が指摘した。西欧で、素朴なイエスの愛の教えがギリシア哲学を意識、その影響で高尚な神学に変質したこと、に似ている。

PROPOS　＊次ページ

荻生徂徠の古文辞学の延長線上に本居宣長の国学が誕生。そこで明治以降の国民国家成立の前提となる国民意識が形成されたとみるのが丸山真男 (『日本政治思想史研究』)。日本が明治以降、世界五大国に数えられるまでに台頭した要因の一つは江戸思想。ただ成功した近代国民国家日本のはずだったのに、なぜあのような無謀な戦争に突入したのか。そこにも国学思想が影響している。それらを理解するためにも国学思想の展開を知っておく必要がある。

画蛇添足

▼論理的に物事を考えるのは大切だが人間は必ずしも論理的に行動しない。「人間は理では割り切れない」。抽象論から生じる朱子学の教条主義を批判。儒教はもっと柔軟としたのが古学。朱子学は精緻な体系なので批判が難しい。またそこには落とし穴がある。▼朱子学を批判するのに、この部分は「理屈が通っていない」と批判するのは批判にならない。「理」ですべてが理解できると考えるのが朱子学。このように批判すると朱子学の掌にのってしまう。古学は直接経典にあたって朱子の注釈が根拠のないものであると示そうとした。▼伊藤仁斎(古義学)は孔子は人間を善悪の観念では断罪しなかったと、性善説に基づき「誰でも聖人になれる」とする朱子学の理解を批判した。朱子の発想は聖人になれない人を「努力が足りない」と叱責するものにもなる。孔子の「仁」はもっと寛容な愛であってそんな冷たいものではないとした(※)。朱子が退けた日常卑俗の中にこそ人間の真実がある、とした。▼経典を当時の言葉(古文辞)で理解すべきとした荻生徂徠(古文辞学)。徂徠は古典を知るためには当時の言葉を知ってから文献学的研究にあたるべきとした。実際に言葉を学び、その中で経書成立当時の意味を復元しようとした。その方法論としての古文辞学を確立した。これもまた朱子学のイデオロギー性の批判にもなった。▼徂徠は「道」は歴史的制作物との認識に到達した。古の聖人が試行錯誤して、やっと作り出したのが「道」というフィクション(虚構)。だからこそ大切にしなくてはいけない、は近代的な考え方の芽生え。日本人が明治初期に、西欧のフィクショナルな政治的・社会的諸制度を取り入れるときの思想的基盤となった。

わんクリック　国学は日本から仏教、儒学の影響を引き算しようとするもの。特に体制学問である儒学を厳しく批判したが、古典研究の方法論の面で古学、特に古文辞学と共通するものがあった。荻生徂徠は、儒学の理解に朱子のような後世の解釈はいらない、として直接経典にあたろうとした。そして日本化した儒教を作った。本居宣長は儒教そのものを漢意として拒絶したが、日本の理解に後世に加わったものを引き算しようとして『古事記』に直接あたった。その点で共通する。また、自然の情念を重視する点で、古学の反朱子学 (反理性) 性と、「もののあはれ」をとりあげる国学には通じるものがあった。

History Literacy　特に問題はなく、よいことを言っているように聞こえる言葉にもイデオロギー性 (抑圧性) がある。

④国学の誕生

a. 国学の成立　＊前ページ ＊1

外来思想（仏教、儒教）受容以前の日本固有の文化の探究

古学（儒教）流行が刺激

b. 契沖が『万葉集』の注釈『万葉代匠記』　＊2

c. 本居宣長 — 日本のナショナリズムの源流

└ 松坂（三重）で活動

- 実証学者として国学を大成
  - └ 解釈の相互批判（師匠を尊敬し学説は批判）、研究業績の公刊
- 『源氏物語』、『古事記』の研究　＊3
  - └ 外来思想（仏教、儒教）に毒されていない思想を『古事記』に求めた

『源氏物語玉小櫛』で源氏物語の主題を「もののあはれ」とみる

本来の真心は他者との関係の中で生まれる感情「もののあはれ」

『古事記伝』、随筆『玉勝間』

└ 35年かけて『古事記』を解読

d. 平田篤胤

- 仏教、儒教を排斥して古代の神の道を説く（復古神道）
  →幕末の志士の討幕運動（尊皇攘夷論）に影響
- 排他的主張が軍国主義、「大東亜戦争」（アジア・太平洋戦争）につながる

e. 国学の影響

- 日本のナショナリズムの源流
- 明治維新の原動力、近代国家発展を支える合理主義的思考の基盤
  - └ 宣長は合理主義者であるが国粋主義者でない
- 明治になると国学の影響で神仏分離
  従来の「神仏習合（本地垂迹説）」から仏教の要素を分離
  - └ 神の子孫天皇が仏教を信奉していることに整合性をつけてきた
- 昭和前期に軍国主義のイデオロギーとして利用される
  国体明徴運動（1930 ~ 40年代）
  - └ 天皇機関説を否定するため

  日本独自の「国がら」を「国体」として把握し、称揚する運動

  「大和魂」「日本精神」など

PROPOS　＊1

日本は支配者階級の武士の人口比が多く、次第に武士の存在が社会発展の重しになっていく。享保の改革の後で「武士はいらない」という考え方が「武士のいない時代」の研究を促し、国学という尊王思想を生み出した（化政文化）。そしてこれらがのちの討幕運動の思想的根拠となった。

PROPOS　＊2

「この集（万葉集）を見るには、古の人の心に成りて、今の心を忘れて見るべし」と契沖は「古」と「今」の距離を踏まえた方法的自覚が必要と指摘（『万葉代匠記』）。

PROPOS　＊3

当時『古事記』は忘れ去られた書物。難解な『古事記』を読める人はいなかった。少し後の『日本書紀』は漢文（漢文法）で書かれているが、『古事記』は日本文法で書かれたものが漢字を使って記されている（漢字は表音文字として仮借されたり、表意文字としても使われていた）。この解読に本居宣長は35年もかけた。卑近な例でその難しさを説明したい。次の例文は、日本語が母語でない人にとって読むのがとても難しい。「十一月の三日は祝日で、ちょうど日曜日です」（高島俊夫『漢字と日本人』）。この文章を読むのがなぜ難しいか、説明できるだろうか。これが『古事記』を読む難しさ。

PROPOS　＊4

国学者の著作が援用され、国家主義のイデオロギーとみなされた。「もののあはれ」が「潔く散る」美学に結び付けられてしまった。漢心でない大和心とは何かに宣長は「敷島の大和心を人問はば朝日ににほふ山桜花」とうたった。「日本人である私の心とは朝日に照り輝く山桜の花の美しさを知るその麗しさに感動する心です。」たとえばそれが特攻隊の「敷島」隊、「大和」隊、「朝日」隊、「山桜」隊と使われてしまった。

PROPOS＊3の答え 「日」の読み方が「か、じつ、にち、び」と4つとも違うから

画蛇添足

▼いったん物が混ざると分けるのは困難。コーヒーに砂糖のつもりで塩を入れてしまったら取り返しがつかない。日本文化から仏教と儒教の影響を引いたとき何が残るか。外来思想に毒されていない思想を『万葉集』に求めたのが契沖、『古事記』に求めたのが本居宣長。▼千年間読めなかった文章を読解していく『古事記伝』はエキサイティング。実証主義的学問のお手本。宣長は国学の大成を通じて学問を成立させた。また『古今和歌集』の優雅な気風「たをやめぶり（手弱女振り）」、『源氏物語』のしみじみとした情感「もののあはれ」に日本の古来の心のありかたがあると論じた。▼生涯にわたり和歌を詠んだ。歌こそは心に思う事を表現するもので、和歌が連綿として取り上げてきた主題は恋であって、善や誠でないと指摘した。宣長の仕事はおおそ軍国主義とはほど遠いアカデミックなもの。ただ仏教、儒教を漢心として排した排外的側面が、ずっとのちの時代、昭和の時局に利用された。国学が排外主義に利用された。▼仏教や儒教が「あるべき」論で心を抑圧する教えであることは論を俟たない。むしろその抑圧的側面に社会を安定させる機能を見て導入されたともいえる。古典が何を主題としていたかを探ることは学問。それによってその作品が書かれた時点―特定の時代、限定された場所に見られる人々の心性に迫ることができる。▼ただそれを「日本人の原点」と位置づけるとおかしくなる。日本は様々な外来文化を受け入れて独自の文化を形成。独自とは純粋ではなく様々な文化の混ざり具合が他にないということ（※）。文化の引き算ができるかのように特定の時点の要素だけを「大和心」と称揚して理想化するのはイデオロギー。

わんクリック　学校の教室で『源氏物語』が読めるようになったのは本居宣長がこれを「もののあはれ」を主題にした物語と読み直したから。ご存じのように危ない匂いのする恋の話ばかりで、それまでは密かに読むものだった。人を好きになった時に味わう喜怒哀楽すべての感情―不安、喜び、悲しみ、切なさ、儚さのすべてが「もののあはれ」。恋だけでなく事物に触れた時のしみじみとした感慨や情緒。「もののあはれ」を知ってはじめて他者をより深く受け止められる。恋を執着として否定する仏教、存在しないかのように触れない儒教の姿勢を人情に反する偽りこころ、賢しらぶっていると批判した。

History Literacy　文化の独自性とは純粋さではなく、様々な文化の混ざり具合のユニークさ（他の例のなさ）。

第 11 章　中世から近世へ

1　ルネサンス

新しい文化創造 － ルネサンス

①ルネサンスとは

- 14 ~ 16 世紀の文化運動 ―「ルネサンス」
  歴史家ブルクハルト (19c) が広げた概念、「再生」の意のフランス語
  イタリアで始まる　中心地フィレンツェ
- ヒューマニズム (人文主義)　＊1
  ルネサンスの根本精神
  「古典」古代文化の研究を通じた人間らしい生き方の追求
  └ ギリシア・ローマ文明を模範としてみる価値観
  現世 (生活) の肯定、人間の理性・感情の肯定、教会の権威への批判
  └ 古代ギリシアは人間賛歌、キリスト教のような人間は罪を背負うとの人間観をとらない

②なぜイタリアからはじまったのか

- 東方貿易による諸都市の経済的繁栄
- 十字軍、東方貿易による古典古代文化流入

③イタリア・ルネサンスの特徴

- メディチ家の保護のもとで繁栄　＊2
  ビザンツ帝国滅亡 (1453) による学者のイタリア流入
- 古代ローマの遺産の故地
  └『ラオコーン』の出土 (1506) など発掘ラッシュ
- 貴族的性格を帯び、既存の政治・社会を変化する力とならず

イタリアのルネサンス

①イタリア

- ダンテの『神曲』(14c)
  └ トマス・アクィナスの生きた時代からまだ半世紀
  俗語のトスカナ語で著した叙事詩　＊3
  └ ラテン語以外の言葉、中世では書き言葉はラテン語、話し言葉は各土地の日常語 (俗語)

PROPOS　＊1

ヒューマニズム―現代では「人道主義」と訳されるが、ここでは「人間主義」「人文主義」と訳す。概念は前の概念のアンチ (対抗概念) として登場する (※)。「神」中心の中世に対して、「人間」中心を強調した概念。天文 (天のあや) に対する人文。同時にこのように前代との差を際立たせるために作られた概念が「中世」。「神中心の中世」は作られた概念。20c になると、個人よりも国家 (全体) が優先される全体主義が台頭。対抗概念としてヒューマニズムは「人道主義」と訳されるようになった。

PROPOS　＊2

どの時代にも富豪がパトロン (保護者) として芸術家を経済的に支援。いまその活動主体は企業でメセナ活動とされる。メセナはローマ初代皇帝アウグストゥスの助言者に由来 (ガイウス・マエケナス)。アラブ首長国連邦のアブダビに開館したルーブル美術館別館が話題。いまはアラブ、中国の大富豪がパトロン。芸術作品を買い漁る。富豪にとっては資産を小さくて保管が容易な芸術作品に変える意味もある。価格は高騰を続けており利回りのよい投資対象。

PROPOS　＊3

俗語、つまり普段の話し言葉、街角の言葉でホメロスに匹敵する叙事詩を書き上げたダンテ。古代ローマの詩人ヴェルギリウスと初恋の女性ベアトリーチェに導かれて天国、煉獄、地獄をめぐる話。舞台設定は中世キリスト教世界。街で見初めて会釈しただけのベアトリーチェの存在がダンテの詩想の源泉。24 歳で夭逝(ようせい)したベアトリーチェを詩の中にとどめようとした。ラテン語では生きた思いは伝えられないから俗語を使った (神の言葉ラテン語を使わなかった)。そのトスカナ方言が現イタリア語に発展。イタリア語は愛を語る言葉。I love you. I miss you. の音がイタリア語だと Ti amo, mi manchi. (ティアーモ、ミマンキ) と感情の乗せやすい音になる (と思われている)。実際、オペラはイタリア語の独壇場。

画蛇添足

▼ルネサンスの幕を開けた絵画と言及されるボッティチェリの『春』『ヴィーナスの誕生』。中央に異教の神々―ギリシア女神ヴィーナスが裸体で置かれたのが画期的。ただ構図は平面、正面的で遠近法は使われていない。▼遠くのものを小さく、近くのものを大きく描く遠近法。それは人間を起点に物事を秩序づけること。ルネサンス期に人間の視点で描く遠近法が誕生。中世絵画ではすべてが平板に描かれた。神から見ればすべてのものは等距離。神の視点から描くと平板になる。もっとも我々は物事を目でなく脳で見る。我々の眼に平板に映るものを、中世人の脳がどのように処理したかは分からない。▼西洋起源の近代歴史学はギリシア・ローマを連続性のある時代とまとめてとらえ、これを模範となるべき古典古代文明とした。このルネサンス期の価値観は同時に中世を前近代と否定的な対象に追いやった。何をお手本、古典(クラシック)とみなすかはイデオロギー。▼ルネサンス（再生）という概念は19世紀、フランスの歴史家ミシュレが造語、仏語圏の歴史家ブルクハルトが広げた。イタリアの出来事がフランス語で表現されている。当時の人にこの意識はない。8、12世紀にも古典古代文明復興の動き（「カロリングルネサンス」「12世紀ルネサンス」）があり、ことさらルネサンスと強調する意味は失われつつある。▼ルネサンスを近代の序章ではなく、中世の終章に置く教科書もある。「神・来世」中心の中世に対して、「人間・現世」の近代という二項対立的な理解は「近代」という名のヨーロッパが生み出した文化。いまはルネサンスを過渡期的現象としてとらえるのが一般的。実際、冒頭で取り上げた『春』『ヴィーナスの誕生』にはその両要素が共存している。

わんクリック　イタリアでは高校 1 年、2 年、3 年で地獄篇、煉獄(れんごく)篇、天国篇とダンテを学ぶという。19 世紀に国民文学となった。トスカーナ語が『神曲』に使われ、イタリア各地で読まれたからトスカーナ語がイタリア語となりこの段階でほぼ完成した。イタリア語の初級文法修了者なら読めるという。自筆原稿がなく写本だけで異同が多い。筆者は平川祐弘(すけひろ)の口語訳兼講義『ダンテ「神曲」講義』(決定版著作集) の導きで読んだ。人間は怖いものが見たい。断然、地獄篇が面白い。ただ地獄でのムハンマドの描写がヤバすぎる。正確に言えば地獄の描写がすごいのだが、誤読されるとただでは済まない描写。

History Literacy　概念は前の概念のアンチ (対抗概念) として登場することが多い。前の概念と対にして理解する。

・ペトラルカ『叙情詩集(カンツォニエーレ)』

└トスカナ語での詩作、アヴィニョン捕囚時のアヴィニョンで活動

・ジョット『聖フランチェスコの生涯』『聖母子像』

└サン・フランチェスコ大聖堂(アッシジ)とのスクロヴェーニ礼拝堂(パドヴァ)

・ボッカチオの『デカメロン』

└ペスト流行下での設定

古い権威の否定、人間・現世の肯定 — 近代小説の祖

・ブルネレスキがサンタマリア大聖堂ドームを設計

└建築学上の画期的な飛躍(屋上に登れる、どうやって？)

・ボッティチェリが『春』『ヴィーナスの誕生』

└カトリックが禁止する裸体美(これはギリシア女神と弁解)

②三大巨匠

・レオナルド・ダ・ヴィンチ

万能の天才、代表作『モナリザ』『最後の晩餐』 ＊1 ＊2

・ミケランジェロ

彫刻『ピエタ像』『ダヴィデ像』 ＊3

└一本の足に体重を乗せてヒップと肩を別方向によじるポーズ(コントラポスト)が特徴

システィナ礼拝堂の『天地創造』『最後の審判』

└聖書の最初と最後の場面、「神ならこう描いてほしいだろう」と想像して創造

・ラファエロ

聖母子像を多く残す、『アテナイの学堂』

└古典古代の著名人が総結集、プラトンとアリストテレス

③イタリアルネサンスの衰退

・イタリアの政治的危機

イタリア戦争(1494～1544)

フランス王シャルル8世、神聖ローマ皇帝が侵入し、イタリア争奪

・マキャベリ『君主論』(1532)

└フィレンツェの外交官、教皇の息子チェーザレ＝ボルジアの行状に影響

政治における権謀術数(けんぼうじゅつすう)(マキャヴェリズム)の必要を説く

└(イタリア統一の)目的のために手段を選ばない

政治を宗教、倫理より切り離す→近代政治学の祖

└政治は美しい行為でありえず、この分離が不可欠

PROPOS ＊1

世界中で最も多くのコピーが出回る作品がダ・ヴィンチ『モナリザ』。フランソワ1世に招かれて晩年をフランスで過ごす。この時に持参した『モナリザ』はルーブル美術館(仏)の至宝。コピーされるほどにオリジナルの価値が高まる存在(※)。モナリザで特筆すべきは輪郭線が描かれていないことか。自然に輪郭線はない。絵画制作ではまず輪郭を描いてから着色する。

PROPOS ＊2

芸術家の想像力を刺激した主題が『受胎告知』『最後の晩餐』など。ルネサンス期に様々な画家により描かれた。同じ主題の作品を見比べて、自分の好みとその理由を考えてみる。それが自分の鑑賞眼を深めるよい方法。『最後の晩餐』は「あなたがたのうち一人が私を裏切ることになる」とイエスが述べた瞬間に弟子たちに走った衝撃、これをどう描いたかに着目して見比べたい。『受胎告知』は、神の子を宿したと天使に告げられたマリアの驚きをどう描いたかに着目して見比べたい。両方とも圧倒的に支持を集めてきたのがダ・ヴィンチ。

PROPOS ＊3

ローマにあるミケランジェロの『ピエタ像』は24歳の時の作品。サンピエトロ大聖堂に入ったらまずこれを見よう。水俣病のアイコンとなったユージン・スミスの写真「入浴する智子と母」が二重写しになる。現代まで射程を持つ作品。非の打ちどころもない完璧な作品に見えるが彼は満足できなかった。2番目の作品がフィレンツェに、最晩年80歳で死の直前までノミをふるった未完の「ロンダニーニのピエタ」がミラノにある。ミケランジェロファンはこの3か所を聖地のごとく巡礼する。『ダヴィデ像』はその大きさが重要。5m近い大きさが作り出す迫力に圧倒される(図表で絵画などは必ずサイズを確認すること)。ところで彼は絵画を評価していなかったが、しぶしぶ取り掛かった『天地創造』に全力で取り組んだ後、自分の考え方を改めたという。

画蛇添足

▼仏師の運慶は、木の中に埋まる仁王を掘り出しているだけ、と聞いたある男が自分でも木を彫り始めたが何度やっても仁王は出てこない。夏目漱石『夢十夜』で語られる話。「石の中に人が閉じこめられている」「早くだしてやらないと窒息して死んでしまう」—ミケランジェロの言葉は運慶に通じている。▼ミケランジェロにとり芸術の本質は余分なものをそぎ落としていくことにあり、彫刻こそが芸術だった。ライバル、ダ・ヴィンチにとって彫刻は粉塵(ふんじん)にまみれる肉体労働。彼にとり芸術は、もうこれ以上何も付け加えるものがない時点まで、キャンバスに新しい要素を重ねていくこと。絵画が芸術。それゆえ寡作(かさく)だった。▼妬(ねた)まれてシスティナ礼拝堂の壁画を描く羽目になったミケランジェロ。ダンテ『神曲』から創作の霊感を得た『最後の審判』は「描かれた神曲」とも呼ばれ、立体的な人物造型が印象的。神がまさに裁きの右手を振り下ろした瞬間が描かれる。自分がどれだけ一所懸命に生きたかが神に裁かれる瞬間。片側は上昇、片側は下降。▼自らが下降し始めたことに気づいて青ざめる人びとの迫真的描写。間際になって救いを求める人びとを押さえつける天使たち。合格発表が張り出されて番号がないと気づいた瞬間のようなもの。この瞬間を音楽にしたのが『レクイエム』の「怒りの日」。特にヴェルディのそれは人間の無力さを思い知らされる恐ろしさ。▼古代ローマ市の中心がカンピドリオ広場(キャピタルの語源)。ミケランジェロが設計。広場の中央にアウレリウス・アントニヌス帝の青銅の騎馬像。その馬の両耳の間に一羽の青銅の小鳥が止まっている。「この小鳥が鳴くとき最後の審判がはじまる」という言い伝えがある。

わんクリック 世界文学にはペスト(感染症)文学とでもいうべき系譜がある。その先駆がデカメロン『ボッカチオ』。どうせ先は長くないのだから本音で…と人間の感情がありのままに描かれる。河出文庫からの新訳『デカメロン』—普通に読んで面白い。ペスト禍でなければ書かれず、コロナ禍でなければ読まれなかった700年前の話。コロナ禍でもう一つ読まれたのがカミュ『ペスト』。不条理を追求してきたカミュの小説世界。「ペストと闘う唯一の方法は誠実さだ」。さらに実際のペストのルポルタージュとしてデフォー『ペストの記憶』。こちらは1665年のロンドンでのペスト大流行の記録文学。

History Literacy コピーされるほどにオリジナルの価値が高まる—対立にみえて補完しあっているものがある。

④イタリア・ルネサンスの終焉

・フィレンツェの政治的混乱で中心地がローマへ移行

└ サヴォナローラの神権政治 (1494 ~ 98)

・ダ・ヴィンチの死 (1519)、ラファエロの死 (1520)

ルネサンスの舞台はアルプス以北へ

西ヨーロッパ諸国のルネサンス

①フランドル地方

・毛織物工業で繁栄

・ファン・アイク兄弟の油絵画法 ＊1

└ これまではテンペラ画法のため早描き、保存難 (例 ダ・ヴィンチ『最後の晩餐』)

ヤン・ファン・エイク『アルノルフィニ夫妻の肖像』

└ 油絵が可能にした超絶技巧 (わざと宝石を置いてその細部描写を見せびらかしている)

・ブルューゲルが農民の生活描く

└ これまで絵画の対象にならなかった

『農民の踊り』『農民の婚礼』『バベルの塔』など

└ いずれもウィーン美術史美術館の門外不出の作品、ブリュッセル王立美術館にも所蔵

・エラスムス『痴愚神礼賛』 ＊2

└ 16 世紀最大のヒューマニスト (ホルバインの肖像画)

②フランス

・イタリア戦争によるルネサンスの導入

└ 美術品の略奪、買い入れ、芸術家の招聘

・フランソワ 1 世が保護 (王室ルネサンス)

・ラヴレー

└ 最期の言葉「喜劇は終わった。幕を引け。」

『ガルガンチュアとパンタグリュエルの物語』 ＊3

└ パニュルジュの羊 (何も考えずに追従する人びと)

・モンテーニュ『エセー』(1580) ＊4

└ ボルドー市長、ユグノー戦争時

モラリスト、「我、何をか知る？」(クセジュ、Que sais-je?)

└ 人間の行動、社会の慣習などを観察し、鋭く短い断想や箴言の形で言葉にする人

PROPOS ＊1

絵を物質的に分解すると、絵画＝顔料＋(接着剤)＋支持体。テンペラ画は「板＋卵＋顔料」、フレスコ画は「壁＋漆喰＋顔料」、卵も漆喰も乾く前に顔料を定着させる必要から早描きが必要。凝った絵は描けない。乾きが遅い油絵画法の発明で精密な表現、半透明の油を重ねた奥行き表現が可能になった。鑑賞者が主題に没頭できるように筆跡 (作者の痕跡) を消す表面加工も。絵画が建物 (壁画) から独立。タブローとして持ち運び可能な単独の芸術作品となる。

PROPOS ＊2

「エラスムスが生んだ (宗教改革という) 毒蛇の卵をルターがかえした」に「違った鳥になると期待していたのに…」と返したエラスムス。両者の性格のあまりの相違がもたらした悲劇に関して、ツヴァイク『エラスムスの勝利と悲劇』が興味深い。

PROPOS ＊3

巨人 (時々縮む) 父子の荒唐無稽な冒険物語『ガルガンチュアとパンタグリュエル物語』。ノートルダム聖堂の上からガルガンチュアのおしっこで大洪水が起こる。ここで理想郷として描かれるのがテレームの僧院。ここでは貞潔・清貧・服従のベネディクト戒律の厳守は不要。禁欲ではなく欲望の肯定。守らなくてはならない唯一の規則が「欲することを行え」。「禁止することを禁止する」のパリ学園紛争 (1968) に影響。

PROPOS ＊4

パニュルジュの羊。多くの羊を船の甲板に積み込んだ商人がパニュルジュを侮辱。彼は商人に復讐するため、商人からリーダー格の羊を 1 頭購入。すぐにその羊を海の中に放り込んだ。リーダーに従う習性のある羊。これを見てぞろぞろと海へと飛び込みはじめ、1 匹残らず溺れてしまう。止めようと最後の羊の尻尾を掴んだ商人までそのまま海中へと没して復讐は終わる。「あいつはパニュルジュの羊 (付和雷同する人)」と言われないようにしたいもの。

画蛇添足

▼文学のジャンルの一つにエッセイがある。これはミッシェル・ド・モンテーニュの『エセー』(16世紀) に由来。モンテーニュは38歳でボルドー市長を辞し、自宅の「モンテーニュの塔」と称された三階建ての書斎で膨大なエセーを書き残した。▼当時のまま残る書斎の梁に様々な格言が刻まれている。例えば、「私は人間である。およそ人間に関わることで私に無縁なことは一つもない。」(ローマ期の詩人テレティウス) はヒューマニズムの精神そのもの。驚くのはこれらの格言は聖書からではなく古典古代の書籍からの引用であること。▼彼はここで先人の思索に対し自分が考えたことを試した。「試してみる」がエセーの語源。しかしその試練は先人の深い洞察の前にはね返され、「我、何をか知る」、つまり「わたしは何を知っているだろうか？」との自戒が繰り返されることになる。▼日本ではエッセイは随筆という身辺雑記を中心とした趣深いジャンルを作っていて人気があるが、エセーはジャンルではなく態度。物事に「一貫性」を見ない、一貫性に重きをおかない態度。そのような態度で人間存在の本質を探ろうする人びとはモラリストと呼ばれるようになる。▼日本では『フランス・ルネサンスの人々』で知られる渡邉一夫。戦後の日本に影響を与えたモラリスト。戦争に迎合せずにすんだ稀有な存在。作家の大江健三郎は、四国の田舎で高校時代にこれを読んで、渡邉の下で学ぶことにしたと述懐する。▼人間は首尾一貫などしておらず、たっぷりと矛盾を含んだ不条理で愚かな存在。論理的から遠い存在。そういう人間を観察するための技法がエッセイ。そうして切り取られた断片のモンタージュが等身大の人間を浮かび上がらせる。

わんクリック 「私は何を知るか」―常に自分を懐疑して自分の考えを絶対視しないこと (※)。その姿勢が他者への寛容につながる。寛容とは相手を理解したり好きになることではない。異なる考え方を持つ存在へ敬意を持つこと。人間観察で定評があるサマセット・モームのエッセー『サミング・アップ』。自分に甘く、他人に厳しい自分の身勝手さ (愚かさ) を指摘。だから他者に寛容であれとする。本書には、高校生の皆さんに知っておいてほしい、と思うことを載せた。是非はともかく「私は私の意見を述べる。それがよい意見だからではなく、私自身の意見だから」(『エセー』)。寛容に受け止めてほしい。

History Literacy 「私は何を知るか」―疑問文ではなく懐疑文。この姿勢で虚心に過去に向き合う。

③イギリス

・チョーサー (14c)『カンタベリ物語』 ＊1

└ イタリア旅行でボッカチオと親交　└ ボッカチオ『デカメロン』のイギリス版

イギリス国民文学の祖、英語の発達

・トマス・モア『ユートピア』 ＊2

└ 大法官、カトリック教徒　└ アメリゴの航海で発見との設定

ヘンリー８世の首長令に反対してロンドン塔に幽閉、殉教

・シェイクスピア

四大悲劇『ハムレット』『ヴェニスの商人』『オセロ』『リア王』

④スペイン

・セルバンテス『ドン・キホーテ』 ＊3

└ レパントの海戦 (1571) で負傷　└ ハムレットと対照的な人間類型

・エル・グレコ

└ どの時代の美の価値観 (様式) にもあわず 20 世紀まで評価が遅れた

⑤ドイツ

・宗教改革と密接に関係、宗教的・学問的色彩

・ホルバイン『ヘンリー８世』『エラスムス』

└『ヘンリー８世』で「悪」、『エラスムス』で思慮の人の横顔、を描き切る

・デューラー『四使徒』― 自画像の誕生 ＊4

・ロイヒリンがヘブライ語原典から聖書を研究

└ ローマ教会が使っていた聖書はラテン語訳 (イエスの言葉からは重訳)

近代につながる科学・技術の発達

①「ルネサンス三大発明」

└ これはフランシス・ベーコン (16 ~ 17c) の見立て、実際はチャイナでの発明の改良

・火砲　戦術の変化をもたらし諸侯・騎士の没落

└ 激しく燃焼する黒色火薬の原料混合比を変えて爆発力をつくる

・羅針盤　ヨーロッパ人の外洋航海を可能に

・活版印刷術　『42 行聖書』は宗教改革を準備

└ ヨーロッパにはよい紙の材料 (コウゾ、ミツマタ) がなく紙の普及が遅れる

1450 年、グーテンベルクが活版印刷術

└ 彼はそれまで贖宥状 (免罪符) を印刷。道具は使い方の問題

PROPOS ＊1
とにもかくにも「総序歌」の冒頭を読もう。翻訳ですらうっとりとする美しさ。

PROPOS ＊2
いまはディストピア小説が読まれる時代。トマス・モアが作った概念ユートピア (理想郷) と反対の社会。モアが描くユートピア。人間が人間として尊重され、信仰により差別されない場所。「どこにもない」がユートピアの字義だが「どこかにある」という心性を生み出した (※)。以来、人びとは幸福を求めて彷徨い、意外な所で幸福を目撃。ゲーテは「時よ止まれ、お前は美しい」と「いま」に幸福を見いだした (『ファウスト』)。メーテルリンクは兄妹のチルチルとミチルに幸福の象徴、青い鳥を探しに行かせて、最も手近な鳥籠の中にあると気づかせた (『青い鳥』)。これまで理念先行でいくつもユートピア建設が試みられたがほとんどがディストピアに終わった。過去に現在のお手本になる時代はない。

PROPOS ＊3
誰もが知っているが殆ど誰も読んでいない作品、が古典の裏定義。その代表が『ドン・キホーテ』。直情径行、猪突猛進という性格を私たちはドン・キホーテにみる。実際は複雑な人物として造形されている。「実を言えばわしが精魂かたむけて達成したものがなんであるか、わしは知らない」が掉尾を飾る言葉。セルバンテスはレパントの海戦で右手を負傷。出世の道を閉ざされ本書を執筆。まずはバレエ作品でどうぞ。

PROPOS ＊4
デューラーのいたニュルンベルクは新教側につく。その結果、最大の絵画の買い手 (教会) を失う。代表作『四使徒』は教会からの制作依頼ではなく自ら制作した異例の作品。ルターの改革へのオマージュ。「ここに４人のルター、すなわち聖書の人、思想家、指導者、そして闘士という４人のルターをみる」とある批評家。彼は初めて自画像を描いた。その白眉は美しい手。

画蛇添足

▼世界史でとりあげられるためには後世に大きな影響を与えたことが必要条件。シェイクスピア (16世紀) はその筆頭格。彼が英語で作品を書いたので私たちになじみがあることもそれに与っている。▼インド、グプタ期 (5世紀) のカーリダーサの『シャクンタラー』。傑作の誉れ高いが馴染みのないサンスクリット語で書かれた。そのためカーリダーサは「インドのシェイクスピア」という時系列の入れ替わった評価になった。シェイクスピアが「イギリスのカーリダーサ」のはず。とはいえシェイクスピア作品に散りばめられた人間洞察の深さ。人生を舞台の上で再現するのが演劇。それを反転させた「この世は舞台。私たちは役者」(『お気に召すまま』) の名台詞。大人と子どもの役割分担が私たちの社会の基本。子どもの頃は「大人はすごい」と思っていたが、大人になってみると「大人って思っていたほど大人でない」と気づく。早く気づいた子どもは反抗期に入り、それをうまく乗り越えると、今度は大人を演じるようになる。▼『ロミオとジュリエット』―この薄幸の恋人たちの物語は数多くの傑作に数えられるスピンオフ作品を生み出した。同名の映画でのニノ・ロータのテーマ曲を知らない人はいないだろう。美しくて悲しい調べ。グノーの同名のオペラでは「私は夢に生きたい」―まだ恋に恋する段階の喜びがはじけるアリア。▼プロコフィエフの同名のバレエ。「モンタギュー家とキャピュレット家」のシーンが圧巻。不協和音の使い方の最高傑作でもある。ミュージカル『ウェストサイド物語』は現代アメリカ版のロミオとジュリエット。「トゥナイト」など名曲が目白押し。スピンオフ作品の多さも古典と呼ばれるための必要条件。

わんクリック　話し言葉がばらばら (方言) だと困るのは軍隊。そこで話し言葉の標準化が図られた。書き言葉がばらばらで困るのは出版。市場が分断されてコスパが悪い。書き言葉の標準化は必須だった。出版が採算ラインに乗るためにはある程度の市場 (同じ文字言語を作っている市場) が必要。ルターのドイツ語訳『新約聖書』、イギリスの『欽定聖書』の作成などを通じて「標準書き言葉」が作られていく。そしてある程度の規模の話者人口ごとに国民国家ができていった。出版資本主義が国民国家成立に果たした役割を指摘する現代の古典、必読書がベネディクト・アンダーソン『想像の共同体』。

History Literacy　人びとの心性 (メンタリティ) 理解が時代を知る鍵―まずいまの私たちの心性を確認しておきたい。

第 12 章　古代アメリカ文明

新大陸文明（「メソアメリカ文明」「アンデス文明」）の特徴　＊1

- 1万2千年前までユーラシア大陸と陸続き（ベーリング地峡）　＊2
  新人がアジア経由で新大陸にも移動して生活
- 地球温暖化で旧大陸から切り離される（ベーリング海峡）　＊3
  →旧大陸からは完全に独立した独自の文化
  └ 南北に長い地形、多様な気候帯で多様な文化
- 旧大陸文明との違い ―「石器の都市文明」（青山和夫）
  トウモロコシ、ジャガイモ栽培がベース（米、麦は栽培されず）
  └ 標高 3000m 以下のみ　└ 標高 3000m 以上でも栽培可
  石器文明　存在しない鉄器（金・銀・銅は潤沢に存在）
  人力の文明　存在しない馬などの大型獣（リャマ・アルパカを利用 ― 搾乳はせず）
  知られていたが使われなかった車輪
  文字文明・非文字文明
  メソアメリカ文明は文字文明だが、アンデス文明は非文字文明
  └ 最古は前9世紀、マヤ文字が最も洗練

メソアメリカ文明 ― 現在のメキシコと中央アメリカ　＊4

①オルメカ文明（前 1200 ~ 前 400）
- メキシコ南部の湾岸部（メキシコ高原でない）
- ピラミッドや神殿残る、王を神格化した神権政治
- 文字使用
- ジャガーを神聖視した信仰
  └ メソアメリカで生息する最も獰猛な動物（ネコ科）
- 巨石人頭像（高さ 3m 以上、50t 超）、ベビーフェイスの土偶の出土

②テオティワカン文明（前 2c ~ 6c）　＊5
- 壮大な宗教都市テオティワカン（計画都市、現メキシコ市近郊）
- 三大ピラミッド「太陽のピラミッド」「月のピラミッド」など

③トルテカ文明（900 ~ 1150）
- メキシコ高原でトルテカ人による都市文明

PROPOS　＊1
厳密に言えば、何もないところから生まれた文明は存在しないが、そのあたりの正確さは丸めてそれっぽい1次文明を日本で「四大文明」と呼んできた。日本だけでのガラパゴス的認識。メソアメリカ文明、アンデス文明を合わせて「六大文明」とする見方もある（古代アメリカ学会の主張）。

PROPOS　＊2
新大陸ではアジア系住民が先住民。その後、スペインの征服（15c ~）、奴隷貿易（18c 最盛）、移民の世紀（19c）でヨーロッパ人や黒人の比重が多くなった。先住民人口は激減したが、少しずつ回復し、マヤ系先住民の人口は現在 1000 万を超える。ボリビアとペルーが先住民中心の人口構成である。

PROPOS　＊3
約1万年前に新大陸と旧大陸とが切り離されて以来、両大陸は互いに交渉することなく独自の歴史を展開。人間のすることは大体同じだが違いもある。ただし無文字文明で、文明のほとんどが破壊されたため詳細は分からず、世界史教科書叙述は薄い。

PROPOS　＊4
メソアメリカ文明間の影響関係は不明な点が多い。オルメカ文明が最初の文明で後のメキシコ高原、中央アメリカの文明に影響を与えた母体になった文明とみられている。テオティワカン文明に先行してマヤ文明が栄えていたが、この両者は双方向で影響を与えあった関係とみられている。

PROPOS　＊5
発見時（12c）にすでに廃墟。アステカ人が「神々が集う場所（テオティワカン）」と命名。神々はいたが、王の存在感がない文明。王の存在を示す碑文もない。合議による意思決定で動いていた社会なのか。カリスマ性を持つ人間なしで巨大建造物造営が可能なのか、と考えてしまうのは旧大陸文明での常識に囚われているからだろう。常識の問い直しを迫る異質な文明といえる。

画蛇添足

▼ピサロ率いる数百人のスペイン部隊が4万人に守られるインカ皇帝アタワルパを捕虜とした。先住民は圧倒的に数で上まわったがスペインの征服者（コンキスタドーレス）に抵抗できなかった。その理由を軍馬と銃の有無、彼らが疾病に対する免疫を持たなかったことに求めて壮大なスケールの歴史を描いたジャレド・ダイアモンド『銃・病原菌・鉄』。▼メソアメリカ、アンデスのように高地で展開された文明は他にはエチオピア、チベットの4つだけ。空気の薄い高地は人の居住地に適さないが新大陸には高地に強いトウモロコシとジャガイモがあり、リャマとアルパカがいた。▼だが家畜飼育をしていなかったので感染症への免疫が少なかった。ところで南蛮人の来日時に日本で感染症が発生しなかったのはなぜだろう。西洋人とのファーストコンタクトではなかったのか。免疫の有無は重要な視点だが、それを強調することはスペイン人の悪辣な所業を隠すことにつながる。何かの強調は別の何かを隠す。▼アステカ王国滅亡に関してツヴェタン・トドロフは、アステカ人は突然のスペイン人の出現を神話と結びつけて避けられない運命と観念。抵抗を諦めたからだとする。他方でスペインは他者との出会いの準備ができていた。その違いが大きかったのではないかと想像する（『他者の記号学　アメリカ大陸の征服』）。訪問販売、キャッチセールスに騙されるのは不意打ちをくらうから。▼アステカ王国の首都テノチティトラン。大きな湖に浮かぶ都市。あるカトリック神父が「夢を見ているのではないか」と美しさに見とれた。コルテスらによりすべて破壊されて埋め立てられた。いまはメキシコ市の高層ビルが立ち並ぶ。往時の姿は想像図中にしか残らない（※）。

わんクリック　リャマとアルパカの区別が写真では難しい。おとなしいのがリャマ、かわいいのがアルパカ、らしい。年間千人が犠牲になるクロコダイルもアリゲーターと区別しにくい。襲われたら前者、の定義に不安になるが心配無用。福田雄介『もしも人食いワニに嚙まれたら』がある。本の価値は実用性。おとなしいリャマも時にいらだち唾を吐きかけてくる。こちらはその時に「ありャマぁ」と分ってもハンカチを用意しておけばよい。荷役はするが牽引力が弱く、新大陸文明は車輪の原理を知っていたが使えなかった。労役を人間が担った「人力の文明」。それゆえ新大陸の生産力には限界があった。

History Literacy　教科書掲載の「想像図」―遺跡すら残っていない、跡形も消去された文明もあると想像したい。

マヤ文明（前1000年頃～16c、うち4～9cが古典期）　＊1

①場所 ― 3つの異なる気候の地域で広域展開

└ 現メキシコ南部（特にユカタン半島）、グアテマラ、ホンジュラス　＊2

a. マヤ低地帯北部（ユカタン半島北部）― チチェン・イツァ遺跡など

・熱帯サバンナ、半乾燥地帯で河川がない

b. マヤ低地帯南部（ユカタン半島南部）― コパン遺跡、ティカル遺跡など

・古典期マヤ文明（4～9c）が展開

└ 最も人々を魅了してきた地域

・熱帯雨林、密林の中の巨大石造建築物、絵文字、彫刻の造形美

└ マヤ樹海の中に突き出て遠くから見える摩天楼（高さ70m）

c. マヤ高地

・冷涼湿潤の高地、針葉樹林

②特徴

・最盛期は熱帯密林の中で展開 ― 大河川を必要としなかった文明

・統一王朝はなく、諸王国（人口数万程度）が各地に並立　＊3

└ 遠距離交換ネットワークがあり共通の特徴

諸王国は都市国家的な性格を持つ祭祀センター

・壮麗な石造建築物（神殿ピラミッドなど）、高度な石彫の装飾意匠　＊4

└ 宗教儀礼、天体観測、時に王墓など複合的な機能、権威・権力を示す威信財

・文字記録、20進法、天体観測に基づく暦法

└ 文字はほぼ解読、ゼロの文字を使う（インドより早い）

③衰退

・古典期マヤ文明（4～9c）は9世紀に衰退

└ マヤ低地帯南部の人気のある時代　└ 人口過剰による環境破壊など複合的原因

・それ以外は16世紀、スペインの侵略まで継続（後古典期文明10～16c）

アンデス文明　＊5

・メソアメリカからトウモロコシの栽培文化、リャマ、アルパカの家畜化

・前2500年頃、神殿建設はじまり、宗教的色彩の濃い文明が展開

・前800年頃、チャビン文化成立、都市文明の萌芽

└ 標高3170 m

PROPOS　＊1
「マヤ」は他称。マヤ民族もマヤ語も存在しない（いま約30のマヤ諸語が話されている）。統一国家は形成されなかった（成立できる地形でなかった）。広域に広がる各小王国は覇権争いをしながら交易も行った。

PROPOS　＊2
グアテマラは約11万㎢、現在約1500万の人口のうち7割がマヤ系先住民。高地にあるグアテマラ市は「常春の首都」。

PROPOS　＊3
マヤ文字の解読が進んだ。暦と天文学に関する部分しか解読できない時代があり、「謎と神秘」のマヤ文明と形容された時代もあったが、いまは王の事績、王朝史について分かってきている。法律文は存在しない。絵文字が特徴（絵文字だけではない）で一文字書くのに時間がかかる。情報伝達ではなく威信財として使われた面もある。

PROPOS　＊4
神殿ピラミッドの「マヤ文字の階段」で知られるコパン遺跡。最大、最長の文字史料、約2200のマヤ文字で王朝史を記す。

PROPOS　＊5
長いアンデス文明の最後がインカ帝国。存続期間は100年にも満たない。これに先行して約4000年にもわたってアンデス山中の各地で、神殿を中心とした文明が展開された。こちらも取り上げたいが本格的な考古学的発掘が始まってまだ半世紀。この4000年を明確な形で示せる段階にない。日本の調査団の発掘で、アンデス文明初期には、神殿が建設されては定期的に更新されていたことが分かった。多大な費用や労力を要する無駄に思える「神殿更新」によって社会がまとまり経済が発展。その中で権力が生まれた。旧大陸での権力発生とは逆のメカニズムなどが明らかになりつつある。旧大陸の歴史由来の用語―国家、帝国、文明といった「既存の世界史」理解では理解できない世界史の貴重な他者。

画蛇添足

▼生物学で収斂（しゅうれん）変化と呼ばれるものがある。別物なのだけれど外観が似たものに変化すること。例えばサメ（魚）とイルカ（哺乳類）の形が似ていること。山岳信仰を持つマヤ人は神聖な山「ウィッ（山）」を建設。内部で宗教儀礼が執り行われた。▼スペイン人はこれを「ピラミッド」と呼んだがマヤのそれは複合的な機能を持つ別物（本文では神殿ピラミッドと表記）。マヤ人の世界観は天上界と大地と地下界の三層構造。これらを結ぶのがこの石造の神殿。王墓の場合もあるが、古いウィッツを再利用することで規模を拡大していく点などの違いがある。その前に精巧な絵文字の碑文が置かれている。旧大陸の文明を文明のひな形として世界を見てはいけない（※）。▼文明は大河の畔（ほとり）だけに発生するものではない。文字のない文明（インカ帝国）、金属器のない石器の都市国家文明（マヤ文明）もある。高校世界史は西欧世界の主導下で世界の一体化が進んだ際に従属的地位になった地域―アフリカ、東南アジア、新大陸などに冷淡。▼世界史を学ぶことが歪んだ世界認識を再生産させている側面もある。アステカ王国、インカ帝国は世界史教科書で数行で済まされる。侵略で滅ぼされた文明。インカは無文字文明。その最期は侵略者が残した観察記録でしか分からないことが多い。分かっていない、と数行で済まされることが、結果的にこの文明への関心を失わせる―同時に征服への非難を弱めている。▼失われた文明には軽く触れ、滅ぼした文明を詳述する―歴史が現存する文字資料に依拠する営みである限り、世界史教科書もその限界から逃れられない。存在したけれども詳細は分からない―そういう存在のために教科書の中に白紙のページを差し込むべきか。

わんクリック　密林の中に点在するマヤ遺跡。ユカタン半島のカンクン、メリダといったリゾート都市から一日ツアーでめぐるのが人気。筆者は最近はもっぱらグーグルアースで周遊している。次にあげる遺跡を上空から俯瞰した後でストリートビューに切り替えて遺跡の写真を楽しもう。マヤ文明で最も有名なのはチチェン・イツァ遺跡。マヤ最高神ククルカンを祀るピラミッド、エル・カスティーヨ。365段の階段はマヤ暦を表し、春分と秋分の日の午後、この階段にあたる太陽光とその影が、ククルカン神を降臨させる。他に近くのウシュマル遺跡で総督の館の壁面モザイクの緻密さなども味わいたい。

History Literacy　旧大陸文明は文明のひな形ではない―旧大陸由来の概念で新大陸を理解しようとしない。

アステカ王国とインカ帝国　＊1

①アステカ王国 (1325 ~ 1521)

- メキシコ盆地、首都テノチティトラン
  - └ 水上都市、埋め立てたところが現メキシコ市
- 直接支配はメキシコ盆地のみ、外部の征服地は貢納のみ
  - └ メソアメリカ文明は統一されることがなかった　└ コルテスは反目する地域を利用
- コルテスにより破壊 (1521)

②インカ帝国 (15c ~ 1533) — 文字なしで1000万人の大帝国、常識外の文明

- 15世紀、ケチュア人の勢力が増し、アンデス一帯を支配
  - └ 当時、アンデス地方ではワリやティワナクといった諸王国が抗争
- ボリビアからチリ、アルゼンチン北部に至る広域文明
- 首都クスコ (現ペルー、標高3400m)
  近くの山中にマチュピチュ遺跡 — 神秘のベールに包まれた遺跡
  - └ 標高2400m、スペインの征服者は存在に気付かず、アメリカの探検家が発見 (1911)
- 国王 (インカ) は宗教的権威としてアンデス各地の諸都市を支配
  - └ 太陽の子　└ 領域国家ではない
  広大な領土の全人口を掌握、貢納額を定めて集荷、備蓄
  - └ 1000万人ほど　└ このためにキープを使用
- 全土のネットワーク網を整備 — 四通八達するインカ道
  インカ道 (王道) と呼ばれる道路網
  - └ クスコから南北東西に総延長約3万8600 km、石畳、石垣で整備
  道沿いに宿駅 (タンポ)、食糧庫 (コルカ) の整備
  急斜面に階段畑 (アンデネス) の整備
  - └ クスコの近くのスリテ、マチュピチュ近くのウニャイワイナが特に壮観　＊2
  文字は存在せずキープ (結縄) で記録、情報伝達に使う
- ピサロにより破壊 (1533)　＊3 ＊4
  - └ 帝位継承をめぐる内紛の最中、皇帝アタワルパが捕えられ処刑

③ その他

- ナスカ文化 (前2c ~ 6c)
  ナスカ (ペルー) 周辺に地上絵残る
  - └ ナスカ川とインヘニオ川間のナスカ台地 (20 × 15km) の地表面に幾何学図形などが散在

PROPOS　＊1
北はエクアドル、コロンビア国境から南はチリのサンティアゴまで南北4000kmの80 ~ 100の民族集団を文字なしで統治したインカ帝国。広大な領土だったが物資の輸送と情報の伝達が極めて円滑に実施。中心地クスコから領土全域に張り巡らされたインカ道。沿道沿いにタンポという備蓄倉庫。宿泊、食料、燃料—いまでいうドライブイン。車の代わりに荷物を担いで歩いたのはリャマ。これら先進の行政組織がスペイン人にとってインカ帝国の征服を容易にした。しかし全土征服に数十年かかった。

PROPOS　＊2
急斜面に営々と石垣を積み上げて作られた階段状の畑地。宇和島 (愛媛県) にも「耕して天に至る」と形容される遊子水荷浦の段畑、天国への階段がある。ジャガイモが栽培がされている。アンデスでは調理の簡単なトウモロコシも栽培。米、小麦のように脱穀不要。小麦のように粉食も不要。収穫したまま煮ても焼いても、生でも食べられる。畑でなくこれが棚田だとすべてに水を配分する利水システムも必要になる。

PROPOS　＊3
スペイン人が到達時に存在したのがマヤ文明、アステカ王国、インカ帝国。高度な文明 (人口支持率が大きい) があったので先住民人口数も多かった。彼らは北米も探検したが大きな文明はなかった。温帯である北米でそれなりの規模の文明の展開がなかった理由は謎。何かが存在しなかったことその理由に教科書は言及しない (※)。

PROPOS　＊4
スペイン人が最初に新大陸で出会った人々—『聖書』に記載されていない人間の発見は衝撃だった。宇宙人との遭遇に匹敵する出来事に、当時の征服者達は夥しい報告記録を残した (日本で『大航海時代叢書』として訳出)。インカ帝国の叙述も多く残るが一方からの記録。中立的立場からの考古学的調査はまだ端緒についたばかり。

画蛇添足

▼アステカ帝国というと生贄の儀式が取り上げられる。生きた人間を供儀に捧げ、生きた人間の腹を割いて腸を取り出す。いかにも野蛮。スペイン人が最初にカリブ海域で出会った人々は未開段階。劣った彼らを文明化するとして征服。▼ところがメキシコとアンデスで出会ったのは高度な文明。征服を正当化する理由がない。そこで強調されたのがアステカの偶像崇拝、人身御供。キリスト教を伝道することで野蛮を文明化するとした。インド支配の中でイギリスは夫に先立たれた寡婦が炎の中に入って殉死する習慣 (サティ) に出会う。身の毛がよだつ野蛮に遭遇してこれを禁止。こういうことがイギリスの使命だとインド支配を正当化した。▼同じ頃、西欧諸国では魔女狩りの最盛期。魔女たちを生きたまま炎の中にくべた。魔女が炎の中で死ねば、その罪が浄まり救済されると信じていた。対象は主に女性、老女や寡婦が多かった。家父長的価値観の中で寡婦が迫害対象になった理由はインドのサティと変わらない。▼日本でも切腹の慣習があった。臣下が主君に切腹を命じられた。介添え人が同時に首を落とす。震えるほどの野蛮。幸い秀吉がバテレン禁止令で機先を制したのでイエズス会による日本植民地化の理由には使われなかった。▼キリスト教の教義—罪だの許しだの、書きにくいが部外者から見れば妄想の類い。特定の共同体内だけで通用する真理でしかない。もちろん共同体で共有されて市民権を得ている (共同幻想)。基本的人権を侵害していない限りはそのような共同幻想 (信仰体系) を尊重するのが多文化社会の共生作法。生贄供儀におぞましさを持ち、それを批判するのはいまの正見。しかしアステカから生贄を連想するのは偏見。

わんクリック　世界遺産「ナスカの地上絵」。上空からしか見えないものを一体どうやって、は高額なセスナ遊覧へ誘う戦略 (グーグルアースで探すのが面白い)。砂と石をどけただけの簡単なものだが、子どもの時に砂場で作ったものが残っていたら驚き。形あるものは崩れる (エントロピー増大の法則)。ここはペルー寒流の上空を通った冷たい偏西風でできたアタカマ砂漠の北側 (地表が冷涼のため上昇気流がなく、雨が降らず乾燥地帯となる)。対流がないと無風､時まで止める。そういう中で1500年前のものが残った奇跡。わずかな軌跡を追えば形になる遺跡。世界遺産認定の絶対条件は残っていること。

History Literacy　存在しなかったものに教科書は言及しない—「どうして存在しなかったのか」は大切な問い。

第 13 章　近世ヨーロッパ

1　大交易時代

ポルトガルのインド洋進出

①西欧諸国の東洋への関心の高まり
- 文化的背景　マルコ・ポーロ『東方見聞録』による東方への憧れ
- 技術的背景　羅針盤改良、快速帆船普及、緯度航法考案で遠洋航海可能に
- 政治的背景　レコンキスタの延長線上にあるキリスト教圏拡大の欲求

②直接的契機
- 香辛料の需要増大　＊１ ＊２
  - └ 肉食の普及 (14c ~) のための調味料、保存料 (医薬品説あり ― フランドラン『食の歴史』)
- モルッカ諸島→インド洋貿易 (ムスリム商人) →東方貿易 (イタリア商人) →西欧

③ポルトガルのインド洋進出
- ポルトガルが「インド航路発見」　＊３ (※)
  - └ 強力なカスティリャ王国の存在で陸上での領土拡大困難
- エンリケ航海王子がアフリカ西岸の開拓を奨励
- 1488 年、バルトロメウ・ディアスが喜望峰到達
  - └ ジョアン２世　└ 暴風雨で偶然発見、当初「嵐の岬」のち希望峰、誤植で喜望峰定着
- 1498 年、ヴァスコ・ダ・ガマがカリカット (インド) 到達

  アフリカ東岸、インド洋沿岸の既存の貿易ルートに参入

  ゴア (1510)、マラッカ (1511)、マカオ (1557) 占領

  └ インド西岸　└ 香辛料貿易の中心　└ 中国交易の中心

  種子島到達 (1543)、平戸を対日貿易の根拠地に

  └ マカオから中国産の生糸を平戸へ、平戸から日本銀をマカオへ

④マレー (ムラユ) 世界の形成
- マラッカ占領 (1511) でマレー人の離散 (ディアスポラ) はじまる

  →マレー・イスラーム文化が島嶼部に拡大
- 首都リスボンが世界貿易の中心に

PROPOS　＊1

地域により物価は違う。ある地域では安いものが別の地域では高い。だから商業が成り立つ。買う時も売る時もそれ自体は等価交換。物を移動させることで利益がでる。近ければ似たような物価。遠隔地貿易をするほどに利潤があがる。価値とは「どれだけの距離を運んできたか」であり、価格のほとんどが運送費。長距離を運ぶから重量は軽い方がよい。その点で香辛料はお誂え向きの交易品だった。東南アジアの香辛料 1g は欧州で金 1 g で交換できたとされる。

PROPOS　＊2

肉食の欧州で、肉の保存に不可欠な胡椒、ナツメグ、丁字といった香辛料は東南アジアでしか産出しなかった。熱帯地方には病原菌、害虫が多い。動けない植物はそれらから身を守るために体内に辛味成分を持つことで自己防衛をはかった。高緯度で涼しい欧州には害虫も少ない。辛口の人間は多いが、植物が辛味を蓄える必要はなかった。

PROPOS　＊3

ポルトガルはアフリカを回り込み、そこで「インド航路」を発見。インド洋は有史以来、多くの人びとが往来し、当時そこには様々なインド航路が存在し、イスラーム商人が活発に往来していた。ヴァスコ・ダ・ガマは、ムスリムの水先案内人イブン・マジードに導かれてカリカットに到達。のちにマカオ在住のポルトガル人が倭寇の頭目王直の船に同乗して種子島に到達した。

PROPOS　＊次ページ

コロンブスは英語読み。コロンボ (伊語)、コロン (西語) が呼称としては一般的。彼は到達した所をインドと思い込み、原住民をインディアンと命名 (西語でインディオ)。そこを未知の大陸と確認したのはアメリゴ・ヴェスプッチ。アメリカの名の由来となる。人びとの世界認識を変えたのはヴェスプッチの業績。呼称「アメリカ」は新大陸全体を指す。いわゆるアメリカはその中の一つの国。「U.S.」呼称を使うのが妥当。

画蛇添足

▼イヨクニ満ちたコロンブス。彼は富に執着した冷酷な男。生き残るために仲間を殺すことも厭わなかった。新大陸に到達したのも偶然―「欲望の虜になった男に運が味方した話」(ケネス・ポメランツ『グローバル経済の誕生』) と厳しく評価されるコロンブス。▼ラス・カサスが要約して残した『コロンブスの航海日記』を読めば航海者としては優れた資質はありそうだ。彼は当初、インディオに対しても、文明に犯されていない自然人、優れた人間性を持っていると好印象を書き残している。しかし2回目に来た時に残しておいた部下たちが全員殺されているのを知って彼の態度は豹変する。▼黄金が発見されず本国の失望を買ったこともあり、彼は原住民の略奪、搾取を強めた。結局、彼がもたらした疾病と軍事力で原住民の過半が失われた。統治者としてとても評価できない。彼自身も部下に密告されて失脚、彼は失意の人生を終えた。▼彼は新大陸産のいろいろなものを持ちかえってきた。その一つがタバコ。彼が喫煙の悪習を欧州に持ち帰ると紫煙は瞬く間に世界中に広がった。喫煙の奇習は20世紀に頂点に達した。まだ20年ほど前の日本は喫煙者天国。学校の職員室も紫煙が立ち込めて酷かった。「控えてほしい」と言い続けた筆者が煙たがられた。▼「タバコは二十歳になってから」。二十歳にもなってタバコに手を出す者など寡聞にして知らない。禁止されると手を出したくなる心理―心理的リアクタンス (禁止に反発する心の動き) を利用する未成年を対象としたマーケティング。そう指摘しても笑われて煙に巻かれるのがオチだろう。年2兆円の使い道自由の使いやすいタバコ税。国民の健康を犠牲にこれを聖域化していてよいのだろうか。

わんクリック　ヴァスコ・ダ・ガマは、喜望峰を回り込んだ所、東アフリカのモザンビークまで到達。ポルトガルはここを植民地化 (17c)。ここから奴隷を同じポルトガル領ブラジルに輸出。砂糖プランテーション労働力とした。モザンビークにとって、のちに後進国に転落した小国ポルトガルの植民地支配が長かったことが悲劇。植民地に投資する余力もないポルトガルはその独立 (1975) までひたすら収奪。初等教育すら満足に実施しなかった。イギリスに密航しようと飛行機の車輪格納庫に隠れ、到着間際に墜落死したモザンビーク人の半生を追った小倉孝保『空から降ってきた男』の一読を薦めたい。

History Literacy　問題なのに問題視されなかったこと (「発見」表記) がある (「日本発見 (1543)」表記ならすぐに抗議しただろう)。

スペインのアメリカ大陸進出と世界周航

①コロンブスの新航路発見　＊前ページ

- 1492年、コロンブスの新大陸到達
  └ グラナダ陥落の年　└ ジェノヴァの船乗り
  トスカネリの地球球体説の影響
  イサベル女王の援助でパロス港出航、72日間の航海　＊1
  └ 往路は北寄りに北東貿易風を、復路は南寄りに偏西風を利用
  サンサルバドル島到達
  その後、エスパニョーラ島など3回航海（全4回）
- 先住民インディオ（インディヘナ）―『聖書』に叙述のない存在　＊2 ＊3
- 教皇子午線（1493）の設定　＊4
  ローマ教皇（当時スペイン人）の裁定で世界を二分（ポルトガルとスペイン）
  →両国が直接交渉で修正トルデシリャス条約（1494）
  →サラゴサ条約（1529）で太平洋地域も分割（モルッカ諸島はポルトガル領に）
  └ マゼラン世界周航（1522）で一本の線で世界分割不可と分かる

②新大陸認識

- 1500年、カブラルがブラジルに漂着、「発見」
  └トルデシリャス条約（1494）でポルトガル領にあたる所にポルトガル船漂着
- 新大陸との認識
  アメリゴ・ヴェスプッチの探検で「新大陸」と確認（1503）
  └ 新大陸はコロンブスでなく、アメリゴに由来した命名に
- バルボアがパナマ地峡（80km）を横断、太平洋を「発見」（1513）
  └ コルテス、ピサロはここを通り太平洋側に、またポトシ銀搬出の最重要ルートに

③世界周航

- 1521年、マゼラン（マガリャンイス）一行が世界周航
  └ スペイン王の命を受けたポルトガル人
  セビリア出帆→マゼラン海峡発見→太平洋の命名→フィリピン到達
  マゼランはラプラプにより殺害される
  →部下が帰国、地球球体説が実証（1522）
  └ この世界周航はエピソード、一回限りの航路で後世へあまり影響与えず

PROPOS　＊1
トスカネリの地球球体説の影響を受けたコロンブス。月食を地球の影と理解、その影が円形であるのを見て地球が球体であると信じた。なおトスカネリの地図には当然のことながら新大陸、太平洋は存在しない。

PROPOS　＊2
新大陸の先住民をコロンブスの誤解からインディオ（インド人）と呼んだ。さすがにこの呼称は問題とインディヘナ（先住民）呼称が唱えられた。このインディヘナは英語での indigenous にあたり「先住の」の意味。インディオと似る音だがまったく違う語源。ただ固有の部族名を書かずに「先住民」と一括表記すること自体が問題。多種多様な先住民をどう表記すればよいのか。

PROPOS　＊3
新大陸の発見はそこで1万年以上生活してきた先住民との出会い。『聖書』に叙述のない存在に騒然となった。征服を正当化するために持ち出されたのがアリストテレスの奴隷肯定論。「人間とは何か」を洞察した彼の洞察は「人間でないもの（奴隷）」の存在の肯定につながる側面もあった。

PROPOS　＊4
世界史は海の覇権をめぐる歴史。古代以来、「覇権」の推移に言及してきた。覇権国とは、ある場所、分野で圧倒的影響力を持つ国。覇権を握ると自国に有利なルールを作り、そこから利益をあげることができる。戦後はアメリカが国際機関を創設、トップを独占。自国に有利なルールを作りあげ世界経済の覇権を握った。自国語が国際語であるだけでも有利。いまは国際機関の紅色化（中国化）が進む。海の取り決めの最初が教皇子午線。地球は「アダムの遺産」で教会の所有物と考えるスペイン出身のローマ教皇の裁定でスペインとポルトガルの勢力圏を決めた。スペインが有利のため、トルデシリャスで修正。この海洋分割に対する反発も、宗教改革でオランダ、イギリスがカトリック世界から離脱した一因。

画蛇添足

▼マゼランの目的は西回りでのモルッカ諸島到達。トルデシリャス条約のためスペインは東回り航路を使えなかった。一行に立ちはだかったのがアメリカ大陸。彼はここを抜ける裂け目を探した。荒れる海峡（マゼラン海峡と命名）を抜けること1カ月。▼ようやく穏やかな海域にでた安堵からそこを平和の海（太平洋）と命名した。大海の意味ではない（大西洋との違い）。その後の太平洋横断に3カ月以上かかり、乗員は亡くなっていった。ペンギンを見つけては本能的に食べた。帰港できたのは出港時の1割以下。ビタミンC欠乏のための壊血病との戦いだった、といまは分かっている。▼人類は長い間、生命の維持に必須のビタミンCを作る遺伝子を失っていることに気づかなかった。人類以外の哺乳類の殆どは体内で作ることができる。人類は自ら作らなくてもビタミンCを周囲から摂取できる環境で生活してきたため、ビタミンCを作る能力をいつしか失った。そのことにこの遠洋航海にでてはじめて気づいた。▼自らの身体、所作、ものの考え方に、自分では気づきにくい形で過去が潜んでいる（※）。身体そのものが歴史的構築物。そのことに気づくことが世界史を学ぶ目的のひとつ。「外国語を知らない者は自国語も知らない」（ゲーテ）。解剖学者三木成夫の『内臓とこころ』『胎児の世界』を薦めたい。過去は身体に宿る。▼マゼランの部下がヴェルデ岬に戻ったのは7月9日のはずだったが、現地では10日。そこで彼らは地球を西周り一周した感慨にふけった。経験してはじめて腑に落ちることがある。旅には発見がある。「卵かけご飯」が日本特有のゲテモノフードであること、「落し物が見つかる」のが日本特有の現象、と筆者は発見した。

わんクリック　現実を変えるために自分を変えたラスカサス。18歳で初めて接したインディオの優しさに感動。その社会が絶滅していく様を実見して衝撃を受ける。自らもエンコミエンダを所有していたがインディオを解放。インディオの保護のために優れた神父を新大陸に送る活動や、国王に『インディアスの破壊に関する簡潔な報告』を提出してエンコミエンダ制の即時撤廃を主張したりした。インディオは文字を持たない。自分が起こったことを後世に残さなければと、『コロンブス航海記』をはじめ膨大な記録を私たちに残した。その『インディアス史』は日本語に訳されていてすべて読むことができる。

History Literacy　自分の身体、所作、ものの考え方に、自分では気づきにくい形で過去が潜んでいる。

④太平洋航路

・太平洋航路の発見

└「ウルダネータの航路」

アカプルコ（メキシコ）とマニラ（フィリピン）間の定期航路

1565 年、レガスピと宣教師アンドレス・デ・ウルダネータが開拓

└往路のみ　└往復路

・フィリピン征服

1571 年、征服者レガスピがフィリピン征服、マニラ市建設（ルソン島）

└以後スペインによる支配（256 年間）

⑤フィリピン

・スペイン植民地支配下でカトリック化進む　＊1

・ガレオン（ガリオン）貿易（16c 後半～19c 初）中継地として利用　＊2

└喫水の浅い（速度早い）大型帆船　└メキシコ独立まで　└マカオが終着地

新大陸産銀（ポトシ銀山の銀、メキシコのアカプルコから出荷）と中国の生糸貿易

アメリカ古代文明の破壊と征服

①征服者たち

・スペイン人コンキスタドーレス（征服者）による征服

1521 年、コルテスがアステカ帝国征服（人口 2500 万→ 17c 初、100 万）

1533 年、ピサロがインカ帝国征服（人口 1000 万→ 16c 末、130 万）

└各地で抵抗も強く、全域支配には数十年かかり途中ピサロも殺害される

②スペインの支配

・新大陸の大半をペルー副王領として支配　＊3 ＊4

└実効支配は鉱山周辺と沿岸部のみ

・征服地にエンコミエンダ制実施

先住民の保護を条件に労働力としての使役認める（土地所有権なし）

→先住民酷使でインディオ人口激減、廃止

代わってアシエンダ（大農園制度）が広がる

・ポトシ銀山（ボリビア）発見（1545）― 空前の銀埋蔵量

鉱山採掘のため先住民（インディオ）を酷使

→インディオ人口の激減と黒人奴隷導入

・ラスカサスの告発『インディアスの破壊についての簡潔な報告』

PROPOS　＊1

地震多発地帯フィリピンで石造りで崩壊しないカトリック教会は威信財として機能。アジアでキリスト教布教が例外的に成功したのがフィリピン（日本は失敗事例）。

PROPOS　＊2

日本の南、太平洋で新大陸・アジア間の直接交易ルートが開設され、定期的に人が往来するようになった。この定期船（ガレオン船）が台風で 9 回にわたり日本に漂着。房総（ぼうそう）沖で座礁した時は乗組員の多くが村民に助けられた。家康に与えられた新しい船で一行はメキシコに向かう。その返礼から束の間の日本とメキシコの交流が始まる。伊達政宗（だてまさむね）は慶長遣欧使節団をメキシコ経由で欧州に派遣した。支倉常長（はせくらつねなが）らはヨーロッパまで、多くはメキシコに滞在。キリシタンに改宗したが日本でキリシタン禁制令がだされたためメキシコで生涯を終えた。

PROPOS　＊3

スペインはインカ帝国が整備したインフラを利用（に寄生）。新大陸ではペルーを統治の中心にした。16c 当初は新大陸はすべてペルー副王領。18c に 4 つに分割。ただしスペインの実効支配は全域には及ばず、カリブ海の小アンティール諸島、ギアナ地域など、とりこぼした地域があった。オランダ、イギリス、フランスは、スペインの力が衰え始めた時期（17c）にここに進出。カリブ海域は海賊の巣窟（そうくつ）となった。現在に至るまでここはラテンアメリカの非ラテン圏―ガイアナ（英語圏）、スリナム（オランダ語圏）、仏領ギアナになっている。

PROPOS　＊4

ヨーロッパの植民地には、先住民を排除したところに移民を送り込んだ定住植民地（北米）や行政官のみが赴任する行政植民地（インド、東南アジア）などがあるが、スペイン領では先住民を排除せずに、そこに多数のスペイン人が移住した。そして現地で多数のクリオーリョ（現地生まれの白人）と混血（メスティーソ）を生み出した。

画蛇添足

▼太平洋を横断してマクタン島に到達したマゼラン。ここを当時のスペイン皇太子フェリペ（のちの国王フェリペ 2 世）にちなんでフェリペと命名、アメリカ支配下でフィリピンと改名されて今日にいたる。フィリピンにカトリック教徒が多いのはスペイン統治時代の名残り。▼この地のことわざに「幸福な国に歴史はない」がある。いみじくもヘロドトスがペルシア戦争の経緯を『歴史』として、歴史の父と呼ばれるようになったように、歴史とは戦争の記録だから、歴史がない国が幸福なのは道理（※）。マゼランが来航するまでフィリピンはおおむね平和な社会だった。彼の来航でフィリピンは一変、不幸の代名詞―歴史を持つことになった。▼いまマゼランが上陸した浜辺には2つの記念碑が並ぶ。1つはアメリカ統治期に建立された英雄マゼランの上陸を称える記念碑。その横にフィリピンがアメリカから独立した後に建てたマゼラン殺害記念碑。マゼランを殺害したフィリピンの英雄ラプラプを称えるもの。「英雄のいない国は不幸だ」「違うぞ、英雄を必要とする国が不幸だ」（ブレヒト『ガリレオの生涯』）。▼スペインの征服者（コンキスタドーレス）の所業は当時から厳しく非難されてきた。コルテスのアステカ帝国征服の悪辣（あくらつ）さ、ピサロはインカ帝国皇帝を人質に金を搾取。彼らに先立ちコロンブスに帯同したラスカサス。彼もエンコミエンダの信託を受けていたが現地で目の当たりにした先住民の惨状に回心。神父となり『インディアスの破壊についての簡潔な報告』でスペイン人の新大陸植民地支配は正義にかなっているのか、と告発した。「ラテンアメリカが貧しいのは、ここが豊かだから」（ガレアーノ『収奪の大地』）。世界にはこういう逆説が多くある。

わんクリック　インディオの奴隷化にはイサベル女王が反対。植民のために労働力としての使役の必要性は認めた。彼らは「人間」なので所有はできないが使用は可能とした折衷案がエンコミエンダ制。植民者に統治を委託するもの。しかし現実に新大陸に行った連中の素性が悪い。この制度の下でインディオは酷使され、それがインディオ人口の激減につながった。人口が激減したインディオは土地を安く売りに出すようになり、これをスペイン人は大量に買い集め、人を雇って農業経営をはじめた。これがアシエンダ（大農園制度、「財産」の意味）。インディオの人口が回復した後も売り戻さなかった。

History Literacy　「幸福な国に歴史はない」―歴史は戦争の記録として始まり、いまだその性格を拭（ぬぐ）いきれない。

ヨーロッパ世界の変容

①商業革命
- 貿易の中心が地中海（東方貿易）から大西洋（三角貿易）へ移動
  イタリア諸都市の没落と南ドイツ諸都市（銀の主産地アウクスブルク）の没落
- 資本が蓄積し、資本主義発展の契機となる

②価格革命
- 銀大量流入による物価騰貴（2～3倍）

③生活革命 ―「コロンブスの交換」（クロスビー） ＊1 ＊2 （※）
- 新大陸の物産の流入
  ジャガイモ、トウモロコシ、トマト、トウガラシなど

④世界の一体化のはじまり
- アジア貿易と新大陸貿易は三角貿易で連結
- 西欧と東欧の分業体制
  エルベ川以東（東欧）では農場領主制（グーツヘルシャフト）
  16世紀頃から領主は従属的な農民を使い西欧向け穀物栽培
  └ 中世の農奴制の復活と誤解させる「再版農奴制（エンゲルス）」は最近使われない

2 主権国家群の形成と宗教改革

イタリア戦争と新しい国際秩序

①主権国家体制 ＊3
- イタリア戦争（1494～1559）
  ヴァロワ家（フランス王家）がイタリア半島に侵入
  →ハプスブルク家などが対抗
  →ハプスブルク家の強大化　神聖ローマ皇帝カール5世
  　スペイン王（ハプスブルク家）カルロス1世が神聖ローマ皇帝位兼任
  →戦争を通じてヨーロッパでは勢力均衡の力学が働く ＊3
  　└ イタリア諸都市、ローマ教皇などがフランス側につきハプスブルク家勢力拡大を牽制
  →イタリア戦争はカトー・カンブレジ和約（1559）で終戦
  →主権国家体制の形成（絶対王政として展開、王権神授説で正当化）
  　└ 戦争中、仏フランソワ1世は教皇から国内の高位聖職者の任命権獲得

PROPOS ＊1

いまイタリア料理はトマトと切り離せない。トウガラシなしに韓国のキムチは作れない。ジャガイモのないドイツ料理は存在しない。これらは「コロンブスの交換」で生まれた伝統料理。現在、世界で栽培されている野菜の8割までもが新大陸原産。トウモロコシは世界三大穀物の一つ。日本では焼肉屋で「野菜盛り合わせ」に混じってでてくるが「野菜」でなく「穀物」。また日本では飼料として消費されるが、多くの人びとの主食であり続けた。トウモロコシを思い出してほしい。粒が密集している。収穫率は米、小麦と比べて格段に高い。硬い外皮のおかげで鳥害を免れる。脱粒性が少なく運搬が楽。基本的にそのまま焼くか、煮るかで食べることができる。乾燥して保存も簡単（ポップコーン）。ただ外皮が堅いため粉食には手間がかかる。石灰を加えた水で煮てアルカリ処理、すり潰して生地（きじ）に加工、焼いて食べる（トルティーヤなど）。

PROPOS ＊2

古代アメリカ文明はジャガイモの文明。改良が繰り返され、数多くの種類がある。種イモを植えればすぐに発芽して便利だが長期保存できない。この克服のために昼夜の寒冷差を利用することで脱水加工して軽量で長期間保存できる乾燥食品（チューニョ）にする技術が生まれた（高野豆腐、寒天のイメージ）。世界最古のフリーズドライ食品―この保存食加工があってインカは人口1千万の大帝国に成長することができた。イモ栽培もまた文明に結びついた。

PROPOS ＊3

勢力均衡はのちに現実感覚に裏づけされたイギリスの現実的外交政策になる。相手を打ちのめそうとは考えず、妥協で勢力を分け合うことをめざす。大陸に関しては徹底した勢力均衡政策。大陸で勢力均衡が働き、どの国も大国にならなければその力学の外にあるイギリスは有利。20cにはその延長線上でナチスに対しても宥和政策をとった。フランスの大国化防止が主目的。

画蛇添足

▼地表に線を引き、円（閉曲線）で縁取ると内と外ができる。この円の内側を国家とし、内部のことは内部で決めるとして、その権利を主権と呼んだ。ここに主権国家が誕生する。この円、主権国家には大小が生じるがすべてが平等に扱われることになった。▼小国の生き残りが可能になったのは「勢力均衡（バランスオブパワー）」―どの国も突出した存在にさせない力学が作用したため。その思惑（おもわく）が最初に作動したのはイタリア戦争時。この時に主権国家体制が成立。次に、内部の構成員に、自分たちはこの主権国家の一員、という意識が植えつけられた。この人工的に作られた意識が国民意識（ナショナルアイデンティティ）。その意識を持つ構成員は国民と呼ばれ、国民を構成員とする主権国家は国民国家（ネーションステイツ）とされた。▼これを私たちは「当たり前」とみなすが「当たり前」とは私たちがその中にいるということ。この当たり前は、これが侵害された時に「主権侵犯」「内政干渉」と激しい感情が湧き上がるまでに身体化された。しかし「当たり前」と思っていることは過去のどこかでできた歴史的産物。今後も続くかは分からない。現在を「主権国家体制の終わりのはじまり」（元国連事務総長ガリ）とする見方もある。▼かつてのヨーロッパにはローマ教皇と神聖ローマ帝国の普遍的権威があり、国家は王朝国家の形をとった。領域的にもまとまらず、領域内では支配者階級しか国家への帰属意識を持たなかった。領内には異なる権利と義務を持った様々な身分集団、宗教集団があり、一般の人びとはその中間共同体の中で生きていて、互いの集団間は没交渉だった。ところで主権国家体制は陸続きのヨーロッパで成立。線を引き、杭を打てるのは地表（陸地）だけ。海域世界では公海の発想が生まれた。

わんクリック　イタリアのパスタと新大陸のトマトとの出会い、両者が絡みあった時のおいしさ。ナポリなど好天が続く南イタリアでは穀物の粉食に際して、二手間（ふたてま）かけた。まず麺状に伸ばした。次に天日（てんぴ）で乾かして乾麺（かんめん）とした。これが保存食として船乗りによって世界各地にもたらされた。この二手間が人類の一部を麺類常食者に変えた。ただ乾麺食は世界的にそれほど一般的でない。朝鮮半島では白菜と新大陸産のトウガラシが出会い、キムチが生まれる。保存できない白菜が保存食となった。「コロンブスの交換」により地球上で大規模で多様な動植物の空間移動が起こり、地球上の生物相が均質化した。

History Literacy　身近に気づきにくいことがある（クロスビーの指摘まで注目されなかった生活革命―『コロンブスの交換』）。

3 キリスト教会分裂の時代

ルターの「宗教改革」

①背景
- 厳しい時代(ペスト、飢餓など)で「救い」を求める人びとの渇望
- 教会の腐敗、堕落に対する先駆者の刷新運動(14c の教会刷新運動)
- 人文主義者による聖書研究と教義批判(ルネサンス)
- 国王による中央集権化の進展
- なぜドイツか？「ドイツはローマの牝牛(めうし)」
  └ 教会の搾取と大商人の結託(フッガー家)
- 領邦国家の分立、抗争(皇帝と諸侯の対立)
- 領主権の強大化(再版農奴制)に対する農民の反発

②修道士ルターの疑問
- ルターは修道士で神学者(ヴィッテンベルク大学神学教授)
  →神学的見地からローマ教会の贖宥状(しょくゆうじょう)を批判　＊1
  └ ローマ教皇レオ10世、聖ピエトロ大聖堂改修費ねん出のため
- 1517年、95カ条の論題発表
  └ オスマン帝国がマムルーク朝滅ぼした年に教会の扉に張り出した説、は諸説あり

③ルターの主張
- 「信仰のみ」「恩寵(おんちょう)のみ」「聖書のみ」の三つのの̇み̇
  └ 本質的に罪深い存在 — 人間が救われるのは「神の愛」によってのみ
- 主著『キリスト者の自由』で持論展開　＊2
- 信仰義認(ぎにん)説
  └「善行でなく信仰」—「行い」に救済論的意味を認めない。
  キリスト教における救いは神により「義(正しい)」と認められること
- 予定説
- 全信徒の祭司性(万人祭司説)
  └ カトリックでは神父になるため厳しい学問を修める必要あり(だから神父不足が深刻)
  神の前に全員が同じ立場
  誰もが司祭のように聖書を読み、解釈してよい　＊3
  →聖職者の特権否定、すべての職業を神の召命として肯定

PROPOS　＊1

人生100年時代の現在は「いかに生きるか」が関心事。ストア派哲学が人生の指針として参照される。しかしこれまで人びとの寿命は儚(はかな)く、死は常に身近だった。人びとの関心事は「いかに死ぬか(どのようにすれば天国に入れるか)」にあり宗教が不安解消の役割を担った。死が身近な社会では宗教、長く生きる社会では倫理が発達。日々の生活で人間は様々な罪を犯すしかない。カトリック教会は、罪を司祭の前で告解(こっかい)して許しを得れば罪が消滅することにした。すると、許しを得る前に死んだら、と余計に信者に不安を募らせた。この不安解消のため売り出されたのが贖宥状。贖宥状は互酬性の原理(お金で救いが買える)に基づく。神の「無条件の愛」と根本的にあわない。ルターはその点を問題と考えた。

PROPOS　＊2

印刷術が発明されたが著作権はなかった時代。『95カ条の論題』が瞬く間に広がり、時の人になったルター。考えを正確に伝えるために破門されたあとで著作をまとめた。その一つが『キリスト者の自由』。タイトルそのものが、クリスチャンの「自由」は普通の「自由」と異なる、と語る。これは神への服従において人間は真に自由になれる、という発想。服従でもそれを自ら選び取り、自らが全うすれば、そこに生の充実、自由があるとみる。その同じ神への服従をアラビア語ではイスラームという。

PROPOS　＊3

カトリックのミサでは信徒は聖書を持ってこない。聖書は教会にあり、聖職者はそれを独占して説教を垂れる。理由はある。聖書に限らず経典の翻訳は禁じられる場合が多い。民衆の言葉への翻訳は逐語(ちくご)訳ではなく意訳になるしかなく、翻訳は内容を歪めてしまう。ところで聖書を読む必要からプロテスタント教徒の読み書き能力(リテラシー)は高まった。識字率の高い国民が形成されることになる。しかしその解釈はとめどなく多様化していくことになった。

画蛇添足

▼ルターの改革が「信仰の自由」にはじまる近代的自由を生み出した。宗教改革がローマ教皇の権威に打撃を与えて主権国家体制への移行を決定づけた。このようにルターの一連の行動を「宗教改革」として、それを近代の始まりと高く評価する歴史観はドイツで作られた。しかし「宗教改革」というタイトルはカテゴリーレベルを間違えている。せいぜいキリスト教改革とすべき。▼ドイツは欧州で統一が最も遅れた(19世紀)。国民国家形成のための国民意識(ナショナルアイデンティティ)としてドイツ語が使えなかった事情があり(小ドイツ主義をとり、同じドイツ語のオーストリアを国家統一から排除した)、隣国のカトリック国フランスよりも先進国であると誇示する必要もあり、プロテスタント色を前面に打ち出した。▼このドイツを近代化のモデルとしたのが日本。プロイセン憲法を模して明治憲法を制定し、ドイツの文化、学術を積極的に導入した。ドイツ文学、ドイツ哲学、ドイツ医学(医者は最近までドイツ語でカルテを書いた)、何よりドイツで生まれた近代歴史学の影響を受けた。▼明治維新以降、日本の知識人はプロテスタントに親近感を持った。その労働観が「勤勉」という態度を生み、それが資本主義を発達させた、と理解したからで、近代化を急いだ明治以降の日本でのカトリック評価は低かった。▼現在でも世界ではカトリックが多数派。理由は物理的理由(出生率が高い)だけではない。私たちはプロテスタントを過度に評価する(※)。その影響で、何事においても外面(儀式)よりも内面(心の持ち方)が大切、と考える。当時、制度疲労を起こしていたカトリック教会の腐敗はひどかった。声を上げたルターの勇気は称えたいが、過大評価は慎むべきだろう。

わんクリック　ルターの宗教改革がローマ教会から国民国家の独立性を高めた。修道院財産などを奪った経済的側面も大きかった。主権の確立という意味では近代だが、その主権が国王、諸侯などに与えられたという点では反近代。ルターの宗教改革を「近代史」に含めるには留保が必要。個人の信仰が問題にされた点は「近代」的要素、神に委ねることが自由と解釈された点は「反近代」的要素。この改革はストレートには近代と結びつけられない。ドイツ史にとって「改革」といえばルターの改革であり、ドイツのナショナルアイデンティティ形成上、非常に重要な出来事と位置付けられている出来事。

History Literacy　歴史の知にはバイアスが内在—もちろんそのバイアスは歴史の知を作り、使う私たちに由来する。

④ルターの学説の波紋

・活版印刷術の普及による教説の広がり

└ ローマ教会に独占されてきた聖書を一般に解放、印刷は「神の最大の恩寵である」(ルター)

ルターはローマ教会から破門

└ ライプチヒ討論でヨハン・エックの罠にはまり、フス説 (異端) と同じ、と認める

→神聖ローマ皇帝カール５世が問題に介入

└ ハプスブルク家、カトリック信仰の擁護者

ヴォルムスの帝国議会に召喚、自説撤回を迫る

→ルターの拒否、法律の保護外へ　＊１

→ザクセン選帝侯によりヴァルトブルク城で保護　＊２

→新約聖書のドイツ語 (ドイツ地方語) 訳

⑤ルターの限界

└ ルターはあくまで神学上の疑問から自論を提示、現実の社会秩序まで考えず

・ドイツ農民戦争

└ 領主に対して農奴制、十分の一税廃止などを要求

ルターは当初、農民の運動に同情的、調停に乗り出す

→トマス・ミュンツァーらの指導で農民の行動急進化で弾圧側に

└ 霊感を重視、神の国を地上に実現しようとする　└ ルターのパトロンは諸侯

→農民戦争は鎮圧される

→以後、ドイツの宗教改革は諸侯の保護のもとで展開

⑥領邦教会制の成立

・皇帝カール５世の妥協

イタリア戦争、オスマン帝国の圧迫 (第１回ウィーン包囲)

└ スレイマン１世

→危機が去ったあと、再びルター派諸侯を禁止 (1529)

→「抗議」したことから「プロテスタント」の呼称

・1555年、アウクスブルクの宗教和議

諸侯単位でルター派信仰を認める

└ カルヴァン派は認めず (当時この派の影響力は小さく議題にあがらず)

領邦教会制が成立、領邦君主は王権強化　＊３ ＊４

└「領主の宗教がその領土で行われる」、修道院没収 (宗教改革の隠れた動機) で財政強化

ドイツ北部、北欧諸国 (いずれも君主国) に普及

PROPOS　＊１

集権化が進んでいなかった中世ヨーロッパでは「法外追放」という法による保護のはく奪が処罰として存在していた。支配者から法律の保護外に置かれた者がどうなっても当局は関知しない。「自分が」と思う者が、このように宣告された者を排除しても構わないというもの。ルターにとっては生命に危害が加わる可能性を意味した。ルターに対する破門はまだ解かれていない。

PROPOS　＊２

最終的にルターは修道服を脱ぎ、結婚した。家族を持ったら隣人愛が実践できない (家族愛に囚われる) と、聖職者は独身だった時代に聖職者が妻帯した最初の出来事。両立できると考えたのか。それ以前の西欧キリスト教文化は、男性、しかも独身男性に担われてきた文化、であったと分かる。

PROPOS　＊３

農民戦争鎮圧後、「領主の宗教がその地の宗教になる」と領主が絶対的支配者になる。ルター派は領主 (支配者層) と手を携えた。「改革」から生まれたルター派教会は支配者層と一体化、保守化。以後、ドイツ社会の近代化や民主化の足かせとなった。「聖書に帰れ」には『聖書』を絶対視する教条主義的で不寛容な側面がある。またルターは激しい反ユダヤ主義者 (『ユダヤ人とその虚偽』、1543)。ユダヤ人の排除、強制収容を主張。ワシントンのホロコースト記念館は、ルターの不寛容さがナチスのホロコーストを準備した、と明記する。

PROPOS　＊４

歴史はどの任意の事項間に因果関係を認めるかという解釈。例えばこの本文の説明のように「主権国家体制」成立の後に「宗教改革」を持ってくれば、「宗教改革が教皇などの宗教的権威を弱めて主権国家の形成を推し進めた」という解釈を前面に押し出すことになる。信仰のナショナル化を進めたのが宗教改革、という理解。私の高校時代にこのような解釈はなかった。

画蛇添足

▼カルヴァンにおいて救いは受け身の行為。救いは人間側の自己努力ではなく神の恩寵によるものとなる。この考え方は、日本の浄土真宗の他力本願説と似ている。親鸞は法然に出会った頃はまだ自力で悟りを得ようとしていたが、それが自惚れと悟り、絶対他力の境地にいたった。▼救いは人間の努力でなく、仏の慈悲によるしかない。阿弥陀仏にすべてを委ねる。日本の仏教は悟りの宗教から、阿弥陀の慈悲による救いの宗教へと大転換。仏も神に似た存在へと変質した。▼「善人なおもて往生をとぐ、いわんや悪人をや」(親鸞『歎異抄』)。これほど意表を衝く言葉を知らない。「(救いの対象でない) 善人でも救うのだから、悪人は当然救われる」と言う。善人とは自力で悟りを開ける―自己救済できると考える高慢な人間。そんな善人でも助ける度量の大きな阿弥陀仏なのだから、自分の愚かさ、限界を自覚する悪人を救うのは当然とする。▼不思議なのは予定説、他力本願説で人びとが篤い信仰を持つこと。何をしても救いの可能性は高まらない。いまの生き方は将来に影響を与えない―すべてはすでに決まっているという教え。なのに多くの人は禁欲的に、勤勉にいまを生きることを選択する。人間を探る上で、この振る舞いほど謎めいたものはない(※)。▼日本でも昔は街角で「なんまいだ (南無阿弥陀仏の変化)」と手を合わせるお婆さんがいた。この念仏は「救ってください」と浄土への往生を願うものではない。「救ってくださってありがとう」と阿弥陀仏の慈悲に感謝する念仏である。お婆さんは自分が救われることを疑っていない。予定説、他力本願説で人が「自分は救われる」と強い信仰を持つことになることが不思議でならない。

わんクリック　人は誰でも仏性を持つから誰でも仏になれる。難行苦行でなく易行でよい。唱える念仏は１回でよい、としたのは一遍上人。念仏の数を数えだしたら、努力の多さを救いにつなげる自力本願に戻る。この発想が人びとの宗教的求道心を他分野に向けた。プロテスタントのドイツがモノ作りで定評がある。日本でも鎌倉新仏教の影響で、人びとは日々の生活―与えられた仕事に一所懸命取り組む、職業的求道心を持つようになり、仕事を「究める」ものに変えたという (寺西重郎『日本型資本主義』)。その評価は消費者が行う。私たちは消費を通じて社会とかかわるが、神仏ともかかわっていた。

History Literacy　謎めいた存在―恋した相手の気持ちを読む、小さな徴候も逃すまいとする姿勢が歴史学の基本。

カルヴァンの改革

①カルヴァンの改革

- チューリッヒでツヴィングリの改革と挫折
  - └ ルターの改革と同時代、贖宥状批判など
- ジュネーヴでカルヴァンの改革運動
  - └ 地理的にフランスの中の外国。迫害された人びとの避難場所、「プロテスタントのローマ」

  主著『キリスト教綱要』(1536) に基づく改革運動

  └ プロテスタントの『神学大全』

  長老制の導入

②予定説と職業召命説

- 予定説…救われるか否かは予め定められている ＊1
  - └ 救済は、善行でなく、信仰でもなく、予め定められている、とルターの考えを徹底

  →「自分は救われるはず」という確信を得ることが課題に

  └ 選民思想に近づくおそれも ＊2
- 職業召命説
  - └ 神から与えられた地上における使命

  「救われる」の確信を得るために、天職 (calling) にはげめ (禁欲下での勤勉)

  └ カトリックとの労働観の違い

  →「勤勉」の結果としての利潤の肯定 ＊3 ＊4

  └ 勤勉 (industrious) 革命が、産業 (industrial) 革命を準備

  →資本主義の発達

  マックス・ウェーバーの解釈

  『プロテスタンティズムの倫理と資本主義の精神』(1905)

  禁欲という倫理が利潤の蓄積をもたらす逆説の指摘

  └ 渋沢栄一『論語と算盤』(1916) も論語と算盤という相容れないものをつなぐ

  cf. ヴェルナー・ゾンバルト『恋愛と贅沢と資本主義』(1902)

  └ 禁欲でなく贅沢、プロテスタントでなくユダヤ人が資本主義を発展させたと主張

③カルヴァン派の受容

- 商工業者の間で広がり、のちに各地域で市民革命の担い手
- ユグノー (仏)、ピューリタン (イングランド)、ゴイセン (オランダ)、プレスビテリアン (スコットランド) など

PROPOS ＊1

救われるかどうかに人間の努力は与らない、と突き放す予定説。カルヴァンの予定説に人間の自由意思が入り込む余地はない。「贖宥状を買えば」は「救われるかどうか」に未定の余地があるということ。

PROPOS ＊2

「私たちは救われる」の確信は、「私たちは選ばれた民だ」という選民思想、他者に対する排他性と裏表の関係にある。プロテスタントは各地で差別問題を起こした。ラテンアメリカでカトリックは普遍性の原則で先住民や黒人の区別なく布教、混血も進み、混血大陸を作った。カトリック教会は地域に一つなので、様々な地域住民が同じ教会に集うのが大きい。北米でプロテスタントは先住民インディアンと混血せず、彼らを隔離、差別 (各州に 20 世紀中頃まで人種間婚姻禁止法があった)。南アフリカでアパルトヘイト (人種隔離政策) をしたのもオランダ人とイギリス人 (プロテスタント)。

PROPOS ＊3

常識と異なり、勤勉の美徳 (労働倫理) は農業では培われにくい。どれほど働いても収穫が倍増しないのが農業。工業は勤勉であるほどに生産が伸びるから勤勉手当 (ボーナス) を出す。そこで怠惰が悪徳となった。プロテスタンティズムという世俗内禁欲の倫理より、工業化が人格形成の文明化作用を持ったとの解釈も可能 (※)。

PROPOS ＊4

カトリックは営利追求を神の御心に背くと考えた。人びとは背徳感から死後その財産を教会に寄付。資本主義下では資本は利潤が期待できるところに投下され自己増殖していくが、お金が立派な教会堂に化けて退蔵されると社会的な資本の蓄積に結びつかない。スペイン、ポルトガルを旅すると絢爛豪華な内部装飾の教会に出会って腰を抜かす。トレド大聖堂は教会なのに入場料をとる。対してカルヴァン派の禁欲は資本の散財を防ぎ、資本の蓄積につながった。

画蛇添足

▼「宗教における最大の機能は人間中心主義を相対化すること」（内田樹）。人知をもっては知りえないことがある―「不可知」を意識できるのが宗教の存在に触れる意味。世界史を学習していると多くの宗教に接することができるが、教室で宗教を学ぶことには限界がある。▼教室では各宗教の特徴や違いを言葉で「分かりやすく」説明する。理性的な理解を超越するのが宗教であり、その存在理由であるにもかかわらず、教室では宗教という非理性的な存在に理性的にアプローチしようとする。▼「無知なるものがかえってよく神を知る」（アウグスティヌス）とされる。いったい「信じる」行為に理解は必要なのか―中世のスコラ学が論争したのもこの問題だった。知識を持つ者ほど宗教を知識で理解しようとする。そこに陥穽が待ち受けている。▼前回、カルヴァン派と日本の浄土真宗が構造的に似ていることを指摘した。両者の共通点は、自力救済できると考えるところに人間の傲慢をみて、絶対的な存在による救いを掲げたこと。より深く「悪」や「罪」の問題と向き合うようになったこと。▼悪人正機説は「善人」―自力で救われると考えている人を問題とした。それは不可知なことを理解しようとする智者が最も救いがたい、ということ。善人とは物事を理屈で理解しようとする知識人と理解すべき。つまりこういう風に理解しようとすること自体が度し難い行為。「神秘がなければ、宗教もなかったであろうし、理解できないことがあるから、信心もおこるのである。」（不詳）が的確な指摘かもしれない。子を亡くした詩人の高階杞一は「かなしみをかかえたものにしか／神はみえない」と書く。宗教を考えるとは人間の探究そのもの。

わんクリック 信者であると時間的にも経済的にも負担が求められる。日々の食事、職業選択にも結婚にも制限がある。このような経済合理性を欠く営みがなぜ存続するのか。教団側からみれば信者に負荷をかけることで、それでも参加する者と辞める者を弁別するスクリーニング機能が期待できる。信者にとっては、これだけのコストを払ったのだから、とより宗教活動に熱心に打ち込む動機づけになる、と分析する宗教経済学。筆者は「人は人によって救われる」と信じてこの仕事に従事しています。特定宗派への信仰を持っていません。強いて言えば「神仏を敬い、神仏に頼らず」(宮本武蔵) です。

History Literacy 学問に敬意を払う謙虚な姿勢を持つ－ただし、「あくまでいまのところは…」の仮説と受け取る。

ローマ教会からのイギリスの自立

①ヘンリー８世

└ 熱心なカトリック教徒としてルターを論駁、教皇から信仰の擁護者

・王妃との離婚をローマ教皇が拒絶（王妃の実家皇帝カール５世への政治的配慮）

└ 侍女アン・ブーリンが懐妊、その子を嫡出子と認め、継承者にする必要から

・1534年、首長令　＊1

└ イングランドが主権を持つ国家と宣言（主権国家体制成立の象徴的出来事）

国王が教会の首長とするイギリス国教会成立　＊2

アン・ブーリンと再婚

└ 女子出産（のちのエリザベス１世）のため、のち無実の罪で斬首刑

・修道院解散　＊3

→財産を貴族、ジェントリに払い下げ

└ 修道院廃止の実際の狙いはその所有財産（宗教改革の経済的背景）

②イギリス社会の支配階級

・ジェントリ

貴族と共にイギリス社会の支配階級形成

└ 爵位を持つのが貴族（Lordの称号）、持たないのがジェントリ（Sirの称号）

両者が地主として伝統的エリート層形成

└ ジェントルマン、彼らの衣服が今の世界標準に（背広）

治安判事職などを無給で引き受け、地方行政の一翼を担う　＊4

└「テューダー朝の雑役夫」

③イギリス国教会の確立

・エドワード６世が共通祈祷書制定

カトリックとプロテスタントの中間的教義、儀式はカトリック的要素

└ 礼拝は英語、聖職者の結婚認める

・メアリー１世のカトリック復活　＊5

└ キャサリンの娘で熱心なカトリック教徒、のちのスペイン王フェリペ２世と結婚

プロテスタント弾圧

└「血まみれのメアリー」の時、イングランドで反カトリック感情高まる

PROPOS　＊1

アン・ブーリンとの子が王位継承権を持つことを確認する法が作られた。この法に対する宣誓を拒否したのが『ユートピア』の著者トマス・モア。裁判にかけられ刑死。

PROPOS　＊2

イギリスの国営宗教がイギリス国教会（アングリカンチャーチ）。聖職者は公務員。トップは英国王。日本では日本聖公会。立教大学（以下、大学略）、近くでは神戸松蔭女子学院、大阪の平安女学院、桃山学院、プール学院などを経営。意外と多い。

PROPOS　＊3

プロテスタントでは各人が世俗にとどまった修道士として信仰を内面化し、祈りの生活を送ること、禁欲的な（勤勉な）労働が要請された。この修道院の内面化により物理的な修道院は不要となりプロテスタント国の修道院は破壊された。経済的動機も大きい（※）。廃教会はないが廃修道院が多いのがヨーロッパ。修道院の廃墟の荒廃したさまがロマン主義の源泉となった。

PROPOS　＊4

こういう考え方がノブレス・オブリージュ（高貴なる者の義務）。貴族という裕福な家に生まれて生活に苦労しなくてよい特権を持つ者は、社会奉仕などの義務を負う、という考え方。１次大戦でイギリス貴族の子弟に戦死者が多かったのもこれに関係している。肯定的に言及されがちだが、貴族の特権保持を正当化する言い訳でもある。

PROPOS　＊5

イングランドにカトリックを復活させたい勢力はスコットランド女王メアリ・スチュアートを擁立。エリザベスのライバルとなった。結局、彼女はエリザベスによって長期間幽閉され、最後は処刑された。これをきっかけにスペインのフェリペ２世は「無敵艦隊」をイングランドに向ける。彼女の一人息子が独身を通したエリザベスのあとで英王ジェームズ１世として即位。

画蛇添足

▼概してプロテスタント国は料理が質素。ドイツ、イギリス、オランダでは料理に期待しないのが賢明。プロテスタントの美徳は禁欲。「お好きな方をどうぞ」と二皿差し出されたら、あえておいしくなさそうな方を選ぶ。これでは料理は発達しない。▼ワインは修道院産を選べば間違いない。修道士はブドウをはじめ品種改良に知性と情熱を注いだ。かつての修道院はいまの農業技術改良センター。プロテスタントは修道院を廃止したことで料理の発達の道も閉ざした。料理を楽しむならフランス、ベルギー、イタリアといったカトリック国。とはいえそれは高級料理の話。庶民レベルだとどの国も大差はない。▼ただ代表的国民料理が揚げたタラのポテト添え（フィッシュアンドチップス）であることがすべてを物語るのがイギリス料理。三食とも朝食でよいという声もある。欧州の朝食は英国式朝食とそれ以外（大陸式）に分けられる。後者は基本的にパンとコーヒーの簡素なもの。それに対して前者はカリカリに焼かれた燻製のベーコン、野趣溢れたソーセージ、好みに応じて調理される卵、それに焼きトマトとマッシュルーム、パンにはたっぷりのマーマレードジャムが添えられる。▼これらはジェントリと呼ばれた地方の大地主のカントリーハウスで、客人をもてなすために振る舞われた朝食。すべてが自家製なのがポイント。庭で飼った豚を解体して作るソーセージ、ベーコン。放し飼いの鶏が生む卵。イギリスでは育たない果樹を温室で育てジャムとしたマーマレードは彼らの威信財。▼のちにジェントルマンと呼ばれるようになった彼らの朝食はヴィクトリア朝時代（19世紀）に国民の全階層に広がり国民食となった。ただし伝統の常で歴史は意外と浅い。

わんクリック　ホルバインが悪を描ききったとされるヘンリー８世の肖像画（模写として複数残る）。100kg超級のマッチョな存在感。人相が悪い、と感じるのは現代的感覚。絵に表現される、その好戦的姿勢、残忍性、強い性欲―それらはいまは悪徳だが、生存競争の強かった当時の権力者にとって、強さは美徳。彼はこの肖像画を了としている。特に、股間の股袋の出来には満足したのだろう。稀代の悪漢だが目的は分かりやすい。どのような酷薄な手段を使ってでも男子継承者が必要だった。まだ王位をめぐる薔薇戦争の記憶は生々しく、彼にとりテューダー朝の安定的存続がすべてだった、のだろう。

History Literacy　内的動機付け（動因）と外的動機付け（誘因）に注目する―これが人を動かし、歴史を作る。

④エリザベス１世 (1533 ~ 1603) ― 海賊行為で富を蓄積　＊１

・信仰統一法でイングランド国教会を再建・確立

└「プロテスタント国イギリス」の国民意識が形づくられた時期

・私掠船に拿捕特許状、植民地帰りのスペイン船の銀を掠奪　＊２

└ フランシス・ドレークやジョン・ホーキンスなど海賊に貴族の称号「女王陛下の海賊たち」

海賊行為で富を蓄積、スペインと対立

└ 島国イギリスは陸軍不要、海軍代わりに海賊を使う

・羊毛生産のため第１次囲い込み、織物業保護

→大量の貧民発生を救貧法で対処

└ これまで対応してきた修道院が解散、国家が対応する必要が生じた

1588 年、スペイン艦隊 (アルマダ) から自国防衛

└ 撃退したイングランドがのちに「無敵艦隊」と皮肉った名称

・劇作家劇作家シェイクスピアの活動　＊３

四大悲劇『リア王』『ハムレット』『マクベス』『オテロ』

カトリックの改革運動

①トリエント会議 (1545 ~ 63)

└ 当時神聖ローマ帝国領でトリエント (独語)、新旧両教徒の和解目的、新教側出席せず

・教会内部の粛正 (腐敗、堕落をただす)

・教皇の至上権とカトリック教義の再確認

└ 自ら公会議の存在意義を否定する内容、以後 19 c 末まで公会議開催されず

・異端に対する宗教裁判と禁書の統制の強化

②イエズス会の設立

└ イエスをかつてイエズスと呼んでいた名残り

・イグナティウス・ロヨラらが設立

└６人のメンバーでパリ (モンマルトル) で設立、教皇の許可

・厳格な規律を持つ軍隊的組織

└ 教皇への「死人のごとき従順」(絶対服従) を要求、ロヨラは元軍人

・新大陸、アジアなどにミッションとして派遣 (海外布教)　＊４

フランシスコ・ザビエル (シャビエル) の日本来航 (1549)

└ バスク人、設立メンバーの一人、ゴア (インド) を拠点に東アジア全域で活動

→カトリックの勢力回復に寄与

PROPOS　＊１

「よき女王エリザベス」と英国黄金期のイメージで称えられる治世。自らの肖像画でイメージ戦略を展開。散りばめられた装飾品、クリームたっぷりの美白顔。サザエさん一家と同じく彼女は年をとらない。

PROPOS　＊２

エリザベス期のイングランドは弱小国家。人口が国力の時代にカトリック２大国スペイン 1000 万、フランス 1600 万に対して 400 万程度の、羊毛輸出でしか稼げない発展途上国。スペインの富の略奪を国家目標にして海賊を総動員。スペイン船を襲わせた。自国船を襲えば海賊 (犯罪) として摘発するがスペイン船なら不問、と掠奪許可書を出す。それが私掠船。子どもが、これは「いじめ」でなく「いじり」、と言い張るようなもの。イギリスは海賊行為で大国になった元祖「ならずもの国家」。イギリス史の文脈では犯罪者が英雄。怒ったフェリペ２世は懲罰遠征軍 (アルマダ、大艦隊) を出したが遠征計画のまずさ、悪天候で自滅。イギリスは悪運にも恵まれた。

PROPOS　＊３

「高慢は没落に先立つ」「輝くもの必ずしも金ならず」―シェイクスピアを勧められたある人の感想が「誰もが使う陳腐な言い回しばかりではないか」。それほどまでに現代は彼の影響を受けている。「シェイクスピアの目を通して人生を見るとは、人生のすべてを見ること」(ジョン・ウェイン) ―人間存在への洞察の深さが評価される。いま彼はハイカルチャー扱いだが当時は大衆文化。それを伝える映画『恋におちたシェイクスピア』(1998)。よくできた映画だが「これは史実に基づく」と思わせぶりなクレジットが流れるが、そのまま流れるにまかせよう。エンタメ度と史実度は反比例。

PROPOS　＊４

サンパウロ、サンフランシスコ―新大陸に聖人名を冠した都市名が多いのはスペインによる征服と対抗宗教改革のなごり。

画蛇添足

▼カトリック教会は教義面でプロテスタントに歩み寄らなかった。批判された贖宥状、巡礼、聖人や聖遺物への崇敬、聖母マリア信仰などを改めて意味あるものと再確認。これらの存在は『聖書』で言及されないがそれを問題としなかった。『聖書』も途中で編纂されたもの。そこに特権的地位を与えなかった。▼一般信徒は世俗に生きる限り、聖でありえない。そのため告解制度が作られて罪の告白で許しが得られることになった。罪を犯したままでは天国にいけないと心配する一般信徒の要求に教会が応えた側面がある。贖宥状も本来的には同じ。カトリックでよく批判される幼児洗礼。当時の乳児死亡率は高かった。生まれた時に洗礼しておかないと、という親心に教会が応えた。▼宗教も時代によって変化する。特に大宗教に発展したものは、各地の社会・文化的要素と融合、妥協を重ねて現在に至っている。それに対して、後から付け加わったものは夾雑物として取り除き、原点に戻るべきという考え方（原理主義）がでてくる。原点を本質として、それ以外の要素を「それは本当の…でない」と批判する理解の仕方は本質主義的理解。ただ歴史は時間の関数。時間の経緯に伴う変化を否定するのは歴史の否定でもある（※）。▼それに対して、どこにも本質は存在しない、変化したすべてがそれぞれ重要な要素。その時々の「いま」に本質を認めるのが構成主義的立場。「これは本当ではない…、これも…」と玉ねぎの皮剥きをしていけば最後には何も見いだせないとする立場。これが本質、と決めてしまうと思考の柔軟性が失われる。自由に考えたい本書は構成主義的なアプローチをとる。ただ「本質／構成」の二元論にも囚われないようにしたい。

わんクリック　カトリック (普遍的を意味) は異端との対抗の中で生まれた概念だが、その名称の定着はプロテスタントが誕生した 16 世紀以降。17 世紀の対抗宗教改革の中で教皇はプロパガンダ (布教) という言葉を使う。カトリック呼称の定着もプロパガンダの成果。他方の「プロテスタント」はカトリック以外の諸宗派をくくる総称。「プロテスタント」という宗教は存在しない。「プロテスタント諸派」表記がよい。この経緯は「仏教」も同じ。日本には近代まで「仏教」という宗教はなく、存在したのは浄土真宗、禅宗といった宗派。キリスト教がはいってきて「仏教」という言葉が使われるようになる。

History Literacy　歴史は時間の関数―時間の経緯に伴う変化の否定は歴史の否定 (時間の侵食を受けないのは原子だけ)。

4　移り変わる商業覇権

スペイン黄金時代

①ハプスブルク家の分裂

・スペイン王カルロス１世

神聖ローマ皇帝カール５世として宗教改革に対処

アウクスブルクの和議 (1555) 後引退

・退位後、ハプスブルク家はスペイン系とオーストリア系に分離

②スペイン黄金時代

・スペイン系ハプスブルク家

・フェリペ２世 (在位 1556 ~ 98)　＊1

反宗教改革の中心 ―「カトリック世界の擁護者」を自認

└ スペインはカトリック世界の新参、新参者は過激な忠誠を自発的に示す内外圧にさらされる

スペイン全盛期を現出　(※)

1571 年、レパントの海戦勝利

└ オスマンを初めて破った戦いとして記憶、オスマンによる地中海制海権変わらず

1580 年、ポルトガル併合

→「太陽の沈むことなき帝国」の異名

└ アジア (香辛料)・新大陸 (銀) の両方支配、領土のどこかに常に太陽

1588 年、アルマダ敗北

オランダ独立を支援するイギリスにアルマダ (大艦隊) を派遣、敗退

イギリスの私掠船に対する報復

└ 国家 (女王) 公認の新大陸帰りのスペイン船に対する海賊行為

オランダの独立と商業覇権

①スペイン領ネーデルラント　＊2 ＊3 ＊4

└ 現在のベルギーとオランダをあわせた地域

・当時スペインハプスブルク家領 (スペイン領)

・経済先進地帯のフランドル地方 (ネーデルラント南部)

アントウェルペンは商業の中心地、周辺が毛織物産業の中心地

└ 商工業者にカルヴァン派 (ゴイセン) 広がる

PROPOS　＊1

フェリペ２世がマドリッド郊外の荒野に反宗教改革の拠点として建設した壮大で荘厳なエル・エスコリアル修道院。天正遣欧少年使節 (1582 ~ 90) も、ここでフェリペ２世の歓待を受けた。マドリッド郊外では大型風車が並ぶコンスエグラ村 (ラ・マンチャ地方) が必見スポット。乾燥スペイン「メセータ」の典型的風景が広がる。

PROPOS　＊2

日本での通称オランダの正式名称はネーデルラント (「低い土地」)。国土の４分の１が海面下。海抜以下の低い土地を人力で干拓 (ポルダー) して国土を作った (「世界は神が作ったが、オランダはオランダ人が作った」)。海岸沿いに並ぶ排水用風車がオランダの象徴。地球温暖化による海面上昇はこの国の存続を脅かす。人びとの環境意識は高く、国土が平地なこともあって主な交通手段は自転車。専用レーンが完備する。

PROPOS　＊3

ニシンがバルト海を回遊していた頃、これを品質の高い塩漬けに加工して高い利益を上げたのがハンザ同盟都市。ところが気まぐれなニシンの群れは 16c に北海に移動。今度はオランダにニシン漁の繁栄をもたらした。オランダはタラ漁でも繁栄。長期間保存の利く塩漬けニシン、天日干しタラは大航海時代に不可欠の産品だった。

PROPOS　＊4

「あいつはドンキホーテだ」は、激安の殿堂で働いている、ではない。現実と虚構の見境がついていない、という意味。『ドンキホーテ』で有名なのは、彼が風車へ突進する場面。風車が巨人に見えた彼は風車に挑みかかるが、跳ね返される。従士サンチョの目にはただの風車にしか見えないから驚く。このシーンは社会風刺。風車はオランダ、そこに無謀に突進するのがまだ中世を引きずっているドンキホーテ、つまりスペインの姿。オランダ独立阻止のために派遣した無敵艦隊が敗北したことを風刺。

画蛇添足

▼オランダを訪れた人は、飛び切りの笑顔に歓待され、この国に魅了される。首都アムステルダムは寛容の都。ユグノー、ユダヤ人、アルメニア人など他国で迫害された様々な人を受け入れてきた。この貿易港は物資だけでなく情報の集積地として繁栄。隣国フランスでナントの勅令が廃止されると迫害されたカルヴァン派が広がった。▼寛容とは先取の気風。いま世界は大麻解禁へと舵を切った。WHOも濫用、依存性のリスクはないと結論づけた。いち早く大麻を解禁したのがオランダ。ドラッグをソフト (大麻など) とハード (覚せい剤など) に分け、後者の根絶に力点を置く。禁止が難しいソフトを違法にすると闇市場を儲けさせ、ゲートウェイドラッグとして使われると判断 (ただしいまの日本で所持は犯罪。絶対に駄目)。▼いまこの国が取り組みはじめたのはユニセックス公共トイレ。内部に個室だけが並ぶ。トイレ内の鏡の前で様々な性を持つ人びとが横に並んで身づくろいする。この社会のLGBT問題への先駆的取り組みが鏡に映る。性自認、性的指向による差別をなくすのが今日の課題。▼もちろん反発(バックラッシュ)も起こっている。寛容な移民政策 (多文化主義) は他者に対する無関心を広げただけとの批判も強い。カフェと呼ばれる大麻販売店の周辺には明らかに危ない雰囲気が漂う。先取の気風とは失敗を恐れないこと。失敗のない人はチャレンジしない人。▼オランダは今は王国として安定するが独立当時は世界に先駆けて共和国を選択。のちに立憲王国へと修正した。それにしても今の日本は他人の失敗に不寛容。誰もが年相応に愚かな失敗をして成長してきたではないか。川に落ちた犬を叩き、人が高転(たかころ)びするのをほくそ笑んでどうする。

わんクリック　独立戦争で繁栄がアムステルダムに移るまで 16 世紀西欧最大の商業中心地はアントウェルペン (アントワープ)。エラスムス、ブリューゲル父子、ルーベンスなどが活動。大聖堂にルーベンスの大作『キリスト降架』。今は、ワンクリックすれば簡単に見ることができるが画家をめざすネロ少年にとってこれを見るための銀貨一枚は大金だった。このために愛犬パトラッシュともに牛乳配達をするが…(『フランダースの犬』)。この悲しい結末の話が定番の児童文学になったのが日本文化。他国では「いい年してネロは情けない」などと拒絶された。比較文化の観点で理由を追究すると面白い。

History Literacy　いい加減な世界史教科書用語「全盛期」―日本の「全盛期」はいつだったのか、と考えれば分かる。

②独立戦争 (1568 ~ 1609、1648)

- フェリペ２世のカトリック強制、都市に重税
  └ アルバ公を派遣して強権政治
- ネーデルラント 17 州がオラニエ公ウィレムを指導者に独立運動
  └ 英語でオレンジ公ウィリアム　＊1

→フェリペ２世の分断懐柔策

→南部 10 州 (カトリック教徒が多い) の離脱
  └ ハプスブルク家領にとどまり、のちベルギーとして独立

→北部７州 (ゴイセンが多い) はユトレヒト条約で結束
  └ 商業 (海運業)　　└ 何人も宗教的理由で迫害されない、と明記

→ 1581 年、独立宣言

ネーデルラント連邦共和国として独立宣言
  └ 王国ではない (現在は王国)。中心州 Holland (ホラント) から「オランダ」の音

→イギリスの支援
  └ 同じプロテスタント国家、エリザベス１世

1588 年、スペイン艦隊 (アルマダ) にイギリスが勝利
  └ 私掠船のホーキンズ、ドレークらの貢献

→休戦 (1609)、独立 (1648)
  └ のちに三十年戦争で再開戦し、「80 年戦争」

③オランダの繁栄 (17 世紀前半)
  └ 日本との貿易独占、『和蘭風説書(おらんだふうせつがき)』が日本の情報源

- 中継貿易で繁栄　＊2
  └ グロティウス『戦争と平和の法』で「国際法の父」、『海洋自由論』(1609)　＊3
- オランダ東インド会社設立 (1602)
- 首都アムステルダムは世界商業の中心
  └ 南部 10 州からカルヴァン派が亡命、南部アントウェルペンは衰退

  アントウェルペン商人が作り出した商ルールを継承
- 市民文化開花

  多くの知識人が各地から亡命 (哲学者スピノザ、デカルトら)

  画家レンブラントの『夜警』(1642)
  └ 貴族の肖像画でなく市民の集団肖像画

  フェルメール、ルーベンス、ファン・ダイクなど　＊4

PROPOS　＊1

日本は難しいオランダ語を通じて世界を知った (蘭学)。いま日本の大学で学べないオランダ語。英語と同じくドイツ語の方言。それゆえドイツ人、オランダ人はほぼ英語を話す。独立運動指導者オラニエ公は英語でオレンジ公。オランダのサッカーナショナルチームのシンボルカラーはオレンジ。

PROPOS　＊2

欧州の交通の要衝オランダ。レンガ造りの中央駅は東京駅のモデル。この駅舎をはじめオランダの建物は軽いレンガ造りで窓を大きくとって軽量化を図っている (開拓地上では地盤沈下防止が課題)。そのため石造りの重厚さはないが庶民的な佇(たたず)まいの街となった。ライン河口のロッテルダムはEUの海の玄関。アムステルダムのスキポール空港は空の玄関、世界的なハブ空港。

PROPOS　＊3

スペインとポルトガルが海洋を分割したトルデシリャス条約。それに反発したプロテスタント国オランダ。グロティウスは海はいずれの国の占有も排した自由な場所であるべきと海洋の自由を唱え、国際法の整備をリード。海洋の自由はオランダにとって死活問題。東アジア進出のためにルール作りを主導しようとした。領土と同じ発想で領海も作られたが、その発想から離れて領海とは別の公海概念も作り、海を二分。公海には陸地とは別のルール「海洋の自由」が適用されるとした。ルールは作られていく。リーダーとはルールを作る人のこと。

PROPOS　＊4

小品で人びとの眼を惹きつけるのはフェルメールの絵ぐらい。当時の日常生活の一コマを描くことで静謐(せいひつ)さも描いた。20c モランディへと続く「静謐画」(と勝手にジャンルを作った)。静謐という抽象的なものは、モノという具体的なものを描くことでしか描けない。抽象画では抽象概念が描けない。見えない「心」を磨くのも、具体物「モノ」を丁寧に扱うことで磨いていくしかない。

画蛇添足

▼「光の魔術師」レンブラントの『夜警』。左上方からの強い光の差し込みはレンブラント・ライトと呼ばれる現代の照明の基本技法。光による明暗が、画面に動き、物語性を生み出し、演劇的効果を作り出す。▼白い服を着たキャプテンが差し出す右手の影がライトの差し込む方向を示し、また立体感を作り出す。見る者の視線を特定の場所に惹きつけている。のちに煤(すす)が付着、ニスが劣化して画面が黒ずんで『夜警』と呼ばれたが実際は昼の情景。この光の差し込み方は太陽光と同じ。私たちはこの光の下で物事を認識。逆に下からライトを当てると異化効果を生む。▼集団肖像画なのに人物が均等に描かれていない。他の人の手によって顔が隠れている人物もいる。彼は重要な人物を光の中に、そうでない人物を影の下に描き分けた。それなのにモデルの16人は「割り勘(ダッチトリート)」で支払った。さすがオランダ。画面右下で激しく手抜きされた犬が「悲しい」と泣いている。▼当時「これが集団肖像画か」と非難された作品。これらのコンセプトが時代を超えたのでいま名作とみなされる。当時の人に受け入れられた作品ではない。当時、観客はいなかった。「観客は後からついてくる」が芸術。いったい、生前は無名で、亡くなってから有名になった人物は、どの時代の人物なのか。作られた時期なのか、それとも評価された時期の文化に属すのか。▼他にも19世紀になって評価されたフェルメール（17世紀）がいる。その作品を12ドルで買った幸福な人がいた。逆に当時は誰もが知っていたのに評価が凋落(ちょうらく)していまは知られていない名前もある―具体的な名前は…ちょっと思いつかない。歴史を学ぶとは時代をありのままに理解するのとは異なる、別の行為（※）。

わんクリック　17 世紀のプロテスタト国家オランダ。プロテスタント教会の内部は簡素。聖書を直接読むので、「絵で描いた聖書」宗教画は不要になる。宗教画の需要がなくなり、肖像画、静物画、風景画が主流になる。注文主がいてその意向に拘束されるので作品の商品性も強くなる。ところで絵画はだまし絵。写実的に見える静物画だが、そこには旬の合わない果物も一緒に盛り合わせられている (サクランボとブドウとか)。南国の柑橘系果物がペルシア産のテーブルクロス上のチャイナ磁器に盛られる。当時の豊かなオランダの市民階級を象徴する「誇示する静物画」としての性格もあわせ持った。

History Literacy　歴史はその時代のありのままを表現していない―「観客はあとからついてくる」芸術と相似形。

5　イギリスの内乱

国王と議会の対立

①国王と議会の対立

・ステュアート朝国王の「専制政治」

エリザベス1世死後(1603)、スコットランド王が王位に　＊1

└ 独身でテューダー朝断絶　└ エリザベスが殺したメアリ・スチュアートの子

ジェームズ1世(在位 1603～25)の即位と専制政治

自ら王権神授説を提唱、議会軽視、ピューリタン弾圧

└ 反発した人びとが信仰の自由を求めて渡米(ピルグリムファーザーズ)　＊2

チャールズ1世(在位 1625～49)も専制政治

・『権利の請願』(1628)

└ 不文憲法(立憲王政)の国イギリス、『権利の請願』は現在も憲法の一つを構成

議会の同意なしの課税禁止など

→議会を解散し、無議会政治(11年間)

→戦費調達のため課税が必要となり議会招集(1640)(短期議会、長期議会)

└ 国教強制に反発したスコットランド(長老派が主流)の反乱鎮圧のため

②「ピューリタン革命」(1642)　＊3

└ 三十年戦争(1618～48)中のため大陸諸国の干渉なし

・議会派(国教会多い、ヨーク拠点)と王党派(ピューリタン多い、ロンドン拠点)の対立

→緒戦は王党派優勢、後半は議会派が巻き返し

└ 貴族ら戦争のプロ　└ マーストン・ムーアで初勝利

・クロムウェルが規律の強い鉄騎兵組織

└ ピューリタリズムを精神的支柱とする「戦う教会」

→ネイズビーの戦いで議会軍勝利

→クロムウェルら独立派が主導権　＊4

└ 教会をピラミッド型(国王頂点)組織でなく独立させ対等に

社会改革を志向する水平派と結び、国王と妥協的な長老派追放

└ のちに水平派を追放(あくまで議会は地主の既得権益を守ることが目的)

→国王チャールズ1世処刑、共和政樹立(1649)

└ 英国史上唯一の共和政(王不在の時代)(10年間)

PROPOS　＊1

イギリス王室はスコットランド、のちにオランダ、ドイツと次々に他国から国王を招聘(しょうへい)。ヨーロッパの王室は婚姻関係でつながり王室全体がヨーロッパの支配者階級を形成。各国王をポストのようにやり取りする。いま各国のオーケストラで常任指揮者ポストが空席になった時、国籍に関係なく指揮者が異動して着任するのと同じ感覚か。他方に土着しているのが貴族(こちらはさしずめコンサートマスターか)。その貴族が異国から着任して土地の事情を知らない王に、自分たちの具体的な既得権益、ローカルルールをリストにして渡したのがマグナカルタ(こちらはさしずめ契約書か)。

PROPOS　＊2

圧政に反発して新天地に向かったメイフラワー号に乗った「ピルグリムファーザーズ」。東海岸プリマスに上陸してここをニューイングランドと命名(1620)。ボストンの厳しい寒冷な気候は彼らピューリタンの禁欲的な教義に合致したがこの植民地はうまくいかずマサチューセッツ植民地に吸収された。ところがのちに信仰の自由という高い理想を求めてやってきた彼らがアメリカの礎を築いた、というアメリカ建国神話に発展(大西直樹『ピルグリム・ファーザーズという神話─作られた「アメリカ建国」』)。

PROPOS　＊3

最近は「ピューリタン革命」より一連の出来事を内乱─王党派と議会派、議会派の中での長老派(議会)と独立派(軍隊)、軍隊内の独立派(士官)と水平派(兵士)─とみるようになっている。市民革命としての要素は薄く、ピューリタンの果たした役割も呼称に組み込むほどではないとされる。ただ「名誉革命」の前後で社会は変化。「内乱」より「イギリス革命」との主張もある。

PROPOS　4

国教会にあって教会内部を改革しようとしたのが長老派。分離しようとしたのが分離派。その中間が(独立ではない)独立派。

画蛇添足

▼絶対王政を擁護した政治学説、王権神授説。いかにも国王に絶対的権力が集まったようなイメージを喚起する言葉。当時は国王の権威が神に由来することが自明だった時代であり、そこであえて王権神授説が主張されたのには別の意味があった。▼概念の多くはそれに先立つ概念のアンチとして登場する(※)。当時の人には自明であっても、いまはそうでない。王権神授説の当時における新しさは、国王の権力が、地上における「神の代理人」であるローマ教皇を通じてでなく、神から直接授かった、と強調する点にある。ポイントは教皇をはずす点にある。▼したがって絶対王政の「絶対」から、独裁者としての専制君主をイメージしてはいけない。あくまで教皇に対して各国君主の絶対優位を唱え、主権国家体制を推し進めるための主張。国王は国内の他勢力に対しては相対的優位しか持っていない。▼イギリスが世界にもたらしたのはスポーツ、サンドイッチと議会制民主主義と言われる。最後の議会制民主主義は、国王の専制主義に対して議会が中心になって抵抗したことで生まれた、と説明される。この歴史観はホイッグ史観(進歩史観)と呼ばれる。この史観の下で評価されるのは議会派のプロテスタント勢力、とりわけホイッグ党(のちの自由党)。否定的に扱われるのは、国王、そして議会ではカトリックのトーリー党(のちの保守党)。▼これは典型的な現在の視点からの過去の解釈とも批判されるが高校世界史にこの歴史観の残滓(ざんし)が認められる。しかし仕方がない面もある。現在の視点から現在にとって大切なものを取捨選択して、現在の言葉で叙述するのが歴史。歴史とはそのようなものと意識して接する技法がヒストリーリテラシー。

わんクリック　クロムウェルの「鉄は熱いうちに打て」。でもうちの子は「熱くない」から困っている─担任をしていて保護者面談でよく聞いた嘆き。お得意の「わんクリック」で調べたら出てきた。Not only strike while the iron is hot, but make it hot by striking.(鉄を熱いうちに打つだけでなく、打つことによって熱くする)とある。なるほど、いずれにせよ学生は打たれる運命にあるのか、と妙なところで感心。ないから困っている「やる気」も同じで、これも「出す」ものではなくて「出る」もの。ただこのクロムウェルの禁欲さは立派だが、立派なことは自分のことに留めおいて、他者に強制してはいけない。

History Literacy　先立つ概念を意識することが概念理解─概念の多くは先立つ概念のアンチとして登場する。

③クロムウェルの政治

・アイルランドの征服、スコットランドの征服

└ ケルト系カトリック勢力の拠点、王党派の残党追討、戦費を征服先で調達

→イングランドによるアイルランド支配（アイルランド問題）の発生

・1651年、航海条例（法）の制定

イギリスとその生産国への輸入品の輸送はイギリス船に限る

└ 当時、生産国に遠洋航海できる大型帆船はなくオランダ東インド会社の独壇場

→オランダの中継貿易へ打撃

・護国卿として厳格なピューリタン政治

└ 古代ローマ共和政をモデルに護国卿（ロード・プロテクター）と称す

名誉革命と王政復古

①王政復古（1660）　＊1

・クロムウェル死後、チャールズ2世復位（在位1660～85）

└ 仏亡命、ルイ14世（1661、親政）と幼なじみの隠れカトリック

議会は審査法（1673）、人身保護法（1679）で対抗　＊2

└ 公職は国教徒限定　└ 人権保障の手続き（20日以内の正式裁判）

ジェームズ2世の即位の是非をめぐり政党の誕生

└ カトリックであることを公表、即位しても嫡子おらず一代限りの予定

消極的賛成派がトーリー党、反対派がホイッグ党

└ 嫡子おらず一代限りと妥協　└ 国王、国教会擁護　└ 議会擁護

②名誉革命（1688）

└「名誉な革命」はイングランド中心史観による命名　＊3

・ジェームズ2世（在位1685～88）の専制政治

└ カトリック教徒、しかし後継は娘のメアリ（プロテスタント）

・1688年、議会は王の娘メアリと夫君（オランダ統領ウィレム）を国王に招聘

└ 高齢の王に嫡子生まれる（カトリック王が続く可能性生まれる）

→両者の上陸にジェームズ2世は抵抗せず仏亡命（無血革命）

└ 国王が実の娘と娘婿に追放される　└ イングランドのみ

→ウィリアム3世とメアリ2世の即位　＊4

└ イギリスはオランダと1代限りの国家連合、英での2人国王は珍しい

→議会の『権利の宣言』（1688）を『権利の章典』（1689）として発布

PROPOS　＊1

日本で「イギリス」の指示対象は曖昧。イングランドだったり（イングランド中心史観）、グレートブリテンだったり。ジェームズ1世の親書を受け取った徳川家康も戸惑った。一応、連合王国（UK）を指すがイングランドしか指さないこともある。UKはイングランド、スコットランド、ウェールズ、北アイルランドの4地域。前3者を含む島がグレートブリテン島。対立しがちな近隣国が同君連合で政情を安定させるのは珍しくないが、これほど長期にわたる安定は珍しい（いま終焉が近い気配も漂う）。

PROPOS　＊2

人身保護法は憲法の「身体の自由」の起源。人権の保障にとってこれが最も大切。テレビの刑事ドラマなどでは簡単に人を逮捕するが、人を逮捕してその身柄を拘束することが簡単に行われてはならない。人間は精神と別に身体を持つ。身体を拘束されて精神を保つのは難しい。人間は拘束から逃れたい一心で虚偽の自白をする存在。

PROPOS　＊3

イングランド国内では無血だったから名誉革命とされたが、スコットランドと特にアイルランドでウィリアムの即位に反対する勢力が存在し、流血の事態となった。

PROPOS　＊4

二人の前で議会は「権利の宣言」を読み上げた。神妙に聞く二人はこれを承諾して『権利の章典』として発布。イギリスは不文憲法の国。三大文書『マグナ・カルタ』『権利の請願』『権利の章典』が帰納的に機能して今も重要な役割を持つ。これらは、これまで議会が慣習的に持っていた権利を明文化したもの。国王に対して議会がこれだけの権利を持っている、とリストを示したもの（つまり議会が持つ既得権の追認で、内容的に新しさはない）。のちのフランス革命で掲げられた「自由・平等・博愛」といった普遍的理念とは性格が異なる。これらの文書によって議会主権が確立へと向かう。

画蛇添足

▼出来事の前後ですっかり社会が変わることもある。物事は漸進的に変わることもあれば、何かをきっかけに、いわゆる閾値を超えた時、まったく別ものになることもある。温度を上げると少しずつ熱くなる水もある温度を超えると気体になる。▼時代が変わったのにそれに気づかず、かつての思考枠組みで行動する痛々しい年配者がいる。近代市民革命が作り出した人権概念。その意味内容は常に拡大伸張している。人権意識を不断にアップデートしておかないと意図せぬ差別者（加害者）となる。比較的最近まで高校文化祭の舞台での女装は簡単に笑いがとれる定番だった。いま男性の女装を笑いの対象にするなどありえない。▼イギリスでは王政復古の前後で基準が大きく変わった。これ以前、社会は国教会（国王）とピューリタン（議会）間で対立していた。国王の個人的事情で始まったイギリス国教会。宗教改革としては不徹底だったから、この改革を徹底しようとするピューリタンと対立した。この時、イギリスでカトリック擁護など時代遅れで論外だった。▼クロムウェルによるピューリタニズムに基づく厳格な神政政治。にこりともできず冗談の言えない日々。人びとはその息苦しさに辟易した。王政復古でチャールズ2世が復位した時、イギリスではもはやピューリタニズムの擁護は論外となった。▼かつて国教会を擁護した国王はカトリック復活を狙い、これに対抗する議会は国教会を擁護。つまりかつての国王の立ち位置に議会がシフト。カトリック（国王）と国教会（議会）が対立。ややこしいので模式図を書いて理解しよう。この変化に取り残されると、カトリックを公職から締め出そうとした審査法の理解から締め出される。

わんクリック　現実政治で重要な役割を担うのが政党。共通の政治目標を持つものが組織する。日本国憲法に政党への言及がない。憲法には書かれていないことが多い。憲法に書いてあるから権利があるのではなく、権利があるから憲法に書いてある。原因と結果を逆にしないこと（※）。徒党を組む権利はある。政党は英語でパーティー。国民のある部分を代表するものでことのほか資金集めパーティーを好む。階級政党としてスタートしたが、いまはすべての国民を代表することを標榜する国民政党が主流。全部を代表するパーティーとは形容矛盾だが、植民地独立運動の過程で作られた政党に多い。

History Literacy　因果関係の逆転に気をつける（石油は政情不安なところに産出するのではない、石油がでるから政情不安になる）。

③グレートブリテンの成立

・アン女王 (在位 1702 ~ 14) の時、スコットランドと合同 (1707)　＊1

└ 死後、ステュアート朝断絶　└大陸での中央集権化、特にルイ 14 世の動きに備える

1713 年、ユトレヒト条約 ― 植民地戦争でイギリスの優位　＊2

・ハノーヴァー朝 (1714 ~ 現在)

ドイツのハノーヴァー選帝侯がジョージ 1 世として招聘される　＊3

└ 遠縁、数十人がカトリックのため候補から外れる　└ 英語理解せず、学ぶ意欲もなし

→内閣が王に代わり政務をとる

「王は君臨すれども統治せず」の慣習

→事実上の「初代首相」ウォルポールの辞任

└ 国王に信任されたが自身のホイッグ党が選挙で敗れ辞任 (在職 21 年)

→議院内閣制の基礎

6　フランスの宗教戦争と絶対王政

ユグノー戦争

・フランス (カトリックの長女) にユグノー (カルヴァン派) が広がる

→当時カトリーヌ・ド・メディシスが実権

└ 幼少の国王シャルル 9 世の摂政

政敵ギーズ公けん制のためナヴァル王を引き立てる　＊4

└ カトリック　└ ユグノー　└ 両者のバランス上に権力掌握図る

→シャルル 9 世の妹とナヴァール王アンリ (ブルボン家) を結婚させる

└ のちの王妃マルゴ　└ ピレネー北側 (バスク) の小国、のちのアンリ 4 世

→サン・バルテルミの虐殺 (1572)

└ 宗教戦争の狂信さの象徴的出来事

祝宴のためにパリに集まった多数のユグノーが殺害される

→国王アンリ 3 世暗殺でナヴァル王アンリに王位

アンリ 4 世として即位 (在位 1589 ~ 1610)、ブルボン朝創始

→即位後カトリックに改宗

└ 歴代仏王の中で屈指の人気、「アンリのとんぼ返り」の政治的才覚と奔放な私生活

→ 1598 年、ナントの勅令で個人の信仰の自由認める ― 寛容のブルボン朝

└ 自らの改宗の見返りとしてとった政策　＊5

PROPOS　＊1
アン女王は生涯に 15 人の子を産んだが、全員亡くなりスチュアート朝は断絶した。

PROPOS　＊2
名誉革命後にイングランド銀行を設立 (1694) して財政金融革命を実行。租税で賄(まかな)えない戦費を公債発行で借入。利払いを遅延しなかったことで信用を獲得。以後、フランスより低金利での戦費調達が可能になる。このためイギリスは海外植民地戦争に勝利。高金利のフランスは財政難に陥った。金融資本で世界を支配したのがイギリス。

PROPOS　＊3
バッハと並ぶバロック時代の作曲家ヘンデル (同年生まれ) はドイツのハノーヴァー選帝侯の宮廷楽長。侯と気まずくなりイギリスへ移住。その彼が英王ジョージ 1 世として即位。慌てたヘンデルが和解のため、王を愉しませようと作曲したのが『水上の音楽』。彼は侯の意向を受けて先にイギリスに赴いたスパイ説もある。このジョージ 1 世の評判がすこぶる悪い。取り柄はプロテスタントであることだけ、と散々な評価。

PROPOS　＊4
人びとを動かす権力欲。それに妬(ねた)み、嫉(そね)み、僻(ひそ)みが副旋律として加わば典型的な権力闘争、いわゆる「コップの中の嵐」となる。大河ドラマに格好の題材。自分の権力を脅かす者 (カトリックの代表ギーズ公爵) に対して対抗馬 (プロテスタントのナヴァル王) を充(あ)てて、自らに権力が集まる対立均衡を作り出す策略をとったのがカトリーヌ。

PROPOS　＊5
港町ナント。港町で進取の気風がある。『80 日間世界一周』の SF の父ジュール・ヴェルヌの生地。型破りな音楽祭ラ・フォル・ジュルネ (熱狂の日) 発祥地。ヨーロッパ初の個人の信仰の自由がここで認められた。宗教はそれまで「人々を統合するシステム」(デュルケーム)。この観点をとれば「個人の信仰の自由」で宗教は別ものになった。

画蛇添足

▼16世紀にイタリアからアンリ2世に嫁いできたカトリーヌ・ド・メディシス。料理人、菓子職人(パティシエ)も連れて嫁入り。この時、イタリア料理がフランスに紹介されて仏料理発達のきっかけとなった。▼彼女は占いに傾倒。若き日に「サンジェルマンの近くで死ぬ」と告げられ、生涯、このパリ中心部を避けて過ごした。こうして迎えた最期の時。臨終の秘蹟(ひせき)をとろうとする神父に名前を尋ねて「ああ、だめ」と絶命した。彼の名はサンジェルマン。地名でなく人名だった。用心を重ねたが予言を成就(じょうじゅ)させてしまった。こういうよくできた話の真偽は怪しい。▼ところで彼女の頃から発展したフランス料理はのちに各国で外交儀礼時の正餐(せいさん)として採用される。そして仏革命で宮廷料理人が仕事を失い、街にでて店を構えるようになって仏料理は一般にまで広まった。レストランとは回復(レストレ)する場所の意味。この名がつくと庶民的な店でも一品ずつ出してきて昼食に2時間近くかかり疲れる。▼ナイフとフォークを使った食事法もイタリア起源。彼女がフランスに着いた時はまだ手づかみで食べていた。ただ食べる時のマナーはいまも変わらない。スープは食べるもので音を立てて飲んではいけない、フォークを右手に持ち替えて使うのだけは絶対だめ、と習う。▼ところが右手に持ったフォークだけですべて済ますのが今のフランス。パンで皿のソースを拭(ふ)きあげて一滴も残さない。ソースだけでなく皿洗いの水をけちる吝嗇(りんしょく)ぶりが外食時にもでる。これにイギリス人は「フランスにはマナーがない」と眉を顰(ひそ)めるが、フランス人はハンバーガーをナイフとフォークで食べる彼らを見て「イギリスには料理がない」と相手にしない(※)。

わんクリック　懐かしい響きのスコットランドとアイルランド。明治新政府は国民意識の確立のために唱歌を導入。一緒に歌うことで連帯意識が高まる。伊澤修二がお雇い外国人のアドバイスで多くのスコットランド民謡 (『蛍の光』『庭の千草』)、アイルランド民謡 (『ダニーボーイ』など) を取り入れた。五音音階が多いケルト系音楽は当時の日本の「ヨナ抜き音階」と同じで歌いやすかった。さらに歌詞は七・五調で整えられた。「蛍の光」の歌詞には 4 番があって「千島のおくも、沖縄も、八洲(やしま) (日本) のうちの守りなり」と領土意識を植え付けるものだった。琉球処分の 2 年後 (1881) に小学校の唱歌集に掲載された。

History Literacy　面白い話は笑うためにあり、真に受けてはいけない―面白い話は話半分にして聞く。

フランス絶対主義

①ルイ 13 世 (在位 1610 ~ 43) 時代

└ 母マリ・ド・メディシスと骨肉の争い、クーデタで実権

・宰相リシュリューがフランス王権強化に尽力　＊1

└ 宰相の宰は「つかさどる」、相は「助ける」、代表的マキャベリスト

・三十年戦争に新教側支援で介入、三部会の招集停止 (1614)

②ルイ 14 世 (在位 1643 ~ 1715) 時代

└ 国王ルイ 13 世が 41 歳で死去、4 歳のルイ 14 世が即位

・宰相マゼラン

・貴族、高等法院らの最後の反乱フロンドの乱鎮圧　＊2

└ 王令審査権を根拠に王権強化に抵抗　└ 体制側の反乱の代名詞

③絶対主義 (絶対王政)

・16 ~ 18 世紀、国王に強大な権力が集中

└ 実際はかなり限定的　└ 過渡期的形態

没落した領主は官僚、常備軍 (直属の軍隊) として国王に寄生

新興市民は国王による市場の統一を期待

王権神授説で王権を正当化 (ボシュエ)

④ルイ 14 世の親政 (在位 1661 ~ 1715) —「偉大なる世紀」(ヴォルテール)　＊3

└ 70 年を超える治世、半世紀間続いた親政 (宰相置かず)

・王権神授説信奉「朕は国家なり」　＊4

・財務長官コルベール登用

・典型的な重商主義政策で国庫充実

国内産業の保護育成と輸出の促進、輸入の抑制

パリのゴブラン織の絨毯(じゅうたん)工場など王立マニュファクチュア設立

└ 職人を 1 カ所に集めた分業で生産コスト下げる

・フランス東インド会社再建 (1664)、西インド会社設立 (1664)

・ヴェルサイユ宮殿の造営 (1661 ~ 1715)

└ ルイ・ル・ヴォー設計、ル・ノートルが造園

パリ郊外、「鏡の間」、広大な庭園

→ヨーロッパ各地の宮殿のモデル、フランス宮廷作法が広がる

└ 赤坂迎賓館のモデル、国賓への正餐はフランス料理

PROPOS　＊1

ルイ 13 世時、フランス王権は拡大したが王は名目的な存在。これはリシュリューの業績。下級貴族から独力で宰相に上り詰めた。近代国家の政治原理として国益を掲げた。目的のために手段を選ばなかったマキャベリストの代表格。「人間を救う宗教で国家を救うことはできない」と三十年戦争をプロテスタント側で戦う。他方で国内のユグノー勢力一掃を断行 (ラ・ロシェル包囲戦)。無私の人、広い度量を備えていた、とは後世のヴォルテール、モンテスキューらの評価。デュマの『三銃士』では敵役。彼を敵に「一人はみんなのために、みんなは一人のために」を標語にしたのが三銃士。

PROPOS　＊2

高等法院は、貴族でも能力がないと就けず、平民でも能力と資産があれば就けた (法服貴族)。身分の流動性を担保する存在だった。王令もここが承認しなければ有効にならず王権に対抗する拠点でもあった。

PROPOS　＊3

宮廷におけるルイ 14 世の日常生活はすべて儀礼化。儀礼への参加の可否とその順序で貴族は序列化。すべては決まった時間に決まった手順で実施。どこにいても暦と時計があれば、いま彼が何をしているか分かる、とされた。起床に始まり食事、政務から就寝まで、排便・排尿、王妃の出産までもが公開。影響力のある王。ハイヒールを履けばハイヒールが、ダイヤをつければダイヤが流行。2 世紀間で国王 5 人の超安定王朝ブルボン朝。中でも在位 72 年間で政治の安定をもたらした。「見せる / 見せられる」の力学の中で権力を高め「偉大な世紀」を演出。リゴーの肖像画『ルイ 14 世』(1701)。彼が一番見てほしかったのが脚だと分かる。高齢者の若々しさ自慢の元祖。

PROPOS　＊4

「朕は国家なり」(ルイ 14 世)。近代では「鉄は国家なり」、いまは「半導体は国家なり」か。兵器の性能は半導体で決まる。

画蛇添足

▼プロテスタントのままではフランス王になれないと判断したアンリ4世。王位承認の代償にカトリックに改宗。「私はとんぼ返りを打つことにする」「パリはミサに値する」はその時の言葉。パリの街の主人公になれるのなら、カトリックの宗教儀礼ミサぐらい我慢してやろう」程度の意味。▼ナントの勅令でプロテスタントの信仰の自由を認めて宗教内乱を収拾。いまも人気が高い。もっとも当時の人が見惚れていたのは王妃マルゴの方。サン・バルテルミの虐殺をクライマックスに、カトリーヌ・ド・メディシスとの人間模様も織り込んだのはアレクサンドル・デュマの『王妃マルゴ』。映画は当時の生活をよく再現。▼彼の名にちなんだパリにあるアンリ4世校 (高校) はフランス屈指の名門校。ここに長く勤めた倫理教師アラン。折々の思索を『プロポ (PROPOS)』と称した短文にまとめたものが後に愛読されるようになった。足元にも及ばないが、この顰(ひそ)みにならおうと始めたのが本プリントの脚注。▼『幸福論』がよく読まれてきた。彼も体系的であることを拒み、短文で読む人の思考を刺激するモラリスト。「小雨が降っているとする。あなたは表に出たら、傘をひろげる。それでじゅうぶんなのだ。『またいやな雨だ!』などと言ったところで、なんの役に立とう」(アラン)。▼日本にはもっと短くする達人がいた。「雨が降ったら傘をさす」(みつを)。雨を前に傘を持たない人たちが、この言葉との距離をはかりかねて途方にくれる。「雨を感じられる人もいるし、ただ濡れるだけの人もいる。」(ボブ・マリー)。大切なことは、雨が降るから傘をさすのであって、傘をさすから雨が降るのでない、と因果関係を逆転させずに理解すること。

わんクリック　リシュリュー、マザランに逆らい辛酸をなめた貴族ラ・ロシュフーコー。「美徳は、川が海の中に消え去るように、利害打算の中に消え去る」「我々は、我々の大切な人の死に対して涙しているのだというが、実際は我々自身のために涙を流している」と短い言葉 (箴言、格言など) で真理を抉(えぐ)った。「人間一般を知ることは、個々の人間を知ることよりも容易である」『ラ・ロシュフーコー箴言集』(※)。人間とは何かを探究する際に、「偉大なる世紀」の一翼を担ったマラン・マレ (1656 ~ 1728)『人間の声』は必聴。人間の声に最も近い楽器ヴィオラ・ダ・ガンバ (これがチェロに発展する) の深い音色。

History Literacy　「太陽と死は直視できない」(ラ・ロシュフーコー)—過去も直視できず、見るために歴史を介在させる。

⑤フランス絶対王政の陰り ― ルイ 14 世の失政

- 四つの侵略戦争の失敗　＊1
  自然国境説を唱え大陸で最強の陸軍を使い領土拡大を企図
  →勢力均衡の力が働き、いずれも失敗（典型例がスペイン継承戦争）　＊1
- ナントの勅令廃止（1685）― 100 年以上の逆戻り
  └ 晩年、信仰を深めたルイ 14 世の失政、いまフランスはカトリック国
  ユグノーは国外亡命し、フランス経済打撃、フランス革命の遠因
  └ 20 万人を受け入れたオランダ、スイス、イギリス、ドイツなどは国力増強

最大で最後の宗教戦争 ― 三十年戦争

①ドイツの現状

- 金印勅書以来、諸侯が自立化（神聖ローマ皇帝位の衰退）
  →宗教改革で諸侯内でも分裂（カトリック VS プロテスタント）
  └ 諸侯・都市単位での信仰の自由（アウクスブルクの和議）
  →新旧両派の対立
  →ベーメンのプロテスタントが神聖ローマ皇帝（カトリック）に反抗

②三十年戦争（1618 ~ 48）

- ベーメンにおけるプロテスタントの反発がきっかけ（宗教戦争）

神聖ローマ皇帝・旧教派諸侯		カルヴァン派・新教派諸侯
		└ アウクスブルクの和議での言及なし
スペイン		オランダ
ヴァレンシュタイン		クリスチャン 4 世（デンマーク）
└ 傭兵隊長、皇帝の刺客で死亡	VS	└ バルト海覇権争い、ドイツ北部へ野心
		グスタフ・アドルフ（スウェーデン）
		└ 戦死　＊2
		フランス（1635）
		└ ハプスブルク家に対抗

  →国際戦争に変質・発展　＊3＊4
- 傭兵による戦争
  └ 略奪を収入源とする私兵集団、契約次第で寝返り、皇帝・国王を脅かす存在に
  戦場となったドイツの荒廃
  └ 人口の激減、カロ『戦争の惨禍』、ジャガイモの普及（ドイツの国民食）　＊次ページ

PROPOS　＊1

大陸では勢力均衡の力学が働き、フランスの大国化試みはすべて失敗。大陸では、どの国にも一人勝ちさせないおしくらまんじゅうのような力が働く。この力学の枠外にあった島国の小国イギリス。大陸諸国が牽制しあう中で相対的に大国化。それが如実に表れたのがフランスのルイ 14 世がスペインを併合しようと起こしたスペイン継承戦争（1713 年ユトレヒト条約）。大陸に巨大な国家が成立する可能性があった。結局、フランスはスペインを併合できず、ブルボン家が王位を継承しただけ（スペインはいまもブルボン家）。ところがイギリスは各地で要地を獲得。特にスペインよりジブラルタル、奴隷貿易独占権（アシエント）を獲得。これを機にイギリスは海賊行為から足を洗い貿易に従事した、といっても奴隷貿易。

PROPOS　＊2

北欧は貧しく、長い間ドイツ勢（ハンザ同盟）に圧倒されてきた。宗教改革でルター派を受容。修道院などのカトリック教会の財産を没収して、国王による中央集権化が進められる。デンマークにクリスチャン 4 世、スウェーデンに「北方の獅子」と称えられたグスタフ・アドルフが登場する。

PROPOS　＊3

三十年戦争は勃発時は国内宗教戦争。スウェーデンの参戦で国際宗教戦争となり、フランス参戦で「宗教」がとれて単なる国際戦争となる。いまは三十年戦争は「最後の宗教戦争」で「最初の国際戦争」とされる「最も宗教戦争らしからぬ宗教戦争」。

PROPOS　＊4

三十年戦争は基本は旧教徒と新教徒の宗教対立。ここにドイツ内部の神聖ローマ皇帝と領邦諸侯の対立が重なった。さらにハプスブルク家（オーストリア・スペイン）とブルボン家（フランス）の対立、スペインとオランダの独立戦争以来の対立（1609 年休戦、1621 年再開で 80 年戦争）、さらにバルト海をめぐる北欧諸国の思惑も関係。

画蛇添足

▼国王は「見られる」ことで権力を高めていく。明治天皇も顔見世のため各地を行幸した。欧州各都市にあるオペラ座には舞台真横に国王が臨席する貴賓席がある。なぜこんな見にくいところにあるのか。▼国王は劇を見るためでなく、自分を観客に見せるために劇場にいく。劇場は国王、貴族、富裕市民が自分の地位を見せびらかす場。許せなかった作曲家ワーグナーは自らが作ったバイロイト祝祭劇場に貴賓席を設けなかった。▼ルイ14世が造営したヴェルサイユ宮殿。鏡の間は当時、非常に高価な鏡が惜しげもなく使われた。しかし最先端のガラス文明の中にいる私たちにはこの程度としか映らない。想像力を伸ばしてこの鏡の間に驚くチカラが必要。▼この宮殿は建物よりも庭園。鏡の間から庭園内に地平線を遠望できる広大さには今でも圧倒される。庭園は当時から開放。人びとはガイドに従って庭園を回遊することで、貴族だけでなく自然をも支配する「王の偉大さ」の観念を刷り込まれた。広大な庭園は権力を可視化する装置。▼自然界に存在しない直線で空間を左右対称に整序した庭園。17世紀のフランスの自然観の象徴（18世紀イギリスでは曲線多用の周遊式庭園）。ここでもありえない場所に作られた噴水に驚くチカラが必要。彼は遠く離れたセーヌ川岸に巨大な揚水装置を設置。くみ上げた水を運河、水道橋を作って運び、水なき地で常に水を噴き上げる噴水庭園を完成させた。▼自然をも変える国王。水の少ないところで水を噴き上げさせる。これだけの水を支配していると人びとに見せつける噴水装置。こういう権力者の威信財に驚かされないチカラも必要。ただこれほどの庭園がよく維持できるなあ、と驚かずにはおれない（※）。

わんクリック　ヴェルサイユ宮殿というと、豪華な宮殿、贅沢な暮らし、と連想してしまう。しかし冷静に考えれば、現代の私たちの方がルイ 14 世より快適な生活を営み、おいしいものを食べているだろう。また彼以上に観劇、旅行を愉しんでいる人も多いだろう。17 世紀と 21 世紀の生活水準は比較にならない。何億人ものルイ 14 世がいるのが現代。よくも悪くも、資本主義という生産様式が生産力を押し上げたため。だとすれば、こういう宮殿を訪れて私たちが感嘆の声を上げるのはどうしてか。寝室は寒そうだし、ベッドも天蓋こそ豪華だが、マットレスなどは堅そうでいかにも寝心地が悪そうだ。

History Literacy　歴史と接する時に必要なのは、時に「驚くチカラ」、時に「驚かされないチカラ」。

③ 1648 年、ウェストファリア条約 ― 初の国際会議 ＊1
└ ヴェストファーレン地方 └ これまであったのは宗教会議

- アウクスブルクの和議再確認、カルヴァン派も承認
  └ 締結時はカルヴァン派の勢力小さく言及なし
- 国家主権の不可侵性の承認
  神聖ローマ帝国の有名無実化
  └ 普遍的権威の否定 └ 中央集権化したフランスに対して、地方分権化したドイツ
  オーストリアの領土にしか皇帝権及ばなくなる
- ドイツは約 300 の領邦の集合体
  └ 同規模の日本で言えば、幕府がなく、260 余りの藩だけがある状態
  オーストリア、プロイセン、バイエルン、ザクセンなど
  └ この条約以降、教科書表記も「神聖ローマ皇帝」から「オーストリア国王」へ
- フランスはアルザス、ロレーヌの一部を獲得など領土変更
- オランダとスイスの独立の国際的承認 (主権国家として承認) ＊2
  └ いずれもハプスブルク家から (「神聖ローマ帝国の死亡証明書」)
- スウェーデンの大国化 ＊3

7 18 世紀のヨーロッパと啓蒙専制国家

英仏の対抗

- オランダの中継貿易による商業覇権に英仏が重商主義政策で対抗
  →名誉革命 (1688) で英とオランダが同君連合 (一時的)
  →英仏が商業をめぐって対抗 ＊4
  第 2 次英仏百年 (植民地) 戦争 (1688 ~ 1763)

プロイセンとオーストリアの近代化

①プロイセン王国

- ブランデンブルク選帝侯がプロイセン公国を併合した飛び地国家
  └ ホーエンツォレルン家 └ ドイツ宗教騎士団領がルター派受容で世俗国家化
  →プロイセン王国に昇格 首都ベルリン
  └ スペイン継承戦争で神聖ローマ帝国を援助した代償
- 「兵隊王」フリードリヒ・ヴィルヘルム 1 世が常備軍、官僚制組織

PROPOS ＊前ページ
フランスの銅版画家ジャック・カロ。実際に戦場を見て描き残したのが『戦場の惨禍』(1633)。戦闘、掠奪、絞首刑など全 18 場面で構成。写真なき時代の報道写真。

PROPOS ＊1
当事国が対等の立場で参加、締結した最初の国際条約 (多国間条約)。主権国家体制の象徴。三十年戦争は最後の宗教戦争で最初の世界戦争。以後、信仰、宗教を理由とした戦争は起こっていない。以後は「ナショナリズム」という新たな宗教を掲げた主権国家が戦争の単位となり、戦争に善悪を持ち込まない無差別戦争観が主流となる。

PROPOS ＊2
国家が独立する手続きに定式はないが、住民投票による意思確認、独立宣言、周辺各国の承認が最低必要。この条約で、カトリック国スペイン、ポルトガルの植民地を奪って繁栄したプロテスタント国オランダの独立が承認されたことは象徴的出来事。

PROPOS ＊3
三十年戦争に参戦したスウェーデン王グスタフ・アドルフ。リュッツェンの戦いで皇帝側の傭兵隊長ヴァレンシュタインを破った。国王は戦死するが、スウェーデンはバルト海の覇者となり北欧の大国に。

PROPOS ＊4
両国は何度も「王位継承戦争」を戦う。それがどういうものだったかと同時に、なぜ「王位継承戦争」が起こるのかも学びたい。キリスト教国では男子継承と一夫一妻制の両立しえない規範があり、男子の嫡子が生まれなかった時、他国の干渉を招いた。いま同じ状況にある日本の象徴天皇制。天皇が「万世一系」を維持できた要因の一つは一夫多妻制だったこと (近い例で大正天皇の生母も正皇后でない)。側室を認めずに一夫一妻制の下で直系男子が継承する持続可能性のない制度。その制度矛盾を皇室に嫁いだ一女性が背負う残酷な仕組みが残る。

画蛇添足

▼人間の欠点などいくらでもあげつらうことができるがジャガイモとなると難しい。「太る」も高カロリーの裏返し。その長所で多くの人を救ってきた。毒性が強いが加熱すれば減少する。ところが加熱してもジャガイモのビタミンCは壊れない。▼加熱—そう加熱したものを食べるのは人間だけ。そのことを忘れて熱いのが苦手な人を猫舌などとバカにするが、そもそも温かい食べ物は存在しない。人間以外の動物は熱の入った食べ物など摂らない。猫舌が動物の常識(※)。ところでジャガイモには様々な調理法があり癖がなく食べ飽きない。肉、魚、何にでも合う。何より人間との相性が抜群。▼原産は新大陸のアンデス高地。16世紀にヨーロッパに持ち込まれた。米のない日本同様、ジャガイモのないドイツはありえない。北部はかつて大陸氷河で覆われていたため腐食層が薄く小麦栽培が難しい。この非力な土地が三十年戦争でさらに荒廃。地中で育つジャガイモが救荒作物として最適だった。しかも栽培に手間がかからない。▼高地原産で寒冷地でも育つジャガイモ。不毛地だった所で育つのだから完全な食糧増産。ただ当初は外見が当時は不治の病だったらいの症状に似ると人びとは食べることに抵抗した。フリードリヒ2世が自ら率先して口に入れ栽培を普及させた。フランスでは畑に番人を立てて見張らせて「よほど貴重なのだろう」と邪推させて人びとの食指を動かした。▼ジャガイモと豚の相性もよい。雑食で多産、何でも食べる「天然の掃除機」豚。好物のジャガイモの皮で十分に肥やした後に解体、豚腸に詰めて作るのがフランクフルト。その屋台がドイツの街の風物詩。ほくほくのジャガイモ (フレンチフライ) が添えられる。

わんクリック スイスは風光明媚の代名詞。マッターホルン、モンブランを眺めながらのハイキングは気持ちよい。しかしアルプスの美しさが認識されたのは 18 世紀。それまでは醜悪な恐ろしい岩の塊と認識されてきた。信仰登山は古くからあるが、登山行為そのものを目的とした登山はペトラルカ『ヴァントウー登攀記』(14c) から。なお野外での食事を目的に、「よい場所はないかなぁ」と物色しながら歩くのはピクニックという別の楽しい行為。世界には登山が許されない信仰の山もある。ガンジスとインダスの水源にある末踏峰カイラス (6656m) はチベット仏教の聖地。信者は五体投地で周囲を巡礼する。

History Literacy 人間中心史観 (「種のイドラ」) に注意 (動物が加熱したものを食べないことなどは意外と気づきにくい)。

②フリードリヒ２世（在位 1740 ~ 86）即位 ― プロイセンの強国化
　└ 西欧で啓蒙の世紀、仏革命（1789 ~）前夜

・啓蒙思想家ヴォルテール（仏）と交流
　└ 市民革命の基礎となった思想　└ ポツダム、サンスーシ宮殿
　「君主は国家第一の下僕（げぼく）」『反マキャベリ論』

・啓蒙専制君主として「上からの近代化」推進
　市民階級の成長がない後進国での現象
　└ 地主貴族ユンカーによる農場領主制（グーツヘルシャフト）展開

・信教の自由、産業の育成、司法改革など国民のための改革

③プロイセンとオーストリアの抗争

a. オーストリア継承戦争（1740 ~ 48）　＊１
　マリア・テレジアのハプスブルク家領相続
　└ 事実上の「女帝」、形式上神聖ローマ皇帝位は夫
　プロイセンのフリードリヒ２世が異をとなえ侵略
　→シュレジエン奪い、プロイセンの国力増強
　　└ 人口多く、鉱物資源の宝庫、現ポーランド領

b. 七年戦争（1756）
　シュレジエン奪回をはかるマリア・テレジアが開戦
　宿敵のブルボン家と事前に提携（外交革命）　＊２
　→プロイセンはイギリスと結ぶが苦戦、奇跡的にシュレジエン確保
　　└ フベルトゥスブルクの講和条約
　この間、新大陸・インドでも英・仏が植民地争奪戦争

c. 両国によるポーランド分割
　プロイセンは西プロイセン獲得（1772）
　└ 飛び地が解消、領土２倍に

④オーストリア　＊３

・ドイツへの影響力を失い、東方へ進出
　第２次ウィーン包囲撃退（1683）し、ハンガリー獲得
　└ 1699 年カルロヴィッツ条約

・ヨーゼフ２世（在位 1756 ~ 90）　＊４
　└ 母マリア・テレジアと共同統治、「民衆王」「皇帝革命家」
　啓蒙専制君主として諸改革

PROPOS　＊１
オーストリア継承戦争のアーヘンの和議の祝賀行事用にヘンデルが作曲したのが『王宮の花火の音楽』。「歓喜」が知られる。

PROPOS　＊２
イタリア戦争以来フランス（ヴァロワ、ブルボン家）と神聖ローマ帝国（ハプスブルク家）が対立。この対立がヨーロッパの国際関係の基調。しかし新興勢力プロイセンの台頭を前に両家が対立関係に終止符をうつ（外交革命）。宰相カウニッツの辣腕（らつわん）。マリア・テレジアの末娘マリー・アントワネットがブルボン家へ嫁いだ。七年戦争はオーストリアが優勢だったが、最後にロシアで皇帝を継承した「暗愚」なピョートル３世がプロイセンのフリードリヒ２世に心酔。和議を申しでるまさかでプロイセンが逆転勝利。珍しいことなので言及している。

PROPOS　＊３
この頃から各国で国歌が作られる。階級の違いを超えて人びとをまとめあげるのに音楽の力が利用された。最初はイギリスの God saves the king. これを聞いたハイドンが祖国オーストリアのために『皇帝賛歌』を書いた。今はドイツ国歌として知られる。

PROPOS　＊４
マリア・テレジアの長男ヨーゼフ２世は母の宿敵フリードリヒ２世を崇拝して母を嘆かせた。母の死後、啓蒙専制君主として農奴解放、信仰寛容令で個人の信仰の自由を認める。結果的に既得権益層の反発で失敗。ヨーゼフ自ら選んだ墓碑銘「よき意志を持ちながら、何事も果たさざる人ここに眠る」が彼の生涯の総括。確かな業績はウィーンのプラーター遊園地（映画『第三の男』の大観覧車で有名）の一般開放。死者の霊を鎮めるための墓碑銘―故人への頌徳（しょうとく）、追慕を読みながらの墓地歩きは趣深い。私も用意した。「うかうかしているうちに終わってしまった」。これなら墓石も他山の石にはなるか。そもそも不用か。歴史とは頌徳碑でないかと思うこともある。

画蛇添足

▼プロイセンのフリードリヒ２世は啓蒙専制君主の典型。文学や哲学に傾倒。ポツダムに室内装飾ロココ様式で知られる瀟洒（しょうしゃ）な平屋建ての小さなサンスーシ宮殿（「憂いなし」の意）を建て、ここに啓蒙思想家ヴォルテールを招いた。ここで得意のフルート演奏で過ごすこともあった。自らも多くを作曲。大王作曲『フルート・ソナタニ長調』は気分華やぐ佳作（ＣＤ販売あり）。▼他方で父の遺産の軍隊を使って他国を侵略。プロイセン強国化の基礎を築く。彼の「シュレジエン泥棒」（マリア・テレジア）はソ連の対日参戦に匹敵する暴挙。さらにヨーゼフ２世を誘ってのポーランド分割。自国の強大化という目的のために手段を選ばなかった典型的マキャベリストだった。▼主著は『反マキャベリ論』（ヴォルテールが推敲）。この中で君主は道徳的模範たるべきとした。彼の真骨頂は、自らマキャベリストでありながらマキャベリストを批判する身振りをとったこと（※）。そういう姿勢がフーシェ（ツヴァイク『フーシェ』）と並ぶ最高のマキャベリストと評された。▼第一発見者が犯人なのが刑事ドラマの定番。マキャベリストである彼が『反マキャベリズム』を書いた。これは判断として正しい。「君主になるため、美徳を持つ必要はない。だが、持っていると人々に思わせることは必要だ」（『君主論』）の正しい実践。▼富国強兵のため上からの近代化を急いだ啓蒙専制君主。しかしプロイセンは安い穀物を生産してそれを西欧に供給することで利益を上げていた。それが可能だったのは農民を農奴状態において人件費を抑えることができたため。農民の地位向上という自らの財政基盤を掘り崩すことはできなかった。それが、上からの近代化、啓蒙専制君主の限界。

わんクリック　穀物栽培は他の商品作物栽培と比べると利幅が小さい。ヨーロッパで日照条件などのよいところは商品作物栽培に移行。エルベ川の東は領主に従属する農民（低賃金労働力）が多く、大規模穀物栽培が一般的になった。戦後の日本の歴史学がマルクス主義の影響下にあった時代、これを再版農奴制と呼んだ。エルベ川以東では、賦役を行う中世の農奴制が復活した、というイメージ。このエンゲルスの言葉はいまは使われなくなった。ところでこの両地域の産品をそれぞれの地域に運んで利益を上げたのがオランダの中継貿易。オランダは両地域の中間、ライン河口という絶好の場所に立地する。

History Literacy　マキャベリストを批判する身振りをとるマキャベリスト―権力者の普通のありかた。

8 ロシアの台頭と大国化

モスクワ大公国の独立

①モスクワ大公国 (1480)

└ 商業の要衝　└ 1453 年ビザンツ帝国 (東ローマ帝国) 滅亡直後

・「タタールのくびき」からの独立

└「くびき性」の軽重に関しては様々な議論あり

・イヴァン３世 ─ ロシア帝国の基礎築く

ビザンツ帝国 (東ローマ帝国) の後継国自任、ツァーリ (皇帝) 自称

└ ビザンツ皇帝の姪ソフィアと再婚 (モスクワの威信を高めるための政略結婚)

モスクワは「第三のローマ」と箔(はく)付けされる

└ 16 世紀に修道士フィロフェイが提唱

・イヴァン４世 (雷帝) 時代、専制政治強化　＊1

恐怖政治で大貴族に対する大粛清、正式にツァーリの称号採用

シベリア方面へ領土拡大開始 ─ ロシアの大国化、多民族国家化

カザン・ハン国征服、コサック隊長イェルマーク協力　＊2 ＊3

毛皮収入 (クロテン) が国庫収入の３分の１

└「シベリアのクロテンがいなかったらモスクワ大公国は存在しなかった」

・ロマノフ朝 (1613 ~ 1917) 成立

└ イワン雷帝は息子の皇太子を撲殺するなどしてリューリク朝断絶

ミハイル・ロマノフがツァーリに選出

ステンカ・ラージンの農民反乱 (1670 ~ 71)

②シベリア開拓　＊4 ＊5

・コサックが原動力

ロシアの周縁で形成された軍事武装した自治集団 (※)

└ モスクワ大公国、ポーランド王国から南部の豊かな地域に逃亡した農民

→ロシア拡大の軍事力の一翼を担う

└ ロシア皇帝と取引して特権を得て軍事協力

時にロシア皇帝に反逆

ステンカ・ラージンの乱 (17c)、プガチョフの乱 (18c)

PROPOS ＊1

支配者と被支配者が固定された中で皇帝 (国王) が行う政治が専制政治 (身分差がない社会で一般大衆の支持を集めて行う圧政が独裁政治)。ロシアには「ツァーリ (皇帝) に近づくことは死に近づくこと」の諺がある。政敵は毒殺など、死まで苦しむ手段を使って反抗を怖気(おじけ)づかせるのが常套(じょうとう)手段。

PROPOS ＊2

腰を低くして腕を組み、しゃがんだまま跳びあがって足を入れ替えてスピンする。超絶技巧のコサックダンス。ブレークダンスに似る。富豪ストロガノフ家に雇われたのがイェルマーク。約 800 名のコサックを率いてシベリア開拓。この家の賄(まかな)い料理 (さっと炒めたもの) がビーフストロガノフ。コトコトと煮込んだのがビーフシチュー。

PROPOS ＊3

モスクワの中心「赤の広場」にある聖ヴァシリー大聖堂。カザン・ハン国征服記念でイワン４世が建設 (16c)。正教会の特徴は天を模したドームがロシアでは葱坊主(ねぎぼうず)型ドームになる。雪が滑り落ちやすい形。

PROPOS ＊4

人口希薄なシベリア。これが人びとの移住を誘った。希薄ゆえ征服も容易。シベリア開拓で広大な国土となったロシア。地球の陸地の８分の１がロシア (日本の 45 倍)。

PROPOS ＊5

醸造酒(じょうぞうしゅ) (ワインなど果実の糖分をアルコールに変えたもの) を蒸留(じょうりゅう)すればアルコール度数を高めた蒸留酒ができる。アルコールの沸点は水より低い。これを利用して度数を高めるのが蒸留。古い技術だがイスラーム商人経由で世界各地に広がった (アルコールはアラビア語)。寒いロシアでは蒸留酒ウォッカが不可欠。最後は一切の不純物をとって味も香りもない無色透明に濾過(ろか)するから元の醸造酒は何でもよい。一気に体に流し込むロシア男性の平均寿命は 68 歳。先進国は軒並み 80 歳だから異常に低い。

画蛇添足

▼大国ロシア。バルト海から太平洋までほとんど山はなく広大無辺なステップ平原が続き、ここにまばらにロシア人が自由に住む。この広大さが理由なく微笑まないなどロシア人の心性(メンタリティ)を作ったのか。ここを横断するシベリア鉄道。▼太平洋岸の「東方の窓」ウラジヴォストークからモスクワまで６泊７日の旅。かつて日本の若者はこれでヨーロッパに向かった。なだらかなウラル山脈までがシベリア。毛皮獣の宝庫。のちに「シベリアにはメンデレーエフの元素表のすべてがある」とされる地下資源の宝庫になった。モスクワからは「西方の窓」サンクトペテルブルク、さらにフィンランドのヘルシンキにでるのが定番コースだった。▼16世紀まではモスクワに拠点を置いた小さな国ロシア。それがカザン・ハン国を征服してカスピ海に注ぐ「母なるヴォルガ」を獲得。ここを拠点にウラルを越えてシベリアから東方へと対外膨張して形成されたのが大国ロシア。19世紀までに多民族国家へ変貌。シベリア鉄道の旅はこの歴史を遡(さかのぼ)る旅となる。▼対外膨張で超大国となったもう一つの国がアメリカ。ロシアがシベリア開拓で太平洋に到達した頃、アメリカは西部開拓で太平洋に到達。両国は太平洋を挟む隣国となった。共に膨張過程で広大な沃土 (ロシアのチェルノーゼム、アメリカのプレーリー) を獲得して農業大国となり、19世紀まで奴隷制を引きずった。▼もともとロシアの農民は自由だった。イヴァン４世は農民が豊かな南部に逃げてコサックになるのを防ぐため農民を土地に縛り付けて権利を奪う。これが１８６１年まで続く農奴制の始まり。アメリカの奴隷解放宣言が１８６３年。いま激しく対立する米ロ両国は生い立ち、育ちが似た隣国同士。

わんクリック　ロシアの川は基本的に南から北 (北極海) に流れる。下流の方が寒冷。したがって上流から雪解けして流れてきた水がまだ凍結したままの下流でせき止められるので洪水が起こる。オビ、エニセイなどいくつもの大河が立ちふさがり、東西交通に使える水路がないので、シベリア鉄道が完成するまでは東西の交通が悪かった。南に向かって流れるのがドン川と「母なるヴォルガ」川 (現在は運河でつながる)。ヴォルガ川はとても勾配の緩やかな川 (平均勾配 0.07m)。ここがサメの卵キャビアの産地。ステンカ・ラージンの乱も、独ソ戦 (スターリングラード攻防戦) もこの流域で行われた。

History Literacy　(近代以前には) 国家未満の多様な共同体が存在 (日本史で登場しない「部族」─血縁関係のある氏族の集合体、など)。

③ピョートル大帝 (在位 1682 ~ 1725)　＊1

└ 身長 2 メートル 13 センチの文字通り「大帝」

・西欧化政策でロシア大国化の道を開く

└ 西欧使節団を派遣 (自ら匿名で参加、造船工場で働く)、バレエの導入

西欧の科学技術の導入、後進国ロシアの行政・財政、軍事を改革

・不凍港を求めて対外発展

└ バルト海 (スウェーデン)、黒海 (オスマン朝)、太平洋 (シベリア開拓)

・カフカス地方進出

・北方戦争 (1700 ~ 21)

スウェーデンと戦い、バルト海制海権

└ 三十年戦争参加で制海権　└ ニスタット条約 (1721)

バルト海沿岸に新都ペテルブルク建設 ─「西欧への窓」　＊2

└ ネヴァ川河口の湿地帯　└ 以後、ロシアはヨーロッパ政治と関わるようになる

・清朝とネルチンスク条約 (1689) で国境画定

└ 南下は不可となり、ロシアの東方進出が加速

・日本人漂流民デンベイの謁見を受け (1702)、日本との通商準備にはいる

└ 日本語学校開設

④エカチェリーナ２世 (在位 1762 ~ 96)　＊3 ＊4

└ クーデタで即位　└ 産業革命、アメリカ独立、仏革命期

・啓蒙専制君主として「上からの近代化」

→プガチョフの農民反乱 (1773 ~ 75) で反動化

・領土拡大で大国としてのロシアの存在感を高める　＊5

オスマン領のクリミア半島 (クリム・ハン国) 併合 (1783)(黒海の内海化)

└ オスマン支配以前はキプチャク・ハン国の分国でタタール系住民多い

黒海を挟んで対岸のオスマン帝国と対峙

└ クリミア半島のセヴァストーポリに黒海艦隊の軍港を築く

・ポーランド分割 (3回) 主導 (1772、1793、1795)

プロイセン、オーストリアを誘い３カ国でポーランド分割

└ ロシアは勢力均衡を配慮、単独併合を避ける

・日本人漂流民大黒屋光太夫(だいこくやこうだゆう)の謁見を受ける (1791)

・日本に使者ラクスマン (息子) 派遣、根室到着 (1792)

PROPOS　＊1

物理的な存在として人間はサイズ的に変化してきた。19c にできたヨーロッパ地方都市のオペラ座などにはいると座席の窮屈さに驚く。当時の男性の平均身長は 160cm 台だった。徴兵制が始まって兵士 (男性) の身体の国家による管理、公権力 (学校) による身体測定が始まって身体サイズが記録されるようになる。オランダ人の平均身長の伸長が著しい。182cm にまでこの２世紀で急伸。理由がはっきりしない。

PROPOS　＊2

現サンクトペテルブルク。アムステルダムをモデルに造営。何もない沼地を運河が縦横に巡る美しい街並みとした。「北のヴェネツィア」と称されるバルト海への出口。

PROPOS　＊3

ロシア史上の人物評伝はアンリ・トロワイヤの独壇場。『女帝エカチェリーナ』も面白い。ロシア語を話せないドイツ女性がロシア皇帝となる波乱万丈の生涯。ロシア皇太子 (後のピョートル３世) に嫁ぎ、能力のない夫を廃位した (といってもピョートル３世暗愚説は彼女の治世下で形成)。ロマノフ家でもロシア人でもない女性が、ロシア女帝に即位。「英雄、色を好む」が権力者の特徴。その道でエカチェリーナはアンリ４世 (仏) と双璧。数十の愛人を抱え、孫のニコライ１世に「玉座の上の娼婦」と嘆かせたが、「英雄、色を好む」に性差はない。

PROPOS　＊4

帝位「簒奪者」女帝に対する反感から、ピョートル３世僭称者が何人も現れた。プガチョフはその一人。ロシアでは国内で飢饉などの問題が起きると現皇帝は偽物、本物の皇帝なら民衆を救済するはず、と本当の皇帝を探す。皇帝に批判が向かない。

PROPOS　＊5

15c 末にできた小国ロシア。16c からのシベリア開拓で多民族化。17c ピョートル、18c エカチェリーナの下で大国化した。

画蛇添足

▼「鎖国」の日本で周辺諸国との情報を媒介したのが漂流民たち (※)。江戸時代に商品経済の発達で海上輸送が活発になったが背骨のある大きな船の建造が禁止されたため海難事故も多く、季節風で流された。記録に残る最初の漂流民がデンベイ (伝兵衛)。▼カムチャッカ半島に漂流した大坂の質屋の息子。彼から話を聞いたピョートル大帝 (1702)。日本の存在を知り、将来の通商交渉に備えて日本語学校を創設。これが日露交渉史幕開け。▼それから90年ほど後、伊勢から江戸に向かう途中で難破してロシア漂着したのが大黒屋光太夫。ラクスマン (父) に世話されてエカチェリーナ２世に謁見。ラクスマン (子) と根室に帰国 (1792)。▼その時の幕府による尋問調書が『北槎聞略(ほくさぶんりゃく)』。記憶力抜群だった彼が漂流の顛末を語る。デンベエが開いた日本語学校では別の日本人漂流民が教えていたことが分かる。これを種本に書き下した井上靖『おろしや国酔夢譚』が読みやすい。R音が苦手な日本人は母音を添えないと発音できず、ロシアを「オロシア」と呼んだ。▼次いでレザノフは日本人漂流民津太夫を連れて世界一周。その後に来日 (1804) して通商を求めた。その要求を断るが、この頃から日本の対ロシア認識は「おそロシア」とエスカレート、幕府は蝦夷地を直轄地 (1807) として備えた。▼結局、長崎に通商を求めてきたプチャーチン (1853) と交渉してロシアとの通商条約、日露和親条約を締結 (1855)。この時、彼の船が安政東海地震 (1854) の津波で難破。日本が代船を仕立て帰国させた。いま日本が備える必要があるのは再び襲ってきそうな南海トラフ巨大地震 (2030 年代か)。あの時以来、この断層は小規模でしか動いていない。

わんクリック　ロシアは事実上２つの首都を持つ。ロシアの伝統の象徴モスクワとピョートルの近代化の象徴サンクトペテルブルク。この２都市がロシアの二枚看板。モスクワは政治都市、サンクトペテルブルクは文化都市。「モスクワはロシアの心臓、ペテルブルクは頭」ともされる。それぞれロシア的農民文化とヨーロッパ的貴族文化、大衆と知識人の対立を象徴する。現実が厳しかったソ連時代、政権は芸術には力を入れた。ロシアの劇場内部のきらびやかさは別格だった。ペテルブルクのマリインスキーバレイの「精霊たちの踊り」『ラ・バヤデール』。その優雅さに息を呑む。魔法を見ているようだ。

History Literacy　流されて北へ、アホウドリを追って南へ―国家の枠組みの外で活動している人々を見落としやすい。

ポーランド分割

①ポーランドの混乱　＊1
└「平地」の意味、国土を守る自然要害がない
- 中世の大国が隣国ドイツとロシアの強国化で危機
- ヤゲウォ朝（1386～1572）断絶後の選挙王政で政治混乱

②ポーランド分割
- 第１回（1772）　ロシア（エカチェリーナ２世）、プロイセン（フリードリヒ２世）
  オーストリア（ヨーゼフ２世）
- 第２回（1793）　ロシア、プロイセン
- 第３回（1795）　ロシア、プロイセン、オーストリア
  コシューシコの抵抗運動
- ポーランド消滅（約120年間）

9　近世ヨーロッパの社会と文化

科学革命の時代

①科学革命
- 17～18世紀は「科学革命」の時代　＊2 ＊3
- ガリレオ・ガリレイ（伊、1564～1642）
  望遠鏡を自作改良して天空を観察、太陽中心説（地動説）を控えめに主張
  └科学と技術（職人仕事）がつながるきっかけ　└『星界の報告』（1610）で観察を公表
- ケプラー（独、1571～1630）　＊4
  惑星運行の３法則発見で、「正円運動の呪縛」から人類を解放
  └「すべての惑星は、太陽を焦点のひとつとする楕円上を運動する」
  →軌道と周期の規則性に何かの力が働いていると予想
- アイザック・ニュートン（英、1642～1727）　＊5
  万有引力、微積分法の発見、『プリンキピア』（ラテン語）
  └宇宙に存在するすべてのもの（万有）は互いに引き合っていること
  →古典的力学的世界観樹立
  └アインシュタインの相対性理論発見、量子力学（超ミクロの世界の力学法則）まで
  →近代自然科学の基礎、産業革命を用意

PROPOS　＊1
強力なツァーリが君臨するロシアの隣国ポーランド。封建貴族（シュラフタ）の力が強い「ジェチポスポリタ（共和国）」。王権は弱く、ロシアに対抗できなかった。

PROPOS　＊2
ガリレオからニュートンにいたる宇宙観の大転換と力学的世界観の出現は「科学革命」（バターフィールド）とされる。ガリレオが死んだ1642年にニュートンが生まれ、ピューリタン革命が勃発。市民社会成立が自然科学の飛躍的発展を支えた。

PROPOS　＊3
神は二つの言葉で書物を描いた、と信じられていた。人間の言葉で描かれた聖書と数学の言葉で書かれた自然。科学革命の担い手を我々は「科学者」と呼んでいるが、彼らは宗教上の観点から自然の中に神の美しい言葉を読みとろうとしていた。ニュートン自身、物理学という言葉を知らない。

PROPOS　＊4
ケプラーはベランダの植物が光を求めて楕円に動くのに気づいた。彼は、人間を長い間束縛していた正円の呪縛（神が作った世界は完全の象徴「正円」で作られたとの信念）を断ち切り、惑星の楕円運動を指摘。しかし「なぜ楕円なのか」。この問いから太陽と惑星の間に働く力への関心が生まれた。

PROPOS　＊5
経済学者ケインズはニュートンの蔵書を入手。余白に膨大な錬金術に関する書き込みを見つけ、ニュートンを「最初の近代科学者でなく最後の魔術師」とした（※）。ニュートンは、私たちが重力の支配下にあり、作り出してきたすべての物の大きさ、形状が重力に規制されていたことを明らかにした。ただ重力が「いかに」働いているかを明らかにしたが、「なぜ」に関しては宇宙に偏在する神の働きと信じた。重力が時空間が均一でなく歪んでいるために発生する、と説明したのがアインシュタイン。

画蛇添足

▼ガリレオは20倍の望遠鏡を自作、それを夜空に向けた（当時は3倍程度が普通）。ガリレオが望遠鏡を改良するまで人びとは肉眼で見えない星があると考えなかった。レーウェンフックが顕微鏡で微生物を発見するまで、肉眼で識別できない小さな生物がいると考えなかった。電子顕微鏡の発明までウイルスは存在しなかった。▼いまから見ればおもちゃ以下の望遠鏡で彼は、木星の周りにそれより小さな四つの衛星がまわっていることを観察。地球が特別な存在でないと知った。ここからガリレオは地動説の正しさを確信。▼誰でも理解できるように対談形式でまとめたガリレオの『天文対話』。教会の怒りを買い、彼は異端審問で自説の撤回を強いられた。その時、かすかに彼のくちびるが動いて「それでも地球はまわる」と呟いた、は後世の創作か。「ああ、まわる、まわる」と言いながらよろけるふりをして退廷したバージョンもある。小学校の学芸会でガリレイ役をこのように演じた時が私の人生の頂点だった。▼「地球が動くのなら、鳥や雲がなぜ取り残されないのか」。この問いへの答えはニュートンによる万有引力の発見を待たねばならなかった。ニュートンは天上と地上は別の世界と考えるアリストテレス以来の常識にとらわれず、リンゴの落下から「なぜ月は落ちないのか」と問いを伸ばした。違うように見えることが同じではないかと考えた。▼私たちは「陽がのぼる」とまだ意識の上で天動説の下にある。プラネタリウムで椅子に座って天動説を眺める。地球は実際は水球。誤差の範囲内とはいえ凸凹があり球ともいえない。凸凹があるのはなぜかと疑問を持たなければプレートテクトニクス理論も生まれなかった。

わんクリック　天動説から地動説のような大変化をパラダイムシフトとしたのがトマス・クーン。しかしこのシフトは世代交代でなしとげられた、とクーンは述べる。晩年のアインシュタインは不確定性原理を「神様はサイコロを振らない」と受け入れなかった。真理は一つと考える彼にとり、確率的にしか決定できない理論は受け入れられなかった。運動の本質は「慣性（動き続けること）」と運動観をパラダイムシフトしたのがニュートン。物を動かし続けるためには力を加え続けなければいけない、としたアリストテレスの自然観の方が筆者の常識にあう。一日に何分かでも自然の観察に時間を割きたい。

History Literacy　錬金術を詳述しない教科書―神の不在が証明されたら神に関する一切の叙述を削除する気なのか。

②様々な根本原理の解明

- ボイル（英、1626～91）
  ボイルの法則 ― 気体の温度、圧力、体積の関係、近代化学の父
- ハーヴェー（英、1578～1657）
  血液の循環を発見
- リンネ（スウェーデン、1707～78）　＊1
  生物の分類学を確立、のちの進化論につながる
  └「自然は飛躍せず」　└ それまですべての生物は神を頂点に序列づけられていた
  人間をホモ・サピエンスと命名
  └ すべての人間を「ホモ・サピエンス」一種にまとめたのがすごい
- ラヴォワジェ（仏、1743～94）― ものが燃えるとはどういうことか
  └ 徴税請負人で旧体制を支え、仏革命で逮捕、断頭台で処刑　＊2
  化学の燃焼理論、質量不変の法則、『化学論』（1789）　＊3
  └「彼の頭を切り落とすのは一瞬だが、彼と同じ頭脳を持つ者が現れるには100年かかるだろう」
- ラプラース（仏、1749～1827）
  『天文力学』（1799～1825）でニュートン力学を完成させる　＊4
  └ 摂動論という巧妙な近似解法で超難問 ― 太陽系が安定的に存続することを証明
- ジェンナー（英、1749～1823）
  種痘法の発明 ― 予防医学の先駆者
  └ 人類は天然痘から解放　└「予防接種」という考え方の誕生
  天然痘の予防接種
  └ インド起源説有力、「コロンブスの交換」で新大陸、インカ、アステカ両帝国を滅ぼす

PROPOS　＊1
「分類学の父」リンネ。生物界では分類学が成立する―そこに何らかの意味がある、似たものを集めてツリー構造（種―属―科）で分類していけば世界を創った神の真意に到達できる、とリンネは考えた。いま生物学は分類学から離れたが、この「集める、分ける、分かる」メソッドは役立つ。

PROPOS　＊2
化学反応前後に質量は変化しないこと（質量保存の法則）を発見したラヴォワジェ。彼は市民から税金を取り立てる徴税請負で蓄財した富豪。その財でビーカー、天秤など精巧な実験器具を熟練職人に作らせた（芸術的なラヴォワジェの実験室はパリ工芸技術博物館に再現）。週末化学者としての革新的業績と旧体制を支えた世俗性の矛盾を同居させたラヴォワジェ。「だって人間だもの」（みつを）と済ませずに人間の複雑さ探訪を続けよう。燃焼に関わる気体を酸素（酸を作る素）と命名したのは誤訳とされる。

PROPOS　＊3
「ものが燃える」とは何か。何かが消えることではなく、外部の酸素と結びついてエネルギーを生む、人間の呼吸と同じメカニズムの反応であると明らかにした。当時は「燃える」とは何かがなくなることと考えられていた。消火のためには酸素の遮断、防火は放火されるもの家の外に置かないこと（火事の原因第一位は放火）。無知は無力。

PROPOS　＊4
「ゼロ（ない）の発明」と並ぶのは「静止現象の解明」ではないか。「ボールが机の上にある」静止現象をボールの下に落ちようとする力（重力）と机がそれを押し返そうとする力が均衡することによっておこる現象、と解明。作用・反作用の均衡に静止をみる。無重力も重力が「ない」のではなく重力が引き合って均衡していると理解（※）。ニュートンの発想の転換、ラプラースの神業的証明で「力学」が完成。この発想が出てくると、神の出番は限られてくる。

画蛇添足

▼「神の御加護あれ（God bless you!）」―ペストが広がった時、くしゃみをすればもう臨終が近いとみなされた。そこで相手にかけたいたわりの言葉。コロナ禍の今、列車内でくしゃみをしようものなら冷たい視線しか集まらない。▼人類の歴史は細菌、ウイルスが体内にはいって引き起こされる疾病―感染症との戦いの歴史。「奇跡の薬」抗生物質ペニシリンの発明（1928）で人類側の勝利に近づきつつあるが実際に根絶できたのは天然痘だけ（1980）。抗生物質はウイルスには効かない。いまだ人類はコロナウイルスだけでなく、インフルエンザウイルスなどによる感染症パンデミックの脅威に晒されている。▼ペスト大流行の折り、罹患者看護にあたった修道僧たちは、罹患しても回復すれば二度と発症しない免疫現象に気づく。これを予防医療に応用したのが開業医ジェンナー。天然痘の致死率は4割で人類にとり危険な感染症だった。彼はわざと牛痘（天然痘に似た牛の病気）を健康な人に接種することで天然痘を予防できると証明（1796）。vache（ウシ）に因んでvaccineと命名した。当時は「牛痘を接種すると牛になる」というデマと戦う必要もあった。▼のちにパスツールが弱毒化した微生物を接種することで免疫を得る発見をしてワクチンによる予防接種につなげた。さらに抗体が免疫というメカニズムの中心で働いていることをベーリングと北里柴三郎が発見。▼免疫は自己と非自己の識別の問題、「自分とは何か」につながる。なぜ自己に対しては抗体を作って攻撃しないのか。自己と非自己をどう区別するのか。一方、病原体は変異で免疫から逃れて人間の生存を脅かそうとする。多田富雄『免疫の意味論』、利根川進『精神と物質』が面白い。

わんクリック　ハーヴェーの血液循環説。新説が出た時は、それまではどのように考えられていたのだろう、と考えてみよう。血は心臓で作られて末端で消滅すると考えられていた。元に戻して、使い回していたとは想定外。心臓が「ポンプ」とたとえられたことで、故障したら取り換えようという発想も生まれる。外科医でもあった経済学者ケネーは同じ発想で『経済表』を書く。経済の説明で、経済を体に、貨幣を血液にたとえるとぴったりくる。血液（貨幣）がよく巡る時が元気（好景気）、逆が病気（不景気）。循環させるポンプが心臓、つまり金融機関。こちらは絶対に倒産させない保護の対象になる。

History Literacy　「起こらなかった」が何の均衡なのかを意識する（無重力とは「ない」ではなく重力が引き合って均衡した状態）。

主権国家の理論化と経済思想

①国家主権・王権神授説 ― 絶対王政のために作られた概念　＊1

・国家主権概念　＊2

ボダン (16c) が提示した概念 (『国家論』)

└ サン・バルテルミの虐殺後、ユグノー戦争収拾のための王権強化が狙い

・王権神授説

ルイ 14 世に重用されたボシュエ (17c) による概念

②自然法

・自然法思想

実定法の上に存在する普遍的な法の存在を想定

└ 人間が定めた法　　└ ヘレニズム期にも自然法的思考→ローマ法に影響

・グロティウス (1583 ~ 1645) ―「国際法の父」

『海洋自由論』(1609) で公海自由の原則主張 ― 公海という発想

└ スペイン・ポルトガルの独占背景　└ オランダ独立の年に公刊　└ 海に国境はひけない

『戦争と平和の法』(1625) で国際法の成立を説く

└ 三十年戦争の惨禍 (傭兵の戦争、国際法不在) が背景

③社会契約説

a. 社会契約説

自然権を保障するため「契約」によって国家が成立した

└ 国家観の大転換 ― 国家は神が作ったのではなく、人びとが契約で作った

b. ホッブズ (英、1588 ~ 1679)　＊3

└ 母親はアルマダ襲撃 (1588) の報に産気 (怖気) づき彼と恐怖を双子で早産 (と自ら脚色)

『リヴァイアサン』(1651)

人間の自然状態は「万人の万人に対する闘争」状態

各人が自然権を契約により譲渡 (放棄) することにより国家成立

→結果的に現実の国家権力 (王政復古) を擁護

└ ピューリタン革命 (内乱) 時の考察、王権神授説と同じ結論

c. ジョン・ロック (英、1632 ~ 1704)　＊4

『市民政府二論』(1690)

国家が背信行為を行った場合の抵抗権 (革命権) を承認

→名誉革命を擁護、アメリカ独立宣言 (1776) に影響　＊5

PROPOS　＊1
政治を語る言葉の多くは古代からあるが、近代に作られたのがボダンによる「主権」概念。これは教会といった超越的権威から国家を守るために提唱されたもの。絶対王政の「絶対」の語源は「神の法 (つまり教会) の制約を受けない」で今の「絶対」の意味と違う。『国家論』は大きな影響力を持ち、王権神授説とともに王権の伸長を阻止しようとする教会に打撃を与えた。

PROPOS　＊2
実定法は特定の誰かが歴史上のどこかで定めた法。そこに自然法に合致する限りで実定法は法でありうる、と制限を加えるのは法の暴走を防ぐ人類の古くからの知恵。

PROPOS　＊3
社会契約説など学説は批判的に継承発展される。最初の学説は問題だらけに見えるが問題だけではない (歴史学習の落とし穴)。内乱の時代を生きたホッブズは安定した秩序を求めて結果的には王政復古を擁護。しかし、人びとが平和に生きるため国家がある、と国家成立を説明する視点を神中心から人間中心に転換。これは国家観のコペルニクス的転回。近代国家理論 (近代政治学) の先駆となる。社会契約はルソーの造語。

PROPOS　＊4
人間の自然状態を「万人の万人に対する闘争」状態とみるのは性悪説。ホッブズはこの認識で、アナーキーか絶対権力か、の二者択一に陥る。実際に人間は様々―性悪から性善までのグラデーションとして存在。状況依存的と考えるのが現実的。どちらにもなりうるとみる性弱説が妥当。

PROPOS　＊5
日本国憲法前文「国政は、国民の厳粛な信託…、その権威は国民に由来…」はロック思想の要約。『市民政府二論』の下に米独立宣言が起草され、その影響下に合衆国憲法、それをモデルに日本国憲法が起草。ロックは自らの影響の行方を知らない。

画蛇添足

▼宇宙船を飛ばして月に到着させ、戻ってこさせる。遙か彼方の惑星探査機の動きを地上から制御する。ニュートン力学は同じく彼が発見した微積分法によって汎用性の高い体系へと発展した。その結果、このような離れ業が可能になった。▼『プリンキピア』で幾何学的に表現された難解なニュートン力学も数式(微積分方程式)に落とし込めればあとは式の計算、変形の問題。これが力学の汎用性を高め、諸分野への応用を可能にした。それが今日の高度な科学技術文明を作り上げた。▼物体の初期条件が測定できれば、その後の運動(位置と運動量)を記述できるようになった。人間にとって「動き」ほどとらえがたいものはなかったが、掌握が可能になった。進んだ距離が時間との関係で分かれば、各瞬間における速度は微分で計算できる。逆に時間が分かれば、積分で進んだ距離が求められるようになった。▼ニュートンによりこれまで人びとを縛ってきたアリストテレスの運動観を乗り越えることができた。しかし宇宙船もいったん大気圏に再突入すると、摩擦の変数が加わるため途端に予測が難しくなる。宇宙船の帰還地点は、おおよそこのあたりとしか示せない。▼地上で営まれる社会予測の難しさはこれに似ている。人間、集団間の摩擦が事態進行の予測を難しくする。摩擦がなければエネルギーは失われないが、摩擦は生きるエネルギーも奪う。政治学は、この人間の感情対立や利害対立という様々な摩擦ゆえ、まだアリストテレスを乗り越えられない。ニュートンと同じ17世紀に主権国家体制を作り出したが、まだその国家内での深刻な人権侵害に手を拱いている。感情の強い引力が働く現実―情況分析の微積分法が見つからない。

わんクリック　共同体が国家に発展した、と考えるのが常識的。社会契約で成立した国家など存在しないだろう。ヒュームは社会契約説を擬制として否定する。思想はその前の思想への対抗として生まれるので現実からは離れてしまう。あくまで「そういうことにしておく」という仮説。社会契約説は王権神授説を否定したもの。王権神授説もローマ教皇の権威を否定する相当にラジカルな説だったが、社会契約説もまた主権を神由来から人間由来にするために、共同体ではなく「各人」が契約するというさらにラジカルな発想をとった。しかし、こうして作られた擬制(フィクション)で動くのが近代社会(※)。

History Literacy　私たちは、宗教、自然法思想などさまざまな虚構(フィクション)によって暴力から守られている実体。

d. ジャン・ジャック・ルソー（ジュネーヴの人、1712～78）

- 『人間不平等起源論』(1755)
  - └「自然に返れ」と所有権によって腐敗堕落した文明社会を痛烈に批判
- 『社会契約論』(1762)
  - └「人間は自由なものとして生まれた、しかしいたるところで鎖につながれている。」
- 自然権は譲渡も代表もされないと、直接民主政を主張　＊1
  - └議会政治（英）への批判　　└ホッブズ、ロックとの違い

→フランス革命に影響

- 「自然に帰れ」、「一般意思」に基づく政治　＊2
- 人間の感情を重視、ロマン主義の先駆者（書簡体小説『新エロイーズ』）

④経済学説 ― 何が富を生むのか、の探究

a. 重商主義

- 富の源泉は貿易、国内産業の育成による輸出奨励、輸入制限

b. 重農主義

- 重商主義を批判、富の源泉を農業に求める
  - └農業国フランスの発想、富の源泉を生産過程にみる
- 経済活動の自由放任主義を主張
  - └重商主義との根本的な相違
- ケネー（仏、1694～1774）の『経済表』
  - └なすに任せよ (laissez faire、レッセ・フェール→ let it be) は古典派経済学の標語に
- テュルゴー（仏、1727～81）
  - └ルイ16世の財務長官として財政再建につとめる

c. 自由主義経済学（古典派経済学）

- 富の源泉を生産活動全般に広げる
  - └工業国イギリスの発想
- アダム・スミス（英、1723～90）
  - └道徳哲学の教授、当時経済学は存在しない

『道徳感情論』『諸国民の富（国富論）』(1776)

└他者への共感に基づく私益の追求が公益の増大につながる、アメリカ独立宣言の年に発刊

古典派経済学の祖で合理的人間を前提とする

「（神の）見えざる手」による価格の自動調整機能　＊3

PROPOS　＊1

ルソーは「イギリス人は選挙の前は自由だが、選挙が終われば奴隷」とイギリスの議会制（間接）民主政を批判。「主権は譲渡も代表も分割もできない」（『社会契約論』）と直接民主政の必要を説き、仏革命のジャコバン派に影響。ルソーの理想の実現を急いだロベスピエールは「ルソーの血ぬられた手」となる。ただ当時、読まれていたのは『社会契約論』でなく『新エロイーズ』。

PROPOS　＊2

自分の利益に基づくのが個別意思。様々な個別意思から多数決で導出されるのが全体意思。しかし多数に支持されることは正しさの根拠にならない。国政の指南となるべきはこれとは別の一般意思、としたルソー。各人が自分を括弧にいれて―「自分ノコトハ勘定ニイレズ」（宮澤賢治）、全体の利益になるような投票行動をした時に導き出される結論のこと。「共通善 (common good)」とも言い換えられそうだが、共に難解。一般意思などどこにあるのかと議論されてきた。現実にそれを知っていると称する者による独裁、全体主義につながるだけ、と非難されてきた。実際、今の共産党一党独裁（民主集中制）を正当化できる発想はこれしかないないのではないか。共産党が否定する教会（ローマ教皇）、その無謬性の主張に似ているのはどうしたことか。

PROPOS　＊3

「市場（しじょう）」を発見したアダム・スミス。市場（いちば）は実感できる物理的実在。それに対して抽象的な存在が市場（しじょう）。見ることも触ることもできない。実在はしないが存在する。経済学の祖アダム・スミス。ルソーは利己心が社会に禍（わざわい）をもたらすと考えたが、彼は利己心が社会に富をもたらすと考えた。無数の人びとの欲望が渦巻く場に「市場メカニズムを働かせる」ことで有限なモノの最適分配を図る。『国富論』に1カ所だけ出てくるフレーズが「見えざる手」。「神の」は後世の何者かが書き加えた。神の見えざる手による加筆、と断じて差支えない。

画蛇添足

▼ローマ教皇という普遍的権威への対抗の必要から国家主権概念が打ち立てられた。「なぜ国家が存在するのか」の理論構築が急がれた。これは「なぜ人間は家族を作るのか」と並ぶ根源的問い。これまでの発明の中で神（カミ）・家族（カゾク）・国（クニ）・貨幣（カヘイ）の4Kの発明が根源的。しかしその起源は4K画面に映るほどにはクリアではない。▼ここで扱う国家主権、自然法、社会契約説などは人間が社会をより良く動かすために考え出した虚構（フィクション）。例えば自然法。これが自然に存在するとは思えない。そもそも「自然」と名のつくものほど人工性を帯びるものもない。▼虚構―虚構の「虚」は嘘（うそ）を意味しない。これはimaginary（想像上の）（イマジナリー）の訳出。例えばデカルトが考えた虚数と同じ。こういった「想像上の」概念が社会を発展させた。「バナナで虫は釣れるが、札束を置いても、虫は寄ってこない」と、貨幣は虚構だが現実に人はお金で動くとするのは養老孟司（『バカの壁』）。▼「脳は世界を解釈し、目に見えない概念を操作し、虚構を信じる力を現生人類（ホモサピエンス）に与えた」と虚構を思い描く力を得たこと（認知革命）に人間が今日の繁栄を築いた理由を求めたのがハラリ。『ホモサピエンス全史』は巧みな比喩で『バカの壁』以来の面白さ。▼虚構が私たちの社会を支える枠組みになっている。それを受け入れることで私たちは社会をうまく機能させてきた。その社会の構成メンバー内でその虚構を共有する装置が学校教育（公教育）。学校は虚構で満ちている。「努力は決して嘘をつかない」「願えばかなう」などはほとんど嘘に近い虚構。ただやはりこのように信じることで今を輝かせることができる。虚構が信じられ、共同幻想となることで社会も人生も、なんとかまわる。

わんクリック　「奴隷は彼らの鎖のなかですべてを失ってしまう、そこから逃れたいという欲望まで」（『社会契約論』）。ルソーはジュネーブの人（フランス人ではない）。性格的に極端なところがあり、いろいろな人と喧嘩。ヴォルテールとの泥仕合が有名。性格が悪い人の指摘は鋭い。ところが彼の唱える平等に対して、その平等は男性の間だけの話、と彼を厳しく批判したのがメアリ・ウルストンクラフト『女性の権利の擁護』(1792)。ルソーには思いもよらぬ批判だったのではないか。時代の中にある私たちの「当たり前」の中にもそういうものがあるはず（※）。それがどういうものかを考えてみよう。

History Literacy　ひとつ次元を繰り上げる（メタ認識）ことで見えるものがある（「常識」とみなしていることの非常識さなど）。

イギリス経験論と大陸合理論

①認識論 —「人間は何を知りうるか」から人間に迫る営み

└「知識はどうして得られるか」— 存在論と並ぶ哲学の二本柱

a. 経験論

・フランシス・ベーコン（英、1561 ~ 1626）

└「最も聡明で最も醜悪」とされた、巧みに出世した俗物

帰納法の提唱

知識は経験（実験と観察）によって得られる ＊1 ＊2 ＊3

多数の事例から一般的命題を導く

└ ブラックスワン（黒い白鳥）一羽の発見で破綻

『ノヴム・オルガヌム（新機関）』

「自然は服従することによってでなければ、支配できない」

└ understand とは「（観察対象の）下に立つ」で「分かる」の意味

b. 演繹法

・ルネ・デカルト（仏、1596 ~ 1650）

演繹法の提唱

知識は理性の推論によって得られる

一般的命題から特殊な事例を見いだす

『方法叙説』(1637)、『省察』

└ ラテン語でなくフランス語で書かれる、三十年戦争中

「我思う、ゆえに我あり」 ＊4

「良識はこの世でもっとも公平に配分されているものである」

PROPOS ＊1

事例を数え上げて「白鳥は白い」という知識を得るのが帰納法。一般化、と一般化できる。小異を捨てて大同をとりだし、あれとこれは同じカテゴリー（範疇）と分ける。「分ける」作業を、私たちは「分かる」と称してきた。しかし白鳥の定義は、豪州で一匹の黒白鳥（ブラックスワン）が発見されて覆された。帰納的にしか有効性が確認されないのが帰納法の弱点。「歴史から学ぶ」は帰納的な学び。

PROPOS ＊2

F. ベーコンは観察に基づいた経験による帰納法で物事を認識しようとした。しかし人間の目は偏見（「４つのイドラ」）で歪められている。それに自覚的であるべきとした。現実的に私たちは思考を省略する（ヒューリスティクス）必要があるが、節約しすぎるとステレオタイプ（偏見）に陥る。

PROPOS ＊3

種族のイドラ—我々が人間であるために生じる偏見（全人類共通）、知覚の歪み（特定の電磁波、音波しか見えないし聞こえない）。対象を擬人化して理解する過ち。海亀が産卵の時に「涙を流している」と見てしまう。牛の絵に眉毛を描き添える過ち。洞窟のイドラ—性格や生育歴からくる偏見（個人差）。すべての人間は別々の洞窟に閉じ込められている。「井の中の蛙大海を知らず」のこと。市場のイドラ—市場とは人びとがたくさんいる場。社会生活をしていく中でそこで交わされる「ことば」にひきずられる偏見。劇場のイドラ—自分で考えず、舞台の権威や伝統を盲信する偏見。「聖書には「…」と書いてあるから」という姿勢。ところで「先生のいうことを信じてはいけない」と先生に言われたら…どうする（※）。

PROPOS ＊4

教会の権威が動揺。確実と思っていたものが確実ではないかもしれない、そんな疑念が生じはじめた。その中で「確実なものは何か」の追求をはじめて「考えている自分の存在」は証拠があるから確実と納得。

画蛇添足

▼「人間は考える葦（あし）である」と言ったパスカル、と覚えるだけでは寂しい。「パスカルはなぜ人間を風に吹かれたらすぐになびく弱い葦にたとえたのか」と疑問を持ってこの言葉と対話したい。人間は実は強い。百年は持つ精密機械。極寒酷暑の中でも動く。▼『パンセ』は面白い。「正義に力を与えることができなかったので力を正義にした」など珠玉（しゅぎょく）の考察が並ぶ。触発されて多くの先人が色々考えた。「力なき正義は実現されないが、正義なき力は持続しない」（E. H. カー）など。▼ベーコンは「知は力なり」と言うことで「無知は無力」と警告。考えるためには知る必要がある。ウイルスを知らずにウイルスと戦えない。哲学のテーマの一つが認識論。私たちはどのようにして物事を認識できるか、私たちは知識をどうして得ているか—つまり「分かる」とはどういうことか、の問題群。▼英語には二つの「分かった」表現がある。一つは I see. —見ることで分かる、というイギリス経験論由来の表現。知識は経験（実験と観察）から帰納的に得られる、とする。もう一つは、It makes sense. —理にかなっている、というデカルト由来、フランスで発達した大陸合理論からの表現。我々は、物事を了解するとき「筋が通っている」と理性にしたがって、何が正しくて、何が正しくないか、を判断する。▼「我思う、ゆえに我あり」はいっけん退屈だが、当時「神の存在」を無視したラジカルな言葉。三十年戦争で新旧両教徒が正統性を争って死者を積み上げていた時に、教会の権威でなく理性に従って真理に迫ろうとした宣言。「理性を排除すること、理性しか認めないこと」を「二つの行き過ぎ」（『パンセ』）と諫（いさ）めるパスカルはデカルトに懐疑的。

わんクリック　言葉があると、言葉に対応する事物が存在すると勘違いする（例えば幽霊）。ベーコンのいう市場のイドラ。「買ってきたショートケーキの１つが地面に落ちてつぶれた。家族が「お父さんのが落ちちゃった（笑）」」（新宿末廣亭（すえひろてい）でのぴろきの漫談）。観客は一斉に笑う。先後関係の逆転が面白い。懐疑論のヒューム（18c）は因果関係を心理的習慣として否定。プラグマティズムの心理学者ジェームズは「悲しいから泣くのではない、泣くから悲しいのだ」分析。知覚が筋肉などの変化を促し、そのあとで情動が生じる、と説明（ジェームズ・ランゲ説）。人はこういう時に悲しんで泣く、と経験で学んでいる。

History Literacy　歴史学習に際しては「四つのイドラ」を意識する－「歴史から学ぶ」は帰納的な学びの典型例。

②その他の思想家

- パスカル(仏、1623～62) ＊1

  モラリスト、科学者(パスカルの原理)

  『パンセ』

  └「人間は考える葦である」「クレオパトラの鼻がもう少し低ければ世界は変わっていただろう」

- スピノザ(蘭、1632～77)

  『倫理学(エチカ)』で汎神論的考察

  └ 人間も含め万物は神の一部、人間の原罪説から自由な自己肯定的倫理(異端的)の展開

- ライプニッツ(独、1646～1716)

  『単子(モナド)論』

  微積分法 ― 変化を限りなく細かく分けて分析する方法

  └ ニュートンに少し遅れて独自に発見

  微分(ある状態が変化する速度、割合) ＊2 ＊3

  変化する世界を正確に分析することが可能になる

  └ 自然界はすべてが変化

  積分(ある状態の変化量) ＊4

  様々な形の面積や体積を求めることが可能になる

PROPOS ＊1

パスカルは数学者として幾何学の精神(論理力)を、人間に関する洞察は繊細な精神(直観力)。人間の顔に似て、思索するようにうつむく花はフランス語の思索(パンセ)にちなんでパンジーと呼ばれるようになった。ヒューマニストのシンボルの花。

PROPOS ＊2

車の速度を測ろうとすれば100m離れたA - B区間を通るのに何秒かかったかを計測すればよいが、その100m間で車の速度にバラつきがあったかもしれない。速度を正確に知るためにはA - B区間の距離を短くする必要がある。この区間を無限に小さくすれば無限に精度があがる。この無限に短い区間とは0と同じだろう(極限値)。こういう無限、極限値という概念で変化しているものを正確に計測する方法をニュートンとライプニッツがほぼ同時に思いついた。この発想から微分積分という画期的な演算が生まれた。それまでは変化しないものしか計算の対象にできなかった。

PROPOS ＊3

「極限」(「限りなく近づく」)という概念の発明。電卓で1÷3×3と叩けば1となるはずだが0.99999999…と表示される。しかしそこに矛盾はない。0.99999…と無限に続くこの数字は1の別の表現(0.99999…=1)。この場合、1が極限値。

PROPOS ＊4

細かく細かく分けてその瞬間の変化をとらえるのに使うのが微分。例えば常に変化する天候。様々な要素の瞬間の変化率をスーパーコンピュータを使って求めて、その後の天候を予測。雨の降りだす時間まで正確に予報できるようになった。工場では工作機械を制御して一定にさせること、飛行機、自動車など乗り物でエンジンの回転数を制御することは必須。一方の積分で曲線で囲まれた部分の面積が求められるようになった。現代の科学技術の多くは微積分を応用して実現。微積分は世界を変えた。

画蛇添足

▼疑いえないものは「考える私」だけ、と迂闊にも神を省いてしまったデカルト(17世紀)。ガリレオが裁判で有罪になったのを聞いて不安に襲われ、唯一の確かな存在―理性を使い「神の存在証明」に臨んだが無理筋の議論に終わった。▼神が造物主―「神が世界を作った」理解の中で(神≠世界)、まったく違う理解―世界は神の現れ(神＝世界)とする汎神論を唱えたスピノザ(17世紀)。「神には外部がない」―神は無限の存在、と神を持ち上げながら、神に言及しなくても問題が生じないように神を棚上げしてしまう巧みな処理。一般的に「どこにもいる」は「どこにもいない」と同じ。カント(18世紀)は「理性の限界」を探るとして理性では知りようがない領域(信仰)を残した。▼神の存在証明は難しく、近代世界はこの問題は誤魔化して、次第に神なしモードで進んでいく。神の存在証明と同じ難しさを持つのが過去に起こったことの事実証明。古典落語『堪忍袋』。長屋の夫婦喧嘩。仲裁に入った大家さんが双方から事情を聞く。片方の事情を聞いて「そりゃ相手が悪い」。その話を持って他方を問いただすと、もう一段詳しい事情が語られる。聞いた大家さんは「そりゃ相手が悪い」。これが延々繰り返されてその都度、大家さんの見方は変わっていく。過去に起こったことの正確な事実証明はできない。▼無数の出来事、様々な解釈が可能な過去の出来事。そのようなものをどうして教室で語ることができるのか。どういうごまかしがあるのか。筆者が使うテクニックは簡単。筆者は、自分が分かっていてかつ重要と思われることだけをつなげて語り、知らないこと、分からないことは語らない(※)。そういうごまかしが世界史教科書にもある。

わんクリック モラリストとは確信を持たない生き方をする人。確信を持つことは他の考え方への不寛容になる。物事の体系的叙述(カント、ヘーゲル、ハイデガーなど)は誰でも書けるものでもなければ、誰でも読めるものでもない。高度な知性による思索。ただそのような知性でも体系化しようとすると嘘が紛れる(論理の飛躍)。エッセイ、警句(アフォリズム)、格言(マキシム)などの断片的叙述は誰でも書けるし、誰でも読める。しかし読んではもらえない(例外はモンテーニュ、パスカル、ニーチェ、アラン、エリック・ホッファーなど)。懐疑体の文章断片で物事の本質に迫ろうとするのがモラリスト。

History Literacy 知らないこと、分からないことは端折って語れてしまうのが歴史(「歴史の物語り論」)。

ドイツ観念論 — カントの批判哲学

①カントの批判哲学

- イマニュエル・カント (1724 ~ 1804)
  - └ 17 世紀のデカルト、18 世紀のカント、その半世紀後にヘーゲル (1770 ~ 1831)
  - 三批判書で人間の能力の可能性と限界を論じる　＊1

②カントの認識論 —『純粋理性批判』での検討 (批判)　＊2

└ 18 世紀後半、ケーニヒスベルク (北ドイツ、ハンザ同盟都市) での考察

- 「人は何を知りうるか」— 認識に関する「理性」の射程と限界を批判
  - └ 哲学の批判とは内省、検討の意味
  - 懐疑論化したイギリス経験論、独断論になりがちな大陸合理論の批判
  - →「認識が対象に従うのではなく、対象が認識に従う」
    - └ 認識論における「コペルニクス的転回」
  - →「物自体」は認識できないが人間の認識が構成する現象は認識できる
    - └ ありのままの姿　　└ 私たちの眼にはこのように映るというもの
- 2 種類の理性
  - 理性 (理論理性) は経験可能な世界 (現象界) しか認識できない (理性の限界)
  - →経験を超えた世界 (英知界)—神・善悪の判断—は認識できない

③カントの道徳哲学 —『実践理性批判』での検討 (批判)

- 「人は何をなすべきか」— 道徳に関する実践理性の役割の批判
  - →自律 (＝人間の自由) と人格 (「自然の立法者」であり、「自らの行為の立法者」)
- 理性の命令
  - 仮言命法(かげんめいほう)　条件つき　　例　「情けは人のためならず」
  - 定言命法(ていげんめいほう)　無条件の命令　例　「人は殺してはならない」　＊3
  - 　　　　　　　　　　　　　　理由　だめなものはだめ
  - →「汝の意志の格率が、つねに同時に普遍的な立法の原理として妥当しうるように行為せよ」＝義務 (この言い方自体が「定言命法」)
- 人格　＊4
  - 普遍的な道徳法則を自律的に完成させた主体
  - →他人を手段でなく目的として扱う
  - →互いが目的として扱われる理想の共同体 (目的の国)
- 『永遠平和のために』(1795) が国際連盟の思想的基盤

PROPOS　＊1

カントは認識の問題「何を知りうるか」を『純粋理性批判』で、行為の善悪判断「何をすべきか」を『実践理性批判』で検討。さらに本書では触れないが、絵画や音楽になぜ感動するかを『判断力批判』で検討。

PROPOS　＊2

物は在(あ)るから見えるのか、それとも見えるから在るのか—哲学の最も根本的な問題 (認識論) に方向性を示したのがカント。

PROPOS　＊3

子どもが大人に「なぜ人を殺してはいけないの」と問いかけた。それに大人が答えられないことが社会問題になったことがある。カントは道徳はすべて定言命法でなければならないとする。そうしないと (仮言命法だと) どれほど立派な理由をつけても、「ではその理由がなければ～していいのですか」の反論を許してしまう。人を殺してはいけない理由の提示が「人を殺していい」理由の提示になってしまう。それゆえカントはすべて道徳は時と場合にかかわらず禁止される定言命法とした。理由があって従うのが道徳ではない。「頑張っている人を差別してはだめ」は頑張っていない人を差別していい、になる。「ダメなものはダメ」なのが道徳。このようにカントは理由がないことを道徳の弱さでなく強さに変えた。

PROPOS　＊4

道徳を自由を縛るものと理解するのが常識。道徳のような外部の権威に従うのは自由でないと考えがち。では欲望に正直なのが自由かといえば、それも欲望に従っているだけだから自由といえない。「かわいそう」に基づく行為は、感情に従っているのだから自由ではない。カントは理性的に考えた判断に基づく行為のみを自由とした。それを自律として、それができる人を「人格」を持つとした。いままで人々は教会の権威に従ってきたから責任を取る必要もなかった。カントは人格を責任をとる主体、自分で意思決定することに自由をみた。

画蛇添足

▼私たちの身体を通さずに見れば世界—物自体(ものじたい)はどうなっているのか。カントの問題意識が私たちのものの見方の基礎を作った。物自体の考察は過去自体の考察につながる。歴史(ヒストリーリテラシー)との接し方を考える際の参考になる(※)。▼古くから「物があるから見える」(実在論)と「見るから物が存在する」(観念論)が対立してきた。カントは人間は物自体を認識できず、それを現象としてしか認識できないとした。赤いサングラスをかけて世界を見ればその人の目には赤く染まった世界が現れる(現象する)。しかしそれは本当の世界ではない。▼私たちはフィルターをかけずに世界を見聞することができない。青い空、緑の木々、小鳥の囀(さえず)り—心和(やわ)らぐ美しい世界。しかし世界自体はそういうものなのか。空が青いのは波長の長い赤色より短い青色のほうが空気中の塵(ちり)にぶつかり反射しやすく、人間がその青色を見ることができるため。もっと反射しているのは紫外線で空は紫外線色のはずだがこの色は人間に見えない。空の色は動物によって違う。▼大気は様々な波長で震えている。小鳥の囀りが作る波長は人間の耳で聞くことができる。鯨(くじら)は超低周波帯で数千キロの長距離会話するがその波長の振動を聞き取れない人間には存在しないのと同じ。ある範囲の色と音(波長)しか見えない—私たちは外すことのできないサングラスとイヤホンをかけている。▼何のフィルターもかからない裸眼裸耳(らがんらじ)は存在しない。世界自体は私たちが見聞きしているものではなく、そのように現象しているだけ。青い空、緑の木々、小鳥の囀り、これらの存在は見る側、聞く側の私たちに依存する。「認識が対象に従うのではなく、対象が認識に従う」—カントにより明らかになった。

わんクリック　私たちの物の見方を 180 度変えたカント。色は物の本質ではない。物に色があるということは、その物がその色を必要とせずにその色の光を反射している、ということ。むしろ非・本質。植物—クロロフィルは光の緑色の部分を必要とせずに反射する (受け付けない)。だから緑色をとらえることができる人間の眼には植物は緑色で現象している。緑が美しいと思うのは慣れの問題であり文化の問題。人類文化と呼べる。石川文康『カントはこう考えた—人はなぜ「なぜ」と問うのか』、冨田恭彦『カント入門講義　超越論的観念論のロジック』あたりでカントの哲学のさわりを経験しよう。

History Literacy　過去は「物自体」、歴史はその「現象」—その現象は私たちの認識が作り出している。

啓蒙思想

①啓蒙思想　＊1

└「蒙(暗・闇)を啓く(明るくする)」の意、現在は PC(政治的正しさ)的に NG(上から目線すぎる)

理性の尊重　＊2

フランス現実社会の非合理な制度の打破を主張

特に 18 世紀フランスの「旧制度」を批判する形で発達

あらゆるものは人間の合理的思考で解明できるという考え

②啓蒙思想家

・モンテスキュー(仏、1689 ~ 1755)

『ペルシア人の手紙』(1721) で旧体制を批判

└「在フランスの偽ペルシア人」という他者の眼による社会批判

『法の精神』(1748) でフランス絶対王政を批判

三権分立を主張、貴族的な君主政を理想とする　＊3

└「三すくみ状態」は安定　└ 世界初の成文憲法、アメリカ合衆国憲法 (1787) に着想与える

・ヴォルテール(仏、1694 ~ 1778)　＊4

└ 啓蒙思想を全欧に広げた「無冠の帝王」、ペンネーム

『哲学書簡(イギリス便り)』

└ 仏社会を英国賛美により批判(他国賛美は自国批判、他国批判は自国賛美)

『カンディード』

└ 聖日に起こったリスボン大地震を背景、「自分の庭を耕さなければならない」

理神論に基づきカトリック教会批判

└ カトリック教会を目の敵に、怪力乱神を敬遠する儒教を評価

啓蒙専制君主(フリードリヒ２世、エカチェリーナ２世)に影響

└ 文通魔、生涯に１万８千通

・百科全書派

└「百」とは「すべて」の意

ディドロ、ダランベールら『百科全書』を刊行 (1759 ~ 78)

└ この順序が大切、ダランベールは途中で離脱、より重要な人に先に言及する原則

啓蒙思想を集大成した「知の目録」、フランス革命の思想的土壌となる

└ 全 29 巻、イラスト多数で人気

エカチェリーナ２世の財政援助

PROPOS　＊1

人びとは身分の違いを「神の思し召し」と疑うことなく、自由、平等など知らずに受け入れてきた。いまでも事情は変わらない。人は身分の上の者に対する妬み感情を持たない。自分と同じと思っていた人が特別扱いされると強烈な妬み感情を持つ。

PROPOS　＊2

啓蒙思想は宗教が担ってきた世界を説明する機能を理性に譲る。理性は神を使わずに、宇宙の成り立ち、生命発生のメカニズム、人間の心を説明するようになる。

PROPOS　＊3

三権分立。すべての図形は三角形に還元できる。三点は安定する。カメラは三脚、登山と受験勉強は三点固定が基本。一方、三点は「三すくみ状態」を作り、じゃんけんと同じで一方的勝者を作らない。批判も「以下の三点から」と三点にすると説得力が増す。人間は四以上の数の識別が苦手。

PROPOS　＊4

偉人には２タイプある。０から１を生み出すタイプと１を 1000 に広める人。ヴォルテール(筆名)は後者。最後の 20 年間はあちこちに出かけ、手紙を書きまくり、その影響力から「無冠の帝王」とされた。「幸福は自分が持っていなくとも与えることができる唯一のものである。そして、与えることによって、得ることができるものである」。気の利いた言葉で人びとを魅了。

PROPOS　＊補足

x 軸、y 軸(座標軸)、そこでの直線(図形)を方程式で表すことを発明したのはデカルト。それまで誰も図形が方程式で描けるなどと考えなかった。まだこういう未知が残されているはず。いまは複雑な図形を用いずに方程式で図形問題が解ける。スマホの画面を指で操作するとき、内部では座標の計算処理が行われている。デカルトは部屋で飛ぶハエの位置と運動を表現するために z 軸―3 次元空間座標系も思いついた。

画蛇添足

▼いま知の形がウィキペディアに代表される「集合知」にとって代わられつつある。かつて知識は『百科事典』で、アルファベット順で保管されていた。百科全書派があらゆる予断、先入見を排除するためにこの配列を選んだことは当時の社会に大変な衝撃を与えた。▼それまで事物は「神が創造した順」に配列されていた。それが万物の造物主である神の定めた秩序。これを無視したことで Dog が God の前に来ることになった。神の被造物が神より先に登場し、説明される衝撃。知の準拠点が人間となり、神中心から人間中心へ知を再編成する、世界の秩序そのものを再構成しようとする試み。▼日本の国語辞典で事物を「あいうえお」順で配列したのは大槻文彦『言海』。なぜ「いろは」順にしないのか、と福沢諭吉は抗議した。今の学校教育も新学期を起動させる時は、教室内の席順など生徒が「あいうえお順」に座ることを事実上の標準にする。私は苗字が「あ」で始まるだけで「お前が一番なのはこの席次(出席番号)だけだ」といじくられた。▼衝撃は高校時代の森一郎『試験に出る英単語』(青春出版社)という「試験に出る順」英単語集の出現。それまで私たちは英単語は a ではじまる単語から覚えるものと思いこまされていた。誰もが『赤尾の豆単』(旺文社)を冒頭から暗記したが最初の単語が abandon。端から「諦める」と自分に言い聞かせるような作業だった。▼オンライン上の情報は検索エンジンがあるので配列は二次的。オーダーの存在が見えない時代になったが現実を支配するのはオーダー。一見平等な先着順。時間的、金銭的ゆとりある者が有利。時間的に先んじたこと(先占権)を正統性の根拠にしたのが植民地支配。

わんクリック　世界史教科書は「単なる事項の羅列」とか受け売りの批判をする人がいる。「単なる羅列」などないし、これほど難しい並べ方はない。選挙の情勢分析の「○候補と□候補が横一線」。最初に言及した「○候補が僅差でリード」を意味(分かる人には伝わる犬笛的書き方)。「四書五経」と覚えるが、これは四書を五経の上位にみる朱子学の価値観を運んでいる言葉。サンプル調査、世論調査、薬の臨床試験などでは被験者を出鱈目に選ばなければ正確なデータが得られない。乱数―単なる羅列、これをどうすれば得られるかがむしろ課題になっている。私たちのふるまいは偏りから逃れられない(※)。

History Literacy　歴史は記述でなく(順序だてて述べる)叙述―「単なる事項の羅列」はない(順序が違えば別メッセージになる)。

宮廷生活と芸術

①様式

└ 後世の人間が作ったカテゴリー、流行 (結局は、人間が飽きる存在であることに由来)

a. バロック様式　＊1 ＊2

- 17 世紀、絶対主義、対抗宗教改革が背景
  - └ ルイ 14 世の死 (1715) をバロックの終焉とみる
- 特徴　豪華絢爛な装飾性、激しくドラマチックな力強さ
  - └ バロックとは「不均衡」「歪んだ」の意、不均衡からは「動き」がでる
- 代表建築　ヴェルサイユ宮殿

b. ロココ様式

- 18 世紀、絶対主義末期
  - └ ポンパドゥール夫人がロココ美術の保護者
- 特徴　繊細、優美
  - └ 精妙な曲線からなる家具や室内装飾が中心、地域も時代も限定的 (影響力小)
- 代表建築　サン・スーシ宮殿 (インテリア)、アマリエンブルク館鏡の間

②音楽

a. バロック音楽

└ 対象は貴族、教会

- ヨハン・セバスチャン・バッハ (ドイツ、1685 ~ 1750)　＊3
  - └「音楽の父」— 多神教日本だと「音楽の神様」
  - 『マタイ受難曲』、練習曲『無伴奏チェロ組曲』など
  - └ メンデルスゾーンが再発見 (1829) └ チェロ奏者パブロ・カザルスが再評価 (20c)
- ヘンデル (ドイツ、1685 ~ 1759)
  - 『水上の音楽』『王宮の花火の音楽』『リナルド』
  - └「私を泣かせてください」

b. 古典学派　＊4

- ハイドン (オーストリア、1732 ~ 1809)
  - 100 を超える交響曲、『チェロ協奏曲第 2 番』
- モーツァルト (オーストリア、1756 ~ 91)
- ベートーベン (ドイツ、1770 ~ 1827)
  - └ 作曲家として別格の圧倒的存在、異なる趣向の 9 つの交響曲など

PROPOS　＊1

バロックは 17c の絶対主義と対抗宗教改革の象徴。国家 (絶対君主) と宗教 (ローマ教皇) の威信を高める使命を持った「絶対王政、カトリックの飾り物」。ルネサンスの古典主義に対する反動。激しく力強い動感、劇的な感情表現—いわゆる「ドヤ顔」が特徴。「ドヤ、王ってやっぱりすごいやろ」「ドヤ、やっぱりカトリックやろ」。バランスを崩したダイナミックで不安定な表現。分かりやすく、人びとの情動に訴える表現 (バッハ『マタイ受難曲』)。不均衡が作り出す「動き」に、人間は動かされる。

PROPOS　＊2

国民全員が役者のイタリア人ジョーク。警官が泥棒を捕まえて「洗いざらい白状せよ」。泥棒は縛られた手を示して「これじゃあ、しゃべれない」。大仰な身振りで知られるイタリア人。何かあると両手を広げて天を仰ぐ「ありえないポーズ」はバロックの故国イタリアの国民的しぐさ。ローマはバロック都市。狭い路地を抜けて突然に大空間トレヴィの泉に出くわした時の驚き。

PROPOS　＊3

バロック時代にかつらが流行。かつらをのせると慌ただしい動作はできず不自然な仰々しい動きになる。それがバロック的。またかつらは白髪—経験を重視する価値観の現れ。バッハ、モーツァルトは宮仕えのためかつらを着用。フリーで活動した芸術家のベートーベンは地毛をなびかせた。

PROPOS　＊4

バッハ、ハイドン、モーツァルト、ベートーベンのドイツ系作曲家の系譜が「ドイツ音楽」でなく「古典派」と政治的に命名。新興国ドイツは、ラテン文化・カトリックを基調とするフランス文化に対して、ドイツ文化は (ラテン文化に先行する) ギリシア文化 (古典) に立脚しているからより正統と主張。私たちは教育で上記の 4 人と「顔なじみ」にされているが、ドイツ人以外の作曲家の顔を判別できる人は少ないはず。

画蛇添足

▼「私がモーツァルトを殺した」(サリエリ)。モーツァルトは貧困の中でウィーンで35歳で没する。その死に際して様々な憶測がなされた。宮廷楽長サリエリが毒殺したという風説に基づいて作られた映画『アマデウス』(1984) は大ヒット。▼舞台は啓蒙専制君主ヨーゼフ2世治世下のウィーンの宮廷。努力の人サリエリと天才モーツァルト。サリエリは努力を重ねて宮廷楽長の地位を得た。それに対してモーツァルトは天才。神は、神の声を聞き、神の旋律を聞き取る才能をモーツァルトに与え、サリエリには最も美しいものが何か分かる能力しか与えなかった。▼あるとき、サリエリはモーツァルトの書き直した跡のない楽譜の下書きを偶然見て、彼が神の声を聞いてそれを楽譜に写しとっているにすぎないと知り愕然とする。そのモーツァルトは鼻持ちならぬ傲慢な人間。神は天の才能をなぜ彼のような人物に与えたのか。▼彼が亡くなった後のサリエリの余生は残酷。夭折したモーツァルトの名声の高まりに対し、自らの作品は忘れられていく。その過程を目の当りにした。晩年、神父に述懐する形で語られたのが冒頭の言葉。神に対する憎悪、容赦ない告発。▼と書き連ねたが右に書いたことは事実でない。実際のサリエリは人格者でモーツァルトを支援し続けたとされている。なのにこういう濡れ衣を被せられた。教科書に書かれている名前は必ずしもその時代の人びとが聴いた音楽、読んだ本ではない (※)。教科書に当時の人なら誰でも知っていたサリエリの名前がない。人名事典を繰っていると、列挙される多くの著作に続いて「しかし今は誰も読まない」と書かれる作家もいる。人間は二度死ぬ。肉体が死ぬ時と存在が忘れられる時。

わんクリック　音楽 (芸術)—本来、神に捧げる (奉納する) ものであって、音楽を聞く観衆とはその場に立ち会っている人びと。人間を超越するものに対して捧げられた。バッハはそのように作曲、ライプチヒの教会でパイプオルガンを神に向かい鳴り響かせた。ハイドン、モーツァルトは宮廷音楽家。発注者から依頼されて交響曲を作曲。宮廷音楽家と宮廷料理人は同列の存在。音楽と料理は使われると消えるものだった。いまは音楽は、個人の感情を表したもの、作曲家の世界観、感性をあらわしたもの、と主役が神から人間に入れ替わった。これはベートーベンから。9 つの交響曲すべてが個性的。

History Literacy　教科書に書かれている名前は必ずしもその時代の人びとが聴いた音楽、読んだ本ではない。

③文学

a. フランス古典主義文学

- 悲劇　コルネイユ、ラシーヌ
- 喜劇　モリエール

　『守銭奴』(1668)、『タルチェフ』『町人貴族』『人間嫌い』　＊1

- フランス語の統一と洗練

　リシュリューがアカデミー・フランセーズ創設

b. イギリスピューリタン文学

- ミルトン『失楽園』(1667)

　└ クロムウェルの秘書、失明した後、ピューリタン革命失敗後

- バンヤン『天路歴程 (The Pilgrim's Progress)』

　└ ピューリタン革命を支持　└ プロテスタント世界で最も多く読まれた宗教書

c. イギリスの冒険文学

- イギリスの海外発展が背景
- デフォー『ロビンソン・クルーソー』(1719) ＊2
- スウィフト『ガリヴァー旅行記』(1726)　＊3

　└ アイルランド生まれの風刺作家、仮名で執筆

④絵画

a. バロック

- ルーベンス (フランドル)

　『マリー・ド・メディシスの生涯』『レウッキッポスの娘の略奪』

- ファン・ダイク (フランドル)
- ベラスケス (西)

　└ 作品以外生きた証 (手紙、日記類) を一切残さず

　宮廷画家、『王女マルガリータ』『ラス・メニーナス (女官たち)』

- エル・グレコ (西)『トレド遠景』『オルガス伯の埋葬』

　└ 天地に長く伸ばした無重力感漂う造形、どの時代の様式にも合致せず 20 世紀に評価

- ムリリョ (西)『無原罪のお宿り』　＊4
- レンブラント (蘭、1606 ~ 69)『夜警』『毛織物商組合員』

b. ロココ

- ワトー (フランス)『シテール島への船出』

PROPOS　＊1

喜劇作家モリエールが造形した人物でも『守銭奴』の強欲さとケチぶりは余人の追随を許さない。『町人貴族』は成金商人が上流階級の真似事で悦に入る様を滑稽に描く。人はなぜ喜劇に笑うのか。最初は他人事と思って哀れに感じる。途中で、これは自分のことだと気づく。もう笑うしかない。

PROPOS　＊2

孤島に漂着。そこで出会ったフライデーを下僕として 28 年間過ごした物語。「近代人」の代名詞ロビンソン・クルーソーの物語は経済学、社会学、哲学などさまざまな分野で論じられている。無人島に到着までの描写もまた当時のイギリスの海洋貿易の姿を活写していて読み応えがある。

PROPOS　＊3

『ガリヴァー旅行記』でジョナサン・スウィフトは当時の有力者たちを、明らかにそれと分かる形で登場させて痛烈に風刺。名を隠し架空の著者名で架空の国について人を雇って筆跡を変えて書いた。巨人国でガリヴァーは小さく、小人国では巨人。ものごとの相対性を風刺。小人国リリパット国はイングランド。当時の国王から首相まで容赦なく風刺。粗野な人ヤフーは検索エンジンの名に使われている。風刺も喜劇の一種。やはり「名前を変えれば、話はお前のことだ」(ホラティウス『風刺詩集』)。

PROPOS　＊4

聖母マリアは処女懐胎によってイエス・キリストを生んだ。こういう信じがたいことを信じ込ませることが聖職者の務め。簡単な仕事ではない。またそれをそれらしく描くことが当時の画家に与えられた使命。これもたやすい仕事ではない。楽な仕事はない。美術館で処女懐胎の絵を見比べるのが面白い。『無原罪のお宿り』を生涯、ひたすら描き続けたのがスペインの画家ムリリョ。人間は原罪を持つが聖母マリアだけは持たない。彼女の『無原罪のお宿り』信仰がスペインのカトリック信仰の特徴。

画蛇添足

▼「わが師」(ゴヤ)、「幾度も模写」(ピカソ)、「絵画の中の絵画」(マネ) 史上最高の絵画とされるのが宮廷画家ベラスケスによる『ラス・メニーナス (女官たち)』(1665)。この一枚を見るためだけでもプラド美術館 (スペイン) を訪れる価値がある。▼近くで見るとタッチは荒く大胆。リアリズムを生み出すのはディテールでない。複雑な構図だが上部三分の一は平凡な天井。これが奥行きのある広い展示室に接続する。この部屋で絵の前に立っていると、落ち着かなくなってくる。そして画中に描かれた全員から自分が見られていることに気づく。「見ているつもり」の自分が「見られている」と気づく(※)。鑑賞者の視線を画面の外へと誘う作品。▼絵には、国王夫妻がこの部屋に入ろうとして、人びとがいっせいに国王夫妻を振り返り見た瞬間が描かれている。この絵を鑑賞することは、画面の中の人びとの視線が収斂する、当時の国王夫妻の位置に立つことを意味する。そこは現在から過去へ引き込まれる、現在の中にある過去への特異点。▼絵をよく見ると、ベラスケスが国王夫妻の鏡像を作品のなかに描き込んでいることに気づく。その瞬間、いま自分が国王夫妻のいる場所に立っていることが分かる。これに気付いた時の驚きがまさにバロック。描かれた視線が画面の中だけで完結せず、展示空間にまで広がって、見る者も巻き込む。絵の構図が鑑賞者にこの絵に参加することを求めてくる。▼描かれたのは国王夫妻の王女マルガリータ5歳。むずかる王女を侍女、小人がなだめすかしている。17世紀のハプスブルク宮廷にいる錯覚を覚える。ハプスブルク家の王女の常で、若くして異国に嫁ぐ。神聖ローマ皇帝に15歳で嫁ぎ、22歳で亡くなった。

わんクリック　首都マドリッドから半時間のトレド。それなりの規模なのに近代建築物がなく中世のまま時間を止めた街、町全体が博物館、とされる。タホ川越しからの全景 (遠景) はエル・グレコが描いた『トレドの景観と地図』と寸分違わない。サント・トメ教会にグレコの最高傑作『オルガス伯の埋葬』がある。全体の構成は劇的でまさにバロックだが、登場人物は実在の人物の忠実な写実。彼の作品で往時のトレドが想像できる。西ゴート王国首都、その後イスラーム支配を受けるが、カスティーリャ王国時代にアラビア語文献がここでラテン語に翻訳されて 12 世紀ルネサンスのきっかけとなった。

History Literacy　歴史書を読んで著者の力量を値踏みする読者―著者からは「読めているか」と値踏みされている。

第 14 章　欧米における工業化と国民国家の形成

1　激化する経済覇権競争

砂糖と三角貿易

①砂糖プランテーションのはじまり ― 当時最高の収益産業
- 世界商品砂糖
  ブラジル北東部（ポルトガルの植民地）で本格生産開始
  └ 北米よりヨーロッパに近い、黒人奴隷の最大渡航先はブラジル
- プランテーション（大農園）での単一栽培（モノカルチャー） ― 規模の利益が得られる
  └ 土地収奪が必要、先住民の土地を「無主の地」として収奪（植民地だから可能）
  労働力として同緯度のアフリカ西岸から黒人奴隷を連行　＊1
- ブラジル、西インド諸島（16c 西領、17c 英領、仏領）を中心に展開

②カリブ海地域での砂糖プランテーション展開　＊2
- 西カリブ海域の再分割 ― カリブ海は海賊の海に
  17 世紀、オランダ、フランス、イギリスがこの海域に進出
  当初はスペイン船を襲い、新大陸産の銀を奪う目的
  小アンティール諸島、ギアナ地方（南米北東部）に進出　＊3
  └ スペイン、ポルトガルが実効支配できていないと気付く
  スペインは銀積出港キューバ 島、プエルトリコ島を堅守
  └ 難攻不落の要塞ハバナ　└ 大アンティール諸島最西端の要衝
- オランダはギアナ地方のスリナム獲得
  └ 西インド会社設立 (1621)　└ 第 2 次英蘭戦争で英国からマンハッタン (1609 獲得) と交換
  ギアナ地方で砂糖プランテーション
  └ 現在はガイアナ (英語圏)、スリナム (蘭語圏)、仏領ギアナに三分
- イギリスはバルバドス島 (1627)、ジャマイカ島 (1655) を奪取
  └ 現ジャマイカ (英語圏)、コーヒーのブルーマウンテンが著名 (主産業ではない)
- フランスはエスパニョーラ島西部占領 (仏領サンドマング)
  └ 東部は現ドミニカ共和国 (小アンティール諸島に「ドミニカ)、現ハイチ
  →英仏も砂糖プランテーション展開
  →砂糖生産の中心地はブラジルからカリブ海地域へ

PROPOS　＊1
農業は基本的に季節労働。農閑期が存在する。ところが熱帯のプランテーションでは農業が一年中、休みなしの過酷な労働。同緯度で同じ気候 (Aw、サバナ) のアフリカの西海岸の黒人に目を付けた。しかしなぜアフリカ西海岸でプランテーションを展開せず、わざわざ労働力を西カリブ海まで運んだのだろうか。常に問いを伸ばしたい。

PROPOS　＊2
アメリカ人で東シナ海の沖縄、台湾、ルソン島の区別ができる人がどれほどいるのか。日本人でカリブ海のキューバ島、イスパニョーラ島 (スペイン語でエスパニョーラ島)、プエルトリコ島の区別ができる人がどれほどいるのか。ここにジャマイカ島を加えた大きな島の連なりが大アンティール諸島。小島の連なりが小アンティール諸島。いまは島単位で独立国となり小国が多い。英語圏、仏語圏だが生活言語はクレオール語 (英語・仏語とアフリカ語の混成語)。

PROPOS　＊3
18c に「カリブ海の真珠」と呼ばれる砂糖諸島―世界最大の砂糖生産地となった。サンドマングはフランス革命時に世界初の黒人共和国ハイチとして独立。世界初の黒人共和国はアフリカでなくカリブ海で誕生。ハイチはジャマイカと並ぶ黒人共和国。ここからアメリカに移民した人も多い。アメリカの黒人をアフリカ系アメリカ人と言い換えるのは不正確。カリブ系も多い。

PROPOS　＊次ページ
アフリカを語る時「アフリカは…」と 55 カ国をまとめてはいけない。その広大な面積はアメリカ、中国、インド、ヨーロッパ主要国を足した面積と同じ。南北 8000km、東西 7400km―この距離は東京とモスクワ間の距離。大西洋に面するアフリカの西海岸と、インド洋に面する東海岸は別世界。奴隷貿易で疲弊して今日まで影響を引きずる西海岸諸国。東海岸諸国はインド商人が活動するインド洋世界の一部。

画蛇添足

▼ヨーロッパ人は十字軍遠征を通じてイスラーム経由で東南アジア原産の砂糖を知る。甜菜（てんさい）や蜂蜜でしか甘味を知らなかった人びとにとり砂糖は驚きで、貴重な輸入品となった。甘味は糖―人間の活動のエネルギー源。森に棲（す）んでいた時は熟した果実から摂っていたが草原に降りてからは入手が難しかった。▼大航海時代以降、カリブ海西インド諸島で大量生産できるようになると、西欧諸国は競ってサトウキビのプランテーションを展開。甘味は人間にとり安全な成分。砂糖を嫌いな人間はおらず誰もが群がるから広大な市場、莫大な甘い利益が期待できた。▼茎にショ糖を蓄える。背丈が3mを超えてずしりと重いサトウキビ。成長に太陽光をいっぱい浴びる必要があり、熱帯下での栽培・加工（精糖）、運搬労働。刈り取った後はすぐに砕いて原液を絞り、煮詰めて純度を高めないと収穫量が大きく減る。時間に追われる苛酷な作業。▼「砂糖のあるところ奴隷あり」―砂糖が奴隷制度をもたらし、イギリス産業革命につながったと主張してイギリス一国史観に異議を唱えたのがエリック・ウィリアムズ。黒人奴隷の労働力で作られた砂糖はイギリスで白人の工場労働者の即席エネルギー源として供給された。▼良質のインド綿布、そして雑貨の魅力に憑かれてアフリカ人を奴隷商人に差し出したのは同じアフリカ人。どこでも見られる構図。現地人どうしを甘言（かんげん）で争わせて自らは手を汚さず漁夫の利を得たヨーロッパ人の狡（ずる）さ。それは人間の狡さ（※）。▼いまブラジルに多くの日系人がいる。奴隷を最後まで手放さなかったブラジル。奴隷解放を余儀なくされて生じた労働力不足とアメリカでの日本人排斥。それらが日本のブラジル移民の背景。

わんクリック　ゴスペルの名曲アメージンググレース。作詞はジョン・ニュートン (18c)。奴隷貿易に従事して富を築いた。のちに改悛（かいしゅん）して牧師となった。航海中の経験から、自分のような人間に与えられた Grace(神の恩寵) を Amazing(奇（く）しき) とした讃美歌。世界史を変えた商品の一つ砂糖。原料は東南アジア原産のサトウキビ。砂糖と奴隷貿易に関してはシドニー・W・ミンツ『甘さと権力』が古典。読みやすさで川北稔（かわきたみのる）『砂糖の世界史』がおすすめ。研究者の努力によって奴隷船のデータが集められ、データベース『奴隷航海』として公開されている。これに基づいた概説が布留川正博（ふるかわまさひろ）『奴隷船の世界史』。

History Literacy　特定の国籍の人びとの糾弾（きゅうだん）が過去を見る目的ではない―「私たちの祖先」の過ちとして見たい。

奴隷貿易

①三角貿易 (17 ~ 19 c後半) — 人身売買(トラフィキング)が「貿易」なのか ＊1

- 15 世紀半ばよりポルトガルが大西洋奴隷貿易始める
- 18 世紀の最盛期はイギリスが中心に従事

  スペインより奴隷貿易独占権 (アシエント) 獲得 (1713 年ユトレヒト条約) ＊2＊3

  └ このためにイギリスは南海会社設立 (1711)
- 全体的にはポルトガル船、ブラジル船が中心

  └ 奴隷貿易で最も繁栄したのはリオ・デ・ジャネイロ港

②中間航路

- 西欧からアフリカ西海岸 (コンゴ~アンゴラ、ギニア湾岸) への航路

  └ リヴァプール (英)、ナント、ボルドー (仏)

  インド綿布、武器、日用雑貨などを輸出 ＊4
- 中間航路 — アフリカ西岸からブラジルとカリブ海諸島への航路

  「黒い積み荷」(黒人奴隷) を満載した奴隷船

  └「移動する監獄」「墓場船」で約 2 カ月

  推定 1250 万人が乗船、1070 万人が下船 (死亡率 14.5%)

  └ 最新データベース「奴隷航海」(https://www.slavevoyages.org) による

  ブラジルとカリブ海諸島で奴隷輸入の 8 割 ＊5

  └ 最大の奴隷輸入国 └ アメリカ南部 (黒人奴隷 400 万) は国内で奴隷の婚姻などで供給
- カリブ海諸島から西欧への航路

  「白い積み荷」(砂糖、綿花、タバコなど) を満載

③奴隷貿易の影響

- 西欧各国 (特にイギリス)

  莫大な利潤獲得による資本蓄積が産業革命を用意 (ウィリアムズテーゼ)

  └ 異論もあり結論はでていない └『資本主義と奴隷制』(1944)
- アフリカ西岸

  若年労働力を喪失、人口流出による経済停滞

  └ 累計値で 1250 万人 (当時の世界人口は 15 億程度 — こちらは瞬間値)

  奴隷貿易でダホメ王国、アシャンティ王国の繁栄 ＊6
- 西インド諸島はプランテーション農業によるモノカルチャー経済

  在来農業の破壊で国際価格下落時に食料飢饉

PROPOS ＊1

いまでも物流は二地点の往復で復路は空荷での回送になる無駄が生じやすい。その場合でも船の場合は船体安定のために空荷にできず砂利などをバラストとして積む必要がある。回送のない三角貿易は理想的。

PROPOS ＊2

スペインは奴隷の輸入は他国貿易業者に委託。その許可状がアシエント。獲得した者は、実務を下請けにだした。ポルトガル船がその実務、奴隷貿易に多く従事した。

PROPOS ＊3

当初強国スペインの歯牙(しが)にもかけられなかった弱小国イギリス。海賊行為で新大陸の銀を満載したスペイン船を襲って富を収奪。17c にはカリブ海に植民地 (海賊行為の拠点) を持った。18c にスペイン継承戦争のユトレヒト条約でスペインから最も利益のでる奴隷貿易独占権をついに獲得。海賊行為から足を洗い、逆に海賊を取り締まる側にまわった。正規の奴隷貿易で富を蓄積。この資本で産業革命を起こして強国化。

PROPOS ＊4

「雑貨」と書くが、雑貨の魅力は 100 円ショップを覗(のぞ)く楽しさと同じ。アフリカの奴隷商人に人気だったのはインド産綿布。

PROPOS ＊5

ブラジルが最大の奴隷輸入国。産業は砂糖、金・ダイヤモンド採掘、ゴム、コーヒーと変わったがすべてで黒人奴隷が使われた。ブラジルの奴隷制廃止は世界で最も遅い 1888 年。最も多くの奴隷が送られた。

PROPOS ＊6

ヨーロッパ人は最も汚い仕事—奴隷狩りには手をださず、現地のアフリカ人奴隷商人から購入。その方がリスクもコストも低い。戦争捕虜を人身供儀に使うダホメ王国の存在が何より有難かった。奴隷として購入することは彼らの命を救うことなのだ、とやましさを正当化するのに使えた (※)。

画蛇添足

▼17世紀末にロイズが開店したコーヒーハウス。船員たちのたまり場、海事情報の集積地となる。奴隷の死亡率の高さ、反乱の可能性。奴隷貿易はリスクが大きい。これらのリスク分散のために海上損害保険のロイズ保険組合が生まれた。▼これがイギリスの奴隷貿易、アジア進出を加速させた。実際に起きなかったことの「起きたかもしれない可能性の大きさ」を測るのが確率。パスカルとフェルマーの往復書簡 (17世紀) から始まった。確率は試行回数が大きいほど正確になる (大数の法則) ので、保険は海上保険から始まったが生命保険が主力になる。▼かつてのイギリスの国民的飲料は紅茶。茶を原産地チャイナから輸入したのはオランダ商人。イギリスには紅茶好きのメアリ2世が名誉革命時に持ち込んだ。イギリスの軟水が紅茶に適したこともある。舶来高級品の紅茶は上流階級の女性に好まれた。男性のみの空間コーヒーハウスに対し、トワイニングが女性も入れる紅茶専門店を出店した。▼考えられない組み合わせだったがイギリス人は茶に砂糖を入れて飲んだ。東から来た茶を西からきた砂糖と一緒に飲むことは18世紀の植民地帝国イギリスのステータスシンボルとなった。ただし紅茶が国民的飲料となったのは18世紀の産業革命以降。産業資本家が、低賃金、長時間労働を強いた労働者に、アルコールにかわる飲料として砂糖入り紅茶を推奨したことによる。▼衛生状態が悪い時代、水を沸騰させて飲む紅茶、そのカテキン類 (ポリフェノール構造) が持つ抗菌機能も都合がよかった。即席のカロリー源となる砂糖には疲労回復効果があり、労働規律を守らせる効果もあった。こうしてイギリスで紅茶が国民的飲料となった。

わんクリック アフリカ西海岸各地から連行された奴隷。互いに言葉が通じない。必要に迫られて支配者の言葉を使い「ワタシ、コンゴカラキタヨアルヨ」みたいにして意思疎通。この段階はピジン語。これが世代を経て文法を伴う言葉になったのがクレオール語 (仏語表記)。南米で「植民地生まれの白人」を指したクレオーリョ (西語表記) と同じ。カリブ海域で発展したクレオール語など、様々な民族や文化が混淆(こんこう)する状況、そこでのアイデンティティのありようが 1980 年代からクレオール文化、クレオール性として表現されるようになった。注意すべきはこの場合のクレオールが有色性を特徴とすること。

History Literacy 物事の是非を判断する力を鍛える場が世界史—遠い出来事の是非ははっきり見える。

商業覇権の移動

①オランダの繁栄と凋落

- 1602年、東インド会社設立　＊1
- バタヴィア（現ジャカルタ）が根拠地
  - └スンダ海峡から入ってすぐの絶好の港町
- ポルトガル商人を排除して香辛料貿易を独占　＊2
  マラッカ、セイロン島を奪取
- 1623年、アンボイナ事件
  モルッカ諸島からイギリス勢力を排除
  オランダ領東インドの基礎となる
- 対日・対中貿易 — バタヴィアから安平（アンピン）経由、平戸へ
  東インド会社はアジア域内貿易で利益、内陸部を領域的に支配
  - └この結果、アジアの分業体制が進む　└輸出向け商品作物栽培のため

  平戸に商館設置、台湾を占領し、台南に拠点
  - └ゼーランディア城築造（台南市の対岸安平）

  アジアへの中継基地ケープ植民地建設（1652）— インド航路の主導権握る

②イギリスのアジア進出

- 1600年、東インド会社設立
  - └1858年まで存続、一会社を超えインド統治機関となる（満洲鉄道と同じ）
- アンボイナ事件で敗北後、インド経営に専念
  - └17世紀前半のイギリスはオランダには太刀打ちできない小国
- 三大根拠地　マドラス、ボンベイ、カルカッタ　＊3

③フランスのアジア進出

- 1604年、東インド会社設立（1664年、コルベールが再建）
- インドに進出
  根拠地　ポンディシェリ、シャンデルナゴル
  - └現在もフランス語圏、20cまでフランス領、パリに多くの南インド料理店

④日本人の海外進出

- 16世紀、日本人奴隷（年季奉公契約）がポルトガル商人により輸出　＊4
- 17世紀、日本人が傭兵として東南アジア各地で活動
  マニラ、ホイアン、アユタヤなど朱印船の寄港地には日本人町

PROPOS　＊1
オランダ東インド会社（VOC）は、イギリス東インド会社に対抗するため作られた世界初の株式会社。当時の貿易は莫大な先行投資が必要なハイリスク、ハイリターンの事業。株式発行で不特定多数から資金を集めた。名は会社だが準国家的存在。現地の君主との条約制定権などを持ち、現地の状況に即応できた。バタヴィアが大根拠地。

PROPOS　＊2
香辛料は防腐剤として需要があったという説（下の画蛇添足はこの通説に基づく）を否定する議論もある。医薬品であったという説や、文字通り「香辛料」として風味が好まれたという見方も復権。17cに香辛料貿易は下火になったが、それは料理の世界でソースが開発されたからと説明される。

PROPOS　＊3
帆船が主役の時代、季節風を利用してアジアとヨーロッパを結ぶ船は1年に1往復しかできなかった。商館の役目は、ヨーロッパから運んできた商品を売りさばき、翌年の船に積む商品を購入して保管すること。商館員は風向きが変わるのを待つために1年間要塞化した商館にとどまった。当初のヨーロッパのアジア進出は「点の支配」。

PROPOS　＊4
16cは世界中で人身売買が普通に行われていた。戦国時代の日本でも戦闘行為のあと褒賞（ほうしょう）として「乱取り」という人狩りが普通に行われていた。16cに来日したポルトガル商人はそれら日本人奴隷を長崎から世界各地に輸出。イエズス会士もこれに関与。このような背景があって秀吉は伴天連（バテレン）追放令（1587）を出す。各地で神社仏閣を破壊する一神教の排他性、攻撃性への警戒だけでなく、労働力の流出も危惧した。16c後半から17c初頭、多くの日本人が東南アジア各地で傭兵として活動。戦国時代が終わり不要になった日本の武士を東インド会社は傭兵として商ってもいた。アンボイナ事件にも日本人が多く関与していた。

画蛇添足

▼歴史を通じて人類の最大の関心事は食料の確保にあった。多くの地域で飢餓がさしあたっての課題でなくなってから、まだ一世紀も経たない。獲得した食料をどう保存するかも大きな関心事。様々な加工食品が作られてきた。▼東南アジア産の香辛料が生肉の防腐剤として有効と分かったことが大航海時代をもたらした。それ以前から人びとは塩漬け、砂糖漬けによって結果的に細菌、微生物が生息できない状態にする方法を編み出してきた。梅干し、ジャムなどである。▼腐敗は水分があるから起こる。食品を天日乾燥させる乾物が作られてきた。魚の日干しだけではない。切り干し大根や干し椎茸など乾物にすることで生より栄養価が増すものも発見された。遊牧世界では発酵で食品を保存する技術を発見。生乳をチーズとして保存できるようになり搾乳できない時期に生活できるようになった（※）。▼パン、ワイン、チーズは世界三大発酵製品。キリストの血肉（ワインとパン）は発酵食品。水分を飛ばすためにカビまで動員。カビを生やしたブルーチーズ。パルメザンチーズの堅さは人類の知恵の結晶。ドイツでは長い厳冬を燻製（くんせい）（スモーク）ソーセージを作って乗り越えた。樹々のチップの煙で食品を燻（いぶ）すことで細菌を煙に巻き、膜を作って寄せ付けない手法。菌のかわりに香りをつけた。▼究極の乾燥食品は鰹節（かつおぶし）。カビ付けと燻製の合わせ技で、水分を最後の一滴まで飛ばした完璧な保存食品。金槌代わりにもなる堅さ。この鰹節を作るのは日本とインド洋のモルディブだけ。19世紀になって加熱で菌を殺す缶詰が発明され、さらには温度を下げて菌を殺す冷凍技術が発明された。いまはレトルト。これらの工夫が人間の生存を可能にした。

わんクリック　株式会社—有限責任という新しい責任のあり方（責任逃れのあり方、でもある）の発明。これで誰でも安心して資本主義ゲームに参入できるようになった。何といっても、調達資金を返済しなくてもよい直接資金の調達—「株式」の発行、という魔法のような発想。形式的だが、出資者（株主）が会社の所有者（株式数に応じて分有）という理屈。あとは配当利益（インカムゲイン）か売買利益（キャピタルゲイン）の好きな方を選んでください、という仕組み。オランダ東インド会社の社員は「オランダ人」だけではない。様々な国の商人が出資した。株式会社と同時に株式取引所も生まれた。

History Literacy　「くさいこと」（腐敗）と「おいしいこと」（発酵）は紙一重（まったけの香りをよしとするのは日本文化）。

本格化する植民地経営

①イギリスの植民活動

- ヴァージニア植民地再建 (1607)
- ニューイングランド植民地形成 (1620)

  └ のちマサチューセッツ植民地に併合されて消滅

  ジェームズ1世のピューリタン迫害が背景

  「ピルグリムファーザーズ」のメイフラワー号移民　＊1 ＊2

②英蘭戦争と英の13植民地

- イギリスが航海法制定 (1651) し、オランダの商業覇権に挑戦
- 英蘭戦争 (1652 ~ 74)

  新大陸でオランダよりニューネーデルラント植民地を奪う

  ニューアムステルダムをニューヨークと改称　＊3

- 18世紀前半までに13植民地成立　＊4

  主として農業植民、人口多く、自主・独立の精神強い

③フランスの植民活動

- セントローレンス川沿い進出 (アンリ4世時代) — カナダと命名

  └ 探検したジャック・カルティエ

  ビーバー獲得のため

  └ 毛皮入手のため先住民の知恵と協力が必要、フランスはインディアンと友好関係

  ケベック (1608)、モントリオール建設

  └ シャンプランの植民、以後、北米のカトリックの拠点、代表的フランス語圏

- ミシシッピ川流域に進出 (ルイ14世時代)　＊5

  ルイジアナ植民地の形成

  └ 開拓のためではないため家族単位の移住も少なく、人口少ない

イギリスとフランスの抗争

①英仏の植民地争奪戦

- ヨーロッパでの戦争と並行して戦う

  この間、両国での国民意識高まる

- 第2次英仏百年戦争 (1689 ~ 1815)

  └ ウィリアム3世からフランスと対立　└ 名誉革命の翌年から

PROPOS　＊1

信仰の自由のために渡米した102名の「巡礼の父たち(ピルグリムファーザーズ)」は19cに言及されはじめたアメリカの建国神話。初期アメリカ移民の大半は、現地での数年の年季奉公契約で渡航費を前借りした人びとが大半だった。

PROPOS　＊2

11月末に上陸した半数以上が厳しい冬を越せなかった。3月になって先住民から、とうもろこしの栽培法などを教えてもらい次の越冬のめどをつけた。翌年秋、彼らはインディアンを招いて最初の感謝祭 (現在のアメリカの最大のお祭り) を催した。

PROPOS　＊3

ニューヨークのマンハッタン島ウォール街。17cオランダ人は先住民から約24ドルの日用品との交換でこの地を購入、ニューアムステルダムとした。アムステルダムの衣鉢(いはつ)をついで多様性に富んだ町。世界最大のユダヤ人共同体が形成された。先住民を虐殺した報復を恐れて作った城壁に由来するウォール街は現在、国際金融の中心地。この売買は「史上最大のバーゲン」とされてきたがサムエリソン『経済学』は24ドルを複利運用すれば、現在のマンハッタン島を買い上げる額になると実際に計算。「複利の魔術」として紹介している。

PROPOS　＊4

英領13植民地は設立目的が異なり、風土も宗教もまちまち。これが独立して13州となった。この多様性が宗教の寛容、信仰の自由を保障する国家を形作った。

PROPOS　＊5

国力でイギリスを圧倒したフランスだが大陸でプロイセン、オーストリア、スペインといった大国に備えなくてはならず海外進出だけに力を注げなかった。七年戦争でも外交革命でオーストリアを支援することになったフランスはプロイセンとの戦いに兵力を割かねばならず、資金だけ出して新大陸の戦いに専念したイギリスに敗れた。

画蛇添足

▼カナダのケベック州の名産はメイプルシロップ。長く厳しい冬のためにカエデが糖蜜 (樹液) にして溜め込んだもの。これを人間が抜き取る。カエデはカナダ国旗のシンボル。一年の大半を占める長く厳しい冬と短い夏。▼そのつかの間の錦繍(きんしゅう)で彩られる秋にケベックを訪れた。植民地戦争に敗れてカナダを放棄したフランス。英領となったカナダはアメリカ独立革命時、王党派のイギリス人の避難先となった。革命で作られたアメリカに対して、反革命で作られた保守的な英領カナダ。しかし独立後はアメリカ以上にリベラルな国となる。▼「カナダ史を語るほど退屈なことはない」と自虐的に語られるカナダ史。その中で歴史の存在感がある街がケベック。すべての車のプレートに「私は忘れない」の標語が刻まれる。取り残されたフランス系住民が「英語の海」北米の中で「フランス語の孤島」ケベックを苦労して守ってきた。カトリック教会が中心となったため保守性の強い社会となり、リベラルなカナダの発展から取り残された。▼この行き詰まりを模索する一環で「誰の未来のための誰の歴史」(カナダ歴史教育学会) をテーマにカナダの歴史教師が集うと知り、参加してみた (2008)(※)。私も歴史を教えることに行き詰まっていた。歴史教育の最も退屈な国が何に取り組もうとしているのか。晩秋のケベックは寒かったが、未来志向の歴史的思考力の育成に的を絞った議論は熱かった。▼議論に参加して多くの糖蜜を仕込めたことがその後の仕事のエネルギーとなった。示唆を得たアイデアの幾つかは本書に織り込んでいる。セントローレンス川越しに地平線まで広がるカナダ楯状地(たてじょうち)—古い地層が露呈した荒涼たる原野もまた印象に残った。

わんクリック　ナントの勅令廃止 (1685) で追放されたユダヤ人をオランダが受け入れ、オランダ経由でニューアムステルダム (現ニューヨーク)、名誉革命に際してロンドンに移住。両都市が世界の金融センターとなった。ロンドンへのロスチャイルドの移住は19世紀初頭。ディズレイリはここからイギリス国家を担保にスエズ運河株券購入資金を調達。日本も鉄道を担保に日露戦争戦費の3分の1を両都で調達。金融市場での信用も、勝利の可能性 (返済可能性) も高くなく、高い利率の外債で調達。ロシア国内でポグロム (ユダヤ人虐殺) に直面していたユダヤ人が、ロシアと戦う日本の資金調達を支援。

History Literacy　「誰の未来のための誰の歴史」—歴史はどういう未来を創りたいか (社会的合意) に基づく過去の選択。

②新大陸での争い　＊1（※）

a. ウィリアム王戦争 (1689 ~ 97)

ヨーロッパでファルツ戦争 (1688 ~ 97) 時

b. アン女王戦争 (1702 ~ 13)

ヨーロッパでスペイン継承戦争 (1701 ~ 13) 時

ユトレヒト条約 (1713) で和約

c. ジョージ王戦争 (1744 ~ 48)

ヨーロッパでオーストリア継承戦争 (1740 ~ 48) 時

d. フレンチ・インディアン戦争 (1755 ~ 63)　＊2

└「七年戦争」(フランス本土)、「征服戦争」(カナダ系フランス人)

ヨーロッパで七年戦争 (1756 ~ 63) 時

パリ条約 (1763) で和約

③インドでの争い

・カーナティック戦争 (1744 ~ 61)

ヨーロッパでオーストリア継承戦争 (1740 ~ 48) 時

総督デュプレクスによる勢力拡大

・プラッシーの戦い (1757)

ヨーロッパで七年戦争 (1756 ~ 63) 時

クライヴがフランスとベンガル太守連合軍破る

└ イギリス東インド会社書記　　└ フランスは実際は数十人程度

④イギリスとフランスの抗争の結果

・ユトレヒト条約 (1713)　＊3

└ フランスはスペイン合併に失敗 (スペインもブルボン朝支配となっただけ)

英はフランスよりハドソン湾、アカディア、ニューファンドランド島獲得

英はスペインよりジブラルタル、ミノルカ島獲得

└ 地中海貿易の覇権

英は奴隷貿易独占権 (アシエント) 獲得

└ 大西洋貿易の覇権、南海会社 (1711) が担当

・パリ条約 (1763)

└ 七年戦争の講和はフベルトゥスブルク条約

英はフランスよりミシシッピ以東のルイジアナ、カナダ獲得

└ 仏領→英領 (1763) →米領 (1783)

PROPOS　＊1

「ビーバーを追うことで建設された」カナダ。当時のフランスでビーバー帽が流行。茶色の毛の内側にびっしりと生えた白い毛。防水、防寒に優れた。この毛皮を求めたフランス。ケベック、モントリオールに毛皮の取引所を設け、さらにセントローレンス川を遡って五大湖へ、さらにはミシシッピ川を下った。結果的にイギリスの13 植民地を取り囲むようにフランスの植民地が広がった。ビーバーを捕獲するためには先住民との協力関係が必要であり、技術の多くを先住民から学びながらフランスは植民を続けた。一方、農業植民が中心になったイギリスは先住民と対立、開拓地である 13 植民地から先住民を追い出した。

PROPOS　＊2

私たちがイギリスの立場で歴史を学んでいると露呈する箇所が世界史教科書の「フレンチ・インディアン戦争 (フランスとインディアンに対する戦争)」呼称。英仏の植民地争いをイギリス側の呼称で覚えている。イギリスもインディアン諸部族を巻き込み、戦力として利用したことも見えなくする呼称。フランスは人口、軍事力でイギリスを圧倒したが、大陸国家として周辺諸国に気を配らねばならず、植民地に大軍を送れず植民地でのイギリス勝利を許した。

PROPOS　＊3

後継者のいなかったスペイン国王カルロス２世。死後にスペインが分割されることを恐れ、王位を仏王ルイ 14 世の孫に譲るとした。大陸にフランスとスペインが合併した超大国が出現することを恐れた各国は強く反発、スペイン王位継承戦争となった。その和約がユトレヒト条約。大陸で勢力均衡の力学が働く中で、島国イギリスの相対的強国化につながった条約。イギリスはこの条約でようやく海賊依存の経済から脱却して (奴隷) 貿易立国に転換。逆に海賊を取り締まる側になる。奴隷貿易で得た資金で産業革命を起こし、次にその製品を輸出するため自由貿易体制をめざした。

画蛇添足

▼英蘭戦争でイギリスは新大陸のオランダの拠点ニューアムステルダムを奪いニューヨークと改称。ここはアムステルダムと同じで人種のるつぼ。その性格を引き継いだこの街の発展は誰もが知る通り。両国の対立の激しさは英語のDutch courage（空威張り）、go Dutch（割り勘にしよう）など、Dutch の否定的用法に残る（使わないこと）。▼海上覇権を失ったオランダは南から仏王ルイ14世の侵略（オランダ侵略戦争）に直面。国家存亡の危機にあった。堤防決壊作戦で何とか乗り切ったが仏王ルイ14世と親密な英王ジェームズ2世が連合を組み、オランダは風前の灯だった。▼オランダのオラニエ公に嫁いだ実の娘メアリとその娘婿のウィリアム。娘と娘婿によって父ジェームズが追い出された奇妙な革命がイギリス名誉革命。事件の黒幕を探るには、その事件で誰が得をしたか、に着目するのが推理小説や陰謀史観でのお約束。▼名誉革命でイギリスの外交政策は大きく変化。協調関係にあった英仏が一転して対立に転じ、革命の翌1689年から第2次英仏百年戦争がはじまる。英国が反仏陣営に加わる構図の逆転。これで命拾いしたのはオランダ。▼国王の絶対主義を阻止、立憲君主政を無血のうちに実現した輝かしい出来事、とイギリスが自慢する名誉革命。しかし、自国の安全保障のためにイギリスとフランスを離反させる必要があったオランダが、イギリス国王と議会の対立をみてとって英仏の離反を図った。▼持って回った書き方をしたが、これは穿った見方。事実はたいがい平凡。名誉革命のシナリオを書いたのはイギリス議会。そのクーデタにウィリアムとメアリが「渡りに船」とイギリス行の船に乗りこんだ、が実際に起こったこと。

わんクリック　スペイン領新大陸に手を出せない弱小国イギリスは、ジョン・カボットが新発見した島、ニューファンドランド島 (1497) の沖で大型魚タラを乱獲。ここはタラの好漁場で、インカ、アステカを上回る価値があるとされた。揚げた白身のホクホクした食感、鱈腹食べたくなる淡白な味わい (本来はタラが大食漢であることの表現)。その後のイギリスでタラを揚げたフィッシュアンドチップスが国民食となる。ただイギリスの乱獲が進化圧となり、タラは小ぶりに「進化」してしまった。タラ漁には網が使われる。この網の目をくぐれる大きさで体の成長を止めて、捕獲されないようにするためである。

History Literacy　歴史に客観的叙述がない (あるのはそう見える叙述) と分かる名称 (すべて勝者の英王の名で語られる植民地戦争)。

2 経済と社会の産業化

イギリスではじまった産業革命

①農業革命

- 18 世紀の人口の増加に基づく穀物需要の増加が背景
- ノーフォーク式農業の普及による生産力の向上 ＊1
  └ 連作障害をふせぐための三圃制にかわる └ これが社会の工業化を支える
  小麦→根菜類(カブ等)→大麦→牧草(クローバー)、家畜(肉牛・豚)飼育
- 18～19 世紀、2 次囲い込み(エンクロージャー)の全国的実施
  大地主が穀物増産のため議会立法により推進 ＊2 ＊3
  └ 1 次囲い込み(羊毛増産・非合法)との違い
- 資本主義的大農業経営の実施
  └ イギリスでは工業に先んじて農業で資本主義が成立
  農村は地主、大借地農(資本)、農業労働者に三分解

②産業革命

- 生産手段の道具から機械への移行による産業、経済、社会上の大変革
  └「産業革命」はアーノルド・トインビーの造語(19 世紀)

③イギリスで起こった背景 — ここはまだ議論があり定説でない ＊4

a. 資本の蓄積
- 海上権の掌握による世界商業の支配、特に三角貿易の利潤
- 第 2 次英仏百年戦争勝利(1763 年パリ条約)
- 毛織物業を中心としたマニュファクチュアの発達

b. 市場の確保
- 英仏植民地戦争の勝利で広大な海外市場確保

c. 労働力の存在
- 農業革命の結果、自営農民(ヨーマン)が分解
  →大多数は農業労働者へ、一部が離農して都市にでて工場労働者に

d. 資源の存在
- 国内の鉄鉱石、石炭資源豊富

e.17 世紀以降の自然科学(科学革命)と技術の進歩

f. イギリス革命による政治の安定(経済的活動の自由の保証など)

PROPOS ＊1

たまには豆知識を披露しよう。英東部ノーフォーク地方で穀物生産と牧畜を同時に行う混合農業(四輪作法)が誕生。休耕地が消滅して耕地面積が拡大。カブ、クローバー(マメ科)を植えたので地力が衰えなかった。カブは家畜飼料(冬期に新鮮な飼料供給)となるだけでなく、引っこ抜けば深耕と同じ効果をもたらす。クローバーは牧草としてだけでなく、空気中の窒素分子 N_2(安定して取り出し困難)をアンモニア(NH_3)という使いやすい窒素化合物に変換する(窒素固定)。豆科の植物が持つ根粒菌のマジック。その根が硬い土の中に入りこみ「天然の鋤」として機能。これを食べた家畜の糞(リンを含む)が施肥となった。

PROPOS ＊2

三圃制のもとでは収穫のばらつきを避けるため耕作地は地条ごとに配置されていた(混合地条制)。四輪作法導入のためにこの散在する地条をまとめる必要が生じた。まとめた後、地主は周囲に生け垣や石垣をめぐらし、囲い込んで境界を明確にした。

PROPOS ＊3

囲い込みで共有地が廃止され、農民が共有地から切り離され、その一部が都市に囲い込まれた。入会地での放牧権や燃料取得権を失った農民は賃金労働者となるしかなかった。農村にとどまった農民は農業労働者として働くことになる。農村を出た者は都市の工場で工業労働者として働くしかなかった。都市の労働者市場は雇用側にとり都合のよい買い手市場。資本家は農村で土地を囲い込んだだけでなく、都市で労働者を、ともに商品として囲い込んだ。

PROPOS ＊4

「5つのMから1つのMがMで誕生」。資本(Money)、市場(Market)、労働力(Man)、資源(Material)、マニュファクチュア(Manufacture)—この5つのMが、M(Machine)を、マンチェスター(Manchester)で生んだ、と産業革命を要約することができる。

画蛇添足

▼16世紀頃まではアジア(中国、イスラーム世界)が世界の先進地帯だったとみられている(諸地域を比較する決定的指標はない)。アジアは自然の恵みが豊かであり、高緯度のヨーロッパは貧しかった。ところが18世紀に西欧が工業国として発展。アジアは停滞にはいる分岐点になった(ポメランツ『大分岐』)。きっかけは産業革命。それがなぜイギリスで起こったかには様々な説明がある。原因を単純な要因に帰せられない代表事例となっている。▼土地が痩せた所では人口が少ない。そこでは人間には希少価値があり、雇用に高い賃金が必要になる。そのため機械化の道が探られた、と説明される。逆に人口が多く、安い労働力が得られる所では機械化はおこらない。なるほどいまAI化の進行で生じているのは、人間にさせた方が安上がりな仕事だけが残っていく事態。▼イギリスでは羊毛増産のため早くに森林が枯渇。化石燃料(石炭)に着手せざるを得なくなった。貧しかったからイギリスで産業革命が始まったという逆説的な説明。「産業革命はなかった」との主張もある。なかったのは「革命」の部分で、そう呼ぶには変化は緩慢という主張(※)。▼すぐにすべてが機械、蒸気にとって代わられたのではない。1世紀ほどかけて不可逆的に世界は農業社会から工業社会へ、人びとの居住地は農村から都市へ変化。1万年前、食糧生産革命で狩猟・採集社会から農業社会へ移行したがこれはもっと緩慢な変化。いま工業社会はIT革命で情報化社会へ移行したとされる。その指数関数的な変化は「革命」という既存の言葉では表現できないとの主張がある一方で、この30年で実際に私たちの生活がどれほど変化したのか、との冷静な見方もある。

わんクリック マンチェスターで最初の工場が生まれてからこの 250 年の機械工業の発達は想像を超える。まずマンチェスターの THE SCIENCE AND INDUSTRY MUSEUM IN MANCHESTER で最初の工作機械などを見学しよう。そして現在の工場の姿を、例えば「HONDA 工場見学 クルマができるまで」などと見比べてみよう。機械工業、とりわけ工作機械の発達に驚かされる。別分野だが「熱旋風式シュリンク装置 TORNADO」に心底驚いた(動画がある)。「ホモ・ファーベル(工作人)」(ベルクソン)—人間は、道具のための道具を制作する動物。いま半導体製造は台湾、その製造機械の生産は日本が中心。

History Literacy 羊頭狗肉(ようとうくにく)—タイトルは過激でも内容はそれほどでもないものが多い(本書のことです。反省しています)。

工場化と経済成長

①機械の改良 — 紡績機と織機

- インググランドの綿工業部門でおこる　＊1 ＊2

  キャラコ(インド産綿織物)市場拡大、イギリスでの需要増大

  └ 18世紀の労働者の作業着、綿織物は一年中使えるので毛織物(冬、寒冷地仕様)より優位

  新興産業のためギルドの制約なく、機械化が容易

- ジョン・ケイの飛び杼(ひ)(1733)

  └ 1760年代に一般化

  織機の生産能力2倍で綿糸不足、紡績部門の改良を促す

- ハーグリーヴズのジェニー紡績機(1764)

  一人で8本の糸を紡ぐ

  └ ただし、細くて弱い糸(緯糸用)

- カートライトの水力紡績機(1769)

  水力を使って糸を紡ぐ(1769年は蒸気機関改良の年)

  └ ただし、強くて太い糸(経糸用)

  工場用として製作(工場制機械工業のはじまり)

- クロンプトンのミュール紡績機(1779)　＊3

  ジェニー紡績機と水力紡績機の長所を結合

  品質の高い(撚(よ)りのかかった)細くて強い糸(経糸・緯糸共用)を紡ぐ

- カートライトの力織機(1785)

  織機の改良、原料の綿花の生産が追いつかず　＊4

  └ ワットの蒸気機関採用で、工場の立地自由に(それまで山間部)

  →ただし追いつかず織布工程で手織工が増大

  └ 織機工程の機械化は1850年代

- ホイットニーの綿繰り機(1793)　＊5

  └ 1人1日1ポンドの収穫が50ポンド(約23Kg)となり採算ラインにのる

  アメリカで発明、アメリカ南部は「綿花王国」に

  └ 今もアメリカは世界最大の木綿輸出国、生産地は現在、西漸中(「木綿は西へ」)

PROPOS　＊1

インググランドの背骨ペニン山脈(1000m弱)。西側は多雨で水力を動力源に使っていた。湿度の高さは綿織物(加工)に適していた。山脈西麓のマンチェスターを中心とするランカシャー地方が綿織物業の中心地となる。マンチェスターは奴隷貿易で繁栄したリヴァプールの後背地。一方、東側のヨークシャー州リーズは乾燥しており、羊の飼育が一般的。羊は乾燥に強い動物。

PROPOS　＊2

ワタの実がはじけると種子表面に密生した綿毛が付着している。これを取るのが繰綿(くりわた)で最も大変な作業。これを糸にする—紡(つむ)ぐのが紡績(なお繭(まゆ)から生糸(きいと)を作るのは紡績でなく製糸)。それを布に織って衣料にするのが紡織。残った種子から綿実油をとる。

PROPOS　＊3

ミュール(Mule)とはラバ(騾馬)のこと。雄のロバと雌のウマの交雑種の家畜。両親のどちらよりも優れた特徴があり、雑種強勢の代表例。生殖能力はなく1代限り。

PROPOS　＊4

均一の機械からしか均一の製品はできない。機械を作るためには「金型(プロトタイプ)」をまず職人が手仕事で作る。これを鋳型に機械を大量生産する。これが最近まで職人芸の世界。日本で言えば東大阪市、東京の大田区の町工場で作られてきた。それがコンピュータ制御のCAD(キャド)に代わり、最近は3Dプリンタに代わられつつある。

PROPOS　＊5

アメリカ南部の奴隷制は消えゆくはずだった。タバコは土地を消耗させる。砂糖はコスト面で西カリブ海産に敵わない。綿花は採算がとれない。ところがホイットニーが綿繰り機を発明してしまったので奴隷制に基づく南部経済が息を吹き返した(※)。労働者の労働環境改善の試み(善意)が資本主義延命につながり労働者の地位を固定化してしまう事態に似ている。

画蛇添足

▼産業革命以来、人類は化石燃料を燃やし続けて二酸化炭素を放出。地球温暖化を招いた。この問題を長期的視点、46億年の地球史で見てみよう。30億年前に光合成植物が誕生するまで地球は酸素がほとんど存在しない嫌気的な環境で生物も嫌気性が中心。▼光合成生命が登場したことで大酸化時代が到来。二酸化炭素と水から光エネルギーを利用してブドウ糖を作り出す光合成。これにより大気中の酸素濃度が2割程度に上昇、酸素が大気の主成分となった。この時、多くの生物が絶滅、酸素を必要とする好気性生物に入れ替わった。▼この頃、地球はほぼ海で覆われていた。海中の鉄イオンが酸素と結合して酸化鉄として沈殿。それがその後の造陸活動で隆起したところが鉄鉱石の産地となった。約3億年前、できた大陸に広がった低湿地帯に巨大なシダ植物の大森林が発達。これが枯れて低湿地に埋没して化石となったことで大量の石炭が残された(石炭紀)。▼鉄鉱石(酸化鉄)を石炭(コークス)で燃焼することで再び還元する製鉄—人間は「製錬」という化学技術を入手。同時に燃焼により石炭に保存されていた大量の二酸化炭素を放出。そのため起こった環境破壊で再び大量絶滅が進行した。その痕跡が地層にまで残るようになり、最近では「人新世」という地質年代を定義することが議論されている。▼光合成の神秘。動物にはできない。世界のほとんどすべての生物は結局のところ植物が光合成で取り込んだエネルギーで生きる従属生物。この地球上のすべての営みを支える光合成作用を人間はまだ再現できない。植物がすべての命の基礎にある。稲作、米の文明は藁(わら)の文明でもあった。植物を食物に命をつなぎ、衣服にして命を守ってきた。

わんクリック　それまでヨーロッパでは衣料の材料は亜麻と羊毛に依存してきた。そこに綿製品が登場する。一年中、寒いところでも暑いところでも着られて何度でも洗える。これは世界中で需要が見込めた**最初の世界商品**。原料である綿花生産地と綿織物業が展開されたのが別の場所。世界的な分業体制で作られるようになった最初の衣料。消費面だけでなく生産面でも世界商品だった。これを生産したイギリス。これはまた最初の「輸入代替化」商品(これまで輸入していたものを国内で生産すること)でもあった。人間は食糧の生産と衣類を織ることに時間を割いてきた。その半分から人間は解放された。

History Literacy　どの時間幅でみるかで評価は変わる—「地獄への道は善意で舗装(ほそう)されている」(ことわざ)

②動力革命 ― 動力エネルギーの転換

- ニューコメンが蒸気機関発明 (1710)
  炭鉱の排水ポンプとして発明　＊1
- ワットが蒸気機関を改良 (1769)　＊2
  └ ピストンの上下運動をクランクを使って軸の回転運動に変換することで蒸気力を汎用化
- 意義
  諸制約から解放され人間の経済活動の規模が飛躍的に拡大
  工場の立地が自由になる　＊3
  生産活動が気候の制約から解放される
  再生可能エネルギーから枯渇性エネルギーへ (エネルギー源の転換)
  └ 風力、水力、薪炭など有機燃料　└ 化石燃料 (特に石炭)
  地球に対して大きな環境負荷、環境破壊をもたらす

③交通革命

- 石炭の輸送のための蒸気機関車　＊4
  スティーヴンソンによる実用化 (1814)
  ストックトン・ダーリントン間の石炭輸送用鉄道開通 (1825)
  └ 最初の公共鉄道 (約 50km)、ロコモーション号
  リヴァプール・マンチェスター間で営業運転 (1830)　＊5
  └ タイムテーブル、世界標準時の必要性、日本は新橋―横浜間 (1872)
  →世界標準時の設定
  鉄道発祥の地イギリスで標準時設定 (グリニッジ)
- フルトンが蒸気船の実用化 (1830)
  └ ハドソン川で営業運行　└ 23 年後、日本への黒船来航 (1853)
  時期を選ばず大量輸送可能に、ミシシッピなど川の遡行も可能に
  └ 小麦輸出の主要販路に
- 意義
  地球の時間的距離縮小、世界の一体化すすめる
  船体が木造から鋼鉄船になり大型化、積載量が増加
  →物流の規模が飛躍的に拡大

④産業革命の結果

- イギリスは「世界の工場」の地位へ　＊6
  └「パックス・ブリタニカ」のもとで世界の一体化、1870 年代まで

PROPOS　＊1
炭坑は坑道掘りが多く危険も大きかった。酸欠、落盤、坑内火災、出水事故。酸欠防止のために「坑道のカナリア」を帯同し、地下水の排水用に蒸気機関を用いた。

PROPOS　＊2
ワットの改良は、①上下運動を回転運動に転換して汎用的な動力源とした。②動力源としては使えなかったニューコメンの蒸気機関の熱効率を格段に高めた。いま仕事量の単位にワットは用いられている。荷役馬 1 頭の仕事量が 1 馬力。これを 1000 馬力以上にした (大人の仕事量は 0.1 馬力)。③ピストンの速さを自動的に制御した。ロンドン自然科学博物館に 10m を超える巨大な実物が展示。ブレーキがないと危険で使えない。彼は制御工学の父でもある (※)。

PROPOS　＊3
山間部にあった工場は産業の特性に応じて最適な場所に立地できるようになった。ガラス産業など壊れやすいものは市場に近い所、鉄鋼業のように製品より原材料の輸送費がかかるものは原料生産地の近く。

PROPOS　＊4
重くかさばる石炭を運ぶために鉄道が引かれた。まずストックトン・ダーリントン間の石炭輸送用貨物鉄道開通 (1825) が最初。次に、リヴァプール・マンチェスター間で客車の営業運転 (1830) がはじまった。

PROPOS　＊5
鉄道経営には莫大な先行投資が必要。これまで帳簿処理では投資時に巨額赤字を計上。財務状況が読めなくなった。そこで作られたのが減価償却という概念。これで配当も出せる (投資を集められる) ようになる。

PROPOS　＊6
イギリス産業革命の成果を披露したロンドン万国博覧会 (1851)。ハイドパークに出現した鉄骨とガラスだけの水晶宮 (クリスタルパレス) は当時の人びとを驚かせた。

画蛇添足

▼「馬車をどれほどつないでも鉄道にならない」とシュンペーターはイノベーションの大切さを強調。ＡＩ(人工知能)にどれほど馬車を学習させても鉄道の発想はでてこない。世界最初の蒸気機関車を走らせたのはトレビシック。ロンドンで円形に敷いた鉄道の上で Catch me who can(捕まえてごらん)号を走らせた (1808)。▼子どもに追いつかれる代物で名前倒れに終わり、教科書には実用化したスティーブンソンの名が残る。しかしトレヴィシックの蒸気機関を据え置き以外で使う発想が新しい。何より鉄のレール上で車輪自体を回転させると摩擦力で推進力が得られるという着想が見事。▼内田樹は、機関車は今日の形である必然性はなく「鉄の馬」型だったかもしれないとする。多くの技術者は馬のように地面を蹴って前進する機関を考えた。それまでの運送手段はすべて「何かが車をひく」構造だったからで「因習的な想像力」からは自走式という発想はでてこないとする (『寝ながらわかる構造主義』)。▼近代は「形態は機能に従う」(ルイス・サリヴァン) 時代だが、それまでは「これまではこうだった」と歴史に従う、経路依存性が強かった。T型フォード量産で自動車時代の幕をあけたヘンリー・フォードも「もし私が顧客に何が欲しいかと尋ねていたら、彼らはもっと速く走る馬車がほしい、と答えていたでしょう」と述べている。▼経営学の教科書には商品開発とは顧客のニーズ (needs) に応えるだけではなく、手持ちのシーズ (seeds) で魅力的な提案をして需要を作り出すこと、とある。鉄道は人を乗せるために作られたのではない。それまで人が長距離を移動するニーズはなかった。思いもしない需要が生じたことで世界は変わる。

わんクリック　「山本作兵衛氏の炭鉱の記録画」。日本最大の筑豊炭鉱の炭鉱夫。明治中期から昭和初期のヤマの生活を書き残したいとの思いで書き始めた。ウソが嫌いだったが事実を伝えるために一つだけウソを書いたという。実際の坑内は真っ暗。カンテラの明かりではこんなにはっきりと色は見えない。直方市石炭記念館に実物が展示 (100 円の入場料で 1 時間も案内していただいた)。森崎和江『まっくら　女坑夫からの聞き書き』を読むとなおよく理解できる。太陽をほとんど見ない生活。「近代化の光と影」とよくいうが、問題は光の受益者と影の犠牲者が重ならないこと。だから影は光で相殺されない。

History Literacy　「制御なくして機械なし」―制御に言及しない教科書、制御を軽視する社会。

産業革命の波及と新しい世界秩序

①イギリスの産業革命への各国の対応

- 対抗して産業革命を進める必要性
  →できないと資本主義国の植民地、従属国へ転落　＊1
  →各国は産業革命（工業化）を急ぐ

②「産業革命（近代化、工業化）」のパッケージ化
└一度なされた経験はそのハウツーが「パッケージ」化されて輸出

- 20～30 年程度で社会は劇的に近代化
  └「圧縮された近代化 (Compressed modernity)」（チャン・キョンスプ）
  人びとの意識、行動が追いつかない場合も
- 特に 1870 年代以降、先行資本主義国は投資先探しを急ぐ
  →政治的に安定した地域に殺到
  └メキシコ、ラテンアメリカなど

③各国の産業革命と特徴　＊2 ＊3

- ベルギー　背景　イギリスに最も近い地の利、毛織物工業の伝統
  時期　1830 年代、独立 (1830) 後いち早く開始
- フランス　背景　大革命で小土地所有農民が創出、労働力形成遅れ
  └第 2 次囲い込みをしたイギリスと逆
  時期　1830 年代、七月革命 (1830) 後、七月王政下で開始
- アメリカ　背景　イギリスに経済的依存
  時期　1830 年代、米英戦争 (1812) で経済的自立語開始
  1870 年代　南北戦争 (1861~5) の戦後復興で本格化
- ドイツ　背景　国内統一遅れる
  時期　1840 年代、関税同盟 (1834) で市場統一後に開始
  国家統一 (1871) 後、ビスマルク体制下で本格化
- ロシア　背景　労働力、資金不足
  時期　1890 年代農奴解放 (1861) で労働力創出
  露仏同盟 (1891) でフランスより資金調達
  現ウクライナ東南部が最大の工業地帯に
- 日本　背景　国内統一遅れる
  時期　日清戦争、下関条約 (1895) 後 (1890 年代)

PROPOS　＊1

イギリス以外の国は産業革命を急いだが条件として 5 M が必要だった。何かが欠けている場合、それを生み出す必要があった。イギリスに続いたのはベルギーとフランス (1830 年代)。フランスはリヨンでの絹織物業からだが資本と労働力不足で発展はゆるやか。商工業者ユグノーへの弾圧が遠因。国家分裂により統一市場のなかったドイツは関税同盟 (1834) で市場統一を先行させ、ドイツ統一 (1871) 後、1880 年代に急速に発達。アメリカは南北戦争 (1861～5) 後に急速に発達。ロシアは農奴解放令 (1861) により労働者を創出したのち、フランス資本導入で 1890 年代に発達。日本は日清戦争 (1894) の賠償金を資本に富国強兵。

PROPOS　＊2

「持たざる国」が日本の自己認識だが、中世に世界の銀の半分近くを産出してきた国、近代でも豊富な石炭資源で富国強兵化した。ただし鉄鉱石は国内に少なく海外に依存。その多くを長江中流域の大冶(たいや)鉄山から輸入して八幡製鉄所 (1901) を稼働させた。大冶鉄山は漢冶萍公司(かんやひょうこんす)の一部、日本はここに借款を続けて影響力を持つこと（金融支配）で鉄鉱石の安定供給を図った。

PROPOS　＊3

20c は自動車産業が様々な産業の発達を促す（その上で成立する）裾野の広い基幹産業だった。19c は鉄道。鉄道の敷設が鉄鋼業の発達を促し、社会インフラとして鉄道網の広がりと同時に沿線に様々な産業が育った。鉄道の延伸スピードは速い。1872 年に最初の鉄道が敷かれた日本では半世紀後の 1920 年代にほぼ全国が鉄道で結ばれた。日本は鉄道敷設に不利な地形だが技術者の優れた努力の賜物である。一般に鉄道は直線であるほど効率がよく、敷設に際しては労働力だけでなく土地の収奪がおこる。23km の直線区間で知られる中央線。武蔵野が原野とされたことも含めてとても興味深い論考がある（及川英二郎「中央線が直線であることの植民地主義的な意味」）。

画蛇添足

▼Time is money.（時は金なり）（ベンジャミン・フランクリン）。これは産業革命後の実利主義的考え方を見事に要約したメタファー。それまで、「時」と「金」を結びつけて考える人はいなかった。▼日本の小売業界を変えたのがコンビニ。割高な商品、手薄な品揃えでも、買い物に時間がかからない「コンビニエンス（便利さ）」が売り物になる、と考えた人は凄い。「時は金なり」が形をとったのがコンビニ。▼蒸気船になって帆船のような「風まかせ」でなく定時運行（定時納品）が可能になった。鉄道の発達により隔たった2点が同一の時刻を共有する必要が生じ、世界標準時と時刻表が作られた。こうして人びとの生活感覚の中に「定時定刻」観念が入り込み、さらに工場、学校において「遅刻」概念となって、私たちの時間感覚を変えた。▼産業革命後確立した「資本主義」は人類の発明品の一つ。それを支えるのは「信用」。資本を集める仕組みが株式制度。その株式は信用がなければ売れず、幅広く資本を集められない。いったん集めれば当座預金と小切手を使った「信用創造」でその資本を膨らませることができる。ただこれらは全員が、決まった期日に返済（口座にお金を入金）するから成立する仕組み。1分遅れても不渡りが発生、築き上げた信用は失われる。▼資本主義は信用の上に成り立つ。その信用の根幹が時間厳守という行動。資本主義社会で学校教育が時間厳守できる身体を作りあげる役割を担うことになった。かつて教師は生徒を Boys, be ambitious.（大志を抱け）と鼓舞。筆者は Be punctual.（時間を守れ）とみみっちいことばかり言っていた。いちどは、人生に時刻表みたいなしみったれたものは不用、と啖呵(たんか)を切ってみたかった（※）。

わんクリック　時間厳守といっても時間通りは遅刻なのが日本社会。学校での鉄則「5 分前集合」は海軍にルーツ。だからといって「5 分前解散」は許されない。始まる時間にはうるさいのに終わりの時間に無頓着な会議。工場、会社で期待される身体技法が学校生活を通じて身体化される仕組み。「三ム主義」（ムリ、ムダ、ムラをなくす）は受験勉強の要諦でもある。いまの新自由主義(ネオリベラリズム)は正しさの基準を市場に委ねる。すべては経済効率（コスパ）、汎用性の物差しで測られ、序列化される。この基準では、受験に世界史を使うのはムリ、話題が四方に拡散するムラが目立つ本書を使うのはムダ、となってしまう。

History Literacy　自分が（自ら進んで時間を守るような）近代的身体を持つことの自覚が歴史に向き合う時には必要。

社会の革命的変化 ― 物質的に豊かな近代社会へ

①資本主義的生産の優位性 ― 資本主義の確立 ＊1

・生産力の飛躍的向上

└ 他の生産の仕方（職人仕事、マニュファクチュアなど）では太刀打ちできなくなる

・古典派経済学（自由主義経済学）成立 ― 資本主義を理論的に正当化

アダム・スミス『諸国民の富』(1776)

・資本主義を守るための諸制度の制定 ＊2

私有財産を保障する諸制度（法律）制定

複式簿記制度の普及 ― 会計学の誕生

└ 企業が複式簿記で財務状況を透明化、経済活動の透明性を確保

②生活の変化

・生活水準の向上 ―「物質的豊かさ」の出現

└ 18c までの人間の生活水準は横這い（1人当たり GDP600 ドル程度）、生きることで精一杯

この2世紀間で約18倍（アンガス・マディソン『世界経済史概観』）

・職住の分離（通勤の発生） ＊3

・世界人口の劇的増加 ― 人口100億社会に向かって

11億(1750) → 18億（2次大戦開始時）→ 80億(2022)

社会問題と労働問題の誕生

①社会問題の発生

・都市の出現と都市への人口集中

・マンチェスター（木綿）、バーミンガム（製鉄）、リヴァプール（商業）

②労働問題の発生

・子ども・婦人の労働、劣悪な労働条件（長時間労働、低賃金） ＊4

・都市貧困層増加、劣悪な生活環境、都市のスラム化 ＊5

・労働者階級（プロレタリアート）の成立

資本家階級（ブルジョワジー）と階級闘争

産業資本家の台頭

従来の支配階級である地主、商業資本家にとって代わる

└ 最近の学説では「ジェントルマン資本主義」といってこれに対する異説が強い

政治的自由（参政権など）、経済的自由（自由貿易など）要求

PROPOS ＊1

土地、資本などの生産手段を所有する資本家が所有しない労働者を使って生産するのが資本主義。1億円の資本があれば100万円稼ぐのは簡単。株式市場1%の変動が100万円。数分で儲(もう)かる（同じ確度で失う）。資本がない労働者。100万円を貯金するのに自らの労働力を資本家に売って働くしかない。何か月働けば100万円の資本ができるのか。資本家が圧倒的に有利。

PROPOS ＊2

労働者が生み出した価値のうち一部しか賃金として受け取れない。不払い分のどれほどかは資本家が搾取している。搾取（窃盗）は犯罪だが、資本主義社会ではそれが資本蓄積。逆にそれを認めない、私有財産制の否定が、犯罪として取り締まられる。

PROPOS ＊3

職住の分離で家庭の親密空間と職場の公共空間が形成。人は異なった振る舞いが要求されるようになる。多くの人生に通勤時間が加わる。狭い空間（車内）で見知らぬ者同士が居合わせた時の振る舞い―「儀礼的無関心」(E. ゴフマン) が求められた。認められないのは傍若無人(ぼうじゃくぶじん)（自分のまわりに人がいないかのよう）な振る舞い。列車内、眼の前でのアレはやめてほしい。筆者は風景でない。存在を意識してほしい。悲しい。

PROPOS ＊4

男性が賃金労働者になると、女性は家庭で家事という無償労働を担当する性役割分担が発生した。これは圧倒的に女性に不利で、男性への従属的な地位に固定された。

PROPOS ＊5

「領主―農民」関係が、二重革命（産業革命・市民革命）で「資本家―労働者」関係へと変わり、さらに厳しくなる。低賃金労働を強いられた労働者が住む都市の生活環境は劣悪。悲惨な状況に心を痛め、実地調査で『イギリスにおける労働者階級の状態』をまとめたのがドイツのエンゲルス。

画蛇添足

▼医師、弁護士と公認会計士の国家資格が三大難関資格。公認会計士の仕事が分かりにくいので説明したい。「会計」は英語で accounting―「説明する」ということ。企業が自企業は信用に足る存在、お金を貸しても、投資しても安全、と財務諸表を公開して説明すること。▼公認会計士はその諸帳簿を監査して、企業の会計に嘘、粉飾がないと証明する。各企業は複式簿記で普段から財務状況を透明化、それを基に財務諸表を作る。公の存在がそれにお墨付きを与えることで信用が生まれ、経済が回りはじめる。かつては高利貸しがいた。投資した金が戻ってくるのか、相手の信用情報がない中で高利はリスク回避(ヘッジ)だった。▼資本主義社会で生産、消費されるのはモノだけではない。形のない体験などのコト生産、消費もある。言論もその一つ。かつては権威を持った論壇誌があり、そこに掲載されることで質がチェックされ影響力を持つ言論となった。▼いまは誰もが意見を発信できる時代。玉石混交、様々な意見が流通、消費される。言論空間も資本主義社会の一部。いまは人々の注目を奪っていくらの時代（アテンションエコノミー）。分断化された社会では一部の固定層にアピールできれば十分。深い考察で自説を差別化する必要などない。小さなことを大事(おおごと)として針小棒大に語る、何でも逆張りして人と逆のことを語る。とにかく目立たないとポジションが得られない時代。▼最低限、言論の虚飾を咎(とが)めるファクトチェックシステムの構築は必要だろう。当たり前の、退屈なことを飽かず繰り返す学校の先生は冷笑の対象。それでも「品位と教養のある人は、人を驚かすようなことを語らないもの」（鴨長明『方丈記』）の矜持で語り続けたい。

わんクリック　財産の増減や出納(すいとう)を帳簿に記録する仕組みが簿記。最終的に貸借(たいしゃく)対照表（財務状況）や損益計算書（経営成績）などの決算書を作成。これらの決算を利害関係者(ステークホルダー)に開示する。会社は複式簿記を使う。取引で生じたお金やモノの増減を、2つの側面から記録する。単式簿記で「50万円の車を購入」と書くところを、複式簿記では左（借方）に「車という資産が50万円増加」、右（貸方）に「現金という資産が50万円減少」と取引を2つの側面からみて分けて記録。そうした財務状況の収支をきちんと把握していないとまともな経営はできない。教科書の歴史叙述はいまだに単式簿記段階（※）。

History Literacy　教科書は読み比べるもの―特に異なる国の教科書の同じ箇所の叙述を読み比べるとよい（複式読み）。

3　合衆国とラテンアメリカ諸国の独立

北アメリカ植民地とイギリスの対立

①13 植民地の成立　＊1

└ 宗教・政治・経済面で設立の経緯は多様、13 植民地間に強いつながりはない

・代表的植民地

ヴァージニア植民地 (1607)　　最初の植民地

マサチューセッツ植民地 (1620)　プリマス植民地などが母体

ジョージア植民地 (1732)　　最後の植民地

・南北の相違

北部：漁業、造船業、貿易などニューイングランド植民地　＊1

└「勤勉さ」「清廉さ」が特徴の「ヤンキー」発祥の地

南部：黒人奴隷によるタバコ、藍、米などのプランテーション

・自主独立の精神、自治制度 (タウンミーティング) の発達が共通項　＊2

②イギリス本国による重商主義政策の対象

・七年戦争前は本国側の「有益なる怠慢」政策

植民地側も本国の保護を必要としたため紛争に発展せず

└ 背後をフランス領に取り囲まれる

・七年戦争 (1756～63) 後、重商主義政策を強化

戦費負担による本国政府の財政難

本国と同種の商工業の発展を抑制、本国以外からの商品への高関税

→植民地は、本国の手工業製品の原料供給地・製品市場

・パリ条約 (1763) で植民地人の西部進出禁止への不満

・砂糖法 (1764)、糖蜜法 (1733) の修正　＊3

・1765 年、印紙法制定　＊4

植民地の反対「代表なくして課税なし」(パトリック・ヘンリ)　＊5

└ 背後のフランスの脅威解消

翌年撤回するが新課税 (タウンゼント諸法) で対立激化

・1773 年、茶法制定

東インド会社救済のため、同社に茶の独占販売権付与

PROPOS　＊1

アメリカ独立運動が始まった街ボストン。ハーバードやMIT(マサチューセッツ工科大学)からバークレー音楽学院まで多くの個性的な大学がある緑溢れる学園都市。ハーバード大学は当初、排他的で女性、ユダヤ人を排除したため、ボストンに次々に別の大学ができた。公共図書館、交響楽団など文化施設も充実。強豪レッドソックス(野球)、ペイトリオッツ(アメフト)の本拠地。コンパクトサイズの港湾都市。冬は厳しいが年間を通して冷涼で過ごしやすい。

PROPOS　＊2

自治の象徴である最初の植民地議会(タウンミーティング)はヴァージニア州で1619年。同年、同州は最初の黒人奴隷を購入。出発点から矛盾を抱えた国(※)。

PROPOS　＊3

植民地が英領以外から調達する糖蜜に高関税をかけた糖蜜法。高すぎるから皆、密輸した。糖蜜は砂糖を精製する時にできる廃棄物。糖蜜に水を加えて発酵・蒸留させて作る格安の「腐らない水」がラム酒。腐敗の次に発酵がくる神秘。ラム酒は新鮮な水(腐りやすい)に欠く遠洋航海にとって必携アイテム(海賊が赤ら顔なわけ)。植民地人の普段使いの西インド産砂糖に高関税をかけたのが砂糖法。植民地人は反発。

PROPOS　＊4

直接課税である印紙法。印紙を購入して植民地で発行する印刷物に添付することが義務づけられた。日本の収入印紙と同じ直接課税。なぜ民間の商取引きに税がかかるのか。理由はあるが無理があると国も分かっている。税収が大きく廃止できない。

PROPOS　＊5

「代表なくして課税なし」—簡単なだけに人びとの心を捕らえる力を持つ言葉。多国籍化する日本。将来、在日外国人の「代表」(参政権付与)をめぐる議論は必至だが、この言葉のようには簡単に結論づけれない。

画蛇添足

▼日本で「外国では」と口にする時、無意識に念頭に置かれるのはアメリカ。高校に教科「外国語」があるが教えられているのは英語が圧倒的でそれも米語に近いもの。国をあげて米語を学ぶのはいうまでもなくアメリカがいまも世界で大きな影響力を持っているから。▼先の戦争で日本は太平洋戦線でアメリカに敗れ、戦後は占領を通じて圧倒的な影響を受けた。戦争中は非戦闘員に対する無差別都市空襲、2回にわたる原爆攻撃を受けながら反米感情は残らず世界有数の親米国となった。占領政策の巧みさもあったし、平時のアメリカ人のフレンドリーで陽気な国民性、この国の魅力によるところも大きい。▼しかし「外国では」と一般化するにはアメリカは特殊な成り立ちの国であり、その例外性をわきまえて参照する必要がある。掲げる理念の高さが魅力的だが理念とあまりにかけ離れた現実も抱える国。国家として豊かなのに貧困に苦しむ人が多い国。▼アパラチア山脈の東側—東海岸と、ロッキー山脈の西側—西海岸はリベラルなアメリカ。政治経済、文化、科学で世界をリードする。両山脈に挟まれたハートランド、中部・南部は保守的なアメリカ。福音派と呼ばれる本気でキリスト教を信じている人たちが多くいる。これらすべてからそれなりの支持がなければ合衆国大統領になれないし、務まらない。▼50州からなるUnited Statesを東アジアでは望厦条約以降、合衆国と訳す。衆が集まった国という妙訳。50州それぞれが事実上の独立国家なのだから「合州国」訳がよいとの指摘もある。Stateは通常は国家と訳す。アメリカをもって「外国とは」と考えることはできないし、「アメリカとは」とまとめることもできない複雑な存在。

わんクリック　ステート(state)は主権を持つ政治単位。通常「国」と訳されるが—アメリカに限って日本では「州」と訳す。それに倣った表記をするが、各州は独自の二院制議会、軍隊、警察を持ち、教育も州単位で違う。アメリカ人が日常生活レベルで属するのはこちら。この州の権限が奪われて連邦政府の権限として移行、強化されることを嫌う。これがアメリカの根本にある価値観で「小さな政府」と「大きな政府」の対立として続く。また「小さな政府」志向には「自助」の価値観も関係する。「自助」は否定すべきでないが、手に仕事のある熟練労働者、労働者といえども強い立場の価値観でもある。

History Literacy　どこから起筆するかが価値観(いまアメリカでは1619年を起点に米国史を語る「1619プロジェクト」が議論の争点)。

アメリカ合衆国の独立

①戦争の勃発

・1773年、ボストン茶会事件　＊1

急進派がボストン湾に停泊していた東インド会社の船を襲撃

・本国政府の強固な対応（ボストン湾の封鎖、マサチューセッツ州の自治剥奪）

・1774年、第1回大陸会議

フィラデルフィアで開催、本国へ抗議　＊2

・1775年、レキシントン・コンコード間で偶発的武力衝突

第2回大陸会議でジョージ・ワシントンを総司令官に任命

②独立の機運

・独立をめぐる対立と独立の機運

国王派（ロイヤリスト）（多数派）と愛国派（ペイトリオット）（少数派）

パトリック・ヘンリの演説「自由かしからずんば死か」

トマス・ペインの『コモン・センス』(1776)　＊3

即時独立を主張、独立の世論が高揚

・1776年、独立宣言書採択　＊4

起草　　トマス・ジェファソン、フランクリン

内容前半　ジョン・ロックの影響　a. 自然権　b. 社会契約説　c. 抵抗権

> 私たちは次のことが自明の真理であると信ずる。(a) すべての人は平等に造られ、造化の神によって、一定の譲ることのできない権利を与えられていること。そのなかには生命、自由、そして幸福の追求がふくまれていること。(b) これらの権利を確保するために、人類の間に政府がつくられ、その正当な権力は被支配者の同意にもとづかねばならないこと。(c) もしどんな形の政府であってもこれらの目的を破壊するものとなった場合には、その政府を改革しあるいは廃止して人民の安全と幸福をもたらすにもっとも適当と思われる原理にもとづき、そのような形で権力を形づくる新しい政府を設けることが人民の権利であること。

内容後半　国王の具体的暴政の列挙

③戦争の経過

・初期は植民地軍苦戦

・サラトガの戦い(1777)で植民地軍初勝利　＊5

PROPOS　＊1

国民飲料アメリカン・コーヒーの誕生。アメリカ人は紅茶を飲まず、もっぱらコーヒーを飲む。しかもそのコーヒーは薄めにして砂糖を入れない。茶法、砂糖法への反発から植民地人はイギリス風の生活習慣を捨て「アメリカ人」となっていった。

PROPOS　＊2

ボストン事件のあとの第1回大陸会議。剥奪された自治の回復が決議され、独立は議題にならなかった。会議の意義は植民地が初めて共同歩調をとったこと。植民地をアメリカ独立にしたイギリスの大失政。

PROPOS　＊3

彼はフランス革命が起こってバーグが保守の立場から反撃するとただちに『人間の権利』で仏革命を擁護。これも100万部売れた。トマス・ペインは一発屋ではない。

PROPOS　＊4

アメリカ独立宣言(1776)は戦争中に出された。フランスの援助をひきだすねらい。同年3月に本国イギリスでアダム・スミスの『国富論』が刊行されていた。両書がアメリカ独立の啐啄同時（そったくどうじ）。当時のフランスは革命前夜。植民地をめぐる争奪戦で敗れたフランスはイギリスに一泡（ひとあわ）ふかせたいが、植民地反乱軍側の支援は国内の革命勢力を勢いづかせる。植民地が独立宣言をだした独立国ならば支援の大義名分が立つ。フランス参戦の背中を押した宣言。当初、ジェファソンはこの中に奴隷制非難の文言（もんごん）もいれたが南部の支持を得るために削除。

PROPOS　＊5

にわか仕立て（ミニッツマン）の農民の民兵中心で勝利（これは神話との指摘あり）、この勝利がなければ他国の参戦はなかった。勝ち馬に乗るバンドワゴン効果が得られた。この歴史的経験がアメリカ合衆国憲法で銃保持が国民の権利として認められている理由の一つ。この「銃」に今日の殺傷能力（攻撃性）の高いマシンガンが含まれるはずがない。

画蛇添足

▼ボストンでは独立戦争の名所をめぐるフリーダムトレイルを歩くのが楽しい。そこでは「郊外のレキシントン・コンコード間で独立戦争の火蓋（ひぶた）が切って落とされた」との説明がある。これは結果を知る後からの解釈（物語り文）。切って落とされたのは自治回復のための戦い。▼言葉がこの戦いを独立戦争へ導いた。まずパトリック・ヘンリの「自由を与えよ。然らずんば死を」がアメリカをイギリスとの開戦に導いた。人びとを動かすのは、こういう分かりやすい二項対立、威勢のいい極論。この選択肢なら多数を「自由」へと誘導できる。実際は他にも選択肢があった。▼トマス・ペイン『コモン・センス（常識）』。このパンフレットにより世論は独立へ傾いた。当時は独立など非常識と考えられていた。同年、その世論の変化をうけて『独立宣言』が出された。これに先立ち本国では植民地が反発した重商主義政策を根本的に批判するアダム・スミス『国富論』が同じ年に刊行されていた。▼独立宣言への署名を人びとは躊躇（ためら）う。チャールズ一世の処刑に署名した者は王政復古後、おおかた処刑された。それを知らなかったのか、「これでイギリス人も眼鏡なしでわしの名前が読めるだろう」と中央にひときわ大きく肉太の署名をしたのがジョン・ハンコック。歴史を知らない、結果を顧みない浅慮が社会を動かすこともある。▼独立宣言を起草したのはトマス・ジェファソン。数百人の奴隷を所有したプランターだが奴隷制を悪と理解して苦しんだ。独立宣言でも奴隷解放に触れようとしたが南部との政治的妥協で止めた。しかし冒頭に「すべての人は平等に作られている」と書き込んだ(※)。いったん言葉にされれば現実を変える根拠となる。

わんクリック　Boston Tea Party Museumは歴史を身近に感じるための子ども向け体験型博物館。当時のペイトリオット（愛国者）を追体験。最後に船から茶箱を「ボストン湾をティーポットにする」と叫びながら投げ入れる。「ちゃぶ台をひっくり返す」ストレス発散効果が爽快。ただし後で紐（ひも）をひっぱって箱を引き上げなければならず、茶番劇を演じたような苦々しさが残った。当時は先住民インディアンに変装した連中が乗り込み、積み荷を投げ入れた。当時は13州にまだ先住民インディアンがいたのだろう。それにしても責任をなすりつけるとは卑怯ではないか。体験後にコーヒーでなくティーがでる。

History Literacy　いまは「人は不平等に…」（のフィクション）で公平(Equity)をめざす社会制度設計が求められる時代。

・ヨーロッパ諸国の援助 ― イギリスの国際的孤立

ベンジャミン・フランクリン（駐仏大使）の巧みな外交　＊1 ＊2

フランス（1778）、スペイン（1779）、オランダ（1780）が参戦

└ サラトガの戦いのあと、これがアメリカ独立を決定づける

武装中立同盟（1780）結成（ロシアのエカチェリーナ２世提唱）

・義勇兵の参加

ラ・ファイエット、サン・シモン（仏）、コシューシコ（ポーランド）

・ヨークタウンの戦い（1781）で植民地軍の勝利

④独立

・1783年、パリ条約

アメリカ合衆国の独立承認

ミシシッピ川以東のルイジアナの米への割譲

└ 領土は一気に２倍に、アメリカの西方への拡大（西漸運動）の契機となる

・独立の影響

フランス革命に影響（思想面、財政面）

ラテン・アメリカの独立運動（19世紀初頭）を刺激

合衆国憲法の制定と領土の拡大

①国家連合の時代

・当初は連合規約で13州がゆるやかに連合（1781～88）

②合衆国憲法の制定 ― 最初（最古）の成文憲法

└ 世界最初の成文憲法（Constitution of the United States）

・1787年、憲法制定会議をフィラデルフィアで開催

南北の対立　南部…各州の自治（州権主義）を主張

　　　　　　北部…強力な中央集権を主張

・憲法の制定 ―「妥協の束」合衆国憲法　＊3 ＊4

連邦主義　中央政府と州政府の二重政体

三権分立　議会・大統領・最高裁判所が相互抑制

└ モンテスキューの主張　└ the Senate は上院でなく元老院が適訳

・憲法をめぐる対立と政党の起源

連邦主義　　　　　憲法を支持、ハミルトンなど

州権（反連邦）主義　憲法に批判的、ジェファソンなど

PROPOS　＊1

ベンジャミン・フランクリンは典型的アメリカ人（セルフ・メイド・メン）。貧しい生まれの独学によるたたき上げ。教会の尖塔を直撃する落雷は「神の怒り」だったが、雷雨の中で凧をあげて正体を掴もうとした。そして物理現象と理解して避雷針を発明。西欧諸国はイギリスを敵に回してまで遠い海外の反乱勢力を支援する気などなかった。彼は巧みな外交駆引きで逡巡する各国を参戦させ、独立の承認まで勝ち得た。

PROPOS　＊2

「時は金なり」「急がば回れ」「今日できることを明日に延ばすな」「神は自ら助くるものを助く」「結婚する前は両目をしっかり開け、結婚したら片目を閉じよ」―フランクリンの言葉たち。日めくりカレンダー『貧しきリチャードの暦』で大ブレーク。まだ聖書の権威が強かった時代に、実利の価値観を押し通したプラグマティスト（現実主義者）。福沢諭吉に影響。『福翁自伝』『フランクリン自伝』は自伝の２大名著。

PROPOS　＊3

三権分立下で行政を担う役職―「大統領」はアメリカの発明。議院内閣制で三権癒着の日本の首相の方が権限が大きそうだが直接選挙による大統領は重みが違う。連邦主義―アメリカ以外では地方分権を意味するが、アメリカでは強い中央政府を置こうとする立場。アメリカで主権を持つのは州。後でそのいくつかを連邦政府に委ねた。首都ワシントンは特別区。州の力が強いアメリカで、普通の州に首都を置けなかった。

PROPOS　＊4

「アメリカらしさ」も作られた。アメリカ史を「独立」「連邦政府」の物語で理解しがちだが、独立も連邦政府の成立も偶然的要素が強い。今日のような強力な連邦政府の存在をすべての州は望んではいなかった。現在は、そして人生は偶然に支配されている。別の形でもありえたと知ることで、現在を絶対化せずに相対化できる（※）。

画蛇添足

▼誰が武器を持つべきかはアメリカ社会を揺るがす問題。日本は政府にしか武力を持たさない国民的同意がある。秀吉の刀狩り、幕末の武士身分の解体などの歴史が背景にある。アメリカでは市民の武器携帯が国家のアイデンティティの要にある。▼学校での銃乱射事件も後を絶たない。ロサンゼルスの高校で授業参観した。フロアごとに金属探知機を通らねばならず、常駐する警備員に教室を開錠してもらって授業中の教室に入った。教師が銃を携帯して授業する学校もあると聞いた。▼人口を超える3億丁の銃が出回るアメリカ社会。国民の過半は銃規制を望むのに何が銃規制を阻むのか。全米ライフル協会は影響を持つロビー団体。スローガン「銃が人を殺すのではない。人が人を殺すのだ」で銃規制に反対。銃乱射事件が起こる度に「だから身を守るために銃が必要」と主張する。矛盾が生きた言葉として使われる。▼平時の市民が民兵として勝ち取った独立という神話。銃規制反対派の根拠が「国民が武器を保有し、携帯する権利はこれを侵してはならない」（憲法第2条）。ジョン・ロックの革命権が明文化されたもの。強い政府に反抗して独立した人びとにり強い政府は悪い冗談。反連邦派の象徴が武器携帯の権利。▼憲法の「武器」に殺傷能力が高いものは想定されていないの声も上院が阻む。人口に関係なく各州に2名の議員を選出する上院。人口は少ないが銃支持派が多い南部、中西部の声が強く反映される。何かあっても警察に頼れず、銃で自衛するしかない広大な地域。銃保有には地域差がある。銃所持が違法になれば銃を持つのは犯罪者だけ―市民だけが武器を手放すことへの危惧。銃が出回った社会の武装解除は難しい。

わんクリック　銃社会アメリカの現実と矛盾を描いたドキュメンタリー映画監督マイケル・ムーア『ボウリング・フォー・コロンバイン』。監督自らアポなし突撃取材を敢行。国民皆保険制度のないアメリカ社会を描いた『シッコ』、不正義の戦争イラク戦争を遂行したブッシュ再選阻止のための『華氏911』、最近は再生エネルギー産業の暗部をとりあげている。リベラルの立場からの政治主張―雑音は落として単純化した主張、よくできたプロパガンダ映画。面白くみせるからつい見てしまう。批判的に見るチカラを鍛えるための格好の題材だが、強度があるのでミイラ取りがミイラになる可能性も高い。

History Literacy　「時をさかのぼるチケットがあれば、欲しくなる時がある。あそこの分かれ道で、選びなおせるならって」（さだまさし『主人公』）。

③「1800年の静かな革命」

・第3代大統領トマス・ジェファソン（在任1801～09）

1800年の大統領選挙で反連邦派のジェファソン当選

└ 世界初の選挙での政権交代　　└ 強力な中央政府に反発

④米英戦争（1812～14）

・原因

ナポレオン戦争に中立

└ 戦争中に「中立」であることで経済的利益を得られる

イギリスが海上逆封鎖（アメリカの通商妨害）

└ フランスの大陸封鎖令に対抗

・結果

戦争中、ヨーロッパとの通商断絶

アメリカ木綿工業が発達し、経済的に自立

└「第2の独立戦争」

「アメリカ国民」意識高まる

└ 国歌『星条旗よ永遠なれ』誕生　＊1

⑤孤立主義外交政策

・1823年、モンロードクトリン

└ 1次大戦までのアメリカ外交の基本、「外務大臣」のいないアメリカ

・新旧両大陸の相互不干渉

└ 新大陸の一体性（南米はアメリカのもの…）を含意した表現

・メッテルニヒの武力干渉を牽制、ロシア南下への対抗

⑥西漸運動（西部開拓）

・西漸運動（西部開拓）で領土拡大　＊2 ＊3

└ アパラティア山脈以西が西部

・経緯

ミシシッピ以東のルイジアナ（1783）	イギリスより割譲（パリ条約）
ミシシッピ以西のルイジアナ（1803）	ナポレオン（仏）より購入　＊4
フロリダ（1819）	スペインより買収
テキサス（1845）	メキシコより独立させて併合
オレゴン（1846）	イギリスと国境協定（北緯49度線）

PROPOS　＊1

米英戦争で国歌『星条旗よ永遠なれ』が誕生。夜が白みゆく中で焼け跡に星条旗がひるがえっているのを見て感動した一兵士がその情景を書き留めた詩が原型。合衆国（国民）意識が高まった。ただしThe United Statesを単数扱いとしてisで受けるようになったのは南北戦争以降のこと。

PROPOS　＊2

西部開拓の速度に政府機能の整備は追いつかず、開拓民の自警団が警察、司法の役割を担った。西部で武器所有が一般化した。アメリカ映画には西部劇というジャンルがあり、この自警団の英雄的世界が多く描かれ、国民の世界観に影響を与えた。

PROPOS　＊3

アメリカ史叙述の問題点はすべてが先住民の居住域で起こったことにもかかわらず彼らの存在が書かれていないこと。そのために読者の意識に上らない（※）。アメリカは工業国であり依然として農業国。世界有数の肥沃なプレーリー土を先住民を追い出して獲得。ミシシッピ川以西は先住民とバイソンの土地。ルイジアナ購入で得た場所はいまアメリカのハートランド。広大なプレーリーの大平原でトウモロコシ（アイオワ州）、大豆（カンザス州、ネブラスカ州）の農地が広がる。アメリカのブレッドバスケットとされる穀倉地帯。これらの土地でステーキとハンバーグ文化が作られた。

PROPOS　＊4

ナポレオンは捨て値同然で広大なルイジアナをアメリカに売却。パリ条約（1783）に続き西部の広大な領土を得たアメリカ。西部への拡大が決定づけられた画期的購入。フランスがルイジアナを手放したのは、ハイチ独立が避けられず、西半球での植民地再建の可能性が消え、ルイジアナ領有の意味が失われたため。間近に控えたイギリス戦のための戦費調達、その際にアメリカに好意的中立を期待しての取引でもあった。アメリカの領土は再び2倍に膨張した。

画蛇添足

▼アメリカへのヒスパニック（中南米出身のスペイン語話者）の移動が止まらない。隣接するカリフォルニア州ではすでに人口の半分近くを占める。その大半はメキシコからでトランプ前大統領は壁を建設して阻止しようとした。彼らの多くは英語を話さず、この地域はスペイン語圏に戻りつつある。そもそもこの辺りはメキシコ領だった。▼かつてここにアメリカの大農園主（プランター）は奴隷を連れて入植。奴隷制を認めないメキシコが排除しようとしたのに対してアラモの砦（とりで）に拠って抵抗したが全滅。その後、アメリカは「アラモを忘れるな（Remember the Alamo）」を合言葉にメキシコと戦い、ここをテキサスとして後に併合、奴隷州とした。▼この併合を「私たちの明白な使命（マニフェストディスティニー）である」と正当化。彼らが、正当化できないことはしてはならないという健全な倫理観と、悪いことをしている自覚を持っていたことが分かる。反発したメキシコとの戦争（米墨戦争）に勝利したアメリカはカリフォルニアまでメキシコから奪った。メキシコ領はアメリカ領よりはるかに広大だったが立場は逆転した。▼「アラモを忘れるな」は人びとの敵愾心（てきがいしん）を駆り立てた。この憎悪は折々に「真珠湾を忘れるな」、同時多発テロの後は、「911を忘れるな」へ目的語を変えて受け継がれた。両国が領土争いをした場所は先住民インディアンの生活の場。そもそもこの辺りはいずれの領土でもない土地。両国は競いながら同時に激しく抵抗する先住民、特にアパッチ人に容赦ない弾圧を加えた。最後まで抵抗したのがジェロニモ。アメリカは911テロの首謀者ビン・ラディンを暗号名（コードネーム）ジェロニモで呼び、彼を追跡して殺害。歴史への自省を欠いた行為。西部劇がまだ頭の中で続いている。

わんクリック　知性的なトマス・ジェファソンは歴代大統領でも別格の扱いだったがその評価が揺らぎはじめている。奴隷制廃止論者で、独立宣言にも冒頭の「全ての人間は平等に作られた」に続き、奴隷廃止を書き込もうとした。奴隷制廃止のために努力したが実際は妥協の連続だった。彼自身がプランターとして多くの黒人奴隷を保有。その中の1人との間に7人の子どもも持った。自身の矛盾に葛藤しつづけた生涯。初代大統領ワシントンは死後奴隷を解放、2代大統領ジョン・アダムスは奴隷を持っている限りは独立にならないと奴隷を所有しなかった。ジェファソンは死後も奴隷を解放しなかった。

History Literacy　支配された側の歴史は断片、支配した側は物語り—歴史を学べば理解できる後者に親近感を持つ。

・1848 年、アメリカ・メキシコ戦争 — アメリカのメキシコ侵攻
　└ ラテンアメリカへの最初の侵略

カリフォルニアを獲得し、領土は太平洋岸に

1849 年、金鉱発見でゴールドラッシュ　＊1
　└ 人口急増「フォティーナイナーズ」、4 年後にペリー来日 (1853)

・1867 年、ロシアよりアラスカ買収
　└ ロシアはラッコ乱獲で価値喪失、「シュアード (米国務長官) の冷蔵庫」と揶揄も金鉱が発見

⑦西部開拓で作られたアメリカ

a. フロンティア西漸で形成されたアメリカ的民主主義　＊2
　└ 線上の国境 (ボーダー) に対し、どこにも属さない幅を持った地域がフロンティア

・東部社会の不満者、各国からの移民の流入

西部開拓移民には土地分与
　└ 当時は施肥をしない略奪農法、痩せた土地を放棄しては西に向かった側面もある

東部の労働問題の不況の時の安全弁 (階級闘争を防止)

→東部の工業に広大な市場を提供

・第 7 代ジャクソン時代 (在任 1829 ~ 37)　＊3
　└ 1812 年戦争の英雄として高い知名度、「丸太小屋からホワイトハウスに」

「ジャクソニアン・デモクラシー」— 先住民虐殺で形成

フロンティアスピリットなど西部文化が東部社会に
　└ 機会均等、自由競争

→アメリカ的民主主義 (アメリカンデモクラシー) の形成
　└ 規範概念として主張される

b. フロンティア西漸で犠牲になった先住民　＊4　＊5

・先住民インディアン (ネイティブ・アメリカン) の土地を奪う

・強制移住法 (1830)
　└「ジャクソニアン・デモクラシー」の別の一面

先住民をミシシッピ以西に強制移住 (チェロキー人の「涙の旅路」)

「マニフェスト・ディスティニー (明白なる天命)」で正当化
　└ 文明国 (白人) が遅れた地域を征服、支配して文明化するのが使命という帝国意識

⑧政党の発生

・民主党 (ジャクソン派) と共和党の前身 (反ジャクソン派)

PROPOS　＊1

ジョン万次郎。漂流して鳥島(とり)でサバイバル生活半年、アメリカの捕鯨船に救われて渡米。日本初のアメリカ留学生となる。10 年の滞米生活。ゴールドラッシュで富を蓄積。船を購入して帰国、島津斉彬と会う。開国時は通訳として働き、日米修好通商条約の批准に立ち会うなど日米の架け橋となった。この数奇な人生が大河ドラマにならないのが不思議 (ロケが大変なのか)。

PROPOS　＊2

西漸運動をスポーツ化したのがアメリカンフットボール。フロンティアラインを取りに行く。この元になったのはラグビー。イギリスでフットボールとはサッカーだけでなく、手でボールを扱うラグビーも含む。

PROPOS　＊3

教育を受けなかったジャクソンは all correct の頭文字を o と k に誤って綴った。これが "O.K." という誤表記の始まりとされる。アメリカで「民主主義」に肯定的意味が加わったのは彼の時代からだがいまは「ジャクソン民主主義」脱神話化が進む。

PROPOS　＊4

銃を打ちまくりハンティングのように先住民を虐殺して土地を奪っていったのが西部開拓。インディアンの視点からみた西部開拓の実態、アメリカの残虐さを教科書は叙述しない。先住民虐殺で名をあげたジャクソン。ディー・ブラウン『わが魂を大地に埋めよ』は西部開拓を「された側」から見た別の歴史。「いま」の理解を重視する世界史教科書には「いま」の主流派の立場から過去を見るバイアスがある (※)。

PROPOS　＊5

先住民は指定された保留地(リザーブ)に追い込まれ貧しい生活を余儀なくされ、共感しにくい存在にされた。一方、彼らを排除した広大な土地はヨセミテ、イエローストーンなどの国立公園—先住民のいない雄大な自然として手厚く保護され、憧れの存在になった。

画蛇添足

▼日本にとりアメリカの存在は圧倒的。私たちはいまだにアメリカを参照枠に物事を考えがち。しかしアメリカは特殊な成り立ちの国。資本主義、民主主義、自由と平等といった諸価値を高く掲げる。さらには移民国家、銃社会 (暴力)、現実主義(プラグマティズム)などを特徴とする。そして特殊なアメリカがいまグローバルスタンダードでもある。▼これらの特徴は西部開拓を通じて形成された。物理的にも西漸していく中で、ヨーロッパの影響から抜け出した。とりわけアメリカは自由と平等を特徴とする民主主義を掲げた国と認識される。意外なことに、国のかたちを示す合衆国憲法に民主主義という言葉はない。代わりにあるのは共和政。18 世紀に民主主義はギリシア衆愚政を指す否定的価値を帯びた言葉。憲法は共和政を採用した。▼西部には身分制に象徴される封建制は存在しない。全員が同じスタートラインに立てる—機会の均等が保障されていれば、結果としての不平等は本人が努力を怠った自己責任という社会的合意が形成された。▼「丸太小屋(キャビン)からホワイトハウスへ」を初めて実現した西部出身大統領ジャクソン。東部エリートの特権に反発する西部民衆の支持で当選。無学で粗野だったが彼の時代に、西部で形作られた民主主義、フロンティア精神が、既得権益層(エスタブリッシュメント)を形成していた東部に吹き込まれた。▼アメリカには政権交代毎に政府高官 (官僚) を総入れ替えする政治任用による人事制度(スポイルズシステム) (猟官制度) がある。これは彼がエリート層の固定化を嫌い導入。いまアメリカで反知性主義が吹き荒れる。貧富の格差の拡大に無関心な知性、権威化して既得権益化する知性、そういう知性への反発の側面が強い。トランプ当選 (2016) はその現れのひとつ。

わんクリック　ヨーロッパで実現困難だった普通選挙権はアメリカでは西部の大半の州で最初から認められた。アメリカを訪れたトクヴィル (仏)。ジャクソン大統領とも会い、このような無教養な人間が大統領であることに驚くと同時に、民主主義の下ではこのような大統領が選ばれる可能性を想定して社会制度設計されていることに感銘を受ける。アメリカ社会を観察、分析した『アメリカのデモクラシー』。ここで個人主義、平等主義が「多数派の専制 (多数の暴政)」をもたらすと分析。権威を必要とする人間存在、エリートを排すれば、それは「多数者の声」にとってかわられる、とその危険を指摘した。

History Literacy　過去を「いま」と繋げようとすることが、いまの主流派の立場から過去を見る歪みを呼び込む。

ラテンアメリカ諸国の独立 — ナショナリズムなき独立

①ラテンアメリカの独立

└ スペイン語、ポルトガル語、フランス語などのラテン系言語を公用語とする地域

・ラテンアメリカの大半は３世紀近くスペイン、ポルトガルの植民地

→各国で独立運動 (1810 ~ 20 年代)

クリオーリョ (植民地生まれの白人) が独立運動の担い手

└ 独立したのは国でなく、クリオーリョ、都市、大土地所有者の土地 (アシエンダ)

本国の重商主義政策に反発して大半の国が独立

└ ここでの「独立」とは白人入植者 (支配者層) が本国に反旗を翻したこと

社会構造の変革はなく国民統合は進まず

└ 仏大革命、アメリカ独立革命との相違

②ラテンアメリカ社会の民族構成 — 混血社会となったことが特徴　＊1

メスティーソ　白人と先住民の混血

ムラート　白人と黒人の混血

インディオ (インディヘナ)、黒人奴隷

③独立の経緯

・世界最初の黒人共和国

└ 黒人共和国がカリブ海にあることに注意

フランス領サン・ドマング (ハイチ)(1804) の独立

仏革命中にトゥサン・ルヴェルチュールが独立運動開始

└「解放者」の意味、「黒いジャコバン」└ 8 月 23 日は奴隷貿易とその廃止を記念する国際デー

・北部地域の独立

ベネズエラ (1811)、大コロンビア共和国 (1819 ~ 30)、ボリビア (1825)

└ コロンビア・ベネズエラ・エクアドルが分離独立

シモン・ボリバル (1783 ~ 1830) が指導　＊2

・南部地域の独立

アルゼンチン (1816)・チリ (1818)・ペルー (1821)

サン・マルティン (1778 ~ 1850) が指導

・その他の地域

メキシコ (1821)、ブラジル (1822) の独立　＊3 ＊4

└ ポルトガル皇太子が親子喧嘩で亡命・独立、ブラジル皇帝に

PROPOS　＊1

プロテスタントが入植した北米では人種 (肌の色の違い程度の意味) の融合 (混血) は起こらなかったが、カトリックが入植した南米では人種が融合。普遍を掲げるカトリック教会は各地区に一つ。同じ地区に住むものは同じ教会にいく。北米のプロテスタントの教会は多種多様で各地区に複数存在。結果的に白人は白人、黒人は黒人の教会に通うので棲み分けが起こる。南米はインディオ主体、メスティーソ主体、ムラート主体、白人主体と多様な国家が誕生した。

PROPOS　＊2

シモン・ボリバルは富裕なクリオーリョ。パリ留学中に啓蒙思想に接したリベラル派。独立運動に身を投じて南米独立を牽引。独立させた諸国をアメリカにならい連邦に組織しようとコロンビア共和国を樹立したが失敗。独立後のラテンアメリカにはスペイン語を母語とする十数カ国が分立した (ポルトガル領ブラジルはまとまって独立)。各国はスペイン植民地支配下の行政区分のまま独立。これは既存の境界線を使う先例となる。無用の混乱が生じない利点がある。アフリカ諸国も植民地国境を国境に、ソ連崩壊時も行政区域を新国家の国境とした。

PROPOS　＊3

カブラルが漂着して以来、世界的には衰退気味のポルトガルに支配されることになったブラジル。今度はナポレオン軍に駆逐されたポルトガル王室が流れてきた。ナポレオン失脚後、王子が帰国を拒否。父王からの独立としてブラジル独立 (1822)。

PROPOS　＊4

ブラジル北東部にサトウキビのプランテーション (ファゼンダ) が展開。インディオの使役に失敗したことから黒人奴隷の輸入をはじめる。砂糖の後は金・ダイヤモンド採掘、ゴム園、そしてコーヒーのプランテーション。いずれも大量の低賃金労働を必要とする産業に依存。ブラジルは世界で最も長く、最も多くの奴隷を使役した国。

画蛇添足

▼日本で赤道と呼ぶものは英語でthe equator（イクウェイター）。「地球を等分する線」ぐらいの無色な言葉。これが通る唯一の首都がEquador（エクアドル）のキトー。観光用に黄色い線が引いてある。この線に地図帳で赤で彩色するのは日本ぐらい。他国は太線表示が多い。▼日本の子どもは「太陽を描きなさい」と指示されると赤のクレヨンをとる。太陽を赤で表象するのが日本文化。equator（イクウェイター）を赤道と呼んで赤く描く慣習もこれに関係する。世界では太陽を黄色で表す文化が主流。実際に観察すれば白色だろうか。「土を描きなさい」はどうだろうか。世界では黒色をとる子どもが多いが、赤色、黄色、白色と地域によってことなる。肥沃なのは黒色土。▼私たちは言葉に認識を引きずられる。地理的名称には政治的思惑がぶら下がる。地名はそれが誰の土地かを語る。南米は当初スペイン語でイスパノアメリカと呼ばれた。19世紀にフランスのナポレオン3世がこの地域の再分割を試みて(メキシコ出兵)、自国も含まれる「ラテンアメリカ」名称を用いた。▼対抗して新大陸北部はアングロアメリカと称したが、この名称ではカナダのケベック州(フランス語圏)を排除することなどから現在は単に北米呼称で落ち着いた。メキシコは曇りのない眼でみれば地理的に北米。実際、NAFTA(北米自由貿易協定)加盟国だったが、人びとのイメージでは中南米の国。▼ロサンゼルス、サンフランシスコ、ラスヴェガス。カリフォルニア州を代表する街の名前はスペイン語。地名が「ここはスペイン」と語るが人びとはこれに気づかない。と、ここまで語ってきたこの議論は、この大陸がイスパノアメリカでもラテンでもアングロサクソンでもない、今も先住民が多く住んでいる土地であることを隠すものになっている(※)。

わんクリック　ヨーロッパの身分制がなく最初から平等だったアメリカで深刻な人種差別が起こる。北米では先住民はいないほうがよいとばかりに掃き清められていく (クリアランスとして知られる北米の植民地化)。最終的に先住民を保留地 (リザーブ) に追いこみ隔離。長く異人種間結婚禁止法が州ごとにあった。それに対してラテンアメリカでスペイン人は先住民社会へ寄生。彼らが到達したとき定住農耕に基づく大帝国が存在。テノチティトランのような大都市に圧倒される。先住民の労働力なしに社会の維持はできず、スペイン人がインディオ社会に寄生していった結果、混血人口が急増した。

History Literacy　どのレベルでの議論なのかに注意—本質を隠ぺいするカムフラージュの議論に加担しない。

④革命の経過

・メッテルニヒの干渉とその失敗

・モンロードクトリン (1823)

└ 第５代大統領が議会への教書(ドクトリン)で宣言、ただし当時小国のアメリカの影響力は限定的

・イギリス外相カニングの独立承認、援助　＊1

イギリスはラテンアメリカ市場確保を優先

└ 五国同盟を脱退、以後、日英同盟締結 (1902) までイギリスは「光栄ある孤立」政策

独立後のラテンアメリカ社会

・独立により地域が分裂（当初８・９カ国として独立→現在 33 カ国）

・社会構造に変化なし

クリオーリョ支配が存続

大土地所有制（アシエンダ制）に立脚

政治ボス（カウディリョ）の権力抗争が続く

└ 一般民衆は政治から排除

政治形態は共和政（ブラジルのみ帝政）

・イギリスへの経済的依存強まる

メキシコ（メヒコ）の独立と領土縮小　＊2 ＊3

①独立

・1810 年、独立運動開始 ― イダルゴ神父の「ドロレスの叫び」

小村ドロレスで神父イダルゴが独立運動開始（のち鎮圧される）

└ インディオとともに独立運動を展開

奴隷制廃止、先住民保護を唱え、奴隷を解放し、先住民へ土地返還

→クリオーリョの反発でイダルゴは捕えられ異端審問で火刑

└ ハイチ独立の再来を恐れたクリオーリョが主導権をとる

・1821 年、独立

└ スペインの植民地で最も早い独立

②アメリカの侵略

・米墨戦争（～ 1848）で国土の半分を喪失　＊4

└ 先住民から奪った土地

PROPOS　＊1

イギリス外相カニング (Canning) の外交はカニング (Cunning、ずるい、抜け目がない)。旧大陸では一切の領土変更を認めない、としてウィーン体制を支えていたが新大陸ではスペインからの独立の領土変更を支持。

PROPOS　＊2

スペイン本国人口は５千万人程度だがスペイン語話者は世界で４億人。最も多いのはメキシコ、次いでアメリカ、そしてスペイン。メキシコ人口は日本を抜いて世界 10 位。カトリック国は子だくさん。面積は日本の５倍の 13 位。労働力と資源の豊富な国。GDP15 位でラテンアメリカの大国メキシコ合衆国。先住民との混血メスティーソが国民の大半。マヤ人を中心にラテンアメリカで最大の先住民を抱える国。だが独立運動の主体はスペイン本国が派遣してきたスペイン人（ペニンシュラー）に反発した現地生まれの白人クリオーリョ。

PROPOS　＊3

メキシコといえばテキーラ。アステカ帝国時代から重要な植物がリュウゼツランという多肉植物（外見は大きなアロエ）。灼熱の気候でも耐え抜き、多肉の茎や葉に水分と糖分を蓄える。この繊維から様々なロープが作られてきた。肉厚の茎に蓄えられた糖分を発酵させてアルコールに変える技術はあったが、征服者コルテスがヨーロッパから持ち込んだ蒸留技術で度数をあげ、アルコール度 50 を超えるテキーラとした。さすがにストレートでは飲めない人のために作られたカクテルがマルガリータ。

PROPOS　＊4

メキシコは２度侵略された。コルテスの侵略とアメリカの侵略。メキシコ・アメリカ戦争の講和条約の１週間前に偶然にカリフォルニアで金鉱が発見されたことになっているが、これはできすぎた話。「哀れメキシコよ。神からはあまりに遠く、米国にあまりに近い」は 1910 年のメキシコ革命で失脚したディアス大統領の言葉。

画蛇添足

▼リーマンショック後のアメリカで流行(はや)ったジョーク。ある成功したビジネスマンが南の島へやってきた。そこで生活に必要な糧だけを獲り、慎ましくもゆったりと生活する現地の漁師と出会う。そして彼にもっと工夫して一所懸命働けば、もっと収入を増やせるぞ、と強く勧める。▼「そうしたらどうなる」と訝(いぶか)しがる漁師に彼は我が意を得たとばかりに「こうして南の国にバカンスにきて豊かな人生を楽しむことができる」と答えた、というジョーク。「私たちはもうそうしている」という漁師の言葉がオチ。▼世界を別のものさしでみることができるようになると人生は豊かになる。その一つが読書。最近、読んだ本の中でそのような実感を得た一冊がエヴェレット『ピダハン』（みすず書房）。副題に『言語本能』を超える文化と世界観」とある言語学の本。▼ピダハンはアマゾンの密林に住む民でその言葉。ピダハン語は驚きの言語。右左の概念も、数の概念、色の概念もない。過去形も未来形もない。言葉はそれを使う人の考え方を左右する。過去形がないから過去のことを後悔することがない（※）。未来形がないから将来のことで思い煩(わずら)わされることがない。▼本書にはこれが言語学の本となった経緯が半分を占める。著者はベテランの宣教師。キリスト教布教のためにこの村に入る。しかし布教は失敗。過去も未来もなく現在だけを幸福に生きている人びとに福音は響かない。▼宣教師は福音の宣教にあたってまず人びとの不安を煽るのが常套(じょうとう)手段。幸福に暮らす人びとを不安にさせて、改宗させる。自作自演のマッチポンプ的行為。彼は布教そのものが罪であると悟り棄教する。そのかわりに世界を豊かにする本書を刊行した。

わんクリック　独立後のラテンアメリカ諸国に大きな影響力を持ったイギリス。その象徴がこの地域でのサッカーの受容。ボールがあればできるシンプルな競技。ゴール前での「待ち伏せ」が禁止されたことがサッカーを面白くした。中村敏雄『オフサイドはなぜ反則か』が面白い。もう一つイングランドの上流階級のスポーツがラグビー。パブリックスクールを卒業して弁護士、銀行家になる連中がするアマチュアスポーツ。イギリス帝国の拡大で帝国内に広がる。ルールがあるからスポーツは面白いが、ルールのあるスポーツを広めることはイギリスにとって統治をしやすくする実利を伴う手段だった。

History Literacy　文字表象である歴史にとり過去時制のない言語は厳しい（時を表す副詞を使うなど別の表現方法をとる）。

ブラジル

①ブラジル社会の重心南下

- 当初は北部で砂糖プランテーション展開 (16 ~ 17c)
  - └ 蘭、英、仏に技術を盗まれ、カリブ海が砂糖生産中心地となり衰退
  - →金・ダイヤモンド発見 (18c) で南部人口急増 (ミナス・ジェライス州)
  - └ リオデジャネイロ (北部サルヴァドールより遷都)、サンパウロなど南部が中心に
  - →アルゼンチン (西隣) とライバル関係に

②コーヒーの時代

- 19 世紀にコーヒー栽培に特化した経済構造　＊1
  - └ 1830 年代に砂糖産業を抜きブラジルの主力産業、20c 初頭には世界のシェア 6 割
- アマゾンのジャングルで天然ゴム採集 (1850 ~ 1965 頃)
  - └ 1ha に 10 本程度のゴムの木が自生、樹液を採取する単純作業
- 1888 年、奴隷制廃止
  - └ 最も長く奴隷制に執着 (人口の半数近く、延べ数は 350 万 ~ 1000 万人で世界最大)
  - ブラジルに影響力を持つイギリスの強い圧力
  - └ 産業革命後のイギリスはイギリス製品市場を求める (膨大な奴隷は購買力がない)
  - 奴隷解放後は黒人が安価な労働力 (各都市でスラム街ファベーラ形成)

③共和政 (1889 ~ 1930)

- 陸軍クーデターで帝政打倒、地方分権的な連邦共和政に移行
  - └ 以後、軍部が政治介入する端緒　└ 奴隷制廃止の翌年
- 奴隷制廃止で移民受け入れ、世界有数の多民族社会へ
  - ヨーロッパ系移民 (イタリアなど)、日本人移民 (1908 ~) も増加　＊2

アルゼンチン　＊3

- 1870 年代、冷凍船の発明で欧米向け冷凍牛肉輸出が可能に　＊4
  - イギリス資本とヨーロッパ人移民流入でパンパ開発
- 西欧各国から大量の移民 (約 500 万)(1880 年代 ~ 20c 初頭)
- 1880 年代、首都ブエノスアイレス は近代的大都市に成長
  - └「南米のパリ」の景観、コロン劇場は世界三大劇場 (ミラノスカラ座・パリオペラ座)
- 20c 初頭、世界屈指の豊かな国に
  - └ 1 人当たりの国民所得で世界 10 位で宗主国スペインを抜く (1913)

PROPOS　＊1

コーヒーは南北回帰線間の高地で栽培 (コーヒーベルト)。ブラジルではサンパウロ (現在、南米最大の都市、標高 800m) 郊外の冷涼な高地に産地が移動してコーヒー生産が爆発的に増え、コーヒーはゴムとともにブラジルの代名詞になった。ブラジル高原は「コーヒー土」テラローシャ (玄武岩が風化した赤紫色土壌) が分布。コーヒー栽培は冷涼な高地、しかも農閑期のある労働であり黒人奴隷以外でも従事できるとみなされ、ヨーロッパ、日本から移民を導入。

PROPOS　＊2

日本人排斥で北米から追い出された日本人。ブラジルは奴隷制廃止後の労働力の欠落を補うためにヨーロッパ移民を受け入れたが定着率が悪かった。1908 年サントス港 (サンパウロの外港) に最初の日本人移民船笠戸丸が着岸。彼らは聞かされていた話とはかけ離れた過酷な現実を生き抜いた。ヨーロッパ人は移住先に教会を建てるが、小学校を作ったのが日本人移民 (一旗揚げて帰国するつもりだった)。教育を重視した結果、2、3 世はブラジル社会で重要な役割を担う。約 25 万人が移住 (最後の移住船 1973 年)。いま約 200 万の日系人が存在。

PROPOS　＊3

南・南米 (アルゼンチン、ウルグアイ) はヨーロッパから最も遠く、古代文明の枠外で先住民も少なく、魅力の乏しい関心外の地域だった。ただ西欧と同じ気候 (Cfa、温暖湿潤) で湿潤パンパは肥沃な黒色土。ラテンアメリカでは珍しく小麦栽培が可能。2 次産業革命後 (1870 年代) の投資先を求めていたヨーロッパ諸国の格好の投資先となり、豊かな生活に憧れた移民が殺到、現在の白人が多数派の人口構成となった。

PROPOS　＊4

液体は気体になる時に熱を奪う (気化熱) 性質を利用して冷蔵、冷凍技術が開発。管の中で気体を濃縮して液体にし、管が部屋を通る時に気体化して部屋の熱を奪う。

画蛇添足

▼明治維新から約百年間、日本は移民送り出し国。日本は慢性的に人口過多に苦しみ、全員を食べさせる余裕がなかった。最初は出稼ぎ労働者、そして海外に多くの日本人が移民した。逆に移民を受け入れるようになったのはこの半世紀のこと。▼初期の主要な渡航先はハワイ王国。アメリカ資本の砂糖プランテーションへの3年契約の出稼ぎ労働から本格化 (1885)。他にも太平洋の島々に多くの契約労働者が渡った。北米には移民した。しかし日本人移民の急激な増加は排日運動を招くことになり、1924年にアメリカは日本人への門戸を閉ざした。▼そのため他の地域、ブラジルなどが新たな渡航先となった。しかしそこで肥沃な土地が与えられるわけもなく、原始林を開墾する苦しい生活を送ることになった。アイロンが必携だった。シャツにプレスするためではない、掘っ立て小屋のような住居で毎晩、寝具にアイロンをかけた。潜んでいる危険な害虫を駆除するためだった。▼彼らが作ったコーヒーの市場開拓の一環で日本はブラジル産のコーヒーを準国産品として大量に輸入。喫茶店が各地に開店、日本で黒い液体をする習慣が定着した。同時に台湾産砂糖が消費されるのが好都合だった。満洲国成立 (1932) 後は満洲国への移住が国策となり、開拓民は大豆畑を開墾した。▼敗戦後600万を超える軍人や移民が日本に帰還。日本に受け入れる余裕はなく、独立後は再び中南米を中心にブラジル、パラグアイ、アルゼンチン、ペルー、ボリビアに多くの日本人が移住した。日本はこれまで様々な国に移民を受け入れてもらってきた。彼らはそこで簡単ではない信用を築き、いま約360万の日系人が各国と日本の架け橋となっている。

わんクリック　日本国内には Japanese Brazilian (日系ブラジル人)。国内の Korean Japanese(韓国系日本人) や Chinese Japanese(中華系日本人)―華僑 (0verseas Chinese) がいる。前半は自分が帰属意識を持つエスニックグループ名、後半は現実に持っている国籍。こういう複合的なアイデンティティによる自己規定がグローバル化の時代の新しい規範 (※)。Ainu Japanese(アイヌ系日本人)、Ryukyu Japanese(琉球系日本人)、圧倒的多数派は Yamato Japanese(ヤマト系日本人)。多数派も同じ形で自己規定して無標的存在から離れることが大切。マジョリティーの特徴は (マジョリティとしての) 特権の無自覚性にある。

History Literacy　様々な民族的出自を持つ「日本人 (Japanese)」が座る教室で語れる歴史の模索が当面の課題。

4　フランス革命とウィーン体制 —「国民」の誕生

フランス革命の背景

└ 複合的な要因「四つの革命の複合体」(ジョルジュ・ルフェーブル)　＊1

①アンシャン・レジーム　＊2

- 革命前の封建的な政治、社会体制　＊3

  聖職者 (第一身分)・貴族 (第二身分)(両身分で人口の2％ながら土地所有は30％)

  　官職独占、免税特権などを有する特権身分

  平民 (第三身分)(人口の98％で土地所有は70％)

  　重税と封建的搾取の対象、農民、市民 (商工業者)

②思想的影響

- 啓蒙思想の普及

  旧制度の矛盾、不合理を打破しようとする気運の高まり

- アメリカ独立革命の影響

③国家財政の窮迫と財政改革

- 国家財政の窮迫　＊3

  ルイ14世時代、ルイ15世時代、ルイ16世時代　＊4

  └ 侵略戦争　└ 七年戦争による植民地喪失　└ アメリカ独立援助

- ルイ16世時代の財政改革

  ケネー (重農主義者)、ネッケル (銀行家) ら　＊5

  特権身分への課税などの財政改革で特権身分は反発、市民は期待

身分制と王権の解体

①勃発 — 革命劇「開幕 (第1幕)」

- 貴族が課税に対して強く反発 (1787 ~ 9)

  └「貴族の反乱」(マチエ)、「貴族の革命」(ルフェーブル)

- 1789年5月、三部会の召集

  └ 1615年以来173年ぶりの身分制議会 (国王の諮問機関)、三部会停止が絶対王政を象徴

  貴族が要求

  └ 王権に対する特権身分の反対が革命の導火線、「貴族の反乱」(マチエ)、「貴族の革命」

  議決方法 (身分別議決か合同議決か) で特権身分と第三身分が対立、空転

PROPOS　＊1

革命以前「人間は平等」は常識ではなかった。革命が掲げた人権。その前にあったのは特権。特権という個別・具体的なものへの対抗概念として普遍的・抽象的な人権が掲げられた。理念が掲げられればすぐに社会が変わるものではないが画期的出来事。

PROPOS　＊2

フランス革命は現在のフランスのナショナルアイデンティティの準拠点。旧体制は否定の対象。戦後民主主義に価値を置く現在の日本が、大戦前の社会を「戦前」と一括りに否定的に扱うのと同じ。旧体制も戦前も完全に否定できる存在ではない。日本の場合、戦前と戦後に断絶より継続をみる議論が起こっている。戦後に作られたと見なされていた諸制度が戦前に起源を持つ。

PROPOS　＊3

財政難の一因は宮廷の浪費。怠惰で快楽に溺れたルイ15世。そこに現れた次々に新しい遊びを考え出すポンパドゥール夫人。「我らのあとは大洪水」—あとは野となれ山となれ、と言ったとか。昔の話ではない。次の選挙での当選だけを考え、次々に赤字国債を発行して次世代にツケ回しする政治家 (と今の景気を優先する世代)。財政規律が失われたこの10年の日本。

PROPOS　＊4

革命前夜を描く喜劇『フィガロの結婚』。領主の初夜権 (結婚認可料)。貴族の堕落、放縦を伯爵アルマヴィヴァに、庶民の反抗心と機知を召し使いフィガロに配した陽気な劇。当時は上演禁止。同時代のモーツァルトがオペラ化。波乱を予感させる序曲。

PROPOS　＊5

植民地百年戦争に勝利したイギリスですら財政難で植民地に負担転嫁をはかりアメリカを失う。敗れたフランス財政は深刻。しがらみのない異国 (スイス) 人プロテスタントの凄腕銀行家ネッケルに立て直しが託された。ルイ16世にとって不本意人事。

画蛇添足

▼フランス革命はよくできた全4幕仕立ての劇。主人公が幕ごとに変わるオムニバス劇。開幕が巧み。この革命で舞台から退場することになる貴族が革命を起こす逆説的な幕開き(1789)。ここまでは序曲。舞台を引き立てるのは脇役。それぞれがキャラ立ちしていた。▼例えば要所要所で革命の火に油を注いだのは国王ルイ16世。真面目が取り柄の政治オンチ。劇(革命)が失速するとみるや登場して革命を推進したのがサンキュロット(パリ民衆)たち。しかし彼らは脇役であって主役にはなれない。この劇は、貴族、市民階級、都市民衆、農民と四人の主役が交代する。▼最大の成果を収めたのが市民階級、だから市民革命と命名したのが歴史家ルフェーブル。しかし主役が本当に彼らだったかどうか、最近の評価は変化しつつあり、市民革命という言葉自体がほぼ死語になりつつある。▼誰も予想だにしなかった軍人(ナポレオン)の登場で幕引きというどんでん返し(1799)。ここまで上演時間がちょうど10年間。穏健な改革から急進的改革へ、劇のテンポは次第に増して手に汗を握らせる。▼ところが幕が降りてからもう一波乱。「私の生涯ほど面白い小説はない」と言い切ったナポレオン。革命劇に幕をおろしたはずの彼がこの劇の海外公演を試みた。自国でのこの上演だけはご免と、各国の思惑が入り乱れ…。▼革命期の人びとはみな短命。この劇の結末を最後まで見届けた者は少ない。教室に座っている皆さんの席がS席桟敷席。写真のない時代だが新古典主義画家ダヴィッドが要所を書き残した。この劇評(フランス革命観)がまた時代によって目まぐるしく変化。過去の解釈は現在の課題意識で変わっていくものだからそれは普通の現象(※)。

わんクリック　「今とは別の価値観があった」ことを知ることができるのが歴史学習。例えば、江戸時代は身分が社会の秩序原理だった。当時は「身分で差別することが正しいこと」だった。土下座はその象徴行為。そのことで人間の生存にとって大切な秩序が維持された。各人にしかるべき地位と仕事(生業)が与えられ、それを守り通すことが「よく生きる」ことだった。比較するものがない社会で人はそのことに疑問を抱くこともなかった。そこに「自由・平等」という価値観(同時に「差別」の観念)が登場する。反発、批判されながらも、これが「普遍的人権」として認識されるまでに鍛えられていくことになる。

History Literacy　もはや「市民革命」でないフランス革命—過去の出来事の意味(解釈)は現在の課題意識で変わる。

・『第三身分とは何か』(神父シェイエス) の刊行　＊1

・同年6月、国民議会成立と「球戯場の誓い」

第三身分議員が独自の議会形成、「国民」議会と改称

└ 一部の聖職者、貴族も合流　　└ 身分制否定、諮問機関でない国権の最高機関

憲法制定までは解散しないことを誓う

・国王の対応

譲歩して三部会を憲法制定国民議会に発展解消

密かに軍隊をヴェルサイユに動員、ネッケルを罷免 (7月12日)

・7月14日、パリ民衆のバスティーユ要塞襲撃　＊2

└ 食糧事情悪化も背景　＊3　└ 王の軍事行動間近と考え武器入手が目的

②国民議会時代 (1789.6. ~ 91.9.)

・立憲王政を主張するミラボー、ラファイエットら自由主義貴族が中心

└ 米仏2つの革命に関わった「両大陸の英雄」

・全国的農民蜂起

農民が貴族 (領主) の館を襲撃 (大恐怖)

└ 貴族が農民を襲撃するなどの流言にパニックになった農民、貴族の多くは国外亡命

・国民議会の対応

└ 全国での農民蜂起の鎮静化を図るため

1789年8月4日、封建的特権の廃止宣言

農奴制、十分の一税、領主裁判権などを廃止

実際には貢納は有償廃止だが誤解もあり事態は沈静化

└ 20 ~ 25年分一括前払い

1789年8月26日、人権宣言採択　＊4 ＊5

ラファイエットらが起草

└ 人権の前にあったのは特権、封建的特権の廃止と人権宣言はセット

第1条	人間は生まれながらにして、自由であり、権利において平等である。社会的な差別は、共同の利益に基づく場合にしか設けられることができない。
第2条	およそ政治的結合というものの目的は、人間の自然に備わった消滅することのない諸権利を保全することである。その諸権利とは、自由、所有権の不可侵、安全、および圧制に対する抵抗である。

PROPOS　＊1

アメリカ独立でトマス・ペインが果たした役割を革命前夜のフランスで演じた神父シェイエス。「第三身分とは何か。すべてだ。第三身分は今まで何であったか。何ものでもなかった。何になろうとしているか。すべてにである」。All or Nothingの二項対立。人を動かすのは単純さ。しかし世界を2つの構成要素で理解してはいけない (※)。

PROPOS　＊2

午前にパリ民衆は軍隊を集結しはじめた国王に対抗するため廃兵院(アンヴァリッド)を襲撃、ここで武器を奪う。午後に弾薬を求めて専制政治の象徴だったバスティーユ牢獄を襲撃。

PROPOS　＊3

1787年以降ヨーロッパは天候不順で小麦が凶作。窮迫した農民の購買力低下で手工業生産も振るわず失業者が増加。浅間山噴火 (1783) が天候不順に関係するとされたが、実際に影響を与えたのは同年のラカギガル火山噴火 (アイスランド) らしい。

PROPOS　＊4

イギリス『権利の章典』は伝統と慣習に基づいた支配者層の権利を王に承認させたもの。内容に新しさはない。アメリカ独立宣言は封建制のなかった新世界でのこと。彼らはその理念を世界に広げなかった。フランス人権宣言は最も封建制が発達した伝統の強い土地で普遍的な人間の平等を掲げた。さらにナポレオンが登場。これを周辺諸国に輸出したから影響力が全く違った。

PROPOS　＊5

「人および市民の諸権利の宣言」(「人権宣言」) の対象は男性。「女性および女性市民の権利宣言」を起草したオランプ・ド・グージュは処刑された。さらにナポレオン法典で「女性は永遠の未成年」に確定。市民の権利は国民国家により国民にしか保証されない段階からまだ抜け出せていない。難民は無権利状態。「私たちは市民となってはじめて人となる」はルソーの洞察。

画蛇添足

▼20歳で即位したルイ16世。温厚な好人物で人気もあったが政治センスを欠いた。なすことすべてが裏目に出て、自らの命を落とした。趣味は錠前作りと狩り。日記には革命前夜も狩りのことばかり。「7月13日何もなし」「7月14日 (空白)」。狩りの成果がなかったらしい。▼バスティーユ襲撃報告も彼の関心外。「はあ、暴動だな」。しかし米同時多発テロ (2001)、パリのテロ (2015) を経験した私たちが彼の鈍感さを笑うことはできない。社会から取り残された人びとの怒りが臨界に達していたことに私たちも気づいていなかった。国王が的確に情勢を判断していれば無用な流血は防げた。▼当時の貴族と平民の対立。元々は固定的でなかった。第一身分 (聖職者) の欠員は下級聖職者であれば平民から補充された (スタンダール『赤と黒』の世界)。だから国民議会に合流する聖職者もいた。貴族も閉じた集団ではなかった。有産市民が官職を購入して新貴族 (法服貴族) になる道が開かれていた。▼絶対王政期、国王は社会の流動性を保つことで不満のガス抜きをしていた。この仕組みが機能不全に陥り、下層から上層への上昇経路がなくなった時に革命は勃発した。現在、グローバリゼーションの進展と新自由主義経済政策の結果、格差はとめどなく拡大、固定化した。世界の富豪数十人の資産が貧困40億人の資産と同じとされる。しかも彼らは巧みに納税を回避する (免税特権)。▼パリ郊外の低所得者層住宅に住むアラブ系の若者たちが社会上昇できる可能性は少ない。いまのネット経済は勝者総どり原則で動く。かつての特権身分以上の存在を生んだ今日。この状況を許したホワイトハウスとかつてのヴェルサイユ宮殿を重ねる見方もある。いま、私たちは革命前夜を生きている可能性がある。

わんクリック　自由・平等・博愛 (兄弟愛) の中のジェンダーバイアス。『人権宣言』が有産市民の政治参加しか保障していない、と「男性普通選挙権」を訴えたロベスピエール。しかし彼に女性選挙権を認める発想はなかった。平等を唱えたルソーも強い女性差別観の持ち主だった。当時、この男性啓蒙思想家の欺瞞(ぎまん)に気付いていた女性がいた。メアリ・ウルストンクラフト (英) は『女性の権利の擁護』(1792年) で問題を指摘。彼女はその生き方も含めてフェミニズムの祖とされる。多くの著作があるにもかかわらず、その存在がその後忘れられてしまう。第二派フェミニズム (1960 ~) の中で再発見された。

History Literacy　運動の論理で認識しない―世界 (歴史) を2つの構成要素で説明するのは運動の論理。

- ・国王は国民議会の諸決議を裁可せず
  - └ 再びヴェルサイユに軍隊集結
- ・ヴェルサイユ行進 (10 月)
  女性たち (パリ民衆) がパンを求めてヴェルサイユまでデモ行進　＊1
  - └「パンがなければお菓子 (ブリオッシュ) を食べればいいのに」(王妃マリー・アントワネット)

  →国王は諸決議を裁可、国王はパリに連行され議会の監視下に　＊2
  - └ 以後、テュイルリー宮殿 (いまは公園) に居住

③国民議会の諸改革

- ・1789 ~ 90 年、経済活動の自由のための諸改革を断行
  - └ ブルジョワジーに有利な改革

  ラファイエット、ミラボーら立憲王政主義者が指導
- ・財政難解消のため教会財産没収、アッシニア紙幣発行
  - └ 以後、フランスでは修道院荒廃 (かつて世界第 2 位のクリュニー修道院の廃墟化)
- ・ギルドの廃止
  - └ 職業選択の自由、革命による宮廷料理人失業でパリでレストランの開業 (美食の都パリ)
- ・ミラボーらを中心に立憲王政を基礎とした憲法の制定作業
  - └ 国王と裏で連絡をとり議会工作

④王政の動揺

- ・1791 年 6 月ヴァレンヌ逃亡事件
  国王夫妻の国外逃亡 (亡命) 事件が発覚、国王逮捕　＊3
  - └ ミラボーの死がきっかけ　　└ 国境近くヴァレンヌ村で農民に発見される

  国王に対する国民の信頼失墜
- ・1791 年 8 月、ピルニッツ宣言
  神聖ローマ皇帝とプロイセン王の共同警告
  - └ 仏王妃マリー・アントワネットの兄

⑤立法議会 (1791.10. ~ 1792.9.) ― 革命劇「第 2 幕」

- ・1791 年 9 月、1791 年憲法の制定　＊4
  - └ フランス最初の憲法

  一院制の立憲君主政、制限選挙制
  - └ 納税額による
- ・憲法に基づいて国民議会解散、立法議会召集

PROPOS　＊1
「男たちがバスティーユを奪い、女たちが王を奪った」(ミシュレ) とされたヴェルサイユ行進 (十月事件)。今日のフランスでは頻繁に大規模デモがある。仏革命で民衆の直接行動が大きな役割を果たした影響。

PROPOS　＊2
膝までの細身のキュロット (半ズボン) と長い靴下の貴族。サンキュロット (半ズボンでない、の意) は庶民の作業用の長ズボン。彼らが議会外で重要な役割を果たした。

PROPOS　＊3
密通していたミラボーの急死で不安になった国王夫妻。王妃の実家オーストリアに逃れようと夜半に宮殿を変装して抜け出す。寝具で人形を作る低レベルの偽装工作。大物と分かる豪華な馬車での逃亡劇。密通発覚のミラボーも英雄の座から失墜。

PROPOS　＊4
国民議会は球戯場の誓いを成就。フランス最初の 1791 年憲法を制定。人権宣言にもかかわらずこの憲法はブルジョワジーにのみ参政権を与える財産制限選挙による立憲王政を採用。しかし制定直前に立憲王政の核となるべき国王が逃亡 (ヴァレンヌ逃亡事件)。憲法はできた時点で無効となり、革命はここでおさまらなくなった。王権が停止され、貴族制が廃止され人びとが「市民」と呼び合う社会になるとは想像しなかった。いまフランスでは、誰でもがムシュウ、マダム (貴族に対する称号) と呼ばれる。軍隊が解体された戦後の日本ではお店の主人が威勢よく「大将」と呼ばれている。

PROPOS　＊補足
多くの政治用語が仏革命中に生まれた。ここで「革命が起こった」と表現しているが、当時「革命」という言葉もなかった。天文用語「周期 (révolution)」に「革命 (政府を倒す)」という意味が付け加えられた。まず現実が先行して、必要に応じて、その現実を表す言葉 (語彙) が作られていく。

画蛇添足

▼王妃マリー・アントワネットが飢えに苦しむ民衆を見て言ったとされる「パンがなければブリオッシュ (お菓子の一種) を食べればいいのに」。同じ言葉はルソー『告白』に見つかるだけで時期的に彼女の言葉でありえない。しかし彼女がそう言ったと当時の民衆が信じたのは事実。▼この事実が歴史を動かした。誤解も歴史を動かしていく (※)。そうでなければ人間の偏見の犠牲者である犀が浮かばれない。犀角が万病に効くと信じた人間により犀は殺され続けた。いま野生の犀の角が短くなりつつある。角があると生き残れない、そういう強い選択圧がかかり続けて自然淘汰が進む。▼彼女は国民の怨嗟の的となったが人間として魅力的だった。母親 (マリア・テレジア) の躾が行き届き、お辞儀の気品など立居振舞が美しかった。政略結婚だが国王に敬意を持って接した。死刑執行人の足を踏んだ謝罪が最期の言葉―「お赦しくださいね、ムシュウ。わざとではありませんのよ」。どの言葉を切り取るかでイメージは大きく異なる。▼トランプ前米大統領が大統領選敗北を認めず、民衆を煽動。武器を携行した民衆が議事堂を占拠する事件が起こった。到底受け入れられないおぞましい暴挙。しかし他方でフランス革命での民衆の行動を私たちは共感的に語る。▼現象に大きな違いはない。当時のフランスも法治国家。そこでの刑務施設襲撃と武器奪取 (バスティーユ襲撃)、国家元首への脅迫、監禁 (ヴェルサイユ行進、8月10日事件)。特権階級の没落に溜飲を下げる語り方ではなく、アメリカ議会襲撃を語る際と同じ嫌悪感で語るべきでないかと迷っている。その暴力の刃が私たちに向かうことがない時、緊張感のない他人事で無責任な語りになってしまう。

わんクリック　「国民」議会という名乗り。フランス革命開始時、まだ「国民」は存在しなかった。どのようなものであれ理念を掲げると批判される。このようなものは国民会議の名に値しない、人権宣言に値しない、と批判される。そういった批判によって掲げた理念は鍛えられていく。革命前の社会には様々な中間共同体 (社団) があり、国王はそれぞれに異なった特権を承認してこれらを束ねていた。その「特権」に対して「人権」が掲げられ、その特権が革命ではく奪された中間共同体 (社団) が弱まると、人々は直接国家と結びつく「国民」となっていった (「神権」に対して「人権」という側面もある)。

History Literacy　事実でなくとも、「そう信じられた」という誤解も社会的事実として社会を動かしていく。

・議会内の対立

フイヤン派…立憲君主政を主張

ジロンド派…穏健な共和政主張

└ ジロンド県 (南西部、ボルドー) 出身者多い、ブルジョワジー (商工業者) 中心

⑥革命戦争の開始 — 国民国家フランスを作った「外国」との戦い

・1792 年 4 月、革命戦争開始

各国の革命干渉 (国外)、反革命の動き (国内) 活発化

ジロンド派内閣がオーストリアに宣戦布告

→オーストリア、プロイセン連合軍のフランス侵入で苦戦 ＊1

→議会「祖国は危機にあり」に全国から義勇軍がパリ集結

『ラ・マルセイエーズ』がのち第三共和政下で国歌に

・1792 年 8 月、「8 月 10 日事件」

パリ民衆がテュイルリー宮を襲撃

└ 苦戦が続く中で反革命派一掃のため (国王の敵国への内通疑う)

国王の内通が発覚、王権停止され国王夫妻はタンプル塔に軟禁

⑦国民公会時代 (1792.9. ~ 95.10.) — 革命劇「第 3 幕」

・8 月 10 日事件後、男子普通選挙による一院制議会召集

└ 立憲王政を定めた 1791 年憲法は無意味となる

ジャコバン派が多数派形成

└ フイヤン派 (立憲君主派) は没落、革命期の諸党派は政党ではなくメンバーも流動的

ジロンド派 …穏健な共和派

ジャコバン派 …急進的な共和派

・1792 年 9 月 20 日、ヴァルミーの戦い ＊2 ＊3

└ 国民公会召集日

義勇軍が初勝利 (対プロイセン戦)

職業軍人に対し、「祖国」防衛意識の高い義勇軍 (国民軍) の勝利

└「この日ここから世界史の新しい時代が始まる」(伝ゲーテ)

・第一共和政 (1792 ~ 1804) ＊4

国民公会は王政廃止・共和政樹立を議決

└ ヴァルミーの戦いの翌日

・1793 年 1 月、国王ルイ 16 世処刑 — 各国君主に衝撃

PROPOS ＊1

ジロンド派内閣による宣戦布告。国王は敗北 (革命の失敗) を期待して賛成。ジロンド派は戦争によって宮廷と諸国君主の反革命性を暴露し、諸国での革命を誘発、それが革命を完成させる近道と考えて賛成。典型的な同床異夢。「祈る人、戦う人、耕す人」の三階級からなった中世社会。「戦う人」の貴族階級が亡命して不在のフランスが、職業軍人に率いられたオーストリアに勝てる見込みは低い。ジロンド派内閣の宣戦布告は冒険で実際、敗北が続いた。

PROPOS ＊2

ヴァルミーでの初勝利は戦術的勝利ではなく革命精神の勝利。「国民万歳！」の雄叫びが、無用な出血を避けたプロイセン軍の進軍を止めた、が実相に近い。しかしこの戦いは国民意識に目覚めた「国民軍 (国民国家の象徴)」の前に、貴族が指揮官の「王の軍隊 (絶対王政の象徴)」が対抗できない時代の幕開けとなる。国民軍の誕生と勝利をプロシア軍中で観戦したゲーテは感動して、「この日よりこの場所から世界史の新しい時代が始まる」と書いた (と脚色された)。フランス革命はこのように「国民 (意識)」からなる国民軍を作り出した革命。

PROPOS ＊3

「王の軍隊」—将官は貴族層だが兵卒は傭兵など。農民は税負担者だから軍務に就かせられない。傭兵は肝心な時に戦闘から逃げようとするから軍紀を厳しくして、戦闘も密集戦法に限定するなど逃げにくくしていた。国民軍にかなうはずがなかった。

PROPOS ＊4

共和政宣言前に用いられはじめた「自由・平等・博愛」。「博愛」が分かりにくく、最近は「連帯」で代替される。フランスではホームレスにお金を置く習慣がある (置くとその日いいことがある、と言われている)。この相互扶助的習慣が博愛。社会は互酬性 (お互いさま) で成り立つ。文化依存度の高い言葉だが「情けは人のためならず」か。

画蛇添足

▼黄色で染まる甲子園のスタンドは日本の美しい光景の一つ。阪神ファンはなぜライトスタンドに陣取るのか。主催チームの応援団が右翼に陣取るのはフランス革命時の国民議会の議席配置から始まった。▼憲法制定までは解散しないと誓って始まった国民議会。めざす立憲王政を擁護する勢力 (つまり体制側) が議場の右翼に陣取り、その体制を批判する勢力が左翼に陣取った。しかし国王逃亡事件のあとで招集された立法議会では反体制側の共和政を主張するジロンド派左側の議席数が伸びた。甲子園でも外野スタンド全体が真っ赤など別の色に染まることがある。毎年秋空が広る頃になると悪夢の光景が広がる。▼フランス革命理念は「自由・平等・博愛」。三者は並列でなくこの順序で重要度は落ちていく。自由があって平等がある。しかしその両立が難しい。自由競争すると所得などの不平等 (格差) が避けられない。このジレンマは資本主義と共産主義の対立構図へつながる。自由に重きを置く政治主張が右派、平等が左派。この対立を博愛で緩和しようとするロジック。▼教室で「右 (左) を言語で定義せよ」とすると盛り上がる。言語化が難しい。左右は相対概念、「何が右で左か」は話し手の位置次第。左右が身体に支えられた概念であるように語り手のポジションに左右される (※)。「何が体制か」は時代により異なる。いまは資本主義が体制。それを支える大企業に寄った立場が右派、弱い立場の労働者に寄りそう左派。▼フランスでは伝統的に右派と左派が対立するが日本から見れば全体が左に傾斜。「極右ルペンが躍進」のニュースに眉を顰(ひそ)めるが、その主張、移民に対する態度などは日本の政権与党の立ち位置とさほど変わらない。

わんクリック 「国民」議会の誕生から政治言語として「ネーション」「ナショナル」といった言葉が登場してくる。この国民軍の圧倒的勝利を見て、国民軍を作り出した国民国家というシステムが各国で模倣され、世界中が国民国家システムでおおわれるようになる。石川明人(あきと)『すべてが武器になる』は優れた指摘。人間は戦うためにいろいろなものを発明してきた。武器とされるものだけが武器でない。軍隊に同書は言及していないが、国民軍も発明された武器であろう。日本でヴァルミーの戦いに相当するのが西南戦争 (1877)。徴兵制の軍隊が士族軍隊に優越する—武器となることが証明された。

History Literacy 相対語に注意—右派、左派の位置どりは語り手のポジションに左右される (時代によっても大きく違う)。

革命政治の推移とナポレオン帝政

①革命の危機

・1793年春～夏、革命は内外の危機に直面

<国外>

第1回対仏大同盟の結成（1793～7）

イギリス首相小ピット提唱　＊1

全ヨーロッパ君主国の反フランス・反革命の大同盟（「国王の同盟」）

<国内>

反革命運動の高まり（ヴァンデー地方の農民反乱など）　＊2

→革命の徹底を主張するジャコバン派の台頭

②ジャコバン独裁

・1793年6月、ジャコバン派はジロンド派を議場から追放

└ 議会外勢力「都市民衆（サンキュロット）」からの支持

公安委員会に権力集中

└ 国民公会内の委員会の一つ、事実上の政府

ロベスピエール、ダントンらが指導者　＊3

└ 人民主権を主張したルソーを理想化、弁護士、質素・純粋な性格

・恐怖政治展開　＊4

└ マラーの暗殺後（「暗殺の天使」シャルロット・コルデーによる）

公安委員会中心に反対派粛清 ―「恐怖政治」展開

└ Terreur（テルール）、今日の「テロ」の語源

・1793年憲法制定（8月）

└ 人民主権に立脚、平和到来まで実施延期（結局、実施されず）

共和政、男子普通選挙

・封建的特権の無償廃止

貴族、反革命勢力の土地を没収、農民へ土地を無償分配

→自作農の創設　＊5

→革命を推進してきた農民の保守化（農民にとっての革命終了）

└ 今日の農業国フランス、保守的な国民性（「頭は左、胃袋は右」フランス人）の形成

PROPOS　＊1

イギリスは、大陸で勢力均衡の力学が働かなくなることを警戒。またこれは国王を処刑した革命をつぶそうとする君主国による「国王の同盟」でもあった。革命は防衛できるかどうかの最大の危機に直面した。

PROPOS　＊2

1793年ヴァンデー地方の農民は徴兵制（働き手の供出）を強制されることに反発、激しく抵抗。旧領主層の貴族を指導者にするしかなかった農民の動きに革命政府は「反革命」の烙印を押し、「自由・平等・博愛」の名において数十万人規模の虐殺を行った。それから百年、国民国家は1次大戦時には農民の身体を自ら志願して死んでいく「国民」の身体に変えることに成功した。

PROPOS　＊3

歴史的人名を街路、広場名にするフランスだが、ロベスピエール通りだけは彼の故郷と共産党の勢力の強い一部の地域にしか存在しない。パリからは一切排除された。

PROPOS　＊4

医師ギヨタンが発案した処刑道具ギロチン。迅速、無痛の人道的道具としてミッテラン大統領時の死刑廃止（1981）まで使用。

PROPOS　＊5

封建的特権の無償廃止。これに匹敵する改革は戦後のGHQによる日本の農地改革ぐらい。土地を獲得した農民は土地を守るために保守的になる。その土地所有を保障する現状の政治体制の存続を願う。持って逃げることのできない不動産は人を保守的にする。日本の戦前の農村は頻繁に小作人紛争が起こる左派の地盤。しかし戦後は一転して、農村は自民党の長期政権を支える保守の岩盤選挙区となった。アメリカはマイホーム政策をとり国民を保守化。家を持つと人は守りにはいる。イギリスでは囲い込みによって農民が土地を失って離農したのに対し、フランスでは農民がジャコバン独裁の結果、土地を得て自作農となった。

画蛇添足

▼理想の実現のために暴力が用いられ多くの犠牲者がでた出来事。どう意味づけるべきか。必要な犠牲とするのか。あるいは意図せざる帰結であったとするのか。ジャコバン独裁で多くの命が失われたが、結局、テルミドールの反動でそれ以前と同様の憲法が制定されて革命は収束。▼それではジャコバン独裁で失われた犠牲は何のためだったのか。ジャコバン派は次々に政敵を「反革命」の名の下に処刑。カミーユ・デムーランは「神々は渇く」と、ロラン夫人は「自由よ、おまえの名によって何という罪を人はおかしたか」という言葉を残してギロチンの露と消えた。▼独裁を進めたロベスピエールは澄んだ瞳の精廉の人。彼だけは「買収不可能」とパリ民衆。人民主権を唱えたルソーを信奉。「市民諸君は流血なき革命を望んでいたのか」と「血ぬられたルソーの手」と呼ばれることを厭わず、理想の実現をめざした。「徳なき恐怖は罪悪、恐怖なき徳は無力」と割り切った。「ロベスピエールの決定的な問題点は、自分を疑っていないこと」（ミラボー）。こういう人物に率いられた時代を「唾棄すべき時代」と否定したのはディケンズ（『二都物語』）。▼ジャコバン独裁を「必要悪」とみる見方もある。フランスは典型的な封建社会だった。フランスという家に残る封建制を一掃するメイドの役割、それを内外の勢力から守るガードマンの役割をジャコバン派が果たした。しかし新装された国民国家フランスに主人として収まったのはブルジョワジー（商工業者、市民階級）。▼必要悪―自分が犠牲となった出来事に使われることのない言葉（※）。他人の犠牲の下で利益を得た自分を正当化する支配者の言葉。犠牲者をどの言葉で弔えばよいのか。

わんクリック　ジャコバン独裁。国民公会議長ベルトラン・バレールは「国民が自らに対して独裁をしている」と演説。独裁と専制の違いについて、今一度確認しておきたい。独裁と専制の違いは大衆の支持の有無。独裁はそもそも共和政ローマで非常時に置かれたポスト、独裁官による政治に由来。独裁体制の対義語は民主政でなく平常時体制。国民投票など大衆の同意を経ている大衆独裁は民主政の歪んだ形態。大衆独裁という言葉は自家撞着ではない。民主政の対義語は君主政、貴族政、といった非支配者の同意のない専制体制。ことばは対義語とセットで理解することで歴史的経緯を踏まえることになる。

History Literacy　「必要悪」―自分が犠牲となった出来事には決して使われない言葉。他者の犠牲を正当化する言葉。

- 最高価格令
  生活必需品、賃金などの最高価格設定
  └ ジャコバン独裁を支える議会外勢力「都市民衆」の利益に合致
  →ブルジョワジー（商工業者）の反発
- 徴兵制度実施　＊1
- メートル法、革命暦　＊2 ＊3 ＊4
  └ 実際に三角測量で実測して子午線の長さを算出。度量衡の統一で統一市場形成へ
- キリスト教を弾圧し、理性崇拝の宗教を創始

③恐怖政治の終焉
- 恐怖政治の末期化
  粛清の矛先は同志のダントン、エベールにも
  └「穏健主義」という名目、革命の大立者ダントン
- 農民の保守化、商工業市民の不満
- 1793年より内外の事態の好転（反革命鎮圧、外国軍撃退）
- テルミドールのクーデタ
  1794年7月、ロベスピエールの逮捕、処刑
  ジャコバン派は勢力を失い恐怖政治は終了
  穏健派は新憲法を制定して革命収拾へ

④総裁政府時代（1795.8.～1799.11.）
- 1795年憲法を制定
  └ 国民議会が制定した1791年憲法と同じ、有産者のみに選挙権
  立憲君主政、財産制限選挙
  └ 極端な権力分散（二院制の立法府、5人の総裁による行政府）

⑤不安定な総裁政府（左右両派からのゆさぶり）— 革命劇「第4幕（終幕）」
- 亡命貴族、王党派の策動
- 1796年5月、「バブーフの陰謀」事件
  └ 誰から目線のことば（「陰謀」）なのか
  私有財産権の否定を主張、政府転覆を計画
- 社会秩序回復し、革命の成果を守る強力な指導者への期待
  農民とブルジョワジーは現状維持のぞむ
  └ 革命で利益　└ これ以上の革命進行と旧体制復活おそれる

PROPOS ＊1
革命が後世へ残した影響の一つが徴兵制導入。これを濫用したナポレオンにより戦争が別ものへと変質。これまで人びとと無関係のところで職業軍人が担ってきた「王の戦争」が、すべての「国民」が徴兵される「国民戦争」という大規模なものに変質。ジャコバン派は革命防衛のため当時のフランス人口2500万のほとんどを占めていた農民に土地を分与（封建的特権無償廃止）。代償として徴兵制で革命防衛に動員した。

PROPOS ＊2
度量衡は人間の身体を基準にしたものが一般的だった。片手を伸ばした長さがヤード（約90cm）、親指の幅がインチ（2.5cm）といった具合。これらに変えて地球の周囲（4万キロ）を基準に1mを定めたメートル法、グラム法、リットル法が制定された。ほぼすべての国がこれを使うが、アメリカだけはヤード、ポンドを使う慣習を止めない。その影響力から併用されるのが現実。

PROPOS ＊3
新しい度量衡の受け入れには抵抗があった。公的には使えないが日本では日常生活がまだ尺貫法に基づいて営まれている。農地の一反、家屋の一坪、一畳、お酒の一升、お米の一合などは生活に溶け込んでいる。テレビや自転車には「型」という名称で誤魔化しながら実際はインチを使っている。

PROPOS ＊4
権力は改暦により時間も支配しようとする。革命政府は時間の尺度からキリスト教色の強いグレゴリオ暦（イエスの生誕が基準、殉教者目録のような暦、ユダヤ教的な七曜制）を一掃。時間から12進法も追い出し、合理性の象徴と考えた10進法に変えた。共和政樹立が宣言された1792年9月22日が元年元旦。奇しくもこの日は秋分の日。昼と夜の長さが同じで「平等」の革命精神に合致。しかし、1週間10日、1時間100分の新暦は人びとの生活のリズムを狂わすと不評。ナポレオンが廃止した。

画蛇添足

▼フランス革命が生み出した保守思想。保守と革新―勘違いしやすいが先に登場したのは革新。以降、いつも保守は革新に遅れてくる。理性で社会を変えることができる、が革新陣営にある確信。▼そのような理性への過信を諫めるのが保守という態度。理性で社会を変えようとしたフランス革命。これを支えた啓蒙思想への批判から生まれた。ジャコバン独裁を批判したエドマンド・バーク（英）の『フランス革命についての省察』（1790）が嚆矢。▼人間は誤る、との人間観に立脚する保守。「狂人とは理性のない人間のことではなく、理性以外のすべてを捨てた人」（チェスタトン）。歴史（時間）の篩にかけられて残ってきたものは、非合理に見えても現実に大きな問題が生じないなら何らかの合理性があるのだろう、と尊重する態度（※）。保守の本質は寛容。革命はキリスト教を否定したが、宗教に非合理しか見られない理性が理性と呼べるのか、と懐疑する。▼「20歳の時にリベラルでないなら情熱がたりない。40歳で保守主義者でないなら思慮がたりない」（チャーチル）。動物は子どもの時は好奇心旺盛だが大人になると保守的になる。共にそのことで生存率を高める。保守は変化の拒否とか、旧弊の墨守ではない。「脱皮しない蛇は死ぬ」（ヘーゲル）と知り「維持するために改革する」（ディズレーリ）態度。▼仏革命をきっかけに自由主義、民族主義、社会主義と種々の「主義」が生まれた。これらのせめぎあいで社会は展開していく。その中で、不完全な人間が頭の中で作った主義で社会が動かされることへの懐疑が保守という態度。しかし主義の感染力は強い。自分が慣れ親しんできた環境を伝統として「守るべき」とする保守主義者が多い。

わんクリック　世界史教科書に掲載されるひとつ一つの用語の背景には膨大な物語がある。一つの用語について最低一冊の本を読む必要がある。ケン・オールダー『万物の尺度を求めて』。「1m」の算出のためには最低でも1000km、ダンケルク―バルセロナ間の実測が必要だった。社会が混乱した革命中に、三角測量を行いこの難事業を成し遂げた物語。長さを測るより角度を測る方が簡単なのが三角測量の利点。いったん三角網によるミニチュア版の地図を作れば、三角形は相似形なのでどこかの一辺を実測して距離を測れば、あとは地図に定規をあてて何センチかを測り縮尺をかければ実際の距離が分かる。

History Literacy　時による査読で明らかになったこと「人間は誤る（不完全な）存在」－ここに立脚するのが保守思想。

ナポレオン・ボナパルトの登場

①軍人ナポレオン・ボナパルト

- コルシカ島出身の砲兵士官
  - └ フランスに併合されたばかり
- 総裁政府時代、王党派の反乱鎮圧で頭角
- イタリア遠征 (1796 ~ 7、対オーストリア戦)
  司令官として勝利、カンポ・フォルミオの和約 (1797)
  →（第 1 回）対仏大同盟崩壊
- エジプト遠征 (1798 ~ 9)　＊1
  オスマン朝衰退を機にエジプト侵略、英印間の連絡遮断が狙い
  マムルーク（エジプト）に勝利するも英に敗北（アブキール湾の戦い）
  ロゼッタストンの発見
  →第 2 回対仏大同盟成立、総裁政府の危機

②ブリュメール 18 日のクーデタ

- 1799 年 11 月、ナポレオンは単独帰国、総裁政府打倒クーデタ参加
  - └ シェイエス主導のクーデタに加担　＊2
- 統領政府樹立
  3 人の統領、ナポレオンは第一統領就任（事実上の独裁）

③統領政府時代 (1799.11. ~ 1804.5.)

a. 軍事、外交上の勝利

- 対オーストリア戦争の勝利 (1800 ~ 1)
- 1802 年、アミアン和約でイギリスと休戦（第 2 回対仏大同盟の崩壊）
  - └ 1792 年以来の平和を達成

b. 内政改革による国内秩序の回復

- フランス銀行創設 (1800) で財政再建
  通貨と経済の安定（イングランド銀行にならう）
- コンコルダート（宗教協約）でローマ教皇と和解 (1801)
- 1804 年、ナポレオン法典制定　＊3 ＊4 ＊5
  - └「余の名誉は 40 回に及ぶ戦勝ではなく民法典にある」、ローマ法に淵源

  三大原理 － 19 世紀の各国の民法の基礎
  　所有権の不可侵、契約の自由、家族の尊重

PROPOS　＊1
「エジプト遠征」はあくまでフランスの見方。客観的には「エジプト侵略」。発見したロゼッタストンは英軍に奪われる形で、いまは英国博物館の至宝。奪われた屈辱からフランスのシャンポリオンが解読。

PROPOS　＊2
革命を最初から最後まで見届けた数少ない一人がシェイエス。『第三身分とは何か』で革命を準備した彼はナポレオンのクーデタにも首謀者として関与。「ミラボーとともに革命を生み、ナポレオンとともに革命をほうむった」「革命のモグラ」とされる。

PROPOS　＊3
成文法を体系的に整備したのが法典。法典編纂は法律間の矛盾が許されない大変な作業。国家的大事業となる（だから編纂者の名が残る）。ハンムラビ法典、ローマ法大全、ナポレオン法典が三大法典。ナポレオン法典は民、商、民訴、刑、刑訴の五法典だが特に民法典が名高い。人権宣言で主張された理念実現のための規則、罰則など全部で 2281 条。『人権宣言』は理念をうたったもの（いまの何とか「基本法」と同じ）でそれだけでは絵に描いた餅。具体的に法制化されてはじめて現実の意味を持つ。

PROPOS　＊4
故意でなければお店のショーウインドゥーを破損させても刑法では罪に問えない。お店は経営の打撃。民法で賠償請求することができる。何が罪でそれを犯した場合どういう罰があるかをあらかじめ明示するのが刑法。私人間のトラブルを解決するルールが民法。日常生活で重要なのは民法。

PROPOS　＊5
ナポレオン法典で「夫は妻を保護し、妻は夫に服従する義務を負う」と家父長制が書き込まれた。男性家長の家族成員の保護と管理、既婚女性の夫への従属が民法で定められた。1965 年までフランスでは女性は就労に際して夫の許可が必要だった。

画蛇添足

▼コルシカ島出身の砲兵士官ナポレオン。出自に関係なく出世が可能になった時代の申し子。姓ボナパルトでなく名ナポレオンと名乗った。人びとが何を見たいのかが分かり、自分の「見せ方」を知っていた。▼お抱え画家のダヴィッドによる『サン・ベルナール峠を越えるボナパルト』。実際は乗馬が不得意な彼は背の低いラバで峠を越えた。後世の『アルプスを越えるボナパルト』（ポール・ドラローシュ）(1850) が事実に近い。『戴冠式』もダヴィッドのアトリエに足繁く通い、傲慢に見られない構図を選び、ルーブルで一般公開した。▼歴史上の偉人の足跡に自らをなぞらえた。イタリア遠征でのアルプス越えはハンニバル、エジプト遠征はアレクサンドロスを意識。まず統領となり次に皇帝となったのも共和政から帝政へ移行したローマ史に自らを重ねたもの。▼宗教和約でローマ教皇と和解。すでに農民に分配済みの教会財産の没収を追認させた。これと民法典の制定により、農民の土地所有は確定。革命前は神が、革命後は所有権が神聖不可侵となり、ナポレオンがフランス農民の守護神となった。▼ナポレオン軍は土地所有を保障された農民から徴兵された戦意の高い兵士からなり、装備はブルジョワジーにより賄われた。彼らは封建的抑圧から人びとを解放し、自由・平等をもたらすとして各地で歓迎された。これらがナポレオン軍の強み、アウステルリッツ三帝会戦での勝利の原動力だった。▼それまで人は戦争に巻き込まれても兵士として動員されるのは職業軍人。それがすべての人間が国民として戦争に動員されるようになった。昨今の国際情勢で軍事力増強を叫ぶ人が多い。自分が兵として駆り出されると分かっているのか。

わんクリック　戦争は長く「支配者の戦争（戦うのは職業軍人、常備軍）」（一般の人々とは無関係のところで行われていた）だったがナポレオンから「国民の戦争（戦うのは徴兵された国民、国民軍）」（一般の人々が何らかの形で関係する戦争）となる。国民軍の勝利は、国内では「国民」を抑圧する旧封建勢力からの解放だが、対外的には彼らが他国民を抑圧するものとなる。国民を戦いに駆り立てるための手段（道具）が「愛国心（敵愾心）」。そのため、まもなく歴史教育や学校での身体測定が登場する。国家が人々の心の中に手を突っこみ、身体を引き延ばすように管理して「国民」を作るようになる（※）。

History Literacy　国民の動員に際してまず歴史が動員される（歴史は近代で国民意識を醸成する国民史になった経緯を持つ）。

ナポレオンの皇帝就任と大陸支配

- 第一帝政 (1804 ~ 1813)
- 1804 年、国民投票でナポレオンは皇帝に就任　＊1
  └ ダヴィッド『ナポレオンの戴冠式』

  → 1805 年、(第３回) 対仏大同盟結成　＊2
- 1805 年、トラファルガーの海戦敗北
  └ ネルソン率いるイギリス海軍にイギリス上陸を阻止される　＊3
- 1805 年、アウステルリッツ三帝会戦 勝利
  └ フランス皇帝、ロシア皇帝、神聖ローマ皇帝の会戦

  → (第３回) 対仏大同盟崩壊
- 1806 年、ライン同盟結成　＊4
  西南ドイツ諸国をあわせてナポレオンが保護者となる
  神聖ローマ帝国 (962 ~) 解体、消滅
- 1806 年、大陸封鎖令 (ベルリン勅令) 発布
  目的　イギリスの大陸市場の確保
  └ 当時のイギリスは産業革命進行中
  内容　大陸諸国の対英通商を禁止
  結果　効果不十分 (逆封鎖、南米市場の開拓で乗りきる)

各国国民意識の形成

①ナポレオンの絶頂期　＊5
- ヨーロッパ諸国の大半を支配
- 兄をナポリ、スペイン王、弟ルイをオランダ王に

②ナポレオンの二重性格　＊6
- 「革命の申し子」として革命を各国に輸出
  ナポレオン軍は「解放軍」として各地から歓迎
  └ 各地での封建的勢力からの解放　└ 徴兵制を濫用
  →ナポレオンの大陸支配 (縁故主義で親族などを各地の王に任命)
- 革命理念の否定者 (皇帝に即位、支配者として他国に君臨)
  →被征服地でナショナリズム (国民意識) を目覚めさせる
  └ フランスにならい国民国家、国民、国民語をつくろうとする運動

PROPOS　＊1
ナポレオンはクーデタのあとで国民投票で皇帝になった。貴族の出でない彼がトップにつくために正統性を必要とした。国民投票はいつ実施するかで結果を左右できる。為政者にとって都合のよい仕組み。

PROPOS　＊2
皇帝は国王の上位概念。周辺諸国の君主国は警戒心から対仏大同盟を再結成した。

PROPOS　＊3
ネルソン提督はトラファルガーの海戦の火ぶたが切られる直前、旗艦のマストに“England expects every man to do his duty.(英国は各人が義務を果たすことを期待す)”と信号をかかげ士気を鼓舞。この義務がノブレス・オブリージュ (noblesse oblige)。彼自身が戦死して言葉が残った。ロンドン中心のトラファルガー広場。高い円柱の頂きのネルソン提督像がいまもフランスを睨む。

PROPOS　＊4
皇帝は１人―ナポレオンは神聖ローマ皇帝の存在を許さなかった。イタリアに遠征して占領。長年のドイツとイタリア (教皇庁) の関係にくさびを入れる。「ライン」同盟―ドイツという名を使わせなかった。

PROPOS　＊5
お世辞嫌いで知られたナポレオンも「陛下は本当にお世辞がお嫌いですね」と言われて喜んだらしい。歴史から学べる処世訓―お世辞は万人に効く。笑顔と言葉はタダ。出し惜しみするな。「スマイル０円」と言って成功したハンバーガーショップもある。

PROPOS　＊6
ナポレオンの二面性。彼は革命の輸出者であり、諸国民にとって封建制のくびきからの解放者。征服先からそのように受け取られたことが彼の成功の背景。しかしそこで彼は征服者、革命理念の否定者として振舞うもう一つの側面も持っていた。このナポレオンの二面性が歴史を動かした。

画蛇添足

▼自由・平等・博愛の革命理念―それらを教えたが与えなかったナポレオン。これらの名の付いた種子を蒔いたが、発芽すると征服者として踏みにじった。これらは麦の芽。冬の間よく踏まれるほどに麦の芽はより強く根を張り成長する。そうして成長した彼からの解放をめざす動きにナポレオンは敗れた。▼ナポレオン軍の従軍記者スタンダール。『パルムの僧院』でイタリア遠征時のミラノの人びとの歓迎を通じて解放者ナポレオンの姿を描く。しかし彼は遠征前に「兵士よ、…私は諸君を世界一の沃野に連れて行く」と演説していた。その軍隊は各地で略奪し、征服者としての性格を強めた。▼スペインの宮廷画家ゴヤ。侵入してきたナポレオンに対する民族的抵抗を『1808年5月3日』で描く。顔のない軍人たちに銃殺される人びと。両手を広げた男にキリストの姿、全体に磔刑図が暗示される。背後で両手を眼を覆う女性はマリアなのか。▼背を向ける顔のないフランス兵。徴兵制によって動員された農民たち。どのような思いで銃を構えたのか。処刑される者の眼は彼らを睨む。普通は処刑される者の眼はマスクで隠す。死の恐怖を和らげるためではない。見られたら撃てない。撃つ方の都合。画面にはすべてを両目を見開いて凝視する男が描かれる。何者か。見るものにさまざまな問いを出させる作品が名作（※）。▼抑圧からの解放だったものが抑圧へと反転する。国民軍が他国を抑圧する存在に変質する。このような気が滅入る展開が歴史で繰り返される。ナポレオンに共感して彼に捧げる曲を書いていたベートーベンはナポレオンへの献辞の書かれた表紙を破り捨てた（第３交響曲『エロイカ』）。交響曲を高めた傑作中の傑作。

わんクリック　レジオン・ドヌール勲章制度を作ったナポレオンの至言「人間を動かすのは、そうした玩具なのだ」。日本でも叙勲制度がある。高校教員の世界では地元の名門高校長の地位を勝ちとり、大過なく勤めあげて 70 歳を超えれば瑞宝小綬章 (平等社会の建前上、序列を分かりにくくしている) が明治天皇誕生日 (文化の日) に待っている。賞金のない名誉だけの授与―低コストで社会を安定させる仕組み。伝達式のために式服を新調して上京、地元ホテルで盛大な披露パーティ。経済は潤い、勲章制作のため七宝などの伝統技能も継承される。と、書かせるのは嫉妬感情。これが人間を動かしていく。

History Literacy　受け手に様々な問いを出させるのが名作、まぎれのないメッセージを伝えるのがプロパガンダ。

諸国民の抵抗

①スペイン半島戦争 (1808 ~ 14) ― ナポレオンの躓き

・ナポレオンはゲリラ戦の鎮圧ができず　＊1

└ スペイン語　└「スペインの潰瘍が私を破壊した」

宮廷画家ゴヤの告発『1808 年 5 月 3 日』　＊2

└ タイトルに日付が記された、鑑賞用でないほ報道絵画

②プロイセンの改革と国力増強 ― ナポレオン打倒の主力に

└ ナポレオンに敗れたプロイセンは領土半減、莫大な賠償金を課せられる (ティルジット条約)

・シュタインとハルデンベルクによる国政改革

└ グナイゼナウとシャルンホルストの軍政改革 (フランスに倣い徴兵制実施)、農奴解放

フィヒテ『ドイツ国民に告ぐ』の連続講義　＊3

└ ベルリン大学 (フンボルトが創設) 学長　└ 当時「ドイツ国民」はまだ存在せず

「ドイツ国民」意識鼓舞

└ ゲルマン人の中でドイツだけは移動せず、故地にとどまった純潔民族と称揚

③ロシアの焦土作戦 ― ナポレオンの失脚

└「荘厳から滑稽へは一歩でしかない」と自己弁護

・ナポレオンのロシア遠征失敗 (1812)　＊4

└ 焦土作戦、冬将軍の到来

ロシアの大陸封鎖令無視に対する懲罰遠征 (60 万の大軍)

・ライプツィヒの戦い (諸国民戦争)(1813)　＊5

→ナポレオン退位、エルバ島流刑、ルイ 18 世復位 (ブルボン朝復活)

国民国家 (Nation State) 形成 ― 各国は国民国家作りを優先　(※)

・定義

「国民国家とは国境線に区切られた一定の領域から成り、主権を備えた国家であって、そのなかに住む人々が国民的一体性の意識 (ナショナル・アイデンティティ) をもっている、あるいはそれをもとうとしている国家のことをいう。」
(木畑洋一『20 世紀の歴史』)

・内容

領土の確保、国境線の画定

領内の住民の選別、国民化 (国籍付与の有無で国民と外国人の区別)

国民の権利と義務、安全確保と国民生活の向上

PROPOS　＊1
丘陵と平野の北イタリアで形成されたナポレオンの軍事戦術。山岳地帯スペインでのゲリラ相手の戦いには通用しなかった。

PROPOS　＊2
宮廷画家ゴヤは『カルロス四世の家族』(1800) で国王一族の肖像画に彼の治世の腐敗と暗愚、その不吉な運命を描ききった。

PROPOS　＊3
ドイツ人の定義が難しく、「ドイツ人とは何か」をずっと考えているのがドイツ人、と揶揄されてきた。フィヒテは『ドイツ国民に告ぐ』でドイツ語を話す人びとがドイツ人、と人を奮いたたせてフランスへの抵抗を呼びかけた。その時まだ「ドイツ国民」は存在していない。講義そのものが「ドイツ人」の国民づくり (ネーション・ビルディング) の一環。国民国家はこういう行為を通して (行為遂行的に) 作り出されていく。

PROPOS　＊4
人間の尊厳、一人ひとりの人生のかけがえのなさを確認するために世界史を学ぶ。けれども教科書の筆致はそれを裏切る。「ナポレオンのロシア遠征は失敗した」と一行で書く。そこには多くの人びとの存在と死がある。トルストイは 1805 ~ 12 年のナポレオンの栄光と没落という大きな歴史のうねりを、559 人の登場人物を配して『戦争と平和』(1869) で一人ひとりの人生のかけがえのなさを描いた。歴史を動かすのは皇帝や将軍ではない民衆であると自身の歴史観を示した。完璧な小説だとされる。

PROPOS　＊5
「諸国民の戦争」。それまで戦争は王家、領主同士の戦い。領民はいたが国民は存在せず、勝利は国家の勝利でなかった。ナポレオン戦争時から勝利が国民の勝利となり、勝利を称える巨大な国家モニュメントが作られた。ライプチヒの戦い百周年記念の『諸国民戦争記念碑』は巨大。古戦場を一望できるが高所が苦手な人には厳しい。

画蛇添足

▼「諸君、祖国は危機にある」とダントンが吠えた時、この言葉を理解できた人は一割程度。人びとはそれぞれのお国ことばを使っていた。言葉が通じないと致命的な支障が生じるのは軍隊。徴兵制による国民軍の編成を通じて意思疎通のための標準語「国語」が作られていった。かつてフランス革命は市民革命と評価されたが、いまはフランスという国民国家、フランス人という国民、フランス語という国民語を最初に作った出来事としてとらえられている。▼かつて人は君主、あるいは特定の中間団体に属する存在で、それら臣民のありようは様々だった。ところがこの革命によってすべての人が君主でなく国家に、中間団体を介さず直接属するようになった。そして同じ言葉を話し、同じような考えを持つ均質な存在「国民」となることが要請されるようになった。▼そのために軍隊をモデルに学校が作られた。信徒を作りたい教会から子どもたちを奪い、公教育で国民を作ることになった。国民とは、祖国のために死ねる国民意識 (愛国心) と戦える身体を持つ、国民化された心身。国語、歴史、体育といった教科が重要な役割を担った。優れていても翻訳文学は扱わず国民文学だけを扱う国語。沖縄、北海道の生徒も学ぶ事が義務付けられる日本史という名の限られた地域の歴史。▼歩き方も矯正された。日本人はかつて右手と右足を同時に前に出すナンバ歩きが普通だった。田植えの基本動作。剣道のすり足、歌舞伎などで残る。しかしこれは歩く時に体が上下に大きくブレて射撃に適さない。そこで体育の時間を通じていまの歩き方へと矯正された。その残滓が運動会の集団行進。長く続いたことを止めるのは難しく、なんとなく残っている。

わんクリック　作曲家チャイコフスキーは祖国の戦いを序曲『1812 年』でスケール豊かに描いた。ナポレオンの侵略戦争を「祖国防衛戦争」と呼ぶのがロシアの公定歴史観。それを華麗な序曲に仕上げた。チャイコフスキーの音楽はナショナリズムを高揚させる。そこに彼の音楽のグローバル性がある。世界史でチャイコフスキーというと『1812 年』の紹介になるが (面白いけど…)、初心者が聴くならまず『交響曲 5 番』あたりからはいるとよい。そのあと『交響曲 6 番 (悲愴)』『交響曲 4 番』、ヴァイオリン協奏曲、そしてバレエ曲『くるみ割り人形』『白鳥の湖』とすすむと虜になってしまうのは必至。

History Literacy　世界史は国民国家形成を目的に「今度はこの国も」と到達順を伝えるマラソン実況中継に似る。

ウィーン体制の成立

①ウイーン会議

・1814 ~ 15 年、ウィーンで開催

└ 100 年後に 1 次大戦 (1914) └ ハプスブルク家の本拠地「民族の方舟(はこぶね)」

ナポレオン失脚後のヨーロッパの新秩序回復と戦後処理

オーストリア外相メッテルニヒが主宰 ＊1

→各国の利害対立「会議は踊る、されど進まず」

・1815 年、ナポレオンのエルバ島脱出、パリ進軍、皇帝復位

・1815 年、ワーテルローの戦い ＊2 ＊3

ロシア、プロイセン、オーストリア同盟軍がナポレオンに大勝

→ナポレオン退位「百日天下」とセントヘレナ流刑、調印へ

②ウイーン議定書

・原則 正統主義と勢力均衡

└ イギリス外相カッスルリーの提唱、代償主義

正統主義はフランスのタレーランが主張

フランス革命前の状態を正統とする

③内容

・オーストリア 北イタリア領有、南ネーデルラント放棄

└ 領土的にまとまり、海への出口獲得 (ヴェネツィア・ロンバルディア)

・フランス ブルボン朝復活 (ルイ 18 世) — ただし立憲王政

・イギリス ケープ植民地、マルタ島獲得

└ オランダより獲得し、植民地帝国へ飛躍 └ 地中海制海権

・オランダ ベルギー併合、ケープ・セイロン放棄

・ロシア フィンランド・ベッサラビア領有

ポーランドの王位兼任

└ ナポレオンがワルシャワ大公国として独立させた地域

・プロイセン 先進工業地帯に領土拡大 (ライン流域・ザクセン北半)

・(ドイツ) ドイツ連邦成立… 正統主義の例外 ＊4

└ 35 の君主国と 4 自由市で構成 └ 神聖ローマ帝国復活せず

・スイス 永世中立国へ

・スペイン 旧領土回復、ブルボン朝復活

PROPOS ＊1

「民族の方舟」多民族国家オーストリア。国民主義の波及は国家分裂の危険を意味した。多額の費用を負担して会議を主催。また専制国家ロシアは自由主義の波及を恐れ、皇帝自らがウィーンに乗り込んだ。

PROPOS ＊2

「ワーテルローの戦勝はイートン校の運動場で成し遂げられた」(ウェリントン)。イートン校はイギリスを代表するパブリックスクール (全寮制私立学校)。イートンでのスポーツで鍛えた精神と肉体がワーテルロー勝利の源、とそのエリート教育を讃えた言葉 (池田潔『自由と規律』)。実際はいじめが蔓延(まんえん)しがちな全寮制生活、理不尽な教師の体罰、そこで逞(たくま)しく生き残ることでイギリスのタフな政治家が作られた。

PROPOS ＊3

ワーテルローで大もうけしたロンドンのロスチャイルド家。イギリスが勝てば英国国債が暴騰する。固唾(かたず)をのんで一報を待つ証券取引所。彼はいち早くイギリス勝利を知る (情報伝達を伝書鳩に頼っていた時代に狼煙(のろし)のように使う腕木通信を創案)。ロスチャイルドは所有していた英国国債をすべて売却。これを見て、他の人はイギリスが負けたと判断。売りにはいった。株価が底値をつけると彼は買い占めて巨利を得た。情報が金になること、メディアの重要性を認識。そこから生まれたのがロイター通信社 (1851 年に世界初の海底ケーブルが英仏間に敷設)。1 次大戦でドイツは「イギリス軍には勝ったが、ロイター通信に負けた」と情報戦で負ける。2 次大戦でドイツのヒトラーは史上最大の情報操作を展開する。

PROPOS ＊4

ウィーン体制の傑作とされる「ドイツ連邦」。ドイツ領土がフランス、ロシアなどに侵食されないように大国を抑え、しかしドイツが一つにまとまらないようにドイツナショナリズムを抑え、またすべてを君主国とすることで自由主義をも抑え込んだ。

画蛇添足

▼ナポレオンの敗北で茫然自失(ぼうぜんじしつ)のフランス。敗戦処理を任されたのが「怪物中の怪物」外交官タレーラン。生涯、誠実という概念を理解しなかった。変節と裏切りの人生。「すべての体制に仕え、すべてを裏切った」離れ業級の策士。▼国益の追求が外交。しかしすべての国が追求するから、公益と一致させなければ国益は実現しない。そこが外交官の腕の見せ所。ブルボン家嫌いだったがタレーランは革命前を「正統」秩序と唱えた。悪いのは革命でフランスも含めて誰もが被害者という論理をすべての国に呑ませた。ロシアの台頭が脅威だった各国にとって牽制のためにフランスの力を維持することは受け入れられるロジックだった。▼ナポレオンの外交官時代から美食外交を展開。ウィーンには料理王アントン・カレームを帯同。連日宴会を主催し、各国要人を招いて接待の限りを尽くした。供したのがボルドーワイン、シャトー・オ・ブリアン。敗戦国フランスから領土をどれだけとろうかと乗り込んできた各国代表に飲ませて心地よく酔わせてうまく料理した。フランスを救ったワイン、というモノ語りはこの時に生まれた。▼ウィーンといえば名物菓子ザッハトルテ。チョコレートケーキの王様。料理人ザッハがメッテルニヒの要望に応えて考案した。ただこれはウィーン会議後の話。少し苦めのカフェラテと相性がよい。エスプレッソで抽出したコーヒーにミルクを入れたのがカフェラテ（ドリップコーヒーを使うカフェオレと区別がつくように）。ナポレオンの大陸封鎖令でコーヒー豆不足になったイタリア、フランスで少量の豆に高圧をかけて抽出するエスプレッソがはじまった。両国でコーヒーを注文するとエスプレッソがでてくる。

わんクリック 植民地の独立などナショナリズムが肯定的に見られていた時期には、それを抑圧したウィーン体制は反動体制として否定的に評価されてきた。現在、その評価も変化。戦争続きの 18 世紀と比べ、ウィーン体制下の 19 世紀前半から 1 次世界大戦まで 100 年間は普仏戦争を除いて大きな戦争がなかった。最近では、ウィーン会議 (体制) を、多民族国家オーストリアが作り出した成功した講和会議 (平和体制) と肯定的な評価もでてきている。同時にメッテルニヒ (はともかく)、タレーランの外交手腕が見直されている。「過去」は変わらないが「現在」と「未来」しだいで変わるのが「歴史」(※)。

History Literacy 「過去」は変わらないが、「歴史」は「現在」と「未来」しだいで変わる。

④ウィーン体制維持機関　＊1 ＊2

・復古体制維持のため神聖同盟、四国同盟
　多民族国家のロシア、オーストリアが主導
　└ フランス革命理念(自由・平等・博愛)は国家の解体を意味
　→各地の革命運動、独立運動(ナショナリズム)を鎮圧
　　└ 自由・平等・博愛定着のため再度(七月革命)、再々度の革命(二月革命)が必要に

5　社会改革の夢 － 新しい革命の波

ナショナリズムの台頭―「私たち」という感情の発生と発展

・ナショナリズム(民族主義、国民主義)
　「私たち」という感情の発生　＊3 ＊4
　└「私たちでないもの」を必要とする感情
・自由主義― フランス革命の理念の一つ

19世紀の主要な思潮 － 美の普遍性、美の個別性

①新古典主義 － 啓蒙思想と親和的
　└ 理想的人間像(人体表現の理想)をギリシア彫刻にみる風潮
　・美は古典古代の作品に現れている、と理解
　　古典古代を理想に調和のとれた人間性の完成をめざす
　　└ ポンペイ遺跡発掘(18世紀中頃)、『ミロのヴィーナス』発見(1820)で古典再発見
　　ダヴィッド(仏)『ナポレオンの戴冠式』、アングル(仏)『泉』
　　　└ ナポレオンの影響で歴史画が再隆盛

②ロマン主義― 美は各時代で変わる、と理解
　・啓蒙思想(理性への過信)への反発
　　└ ジャコバン独裁、ナポレオンによる他民族抑圧を招いた「理性」への不信感
　・理性でなく伝統、感情の重視
　　└ 蓄積された知恵、言語化できない経験
　・普遍性でなく個性、歴史性の重視
　　└ 理性は時・空間を超える妥当性　└ 地域(空間)・時代(時間)の拘束
　・遺跡、廃墟の保存、過去の美化(尚古趣味、中世への憧れ)
　　└ 中世世界に閉じこもった築城王ルートヴィッヒ2世(バイエルン)

PROPOS　＊1
時代を無理に押し戻そうとするものには力が必要。それが四国同盟。戦勝4カ国(英・露・普・墺)で構成。対仏大同盟の延長でもあったが敗戦国フランスの参加(1818)で変質(五国同盟)。ラテンアメリカ独立運動支持のためにイギリスが脱退(1822)したので数の上ではまた四国同盟に戻る。

PROPOS　＊2
神秘的傾向のあったロシア皇帝アレクサンドル1世が提唱した神聖同盟。キリスト教友愛精神に基づく各国君主の連帯を提唱。「一片の崇高な神秘とナンセンス」(カッスルリー)、「無意味な声高きおしゃべり」としたメッテルニヒは実効力のない神聖同盟でなく四国同盟を体制維持のために利用。様々な国際枠組みが作られては消える。

PROPOS　＊3
本書では、これまで「私たち」を自明の存在として、これを主語に語ってきた。これは、ナショナリズムというイデオロギーの産物。イデオロギーとは、根拠なく信じ込んでいる考え。それが実現していないときは、「〜すべき」という形で表明される。世界史教科書で「何とか主義(-ism)」としてまとめられているもの(エンゲルス『ドイツ・イデオロギー』で一般化した概念)。

PROPOS　＊4
世界最強のイデオロギーがナショナリズム。「政治的な単位(国家)と民族的な単位とが一致しなければならないと主張する政治的原理」(アーネスト・ゲルナー)とこれに付随する感情・運動。この原理が侵害されることによって喚起される怒り、この原理が実現した時の満足感がナショナリズムの感情。ベネディクト・アンダーソン『想像の共同体』は、なぜ会ったこともない人との間に「私たち」という感情が生まれるかを解明した必読書。「私」と「あなた」と一対一で向き合うのが人間関係の基本。「私たち」と「あなたたち」になると攻撃性が増し始め、いつか「お前ら」になる(※)。

画蛇添足

▼フランス啓蒙思想への反発からドイツでロマン主義の思潮が起こる。人間の理性に対する懐疑。理性が考え出したものにどこまで信頼を置いてよいのか。むしろ伝統や歴史といった時の篩(ふるい)にかけられたものこそ信頼に足るのではないか。▼今まで否定的に見られてきた人間の感情。もっと大切にされてよいではないか。喜ぶときは喜び、怒るべきときに怒る。喜怒哀楽の情感が人間を深く豊かなものにするのではないか。二度と同じことが起こらない歴史をなぜ勉強するのか、という問い。だからこそ学ぶに値すると考えるロマン主義者。現実に存在するのは一回限りの人生を生きる、個性を持った人間。何者によってもとって代えられない存在。▼そういった人びとによって作られてきた過去には学ぶべきものがある、とみる。私たちのものの感じ方、五感のすべては作られたもの。例えばロマン主義が生まれるまで廃墟に特別な感慨を抱く人はいなかった。ローマのコロッセウムなどは大きな石切場でしかなかった。人びとはそこに遺物でなく石材を見た。▼「懐かしい」という言葉があるから「懐かしい」という感情がおこる。言葉を知らなければ廃寺を前にしても感情は湧かない。「瓦(かわら)一枚に天平のロマンを感じる」―そういう言葉に接する中でそのような感覚を身に付ける。亀井勝一郎は往時の薬師寺を訪れて「荒廃の感がふかい」と満足げに嘆いた(『大和古寺風物誌』)。▼ギリシアのパルテノン神殿は建立当時、極彩色(ごくさいしき)で荘厳(しょうごん)されていた。廃墟に美を見いだすロマン主義者によって廃墟のまま保存されることになった。色の残滓が消し去られ、白大理石が純粋さを表すようになった。それは文字どおりの whitewash(歴史の改ざん)でもあった。

わんクリック　「私たち」の誕生。「私たち」を作るのは「私たちでないもの」。これが多くの悲劇を作り続けてきた。学校ではどれほどよいクラスができても、学期当初にクラス替えをして「私たち」を解体、構成メンバーを強制的に変える。応援するチームに関係なく交じり合って座って一緒に観戦するラグビー。試合が終わったらノーサイド。相手チームは敵ではなくライバル。世界史を学ぶことで、「私たち」を広げられないか。政治的立場が違う人々、世界の他の国は、世界をよりよくしていくためのライバル。そう認識できる叙述はないか。戦争で、一度限りの人生が若くして失われるなど、あってはならない。

History Literacy　「私」と「あなた」が人間関係の基本―「私たち」と「あなたたち(お前ら)」になると攻撃性が増す。

③ロマン主義文学

a. ドイツ

- 疾風怒濤（しっぷうどとう）(シュトゥルム・ウント・ドランク)時代
  └普遍主義に対抗して個人の感情の解放を主張
- ゲーテ『若きウェルテルの悩み』『ファウスト』 ＊1
- シラー『群盗』
- ノヴァーリス『青い花』
- ハイネ『歌の本』
  └自由主義詩人、革命詩人、ユダヤ人、マルクスの友人
- グリム兄弟『グリム童話集』 ＊2
- ハウプトマン『織工』『沈鐘』

b. フランス

- スタール夫人『デルフィーヌ』 ＊3
  └ナポレオンとの確執で知られる └「ロマンティック」という語の初使用
- シャトーブリアン『アタラ』『ルネ』 ＊4
- ユゴー『レ・ミゼラブル』『ノートル・ダム・ド・パリ』
  └第二帝政中亡命、第三共和政成立で帰国した共和主義者、フランス国民的英雄
- アレクサンドル・デュマ『三銃士』

c. イギリス

- ワーズワース『叙情詩選』
- スコット『アイヴァンホー』
  └義賊ロビンフッドの登場、リチャード獅子心王
- バイロン『チャイルド・ハロルドの巡礼』
  └ギリシア独立戦争義勇兵として参戦

d. ロシア

- プーシキン『大尉の娘』 ＊5
  └ロシア国民文学の祖、決闘で死去 └プガチョフの乱に取材

e. アメリカ

- ホーソン『緋文字』
  └アメリカのピューリタン文学、罪をめぐる考察
- ホイットマン『草の葉』
  └アメリカ民主主義の称賛

PROPOS ＊1

「愛のために死ぬ」概念を作り出したゲーテ。『若きウェルテルの悩み』で感情の気高さ、愛の絶対性を謳う。人妻ロッテに失恋したヴェルテルは自殺。それまで失恋と自殺は結びつかなかった。キリスト教は自殺を禁じている。したがってこれはキリスト教に対する挑戦でもあり、近代文学の誕生を象徴。主人公が愛のために死ななければ読者が納得しない風潮はロマン主義の産物。そのゲーテが生涯をかけた大作『ファウスト』。あらゆる知を極めたファウスト博士が最後は悪魔と契約して感性に傾斜する物語。知識では世界が分からなかった。

PROPOS ＊2

『グリム童話集』にはおばあさんを窯に入れて焼く話など、残酷で容赦ない話が多い。子ども用でなくドイツ文化研究のために収集した話。理由はともかくこれを読み聞かされて育てば価値観は刷り込まれる。

PROPOS ＊3

「スタール夫人」。スウェーデン大使スタールとは別居、離婚したがこの名前で記憶される。実名が長いのと彼女がこの立場を利用して活動、この名で知られていた。

PROPOS ＊4

『デルフィーヌ』『ルネ』『アタラ』などの自伝的小説は主人公のファーストネームがタイトル。個性重視のロマン主義の象徴。

PROPOS ＊5

皇帝アレクサンドル1世急死を好機としたデカブリストの乱。ナポレオン戦争に従軍して自由に触れた青年将校たちの蜂起とその失敗。自由主義思想を持っていたプーシキンは当時謹慎中で参加できなかった。逮捕、投獄された友に寄せたプーシキンの詩。「もし君たちが人生に裏切られても / 悲しんではならぬ、怒ってはならぬ / 憂鬱な日々であっても受け入れるのだ / 喜びの日はきっと、またやってくるのだから 」。平易な言葉で綴られた『プーシキン詩集』。

画蛇添足

▼フランスの大学入学資格試験バカロレア（国際バカロレアとは別物）。合格すれば大学に入学できる。隣の芝生は青く、隣のレジは早く進むから日本でもてはやされる。8割合格する試験のため大学は新入生で溢（あふ）れかえるが進級は難しい。優秀な連中は大学でなくグランゼコールをめざし、そのための試験勉強は日本の比ではない。▼深く考えることで人間は自由になる、という発想でナポレオンが創始したバカロレア。確かに問題は興味深い。全員必須の哲学の問題がある。3題を4時間で論文にして回答。例えば「人間は文化から自由になれるのか」（2017）。一度は考えたい問題。自由に論じるのではなく学校（リセ）で学んだ形式によって思考できているかが問われる。▼文明を文化の高次の段階とする見方もあるが、いまは文化を文明を包摂するより大きな概念とみるのが一般的。文明は土地から切り離してどこにでもどの時代にも移植可能な要素。それに対して土地と分かちがたく結びつくのが文化。その土地に暮らす人びとの生活の総体。▼先行したのは文明概念。フランスはローマ帝国─文明の継承者として振る舞い、フランス啓蒙思想は普遍性を掲げた。これに対抗するため、19世紀にナショナリズムが高まる中でドイツが対抗的に打ち出したのが文化概念。土地の個性、歴史、伝統─そういったものに根ざす文化こそが貴い、というロマン主義の産物。▼すべての文化を等価とする、は潔（いさぎよ）いが深刻な差別を含む文化もある。文化概念は国民統合のイデオロギーとして出現した経緯ゆえ「ドイツ文化」などと国名を冠して呼ばれる。ナショナリズムと密接な関係を持つ。教科書には文化の所有者は国家と言わんばかりに作者名は国籍名と記される（※）。

わんクリック ロシアの国民詩人プーシキン。文才を皇帝に気に入られ優遇された。プガチョフ反乱史の執筆を命じられ、史料へのアクセスを許されたのを利用して小説に仕立てたのが純愛小説『大尉の娘』。無駄なく引き締まった文章で読ませる。18c ロシア南部社会─農奴制下であるが、それなりに質実な価値観が息づく社会が分かる。フランスの国民作家ユゴー『レ・ミゼラブル(貧しい人々)』。小説だが途中で70ページ近くフランス史が綴られる。悪政の犠牲になった人々を描くことで正史に対抗しようとした。当時はページ単位で執筆料が支払われたため、一つの話題をひき伸ばした面もある。

History Literacy 作者名を国籍と共に記すのが教科書─時に関節部分を脱臼（だっきゅう）させて切り離した方がよい。

④ ロマン主義音楽　＊1

・シューベルト（墺）『冬の旅』『未完成交響曲』『ザ・グレート』　＊2

└ 近代歌曲の創始者

・シューマン（独）「美しい5月になって」『詩人の恋より』

・ベルリオーズ（仏）『幻想交響曲』(1830)

└ 管楽器が本格的に加わり、大編成のオーケストレーションの壮大さ

・ブラームス（独）4つの『交響曲』ほか

・ショパン（ポーランド）『革命』『軍隊』『英雄』

└ メロディーに巧みな装飾、華やかさで「ピアノの詩人」、亡命先のパリで死去

・リスト（ハンガリー）『ハンガリー狂詩曲』

└ 超絶技巧で「ピアノの魔術師」

・ワグナー（独）『ニーベルングの指輪』『タンホイザー』　＊3

└ 楽劇の創始

・ヴェルディ（伊）『トラヴィアータ』『リゴレット』『ナブッコ』他　＊4

└ イタリアオペラの大御所

・チャイコフスキー（露）交響曲5番、6番『悲愴』、バレエ『白鳥の湖』

⑤ロマン主義絵画

└ 歴史を扱ったロマン主義絵画はどれもサイズが巨大

・フランス

ジェリコ『メディウス号の筏』

└ 醜い情景を描いて理想美を追求する古典主義に対して宣戦布告、「絵画の虐殺」と批判される

ドラクロワ『民衆を導く自由の女神』『シオ（キオス）島の虐殺』　＊5

・スペイン

ゴヤ『1808年5月3日』

PROPOS　＊1
西洋は「音声」重視の文化。音声言語の延長線上に音楽が生まれて発達した。東アジアの漢字文化圏は「文字」重視の文化。この文字言語の延長線上に書が生まれた。

PROPOS　＊2
シューベルト『未完成』はベートーベン『運命』と並ぶ人気。LPレコード（片面約30分）が記録媒体だった時『未完成』『運命』の組み合わせがぴったり収まった。何かが名曲（歴史）となる背景には媒体（メディア）側の事情も関係する。『運命』は後世の命名。タイトルに引きずられない方が味わえる。ベートーベンが没した翌年に31歳で夭逝（ようせい）したシューベルト。彼がもっと生きたらどれだけの美しいメロディが世界に付け加えられたことだろうか。最後の『ザ・グレート』を聞く度にその夭折（ようせつ）を惜しく思う。

PROPOS　＊3
ワグナーがドイツの神話、伝説に基づいて本格的なオペラ（楽劇）を作り出したことはドイツナショナリズムを喚起。ドイツ帝国を作り出す原動力の一つになった。ワグナー死後に生まれたヒトラーが偏愛。

PROPOS　＊4
歴史教科書はインテリが執筆。大衆受けするものは「浅い」と低い評価になる。オペラはヴェルディが圧倒的に上演される（客が入る）が教科書では冷遇。チャイコフスキーのメロディーの美しさは広く愛されているがシンプルで「深くない」とされる。人生や歴史、一度限りのものが去りゆくことへの哀惜、溜息がブラームス交響曲4番。

PROPOS　＊5
フランス革命時に「自由」は女性で擬人化された。「民衆を率いる自由の女神」から2つのことが分かる。一つは、女神と有標化されているように神が男性とみなされてきたこと。二つ目は「自由」が女性で表象されたこと（女性名詞）。これは国王が男性とされたことへの対抗だと考えられる。

画蛇添足

▼光と違い音（周波数）には不思議な性格がある。人間の耳に循環的に同じ音がやってくる。高さは異なるのに同じ音がある。それが現れる間隔を1オクターブとできる普遍性がある。問題はそのオクターブにどのように階梯（かいてい）をつけて取り扱えるようにするか。▼階梯をつけておけば音を組み立ててメロディーが作れる。1オクターブをどのように刻んで分節していくかは地域により異なる。その分節の仕方が文化。いま私たちが耳に親しんでいる音楽は、平均律と呼ばれる西洋音律（音階）を基礎に作られた音楽。1オクターブ内の音の高さを、半音によって均等に12分したもの。均等なので移調、転調が容易にできる。反面音の響きが少し犠牲になっているとされる。▼それ以前は自然律（純正律）が一般的だったが、平均律に基づいて作られたピアノが大量生産・消費される中で平均律が支配的な音律として広がっていった。世界史教科書が叙述すべきは、ここで述べたこと、他にどのような音律があり、人間がどのような音を聞いてきたか、ではないか（※）。西洋音楽以外にも様々な音楽があった。▼ただ慣れ親しんだ枠組み―音程、リズム、メロディーといった西洋音楽の枠組みから耳を解放させるのは難しい。インドやイランのような別の音律に基づく分かりにくい音楽は「民族音楽」として括られる。▼尺八（邦楽）のように音色を優先させる音楽もある。しかし仏教の「声明（しょうみょう）」とか、イスラームの朗誦「アザーン」などは、いまの「音楽」の範疇に入れられていない。文字通り、音の響き、音色を楽しむのが音楽。「音楽に国境はない」の半分は嘘。特定の音律のものだけを音楽とみなして、あとは民族音楽と有標化。そこに西洋音楽を含めない。

わんクリック　この時代の音楽家で別格の存在がベートーベン。ベートーベンなしの生活など考えられない、という人はたくさんいるだろう。その風格から古典主義にカテゴライズされるが、守破離のモデルのような作風であり「「さらに美しい」ためならば、破り得ぬ規則は一つもない」（ロマン・ロラン『ベートーベン』）ためロマン主義といっても問題ない。こういうカテゴライズをするのは後世の小さな人間。そういう枠組みでとらえられないのが傑出しているゆえん。絵画ではゴヤ。ここではロマン主義においているが、自然主義、印象派的作品も、様式などで括ることのできない多様な作風。

History Literacy　いまの世界史教科書叙述は全面仕立て直しが必要（現行のようなものでないありかたもあったはず）。

革命の第1波 — 1820年代の革命運動　＊1

①自由主義・国民主義運動

・ブルシェンシャフト運動 (1817年中心)　＊2

└1815年イエナ大学生が中心　└宗教改革300周年 (ヴァルトブルク祭)

ドイツの学生組合、ドイツの自由と統一を要求、弾圧される

・スペイン立憲革命 (1820 ~ 23)

1812年憲法の復活を求める

└ナポレオンへの抵抗中に生まれた自由主義的憲法

フランスの干渉で挫折

└干渉に反対したイギリスは五国同盟脱退 (1822)　＊3

・カルボナリ党の乱 (1820 ~ 1)

イタリアの統一を求める秘密結社

└メンバーは炭焼き職人と自称、社会をボスコ (森林)、バラッカ (集会所) など隠語で表現

ナポリ、ピエモンテでの蜂起はオーストリアが鎮圧

・デカブリストの乱 (の蜂起)(1825)

└ロシアの国民的詩人プーシキンの詩で国民的記憶に

青年貴族将校が、専制政治打倒と農奴制の解体を求め蜂起

新皇帝ニコライ1世により弾圧、処刑・シベリア流刑

└以後、ロシアでは軍クーデタは成功していない

②ギリシア独立運動

・1821 ~ 9年、オスマン朝に対する独立運動開始

・ロマン主義者のギリシア独立支援　＊4 ＊5

詩人バイロン (英)、画家ドラクロワ (仏)

・イギリス、フランス、ロシアのギリシア援助 (1827年、ナヴァリノの海戦)

ロシア (神聖同盟の提唱国) は南下のため (→東方問題のはじまり)

イギリス (五国同盟の中心国) はインドとの交通路確保のため

フランスは中東での勢力拡大のため

・1829年、アドリアノープル条約で独立承認

└各国の思惑の中で交通 (戦略) の要衝に作られた人工国家

・1830年、ロンドン条約で完全独立

└ 列強の駆け引きで初代国王はドイツ人カトリック教徒が招聘

PROPOS　＊1

正統主義と並ぶウィーン体制の原則が勢力均衡。英外相カッスルリー提唱の代償主義で調整された。実際は小国の犠牲のもとに大国の勢力均衡が優先された (オランダのベルギー併合、オーストリアの北イタリア支配など)。それに対する異議申し立てのナショナリズムがこの体制を揺るがした。

PROPOS　＊2

ブルシェンシャフト運動でドイツ統一をめざして学生が用いた黒・金・赤の三色旗が現在のドイツ国旗。国歌はハイドン『弦楽四重奏曲皇帝』の皇帝讃歌。国民国家を作る過程で国民の凝集力を高める国旗、国歌が必須アイテムとなる。いまは国際行事でないと困るが、それまでは不要の存在。

PROPOS　＊3

ラテンアメリカ市場参入のため、これらの国々の独立を支持するイギリス (カニング外交) は五国同盟を脱退 (1822)。以後1902年日英同盟の締結まで「光栄ある孤立」として外交上のフリーハンドを確保。

PROPOS　＊4

自らのアイデンティティをローマに求めてきたヨーロッパ人。ギリシアへの関心は薄かった。19世紀以降にギリシアを意識するようになる。そしてロマン主義者たちが「ギリシアが異教徒の迫害に苦しんでいる。ギリシアを救え」と奮い立った。

PROPOS　＊5

古代ギリシア人の末裔(まつえい)「ギリシア人」が再び独立を取り戻したのではない。ローマ帝国、オスマン帝国の長い支配下にあってこの地域に住んだ人びとのアイデンティティは長く、ローマ帝国の臣民であり、正教徒、であった。キリスト教がなかった古代ギリシアは彼らの関心外の存在。1900年ぶりに独立した「ギリシア」は古代ギリシアとは別の存在。交通の要衝で人びとの流動性が高い地域でもあった。ただギリシア語は話された続けてきた。断絶でもない。

画蛇添足

▼文化から自由になれるのか―それぞれの土地で人びとはどのような暮らしを営んできたか。どのように生活の糧を得て、どのように食べてきたか。何を大切にしてきたか。それらすべてが文化であり、特に言語にそのありようが刻印されている。▼どの言葉を使うかで世界は違って見える。人は自分が生まれ落ちた文化のフィルターを通してしか世界を見ることはできない。r音とl音は違う音だが、日本語はこれを区別しない。日本語が母語の者には異なる音として聞けない。▼赤ん坊は生まれる時「おぎゃー」と泣かない。初めて吸った空気を吐き出す際に空気が震えているだけ。赤ん坊はまだどの文化も背負っていない。母親が日本語で言葉かけをしていく中で、赤ん坊は日本文化の内側に落ち、母語の枠組みに合わせて構音しはじめる。親になった頃には、赤ん坊の声が「おぎゃー」としか聞こえないようになる。▼日本語は母音が簡素なため比較的習得しやすい言語のひとつ。季節の移ろいを表現する豊穣な語彙を持つ日本語。これを習得すると世界を違った目で見ることができるようになる。言葉（文化）が消える度に世界に対する見方は痩せていく。いま自然の見方が豊かなアイヌ語が消滅の危機にある。▼「文化から自由な人間」は存在しない。電子レンジはずいぶん前から「チン」の音を出さないが私の頭は気づいていない(※)。そもそも文化を介さずに見ることができるありのままの世界は存在しないだろう。それでも自文化だけが正しいと構えず、別の文化からの見方に、なるほどそういう見方もあるのか、と受け取ることができれば世界を見る目は深まる。その時に「人間は文化から自由になれる」(バカロレア2017)かもしれない。

わんクリック　ギリシアの発見―いま「古典古代 (Classical Antiquity)」は「ギリシア・ローマ文明」とほぼ同値。イタリアやフランスなどラテン系諸国でそれは「ローマ文明」のことだった。後発のドイツ (ゲルマン系) はその対抗からローマに先行するギリシア文明を称揚。理想化したギリシア像を作りあげた。いまも私たちはローマ文明をギリシア文明のまがい物とする見方の影響下にある。いずれにせよ西欧の歴史をあたかもギリシア・ローマから始まるように叙述するのは「日本史を中国古代の殷周時代から説き起こすのに等しい暴挙」(森安孝夫(もりやすたかお)『シルクロード世界史』)。きわめて的確な指摘だと思う。

History Literacy　電子レンジの「チン」音―歴史にこういう音をまだ聞いていないか、自己点検したい。

革命の第２波 ー 1830年代の諸革命

①ブルボン復古王政 (1815 ~ 30)　＊1

・ルイ18世 (1814 ~ 24) は新憲法発布 (立憲君主政)
　└ 極端な制限選挙 (有権者0.3%)

・シャルル10世 (1824 ~ 30) の反動政治　＊2
　貴族・聖職者を重用して議会を圧迫、亡命貴族に多額の補償金
　アルジェリア遠征 (1830)
　└ ポリニャック内閣の反動政治
　国民の不満、関心を転嫁し、国内矛盾の解消を図る

②七月革命

・1830年７月、七月勅令発布
　未招集議会の解散、選挙法改悪、言論出版の取り締まり　＊3
　パリ民衆蜂起、市街戦を展開 (「栄光の３日間」)
　└ ドラクロワ『民衆を率いる自由の女神』
　ラファイエットが指揮、ティエール、ギゾーら
　└ 当時73歳　└ 歴史家　└ 歴史家
　国王シャルル10世亡命

・自由主義者ルイ・フィリップを新国王に迎える
　└ ラファイエットは大革命の再現を危惧し、革命収拾を急ぐ

③七月王政 (1830 ~ 48)

・ルイ・フィリップが「フランス国民の国王」として即位　＊4
・政治の実権は銀行家など大ブルジョワジーが掌握　＊5
・七月王政期に産業革命が進行

④七月革命の影響

・ウィーン体制に多大な影響
・ベルギー独立
　オランダから独立 (1830)、立憲王政樹立 (1831)、永世中立国 (1839)
　└ 各国のモデルとなった立憲君主政憲法
・ポーランド独立運動 (1830 ~ 1)　＊6
　ワルシャワ蜂起はロシア軍に鎮圧、ポーランド王国消滅、ロシア併合
・イタリアでマッツィーニの指導下で青年イタリア党組織 (1831)

PROPOS　＊1
　ブルボン復古王政は、立憲王政で革命前の絶対王政と異なる。しかし超重量級 (体重) の国王ルイ18世は「立憲」の意味を「王冠 (王政) の飾り」程度にとらえていた。国王も十分に時代錯誤的だったが、帰国してきた亡命貴族 (エミグレ) たちはさらに輪をかけていた (「王よりも王党的」)。革命勃発と同時に大陸に亡命した彼らは旧体制下の特権を享受していた日々のことを忘れておらず革命からは何も学んでいなかった (「何事も忘れず。何事も学ばず」)(※)。

PROPOS　＊2
「我々は噴火山の上で踊っている」。七月革命前夜、貴族は連日、舞踏会を楽しみ社会には無関心。それを見た貴族の慨嘆(がいたん)。

PROPOS　＊3
　未招集議会を解散する暴挙 (七月勅令) が革命のきっかけ。極端な制限選挙で選ばれた議会ですら反国王派が大勢を占めた。それほど当時の内閣は時代錯誤だった。

PROPOS　＊4
　ルイ・フィリップは七月革命で、国民に推されて王位についたとの認識から、「フランス国王」と称せず「フランス国民の国王」「玉座の上の市民」(自称) と気取った。他方、市民は彼を「株屋王」と皮肉り、風刺画でもっぱら「西洋梨」姿で描いた。

PROPOS　＊5
　七月王政は銀行家 (大資本家) の政権。フランスのように資本が十分でない状態で産業革命を進めようとすれば、資本調達を行う銀行が大きな発言力を持つことになった。代表格がパリ・ロスチャイルド家。

PROPOS　＊6
　ポーランドを離れていたショパンが故国の独立運動が鎮圧された知らせを聞いて作曲したとされるのがピアノ練習曲第12番。後世に『革命』と名付けられた。ぴったりのタイトルたが彼の真意は正確には不明。

画蛇添足

▼フランスの文豪スタンダールの傑作『赤と黒』。副題は１８３０年代記だが、実際は１８２０年代が描かれる。復古王政という反動体制の下、貧しい身分の生まれで立身出世の野心を持つ者に赤衣 (軍人を指す) の道は閉ざされ、黒衣 (聖職者) の道しかなかった。主人公ジュリアン・ソレルの野望。▼ロマン主義は歴史への関心を生んだが、その傾向は同時代史を描こうとする写実主義(リアリズム)へと発展していった。バルザックは『人間喜劇』『谷間の百合』で七月王政下のフランス社会を活写した。▼小説で「戸籍簿に対抗」するとしたバルザック。社会に存在するあらゆる人物・場面を描くことでフランス社会を再現させる壮大な試み『人間喜劇』(彼の死で中断し、90篇の長編・短編からなる小説群として残る) は19世紀フランスの写実主義の代表。これはダンテ『神曲』から着想を得たもの。ゾラの『ルーゴン・マッカール叢書』に影響を与えた。いまでは当たり前の手法だが、読者を小説世界に引き込むため、以前の作品の登場人物を再登場させた。▼悪の描き方に特徴があった。小さい悪が裁かれて巨悪が勝つ社会をそのまま描いた。正義に勝たせる勧善懲悪(かんぜんちょうあく)の物語には仕立てなかった (『ゴリオ爺さん』など)。バルザックが『人間喜劇』で試みたように、すべての人間の営みを詳述し、それを総和していった時、何が見えるか。それは世界で書き残されたあらゆる書物を読破したときに、何が見えるか、と同値の問いかもしれない。▼バルザックはシリーズ全体に「喜劇」とタイトルをつけた。「人生はクローズアップで見れば悲劇、ロングショットで見れば喜劇」とは生涯を喜劇役者として演じ続けたチャップリン。世界史を学び終えた時、あなたはどちらを見るか。

わんクリック　永世中立国。この「中立」概念は戦争が多かったヨーロッパで生まれた概念。戦争のたびに商業が混乱するのを避けるため、あるいは戦争を利用して経済成長を図るために作られた概念。中立国を宣言したからといって戦禍から自動的に免れることができるわけではない。中立国ベルギーは２度までもドイツに中立を無視され、侵略された。その経験から２次大戦後に中立政策を放棄した。ロシアのウクライナ侵攻 (2022) で長く中立政策をとってきたスウェーデン、そしてフィンランドまでもが中立政策を棄し、NATO (北大西洋条約機構) への加盟申請を行った。いま実質的中立国はスイスのみ。

History Literacy　「何事も忘れず。何事も学ばず」— 他人事ではない。「過去はよかった」は陥りやすい偏見。

イギリスの自由主義改革 ―「革命」に匹敵する改革　＊1

①イギリスの現状

- 19 世紀前半、イギリス産業革命の進展

  産業資本家の伸長、労働者の急増

  しかし、議会勢力（貴族・地主）が政治的実権を掌握

- 選挙制度の矛盾

  貴族・地主に有利な腐敗選挙区の存在　＊2

  人口の移動（農村人口の激減、都市人口の急増）

  穀物法（1815）の制定 ― 保護貿易の象徴

  ナポレオン戦争後の大陸の安価な穀物流入を阻止（高関税）

  └ 戦中、大陸の穀物輸入途絶は地主には天恵（てんけい）　└ 戦後も引き続き穀物輸入阻止を図る

  貴族、地主に有利

②宗教の自由主義的改革

- 合同法成立（大ブリテンおよびアイルランド連合王国成立）(1801) が背景

  アイルランド人に対する宗教的差別が深刻に

- 1828 年、審査法廃止

  └「イギリスのアンシャン・レジーム」審査法の廃止で プロテスタント（非国教徒）に公職開放

- 1829 年、カトリック教徒解放令

  └ カトリック教徒にも公職開放

  オコンネルらアイルランド人の努力

③政治の自由主義的改革　＊3

└ 革命でなく改革で社会構造を変革

- 1832 年、第 1 回選挙法改正

  ホイッグ党のグレー内閣

  └ 七月革命の影響で議会改革に熱心なホイッグ党政権成立 (1830)

  選挙法が産業資本家に不利（有権者 3 %）

  七月革命の影響

  ベンサムらの功利主義の影響（「最大多数の最大幸福」）

  └「一人は一人として数えられるべきで一人以上にも、一人以下にも数えられるべきでない」

  腐敗選挙区の廃止、新興都市に 144 議席を再配分

  産業資本家に参政権拡大、しかし労働者は対象外

PROPOS　＊1

17c のイギリスの革命は国王に対して議会の旧来の権利を認めさせて、議会政治（民主主義と無関係）と立憲君主政を生み出した。議会（下院、庶民院）はごく少数の地主の代表。しかも選挙のない上院が優越。この民主的でない議会は不自由を常態化。宗教面での審査法 (1673)、経済面での航海法 (1651) を制定。イギリスの自由主義的改革はようやく 19c になってはじまる。

PROPOS　＊2

選挙区は数世紀前と同じ。産業革命で発展したマンチェスターは 10 万を超えても議員を選出できなかった。人口流出で有権者数人の選挙区もあった。地盤沈下で海に沈んだ文字通りの腐敗選挙区もあった。

PROPOS　＊3

七月革命の影響で 70 年ぶりにホイッグ党が勝利。しかしホイッグ党提案の選挙法改正案は上院が否決。国内は騒然として革命前夜の状況となる。グレー首相は議会外勢力を巧みに利用。暴動を恐れた上院から譲歩を引き出し、他国で革命に匹敵するものを改革でなした。この改革で議会は信頼を獲得。この後、世論の代表として議会が様々な改革を進めていけるようになった。改正を機にホイッグ党は自由党（産業資本家中心）、トーリー党は保守党（地主中心）となる。この卓越した政治家名は紅茶の名、アールグレイ（グレイ伯爵）として残る。

PROPOS　＊次ページ

なぜ自由貿易なのかを説得的に示したのが古典派経済学者リカードの比較生産費の理論（『政治経済』で学ぶ）。重商主義で世界商業の覇権を握ったイギリスは、そのために自分が使ったハシゴを外して、他国は使えないように、覇権確立後は世界に自由貿易を求めた。先行国イギリスに圧倒的に有利な説。ルールを作るものが断然有利になるのが近代社会。社会がその上で回るというプラットフォームを作ったものが使用料、手数料で儲かる仕組みになっている。

画蛇添足

▼功利主義を象徴する「最大多数の最大幸福」（ベンサム）。この時代の最大多数は貧困層。この言葉が普通選挙制の実現を後押しした。ある思想にはそれが出てきた時代背景がある。これは豊かな者が少数で貧しい者が多数だった時代に有効だった政治哲学。▼国全体が豊かになったのに果実の分配に一部しか与（あずか）れなかった時代を変えた思想。逆に豊かな者が多数で貧困層が少数の社会だとこの言葉は弱者切り捨てを正当化する理論となる。歴史上のある言葉を文脈から切り離して使う（脱歴史文脈化）のが歴史の濫用（※）。▼utility の訳語が「功利」。「功名と利得」（『荘子』）の略。有用主義ぐらいの訳の方がよい。これまでとは発想が真逆の倫理。従来の政策決定にあたってはまず「正義とは何か」の議論からはじめられた。功利主義は結果的に多数者に有用な政策ならば「正義にかなっている」と正義を後付けする発想。▼功利は打算、利己主義と誤解されがちだが実際は利他主義。これまで様々な問題を解決してきた。人間は快楽を求めて苦痛を避けるという単純な人間観に立脚。有用性を数値化して最大値を正義とする考え方は下品な「豚の道徳」とみなされた（当時は豚への偏見があった）。ある政策決定のためにかかるコスト、それによる受益者の便益、損益者のダメージ、これらの要素を方程式に入れて最適値を求める手法。▼それゆえ功利主義は原理的に少数者に犠牲を強いる。それをやむを得ないと正当化する論理になりがち。誰かの犠牲を「より大きな善のためにやむを得なかった犠牲」と正当化する為政者の弁解に使われやすい。少しぐらいの犠牲はやむを得ない、と考えるのが正義を後付けする最大の問題点であり続けている。

わんクリック　全体の中では圧倒的少数だとしてもワクチンの副反応で命を失う人はいる。それでもワクチン接種を進めれば社会全体のためになる、と少数事例に目をつぶってワクチン接種を進めていく施策が功利主義的発想。打つ、打たないの選択が実質的に保障されているならば許容するしかないか。またトリアージ（緊急時の医療の優先順位）の指針として、できるだけ多くの人を救う、大きく年が離れている二人なら生存年数最大化原則で若者、も功利主義的発想。緊急避難だとしても、こういった少数者の犠牲は受け入れたくない。全体のためという理由で個人の犠牲を求めない倫理の探究が課題。

History Literacy　歴史上のある言葉を文脈から切り離して使う（脱歴史文脈化）のが歴史の濫用。

④経済の自由主義的改革 ― 奴隷貿易、奴隷制廃止運動も　＊前ページ

・イギリスで奴隷貿易廃止 (1807)　＊1

└ ウィルバーフォースらによる奴隷制度廃止運動の中で奴隷貿易廃止　＊2

→イギリスは各国に圧力

→オランダ、フランス、ポルトガル、スペイン、ブラジル (1830) 廃止

→密貿易横行、奴隷制廃止が課題に

└ イギリス海軍が各地で監視、奴隷密貿易船拿捕

・東インド会社の貿易独占権廃止

1813 年、対インド貿易独占権廃止

1833 年、対中国貿易独占権廃止

・1833 年、奴隷制廃止　＊3

└ 選挙法改正 (1832) と並ぶホイッグ党内閣の改革

英領ジャマイカなどの奴隷が解放される

└ 以後、インドから多数の年季契約労働者を受け入れ

・1846 年、穀物法廃止 ― 地主と産業資本家の力関係の逆転　＊4

└ 当時の保護貿易体制の象徴的法律、地主の利害を代弁

保守党ピール内閣時　＊5

産業資本家、労働者がともに撤廃運動推進

└ 海外からの安い食料の輸入で、労働者の賃金を低く抑えると産業資本家の利害に一致

コブデン、ブライトらが反穀物法同盟結成

└ ともにマンチェスターの産業資本家　└ 世界最初のビジネスマンの圧力団体

・1849 年、航海法廃止

自由貿易体制成立を意味

PROPOS　＊1

奴隷貿易が盛んになるとその残酷さも知られるようになり、18c 後半からイギリス国内で人道主義的立場から奴隷制廃止運動がすすめられた。またフランス革命の影響で起こったサン・ドマングでの大規模な奴隷反乱 (1791) も追い風になった。イギリスがやめても他国がシェアを奪うだけという批判があったが、イギリスは他国に外交的、軍事的圧力をかけて廃止を迫った。

PROPOS　＊2

女性が中止になって砂糖不買運動が起こる。「イギリスの住民の 10 分の 1 が砂糖消費をやめたならば、80 万人の抑圧された人びとが自由になれる」と呼びかけられた。「消費は投票行動」という。私たちは消費を通じて社会とかかわっている。

PROPOS　＊3

公式に廃止されても需要がある限り密貿易にとって代わられる (むしろ、より利幅が大きいため盛んになる)。カリブ海では仏領ハイチ独立 (1804)、英領ジャマイカでの奴隷反乱 (1831) を契機にしたイギリスの奴隷制廃止 (1833) で、カリブ海の砂糖生産地はキューバ島に移った。ブラジルは砂糖栽培はカリブ海域に譲ったが、引き続いて金・ダイヤモンド採掘、コーヒー園、ゴム園の労働力として奴隷を必要とした。

PROPOS　＊4

地主は高い穀物価格を、産業資本家は安い価格を望む。安くなれば労働者の食費が安くなり賃金を抑えられる。また労働者の可処分所得が増えることは商品市場の拡大を意味。これ以降、工業化社会で農業製品の価格は低く抑えられる方向で推移する。

PROPOS　＊5

穀物法の廃止は保守党ピール内閣の判断。彼は保守党の方針に逆らい、党益より国益を優先。反穀物法同盟は世界最初の圧力団体とされる (ロビー活動)。いま日本がコメの輸入を完全自由化するような決断。

画蛇添足

▼かつて海賊船が出没、そして「移動する監獄」「墓場船」とされたすし詰め状態の奴隷船が往来したカリブ海。いまここを廻るのは豪華な船内で寛ぐ旅行者をのせた大型クルーズ船。観光は典型的平和産業。カリブ海が平和な海になった象徴。▼18世紀に奴隷貿易の最大の受益国だったイギリス。19世紀になると奴隷制廃止の先頭に立つ。奴隷貿易で蓄積した資本を元手に産業革命を起こし産業資本主義を発展させたイギリス（ウィリアムズテーゼ）。奴隷制が資本主義発展を阻害することを危惧した。奴隷は消費者になれず市場を形成しない。▼19世紀後半には未開の国の文明化が使命と奴隷制禁止もアフリカ植民地化の理由に組み込んでいった。奴隷制が終わって植民地支配がはじまる。人を隷属的に支配することは終わっていない。今も世界各地で貧しい人々が豊かな国に非合法に送り出される。▼出入国を仲介するブローカーに前借金を背負った人々が過酷な労働、女性の場合は性的労働で搾取され続ける。いまかつての奴隷と似た境遇に置かれている人は数千万単位で存在すると見積もられ、奴隷制が廃止された現代ほど奴隷制がはびこる時代はないとされる。▼平和の楽園に映るカリブ海。この海は出所の怪しい汚いお金も引き寄せている（マネーロンダリング）。イギリスの海外領土ケイマン諸島。かつては小さすぎてプランテーションに使えないとスペインに無視され、イギリスが海賊の出撃基地として使った島々。いまは租税回避地として有名。租税回避はグレーゾーン行為。法の抜け穴に手をだせば「まともな国」とみなされず国際信用を失う。他に振興策のない小国のいわば島おこし策だが、顧客は「まともな国」の政財界のお歴々。

わんクリック　奴隷船は 25m 程の小型船。中間航路を最短 (2 カ月) で航海するのに適した。商品としての奴隷。鎖で繋がれ身動きできない狭さに詰め込まれた。商品の「欠損率」(死亡率) を下げるために定期的に甲板上で踊らされた (奴隷ダンス)。「移動する監獄」「墓場船」という状況をスティーブン・スピルバーグ監督『アミスタッド』(1997) が再現。密貿易船アミスタッド号での奴隷反乱 (1839) を描いた。当初、奴隷貿易を禁止して奴隷供給を断っても奴隷制度は消滅しなかった。需要がある限り密貿易で奴隷は供給され続け、「自由意志」に基づいた「契約」による年季契約労働にとって変わられた。

History Literacy　「奴隷制廃止」は奴隷制の「非合法化」(行為は続く) のこと―歴史用語は言葉を補って読む。

労働運動と社会主義

①労働運動の発生

- 労働の単純労働化

　→女性、子どもの長時間労働

　ラダイト運動（機械打ちこわし運動）― 初期の労働運動

　└ 機械と女性、子どもに職を奪われた職人（男性）たち

　→工場法で子どもの雇用と長時間労働の禁止

　　数次にわたり制定、ロバート・オーウェンの提唱（1819年、工場法など）

　　└ 労働市場から女性、子どもを排除する側面もある　（※）

- チャーチスト運動（1837～48）（英）

　『人民憲章』に男性普通選挙権などを掲げて請願運動

　└ 第1回選挙法改正で選挙権与えられず

②社会主義思想の誕生

- ロバート・オーウェン（1771～1858）（英）　＊1 ＊2

　ニューラナーク紡績工場経営、労働者の待遇改善、幼稚園設置

　北米で共産社会（ニューハーモニー）建設も失敗

　「社会主義（socialism）」という言葉を使用

　└ 生産手段の共有をめざす運動

　サン・シモン、フーリエ（仏）など

　└ アメリカ独立戦争参加、のちのナポレオン3世は「馬上のサン・シモン」

- プルードン（仏）　＊3

　「財産とは何か。盗みである」と無政府主義を主張

PROPOS　＊1

残した言葉でなく生きた人生により記憶されるロバート・オーウェン。産業革命で人々の生活が追い詰められた時代。婿養子として経営したラナーク紡績工場。幼少の子どもの工場労働を止めさせ、学校を工場に併設。最初の幼児教育。アメリカに自給自足を原則とした私有財産のない共同生活村（ニューハーモニー村）を資産を投入して創設。失敗したが87年の人生を理想社会の実現と労働者の権利向上に捧げた。

PROPOS　＊2

エンゲルス『空想より科学へ』はオーウェンが唱えた社会主義を「空想」と批判。彼のような善意を前提に社会設計することを空想的とした。社会構造そのもの変革をめざす人々にとり、こういういわば事故（善意の人の出現）で事態が局所的、短期的に改善するのは好ましくない。全体的、長期的にみればむしろ資本主義の延命につながってしまう。エンゲルスの批判は妥当。オーウェンのような経営者は例外。しかし行動の人オーウェンは現実に様々な実践をした。その点では実現可能性のない「能力に応じて働き、必要に応じて受け取る」共産主義社会を掲げたエンゲルスの方が空想的と呼ばれるべきかもしれない。両者ともに労働者の救済のために人生を捧げて、現実の悲惨に対する処方箋を書こうとした。

PROPOS　＊3

労働者が労働の対価の一部を資本家に盗まれ正当に受け取っていない。国家がこれらの窃盗を正当化する装置となっている（「財産とは何か。盗みである」）。プルードンは第一インターナショナルでマルクスらと対立して敗れた。マルクスはプルードンに「国家の廃止を唱える無政府主義者（アナーキスト）」のレッテルを張って排除。アナーキズムが暴力の跋扈する無秩序状態であるかのようなイメージ操作をした。いまもこれがアナーキズムの通俗的理解となっている。結果的にスターリンにより巨大な政府による国家社会主義が築かれた。

画蛇添足

▼私たちは皆で共有できる「大きな物語」（リオタール）を喪失した「いま・ここ」を生きている。大きな物語がないために「いまがいつでここがどこなのか」が分からず将来が見通せない。「私たちはどこからきてどこに向かうのか」（ゴーギャン）が問えない時代を生きている。▼かつてマルクスは英国博物館図書室に通い詰め、過去を徹底的に分析。「歴史の流れ」を見いだした。すべては起こるべくして起こっている、と歴史に必然をその延長線上にあるべき未来を予言した。▼これまでの歴史を生産関係と生産力の矛盾によって生じた階級闘争と説明。社会は弁証法的に発展（進歩）すると説明（唯物史観）。自らの唯物史観を科学として聖別。他の思想を体制擁護のための根拠のない主張「イデオロギー」と批判。悲惨な状況にある労働者階級が団結して階級闘争（革命）すれば共産主義社会へ移行できる、とした現状改革の処方箋は人々の行動指針となった。▼『資本論』の圧倒的な分析力、筆力。マルクスの桁外れの知性に当時の知識人は圧倒された。ソ連崩壊で唯物史観もまたイデオロギーだったとされるまでこの「大きな物語」を多くの人が信じ、実現のために命を捧げた。▼『資本論』刊行がなければ分析通りに推移しただろう。この書物自体が歴史を動かした。この説得力ある物語を成就させないために資本主義陣営は労働者の地位向上をはかった。選挙権拡大など民主主義も進展した。惨めになる一方だったはずの労働者が中産階級を形成した。失うものを持った中産階級は失うことを恐れ、共産主義に距離を置くようになる。満腹の人を動かす思想は存在しない。しかし格差社会の進行により、再び『資本論』が読み返されている。

わんクリック　世界史教科書は「選ばれたもの」を叙述する。そのため「他のあり方もあった」ことが見えなくなり、多分に偶然の産物である「いま・ここ・わたし」を絶対視しがちになる。社会主義も、国家社会主義的なマルクス主義でなく、プルードンが構想したような助け合いの組織が水平に連帯していく形での実現もありえたかもしれない。いまSNSの発達で、権力をとらなくとも（しかるべきポストに就かなくとも）社会を変えることが可能になってきている。権力によらず秩序を作ろうとするアナーキズムが再び見直されている。かつて国家がなくても人々が平和裏に生きた時代や場所もあった。

History Literacy　出来事は複数の観点から見る（工場法は、福祉的観点だけでなくジェンダー的観点を加味すれば意味が違ってくる）。

③科学的社会主義

・「科学的社会主義」と空想的社会主義から区別

└ オーウェンらの社会主義を「空想的社会主義」として区別 (『空想から科学へ』)

カール・マルクス (独) とエンゲルス (独)

唯物史観の立場から共産主義社会実現の道筋を説く

└ 労働者による武力蜂起を歴史的必然と是認

共著『共産党宣言』(1848)

「一つの妖怪がヨーロッパを歩き回っている。共産主義という妖怪が」

結句「万国の労働者よ、団結せよ」

共著『資本論』(1867) — 世界を変えた本

└ マルクスは 第 1 巻刊行後で死去、エンゲルスが第 2、3 巻を完成

資本主義の構造を「科学的」に分析

労働者は第 1 インターナショナルを結成 (1867)　＊1

革命の第 3 波 − 1848 年の諸革命

①七月王政への不満

・一部の大ブルジョワジーが政治の実権を掌握

・産業資本家、労働者階級の不満、参政権を要求

└ 七月王政期に産業革命の進行で成長

・外交政策の失敗 (エジプト事件で国際的孤立)

・1846 年の凶作、1847 年の経済恐慌 による社会不安、生活苦

└ 特にアイルランドのジャガイモ飢饉

②二月革命

・1848 年 2 月、ギゾー内閣が「改革宴会」弾圧

└ 歴史家　└ 選挙法改正のための集会　＊2

・パリ労働者が市街戦を展開、国王はイギリス亡命

└ パリで再び市街戦、今回は労働者が中心のバリケード戦　＊3

③臨時政府 (1848.2. ~ 4.) 樹立

・産業資本家と労働者の連立政権　＊4 ＊5

└ 史上初めて労働者が政権に参加

ラマルティーヌ (産業資本家を代表) やルイ・ブラン (労働者を代表)

失業者救済のため国立工場設置、男子普通選挙実施

PROPOS　＊1

National を重視する右派に対して左派は International を重視。国内だけで労働者が戦っても資本家には勝てない。国家の枠を超えて団結することで資本家に初めて対等に向かいあえる。International は近代における世界最初の国際組織で固有名詞。後に「国際的」という一般形容詞になる。

PROPOS　＊2

七月王政は金融資本家の政権。歴史家 (『ヨーロッパ文明史』) のギゾー首相は、ルイ・フィリップから「わが代弁者」とされる信頼を得ていた。選挙権の拡大を求める声に「働き、節約したまえ、そして金持ちになれば有権者になれる」。反対派は集会が禁止されたので「宴会」と称して集まり、乾杯に際して政治的演説を行った。集会は禁止だが公園で遊ぶのは構わない、と新聞が国民を煽ったことが日比谷焼打ち事件 (1905) につながったことを想起させる。

PROPOS　＊3

街路が狭かったので一夜でパリ中にバリケードが築かれた。歴史的な石畳みだったので石が剥がされ、馬車は横倒しされ、家屋の上階の窓から家具が投げ落とされた。

PROPOS　＊4

革命で血を流すのは民衆だが、できた政権を担ったのはブルジョワジー。大革命と七月革命で革命の果実を横取りされた民衆。今回は労働者として臨時政府に加わる。

PROPOS　＊5

ブルジョワジーの象徴である三色旗と労働者の象徴である赤旗。臨時政府成立後、激しい国旗論争があった。労働者は流血を象徴する赤旗を国旗とするように主張。ブルジョワジー代表のラ・マルティーヌは血の色の旗を拒絶した。結局、三色旗に小さな赤い布きれをつけることで妥協。翻った旗にそれぞれが見たい旗色だけを見た。玉虫色(たまむしいろ)の決着。日韓基本条約 (1965) の「(併合条約は) もはや無効」表現に匹敵する。

画蛇添足

▼図を描きながら読んでほしい。「ああでもない、こうでもない」と考える場面。平面上に円を描いて、手前にA点を置く。これが最初に考えたこと。いや違うと思って反対側の考えにたどり着く。これがB点。考え直してやっぱりAか、いやBだ、と鉛筆が同じ円周上を巡(めぐ)るのが堂々巡り。▼次に円錐(えんすい)上で角度をつけて鉛筆を走らせて考えたい。底面の手前がA点、反対側の少し高いところがB点。次に戻ってきた元のA点より少し高い地点にA'と打点。上からみれば堂々巡りにみえて円は頂点に向かって縮小しつつある。この時のAを正(テーゼ)、Bを反(アンチテーゼ)、A'を合(ジンテーゼ)という。▼AがBの意見を加味してA'へ高まることを止揚(しよう)(アウフヘーベン)という。このように物事は螺旋(らせん)状に発展するとして弁証法(べんしょうほう)的発展と名付けられた(ヘーゲル)。歴史は直線的に進まない。近代フランス史の政体の変遷。旧体制を打倒後、共和政に落ち着くまで80年近くかかった。螺旋的に発展するとはその過程で反動・復古に見えることが起こるということ(※)。▼対話(ダイアローグ)が新しい高みに私たちを連れていくという発想はソクラテスの問答法(ディアレクティケー)に由来。相手の矛盾や無知を指摘することで相手に気づかせる助産術。明治期に弁証法(ダイアレクティック)と訳された。▼社会体制を弁証法的に発展させていく原動力を、生産関係と生産力の矛盾にみたのがマルクス(唯物論的弁証法)。温室(生産関係)に守られて成長する樹木(生産力)。そこで樹木は成長するが、どこかで温室の存在がそれ以上の成長の阻害要因になる。樹木はその温室を突き壊し、新しく別のもっと大きな温室に作り変える。その既存の生産関係を作り変える暴力は必要と是認された。円錐の頂点にあるとして想定されたのが共産主義体制だった。

わんクリック　資本主義勃興期に労働者がどれほどひどい境遇に置かれたか。寿命も 30 歳に届かなかった。その状況を解決する手だてを学問的に模索したのがマルクス。しかしマルクスがその道筋を科学的と称したことが、科学への信頼があった時代に大きな悲劇を生んだ。「科学」の定義は科学史家カール・ポパーの、反証可能性を持つ命題が科学、という定義が一般的。反証可能性とは端的に言えば「あとでひっくり返される可能性がある」ということ。マルクスの「すべての歴史は階級闘争の歴史である」という命題には反証の方法がない。これをポパーは科学でない例としてとりあげている。

History Literacy　「国王」もかつては個人だったが、次第に国家機関へと変化 (「国王」の名の下で一群の人々が権力を行使)。

④第二共和政 (1848 ~ 52)

・4月総選挙 (男子普通選挙) で労働者は大敗　＊1

└ 保守的な農村部に選挙権拡大

労働者のための政策に反対する保守的な農民が資本家を支持

└ フランス人口の多数

→国立工場閉鎖で労働者が蜂起 (六月蜂起) するが鎮圧される (6月)

└ ヨーロッパ政局転換のきっかけ

・第二共和政憲法制定 (1848.11.)

ルイ・ナポレオンが大統領に当選

⑤第二帝政 (1852 ~ 70)

└ 最後の将軍徳川慶喜は近代化のモデルをナポレオン3世に求める

・1851年、ルイ・ナポレオンはクーデタで議会解散

・1852年、国民投票で皇帝に即位 (ナポレオン3世)(第二帝政)

二月革命の影響

①ドイツ三月革命

・1848年3月、オーストリアの首都ウィーンで革命

メッテルニヒ失脚し、イギリスへ亡命　＊2

・1848年3月、プロイセンの首都ベルリンで革命　＊3

プロイセン王は欽定憲法の制定を約束 (のち破棄)

②ドイツ統一の機運　＊4

・1848年5月、フランクフルト国民会議開催

ドイツ統一と憲法制定のため各領邦の代表が集まるが統一方法で対立

大ドイツ主義

オーストリアのドイツ人 (約1000万人) を含む統一　＊5

└ 多民族国家オーストリアの分裂を前提とするのでオーストリアは拒否

小ドイツ主義

オーストリアのドイツ人を除外する統一

└ オーストリア抜きの統一となるのでオーストリアは拒否

議会は小ドイツ主義を採択し、プロイセン王に帝位受諾を要請

→プロイセン王は下からの帝位受諾を拒否、議会は解散

└「豚の王冠」「犬の首輪」として受諾拒否 (注:豚に対する当時の偏見)

PROPOS　＊1

『共産党宣言』に呼応するように発表されたのがクールベの『石割り』(1850)。二人の労働者が石を割っている姿が描かれた。「彼らの顔は見えない」「苦役、貧しさ、単調な労働が無感動に描かれる」(和田章男『フランス表象文化史』)。はじめてキャンバスに登場した労働者。ロマン主義の終わり、写実主義の幕開け。労働者が新たなプレイヤーとして歴史に登場した。

PROPOS　＊2

「フランスさえしっかりしていればまだ当分は大丈夫」としていたメッテルニヒは二月革命の報告をきいて「万事休す」と叫んだという。ウィーンの学生、労働者、市民はメッテルニヒの罷免を要求。メッテルニヒは弾圧を要求したが弱気の皇帝は革命派との妥協をさぐった。39年間首相の座にあったメッテルニヒだが翌日、変装してロンドンに亡命。ウィーン体制は崩壊。

PROPOS　＊3

二月革命がすぐに各地に伝わった背景にモールスの電信の発明がある (1837)。この頃、伝書バトにかわって実用化していた。

PROPOS　＊4

フランクフルト国民議会に参加したメンバーにグリム兄弟がいる。『白雪姫』や『赤ずきん』などの童話を書いた最大のねらいはドイツ各地に残る民話や伝説を収集し、その中に脈打つドイツ民族の魂をよびさまし、フランスに対抗できるドイツ人の民族としての自覚と誇りを促すことにあった。

PROPOS　＊5

地方ごとに地方言語が使われていたフランスは国民軍を創設する必要から国語 (フランス語) への統一を急いだ。それに比べて、ドイツ語話者の広がりがあったが政治的統一がなかったのがドイツ。多民族国家オーストリアの過半でもドイツ語が話されており、ドイツ語を話す地域をドイツ (大ドイツ主義) とできないから厄介だった。

画蛇添足

▼権力者の深謀遠慮、老獪さ。権力維持の手段として利用できるものは何でも利用する。労働者の失業対策と称した国立工場の設置。ルイ・ブランの原案を骨抜きにして、失業者を集め、あるかなしかの作業の手間賃をばらまいた。▼社会主義者の人気を失墜させるのがねらいで失敗を見越した事業。賃金をもらうために集まってくる労働者に農民は不快感を持ち、両者の間に溝が作られた。普通選挙はフランスで簡単に実現。支配者層はこれが権力の正当化に利用できると考えた。▼大革命で土地を得た自作農民が多数を占めるフランス。農民は労働者の間に広がった社会主義思想が自分たちの土地喪失を意味すると分かっていた。普通選挙による4月総選挙は農民の支持を得たブルジョワジーが圧勝。▼女性を含まない・制限選挙だが、当時の価値観でこれは普通選挙。ここでは男子に限定された選挙を「普通選挙」と呼んだ事実を違和感とともに記憶したい。フランスでは2次大戦後まで女性に選挙権は与えられなかった。▼「普通」もまた何でも包み込んでしまう風呂敷用語。普通という言葉に出会ったら、それは私たちが考える「普通」とは違う、と考えたい(※)。私たちは普通選挙、国民投票で決まったなら民主的手続きを踏んでいると錯覚しがち。投票以前に、今でも自由に立候補できない、選択肢のない選挙 (そもそも選挙と言えない) は多い。▼信任投票もその一つ。抵抗して不信任票を投じても、これは信任のための投票、と不信任票を無効票にする国もある。反対票を投じたのが誰か一目瞭然な投票—賛成と反対で別の投票箱が用意される国民投票もある。ただ不正が問題のない普通選挙もある。より行われるのは投票時でなく開票時。

わんクリック　何も恐れることなく自由な意思表示ができる秘密投票でなければ投票と呼べない。実現したのは19c後半からでそれまでは公開投票。ギリシア・ローマは発声による投票。モンテスキューはローマ共和政は秘密投票導入で没落したと指摘(『法の精神』)。「自分は何者でこういう理由で誰それに投票する」として投票するのが自由人にふさわしいとされたが、投票が命がけの国でそのようなことはできない。不正開票をするのに投票だけは律儀に実施する国 (ロシア、ベラルーシなど) もある。名目上でも正統性を確保する必要があるため、また実際の政権支持率を知っておくためとも言われる。

History Literacy　何かを「普通」、他を逸脱 (異常) とみるイデオロギーが「普通」—時代ごとに指示内容も異なる。

③「諸国民の春」とその失敗

a. オーストリア支配下の民族運動

・1848 年、ハンガリー独立運動失敗　＊1
マジャール人の指導者コッシュート

・1848 年、ベーメン自治運動
いずれもオーストリアにより鎮圧

b. イタリア　＊2

・1849 年、サルディニア王国がオーストリアに開戦し、敗北
└ ラデツキー将軍に敗北、ヨハン・シュトラウス『ラデツキー行進曲』

・1849 年、ローマ共和国建国
青年イタリア党（マッツィーニ）が建国、フランス軍が鎮圧

c. そのほか

・1848 年、イギリスでチャーチスト運動が最高潮に

・1848 年、『共産党宣言』の出版

時代の転換 — 1848 年の意義　＊3

・ブルジョワジーが勝利し、自由主義が体制側の思想となる
ブルジョワジーが求める自由主義は確立
└ 産業革命進展で、ブルジョワジーという言葉の指示内容が商工業者から産業資本家へ変化
→自由主義に代わって社会主義が反体制側の思想に

・階級対立の激化
産業資本家と労働者の階級対立が表面化
ナショナリズム運動の挫折
ナショナリズムの実現が新たな課題に

PROPOS　＊1

ハンガリー（マジャール人中心）はオーストリア帝国内でドイツ人に次ぐ民族。コッシュートが中心になり独立運動を主導。しかしそのハンガリー国内に多くの異民族（クロアティア人、スロバキア人など）を抱え、マジャール人中心の改革は反発を生む。オーストリアはクロアティア人を使うなどハンガリー国内の民族間の対立を利用して革命を抑え込んだ。コッシュートは亡命。晩年、発明直後の蓄音機に自分の思いを録音。肉声を録音に残した最初の一人。

PROPOS　＊2

ナショナリズム運動は、国内が分裂しているドイツとイタリアでは統一運動の形をとった。両国統一の妨げはともにオーストリアの存在。ドイツでは多民族国家オーストリアが統一問題を複雑にした（大ドイツ主義と小ドイツ主義の対立を生む）。イタリアではウィーン会議でロンバルディアとヴェネツィアがオーストリア領になったことが統一の障壁となった。結果的に両国ともオーストリアを除外することで統一を進めた。ウィーン体制下にあって、当初の下からの統一運動は成功せず、ドイツはプロイセン王国、イタリアはサルディニア王国を主体とする上からの統一になった。

PROPOS　＊3

２月のマルクス、エンゲルスの『共産党宣言』発表から始まった 1848 年 。数日後にパリで革命勃発（二月革命）。翌３月に革命はウィーンに飛び火（三月革命）。メッテルニヒ亡命でウィーン体制が崩壊。プロイセン王国でも皇帝が憲法制定を約束。4 月のチャーティスト集会が最高潮に達し、5 月フランクフルト国民議会でドイツ統一機運が高まる。しかし革命機運は初夏のここが頂点。フランス労働者の６月蜂起失敗を契機に革命機運は退潮。暗転の象徴が 8 月にオーストリアで発表された『ラデツキー行進曲』。イタリア独立運動を鎮圧したラデツキー将軍を称えた曲。革命を抑え込んだオーストリアにとり特別な曲。

画蛇添足

▼二月革命の影響で起こった革命、ナショナリズム運動の多くは失敗に終わった。1848年まではブルジョワジーが革命勢力であり、フランス革命で生まれた自由主義を実現するため、抵抗勢力である封建勢力と対決。戦いを進めるのにブルジョワジーは民衆と提携した。▼しかし勝利が見えてくるとブルジョワジーは守りの姿勢に転じた。この間、各国で産業革命が進展。当初は市民（商工業者）を意味したブルジョワジーは産業資本家を意味するようになる。民衆の中では労働者が明確な階級を形成しはじめた。ブルジョワジーの敵はもはや力を失った封建勢力ではなく、労働者階級である構図が明白になってきた。▼例えば「所有」という観念。ブルジョワジーはフランス革命以来、私的所有権の不可侵を確立するために戦ってきた。しかし労働者の間で広がった社会（共産）主義思想は、私的所有権の否定を中核に据える。「共産主義という妖怪」をブルジョワジーは恐れはじめた。▼その結果、急速にブルジョワジーは労働者階級の台頭の前に保守化。これまでの敵対勢力だった封建勢力に歩み寄ることになった。この年の春先に起こった「諸国民の春」と呼ばれる動き。当初はブルジョワジーと民衆の連帯があって成功するかに見えたが、フランスの六月蜂起をきっかけにブルジョワジーは一気に保守化。両者の協力関係は終わり、革命が退潮していくきっかけとなった。▼こうしてヨーロッパ政局は右旋回。革命勢力が優勢だったのは5月頃の初夏まで。「諸国民の春」は文字通り「春」の間だけしか続かなかった。昨日の敵が新しい共通の敵を前に今日の味方となっていくことは繰り返されてきた。また繰り返されていくのだろう。

わんクリック　「六月蜂起 (Journées de Juin)」の失敗が時代の転換点となった。直訳すれば「六月の数日間」。教師になった頃、世界史教科書は「六月暴動」としていた。その頃、テストで「六月蜂起」と書いた答案には×をつけて「正確に覚えないと入試で失敗する」と指導する駄目な教師だった。その後の改訂で教科書は、暴動 (riot) から蜂起 (uprising) へと事件の評価を「六月蜂起」に格上げ。戸惑ったことを覚えている (皆さんは基本的にどちらを使ってもよい)。カミュの代表作 L'Étranger。日本で『異邦人』訳が定着している。入試で『レトランジェ』と書けば、採点者次第だが×にされるだろう (※)。

History Literacy　それが当該社会でどう理解されているかが問われる入試—社会への入会儀式の側面が拭えない。

第 15 章　産業資本主義の発展と帝国主義

1　欧米世界の秩序再編

クリミア戦争と東方問題

①東方問題 ─「瀕死の重病人トルコ」　＊1 ＊2

- 19 世紀にオスマン帝国領で起こった国際問題
- 領内のバルカン半島 (スラヴ系の諸民族が中心) にナショナリズム波及
- この地域に利害関係を持つ列強が干渉
  ロシアは不凍港、穀物の販路確保のため南下推進
  └ エカチェリーナ 2 世の時、クリミア半島奪う
  イギリスはインドとの連絡路確保、フランスは中東へ進出

②ギリシア独立戦争 (1821 ~ 9)

- 構図　ギリシア・イギリス・フランス　vs　オスマン帝国・エジプト
  エジプト総督ムハンマド・アリーのオスマン帝国支援　＊3
- 結果　アドリアノープル条約 (1829)
  ギリシア独立
  黒海、ボスフォラス・ダーダネルス両海峡自由通行権
- ウィーン体制動揺　＊4
  英、仏、露がギリシアの独立 (ギリシアのナショナリズム) を支援して実現
  └ 各地のナショナリズムを押さえ込む側 (ウィーン体制) の中心となる 3 カ国

③第 1 次エジプト事件 (1831 ~ 3)
└ エジプトは独立に失敗したのでエジプト事件と事件扱い

- ムハンマド・アリーはエジプトの独立とシリアへの領土拡張を要求
  └ オスマン帝国支配 (1517) 前の旧マムルーク朝領土を要求
- 構図　エジプト・イギリス・フランス　vs　オスマン帝国・ロシア
  ロシアがオスマン帝国支援へ
- 結果　ムハンマド・アリーはエジプト・シリアの終身支配権 (総督) 獲得
  ロシアはオスマン帝国とウンキャル・スケレッシ密約 (1833)　＊5
  ロシアはダーダネルス・ボスフォラス海峡独占航行権獲得

PROPOS　＊1
歴史用語は「それは誰の視線から見た言葉なのか」の観点を意識したい。「東方問題 (Eastern question)」(19c) はあからさまなイギリス目線。同じ場所での緊張が 20c には「バルカン問題」と名と性格を変わる。

PROPOS　＊2
オスマン帝国 (1299 ~ 1922) の領土面での最盛期は 16c。1699 年のカルロヴィッツ条約でハンガリーを喪失してから領土縮小が始まる。19c にロシア皇帝ニコライ 1 世は帝国を「瀕死の重病人」と呼んだ。

PROPOS　＊3
当時のエジプトはアルバニア人のムハンマド・アリーのもとで事実上独立状態。アリーはナポレオンのエジプト遠征の後でエジプトを治めた実力者。オスマン帝国もその地位を追認。世襲制で独立性の高い総督になった。アリーはフランスの影響下にエジプト近代化を推進。近代的陸海軍を組織、大規模な灌漑で農地拡大、綿花の作付けを農民に強制し、富国強兵を図った。

PROPOS　＊4
ウィーン体制下で「ヨーロッパの憲兵」の役回りを演じたロシア。専制体制のロシアは野蛮の標本のようにみなされ「北方の熊」と評された。一方、この熊が狙うオスマン帝国 (トルコ) は文字通り「七面鳥 (ターキー)」。熊は七面鳥を脅したり、取引したり (ウンキャル・スケレッシ密約) したがうまくいかず、最後は食ってかかろうとした (クリミア戦争、露土戦争) が、鯨(くじら)と評されたイギリスがオスマン帝国保全策にまわったため意のままにならなかった。熊はその剛腕にもかかわらず、体内に巣食う病弊(びょうへい) (専制政治による後進性) のため勝てなかった。

PROPOS　＊5
ロシアはオスマン帝国と相互援助条約を結んだ。そこでの密約で有事の際はロシアの要請でロシア軍艦以外の外国軍艦に対して両海峡を封鎖できることになった。

画蛇添足

▼過去の長く続いた出来事は最後の方が現在に近いから、その印象で全体を記憶しがち。87歳で崩御した昭和天皇は晩年の姿でイメージしがちだが彼は25歳で即位、激動の戦前期を30代の青年天皇として事に当たった。500年続いたオスマン帝国。かつて日本では「オスマン・トルコ」と呼ばれてきた。▼「オスマン帝国」と呼ばれるようになったのは比較的最近のこと。この国は「「何人の国」でもなかった」「ムスリムと非ムスリムからなる被征服民を、民族にとらわれないムスリムのエリート支配層が治める国家」だった (林佳世子『オスマン帝国500年の平和』)。支配者階級、つまり官僚も軍隊(イェニチェリ)もトルコ人に限定されなかった。しかし今から1世紀前にこの国が滅んだ時の姿が「オスマントルコ」で、その印象に引きずられた。▼民族意識が大きな意味を持たなかったオスマン帝国内にも19世紀になるとナショナリズムが波及。ギリシア人に続き、北アフリカのアラブ人、バルカン半島のスラヴ系住民の間でナショナリズムが高まる。その対抗からトルコ人の間にも「オスマン帝国はトルコ人の国」という民族意識が形成されていった。この頃、東方問題を通じてオスマン帝国に接した列強にこの国はトルコ人が異民族を支配する「オスマントルコ」に映った。▼オスマン帝国時代、様々な民族が共存したこの地域に、結果的に多くの国民国家が作りだされた。そのことで20世紀に様々な問題が引き起こされた。一つの民族が一つの国民国家を作るべきとするイデオロギー、ナショナリズムの感染力は強い。実際、人権を守るのは国民国家しかない現実がある。国民国家により守られるものが失われるものより大きい限り、この状態が続く (※)。

わんクリック　ダーダネルス、ボスフォラス両海峡でエーゲ海までつながる「黒海」はかろうじて海。海水も流れ込み黒く映える。世界最大の湖が「カスピ海」と「海」扱い。国民国家体制下では、海と湖では適用される国際条約が異なる。海だと国連海洋法条約 (1982) の適用を受け、自国の権利が及ぶところでは自由に開発できる。沿岸線の長さに応じて領海設定できる。湖だとするとカスピ海は沿岸 5 カ国の共有財産になる。短い沿岸線しかないイランは湖、沿岸部に油田のあるロシアは海と主張。結局は海とされることになった。ちなみに死海は湖だが、これはその塩分濃度から海とされる慣用表現。

History Literacy　よくできた国民国家に守られた者ほど、そのことに気づけず観念的な国民国家批判をしてしまう。

④第２次エジプト事件 (1839 ~ 40)

└ギュルハーネ勅令でタンズィマート (改革) 開始

- ・ムハンマド・アリーが、エジプト、シリアの世襲支配権を要求
- ・構図　エジプト・フランス　VS　オスマン帝国・ロシア・イギリス

　　イギリスがオスマン帝国支援にまわる　＊1

　　└パーマストン外相 (英)　└権力の空白をおそれ、オスマン保全策に転換　＊2

　　フランスのみエジプト支援に取り残される

　　└七月王政 (ティエール内閣) の失政、二月革命の一因

- ・結果　ムハンマド・アリーの敗戦

　　四国条約 (1840)　シリアを放棄、エジプトの世襲的支配権のみ確保

　　└事実上、ムハンマド・アリー王朝樹立　＊3

　　五国海峡条約 (1841)

　　ウンキャル・スケレッシ密約破棄 (すべての外国軍艦の航行禁止)

　　└ロシアの南下挫折、フランスの中東進出にも歯止め

⑤クリミア戦争 (1853 ~ 56)　＊4

- ・聖地管理権問題が口実

　└ナポレオン３世がオスマン帝国より獲得、カトリック教会と正教会の間で抗争

　オスマン帝国内のギリシア正教徒保護を口実にロシアが開戦　＊5

- ・構図　オスマン帝国・イギリス・フランス・サルディニア　VS　ロシア

　　イギリス、フランスがオスマン帝国支援

- ・結果　セヴァストーポリ要塞の攻防戦でロシア敗北

　　└「クリミアの天使」ナイチンゲールの献身的看護、「犠牲なき献身こそ真の奉仕」

　　パリ条約 (1856)

　　黒海の中立化 (外国軍艦の通行禁止)

　　└両海峡だけでなく黒海の通行も不可となりロシアの南下、再び挫折 (後退)

PROPOS　＊1

第２次エジプト事件で、エジプトはオスマン帝国に大勝。中東でのエジプト大国化と背後にいるフランスの影響力拡大を危惧したイギリスのパーマストン外相は一転してオスマン帝国保全策に転じてオスマン帝国を支援。この結果、フランス (七月王政、ルイ・フィリップ) は国際的に孤立。エジプト援助を中止したためエジプトは敗退。

PROPOS　＊2

「喜劇、英雄劇、悲劇、茶番劇―何でもうまくこなす名優」パーマストン。「永遠の同盟国も永遠の敵国も存在しない。永遠なのは国益だけ」と自由貿易拡大を進めた。イギリスの利益に合わなくなった奴隷貿易は廃止 (1833)。清朝には「砲艦外交」アヘン戦争で開国を迫る。他方ヨーロッパ諸国とは外交で勢力均衡政策を貫く。長く外相、首相の座にありヴィクトリア朝外交の代名詞的存在。第２次エジプト事件での変わり身の早さ。アヘン戦争で忙殺中、フランスとロシアの中東進出を外交で止めた。

PROPOS　＊3

現在のカイロ新市街は、近代化を進めたムハンマド・アリー王朝のもとでパリをモデルに作られた。広場から放射線状に美しい大通りが四方に伸びる。しかし人口過密となり、エジプト史最後の遷都が進行中。

PROPOS　＊4

中世 (ロシア) と近代 (英仏) の戦いとされたクリミア戦争。鋼鉄製の英仏の軍艦に対して、ロシアは木製の帆船。鉄道の時代にロシアは馬車で物資輸送。産業革命を経験していないロシアの後進性への落胆からかニコライ１世は戦争中に急死した。

PROPOS　＊5

黒海は欧州第２位ドナウ川、３位ドニエプル川、４位ドン川が流れ込む交通の要衝。その黒海の要衝がセヴァストーポリ要塞。その攻防戦に一兵卒(いっぺいそつ)として従軍したトルストイの作品が『セヴァストーポリ物語』。

画蛇添足

▼「権力は空白を嫌う」。権力が空白となった地域には別の権力が入りこむ。そのことによって勢力均衡が崩れ、地域の安定が損なわれることを周囲は恐れる。利害関係国は現状変更を好まず、それゆえ独裁体制も強権体制という名で許容され延命してしまう。▼北朝鮮の独裁体制の非人道性が指摘されるが、周囲の関係諸国はその体制変更を望んでいない。毒ガスを使うシリアの独裁者アサドが延命できたのもシリアが占める地政学(ちせいがく)的重要性ゆえ。内乱でアサド政権の支配力が及ばなくなった権力の空白地帯に「イスラーム国」が入り込んで世界が青ざめたことは記憶に新しい。▼19世紀末、アジア大陸の東の清朝、西のオスマン帝国の老2大国に対して列強(れっきょう)はこれを滅ぼさない保全(ほぜん)策をとった。オスマン帝国は「瀕死(ひんし)の重病人」とされて1世紀近く生き延びた。死なせてもらえなかった。列強は王朝の延命を支援、その代償に利権を引き出した。利権を確保すればその王朝の存続は必要だった。▼激戦のクリミア戦争に従軍。負傷者、瀕死の重病人たちを献身的に介護。死を待つ場を回復の場へ変えたのがナイチンゲール。女王とも随時会える超名門貴族の令嬢。知性と社会性を兼ね備えていた彼女のもう一つの顔が統計学者。戦場死の過半が戦闘でなく疾病、とりわけ衛生状況の劣悪さによると知る。戦後、公衆衛生の改革に携わった。▼まずその事実を周知するため視覚的に分かりやすい様々なグラフを考案。円グラフやレーダーチャートは彼女が初めて使った(※)。それでも彼女の信念「犠牲なき献身」は伝わったとはいえない。コロナ禍の中で医療関係者に犠牲を強いる美辞麗句が並んだ。国民に犠牲を強いる独裁体制に延命の必要はない。

わんクリック　イエスの墓 (といっても復活したので空っぽ) の上に建つ聖墳墓(せいふんぼ)教会は、キリスト教徒にとって聖地中の聖地。いまは複数宗派が共同管理するが、どの宗派が管理するかが長く紛争の原因だった。16c 以降はカトリックのフランスが管理 (カピチュレーションを根拠)。仏革命時にギリシア正教徒 (ロシアが支援) が奪う。ナポレオン３世がそれを取り返すとロシアのニコライ１世が反発。オスマン帝国に対して聖地管理権を要求したが拒否され、これを口実にロシアはオスマン帝国に宣戦した。イェルサレムには聖墳墓教会のすぐ近くにイスラームの聖地岩のドーム、ユダヤ教の聖地嘆きの壁がある。

History Literacy　犠牲者を「何万人」と数字で丸めてはいけない－これに代わる叙述方法をまだ見いだせていない。

ロシアの国内改革とその挫折

①ロシアの後進性

- 専制政治（ツァーリズム）、農奴制が強固　＊1 ＊2
  └ 人口6000万人中約2200万人

  市民階級の成長遅れる
- ニコライ1世の専制政治　＊3

  デカブリストの乱鎮圧（1825）、「ヨーロッパの憲兵」
  └ 1848年のメッテルニヒ亡命以後

②アレクサンドル2世の改革
└ 上からの近代化

- クリミア戦争敗北でロシアの後進性明白に
- 1861年、農奴解放令　＊4

  農奴に人格的自由と土地所有権（有償）を認める
  └ 購入しても土地はミール（農村共同体）に帰属、ミールは解体されず

  貧農は離農、離村し都市へ、工場労働者となる

  →ロシア資本主義発達のきっかけ
- 1863年、ポーランド独立運動

  鎮圧されてポーランドはロシア帝国に編入

  アレクサンドル2世は反動化し、専制政治復活

ロシアの南下挫折

①パン・スラヴ主義の提唱

- スラヴ語諸民族の連帯と統一をめざす運動
- ロシアが南下策（正当化）のために提唱

  パン・スラヴ主義とパン・ゲルマン主義の対立激化

②露土戦争（1877～78）

- ロシアはパン・スラヴ主義を利用して3度目の南下企図
- バルカンのギリシア正教徒の反乱を口実にオスマン帝国を相手に開戦
- 構図　オスマン帝国　VS　ロシア

  国際情勢のためイギリス、フランスは干渉せず
  └ インド帝国成立（1878）　└ 普仏戦争敗北の影響（1870年代）

PROPOS　＊1

レーピン『ヴォルガの舟曳き』(1870年代）は農奴の悲惨な状況を描く衝撃的な絵。船が上流か風上に向かう時、農奴が曳いていた。ロシアでは農奴は牛馬より安価な労働力だっと分かる。農奴が地主のトランプゲームで賭けられている風刺画がある。農奴は地主の持ち物で、売買の対象だった。

PROPOS　＊2

帝政ロシアの腐敗を『検察官』で、死んだ農奴の戸籍を買い集める地主の人間性喪失を『死せる魂』で風刺するなど、1830年代のロシアの醜悪な現実を文学で写しとったのが自然主義作家のゴーゴリ。

PROPOS　＊3

強権的な専制君主ニコライ1世治下で逮捕され、銃殺刑を宣告された政治犯の中に青年作家ドストエフスキーもいた。彼に銃口が向けられて引き金が引かれる直前に、皇帝の恩赦を伝える伝令が到着。死から生還する衝撃的な経験をした。その後の4年間のシベリア流刑の経験を描いたのが『死の家の記録』。冒頭で「人間は馴れる動物である」と述べる。生きるために環境に順応した彼は複雑な過去を持つ多くの囚人を観察。人間心理の深層を描き出した。

PROPOS　＊4

トゥルゲーネフは自由主義者で反農奴制の立場。短編集『猟人日記』(二葉亭四迷訳）で地主でなく地主がモノ扱いする農奴に美しい心が宿っていることを描いた。アレクサンドル2世は皇太子時代にこれを読んで農奴解放を決意したとされる。文学の力か。自由主義思想に触れて農奴を解放したがそれは専制体制延命化のための近代化。皇帝の農奴解放は工場で働く労働力創出が目的。土地を所有する自作農になるには50年分の地代支払いが必要だった。ところで当時のロシアは旧日本陸軍の仮想敵国。旧陸軍将校はロシア語を学習。「えっ、この軍人が」という人が回想録で座右の書に原書のトゥルゲーネフをあげていたりする。

画蛇添足

▼グローバリゼーションとグローバリズム。似ているが別物。前者のグローバル化とはいま起こっている事実を述べた叙述的概念。後者のグローバル主義とは、「グローバル化をすすめるべき」という話者の主観的判断を含んだ規範的概念。▼歴史教科書は起こったことが叙述される。「かくあるべし」という規範的なフィルターを通ったものは書き込まない。教科書叙述に「何とか主義」が出てきたとしたら、それは歴史上で規範的概念が唱えられた、という事実の叙述。▼「パン何トカリズム」はイデオロギー、規範的概念。大国の圧迫下で「何トカ」という共通項を持つ者が何とか連帯することで状況を切り開いていこう、と唱えられた。パン（pan、汎）はラテン語で「すべて」。多くの場合、大国の対外膨張政策に使われた。▼パン・スラヴ主義はオスマン支配下のバルカンのスラヴ系民族の連帯をはかるものだが、ロシアの南下政策のイデオロギーとして使われた。そのパン・スラヴ主義に対抗したのがパン・ゲルマン主義。「ドイツ語の響くところがドイツ」と、すべてのドイツ民族をドイツ帝国下に包摂（ほうせつ）しようとするイデオロギー。これはオーストリアのバルカン半島への膨張主義に用いられたがバルカン半島のドイツ語話者は圧倒的少数。▼ロシアの圧力が強まる中で、中央アジアなどロシア領内にトルコ民族国家を作ろうというパン・トルコ主義が起こった。ヨーロッパ列強によるイスラーム世界の植民地化が進む中で、パン・イスラーム主義運動も始まった。これらはナショナリズムを超える大きな枠組みで人びとを包摂、統合しようとするものだった。他方では「何トカ」でないものを排斥するナショナリズムの亜種でもあった（※）。

わんクリック　何トカ主義に注意。理想を掲げると危ない。多文化状況の現実を否定してはいけないが、「多文化主義」を社会目標に据えると危険。非日常の異文化体験は楽しく、短期旅行者には「おもてなし」するが、日常生活での異文化共生にストレスを感じる人も多い。多文化主義を掲げた国でも棲（す）み分けて混じりあわないのが現実。反発（バックラッシュ）から排外主義を呼び込む事態も生じている。多様性をめざしたはずが、社会に緊張、不安を招き、多様性のない社会となるおそれもある。必要なのは異文化理解ではなく、価値観を共有しない人びとと「お隣さん」として共存する異文化耐性、耐性の限界の考察。

History Literacy　過去のすべてが自分に繋がっている－「地球の住民」として過去に向き合うのが世界史学習。

③露土戦争後の国際緊張

・1878年、サン・ステファノ条約締結

セルビア、モンテネグロ、ルーマニアの独立　＊1

└ 突然名乗りをあげた山岳国家（アルバニア人）

大ブルガリア自治公国（ロシアの事実上保護下）経由でロシア南下成功

└ 不自然に拡大されたブルガリア領、ロシアは両海峡を通過せずにエーゲ海に進出可

④ベルリン会議 — ビスマルクの仲介

・ロシアの南下成功にイギリス、オーストリアが反発

・1878年、ベルリン会議開催

ドイツのビスマルクが「誠実な仲買人」として調停　＊2

・1878年、ベルリン条約締結

サン・ステファノ条約を破棄（ロシアの南下３度失敗）

ブルガリアの領土縮小、ルーマニア、セルビア、モンテネグロ独立、

オーストリアはボスニア・ヘルツェゴヴィナ管理権獲得

イギリスはキプロス島を獲得

└ ディズレーリ首相が会議参加　└ スエズ運河の防衛拠点

⑤国際情勢の変化

・南下に失敗したロシアは中央アジア・東アジアへ進出

・ドイツ、オーストリアのバルカン進出（パン・ゲルマン主義）

ロシアの改革混迷

①ナロードニキ運動

・1870年代、都市のインテリゲンツィア（知識人階級）が中心

└ アレクサンドル２世の改革の不徹底さに失望　└ 産業革命遅れ、市民階級未成立

「ヴ・ナロード（人民の中へ）」を標語に農民の啓蒙はかる

ミール（農村共同体）を母体にした社会主義的改革を意図

└「平和」の意味、相互扶助の伝統が社会主義移行に有利な条件と判断

→農民の保守性、無関心の前に挫折

・ニヒリズム運動（虚無主義）　＊3

国家、社会秩序、伝統など一切の権威否定

・テロリズム（暴力主義）、アナーキズム（無政府主義）

皇帝アレクサンドル２世暗殺　＊4

PROPOS　＊1

14cの大セルビア王国の再現を夢見た内陸国セルビア。ボスニア・ヘルツェゴヴィナ併合による海への出口の獲得をねらった。一方、領内に多くのスラヴ系諸民族を抱えたオーストリアは領内でのパン・スラヴ主義拡大の封じ込めを狙いセルビアの先手をとりボスニア・ヘルツェゴヴィナの管理権を獲得。これが両国の対立を深めた。

PROPOS　＊2

ビスマルクはドイツ帝国成立後は戦争を徹底して避ける政策をとった（ビスマルク外交）。ドイツ産業が成長するまでドイツが戦争に巻き込まれることがないように冷徹に国益を追求した。露土戦争（1878）で戦争の危機が高まった時は「誠実な仲介人」と調停役を買ってでるがロシアは不満。

PROPOS　＊3

ニヒリズムはトゥルゲーネフの『父と子』の中で使われて広まった言葉。主人公バザーロフは、すべての権威を厳正な批判なしには受け入れない冷徹な青年として描写される。トゥルゲーネフは彼を「ニヒリスト」とした。「我々は自分が有益だと認めたものによって行動するんです」「目下のところでは否定が最も有益だから—それで我々は否定するんです」「何もかも」。ニヒリズムはあらゆる既成の権威や社会的秩序を否定した。虚無主義と訳される。

PROPOS　＊4

ウクライナの小村で牛乳屋を営むユダヤ人一家の物語がミュージカル『屋根の上のヴァイオリン弾き』。アレクサンドル２世暗殺をきっかけにロシアで起こったユダヤ人排斥「ポグロム」で村全体が追放を余儀なくされる。歴史的にユダヤ人が多く住んだのはポーランド。ポーランドは長くウクライナを支配したがポーランド貴族（地主）はウクライナ農民から税をとる仕事をユダヤ人にさせた。そのためユダヤ人はウクライナで嫌われた。当時はポーランド分割の結果、ウクライナはロシア領だった。

画蛇添足

▼ネズミが化けの皮を被った猫を見つけたかのように「お！てめえ、さしずめインテリだな」（『男はつらいよ』）。フーテンの寅さんが一気に警戒モードにはいる時のセリフ。大山鳴動して出てきたのはネズミ一匹なのを知って「ザマぁ見ろ、人間理屈じゃ動かねえんだ」（同）。言葉ほど寅さんはインテリを軽蔑していないが警戒は怠らない。▼この寅さんのセリフに溜飲を下げるのは現場で生活する庶民。学者など知識人（インテリ）の語りを「ご高説ごもっとも」として聞き流す庶民。両者共に理想と現実の乖離を嘆き、相手の非を詰る。現場の生活者が数の上では圧倒的だから、いつもインテリの理想は現実の前に無力で蹉跌を余儀なくされる（※）。「正しいことが届かない」—絶望から現実への関心を失い象牙の塔に閉じこもる。▼数千人の若者—知識人が、農奴解放後のロシアの悲惨な農村の状況に心を痛めた。恵まれた環境で育った自分に負い目を感じた。「ヴ・ナロード（人民の中へ）」を合言葉に農村に入り、働きながら農民を啓蒙しようとした。▼ロシア社会に深く根付いた農村共同体。土地は共有、耕作地が公平に分配され共同での農業が行われていた。その平等な共同体秩序、農村共同体を基盤にしたロシア独自の社会主義建設を知識人たちはめざした。▼しかし彼らの言葉は農民に届かなかった。農民の皇帝を慕う、素朴で強い信仰が理解できなかった。善良なツァーリによる救済願望、農民にとりツァーリに逆らうとは神に逆らうこと。現実の悲惨を「取り巻きが悪い」と考えた。運動は徒労に終わる。ただ田舎の農民が都会のインテリに対して警戒心を抱くのは当然のこと。骨を埋めるつもりもない都会の人間に農村は啓蒙されない。

わんクリック　戦争に訴えて統一を実現したビスマルク。統一後は避戦に徹して現状維持に努めたリアリスト。ベルリン会議で彼は決して「誠実な仲介人」ではなくロシアの南進を阻止するイギリスを支持。ドイツへ不信感を持ったロシアに対してビスマルクは再保障条約で関係修復を試みる。この職人芸的な外交は理解が難しく、理解できなくとも気にしなくてよい（実際、後任者も継続できなかった）。「ビスマルク外交」という名前に注意したい。この時代ぐらいまでが世論を考慮せず政治家、外交官が専門家として外交を担当できた時代。いまは外交は票にならないため、外交に力をいれる政治家が少ない。

History Literacy　歴史の所有者はインテリ—現実の生活者を前にその理想は蹉跌を余儀なくされることが多い。

②ロシア資本主義の発展

・ナロードニキ運動の失敗で専制政治継続

アレクサンドル３世、ニコライ２世 (在位 1894 ~ 1917)

・資本主義の発展　＊1

1890 年代、フランス資本など導入で帝国主義段階へ

シベリア鉄道建設開始 (1891)

└ 露仏同盟結成の年

農民の生活水準低く、狭い国外市場

→活発な海外進出

③社会主義運動と諸政党の成立　＊2

・マルクス主義が都市工場労働者中心に伝播

・ロシア社会民主労働党 (1898) 結成

プレハーノフ、レーニンら指導のマルクス主義政党

└「ロシア・マルクス主義の父」

→革命路線の違いから分裂 (1903)　＊3 ＊4

メンシェヴィキ　プレハーノフ指導の穏健派

└ ロシアの当面の課題はブルジョワ革命、非連続 (二段階) 革命論、大衆に基盤

ボリシェヴィキ　レーニン指導の急進派

└ ブルジョワ革命とプロレタリア革命の連続革命論、少数の革命家に基盤

・社会革命党 (エス・エル)(1901)

└ 農村労働者に期待 (ボリシェヴィキ、メンシェヴィキは都市労働者に基盤)

ナロードニキの流れをくむ

・立憲民主党 (1905)

└ 第一革命、十月勅令後

立憲民主政を主張するブルジョワ政党

└ ロシアは議会すらない専制国家、西欧並の議会制民主主義の実現をめざす

④ロシア文化全盛期

・近代バレエの確立 ― 今日のクラシックバレエはロシアで成熟

プティパ振付の『白鳥の湖』(1895 年初演)、『眠れる森の美女』など

└ ロシア革命後に多くの振付師が亡命、世界にロシアバレエが広がる

・トルストイ、ドストエフスキーの両巨匠

└『戦争と平和』(1869) └『罪と罰』(1866)

PROPOS　＊1

19c にロシアはカスピ海沿岸に進出。バクーでは 9c から噴出する可燃性ガスに火が灯され続けて、ゾロアスター教徒の信仰を集めてきた。ロシアは石油を意識していなかったが、1860 年代からバクーでの油田開削が本格化。「バクーの石油王」がノーベル兄弟 (1879 年ノーベル兄弟石油会社)。輸送のために世界最初のタンカー「ゾロアスター号」を発明、パイプラインも敷いた。20c 中頃までロシアとアメリカが石油産業の中心。それまで油といえば鯨油だった。

PROPOS　＊2

社会主義思想を完成させたマルクスとエンゲルスは、ブルジョワ (市民) 革命を済ませていたイギリスをどのようにしてプロレタリア (社会主義) 革命に移行させるかを考えていた。しかし最初の社会主義革命は彼らの死後、想定外のロシア、まだ皇帝専制政治が続き、市民 (ブルジョワ) 革命すら未経験の社会で起こることになる。

PROPOS　＊3

２つの考えが対立した。１つはブルジョワ革命が起こった時に、そのままプロレタリア革命にまで連続して一気に進めていく連続革命論。ボリシェヴィキが主張した。もう１つは当面の課題をブルジョワ革命の達成にあるとみて、その後しかるべき時にプロレタリア革命を起こそうとする非連続革命論。これはメンシェヴィキが主張。

PROPOS　＊4

ボリシェヴィキ (「多数派」の意) は意識の高い職業革命家からなる少数派政党。情報が漏れたら革命は成功しない。意識の高い少数の革命家だけで革命を遂行する立場。秘密結社的な前衛組織になる。しかしこれでは一般大衆と遊離し、人びとの広い支持を得るのは難しい。いつの時代も「意識高い系」は嫌われる。他方でメンシェヴィキ (「少数派」の意) は広く大衆に基盤を持とうとする立場。母体のロシア社会民主労働党でボリシェヴィキが「多数派」だった。

画蛇添足

▼「一人一党、僕の党、大事な自分をなくしたら、党もへちまもあるものか。」(ジャン・コクトー)の心意気は持ちたい。もちろん一人の力には限界がある。だから人間は徒党を組む、党派的な存在ともなる。▼それでもどの党派にも属さないこと、第三者(The third party)であることで、見えるものもある。他方でそれが無責任な傍観者しか意味しないこともある。政党は時に党勢の拡大のため党利党略に走る。信じる理念の実現のためにやむを得ない面もある。是々非々の姿勢では順番が回ってこない。▼しかしロンドン海軍軍縮条約を締結した民政党に対して、野党政友会がこれは天皇の「統帥権の干犯」と非難したのは政党の自殺行為。この「反対のための反対」「ためにする反対」が「統帥権の独立」を作った。結局、政党政治そのものも国民の信頼を失い、二重の意味で軍の暴走を誘発、社会に惨禍をもたらした。▼政権に与り、現場を預かれば理念だけにこだわっていられない。それでも様々なポスト、権益が求心力を作りだす。とりわけ体制擁護を目的とする右派政党はその点で融通無碍。権益確保のためなら呉越同舟も厭わない輩も、異なるものを足して二で割る計算ができる寝業師も与党にはいる。▼対して左派政党は理念を拠り所にするから小さな違いに妥協できない。「それは相手と同じ」「それでは相手を利するだけ」と違いにこだわる。理念を蔑ろにできず、純粋なものへと結晶化した書生論に陥る。自ら妥協を難しくして分派を繰り返す。日本は政権交代の起こらない、権力が腐敗しやすい国となった。社会そのものが多様なのだから政党も内部に鵺のような多様性を持っていてよい。政権交代がなければ権力は腐敗する。

わんクリック　誰もが「話せば分かる」と言う。実際は、話せば自分の意見が通る、と思っている。相手の意見を受け入れて自分が変わろう、などと思って主張している人は少ない。人々は様々ないきさつ (経路依存性) があってその人なりの意見、世界観を持つようになっている。話し合って探るのは落としどころ。人間は生まれ育った環境の影響で、違った考え方を持つようになる。自分の考えは自分の中で正しいが、すべての人にとり正しい訳ではない。フランスの駅アナウンス―「ボルドー発、パリ、モンパルナス駅行列車がまもなく…」と不要に感じられる列車の始発駅名が言及されるのが特徴 (※)。

History Literacy　歴史の知は経路依存性を特徴とする―その始源、たどってきた経路を意識して接する。

⑤ロシア第一革命

- 日露戦争の敗北による国民生活の窮乏
- 1905 年、血の日曜日事件

  首都ペテルブルクで都市労働者、農民の請願デモに発砲　＊1

  └ 僧ガポンが率いる　└ 死者数千人？

  →農民の間にあった皇帝 (ツァーリ) 信仰の心性が崩壊

  └ 皇帝に直訴すれば生活の窮状は改善するとの救済願望

  →全国的な革命気運

  ソヴィエト (兵農評議会 — 労働者、兵士の評議会) の結成

  └ 以後、労働者の組織化進展、ゼネストなどの司令塔に

  →軍隊が反乱　＊2

  └ 黒海艦隊の戦艦ポチョムキン号

- 十月勅令発布により革命の鎮静化

  └ ニコライ２世の譲歩

  国会 (ドゥーマ) の開設、憲法の制定を約束

- ストルイピン首相の改革　＊3

  議会を解散、革命派を弾圧した上で諸改革

  ミール解体による農業改革　＊4

  生産性の低いミール解体で生産力向上を意図

  └ 自作農 (保守的になる) 育成による革命の防止意図も

  土地の私的所有原則の導入

統一イタリアの形成

①統一前のイタリアの状況

- 19 世紀初頭のイタリアは諸国が分立

  └ 国名 (国民名) ではなく地理的名称　＊5

  北部　ウィーン会議後、オーストリアが支配

  └ イタリアの独立のためにはオーストリアと戦う必要

  中部　中世以来、都市共和国の分立、ローマ教皇領 (仏軍駐留)

  南部　両シチリア王国

PROPOS　＊1

1905 年の動きを時系列で整理。ロシア旅順要塞陥落 (1 月 1 日) →ロシア農民の請願「私たちの祈りにこたえてくれなければ、あなたの宮殿の前で死ぬしかない」→皇帝側が農民に発砲 (血の日曜日事件 1.9) →日本海海戦での日本勝利 (5.29) →ロシア黒海水兵の反乱 (6.14) →ポーツマス講和 (8.10) →十月勅令 (10.17)。ロシア第一革命と日露戦争は影響しながら同時展開した。

PROPOS　＊2

スープに混ざる腐肉がきっかけで起こった水兵の反乱。サイレント映画の傑作『戦艦ポチョムキン』(1925)。共産主義のプロパガンダ映画だが「オデッサの階段」のシーンは映画史上最も有名な 6 分間。階段を降りていく群集に上から発砲するコサック兵。子どもをのせた乳母車が母親の手から離れ、落ちていく。オデッサの「錯視の階段」—上からは階段が見えず、下からは踊り場が見えない階段でロケ撮影された。

PROPOS　＊3

「まずは平静を、しかる後に改革を」の方針で革命派を弾圧。その後にロシア社会の抜本的改革に取り組もうとした。多くの革命派を弾圧したストルイピン首相による強権政治。絞首刑台の縄は「ストルイピンのネクタイ」と呼ばれた。皇帝専制下での改革は困難。優秀だったが多くの人を死に追いやった人物。その評価は自らの立ち位置に対する「絵踏」となるので避ける人が多い (という書き方で筆者も避けている)。

PROPOS　＊4

平和を意味するミール (共同体)。農地は誰の所有物でもなく土地利用権は農民に平等に分配。定期的に耕作地を交換。土地への愛着が湧かず生産力が上がらなかった。

PROPOS　＊5

イタリアの統一要求に対し、かつてメッテルニヒは「イタリアは地理的名称にすぎない」と言い放って、要求を一蹴(いっしゅう)した。

画蛇添足

▼私たちは舞台を「芝居がかっている」と感じて「お芝居」といい、スクリーンの方に「リアリティ」を感じる。現実は逆。映画の方がよほど現実離れしている。舞台はロングショットで組み立てられるが、映画でカメラを長回しすることは少ない。短いカットを編集で繋(つな)いで意味を作り出すモンタージュ技法で作られる。▼この技法を発展させたのがエイゼンシュタイン監督。戦艦ポチョムキン号事件の20年後に作られた同名の無声映画『戦艦ポチョムキン』で試みられた。上官から蛆(うじ)の湧いている腐肉(ふにく)を「洗えば食える」とされた水兵の反乱。▼無表情な男の写真。これを見せた後で別の写真を見せて、再び元の写真を見せて感じたことを聞く実験がある。間に挟んだのは、シチュー、女性の死体、楽しそうな子ども、の写真。観客は同じ写真に「苦渋にみちた空腹の男」、「深い悲しみに沈む男」「子どもを見つめて微笑む男」を見た。彼は何の演技もしていない。▼物事の意味は、その前後に何を置くかで変わる。当時はサイレント映画の時代。音声で説明できず、この技法が生まれた。これら数多くのカットを繋げていく映画。観客の頭の中にはカットと関係のない意味が生まれる。長回し映像による映画『カメラを止めるな』が大ヒット。観客はこの時改めて、映画の不自然さ、それを自然と感じていることに気づいた。▼世界史教科書は映画と同じ。過去のさまざまな断片をモンタージュ技法で提示(※)。読み手が時に支離滅裂に置かれた断片。それらの断片を繋ぎ合わせて「通史」にまで読みこみ、「歴史の流れ」みたいなものまで錯覚して読み込んでいる。世界史入試の論述問題、あれはどうなのか。

わんクリック　『ニコライ２世の日記』には彼の波乱万丈の生涯が綴られる。国賓で訪れた日本で斬りつけられて重傷を負う (大津事件)。政府は対応に苦慮。当時の法では最高刑は無期刑。それに大国ロシアが納得せず戦争になれば勝ち目がない。国家あっての法—超法規的に死刑とすべきか。いやあくまで日本は法の支配下にある近代国家、と国際社会に矜持を示すべきか。司法のトップ児嶋惟謙(こじまいけん)は部下の裁判官を説得。政府の介入を拒否、無期刑とさせた (彼は司法権独立を守り、裁判官の独立を犯す)。結果的にこの対応は国際的に評価された。ニコライ２世も生涯親日感情を持ち続けたことが日記から分かる。

History Literacy　世界史教科書の提示手法は映画と同じ—過去の様々な断片をモンタージュ技法で提示する。

② 1848年以前の統一運動（リソルジメント） ＊1

└ 七月革命時、二月革命時の下からの統一運動

・秘密結社カルボナリ党（炭焼き党）の活動

ナポリ、ピエモンテ、中部イタリアなどで蜂起（いずれも失敗）

└ 秘密結社のため運動の広がりなし

・1831年、マッツィーニが青年イタリア党結成

└ 七月革命の影響

・1849年、ローマ共和国建国

二月革命の影響で青年イタリア党が建国、フランス軍に鎮圧される

└ ローマに駐留

③サルディニア王国による統一運動 ＊2

・ヴィットーリオ・エマヌエーレ2世即位

└ 先王はオーストリアに宣戦布告（1849）、敗北により退位

宰相カヴール（1852年就任）の下で近代化政策

クリミア戦争に参加してナポレオン3世に接近 ＊3

・1859年、対オーストリア戦争

フランスの援助（プロンビエール密約）を得て、オーストリアに宣戦

サヴォワとニースのフランス割譲密約 ＊4

→イタリア勝利を危惧したフランスが単独講和（ヴィラフランカ講和）

└ フランスにとり隣国、イタリアとドイツの分裂が続いたほうが好都合

→ロンバルディアの獲得のみで終戦

└ 中心地ミラノのドーモ（大聖堂）横にヴィットリオ・エマヌエーレ2世のアーケード

・1860年、中部イタリア併合

└ トスカナ、モデナ、パルマなど住民投票でサルディニアへの併合を決定

フランスにサヴォワ・ニースを割譲して了承を得る

・ガリバルデイの独自の活動

└ 青年イタリア党員

赤シャツ隊を率いて両シチリア王国征服 ＊5

→ローマ進軍によるイタリア統一を意図

└ フランス軍（ローマに駐兵）との衝突を恐れたカブールが阻止のため説得

→領土をサルディニア国王に献上

PROPOS ＊1
ナポレオンの侵入は、封建制を残していたイタリアに衝撃を与えた。市民はナポレオン軍を解放者とみたてて歓迎。彼はナポレオン法典をイタリアに贈ったが、各地で略奪、多くの美術品をパリへと送った。

PROPOS ＊2
サルディニア王国。島の形（サンダルに似る）に由来する名称。イワシ漁が盛んでsardine（缶詰用イワシ）は島名に由来。王国の中心は大陸のピエモンテ地方（トリノ）。

PROPOS ＊3
オーストリア相手では独力で勝てないとみたカヴール。介入する必要のなかったクリミア戦争に参加してフランスに貸しを作る。そしてフランスと密約をとりつけた上でオーストリアに宣戦。ここでの戦いが国際赤十字社の創設につながる。激戦だった。

PROPOS ＊4
サヴォワは北にレマン湖、東から南にアルプス山脈（ヨーロッパ最高峰モンブラン）をのぞむ風光明媚（めいび）な山岳リゾート（中心地シャモニー、アヌシーなど）。ニースは地中海岸コートダジュール（紺碧（こんぺき）海岸）に広がるビーチリゾート。ここがいまの「バカンス大国」フランスの現在の二大人気保養地。

PROPOS ＊5
青年イタリア党員としてイタリアの統一に生涯を捧げたガリバルディ。彼が率いた赤シャツ隊。シチリア島（パレルモ）とイタリア南部（ナポリ）にまたがる両シチリア王国。シチリアは実質的にナポリの支配を受けていることが不満。ガリバルディによる上陸が「解放」として受け取られた。その後、ガリバルディは占領した領土をすべて国王に献上し、自らは羊の待つカプレラ島に帰った。イタリア統一戦争に愛国的軍人として多大な貢献をした人物。その代償として地位や名誉を求めず、引き際の潔さで、彼の名は国民の記憶と教科書に「イタリアの国民的英雄」として残った。

画蛇添足

▼中世のイタリア半島には豊かな文化を持つ五大国が存在、互いに魅力を競った。ヴェネツィア共和国、フィレンツェ共和国、ミラノ公国、教皇領（ローマ）、ナポリ王国の五大国。これが国民国家の文法では「イタリアは分裂していた」になり、統一の欠如という否定的意味しか読み取れなくなる。▼国民国家は模倣されて作られていく。フランス、イギリスで国民国家が成立すると規模も相当なものでなければ対抗できない。イタリアは地理的名称にすぎなかった（メッテルニヒ）。最初は作り物でも、必要に迫られればそれが新たな規範となって「イタリア」が作られていく。▼「イタリアはできた。次は「イタリア国民」を作らなければいけない」──出所がはっきりしない有名な言葉。事情は日本も同じ。イタリア（1861）とほぼ同じ時期に国民国家「日本」が作られたが（1868）、まだ「日本人」はいなかった。▼その「イタリア人」「日本人」という国民を作るために導入されたのが歴史教育。いまここで学んでいるように世界史教科書は訝（いぶか）しく思うぐらい各国の統一過程を詳述する（※）。そうして「イタリア統一完成」「ドイツ統一完成」と寿（ことほ）ぐ。まだ「未回収のイタリア」があると指摘されて、完全なイタリアでないとの欠損感、統一への期待感を歴史授業を通じて持つことになる。統一の過程で「イタリア万歳」と叫ぶ人びとの中には「イタリア」が何か分からず、王妃の名と勘違いした者もいた。▼トリエステは「未回収のイタリア」で初めて言及される地名。世界史教科書が「トリエステもイタリア」とイタリア政府の主張を代弁する。これが国民史の集合体である歴史教育の潜在的機能。歴史教育は国民国家時代の政治教育の側面を強く持つ。

わんクリック ナポレオン（仏革命）の影響を受けなかったシチリア島。ウィーン会議でブルボン家が復活。イタリア本土南部を含む「両シチリア王国」という奇妙な名の王国として再編された。ガリバルディの征服でイタリア王国に編入されたがすぐに抵抗運動が起こる。この過程で悪名高いマフィアが組織され、イタリア現代史に深刻な影を落とすことになった。抵抗運動が弾圧された結果、シチリア島からアメリカに多くの移民が渡り、マフィアもまたアメリカに渡った。その存在は映画『ゴッドファーザー』（1972）で知られるようになった。歴史教育など及びもつかない影響力を持った映画。

History Literacy 世界史教科書の十八番（おはこ）は各国の統一過程（国民史）の詳述－国民史の越え方（社会史など）が難しい。

④イタリア王国成立
　　└ 立憲王政国

- 1861 年、ヴィットーリオ・エマヌエーレ２世が初代国王即位　＊1
  首都トリノ（のち、フィレンツェ→ローマと遷都）
- 1866 年、普墺戦争に参戦、ヴェネツィア獲得（敗戦国オーストリアから）
- 1870 年、普仏戦争に参戦、ローマ教皇領獲得（敗戦国フランスから）
  →ローマに遷都
- 残された問題
  「バチカンの囚人」問題
  　ローマ教皇はイタリア王国と断交
  「未回収のイタリア」問題　＊2
  　トリエステと南チロルがオーストリア領として残る
  　　└ 山岳リゾート、戦略的要地
  南北問題
  　北部（工業地域）主導下の統一
  　→南部（農業地域）の困窮農民が南北アメリカへ移民
  　　└ 北米、賃金の高い南米アルゼンチンなど
- 植民地獲得戦争の開始 ― 一等国をめざした侵略
  エチオピアから紅海沿岸のエリトリア獲得（1890）
  エチオピア戦争（侵略）(1894 ~ 1896) は失敗
  └ アドワの戦い (1896) でエチオピアがイタリア侵略軍に勝利
  イタリア・トルコ戦争（1911 ~ 12）
  　トリポリとキレナイカ（現リビア）をオスマン帝国より奪う

ドイツの統一と強国化

①統一前史 ― 大ドイツ主義と小ドイツ主義の対立

- 19 世紀前半、ドイツ連邦成立
  ウィーン会議の結果、35 の国と 4 自由市に分裂　＊3
  →統一をめぐってオーストリアとプロイセンの主導権争い
  　└ カトリック　└ プロテスタント
- 1848 年、フランクフルト国民会議
  小ドイツ主義に基づいた下からの帝冠をプロイセン国王は拒否

PROPOS ＊1
イタリア初代国王ヴィットーリオ・エマヌエーレ２世。教皇領を奪い、破門されたが、もはやローマ教会に力はなく影響はなかった。国王は死後、ローマのパンテオン（汎神殿）に埋葬、彼が神格化された。ケーキのような壮大な記念堂も建立された。

PROPOS ＊2
イタリア語が聞こえるところはすべてイタリアにしようとする「未回収のイタリア」運動。トリエステは当時、内陸国オーストリア・ハンガリー帝国の貴重な港。今も「小ウィーン」と呼ばれるドイツ風の街。須賀敦子『トリエステの坂道』を片手に歩きたい。南チロルは山岳リゾートのドロミテ山塊。トレチーメの周回ハイキングが大人気。

PROPOS ＊3
♪なじかは知らねど　心わびて♪というメロディを聞きながらのライン川下りは格別。左右に次々に現れる古城は旅人の目を楽しませる。しかし経済学者リストの目には苦々しく映った。彼はこう書く。「ハンブルクからオーストリアへ向けて、あるいはベルリンからスイスへ向けて通商を行うには 10 の国を横断し、10 の異なった関税制度を知り、10 回関税を払わなければならない」。このようにドイツ市場が分立している状況ではイギリス、フランスに対抗しようがなかった。鉄道網ができるまで河川がヨーロッパの主要交通路だった。

PROPOS ＊次ページ
政府の経済への干渉を排す自由放任（レッセ・フェール）を唱える古典派経済学はイギリスで生まれた（アダム・スミス、リカードなど）。これは先に産業革命を成し遂げたイギリスにとり有利な理論。後進国ドイツでは国際競争力を持たないドイツ製品を政府が経済に介入して守ることが必要だった。各国には各国の歴史と伝統があり、それを踏まえた経済政策がある、と主張したのがドイツ歴史学派経済学。リストのこの考えに基づいて関税同盟が結成された。

画蛇添足

▼イタリアオペラといえばヴェルディ。人間の描き方は単純。悲しみや絶望、喜びを、これでもかそこまでかの強度で描く。オペラは客相手の娯楽。単純で戯画的なストーリー。泣き所と笑い所を間違えさせることはない。安心して涙を流せる娯楽。ヴェルディなら『椿姫（トラヴィアータ）』が初心者向き。▼オーストリア支配下のミラノのスカラ座。新作『ナブッコ』(1842) が大成功。美しいメロディが連続する傑作。ナブッコはバビロン捕囚を行った新バビロニア王国ネブカドネザル王。ユーフラテス河畔。鎖につながれて働かされているユダヤの人びとが故国を偲んで「行け、想いよ、黄金の翼に乗って」と合唱をはじめると客席は落ち着かなくなる。イタリア人観客の多くがオーストリア支配下にある自分たちの境遇を重ねてこのメロディを口ずさんだ。▼公演でこのくだりになると観客は立ち上がり、「ヴェルディ万歳」と足を踏み鳴らした。ヴェルディ (Verdi) の綴りは奇しくも「イタリア王ヴィットリオ・エマヌエーレ」の頭字語になる。「ヴェルディ万歳」は「イタリア王国ヴィットリオ・エマヌエーレ万歳」を意味した。分かっていて止める術のないオーストリア官警は地団駄を踏んだ。▼他方これまでのイタリア独立運動はオーストリアのラデッキー将軍により鎮圧された。その彼を讃えたのが『ラデツキー行進曲』。ミラノスカラ座が『ナブッコ』の合唱で盛り上がる時、ウィーン歌劇場でオーストリア人がこれに手拍子を合わせる。正月放映のウィーンフィルニューイヤーコンサートでおなじみの光景。イタリアの事実上の第二国歌『ナブッコ』がウィーン歌劇場で演奏されることは最近までなかった。感情に直接働きかける音楽は長く政治の道具だった。

わんクリック　イタリア、ドイツが統一した頃 (1870 年代) から、西欧は帝国主義時代にはいる。この時代は、植民地を持ってはじめて一等国、とみなされた（※）。当時の感覚でそれは名誉で誇らしいことだった。統一したイタリアは、その後古代ローマ帝国の栄光を掲げて、オスマン帝国と戦い、まずリビアを植民地化（イタリア・トルコ戦争）(1911 ~ 12)。この時、イタリアは飛行機による世界最初の空爆を行う。1936 年の再度のエチオピア侵略では毒ガスを利用。1939 年にはアルバニアを侵略。イタリアは植民地帝国を築くことでやっと他国並みになったと喜び、他の西欧諸国への劣等感を払拭した。

History Literacy　二等はとりあげない歴史（教科書）のあり方が歴史に名を残したい権力者に影響を与えている。

②ドイツ関税同盟 — 先行した小ドイツ主義に基づく経済統合

・1834年、ドイツ関税同盟　＊前ページ

└ 1833年成立、34年発足

プロイセンを中心にした関税同盟

・背景

西プロイセン（ライン川流域）で資本主義が発達

└ ウィーン会議での獲得地

七月革命の影響

ドイツ歴史学派経済学者リストの提唱

・内容

域内の関税撤廃（市場の統一）、域外への同一高関税

・結果

プロイセンを中心にドイツ資本主義が発達

③プロイセン王国による統一

・1861年、ヴィルヘルム1世即位（プロイセン王国）

ユンカー出身のビスマルクを宰相に起用（1862）　＊1

└ 保守的な土地貴族

・ビスマルクの鉄血（てっけつ）演説

議会を無視、オーストリア打倒のため軍備増強

└ 自由主義者の多い議会を4年間停止　　└「死の商人」クルップ社と提携　＊2

> ドイツの着目すべきことはプロイセンの自由主義ではなくその軍備である。演説や多数決によって事を解決しようとすることは、1848年 ~ 49年の誤りを犯すことになる。ドイツの統一は鉄と血によらなければならない。

④ビスマルクの戦争

a. デンマーク戦争（1864）

・シュレスヴィヒ・ホルシュタイン両州の帰属をめぐる対立　＊3

・プロイセンはオーストリアと共同出兵して2州を獲得

b. 普墺（プロイセン・オーストリア）戦争（1866）

・獲得した両州の処分をめぐる普・墺の対立

・プロイセンが圧勝（七週間戦争）

PROPOS　＊1

沼に落ちて助けを求める友に、「そこは底なし沼。助けたいが私はドイツに必要な人間で君を助けることで死ぬ訳にはいかない。代わりに友情の証（あかし）として一発で楽に死なせてやる」と言いピストルを取り出した。何事にも機転が利いたビスマルクの逸話。驚いた友は慌てて底力を出して自力で這い上がったというオチ（でなくアガリ、か）。

PROPOS　＊2

製鉄会社クルップ社の2代目アルフレート・クルップ。鋼鉄製の大砲生産に乗り出した時に、ビスマルクが鉄血政策を打ち出し、軍備拡張を開始。時流にのったクルップ社は軍需産業に進出して「大砲王」と呼ばれる。国家と「死の商人」の提携。クルップ社が作り出す大砲が、普墺戦争、普仏戦争のプロイセン勝利の原動力となった。

PROPOS　＊3

乳牛が草を食む牧歌的なシュレスヴィヒ・ホルシュタイン。ここがデンマーク戦争の原因となる。良港キールの獲得、共同出兵によるオーストリア軍の内情探査、獲得した両地域の帰属を口実にオーストリアに開戦すること、がビスマルクの開戦意図。

PROPOS　＊次ページ

オーストリア、プロイセンと並ぶドイツの大国バイエルン王国に18歳の若き溌剌（はつらつ）とした王ルートヴィヒ2世が即位（1864）。しかし普墺戦争にかかわり敗戦してから政治に熱意を失い、現実逃避を始める。作曲家ワーグナーのオペラ、彼が描く中世世界に没頭。自らを物語中の白鳥の騎士と同一視。それにふさわしい城を建設しようとノイシュバンシュタイン城（白鳥城）など築城に熱中。築城の支出は国家の財政を窮迫。結局、彼は王位を剥奪され幽閉され、その翌日に近くの湖で水死体で発見された。死の真相は謎。当時、ミュンヘン留学中の森鷗外は『うたかたの記』で事件を独自に解釈。彼が残した3つの城のおかげでいまバイエルンに観光客が途切れない。

画蛇添足

▼神聖ローマ皇帝（ドイツ国王）がローマ教皇に赦（ゆる）しを請い跪（ひざまず）いた中世史の一コマを「カノッサの屈辱」として人びとの記憶に蘇（よみがえ）らせたのは事件から八百年後のビスマルク。彼が「我々はカノッサには行かない」（教会に頭を下げない）と述べたことで事件はドイツ史の汚点と記憶された。▼超国家的存在カトリック教会は国民国家形成の抵抗勢力。特にプロイセン（プロテスタント）主導下でのドイツ統一に抵抗。統合のために敵を作るのは常套手段（じょうとうしゅだん）だが、ビスマルクはカトリック勢力を仮想敵として教会との譲歩を拒む強い姿勢をみせた（文化闘争）。▼「賢者は歴史に学び愚者は経験に学ぶ」。話し合いによる統一を唱える人びとに彼が述べた言葉。これまで国家の統一は武力により成し遂げられてきたと言いたかったのか。「歴史は繰り返す」（トゥキュディデス）、いや「繰り返さないが韻を踏む」（マーク・トゥエイン）。既視感のある事はよく起こる。▼人間が歴史から学ばないから愚かな過ちを繰り返すのか。他方に「歴史からはお望みの教訓を引き出すことができる」（ポール・ヴェーヌ）という冷笑的（シニカル）な見方、「歴史は繰り返さない。歴史家が歴史を繰り返させる」（ヘーゲル）という懐疑的な見方もある。控えめに言えば「歴史は何も教えないことを歴史は教えている」（ヘーゲル）だろうが、それでも歴史からうっかり学ぶこともある。▼事故かもしれないが「歴史からうまく学んできたからこそ、歴史は繰り返されてこなかった」面もある。変化の激しい時代。自分の成功経験は封印したい。筆者なら「賢者は歴史に学び、それにとらわれない、うまく学び捨てる（アンラーン）」とする。「成功は失敗のもと」—「以前はこうだった」と逃げないためにこそ歴史を学びたい。

わんクリック　外交の延長で3つの限定的な戦争でドイツを統一に導いたビスマルク—そのような教え方をしてきたことにズットナー『武器を捨てよ』を読んで深く反省。この3つの戦争に巻き込まれた人びとが描かれる。「問題は「歴史」です。青年たちは歴史を教えられることによって、戦争を賛美するようになるのです」が突き刺さる。長く日本語訳がなかったが、ようやく近年日本語に訳された。凄惨な地獄絵の戦場を描く臨場感。読み応えがある。問題は歴史、なのは事実。他方で、記憶だけでは後世まで届かない出来事がある。歴史としてまとめられて初めて届くものもある。歴史の知の両義性（※）。

History Literacy　歴史の知は使い方しだいの包丁—脅す道具にも、和解のための楽しい晩餐を作るものにもなる。

c. 北ドイツ連邦成立 (1867) ― オーストリアをドイツ統一問題から除外

・ドイツ連邦を解体、オーストリア抜きでドイツ再編

d. オーストリア・ハンガリー帝国成立 (1867)　＊1

・オーストリアはマジャール人に自治権付与

└ ハンガリーも様々な民族を含む、またマジャール人も各国に分散

e. 普仏戦争 (1870)

・フランス (ナポレオン3世) はドイツ統一を警戒

・スペイン王位継承問題を口実とする

・ビスマルクがマスコミを操作してフランス世論を戦争へと誘導

└ 電文を改ざんしてフランスの排外的世論をあおる (エムス電報事件)

・開戦後、ナポレオン3世はセダンで捕虜、フランス敗北

⑤ドイツ帝国の成立

・1871年、ドイツ帝国成立

ヴィルヘルム1世がヴェルサイユ宮殿 (鏡の間) で皇帝戴冠式

└ パリ陥落直前、占領下のヴェルサイユ

・フランクフルト講和

パリ陥落後、フランスと講和

アルザス・ロレーヌの割譲　＊2 ＊3

50億フランの賠償金

└ この多額の賠償金でドイツ資本主義は躍進

⑥ドイツ帝国の政治機構　＊4

・連邦制国家　22の君主国と3自由市からなる

・外見上の立憲主義

帝国の皇帝・宰相はプロイセン王・宰相が兼任

└ 東京都知事が日本の首相を兼任するようなもの

連邦参議院と帝国議会の二院制

└ 諸邦の代表　└ 国民の代表

宰相は皇帝に対して責任を負う

帝国の軍部、官職はユンカーが独占、資本家と提携

PROPOS　＊1

ドイツ統一問題から除外されたオーストリア。支配者側にセカンドマジョリティのマジャール人を加えて体制の安定を図ったが、両民族合わせても全人口の半分。多民族国家の不安定さに変わりなかった。それでもこのあと画家のクリムトらにより、現在「世紀末ウィーン」として記憶される魅力的な文化が首都ウィーンに花開く。

PROPOS　＊2

ライン川とヴォージュ山地に囲まれたアルザスは地下資源の宝庫。ここはドイツ文化圏。アルザス語はドイツ語系。名物料理はザワークラウト (キャベツの漬物)。三十年戦争後にフランス領となって以来、4回帰属が変わった。普仏戦争後にドイツに割譲されてからは北東ロレーヌと合わせて「アルザス･ロレーヌ」とされるようになる。

PROPOS　＊3

普仏戦争後ドイツ領になったアルザス地方。直後の小学校を舞台にしたのがフランスの小説家ドーデの『最後の授業』(1873、『月曜物語』所収)。子どもたちに向かい、「ドイツ語しか教えてはいけないことになりました。これが、私のフランス語の、最後の授業です」と語りかける内容。現実には子どもたちが使っていたのはドイツ語 (系アルザス語)。フランス語は学校で強制される言語。その現実を隠した政治色の強い小説。にもかかわらず、失われる国語、というナショナリズムを強く喚起するこの話は日本でも1985年頃まで定番の国語教材。

PROPOS　＊4

現実より理念を優先する左派に対して、理念を振り回さないのが「リアリスト (現実主義者)」。その代表がビスマルク。彼によって、勤勉で (聖書を自ら読む) リテラシー能力の高い国民からなる「プロテスタントの大国」ドイツが登場。高品質の代名詞「メイド・イン・ジャーマニー」製品を生産。経済的にも台頭。以後、世界の歴史にドイツの動向が影響を与えることになる。

画蛇添足

▼ドイツ帝国が成立した1871年に平等条約改正の打診と欧米事情の視察のため欧米使節団 (岩倉使節団) は出発。日本政府首脳の半分が約2年にわたって外遊する異例の出来事。ベルリンで一行を歓待したのがビスマルク。▼日本は徳川幕府末期にフランスに接近したが、そのフランスは普仏戦争で大敗。パリとベルリンの両首都を実際に見聞した明治新政府は「君主権の大きい、軍事力の強い」(ビスマルク) プロイセンをモデルと仰ぐことにした。それまで日本陸軍はフランス式の軍服を着用していたがプロイセン式の詰め襟(つめえり)へ変えた。ところで2次大戦後、世界中からドイツ、プロイセン軍国主義的色彩を持つものは払拭(ふっしょく)され、自衛隊の制服もブレザーになった。▼ところが日本の高校現場だけが取り残された。多くの学校でプロイセン式の軍服をモデルとした詰襟(つめえり)学生服が生き残った。現在のいささか不可解な学生服は普仏戦争の名残り。詰め襟そのものは満洲服 (現チャイナドレス) などにも共通する寒冷地での防寒仕様。刀による斬首を防御するための堅い素材のカラーが不快感を生む (※)。▼ちなみに女子の制服に採用されたのがセーラー服。イギリス海軍の水兵の服。こちらも襟が特徴。大きく背中に垂れ下がる。甲板上での集音のため襟を立てて象の耳にする。海に落ちた時に泳げるように、脱衣しやすい大きく開いた胸元も特徴。落ちても目立つ白色だったが、日本で紺色基調になる。▼男子用の制服を女子が着るようになり、半ズボンがスカートに変化。こうして日本で独自の進化をとげた「セーラー服(Sailor fuku)」がコスプレ文化と共にいま世界に再輸出。日本文化が世界でここまで受容されたのは19世紀末のジャポニズム以来のこと。

わんクリック　ツヴァイク『昨日の世界』。オーストリア･ハンガリー帝国の末期フランツ･ヨーゼフ帝の時代、ウィーンには劇場文化、カフェ文化。ウィーンを「古き良き時代」とノスタルジックに回顧。ユダヤ人ツヴァイクから見た同時代史。『マリーアントワネット』『ジョゼフ・フーシェ』など作品はすべてナチスにより焚書。追放先のホテルの一室で記憶だけでこの作品を書きあげて自殺。拙文をここまで読み進めていただいた読者には感謝しかないが、このあとはツヴァイク『昨日の世界』に替えて、そちらを読み進められることをお薦めする。描かれるのは1次大戦前の世界だが、まるでいまの世界。

History Literacy　不合理にも居場所がある (合理性のない詰襟(つめえり)学生服だが、これが日本独特の高校文化と毛織物繊維産業を作りあげた)。

⑦ビスマルクの国内政策

・ドイツ産業の保護育成

保護関税政策 (1879) 採用

産業資本家とユンカーの妥協 (「鉄と穀物の同盟」)

・社会政策の実行 (「アメとムチ」の政策)

社会保険制度導入 (疾病・養老・災害保険)　＊1

└ 疾病保険法 (1883) が世界最初の社会保険　└ 保険料は労使折半

・文化闘争

南ドイツのカトリック教会との抗争

└ カトリック教会を帝国の敵として国民統合を図る、「私たちはカノッサに行かない」

→社会主義勢力の台頭のためカトリック教会とは最終的に妥協

・1878 年、社会主義者鎮圧法

社会主義的結社の禁止、集会・出版の制限

⑧ビスマルクの対外政策

・ビスマルク外交の展開　＊2 ＊3

フランスの国際的孤立をめざす

ベルリン会議 (1873 ~ 78)

└ ビスマルクの調停に不満でロシアは離反

→三帝協商 (1881 ~ 87、独墺露間)

└ いったん離反した露が英との対立から再接近

→三国同盟 (1882、独墺伊間)

└ 仏のチュニジア植民地化を脅威に感じたイタリアが接近

→再保障条約締結 (1887 ~ 90、独露間)

└ バルカンでの墺露の対立で三帝協商崩壊、独露は改めて協力を確認

⑨ドイツの新航路政策

・1890 年、ビスマルク引退

新皇帝ヴィルヘルム２世 (在位 1888 ~ 1918) と対立　＊4

・新航路政策

ドイツ皇帝は積極的対外進出に転じる

・社会民主党の議会での躍進

社会主義者鎮圧法廃止でドイツ社会主義労働者党を改称、第一党へ

ベルンシュタインの修正主義採択

PROPOS　＊1

日本は誰もが医療にアクセスできる国民皆保険制度を高度経済成長期に整備。原型はビスマルクの社会保険。工業化を急いだ当時のドイツでは階級対立が激化。ビスマルクは労働者を社会主義運動から切り離すため社会保険制度を整備。労働者の支持を得ようとした。保険とは誰もが遭遇するリスクに備えて掛け金を払い、困った人に給付する制度。日本では、医療、雇用、労災、年金、介護の５つ。適用されても、「掛け捨て」になっても感謝できるのが保険。誤解が多いが、年金も老齢年金という保険。

PROPOS　＊2

ビスマルクは、ドイツ産業が成長するまでは戦争に巻き込まれないように平和維持に腐心。対独復讐にはやるフランスを孤立させるため仏露の接近を防いだ。フランスは単独でドイツに勝てないのでロシアと同盟してドイツを東西から挟撃するしかない。ドイツは同じドイツ人のオーストリアとの絆を深くした (これを見越して普墺戦争でも文化闘争でもビスマルクはオーストリア、カトリック勢力を深追いしなかった)。独墺同盟を基軸にロシアを加えたり (三帝同盟、三帝協商)、イタリアを加えたり (三国同盟) してフランス包囲網を完成させた。

PROPOS　＊3

イギリスは「光栄ある孤立」をとる。大陸での勢力均衡がイギリスの生命線。どの国とも状況に応じて協力関係をとれるようにどの国とも同盟関係を結ばなかった。

PROPOS　＊4

若い新皇帝のもとでドイツは新航路政策 (世界政策) に 180 度転換。ドイツ産業が成長して国内市場が飽和状態だった。北側にしか海がないドイツ。新航路とはバルカンから中東方面 (3B 政策)。これがイギリスとの対立 (建艦競争) を生み、南下をはかるロシアとも衝突。皇帝はロシアとの関係維持を放棄 (再保障条約更新拒否)。ロシアはフランスに接近、露仏同盟締結となる。

画蛇添足

▼朱子は朱子学者でなく、マルクスはマルクス主義者でない。プラトンはプラトン主義者でなく、デカルトはデカルト主義者でない。時代との格闘の中で生き生きとした思想が生まれる。その思想の創始者はたいてい柔軟。▼思想はその追従者によってイデオロギーに矮小化されがち。「マルクス主義とはマルクスに対してなされた誤解の集合」(ミシェル・アンリ)。マルクス、プラトン、デカルトなど思想の創始者から学べることは多い。▼何が思想の理解を教条主義的なものにしてしまうのか。創始者の言葉を片言隻句まで継承していこうとする態度が教条主義。「(神の) 見えざる手」もアダム・スミス『国富論』で1回しかでてこないが金科玉条のごとく信奉する市場主義者がいる。「マルクスよりマルクス的」問題と呼ぶべき事態。▼創始者は拍手を強制しない。追従者に自分の気持ちを忖度させて拍手させる。すると右に倣えで抗うのが難しくなる空気が醸成される。「拍手が足りないのは忠誠心が足りない」とばかり拍手は激烈になる。追従者は創始者の思いを忖度するため教条主義的になりがち (※)。▼資本家が労働者の状況の改善に努めるようになり、議会を通して労働者の権利向上が期待できるようになると社会主義も修正されていく。それ以降、マルクスの言葉通りの理解を教条主義、それに対して修正主義、と互いが蔑称で呼び合うようになる。▼理論は現実に合わせて修正されていくしかないが、ある程度は原理原則へこだわらなければ無原則の「なんでもあり」になる。理論と現実、両者の頃合いが難しい。理論やその創始者への同調圧力を昂進させないために空気を読まずに水を差す勇気、過剰反応しない鈍感力が必要。

わんクリック　外交で大切なのは原則、しかしこだわるとうまくいかないのが現実 (原則がなくてうまかったのがタイ外交)。例外がイギリス外交。4 世紀にわたって「勢力均衡」原則で国益を増大させた。原則なく弥縫のように、その都度、乗り切るために綱渡りのように編まれたのがビスマルク外交。職場が IT 化しはじめた頃、システムの構築は特定の一人の負担でなされがちだった。そのためその人以外は作られたプログラムが理解できず、その人がいなくなるとたちまち困る事態が起こった。そういうものに似ていたのがビスマルク外交。こういう職人芸みたいなものを大学入試で出題しないでほしい。

History Literacy　「隣が拍手して (泣いて) いればとりあえず拍手し (泣か) なければまずい (命を失う)」のが独裁社会。

フランス共和政の確立

①第二帝政 ― 民主政から生まれた最初の独裁国家

・不安定な第二共和政　＊1

→大統領ルイ・ナポレオンのクーデタ (1851)、国民投票

└ ナポレオンの甥、農民の守護神ナポレオンへの追慕、ネコヒゲ (バランサー)

・第二帝政 (1852 ~ 70) ― ナポレオン3世によるボナパルティズム　＊2 ＊3

└ 前期は強権支配 (権威帝政) だが、後期には柔軟な支配 (自由帝政) へ移行

農民の圧倒的支持

└ 大革命後のフランスで農民は土地を持った保守層、労働者層 (共産主義) への警戒

産業資本家と労働者の均衡を利用

鉄道網を広げ国内市場、軍事遠征で海外市場を獲得　→資本家の支持

サン・シモン主義に基づく社会政策、公共事業実施　→労働者の支持

英仏通商条約 (1860) でイギリスと自由貿易体制

・パリ都市改造で現在の「花の都」パリの都市景観誕生

└ 県知事オスマン男爵、19 世紀初頭のパリはスラム街状態、最も成功した都市計画

・積極的対外進出

クリミア戦争 (1853) 参加でロシアの南下阻止

アロー戦争 (1856)、インドシナ出兵 (1858) でアジア進出

イタリア統一戦争 (1859) 参加でサヴォイ・ニース獲得

メキシコ出兵の失敗 (1861 ~ 67)

メキシコの債務帳消しに抗議、マクシミリアン (ハプスブルク家) を擁立

②パリコミューン　＊3

・普仏戦争 (1870 ~ 71) で新興国プロイセンに敗北

└ 日本の遣欧使節団はパリは早々にベルリンへ移動

ナポレオン3世は捕虜となり第二帝政崩壊 (1870.9.)

→ヴェルサイユに臨時政府樹立 (1871.2.)

首班ティエールはドイツと「屈辱的」仮講和条約締結 (1871.3.)

→パリ労働者が自治政府 (パリコミューン) 樹立、仮講和に反対

→臨時政府とドイツ軍が攻撃、崩壊 (「血の一週間」の弾圧)(1871.5.)　＊4

・フランクフルト講和条約締結 (1871.5.)

アルザス (中心ストラスブール) とロレーヌ地方の一部がドイツ領に

PROPOS　＊1

六月蜂起後の社会の保守化で「共和派なき共和国」となった第二共和政。その下でルイ・ナポレオンが大統領に当選、クーデタで皇帝となる。「帝政は平和を意味」の論理に国民は帝政を選択。自由を自ら放棄した。農民、労働者、ブルジョワジーの各層はそれぞれの期待するイメージを「ナポレオン」の名の中に描いた。各層間のバランスが作る狭いキャットウォークをネコヒゲ (バランサー) で巧みに渡ったナポレオン3世 (ボナパルティズム)。帝政だがあからさまな抑圧体制でもない。後期の自由帝政下で、フランス経済が大きく成長した。

PROPOS　＊2

愚帝扱いされてきたナポレオン3世。マルクスとヴィクトル・ユゴーが低く評価 (※)。「ヘーゲルはどこかで、すべて世界史上の大事件と大人物はいわば二度現われる、と言っている。ただ彼は、一度は悲劇として、二度めは茶番として、とつけくわえるのを忘れた」(マルクス『ルイ・ボナパルトのブリュメール 18 日』)。マルクスは凡庸な人物が親の七光りで権力の座に就いたこと、左派的な政策でお株を奪われたことが気にいらない。ナポレオン3世は彼なりの労働者救済の思いがあった (「馬上のサン・シモン」) が左派にとり面白くない。

PROPOS　＊3

若者を抑圧する新自由主義政策をどうして当の若者が支持するのか―現代日本にも共通する政治構造を見事に分析したルポルタージュの名著『ブリュメール 18 日』。

PROPOS　＊4

名曲『さくらんぼの実る頃』。この季節のはかない恋と失恋の悲しみとパリコミューンで亡くなった人びとへの悲しみを託した歌「いつまでもさくらんぼの実る頃を愛する、そして心のなかのあの思い出も」。市内のペール・ラシェーズ墓地に仏軍がなだれ込み、墓石間での白兵戦(はくへいせん)となり、その多くが墓地内の壁の前で銃殺された。

画蛇添足

▼オスマン男爵によるパリ大改造。街路樹(マロニエ)に彩られた幅員の広い大通り。それに面して6階建てに統一されたアパルトマンが並ぶ。ライムストーンの美しい壁面、装飾のある欄干(らんかん)。鉛色の屋根をセットバックしたことでスカイラインが揃い、広い空が生まれた。歩くだけで気分が華やぐ「花の都」パリの誕生。▼構造上生じた狭い屋根裏部屋は貧乏学生に供給された。一階は管理人、二階にブルジョワジー、三階以降は中産階級。最上階に貧乏学生、と垂直に階層分化。彼らは別の階段を使うので出会うことはない。部屋は狭いのでカフェを居間代わりに使う文化が生まれた。▼石はパリ盆地の地下から石灰岩(ライムストーン)が切り出された。この白さが明るさ、開放感を作った。巨大な空洞がパリの地下にはある。そこに下水道網が完備され、衛生が飛躍的に向上した。▼新緑の6月のパリの美しさは比類ないが、冬枯れのパリも悪くない。樹々が葉を落とすからアパートメントの輪郭もくっきりと見える。すべての佇まいがさらされる冬。樹形がはっきりしてシルエットの美しさが際立つ樹々。装飾を落とした時、スタイルが露わになる。余計なものを落として次に備える、準備の時の美しさ。▼工事には革命予防の意味もあった。この改造の結果、バリケード戦に好都合の曲がりくねった狭い路地は姿を消し、道路は直線化。要所に設けられた広場は軍隊の待機場所となり、市街戦による革命は困難となり、パリコミューンは失敗した。▼美しい街並み―これは「美しくないもの」をはじき出した結果でもある。再開発で都心は美しくなったが労働者、職人は周辺部へと追いやられた(高級化(ジェントリフィケーション))。そこに行き止まりの世界が出現。今日に続く格差問題を生む。

わんクリック　石造建築物による都市計画はリスボン大地震 (1755) もきっかけとなった。この時、リスボンの街は修道院一つを残して壊滅。それまでは意外にも木造建築が主流だった。ところで歴史のある都市は、都心部の建物ほど老朽化が進み、低所得者層の居住地になる。いまそこを高層ビルに建て替える都心再開発が各都市で進められている。住人は再開発の名目で体(てい)よく追い出される。歴史とは現代の課題意識をもって過去をみること。パリ大改造は、いま進むジェントリフィケーション (富裕化) の端緒と意味付けられる。多くの場合、近代都市計画が退屈な都市を作る。成功することが稀な計画。

History Literacy　歴史的評価が極端な人物 (始皇帝、煬帝、西太后、ナポレオン3世など) は「それは誰の見方か」と意識する。

③第三共和政　＊1

- 1875 年、共和国憲法制定で成立
  三権分立、二院制議会 (下院は男子普通選挙)
  大統領権限弱体で小党分立で政局不安定
- 積極的対外政策
  1880 年代より帝国主義時代
  外国への投資が特徴、特にロシアに投資
  └「ヨーロッパの高利貸し」「金利生活国家」
- チュニジア (1881)、インドシナ (1887) の植民地化

④安定へ向かう第三共和政 ― 1 世紀近くかかって共和政がフランスに定着

- 小党分立で左右の両派が対立
- 国力の回復で右翼、軍部の台頭 (対独復讐心)
  └ 排外ナショナリズムの高まり
- ブーランジェ将軍事件 (1889)
  「復讐将軍」の第三共和政転覆の陰謀未遂事件
  └対独復讐をうかがう軍部　└ 3 人目のナポレオンは誕生せず
- ドレフュス事件 (1894) 発生　＊2 ＊3
  ユダヤ人差別を背景にした冤罪事件
  →国論が二分
  作家ゾラは軍部非難『私は弾劾する』(1898)
  └ 自然主義　└ 共和主義者クレマンソー所有の『オーロール』紙
  多くの「知識人」がドレフュス支援　＊4
  └ ドレフュスを弁護する論陣を張った人々に与えられた称号
- 両事件で軍部の信用は失墜し、共和政安定へ　＊5

⑤社会主義運動

- サンディカリズムが台頭
  労働組合 (サンディカ) の直接行動による革命を主張
  └ パリ・コミューン失敗で社会主義者への不信、ストライキが多いのがフランスの特徴
- 社会党の成立 (1905)
  └ 他国のように労働者を傘下におさめておらず労働者の大量動員は不可能

⑥外交

- 露仏同盟 (1891 ~ 4)、英仏協商 (1904) でドイツに対抗

PROPOS ＊1
保守的で改革を好まない国民性。改革ですんだはずのことが革命の形をとるしかなくなり、政体変遷が目まぐるしいフランス。

PROPOS ＊2
参謀本部の機密書類がドイツに漏えい。ユダヤ人ドレフュス大尉が逮捕。軍法会議で有罪とされギアナへ流刑。ドイツと結託するユダヤ人―対独復讐に燃える世論は単純な構図を作り上げた。当初から冤罪の声があり、真犯人も明らかになったのに軍は威信のために握り潰した。彼はフランスの「内なる敵」とみなされたアルザス出身。解放までに 12 年。この間、すべての知識人が踏み絵を迫られて国論は分裂した。

PROPOS ＊3
ロンドン軍縮条約 (1930) に調印した浜口雄幸首相の暗殺。軍部が発言力を強めていった 1930 年代の日本。大仏次郎は『ドレフュス事件』で世論 (大衆の感情) によるナショナリズムの高まりで、良識、正義が埋没していく当時の日本を批判した。

PROPOS ＊4
「人権の諸国」での差別事件。新聞が事件の行方を変えた出来事。「人々が口をつぐんでいた時に、リスクを顧みず、平穏な日々を、名声を、命のすべてをさらして、自分の能力を真実を明らかにするために使った」(ジャック・シラク)―「知識人」と呼ばれた人びとがいた。軍内にも自分の判断を疑い、再捜査をした大佐がいた。

PROPOS ＊5
近代オリンピックを唱えたクーベルタン (仏)。プロイセンに敗れた後、フランス青少年の軟弱さを鍛え直そうとした。イギリスのスポーツで鍛えるパブリックスクールを称賛。新設の「近代五種」(アーチェリー、射撃、馬術など) にはスポーツの軍事利用がちらつく。馬術もあるが歩兵戦を想定。槍投げ、砲丸投げ、最後は白兵戦時のレスリング。各国の国威発揚の手段ともなった。

画蛇添足

▼パリといえばエッフェル塔。モニュメントが土地の固有性を浮かび上がらせる。建物の間から少し見えただけでも人びとをときめかせる稀有な存在。何度見ても見飽きないものを傑作と定義すればエッフェル塔は傑作中の傑作。建設されたのはドイツに敗れて発足した第三共和政下のパリ万博 (1889) 時。▼革命百周年のこの万博において産業力でドイツを見返そうとする意図が込められていた。まだ石と職人の時代。鉄と技師が軽くみられていた時代に一人の犠牲者も出さずに300mを超す当時世界一の鉄骨高層建築物の建設に成功した。風に対する構造計算から「鉄のレース」、その佇まいから「鉄の貴婦人」と称賛された。▼建設当時、「こんな無粋な建築物はパリの景観を損ねる」という文化人の間で起こった逆風もはねのけた。批判の急先鋒は作家モーパッサン。「モーパッサンはしばしば塔のレストランで昼食をとった。とはいえ彼は塔を好きではなかった。「パリで塔が見えないのはこの場所だけだ」と彼は言ったものだった。」(ロラン・バルト『エッフェル塔』)。▼生まれつき目の見えない人に、これまでに見た最も美しいものは何かと問いかけ、応えた言葉を並べる展覧会があった (「ソフィカル―最後のとき／最初のとき」)。「エッフェル塔」と答えた女性のポートレイトと塔の写真が並べて展示してあった。▼おそらく彼女が頭で見ているものと写真は一致していない。彼女が見ている「エッフェル塔」は誰もが「美しい」と感嘆する言葉などから脳が作り上げたイメージだろう。晴眼者もまた対象を目ではなく、脳で見ている (※)。川内有緒『目の見えない白鳥さんとアートを見にいく』が興味深い。白鳥さんとアートを行くと見る目が深まる。

わんクリック　日本の高度経済成長の成果を披露した大阪万博 (1970)。約 6000 万人が来場。アメリカ館とソ連館が人気で長蛇の列。筆者は並ぶ気のない父に連れられ小国のパビリオンばかりを回った。スタンプ帳が効率よく埋まるのでまんざらでもなかった。東欧諸国のパビリオンがどれも立派だった。消印入りの切手セットを二束三文で買い求め、飽かず眺めた。名神高速道路の高架下に数十キロにわたって展示物を運んできた木箱が置かれ、子どもたちはそこに入り込んで秘密基地とした。木箱の見慣れぬ刻印を独自に解読して目印にした。どれだけの子どもたちが万博で世界へ視野を広げたことだろう。

History Literacy　私たちは対象を「目」ではなく「脳」で見ている―「脳が見る」メカニズムを意識する。

イギリス帝国の繁栄

①ヴィクトリア女王時代 (1837 ~ 1901)　＊1

- イギリス「繁栄の時代」(1851 ~ 73)　＊2
  - └ 1851 年第 1 回万国博覧会から 73 年の大不況到来まで
- 二大政党による議会政治
  保守党のディズレイリと自由党のグラッドストン

②内政改革

a. 保守党ダービー内閣時

- 1867 年、第 3 回選挙法改正で都市労働者に参政権拡大

b. 自由党グラッドストン内閣時

- 1884 年、第 4 回選挙法改正で農業労働者に参政権拡大
- 1870 年、初等教育法の制定 ― 学校教育の開始　＊3 ＊4
  公立学校の設置 (国家の費用による義務教育制)
- 1871 年、労働組合法の制定
  労働組合運動の合法化
  - └ チャーチスト運動失敗後、労働運動は組合運動中心に
- 1872 年、秘密投票法制定 (それまでは口頭での公開投票)

③植民地問題

- 自由党を中心に植民地放棄論
- 五大自治領 (ドミニオン) の形成
  - └ アメリカ独立を招いた外交の失敗から白人中心の移住植民地にほぼ独立国と同じ地位

  カナダ (1867) が最初の自治領 (ドミニオン)
  オーストラリア、ニュージーランド、南アフリカ、ニューファンドランド

④労働党 (1906) の成立

- フェビアン協会が母体、漸進（ぜんしん）主義的改革を提唱
  - └ 漸進戦法でハンニバルから勝利を勝ち取った古代ローマの将軍名に由来

  ウェッブ夫妻、バーナード・ショーらが参加して結成
- 労働代表委員会 (1900) が改称

⑤議会政治の進展

- 自由党内閣 (1905) 成立、議会法 (1911) で下院の優越
  - └ それまで選挙のない上院 (貴族で構成) が優越

PROPOS　＊1

ヴィクトリア女王は夫アルバート公との間に 9 人子を産んで各国に嫁がせたのでその間、国際情勢が安定。公が早逝すると死後 40 年間喪服で通した。女性の生き方が家庭に固定化されて、仕事も恋愛も自由にできなかった保守的な時代。男女の著者の本を図書館の棚で隣り合わせに並べられなかった。その逝去で 20 世紀が始まる。

PROPOS　＊2

万国博覧会 (1851) でイギリスはその繁栄を世界に誇示。鉄とガラスを用いた巨大な建築物クリスタルパレスが近代建築の象徴として登場。ヴィクトリア朝時代の経済的繁栄がイギリス民主主義を支えた。現代日本はここに議会政治の理想をみた。1850 ~ 60 年代のイギリスは「世界の工場」。莫大な利潤が流れ込み、労働者をも潤した。この繁栄を背景に労働運動も体制内での組合運動が中心になる。ウェッブ夫妻が団体交渉など労働運動の基本を作る。

PROPOS　＊3

子どもを教育するのは誰か。その権利をめぐり教会と国家がせめぎ合った。これまで教会が子どもを教育して「信者」と働き手を作ってきた。学校は子どもを地域から引き離し、教育して「国民」(徴兵に応じて戦争に自発的にいく身体) を作るようになる。学校は塀で囲まれ、門扉は閉じられ、地域と対立する場所になる (とくにに平日に行われる秋祭り)。いまは逆に「地域に開かれた学校」が掲げられる時代。初等教育法は教育を国民全体に広げると同時に宗教からの解放を目的とした。労働者に選挙法を拡大したことによる当然の帰結だった。

PROPOS　＊4

長い間、子どもは「小さな大人」であり、労働力だった。労働力―働く存在から教育を受ける存在―日本でいう「学童」へと本格的に変化したのは初等教育法の施行以降。以来、人間は人生の前半のかなりを学校という特殊な場で過ごすことになる。

画蛇添足

▼多数決について何を知っているか。多数決はローマ教皇選挙（コンクラーベ）で誕生。システィーナ礼拝堂に籠（こも）った枢機卿（すうきけい）は互選でその中から新教皇を選ぶ。誰かが過半数をとるまで投票を繰り返す根競（こんくら）べ。多数決は誰かを選出する、結論を出す手段として生まれた。ポーランド議会は全会一致をとっていたため周辺三国の侵略に意思統一して対抗できなかった。▼多数決と民主政の間に直接の関係はない。もちろん今は採決の前に熟議を重ね、結論が民主的なものに近づくようにする。教皇選挙では祈りながら結論が神意（民意でない）に近づくように投票する。選挙結果は神の意思、という発想。古代ギリシアの抽選。日本のおみくじも同じ発想。アメリカ大統領も神が選ぶ。ではなぜ選挙するのか。神が誰を選んでいるか分からないから選挙で確認するという発想（※）。▼結論を出すため多数決を用いるが、あくまで政治とは利害調整。ベストの選択肢はなく「悪さ加減の選択」（西部邁（すすむ））。先日の某国の大統領選、ペストかコレラの選択を強いられた人びとはコレラを選択。別の某国の首班選挙。「知っている悪魔」と「知らない悪魔」の選択を迫られた人びとは後者を首相に選択。選択肢がなくても投票（参加）する、が民主主義のルール。▼「選挙の結果がすべて」とある首相。その程度の政治家が選ばれるのが選挙。結論を出す必要から多数決は用いられるが、このように民意が分布している、を示すのが選挙結果。▼選ばれた者はすべての代表。自分に投票しなかった意見の異なる人びとの意見も吸い上げて、分散する民意をまとめるのが政治。誰もが社会の構成メンバー。為政者には「他の人が自分より賢いかもしれない」（アトリー）の態度を求めたい。

わんクリック　多数決は「票の割れ」という致命的な欠陥を持つ。その結果は必ずしも民意を反映しない。小選挙区で 2 有力候補が競っている時、相手の票が割れるような泡沫（ほうまつ）候補を出すことで、結果を変えることも行われている。これはオリンピック開催地決定のように決選投票付き多数決をすれば避けられるか。候補者を順位付けして加点していく (ボルダルール) がベターとする坂井豊貴（とよたか）『「決め方」の経済学―「みんなの意見のまとめ方」を科学する』。多数決にも代替案がある。重要な決定の合意を、国民投票、住民投票などの一回の投票 (多数決) で決めることを避ける方向で議論を進める必要がある。

History Literacy　神が誰を選んでいるか分からないから選挙で確認する―形式的だが前近代の神権政治が続く。

アイルランド問題

①問題の所在

- クロムウェルの侵略以来、アイルランドがイギリスの事実上の植民地
- 民族問題　ゲルマン系 (イギリス) によるケルト系 (アイルランド) 支配
  - └ 自治要求→独立要求へ

  宗教問題　プロテスタント (イギリス) によるカトリック (アイルランド) 支配
  - └ 旧教徒解放令 (1829) で解決に向かう

  土地問題　不在地主 (イギリス) による小作人 (アイルランド) 支配
  - └ 3F運動の展開　小作権の安定 (fixity)、妥当 (fair) な地代、小作権売買の自由 (free)　＊1

②ジャガイモ飢饉

- 1845年、ジャガイモ飢饉 (～1849)　＊2
  ジャガイモの胴枯(どうか)れ病が広がる
  イギリス政府の対応の遅れで「人為的飢饉」に悪化
  - └ 自由放任主義が当時の経済思想
- 100万人以上死亡、100万人以上が移民 (アメリカ)　＊3 ＊4
  - └ 特に「暗黒の1947年」、チフスが最大の死因

  この間、不在地主は穀物栽培を継続、イギリスに輸出 (飢餓輸出)
  - └ イギリスの「ジェノサイド (虐殺)」とみる民族史観が以後アイルランド社会に影響

③アイルランド自治

- 土地法制定 (1870、1881)
  アイルランド小作人の権利保護、グラッドストン内閣が制定
- アイルランド自治法案の否決 (1886、1893)
  - └ 自由党が提出、保守党の反対　└ 下院で否決　└ 上院で否決

  アイルランド自治法成立 (1914) するが1次大戦で実施延期
  - └ 議会法 (1911) で下院の優越

PROPOS　＊1
今の日本で二世、三世政治家の多くは、東京生まれで東京育ち。地盤だけは代々の地方選挙区を利用。選挙の時だけ帰って「お国入り」と報道される。農地改革で一掃されたはずの不在地主が政界ではまだ残る。

PROPOS　＊2
土地問題解決のために土地同盟 (1879) がとった「ボイコット戦術」。妥当と考える小作料しか支払わない運動を展開。この適正額の受け取りを拒否したボイコット大尉との交渉を住民が一切断った。一家は日用品にこと欠きアイルランドを去る。

PROPOS　＊3
まだ遺伝子 (病) の知識のなかった時代。ジャガイモ飢饉は基本的には自然災害。ジャガイモは種イモを使って株分けで増やすので遺伝子組成が同じクローン。植えていたジャガイモは単一種だったため全滅に近くなる。いまは様々な改良種を利用。

PROPOS　＊4
アメリカ東部13州の背後アパラチア山脈 (ここより西が西部) が移民に壁として立ち塞がった。このあたりの土壌は痩せていてライ麦、カラス麦、とうもろこし以外の栽培は難しい。地下資源 (石炭、鉄鉱石) が主要産業 (いまここがラストベルト)。この厳しい山地に入植したのがアイルランド系移民。ウイスキー醸造で生計を立てた。

PROPOS　＊補足
北アイルランドのアルスター地方。かつてはアイルランド経済の中心地、イギリスとの関係が深く住民の3分の2がプロテスタント。アイルランドではこの9州が産業革命を経験。中心都市ベルファストのアルスター博物館にいけば実感できる。航空機産業、造船業が盛んで悲劇の豪華客船タイタニック号もここで造船。カトリックで農業国アイルランドとの経済的格差は大きかった。ところがいまは状況が逆転、アイルランドの方が豊かになっている。

画蛇添足

▼アイルランドはケルト系民族の島だが、クロムウェルの侵略以来イングランドの植民地となり英語圏となった。英語語学留学の意外な穴場。首都ダブリンのホストファミリー、カトリック特有の大家族の下で1カ月過ごしたことがある。▼「ジャガイモの国」アイルランド。毎食、皮のままふかした山盛りのジャガイモがテーブルに置かれた。かつて「貧者のパン」とされたが、これがおいしかった。「一日の中に四季がある」国アイルランド。高緯度で冷涼、夏も20度までしかあがらない。夏でも滅多に青空が広がらず、快晴がニュースになる。空を見上げては「なんてミゼラブルなんだ」がホストの口癖。▼「パブの国」アイルランド。ダブリンでは地図を見ながら、ある所から別の所まで、パブを通らずに行けるかを考えて時間つぶしする。答えはたいてい「不可能」。滞在中、ホストから礼拝には誘われなかったがパブに誘われた。ギネスビールだけでなくアイリッシュウイスキーも人気。▼「エメラルドグリーンの島」アイルランド。四国程度の大きさなので車を借りて一周してみた。西端のアラン諸島は荒涼たる様、南端のディング半島は美しさで息をのませる景観(ブレステーキングシネリー)が広がる。19世紀半ばには数千のイギリス人不在地主が土地の8割を支配。農民の多くは地代を払うための輸出用小麦を栽培。限られた場でジャガイモを栽培して主食とした。▼寒冷地や痩せた土地でも栽培できるジャガイモだったが1845年の長雨で病害が発生、大飢饉となる。株分けで増やしたため遺伝子的多様性がなかった。100万以上のアイルランド人が餓死、同数以上がアメリカなどに海外移住。この間、小麦栽培は豊作でイギリスに輸出された。典型的飢餓輸出。

わんクリック　先進国で200万人以上の人口減少 (死者と移民) と飢餓輸出。従来の民族主義史観ではイギリスによる人災、「ジェノサイド」と断罪されていたが、最近はこのような見方は修正されつつある。ただ、そのように理解されたことが後の独立闘争の激烈さにつながった、と理解することは大切。実際にどうであったのか (イギリスも無策ではなかった) が明らかになれば歴史叙述は修正されるが、当時、それがどのように理解されていたか、の理解もまた重要 (※)。ジャガイモが導入されなければこれほどの人口増加も、これほどの餓死者はなかった。罪作りな食物ジャガイモに振り回されている。

History Literacy　科学知識は常に修正(アップデート)される－修正前の (間違っていた) 知識も科学知識でこの着目が大切なこともある。

北欧諸国

└ スカンジナヴィア三国とフィンランド、他にアイスランド、バルト三国を含めることも

①カルマル同盟の時代

- 1397年、デンマーク、スウェーデン、ノルウェー3国の同君連合
  └ カルマル(スウェーデン)で締結
  デンマークのスウェーデン、ノルウェー支配
- ドイツのハンザ同盟都市に対抗、16世紀スウェーデンの離脱で崩壊

②デンマーク ＊1

- 16世紀、宗教改革で王権強化(ルター派受容)
- 16世紀、クリスチャン4世時代全盛期
  └ 三十年戦争では敗退
- カルマル同盟以来、ノルウェー支配継続
  └ 19世紀にスウェーデンに割譲
- デンマーク戦争(1864)でシュレスヴィヒ、ホルシュタイン失う
- 酪農業の発達、アンデルセン、キェルケゴールなど輩出

③スウェーデン ＊2

- 16世紀、カルマル同盟から離脱、宗教改革で王権強化(ルター派受容)
  └ デンマークの影響下から離脱
- バルト海の覇権をめぐりデンマークと抗争
- 17世紀、グスタフ2世アドルフ時代
  └「北欧の獅子王」、三十年戦争参戦で戦死
  三十年戦争に参加、勝利してバルト海の覇権
- 18世紀初頭、北方戦争でロシアに敗れ、バルト海の覇権失う
- 19世紀は貧困、大戦後の経済成長で豊かに

④ノルウェー ＊3

- 長くデンマークの支配下(14～19c)
- スウェーデン支配下(19c)、独立(1905)
  漁業、海運、電力工業、製紙業などで近代化

⑤フィンランド ＊4

- 長くスウェーデン領(12c～1809)、ロシア領(1809～1917)、独立(1917)
  └ ナポレオン戦争でロシアに割譲、ロシア革命(十月革命時)に独立

PROPOS ＊1

平地国デンマーク。ユラン半島はヒースで覆われた不毛の荒地(ヒース)。開拓して土地改良(内村鑑三『デンマルク国の話』)。今は北海からの偏西風を使った海上風力発電に活路を見いだす。首都コペンハーゲン。

PROPOS ＊2

北欧の大国スウェーデン。いまはH&Mやイケアで有名。近代化の妨げだった固い岩盤。アルフレッド・ノーベルが不安定で危険なニトログリセリンを安全で扱いやすいダイナマイトとすることで砕いた。

PROPOS ＊3

ノルウェーの国土は不毛で耕地はわずか。深く入り組んだフィヨルドが作り出す長い海岸線。沖合ではメキシコ湾で温められた暖流が北上。この暖流が北極海からの寒流とぶつかり世界有数の漁場を形成。漁業と海運業で生活。北海油田開削(1960)で豊かになる。首都はオスロ。第二の都市ベルゲンはハンザ同盟都市として繁栄。北欧は高緯度で最も南のデンマークのコペンハーゲンでも北緯55度(稚内が45度)だが暖流のため厳冬ではない。高緯度地方の問題は寒さではなく日照時間。冬至の頃は朝10時に日の出、3時にはもう暗くなる。

PROPOS ＊4

独自の文化、言語を持ちながらフィンランドは長くスウェーデンの一部。歴史的経緯からスウェーデン語話者も多い。『ムーミン』の作者トーベ・ヤンソンもその一人。20cにロシアに割譲されてからフィンランド国民意識が生まれる。東にロシア(国境1300km、札幌―福岡間に相当)、西にスウェーデンと厳しい国際環境下にある。

PROPOS ＊補足

北欧諸国は宗教改革、ルター派を受容。そのことで国王の権力を増強させた。いま北欧三国は君主国。食事は「ヴァイキング」料理で豪華と思いがちだが北欧料理はルター派ゆえ質素。ジャガイモ料理が多い。

画蛇添足

▼森と湖の国フィンランド。日本とほぼ同じ広さの国土に兵庫県ほどの人口。他国に影響を及ぼす政治大国でないから世界史での言及は少ない。ライフスタイル、デザインなどで魅力的な北欧モデルを提供。価値観、福祉、教育分野で先進的取り組みが多い。▼PISAテスト世界一で注目される教育、国民幸福度の高さに繋がる福祉。書店にはフィンランド関連本が並び、この国へ人びとを誘(いざな)う。しかし歴史の眼鏡(メガネ)で見ても魅力が見えない国。教科書にはずっと隣国スウェーデン、ロシアの占領下にあって、ようやく一世紀前に独立した、としか書いていない。▼恥ずかしがりや屋の国民性(ノキア)ゆえ、顔を合わせずに会話できる携帯電話の普及が早かった、など自虐的ジョークの多い国。フィンランド、エストニア、ハンガリーは、それぞれアジアから来たフィン人、エストニア人、マジャール人の定住による国。その中でなぜフィンランドは教育熱心なのか。▼移動してきたアルタイ語系の三民族。最初の分岐路で「南は肥沃、気候も温暖」の看板を読むことができて南下したのがマジャール人。そこに肥沃な黒土(チェルノーゼム)があった。見落としたが次の分岐路の「警告、この先は凍結」でとどまったのがエストニア人。砂地の土地(ポドゾル)―ライ麦とウイスキーは何とか作れた。共に読めずに何も育たない泥炭地(でいたんち)に住む羽目になったのがフィン人。文字を読めなかったことを反省して教育熱心となった、とこれも自虐ジョーク。▼長い冬ゆえ一年の半分以上を屋内で過ごすしかない。巣ごもり生活のプロが作り出した快適な家具調度。机の前に座る時間が長ければ学力も伸びる。ところで高緯度地方の長い冬で人びとを苦しめるのは寒さではなく、暗さだという。

わんクリック 心を寄せた女性全員に振られたアンデルセン。アンデルセン物語は悲しい結末が多い。例えば『マッチ売りの少女』。ただ主人公の死に救いを感じる人がいた時代だった。死ぬことがこの世の苦痛から解放されることを意味した時代もあった(いまも続いている)。いま私たちは「希望を持つ」ことの大切さを語るが、「希望を持ってはいけない」と若者に釘を指すのが大切な時代もあった(※)。「奴隷とそうでない者とでは、死ぬということの意味が少し違う」「自由人にとって、死は楽しい人生の終焉だが、奴隷にとっては、たった一つの苦痛から逃れる方法なのだ」(映画『スパルタカス』より)。

History Literacy 現在の価値観が通用しない時代もある―希望を持ってはいけない時代があった。

南北戦争 — Civil War（内戦）

①南北の対立

・西部開拓進展で北部と南部の対立激化　＊1

	北部（自由州）	南部（奴隷州）
産業	商工業	プランテーション農業
貿易	保護貿易	自由貿易
奴隷制	不用	必要
政体	連邦主義（中央集権）	州権制（地方分権）
政党	共和党	民主党

・特に北部の自由州と南部の奴隷州の対立激化
新州の帰属（自由州か奴隷州か）をめぐる対立
└ 人口6万人以上で州に昇格、上院に議員を2名選出

・ミズーリ協定（1820）で妥協
北緯36度30分以北は自由州、以南は奴隷州とする妥協

・「ストゥ夫人」が『アンクルトムの小屋』刊行（1852）
└ ハリエット・エリザベス・ビーチャーを教科書は「ストゥ夫人」と表記する
人道主義の立場から奴隷制に反対

・カンザス・ネブラスカ法（1854）成立
南部州がミズーリ協定破棄→自由州か奴隷州かは州の意志にまかせる
└ 奴隷州が北部に拡大する可能性増大

②内乱（Civil War）の発生 — 日本語訳「南北戦争」　＊2

・ジョン・ブラウンの武力蜂起（1859）　＊3

・1854年、共和党を結成、奴隷制度拡大阻止を掲げる
└ カンザス・ネブラスカ法成立の年、危機感

・1860年、リンカンが大統領当選（在任～65）　＊4
└ 得票の過半数とれず正当性が揺らぐ
奴隷制不拡大論者（奴隷制即時廃止論者ではない）
北部の利害を代弁

・1861年、アメリカ連合国組織
南部11州が連邦から分離、大統領ジュファソン・デイヴィス
└ 綿花栽培のかつての首都はテネシー州メンフィス、いま綿花主要産地は西部へ移動中

PROPOS　＊1

アメリカ南部は土壌の多くが粘土質で綿とサトウキビ以外に適さない。湿地帯で伝染病も多い厳しい風土。綿花栽培は手間ゆえ消滅するとみられていた。しかしホイットニーが奴隷労働軽減のために発明した綿繰機（1793）が逆に南部を「綿花の王国」とした。綿花と並ぶ「南部の白い金塊」が砂糖。サトウキビは単位面積あたりの収益で綿を上回った。いずれも白いものを生産するために黒人を使ったブラック労働。

PROPOS　＊2

国民国家の成立により「内乱」現象が生じるようになった。「南北戦争」は日本でしか通用しない訳。当時、北部では“The Civil War”、南部では“War between the States”と呼称。いまはCivil war（内乱）。

PROPOS　＊3

ジョン・ブラウンは白人。武力蜂起以外に奴隷解放はないと考え1859年に実行。失敗して処刑された。その後『ジョン・ブラウンズ・ボディ』（作詞作曲者不明）が黒人間で広がる。後に北軍の軍歌、現在は『リパブリック讃歌』として親しまれる。「ジョン・ブラウンの骸は墓に朽ちるとも、彼の魂は進みて止まず」が日本で「オタマジャクシ賛歌」、大型家電店CMソングになる。

PROPOS　＊4

映画『風と共に去りぬ』（Gone with the wind）』（1939）。南部の中心都市アトランタは徹底的に破壊されて炎上。修羅場の街からスカーレット・オハラ（ヴィヴィアン・リー）が従妹のメラニーと脱出する際の台詞が "Tomorrow is another day."（「明日という日があるわ」）。Today is the first day of the rest of your life.（今日は残りの人生の最初の日）と並び、米社会のポジティヴシンキングを象徴する名言。映画そのものは風（戦争）と共に去った南部白人プランターにとっての「古きよき」時代へのノスタルジー。その時代、奴隷として生きた人たちのことを考えない人たちには「古きよき」時代。

画蛇添足

▼アメリカでの警察官による黒人殺害事件から、世界でBlack lives matter.（黒人の命を軽く見るな）を唱える運動が広がった（2020）。この事件をきっかけにアメリカ社会では黒人問題が再燃。アメリカは銃社会。誰もが銃武装の可能性があるから、警察官も命がけ。▼しかし年間千人前後が路上で警察官に撃たれて亡くなるのは異常。「警官の前では手をポケットに入れるな」がアメリカでは殺されないための心得。多くの州で死刑制度を廃止する高い理想を掲げるアメリカ。だが連日、裁判なしの路上処刑が執行され、主に黒人が犠牲になっている。▼黒人問題が再燃、とした。正確には黒人問題は存在しない。かつてキリスト教社会でのユダヤ人に対する差別問題をサルトルは「ユダヤ人の問題ではない、私たちの問題である」とした（『ユダヤ人問題』）。ユダヤ人問題はそれを解決できない非ユダヤ人問題。差別問題は、される側の問題でなく、する側の問題。▼黒人問題とは白人の問題（※）。アメリカ社会に存在するのは、白人が黒人を差別することを改（あらた）められない白人問題。日本の女性問題は男性問題。在日朝鮮人問題は日本人問題。いまどの国も直面するのが移民問題。これは「ホスト国問題」。これらの問題はいずれも人間を、人として尊重せず、低賃金労働力として使うことから生じる問題。▼いまの日本は「技能実習生」の名目で日本に憧れて来日した若者を、低賃金労働力不足の穴埋めとして酷使し、深い失望とともに離日させている。彼らなしにいまの日本の便利で安い生活は成り立たない。「便利」「安い」と言っては特に必要のないモノを買い求め、粗末に使い捨てる生活。労働力の名のもとに人間も使い捨てる。そういう社会の問題。

わんクリック　当時といまでは立ち位置が違う共和党と民主党。南部の黒人奴隷を解放したのは共和党。黒人は共和党支持だったが、ルーズヴェルトのニューディール政策が民主党をリベラルな政党に変えた。1960年代に民主党ケネディ、ジョンソン政権が公民権法を制定すると、黒人やマイノリティは民主党支持に変わっていった。共和党は北部を基盤としていたが、南部の白人保守層が共和党支持に移った。共和党は自己責任を強調して「小さい政府」を主張。民主党は福祉に重点を置くため、「大きな政府」の主張になる。人口が増えている黒人、ヒスパニックが民主党支持。共和党の党勢はジリ貧傾向。

History Literacy　差別問題は、被害者側の問題でなく加害者側の問題―黒人が問題なのではなく、白人が問題。

③経過

- 開戦　北部の戦争目的は合衆国の分裂回避
- 南部は経済力で北部に対して劣勢だが、軍事的には南部優勢
  - └ 北部には南部ほどの明確な戦争目的がなく士気で劣る　└ リー将軍の指揮
- 1861年、自営農地法（ホームステッド法）制定
  内容　5年間定住開拓者に土地（160エーカー）を無償支給
  └ 東京ドーム14個分
  目的　西部農民の支持を獲得するため
- 1863年、奴隷解放宣言　＊1
  内容　反乱州の黒人奴隷の解放を宣言
  目的　黒人奴隷に動揺を与え、南部戦力を減退させる
  イギリス（1833年奴隷制廃止）の南部援助の意図を挫折させる
- 1863年、ゲティスバーグの戦い
  グラント将軍の指揮で北軍優勢に

④結果 ―「奴隷制度なき奴隷制」の開始

- 1865年、首都リッチモンド陥落で南軍降伏
- 合衆国史上最大の戦死者約62万人
  └ 第2次大戦での合衆国の死者は約41万人
- 南部の荒廃（物質的損害甚大）　＊2
- 黒人奴隷解放と深刻な黒人差別問題の発生　＊3
  1865年、憲法修正第13条で黒人奴隷は解放
  解放黒人はシェアクロッパーとして経済的に従属

アメリカ合衆国の拡大

①広大な市場の出現 ― 東部と西部の一体化

- 1869年、大陸横断鉄道完成
  └ スエズ運河開通の年
- 1890年代、フロンティア消滅 ― アメリカンドリーム萎む

②資本主義の急速な発展

- 農業の機械化、農業の飛躍的発展（小麦生産が世界一に）
- 「金ぴか時代」「金メッキ時代」（1870～80年代）　＊4
  資本主義が急速に発展、拝金主義に染まった成金趣味の時代

PROPOS　＊1

奴隷制不拡大論者リンカンは、あくまで合衆国の統一保持のために開戦に踏み切った。国家統合の遅れたイタリア、日本、ドイツがようやく国家統一を果たした1860年代。その時代に国家の分裂を座視することはできない。南北戦争は奴隷制の是非をめぐる戦いのイメージが先行しているが、実際は北部が市場と考えていた南部の離脱を防ぐための戦い。いまでもこれが奴隷制の存続をめぐる戦いのようなイメージが支配的であるが、これがリンカンが奴隷解放宣言に期待した政治的効果。南部は奴隷という所有物―自分の財産が人権のために放棄させられることが納得できなかった。

PROPOS　＊2

南北戦争で南部の綿供給が止まったのを商機として増産したのが、エジプト（ムハンマド・アリー朝）と中央アジア。ロシアは1860~70年代にウズベク三ハン国を征服、トルキスタンを綿花畑に変えていった。

PROPOS　＊3

奴隷が解放されて人格を得て「物」から「人」になった時、自らの所有物に対して感じる愛着すらなくなり、白人は黒人を見下し、粗野に接するようになる。ここから白人の黒人に対する差別が発生。解放時、黒人は「40エーカーの土地と一頭のロバ」を与えられると信じていたが、土地は分与されなかった。何も持たないものが自由を与えられても生活できない。一世紀後、「長年、鎖につながれていた人を解放し、競争のスタートラインに連れていき、「さあ、おまえは自由だ、誰と競争してもよい」などということはできない」（1964年公民権法成立時のジョンソン大統領の演説）。

PROPOS　＊4

経済バブル―金ぴか時代（特に1870～80年代）に石油王ロックフェラー、鉄鋼王カーネギー、金融王モーガンが現れた。GAFAが利益独占する現代を（長くは続かない）「新金ぴか時代」とする見立てもある。

画蛇添足

▼南北戦争の激戦地で戦後、リンカンが行った戦没者追悼演説。その結句が易しい言葉を使った。「government of the people, by the people, for the people（人民の、人民による、人民のための政治）」。口承性のよさでこの訳が定着している。▼最初の「人民の政治」の意味がよくとれない。これは「由来のof」で「人民の間から生まれた」と訳すべきという説もあれば、目的語を示すofで「人民に対する」と訳すべきとの指摘もある。「民衆の民衆支配」が民主政の定義であることを踏まえると後者なのか。▼ゲティスバーグ演説を敷衍して作られた日本国憲法前文は前者の解釈のようだ。「そもそも国政は、国民の厳粛な信託によるものであって、その権威は国民に由来し、その権力は国民の代表者がこれを行使し、その福利は国民がこれを享受する」。▼戦いで多くの人が亡くなった時、その死を意味づけて追悼するのは指導者の務め。そうすることで非業の死をとげた死者の鎮魂を行い、残された遺族の悲嘆を受け止める。死者は生き残った者によって意味づけられ、語られる存在。私たちは生者が死者を代弁して語る歴史を学ぶ（※）。無念の思いで死んでいった無数の人びと―その無念を死者自身に語らせるための仕組みもある。▼それが死者が現在にやってきて自分の身に起こったことを自らの口から語る夢幻能―世阿弥が確立した生者と亡霊が語り合う様式美。非業の死をとげて、ホトケにもカミにもなれない死者が幽霊として彷徨う。どうして自分が死ななければならなかったかを語る。そのシテ役の語りをワキ役が旅の僧として聞く。話したいことが山ほどある、そういう死者との出会い直し。その話をただ聞く。鎮魂のために静聴する。

わんクリック　アメリカ人口の中で黒人の占める割合は15%ほど。しかしそれ以上に多く見える。どこの国にも共通するが、差別を受けている集団は、大企業などへの就職が難しく、実力で食べていける世界―スポーツ界、芸能界などへの進出が多かった。それは社会的露出度が高い分野なので、印象として人口比より多く存在しているように見えがちになる。人口比以上に多くみられる―これは差別されている集団が持つ特徴。アメリカ州内で黒人の人口分布は不均衡。人口の1%以下しかいない州も多く、実際に会ったことがないというアメリカ人もいるが、その彼らが強い差別意識を持っていたりする。

History Literacy　生者が死者を代弁して語ることで作られる歴史―そこで死者はしばしば生者に利用される。

2 欧米経済の発展と社会・文化の変容

工業化の進展と帝国主義 ― 支配 / 被支配関係の世界的広がり

①帝国主義の成立 ＊1

・第２次産業革命

軽工業（第１次産業革命）から重化学工業（第２次産業革命）へ

→巨大企業の誕生

└ 石油化学は製品の差別化が難しく、大型設備が競争力を左右する装置産業

→自由競争による自由の喪失（カルテル、トラスト、コンツェルンなど） ＊2

→巨額の資本を融資できる金融資本家（銀行など）の支配力強化

金融資本（家）が産業資本（家）を支配する今日の構図

└ 日本ではかつての財閥、持ち株会社解禁 (2001) で事実上復活

→資本の輸出先確保が課題に

└ 資本は投資しないと目減り、「資本輸出」はホブソンの帝国主義の定義の核心

a. 政治が安定して投資の魅力がある独立国

メキシコ、アルゼンチンなどラテンアメリカ諸国

b. 政治が不安定だが投資の魅力がある所

相手国政治に干渉、武力を背景に植民地化（帝国主義）

・1870 年代から１次大戦までの約半世紀間

②ヨーロッパのアジア・アフリカ進出の新段階

・第１段階 大航海時代 (15c) 以降、香辛料貿易の拠点確保

→相手国に影響与えず（点の支配）

・第２段階 産業革命 (18c) 以降、原料供給地・製品市場を求めて進出

→相手国を経済的に従属させる（面の支配、モノの輸出入）

・第３段階 帝国主義時代 (19c) 後、資本の輸出先として進出

→相手国政治に干渉、武力を背景に植民地化（カネの輸出）

③帝国の多様性 ―「公式の帝国」と「非公式の帝国」

・「公式の帝国」 領土の獲得（植民地化）、ただしコスト高

└ イギリスは「非公式の帝国」をめざすが現実に植民地を多く領有

・「非公式の帝国」 経済的権益の確保

└ アメリカは「非公式の帝国」に限定（例外 ― ハワイ、フィリピン）

PROPOS ＊1

帝国は世界史の頻出ワード。多民族を包摂した国家形態のことで本来は「広域支配」程度の意味。それと 19c からの帝国主義は別物。19c からの帝国主義はこれまでと違い、同心円状でなく遠隔地域にも自らの勢力範囲（植民地など）を獲得しようとする。そしてその目的は資本投下にある。資本（お金）は運用しないと（タンス預金）目減りしていく（基本的にインフレが経済の基調）。普通の人はそれで構わないが、巨額の資本を持つ資本家は少しでも利潤率の高い所へ投資する必要がある。しかしそれにはリスクが伴う。このリスク軽減のために相手先に内政干渉し、植民地化をはかる。絶対に失敗しない投資は自己投資（勉強）。

PROPOS ＊2

資本輸出の典型例が鉄道敷設。日本は満洲鉄道を敷設。単なる鉄道会社ではなく附属地の統治機関。ところで鉄道会社（私鉄）はどこに鉄道を敷設するのか。人口密集地（すでに地価が高い）に鉄道を敷設しても投資額は回収できない。鉄道は地代が安い未開発地に敷設して、沿線の宅地開発、分譲も同時に行って儲ける。こうして鉄道会社は空白の場所を埋めていった。正月三が日に利用者が減る空白の時間が生じた。それを埋めるために私鉄が考え出した販売促進キャンペーンが「初詣へ行こう」。「初詣」は典型的な「創られた伝統」（ホブズボウム）。この成功でクリスマス、バレンタインデー、最近はハロウィーンが創られた。なお鈴木勇一郎『電鉄は聖地をめざす』は、鉄道は寺社参拝を目的に敷設された、とここで書いたのとはまったく別の視点を提示する。

PROPOS ＊次ページ

「SF の父」ジュール・ヴェルヌ。『80 日間世界一周』が可能になった時代に「世界の一体化」は進展。ジュールは「人間が想像できることは人間が必ず実現できる」と言った。いま AI（人工知能）の進歩は人間の想像を超え、人間が想像できることはロボットが実現する時代を迎えている。

画蛇添足

▼絶対的な負のスティグマを帯びた言葉、「レイシスト（人種主義者）」―この言葉で批判されて、このように認知された時の社会的ダメージは大きい。人種差別を絶対に許さない、という社会的決意の反映だが悪意に対しては脆弱。この言葉でレッテルを貼って政敵に打撃を与えようとする者もいる。▼「あいつはファシスト」「帝国主義者だ」とのレッテル貼り批判。「それはナチスと同じ」―世の中に同じものは少ないが、違いを語ることのできない者が思考を節約してレッテルを使う。実際は相手を攻撃する最上級表現として使われている。▼これらの言葉で先に相手を批判しておけば、言外に「自分はそうではない」と自分を安全地帯に置くこともできる。歴史用語は特定の時代、状況を説明するために使われた歴史性を背負う（※）。そこから切り離して使う脱歴史文脈化が歴史の濫用。自分の思考力を弱めることになる。語彙の少なさは思考の浅さに連動する。▼言った本人の溜飲は下がるが、相手を貶めるレッテル貼りに事態を好転させる力はない。「それは思考停止だ」―そう言うことで、自分は考えることを放棄している、と白状している言葉もある。相手を批判する時こそ、委曲を尽くして適当な言葉を探す手間をかけないと批判は攻撃になる。▼出来合いの言葉はこわい―と言葉に頼る度に、批評家の存在は伊達でないと思い知る。言葉を探す手間をとることで、これは妬み感情と気づき思いとどまることもできる。「帝国主義」と切り捨てたくなる出来事。なぜそう感じるかを表現する練習を繰り返して言葉を鍛えたい。政治家の「最も強い言葉で非難する」という逃げ言葉に呆れる。具体的な言葉を紡げない人の迫力のない空虚な非難。

わんクリック 資本を持たないと参入できない資本主義。１次産業革命時は貿易で資本を蓄えた大商人レベルで参入できた。ところが２次産業革命では巨大な設備投資が必要になる。製鉄のための高炉、石油化学製品のための大型プラント―重工業には数桁違いの資本が必要になる。これをあちこちから調達する金融資本が社会の担い手になる。当面使わない資金を集めて、いま必要な人に貸出し、その利率の差で稼ぐのが金融資本。「預かる」名目で集めて利子をつけて返すのが銀行、「保険」名目で集めて、事故があった人にだけ相当の保険を支払い、あとは返さないのが保険会社。いずれも金融資本。

History Literacy 歴史用語は特定の時代、特定の状況を説明するために作られた歴史性を背負う。

④帝国主義時代の特徴

・帝国主義諸国内で、社会主義運動活発化

└ この時代に各国の社会主義政党が出揃う

・帝国主義諸国の進出先で、民族運動展開

・帝国主義諸国間の対立激化

先発国（英、仏など）に対して後発国（米、独、日など）が植民地再分割要求

→帝国主義戦争勃発

└ 南ア戦争（1899 ~ 1902）・日露戦争（1904 ~ 05）・1 次大戦（1914 ~ 19）

⑤世界の一体化の進展 ― 帝国主義時代の背景

・輸送革命（1869）　＊前ページ

スエズ運河開通、アメリカ大陸横断鉄道開通　＊1

└ 西半分は中国系移民（苦力（クーリー））による建設、のち排斥されて日系移民に

変容する社会　＊2

①労働力の移動

・「移民の世紀」

世界の一体化（＝国際分業体制）で各地で労働力不足発生

華僑・印僑の発生（南アの金・ダイヤモンド鉱山、マレーのゴム園・錫鉱山）

②新しい生活様式

・消費生活の享受、デパートの誕生

③学校教育

・各国で初等教育制度の普及

④運動の進展

・労働運動、農民運動、社会主義運動の高揚、女性解放運動

⑤国際組織の発達　＊3

└ 国旗がなければ不都合な組織の発達、国家が対抗模倣で国民国家化していくことを促す

・国際万国博覧会（1851）

・国際赤十字社（1863）　アンリ・デュナンによる創設　＊4

・第一インターナショナル（1864 ~ 76）

・万国郵便連合（1875）　＊5

・世界標準時の設定（1884）

・国際オリンピック委員会（1894）　クーベルタンの提唱

PROPOS　＊1

大陸横断鉄道の東半分はアイルランド人労働者による。過酷な労働中に歌われた労働歌が「線路は続くよどこまでも」。日本では童謡になったが歌詞はまったく違う。

PROPOS　＊2

かつてはローマ教会が代表的国際組織。世界中にネットワークを張りめぐらせた。お金だけでなく告解制度（12c ~）で情報を吸い上げ情報も握った。いま「神の代理人」教会に代わり、人間の欲望の在りかを知る、神に擬せられる存在がGAFA（グーグル、アップル、旧フェイスブック、アマゾン）。グーグルは検索エンジンを通じて世界中の人が何を検索しているかを知り、人びとの欲望を把握。フェイスブックは「いいね」分析で本人よりもその人を理解できるとする。国家をしのぐ財力と情報量（特にビッグデータ）で世界に影響力を持つ存在が出現した。

PROPOS　＊3

国民国家成立後、国家間（インターナショナル）の様々な「国際組織」が誕生。最初の国際的組織は「万国の労働者よ団結せよ」（『共産党宣言』）の呼びかけで連携した労働者の国際組織インターナショナル。

PROPOS　＊4

スイス人実業家アンリ・デュナンは1859年イタリア統一戦争のソルフェリーノ（1859）の惨状に「傷ついた兵士はもはや兵士ではない、人間である」と国際赤十字を組織（1864）。デュナンは母国の国旗の赤白を反転させて赤十字旗を制定（イスラーム世界では新月を使った国際赤新月社）。

PROPOS　＊5

長い間、手紙を届けることができる範囲が世界だった。いま万国郵便制度で地球上のどこでも驚くべき安価で手紙を届けることができる。それまでは旅立つ人に書簡を委ねた。書簡は人づてに国境を越えて届けることができていた。これもすごいこと。いまも電波が届かない所にも手紙は届く。

画蛇添足

▼モノにずっと定価があったわけではない。いまの常識「一物一価」も過去のどこかでそうなった経緯を持つ。時代劇の「越後屋、おぬしも悪よのう」「いえいえ、お代官様ほどでは」で悪徳商人の濡衣を着せられているが、掛け値（かけね）なしの正札（しょうふだ）販売をはじめたのは越後屋（三越百貨店の前身）（1673）。▼百貨店とともに「定価」販売―値札が誕生。すると定価を前提とした消費行動が当たり前となる。バーゲンでの「何割引き」も、「価格破壊」も、定価の存在を前提にした発想。しかし、モノの売買には値段交渉を伴うのが当たり前だった。おなじみさん、贔屓（ひいき）客に安く、一見（いちげん）の客には高く売る。こちらの方がよほど理にかなう。掛け値とはふっかけた値段。掛け値なしの定価が生まれた。今は定価が掛け値。年中「今なら半額」の宅配ピザのチラシ。▼フランスで最初の百貨店ボン・マルシェ（1852）。それまで買い物は小さな店（ブティック）でのウィンドウショッピングが中心だった。店に入るのは買いたい物を決めた時だけ。店はあえて格式を高くして庶民が入りにくくした。百貨店の新しさは名前通り何でも扱うこと。定価販売と気兼ねなく自由に出入りできるようにしたところにあった。▼「商業のカテドラル（大聖堂）」デパートの開業は大衆消費社会到来のシンボル。本物のカテドラルには大きな窓から光が差し込む。時間により異なる光に包まれた人は神の気配を感じた。開口部のないデパート。建築費も安く、棚も多くとれる。何より気まぐれな自然光で商品の見映えが変わり売り上げに影響することを嫌った。代わりに陰影を作らない電灯で照らされた。時計もおかず、天気と時間も忘れさせてショッピングに熱中させる、明るくピカピカの空間の出現。

わんクリック　19 世紀半ばに奴隷制が廃止に向かうとそれに代わる労働力の移動が起こった。日本からも多くの移民が東南アジアやハワイ・南北アメリカ大陸に渡った。つい半世紀前までの長い間、日本もまた移民送り出し国家だった。19 世紀は「移民の世紀」―正確に言えば「移動の世紀」。国家間移動だけでなく、国内でも農村から都市へと人びとは移動。世界史は「定住する人びと」のことを叙述してきた（※）。人間は動くものの把握が苦手。「移動して生活する人びと」の叙述は後手にまわされてきた。グローバル時代―この流動的な時代を二次元の紙上にうまく叙述する方法がまだ見つかっていない。

History Literacy　世界史は「定住する人びと」のことを叙述―移動する人びとは人口もつかみにくく叙述が難しい。

科学の飛躍的発展

①古典物理学体系の完成 ― 非力学的現象（火、熱、光、電気）の解明

a. 電磁気学 ― 近代は電磁気の発見から始まる

・ヴォルタが電池を発明（1799）
　└ 人類が電流を初めて入手（それまでは静電気だけ）、様々な実験が可能に

・ファラデー（英）による電磁誘導の原理（1831）
　└『ろうそくの科学』　└ 1831年8月31日は「電気工業始まりの日」
　磁気の作用による電流の発生（誘導）を実験で発見
　電気と磁気の間に相関があることが明らかになる
　└ まったく異なる現象が互いに深く関係していた
　→発電機の原理（ダイナモの原理）、電力の利用へ
　└ 自転車を漕ぐ運動エネルギーが電気を作り出す、逆にしたのが電気モーター
　→電気モーターを動力とした電車の登場、電気自動車の実用化（21c）
　└ 発電の原理を逆にしたもの　└ ジーメンス

・マックスウェルの電磁気学の基本方程式（1865）　＊1
　電磁理論（電気と磁気の関係）を数式を用いて体系化
　電磁波（光もその一種）の存在を理論的に証明、のち実証　＊2
　→多くの電化製品、パソコン、携帯電話などの基本原理

b. 熱力学

・ランフォードの熱の運動説（1798）　＊3
　物質粒子の運動が熱の正体と提唱
　→内燃機関（自動車）の基本原理　＊4
　└ ダイムラー

c. 光学

・光の本性をめぐる粒子説と波動説の対立
・ヤングが光の波動説提唱（1801）
・フーコーが水中での光速を測定し、波動説を立証（1850）

d. 古典物理学体系の成立　＊5

・エネルギー保存の法則（1847）
　└ 種々の現象、作用を統一してとらえる枠組み（物理学）
　マイヤー（独）、ヘルムホルツ（独）

PROPOS　＊1
ファラデーの実験を電磁気学の基本方程式に定式化（1865）したマックスウェル。神業と評された。ニュートンの運動方程式とマックスウェルの電磁気方程式。この2つで日常の物質世界を数式で記述できるようになり、多くの家電製品の基礎となる。

PROPOS　＊2
マックスウェルの方程式から電場（電気的な作用が働く空間）と磁場（磁気的な作用が働く空間）に関する波動方程式が導出され、。2つの場が交互に相手を発生させながら、空間を波となって伝わることが示された。これが電磁波。その速度が光速度と一致。光が電磁波であると証明された。

PROPOS　＊3
熱が原子・分子の運動であり、温度はその度合いと分かったことから熱力学が発展。電気で電磁波を発生させて食品中の水分子を振動させて温度を上げる電子レンジが発明された。電磁気学の発展でいま私たちは電化製品に囲まれた生活を享受。

PROPOS　＊4
エンジンの開発は乗り物だけでなく社会の発展を加速させた。農地では牛にかわりトラクターが登場（藤原辰史『トラクターの世界史』）。その悪路走行性、頑健性は戦車へ応用（キャタピラはトラクターで初登場）。

PROPOS　＊5
無関係と思われていた電気、磁気、熱、化学反応などの諸現象間に相関関係があると分かり、それらを統一してとらえる「エネルギー」概念がヘルムホルムにより提唱された。エネルギーは形を変えても総量は一定と証明（エネルギー不変の法則）。これらの諸現象は仕事する能力、エネルギーという点で等価であり相互に変換可能とした。熱や電気が機械力に、電気が熱に、熱が電気に変換できると分かったことで、力学を中心に熱力学、電磁気学、化学、光学などを包摂する物理学体系が成立した。

画蛇添足

▼毎朝、ICOCAをかざしてJRの改札を通り、コンビニで買い物をする。かざしただけで瞬時に決済が終わる。電源を搭載しないのになぜ情報をやり取りできるのか。カードをかざす場所からは磁力線が出ている。それがカード内部に貼ってあるアンテナの内側を通ることで電流が発生し、カード内のICチップが起動するらしい。▼電線に電流が流れると電線のまわりに磁気が生じる。磁気が電線のまわりで変化すると電線に電流が流れる。この電磁誘導現象の原理を発見したのはファラデー（1831）。貧しさゆえ小学校の後、丁稚奉公しながら独学した。世界史を学ぶことで取り戻したいのは電気発見の衝撃。いま電気なしの生活は考えられない。ちょっとした停電で都市機能は麻痺する。▼電気は動力源として多くを駆動する。電気を回転する力に変えるモーター。N極とS極が引き合う力と、同じ極が反発し合う力を利用して軸を回転させる。電気と磁気の相互作用による見事な回転技で走る電車。そのようなこともつゆ知らず、うとうとする筆者を毎日下車駅まで届けてくれる。▼離れている2つのモノの間には4つの力が働いている。ニュートンが発見した重力、ファラデーによる電磁力、まだ未知の「強い力」と「弱い力」。それ以外の力は今のところすべてオカルト。ファラデーにより現代文明の出発点となる電磁気学が開かれ近代が始まった。▼しかし自然現象がどうして人間の創作物である数式で記述できるのか、がいまだに最大の謎。最先端の素粒子物理。まだ見つけられていないマクロ、ミクロの世界も含めた世界の振る舞いを過不足なく記述できる美しい方程式の発見をめざしている。その発見と同時に謎も解けるのか。

わんクリック　「それが何の役に立つの」と言われたファラデー。基礎科学に人々は冷たい。「科学技術」という言葉づかいが、科学は技術の基礎、という意味を持ち、科学に「役に立つ」ことを要求する。はたして存在は「それが何の役に立つの」との問いで意味づけられなければならないのか。いつか何かの役に立つから、ではなく、そのような見通しがなくとも存在して構わないではないか。「歴史が何の役に立つの」の問いにさらされたある歴史家の応答がマルク・ブロック『歴史のための弁明』。歴史は人文科学、社会科学での考察のための基礎科学。歴史はこの問いの対象になるのか、ならないのか（※）。

History Literacy　引き算で考える（将棋崩し）－歴史教育という駒を抜いても社会はすぐには崩れないだろうが…。

②化学

└ 電池の発明、電気分解で元素の発見がより容易に

- 1869年、元素の周期表発表 — 化学のバイブル ＊1

  メンデレーエフ(ロシア)が提案
- レントゲンによるX線の発見(1895)

  └ 透過性があり非常に謎めいているのでX線と命名
- キュリー夫妻による放射性元素の発見(1898) ＊2

  └ マリ・キュリーは夫の死後、単独で化学賞も受賞 └ ポロニウム、ラジウム

  放射線を出す能力を持った元素の発見

  医療への応用

  古典物理学とは別のミクロの世界の探求はじまる

③生物学

- 進化論

  ダーウィンが進化論を提唱『種の起源』(1859) ＊3

  └ 海軍の測量船ビーグル号で世界周航

  自然淘汰による適者生存
- 修道士メンデルによる遺伝の法則の提唱 ＊4

  └ 8年がかりの実験で「メンデルの法則」を発表するが「修道士の研究」と生前は評価されず

④細菌学

- パストゥール(1822～1895) — 近代細菌学の開祖

  腐敗・発酵の研究から病気の原因を細菌と突き止める

  └ 光学顕微鏡で観察可(ウィルスは電子顕微鏡が発明されるまで観察できず)

  ワクチンによる予防接種法、牛乳の低温殺菌法など
- コッホ(1843～1910)

  炭疽(たんそ)菌、結核菌、コレラ菌の発見

  細菌を単離、培養する方法の基礎確立(寒天培地、シャーレなど)

PROPOS ＊1

もしすべての科学的知識が失われるとして「最小の語数で最大の情報を込めた文章」を残すとしたら、の問いに「あらゆるモノは原子からできている」(ファインマン)。世界が何からどのようにできているか—人類がこの答えを知ってまだ一世紀半。天然に存在する原子は92。世の中のすべてはこれらの元素の組み合わせ。元素のほとんど80%は金属。つまり世界は金属でできている。最も多く使われているのは鉄で金属全体の90%。火を使い始めて冶金(やきん)でこれを取り出すことでいまの世界ができた。

PROPOS ＊2

科学原理の名前は男性名が多い。女性に高等教育の場が開かれていなかった。マリ・キュリーも苦学して学問を続けた。最近まで男性中心の科学者共同体の中で女性の進出は難しく、活躍しても取り上げられなかった。NASAで計算手として働いた三人の黒人女性を描いた『ドリーム(原題はHidden Figures)』(2016)(同名で映画化)。女性技術者が重要な役割を果たしてきたことが知られるようになったのは最近。日本ではいまだに「リケジョ」と珍しがられる。

PROPOS ＊3

進化論に日本人が抵抗感を持たないのは、熱帯の動物、サルと混住するのは先進国で日本ぐらいだから、とされる。私たちは観光地で、サルに財布を抜かれたり、サルが馬跳びで柵を乗り越えて畑に入ったりするのを目の当たりにして、サルの賢さ、私たちと似ていることを十分知っている。

PROPOS ＊4

多くの人が「親子は似て当たり前」としか思わなかったがメンデルはそれを不思議と考え、遺伝子仮説に基づきエンドウを使って修道院の中庭で実験。学会誌に発表したが評価されなかった。死後、ユーゴー・ド・フリースが独立した実験で同じ結論にいたる。発表に際し、メンデルの論文の存在を知り、きちんと引用して発表した。

画蛇添足

▼世界にはまだトイレのない家庭が多くあり、その半数がインド農村部に集中。不浄なトイレを自宅に置けないヒンドゥーの教えが関係。女性が夜間に共同トイレを使うのは命がけ。蛇やサソリ以上に男性が恐ろしい。▼上下水道を備えたインダス文明からの大きな後退。ところで今日の下水道—人間を排泄物に触れさせない仕組みもまたインド起源。インドから広がった水系伝染病コレラの世界的流行で公衆衛生観念が生まれ、上下水道の敷設が促された。▼コッホが発見したコレラ菌。ベンガル地方の風土病がイギリスのインド支配を通じて世界中に広まり、世界的大流行を繰り返した。この拡大防止のために下水道設置などがなされた。▼上下水道はセットの関係。近代水道は、蒸気ポンプ、排水用の鋳鉄管、浄水装置で水を塩素化処理してポンプで送水。いまの私たちは水道水から塩素を抜いて浄水を作ることに関心を持つが、水道水の塩素化発明があったからこそ蛇口の上水を飲めるようになった。日本での上水道完備は高度経済成長時代。それまでは下水も家庭で取り置きしたのを汲み取ってもらっていた。▼おかげで人間の死因は感染症から生活習慣病(糖尿病、循環器系障害)へ変化。死亡率より脂肪率が気になる時代、苦しんで死ぬ時代になった。年寄りにとって感染症と認知症は「神の恵み」。人間は死すべき存在。ボケると死への恐怖がなくなる。適度にボケて「数日前まで元気だったのに」と感染症でコロりとこの世からいなくなりたい。▼平均寿命の向上は、細菌学、抗生物質発見より衛生観念の発生、上下水道の完備による。いまもコレラは「貧困の病気」として経済成長から取り残されたスラム街など不衛生な環境下で蔓延。

わんクリック 有線なら使用料をとれるが無線電信では不可能。無線はビジネス化が難しかった。アメリカで、あるラジオ局が番組にスポンサーをつけて広告を流すこと、聴取(視聴)率が上がるほどに広告収入が増えるビジネスモデルを発明(1922)。これでラジオ放送(1920年代に普及)、テレビ放送がビジネスになった。「この番組は○○の提供です」のメッセージ。テレビCM(※)はスキップせずに見てスポンサーに感謝しよう。ただ、局にとって広告枠を埋めるのは至難。そこから広告を集める広告代理店のビジネスが誕生。これがあらゆるイベントを扱う存在に巨大化、大きな政治力を持つにいたった。

History Literacy 図と地を取り違えていないか意識する(テレビ放送で見るべきはCM—ここに資金と才能が注がれている)。

⑤医学

・全身麻酔法の発見で外科手術が一般化　＊1

19 世紀中頃、ウイリアム・モートンが全身麻酔の公開実験に成功

⑥社会進化論

・ハーバート・スペンサーの社会進化論　＊2 ＊3 ＊4

人間だけでなく社会もまた進化

└ 社会も生物と同じような有機体とみる (社会有機体説)

社会は単純な軍事型社会から複雑で多様な産業型社会へ移行していく

└ それまで社会は同じことの繰り返し、と理解されてきた (進歩するとの発想がなかった)

ラマルクの進化論に立脚

└ ダーウィンの進化論を誤解

優れた人間、社会、民族が生き残ったと「適者生存」を理解

→人種主義 (レイシズム) ― 植民地支配を正当化する思想に

└ 生物学とあわせて科学の名のもとに正当化された

→「優生学」というエセ学問へ

劣っているとされる種の断種、隔離、結婚禁止

└ イギリスで誕生し、アメリカなどで政策的に実行

ナチスによるユダヤ人、ロマ、障害者の絶滅政策

PROPOS　＊1

麻酔のない外科手術など想像しただけでもその痛みと恐怖に耐えられない。天然由来の麻薬しかなかった。外科手術の進歩に全身麻酔が果たした役割は大きく、すぐに世界に広がった。戦場でも 1 次大戦後からは四肢切断による救命が普通になった。

PROPOS　＊2

進化論ほど誤解・誤用されている考えはない。学問的にはダーウィンの進化論が認められている。彼は生物の進化に目的を認めない。生物の進化を左右するのは偶然。彼の言う適者生存は「偶然」に「生存」したものを「適者」とみなそうというもの。キリンは高いところにある葉っぱを食べよう (目的) と努力した結果として首が長くなった、という考え方の否定。生物には変異 (コピーミス) が起こる (偶然)。その中で首が長い個体が生存には有利でそちらが残っていった、という理解。進化論も進化するのだが俗説として出回るのはダーウィンが否定したラマルクの進化論―能力が優れたものが生き残るという意味の適者生存。スペンサーの社会進化論はこれに立脚。

PROPOS　＊3

ラマルクの優勝劣敗的「適者生存」理解に基づいたスペンサーの社会進化論。人間社会を、目標に向かって適者生存の原理で様々な国が競っているものと理解している理論、と誤って (そう受け取られるべく) 受け取られた。社会にも、遅れた社会や進んだ社会の優劣の序列がある、と理解された。その結果、白人優越主義など人種主義、帝国主義国による侵略や植民地化などを正当化するものとみなされてしまった。

PROPOS　＊4

過去の出来事には偶然的要素がある。それを扱う世界史授業は時に「なぜ」ではなく、「どのようにして」という経緯の説明になる。それを「なぜ」より劣るものと見るのは一つの文化 (科学文化) である。「なぜ」に特権的地位を与えてはいけない。

画蛇添足

▼身分制は神の思し召し。疾病は前世の祟り―人びとはそう信じていた。いまだに信じる人がいるから霊感商法がなくならない。人間の歴史は感染症との戦いの歴史。周期的に多くの人の命が突然奪われたが理由は分からなかった。▼コッホが炭疽菌の純粋培養に成功。細菌を病原体として最終的に確認。特定の病気にかかった人からは必ず特定の細菌が見つかり、それを取り出して使えば同じ疾患が起こると確認。人間が戦ってきた相手の正体をつかんだ。病気の原因が分かったことで適切な予防法や治療法が確立するようになっていった。▼20世紀になると細菌にのみ選択的に毒性を示す「奇跡のクスリ」ペニシリンをフレミングが発見した。雑然としていた彼の実験室。細菌培養のための培地が青カビによって汚染。そのカビが培養中の細菌の発育を阻害することを偶然発見した。しかし培養皿の変化に意味を読み込めたのはフレミングだけ。コッホに先んじて細菌説を唱え、ワクチンによる予防接種を開発したパストゥールも「偶然は準備の整っている人にしか微笑まない」とする。▼さらにストレプトマイシンが発見(1944)されると人類は抗生物質で細菌に対処できるようになりいまはガン、脳卒中、心臓疾患でしか死ねなくなった (人間の死因の変化)。発明されたけど高価だったストレプトマイシン。使えずに死んでいった若い結核患者を茨木のり子が詩に詠んでいる (「わたしの叔父さん」)。発明と普及の間に時間差がある (※)。▼細菌の発見は排除と隔離という差別を生んだ。子どもが「ばい菌」と友達をいじめる。「感染者に投石し、村八分にするのは日本の『伝統芸』」(山岡淳一郎『感染症利権』) でその反映。コロナ禍の初期は酷かった。

わんクリック　「適者生存 (survival of the fittest)」―自由競争を称える人が好む、歴史上で最も誤解されてきた言葉の一つ。これは進化論を誤解したスペンサーの造語。責任はダーウィンにある。彼自身がこのスペンサーの造語を『種の起源 (第 5 版)』で取り入れた。ダーウィンは世界の多様性を説明するための仮説を求め、進化に目的や優劣などなく、ある生物が生き残ったのは偶然、と考えるに至った。彼はこの言葉を「生存する者を適者と呼ぶ」の意味で使ったが、この用法には無理がある。それはともかく、能力が優れたものが生き残るのが適者生存なら、現実に世界がこれほど多様であることが説明できない。

History Literacy　発明はすぐに社会を変えない―発明 (0 → 1) と普及 (1 → 1000) には時間差がある。

科学技術の発展 — 科学が技術と結びつき（科学技術）私たちの生活を変えた

①電磁気学と通信技術 — 情報通信技術 (ICT) 分野の突出した発展

- モールスによる電信の発明 (1837)　＊1
  - └ 当時は有線、鉄道沿いに導線敷設「商業の神経系」
  - 短音と長音を組み合わせた符丁で文字を電報で送る方法
- ベルによる電話 (1876) の発明　＊2
- 海底ケーブル敷設 — 世界がリアルタイムで情報共有する時代に
  - 1851 年、英仏海峡に敷設 — 初の二国間ケーブル
  - └ 第 1 回万博（ロンドン）の年、同年ロンドンにロイター通信社が開業
  - 1866 年、大西洋海底ケーブル
  - 1871 年、日本も電信ケーブル網に参入
  - └ 長崎～上海～香港に敷設
  - 1902 年、太平洋海底ケーブル
  - 地球を一周する電信ケーブル網が完成
  - →電信で決済がはじまり貿易、投資、金融が飛躍的に発展
  - └ この手数料収入がイギリスのドル箱（自由貿易体制推進の理由）
- マルコーニによる無線電信の発明 (1901)

②熱力学と内燃(ないねん)機関

- 内燃機関（エンジン）の革新　＊3
  - ダイムラーによるガソリン自動車の開発 (1886)
  - └ 20 世紀は自動車の世紀、自動車は 2 万点近い部品を必要とする裾野が広い産業
- 農業でのトラクターの普及　＊4
  - 農地にもモータリゼーションが進展、飛躍的に地力を向上

③産業技術の発達

- エジソンによる電灯 (1879)、映画、蓄音機
  - └ 照明のエネルギーが灯油（それまでは鯨油）から電気に転換
- 天然ゴム — 物質の新しい用途の発見　＊5
  - 加硫(かりゅう)の原理の発見 (1839) でゴムに新しい用途加わる
  - タイヤとしての用途で自動車普及の前提
  - └ 空気入りタイヤ発明 (1888)　└ 内燃機関の発明 (1886)
  - ボール、スニーカーの用途でスポーツ（特に球技）が発達

PROPOS　＊1

電信と砲艦なしに帝国はなかった。イギリス帝国を支えたのが電信網。1840 年代から鉄道に並行して電信線を敷設。海底ケーブルで大陸間も結ぶ。海水で腐食せず高圧力に耐える天然ゴムをマレー半島で発見。世界中がイギリスの電信網で覆われ、イギリスは使用料で繁栄。通信内容を盗聴。「見えざる武器」だった。携帯端末は基地局までは無線だが基地局間は有線。海底光ケーブル（現在約 250 本）を使っている。

PROPOS　＊2

グラハム・ベルはろう者の母のために聴覚原理を探る。発明した電話の賞賛に「機械が立派でも人間の言葉をシェイクスピアやホメロスのようにあんなに遠くまで伝えることはできなかった」。彼は得たお金のほとんどを聴覚障害教育に捧げた。電話は研究の邪魔になる、と書斎に置かなかった。

PROPOS　＊3

燃料を燃やして水を加熱蒸発させ、その圧力を大気圧以上にまであげてピストンを動かすのが蒸気機関。同様の圧力を得るために、シリンダー（円筒）の内部で石油を爆発させてそこに内蔵したピストンを動かすことで動力を発生させるのが内燃機関。

PROPOS　＊4

内燃機関は蒸気機関と違いコンパクト。これを搭載(とうさい)した乗り物、自動車が登場。それまでの数千年間、最も速い乗り物は馬だった。馬力という言葉を残して乗り物は自動車に変化。畑で踏ん張っていた牛もトラクターにとって代わられた。内燃機関は高熱を発生するので自動車は鋼鉄製。鉄鋼業を筆頭に裾野(すその)の広い自動車産業が成立。

PROPOS　＊5

ゴムは長く「消しゴム」以外に用途がなかった。グッドイヤーはうたた寝している時に薬品のかかった靴をストーブで加熱してしまった。そのことで弾力性が高まったことを知り、加硫(かりゅう)の原理を発見 (1839)。

画蛇添足

▼熱学理論なしに蒸気機関が発明された。理論を知らなくとも経験や長年の勘で技術は発展する。逆に蒸気機関が発明されたことから、熱（温度）とは何か、の考察がはじまった。当初、熱は熱素という元素によるもの（熱物質説）とみなされていた。▼「熱」という言葉を使ったために、それに対応する実在物があると考えてしまった（※）。水をかき混ぜれば水温は上がる。熱とは運動。熱は物質でなく分子運動であるという意外なことを示したのはランフォード (1798)。▼重力が発見されるまでは天地有情—物質は地上の元にあった場所に近づくと嬉(うれ)しくなって加速する、というアリストテレスの説が定説だった。教科書は科学に関してはその成果しか伝えない。しかしそこにいたる過程（科学史）を学ぶこと、人間が何を信じてきたか、どのように誤って理解してきたか、を学ぶこともまた大切ではないか。▼いま物理学は、当初の「物体の運動」から熱現象の理解（熱力学）へと守備範囲を広げている。エントロピーという概念が生まれ、そこから統計力学、量子力学も発展していった。ところで物理学の発展とともに、そこで使われてきた用語が人間社会の描写にも使われるようになっている。振幅、ベクトル、流動化などである。▼生物学者の福岡伸一の一連の考察で注目されたのが動的平衡。逆向きの反応が同時に起こっているため見かけ上、反応が停止しているように見える現象。人間社会にも同様のことが多くある。動的平衡の結果、「何も起こっていない」ため「安定した社会」として重要なメカニズムが叙述からこぼれる事態。教科書が叙述するのは動的平衡の破れた「出来事」ばかり。「起こっていない」不出来事にも注目したい。

わんクリック　エジソンの学歴は小学校 3 カ月、という言い方は、教育を学校だけに結びつける私たちの発想。自宅の地下で実験に没頭した彼はのちに「天才とは 99％の努力と 1％のひらめき」とした。強調したかったのは「99％の努力」か「1％のひらめき」か（もちろん両方だろうが）。彼の発明した電灯の普及で人間は夜も活動するようになった。蓄音機の発明で、音を音として保存、伝達することが可能になった。ほどなく目の前の風景をそのまま写し取る写真、動きを記憶する映画が発明され、それらを広範囲に伝達するラジオ、テレビ放送がはじまる。私たちの日常生活を大きく変えたエジソン。

History Literacy　歴史学習の陥穽(かんせい)—言葉があるとそれに対応する実在物があると考えてしまうこと。

表現と造形芸術の新展開

①写実主義 / 自然主義

- 19 世紀半ば、社会・人間を客観的に描写
  - └ ロマン主義への反発 (過去でなく現実を見よ)

a. 美術

- クールベ (仏)
  『石割り』(1850)、『プルードンの肖像』、『オルナンの埋葬』　＊1
  └ 二月革命、『共産党宣言』に続く衝撃　└　無政府主義者の肖像
- ミレー (仏)
  └ バルビゾン村の粗末な家で暮らし、深い共感で働く農民の生活を描く
  『種蒔く人』(1850)、『落ち穂拾い』(1857) など

b. 文学

- スタンダール (仏)『赤と黒』『パルムの僧院』
- バルザック (仏)『人間喜劇』(総称)
- フロベール (仏)『ボヴァリー夫人』　＊2
- ゾラ (仏)『居酒屋』、ドレフュス事件で『私は弾劾する』
- モーパッサン (仏) 短編『首飾り』『山の宿』、長編『女の一生』
- サッカレー (英)『虚栄の市』
- ディケンズ (英)『二都物語』『オリバー・トゥイスト』
- ゴーゴリ (露)『検察官』『死せる魂』
- ドストエフスキー (露)『罪と罰』『カラマーゾフの兄弟』
- トルストイ (露)『戦争と平和』『アンナ・カレーニナ』
- トゥルゲーネフ (露)『猟人日記』『父と子』『処女地』
- チェーホフ (露)『桜の園』
- イプセン (ノルウェー)『人形の家』

②象徴主義 / 耽美主義 ― 世紀末 (デカダン、退廃的) 文化　＊3

- 写実主義、自然主義への反動
- モロー (仏)　画家、『サロメ』
- ボードレール (仏)『悪の華』
- ヴェルレーヌ (仏)『詩集』　＊4
- オスカー・ワイルド (英)『サロメ』

PROPOS　＊1

パリ万博 (1855) で古典主義とロマン主義の特別展示が開催。官展で落選しつづけのクールベは会場前で個展を開催。「リアリスト」と名乗った。「天使を描いてくれ」に「天使を目の前に連れてきてくれ」「私は自分の目で見たことのない天使の姿は描けない」と答えた。古典主義とロマン主義を批判し、農民や市民の日常生活をありのままに描写。石を割る労働者の姿を描いた『石割り』は「美しくない」と非難された。また『オルナンの埋葬』は、生地コンテ地方の田舎町オルナンでの葬儀場面。田舎の無名の農民を 3 × 7m の大画面に等身大で描いた。歴史画は大画面、それ以外は小画面の約束を破った反骨精神の持ち主。パリコミューンに参加して生涯を閉じる (※)。

PROPOS　＊2

フロベールから文学は「未知のものを既知にする」営みが「既知のものを未知にする」ものになった。フロベール『ボヴァリー夫人』。彼は新聞記事からあえて最もつまらない題材―無名の愚かな女性の取るに足りない生涯を選んだ。彼は内容でなく書き方で勝負しようとした。つまらない内容を面白く描くことで小説の力を示そうとした。タイトルにヒロインの名すらなく凡庸な姓のみが記されるリアリズム小説。面白さと文体の魅力で読み継がれている。

PROPOS　＊3

「芸術のための芸術」を唱えたテオフィル・ゴーティエ。「本当に美しいものは役に立たない。有用なものはすべて醜い」(『モーパン嬢』) と実用美、機能美を否定。「形は機能に従う」の実際は「形は失敗に従う」。失敗に由来する美に意味を認めなかった。

PROPOS　＊4

「巷に雨の降るごとく / われの心に涙ふる / かくも心ににじみ入る / この悲しみは何やらん」。この詩を「雨が降って悲しい」と要約しても仕方がない。言葉は意味を伝えるだけではない。リズム、音楽性も表現。

画蛇添足

▼短編の名手モーパッサン。日常の小市民生活の喜怒哀楽を限られた紙面の中に描き出した。簡潔さ、正確さでその文章はフランスの国語教科書の定番。人物を美化することも貶めることもしない。短編では「山の宿」「首飾り」がお薦め。▼簡単な言葉しか使わず、どこでも見られそうな風景、ごく普通の市井の人間の喜怒哀楽を描いて読者に「人生はこのようなものだ」との読後感を与えた。日本では向田邦子作品がこれに匹敵するだろうか。小説『女の一生』は女中ロザリーの「結局のところ、人生は思っていたほど良くも悪くもないものですわ」で締めくくられる。▼写実主義、自然主義は芸術を社会に近づけたが、現実社会の醜悪さを強調することにもなった。その反動から「芸術のための芸術」「美のための美」を求めた象徴主義者、耽美主義者が現れた。純粋美の境地に浸った彼らは「頽廃派 (デカダン)」と称された。▼この境地を実感するためには、接吻する二人が崖から落ちようとしている瞬間を描いたクリムト『接吻』を傍らに、ワーグナー『トリスタンとイゾルデ』第三楽章「愛の死」、あるいはマーラーの交響曲第5番第4楽章アダージョを稀代のナルシスト、カラヤン指揮の演奏で聞くのがよい。音楽の中に溶けていく忘我の境地が味わえる。▼美こそが最も大切であるとする耽美主義の極北はリヒャルト・シュトラウス『サロメ』。不道徳など関係ない。美を求めれば人間はここまで堕ちるという内容。象徴主義のボードレールやヴェルレーヌの詩は上田敏訳詩集『海潮音』によって日本に紹介。原作を超える訳詞の極地を味わえる。「秋の日の／ヴィオロンの／ため息の／身にしみて／ひたぶるに／うら悲し」(ヴェルレーヌ『落ち葉』)。

わんクリック　人間の多面性、複雑性を描く文学。その営みの頂点が 19 世紀。大きな娯楽がない時代、読者サービスからかどれも長い。だがトルストイ『戦争と平和』(1869)、『アンナ・カレーニナ』(1877)、ドストエフスキー『罪と罰』(1866)、『カラマーゾフの兄弟』(1880)(亀山郁夫の新訳で断然読みやすくなった) は外せない。取り組みやすいのは『アンナ・カレーニナ』。初めての恋で破滅に向かうアンナにぐいぐいと引き込まれる。これを読む楽しみを残している未読の人がうらやましい。「幸せな家族はどれも似ている、不幸な家族はそれぞれに不幸である」(前掲書)―後者を描くのがリアリズム、か。

History Literacy　歴史の遠近の修正がむずかしい (現物を知っているから具体画のサイズ感なら修正できる)。

③印象派　(※)

- 前期印象派　＊1

　モネ (仏)『印象・日の出』『睡蓮』連作

　　└ 印象派の語源 (印象しか残らないとの批評から)、眼を悪くし、晩年は大作化

　マネ (仏)『草上の昼食』『オランピア』　＊2

　ルノワール (仏)『ムーラン・ド・ラ・ギャレット』

　　└ 色の魔術師　　└ 黒色の発見と巧みな使用 (浮世絵の影響)、デッサンより色彩重視

- 後期印象派

　セザンヌ (仏) 近代絵画の父、『サン・ヴィクトワール山』

　　└ 写真でできない表現を絵で試みる、遠近法は放棄

　ゴーギャン (仏)『タヒチの女たち』『香しき大地』

　ゴッホ (仏)『ひまわり』『糸杉』

- 立体造形

　ロダン (仏)『考える人』『カレーの市民』

④印象派音楽

- ドビュッシー (仏)『牧神の午後への前奏曲』『海』

⑤意匠

- アール・ヌーヴォー

　世紀末の装飾美術 (建築、工芸品、グラフィックデザインなど)

　花や植物などの有機的なモチーフや自由曲線の組み合わせ

　鉄やガラスといった当時の新素材の利用

⑥写真と映画　＊3 ＊4

└ 過去を表象するメディア (これまでは文字中心) として重要に

- 写真の発明 ― 光を平面に投影する試み

　カメラ・オブスクラ (16c) の発明

　産業革命後の中産階級による肖像画需要の高まり (1840 年代)

　カメラ技術の改良

　→ 1860 年代の歴史的出来事から写真で振り返り可

　　└ クリミア戦争、アメリカ南北戦争ぐらいから

- 映画の発明 ― モンタージュによる新たなリアリズム

　エジソン、リュミエール兄弟 (1895) が技術発明

　モンタージュ技法の発展 (セルゲイ・エイゼンシュテインなど)

PROPOS　＊1

印象派は日本の浮世絵から大きな影響を受けた。写実 (遠近法) とは別の造形原理。デフォルメされた大胆な手法、雨の描写など、ゴッホやマネらによってまねられた。世界で初めて雨を「線」で表現したのが北斎より一世代後の歌川広重『大はしあたけの夕立』(自然を写し取った浮世絵師・葛飾北斎の作品に直線はない)。日本のアートが西洋に影響を与えたのは 19c 末、印象派の画家に与えた浮世絵、アール・ヌーヴォーやエミール・ガレに影響を与えた琳派の意匠。そして 20c 末から今日まで続く、マンガ、アニメ、オタク、コスプレといったサブカルチャー。この3時期があげられる。

PROPOS　＊2

マネ『草上の昼食』は物議を醸す。裸の娼婦を画面中央に配置。さらにスキャンダラスなのが『オランピア』。『ウルビーノのヴィーナス』のパロディ。ここでも冷めた眼差しの娼婦を使う。この作品もまたアラン・ジャケなどにマネされた。芸術は後世への影響力の大きさ、マネされていくらの世界。パロディは原作者へのオマージュ。

PROPOS　＊3

19c まで人間は自分の顔を知らなかった。今でも私たちが慣れ親しむのは自分の鏡像。私たちは鏡像をはじめ他者から聞く自分を手掛かりに自己イメージを作る鏡像的存在。写真に写る見慣れぬ正像に「写真写りが悪い」と不満 (違和感) を持つ存在。

PROPOS　＊4

過去が動画 (映像) で残るようになったのは 1895 年。リュミエール兄弟 (仏) による携帯撮影兼映写機の発明から。1896 年の世界の動画 (50 秒程度のものが 1500 ほど) を Institut Lumiere というサイトで閲覧できる。動画は目の残像を利用した錯視。人間の視覚機能が、早すぎる映像の切り替えについていけず、残像としてそれらの映像をつなげてしまう。パラパラマンガを、動いている、と認識してしまう錯覚。

画蛇添足

▼写真の登場により絵画は存在意義を問い直された。他方で写実性からは解放された。絵画が自然を模倣しようとする限り、自然の美しさを超えられない。本物の花のほうが美しい。▼写実主義絵画は色を混ぜたので暗い色調だった。実際の色は明るく変化に富む。印象派は色を重ねず並べて補色効果を狙い、光の輝きを強調。輪郭がぼやけて印象レベルと批判されたが、絵画が対象を明確に描かない方向に向かう画期となった。すべての作品は作成時は前衛美術。同時代人には眉をひそめられた。▼見たままに描くことをやめたセザンヌ。絵画でしか表現できないことを追究。構図にこだわり、対象を立方体、円錐、円柱で表した。結果として絵画を神話、歴史の視覚化、出来事の記録などの役割から解放。生前は評価されなかったが死後「近代絵画の父」と位置づけられた。▼数時間で描けそうな印象派。だが見る人に「ゴッホだ」と想起させるスタイルの創造に年月がかかる (※)。まだ未発見のスタイルがあるはず。農民の生活に人間の本質を見て量感ある色彩、うねる筆致で激しい感情をキャンバスにぶつけたゴッホ。彼もまた世間の無理解の中で世を去った。▼従来の油絵技法は鑑賞者が主題に没入できるように絵の表面処理をして作者の筆跡 (痕跡) を消すのが普通だった。ゴッホだけでなく印象派の画家は自らの筆遣い―自らの存在をキャンバスに残した。それは写真にできない触感の強調でもあった。▼印象派の成功は光あふれる戸外でのスケッチにも負った。チューブ絵の具の開発がそれを可能にした。またこれまで鑑賞に知識が必要だった宗教画・歴史画と違い、印象派の作品理解に教養は不要。ブルジョワジーの幅広い支持を得た。

わんクリック　石ないし木の塊から削り出す彫刻 (カービング) と、付け加えて造形する塑像 (モデリング) は別物。塑像を制作したロダンを「彫刻」カテゴリーに含めるのは不適当。ここでは立体造形とした。それを神話や歴史を表現したものでなく自立的な存在にしたのがロダン。人体には自立のための内部の力学的構造がある。ロダンの作品は力学的にも自立。だからそこに生命 (感) がある。「あそこも行った、ここも行った」という人がいるが、大切なのは「それを見た」ではなくて「どのように見たか」。正面性のない立体造形は背後にまわり込めるなど現地で観ることのアドバンテージがある。

History Literacy　オルセー美術館 (仏) に揃う作品―いかにローカルなもの (フランス絵画史) を世界絵画史としているか。

新しい学問と政治

①哲学

a. ドイツ観念論哲学の発展　＊1

・ヘーゲル（1770～1831）が弁証法を唱える、主著『精神現象学』

b. 弁証法的唯物論

・マルクスがフォイエルバッハの唯物論とヘーゲルの弁証法から大成

・弁証法的唯物論と唯物史観で科学的社会主義理論を樹立

c. 功利主義

・ベンサム（英）（1748～1832）は「最大多数の最大幸福 」を追求
快楽を最大化する行為が道徳的として実際に快楽計算
└ カントの動機説の逆　└ 数字で表しその大小で正しさを判定

・J.S. ミルは功利主義の質的面を考慮、利他的行為の推奨
└「満足した豚より、痩せたソクラテスたれ」

d. 実証主義

・コント（仏）は社会学を創始　＊2

e. 実存主義

・キェルケゴール（デンマーク）、ニーチェ（独）

②歴史学

・特にドイツで発展　＊3
└ ロマン主義、ナショナリズムの影響を受ける

・ランケ（独）『世界史』
近代歴史学の祖、史料批判、客観的科学的叙述

・ドロイゼン（独）「ヘレニズム」概念

・ブルクハルト（スイス）『イタリアルネサンスの文化』

③法学　＊4

・歴史法学
サヴィニーは法の民族（歴史）的特殊を主張、自然法に反対
└ 日本では民法制定時「民法栄えて国滅ぶ」と反発

④経済学

・歴史学派経済学　＊5（※）
リストは保護貿易、関税同盟を主張

PROPOS　＊1
ヘーゲルはナポレオンと同時代。馬上のナポレオンを目撃した彼は「世界精神が歩いている」と表現。絶対精神（自由）は自らの実現のため、ナポレオンを「乗り物」として利用。必要なくなれば乗り捨てる。そのメカニズムを「理性の狡知（こうち）」（「たくらみ」の意味）とした。「進歩」が意識された時代の思想。それまで、社会は同じことを繰り返す、と思われていた。この世界を動的に把握しようとするのが弁証法。続いてダーウィンの進化論、これを社会に応用したスペンサーの社会進化論が唱えられた。

PROPOS　＊2
電磁気など次々に「見えない世界」を知性で見るようになった人間。そこに立ち塞（ふさ）がったのが「社会」。どのような道具を使っても見えないが、確かに存在する。人間が集まって作るが、個人の総和とも言い難い、つかみどころのない存在が「社会」。

PROPOS　＊3
世界史を人間の進歩の歴史とみるヘーゲル的な歴史観。そこで各時代は目的にいたるまでの過程、目的実現の手段になる。個人はそのための道具となる。それに対し、ランケから始まる近代歴史学は、ある時代は次の時代のためにあるのではない、各時代はそれぞれ固有の価値を持つ、とみなす。

PROPOS　＊4
ロマン主義は学問にも影響を及ぼした。歴史への関心を生み、歴史学の発展を促した。哲学ではドイツ観念論哲学に影響を与えた。ドイツ観念論は、大陸合理論、イギリス経験論を批判的に総合、理性の限界、意志・感情の役割を探った。さらに実証主義から社会学が起こる。これらすべてが、理性に対する懐疑を共通項として持つ。

PROPOS　＊5
歴史学派はあらゆる時代に普遍的に通用する経済理論などない、という宣言でもあった。後発国の保護貿易は当然の選択。

画蛇添足

▼人間が組織の中にはいったときの振る舞い。人が集まって社会を作る。個人としての振る舞いと、社会の中にいるときの振る舞いは変わる。また社会は単なる人の総和として理解できない。そこでは創発とされる一たす一が二以上になる現象が起こる。▼自殺は個人的な行為のはずだが、統計をとると毎年同じような数字がでる。自殺が個人的な行為に見えて、きわめて社会的な現象であること—「社会」と呼ぶべきものが存在していることを明らかにしたのがデュルケムで、彼の『自殺論』（1897）で「社会学」が誕生。▼後発の学問なのでこれを親学問とする科目が高校になく学ぶ機会がなく、親しみがない。社会現象のように時間的に幅のあることは「出来事」ととらえにくい。教科書には突然起こった短期的な出来事が中心に叙述されがちで時間的に幅のあることは出来事の範疇から外れてしまう。▼歴史教科書が苦手とするのは「出来事でないこと—起こらなかったこと」。起こらなかったこと—「非・出来事」は因果関係の中に現れないが、現実には重要な役割を担っている。アメリカでの同時多発テロ（2001）は言及される。しかしその後、アメリカで大きなテロ事件が起こっていない（未然に防いできた）ことは言及されない。▼出来事の非顕在化に携わった人びとの果たした役割をどのように叙述すればよいのか。非・出来事を出来事とのバランスの中で描きにくい。「起こらなかったこと」—予防したことへの注目が必要（※）。立派な政治家とは対立が戦争に繋がるのを未然に阻止した政治家であって、防げなかった戦争を勇敢に指導した政治家ではない。映画ではスローシネマという「何も起こらない日常」を描く作品は人気がある。

わんクリック　理性を重視したヘーゲルに対して、理性では解明できない人間の暗い衝動をとらえようとしたのが同じ時代のショーペンハウアー。『幸福について—人生論』はよく読まれている。人生を刺繍（ししゅう）した布にたとえてこう述べている。「誰しも生涯の前半には刺繍した布の表を見せられるが、後半には裏を見せられる。裏はたいして美しくないが、糸の繋（つな）がりを見せてくれるから、表よりはためになる」。彼はヘーゲルの講義の裏に自分の講義をあてて対抗したが受講者は花形教授ヘーゲルに集中してほとんど集まらなかった。私たちは表と裏を同時にみることができず、あえて裏を選ぶ人は少ない。

History Literacy　歴史叙述からこぼれおちた「非・出来事」—「実際に起こらなかったことも歴史」（寺山修司）。

3　帝国主義と世界秩序

ヨーロッパとアフリカ分割

①アフリカ分割

- 沿岸部とのみ接触、内陸部はヨーロッパ人にとって「暗黒大陸」　＊1
  東海岸　インド洋貿易拠点（マリンディ、 などスワヒリ文化圏）
  西海岸　奴隷貿易の拠点、セネガルのゴレ島など
- 18c 末、リヴィングストン、スタンリーの内陸部探検
  └ アフリカ横断後消息絶った宣教師 └ 新聞記者としてリヴィングストン発見
  スタンリー（ベルギー王の依頼）がザイール川流域探検
- 1884 ~ 85 年、ベルリン会議
  ベルギー国王領コンゴ自由国の承認　＊2
  先占権（アフリカ植民地化）の原則承認で列強の植民地獲得競争激化　＊3
  └ それまでは発見者に占有権（発見優先の原理）、それを物理的な占有（先に占領）に変える

②イギリスの縦断政策

- スエズ運河株式会社株買収（1875）
  └ ムハンマド・アリー朝のもとでレセップスが開削（1869）
  エジプト財政破綻で手放した株券をディズレイリが買収
  └ 英帝国を担保にロスチャイルド家から融資
  →ウラービー運動（1879 ~ 82）鎮圧、エジプト保護国化（1882）　＊4
- スーダンでマフディーの抵抗運動（1889 ~ 98）　＊5
  └ イギリスのゴードン将軍（太平天国の乱鎮圧にも参戦）戦死
- 英領ケープ植民地
  └ オランダがアジア貿易の中継地として建設、ウィーン会議（1815）で英領に
  白人入植者ブール人（ボーア人）が支配者階級
  └ オランダ人植民者の子孫、ブール（オランダ語読み）、ボーア（英語読み・蔑称）
  →ブール人は北方に新開拓地を求めて移動（1835 ~、グレート・トレック）
  └ ケープ植民地は英領（1833 奴隷制廃止）で生活基盤を奪われ移動を余儀なくされた
  →ズールー王国と戦闘
  └ シャカ王（19c 初）時強大化、イギリス支配下（1879 ズールー戦争）、南アの最大の部族
  →トランスヴァール共和国、オレンジ自由国建国

PROPOS　＊1
「暗黒（dark）」とは未知の意。暗黒はアフリカのことではなく、この大陸の知識を持たなかった西欧人の頭の中の方。アフリカ大陸はその過半が標高 500m 以上の台地で盾を伏せた形の安定陸塊。河川は大陸縁辺部で急斜面になり滝が連続する。西欧人がアフリカ内陸に侵入するのは難しかった。当時の人口は 1 億程度。それもマラリア原虫がいない高原地帯（エチオピアなど）に集中。コンゴ盆地などの人口は少ない。19 c 半ばにマラリアの特効薬キニーネの開発が内陸部の探検を可能にした。

PROPOS　＊2
コンゴ川一帯はベルギー国王レオポルド 2 世の私有地コンゴ自由国。住民に自由はない。黒い黄金―ゴム、が生み出す富に引き付けられ、お金のためなら何でもする質の悪い粗暴な連中が世界中から集まった。その筆頭格がスタンリー。悪業のための統帥力（カリスマ性）、冒険心、残忍さで傑出。

PROPOS　＊3
1869 年のスエズ運河開通により西欧からアフリカ東海岸までの所要時間が約半分に短縮。これがアフリカ分割を加速させた。

PROPOS　＊4
エジプトの植民地化を救おうとしたウラービー。かえって英軍の侵攻を招いたという評価だったが、1952 年エジプト革命後にナセルが「エジプト民族主義の父」として名誉回復。エジプトは形式的にはオスマン帝国の一部。英は官僚組織や軍事力など統治コストのかかる「公式帝国」（植民地）を抑えようとして保護国として支配した。

PROPOS　＊5
スーダンは指示対象が不明瞭な地域名。サハラ南縁のサヘル地域を広く指す。エジプト領になったのが今のスーダン。この間、北スーダン（イスラーム・アラブ地域）は開発が進んだが南スーダンは低開発で取り残された。南スーダン独立（2011）の背景。

画蛇添足

▼絵画には「だまし絵」という危険なジャンルがある。いったん「だまし絵」というジャンルを認めてしまうと、すべての絵画がだまし絵なのに、そのカテゴリー以外はだまし絵でないと錯覚させてしまう。それが「だまし絵」がだましていること。3次元のものを2次元で表現してそれらしく見せるのが絵画（※）。▼小国ベルギーの首都ブリュッセルに壮麗な建築物が並ぶ。国王レオポルド2世が個人で二千万人の人口を持つコンゴを所有。そこで数百万人を虐殺して富を収奪した結果。イギリスの作家コンラッドは実際に国王の蛮行を見聞。これを告発する小説『闇の奥』（1902）を書いた。舞台をベトナム戦争に移して映像化した映画『地獄の黙示録』が原作より有名。とりわけワグナーの音楽「ワルキューレの騎行」が被せられるシーン。▼コンゴは国王の私領。天然ゴムを搾取した。現地人に現地人を統治させるため銃を持たせ、銃弾一発につき殺害した人間の手首を一つを証拠に提出させて銃の使用を管理。そのため手首だけを切りとられる人が続出した。▼この作品を評価する西欧の欺瞞を『「闇の奥」の奥』（2006）で告発する藤永茂。コンラッドはベルギー国王の所業を植民地支配の例外と見なすことで、イギリスの支配もまた植民地支配であること、その残虐さを見えにくくしようとする底意を批判する。▼目の前に莫大な利益がぶら下がった時、人はどう振る舞うか。自分がしなくても誰かがして結果は同じと考えて悪事に加担する問題。一人の悪王の所業ではなく、植民地主義支配システムの問題。3次元を2次元にするとは空間配置を構図に変えることで問題の所在を見えやすくすることでもある。小説もまたその手段の一つ。

わんクリック　アラン・ムアヘッド『白ナイル―ナイル水源の秘密』。欲望に駆動されナイル水源をめざした二人の冒険家（映画『愛と野望のナイル』）。さらにスタンリーの冒険の結果、「平和以外は何でもある」となってしまったコンゴの惨状を告発したのがアイルランド人外交官ロジャー・ケイスメント（後にイースター蜂起で刑死）。コンゴ植民地化への加担を後悔して告発者に転じ、ラスカサスにたとえられる。彼の告発でコンラッドは『闇の奥』を書いた。ロジャーの生涯を描いたマリオ・バルガス・リョサ『ケルト人の夢』（2010）が圧倒的な筆致で読者を引き込む。残虐なスタンリーの悪業の数々も描く。

History Literacy　だまし絵がだますのはすべての絵画が「だまし絵」であること―歴史もまた「だまし絵」。

③南ア戦争 ― 白人間の植民地争奪戦 ＊1

- 1895年、ローデシア建国
  ケープ植民地首相セシル・ローズが内陸部も植民地化 ＊2
- 1899～1902年、南ア戦争（ブーア戦争）
  オレンジ、トランスヴァール両国で金・ダイヤモンド発見
  └ 集積地としてヨハネスブルクが大都市化 └ 1860～80年代
  イギリスは両国獲得のためブール（ボーア）人（オランダ系白人）と戦争
  └ 植民相ジョゼフ・チェンバレンが指導 └ ゲリラ戦で抵抗
  →国内外の強い非難で長期化
- 1910年、南アフリカ連邦成立
  イギリス人はブール人（ボーア人）と協力関係に転じ、先住の黒人を支配
  ブール人（ボーア人）は原住民土地法（1913）など種々の人種差別立法
  └ 原住民の土地購入禁止、人口77%が国土7%の原住民保留地へ
  →アパルトヘイト（人種隔離政策）の原型
  └ 本格的な差別立法は2次大戦後

④イギリスの帝国主義政策 ― 3C政策、アフリカ縦断政策

- インドへの連絡路（「インドへの道」）確保
  └ シリアから陸路でバスラ、ペルシャ湾に出て海路でインドへ
- アフリカ縦断政策推進
  カイロからケープタウンへの連絡を求め南下

⑤フランスの帝国主義政策 ― アフリカ横断政策

- アルジェリア（1830年占領、1848年植民地化）、チュニジア（1881年保護国化）
  →サハラ砂漠を横断してジブチ、マダガスカル（1885）を結ぶ
  └ 紅海とアデン湾の双方をにらむ要衝

⑥ファショダ事件 ― イギリス縦断政策とフランス横断政策の衝突

- 1898年、東スーダンで英仏両軍が衝突
  →フランス本国政府の指示により、現地フランス軍は譲歩
  └ ドレフュス事件（1894～）で国論二分 └ 英仏協調転換のきっかけ
- 1904年英仏協商 ＊3 ＊4
  └ 日露戦争の開戦の2週間後、日露戦争のヨーロッパ波及の防止
  ドイツの進出に対する対抗措置
  英のエジプト、仏のモロッコでの優越を相互承認

PROPOS ＊1
南ア戦争は典型的帝国主義戦争。イギリスは50万の正規軍を投入しながら10分の1以下のブール人のゲリラ戦に苦慮。数週間のはずの戦争は3年続いた。戦争への国際世論の非難の高まりでイギリスは国際的に孤立。アメリカのベトナム戦争（1965-73）、ソ連のアフガニスタン侵攻（1979）と並ぶ、覇権国の権威が失墜した戦争。戦争の最中にヴィクトリア女王が逝去。イギリス繁栄の代名詞ヴィクトリア時代が終焉。戦争後、イギリスとブール人は同じ白人として和解、黒人支配を強化。

PROPOS ＊2
ケープ植民地首相セシル・ローズ。アフリカの南北を電線で結び、アフリカを征服しようとした。モールスの電信の発明（1848）以来、電信は植民地支配の道具となった。英国史上代表的な植民地主義者。その遺産で運用されたローズ奨学生に選ばれるのがステータスの時期が長かったが、いまは各地で彼の銅像の撤去が進む（※）。

PROPOS ＊3
1904年の英仏協商はイギリスのエジプトにおける優越権、モロッコにおけるフランスの優越権を認めあったもの。地中海の2つの出口、スエズ運河のあるエジプトと、ジブラルタルに臨むモロッコを両国が分け合った。これは「ドイツの将来は海上にあり」と新航路政策を取るドイツにとり、受け入れられなかった。翌1905年皇帝ヴィルヘルム2世は地中海のヨット遊びから急遽、タンジール港に上陸。フランス攻撃演説を行った。ドイツの台頭で高まる国際緊張。中世以来、対立関係にあった英仏はドイツの脅威を前に協力関係に転じた。

PROPOS ＊4
基本的に「同盟」は軍事同盟。軍事関係がないのが「協商（パートナーシップ）」で同盟より弱い友好関係の確認程度のもの。何れも秘密条約。どのような条約が張り巡らされているのかは憶測で理解された。

画蛇添足

▼「ダイヤモンドの原石のようだ」は褒め言葉として受け取れるのか。輝きを秘めてはいるが、あまりに硬く、その輝きを取り出すのは難しい、の含意もある。15世紀になってダイヤをダイヤで研磨する技術がベルギーで開発された。▼輝くためには互いに切磋琢磨する―意外に平凡な結論。硬く工業用に貴重な石。その石を宝石の中で最も価値あるものに化かしたのはデビアス社。19世紀後半、南アでダイヤ大鉱脈が発見された。朗報だが値崩れの危機でもあった。▼この時、セシル・ローズが設立したのがデビアス社。ロスチャイルド家からの資金援助で鉱山を次々に買収。その後、世界のダイヤの生産流通を独占。人びとにこの炭素の塊を高嶺の花と憧れさせて高値を維持した。デビアス社が放った4単語のキャッチコピー"A Diamond is forever."「永遠の輝き」と訳されて輝きに一段と磨きがかけられた。▼光り物、特に「輝いている」に弱い人間。ダイヤの価値の源泉は輝きではなく作られた希少性による高値安定だが、輝きに眼を眩まされた。本当に価値があるのは金。しかし金は非常時に持って逃げるのに重過ぎる。ダイヤは手軽に持ち運べる金融資産。密輸も容易。▼「婚約指輪は給料の3カ月分」も成功したマーケティング。無関係だったダイヤと結婚を結びつけ、ダイヤの婚約指輪を贈る文化を作り上げた。ダイヤ生産のコストはほとんど人件費。アパルトヘイト政策で南アに鉱山で働くしかない安価な労働力を作り出した。▼かつてダイヤは地位、富の象徴だったが、奴隷労働、自然破壊の象徴でもある。いまセレブがダイヤに代わる動産として注目するのが市場で高騰を続ける現代アート。部屋に飾ることが資産隠しになる。

わんクリック ザ・ビッグ・ホール―人間の欲望が穿った露天掘りの巨大な穴。人力で掘られた世界最大の穴。サハ共和国（ロシア）のミールヌイにも大きな穴がある。南アフリカのキンバリーで最初のダイヤモンド鉱山が発見。ダイヤを求める消費者がいる限り、機械によっても代替され得ない過酷な労働―ダイヤモンド鉱山で労働はなくならない。ダイヤ鉱脈が発見されるまでは貧しくても平和だった国が内戦状態になる。一時期、アフリカの紛争の資金源としてダイヤモンドが採掘された。これを描いたのが映画『ブラッド・ダイヤモンド』。いまは紛争地からのダイヤモンド輸出は厳重に監視されている。

History Literacy 時代の制約を考慮する（「私たち」が「動物虐待（動物食）」の理由で、後世から全否定されたとしたらそれは妥当か）。

⑦ドイツの進出

└ ビスマルク時代は消極的、1880年代に国際的地位向上のためアフリカに植民地を求める

- ドイツ領東アフリカ、南西アフリカ(ナミビア)、カメルーンなど領有
  └ タンガニーカ(現タンザニア)
- 1905年、第1次モロッコ事件(タンジール事件)
  ドイツ皇帝ヴィルヘルム2世がタンジール訪問
  英仏協商(1904)に反対モロッコの独立と門戸開放を要求
  アルヘシラス会議(1906)で敗北
  └ 国際会議の開催を要求したが会議でドイツは孤立
- 1911年、第2次モロッコ事件(アガディール事件)
  ドイツ軍艦のアガディール入港、威嚇
  イギリスの支持でモロッコはフランスの保護国へ(1912)

⑧イタリアの進出

- ソマリランド領有　＊1
  └ スエズ運河開通後、戦略的重要性を増した「アフリカの角」
  イギリス、フランスとともにソマリランド分割　＊2
  └ エチオピア(メネリク2世)もオガデン地方を支配
- エチオピアからエリトリアを獲得(1890)
- エチオピア侵略(1894～96)
  アドワの戦い(1896)で皇帝メネリク2世に大敗、失敗
  └ 西欧の植民地支配の試みが失敗した最初の例
- イタリア・トルコ戦争(1912)
  └ 列強が第2次モロッコ事件で忙殺中
  トリポリ・キレナイカ占領、リビアに改称　＊3　(※)
  └ 古代ローマ帝国時代に支配

⑨その他の国

- ポルトガルはアンゴラ(1498～1975)、モザンビーク(17c～1975)を領有
  └ 5世紀にわたり支配
- 国際的非難でベルギーはコンゴ自由国をベルギー領に(1908)
- エチオピアとリベリアの2国のみ独立
  └ アメリカからの解放奴隷が建国(アメリカ資本の影響力)

PROPOS　＊1

サイの角に似ている「アフリカの角」。大陸北東部のエリトリア、ジブチ、ソマリアの3国にまたがる地域。地中海とインド洋をつなぐ紅海の出口で交通の要衝。遊牧民ソマリ人の居住地域。イギリスが東北部をソマリランドとして領有。イタリアが南部をソマリアとして領有(イタリア語で語尾の「ア」はlandの意味。「イタリア」「ヴェネツィア」など)。フランスがソマリランドの西隣の小さな港町を植民地としてジブチと命名。さらにエチオピア、ケニアにも領土をとられソマリ人は5つに分断された。

PROPOS　＊2

今のソマリアは武力勢力が割拠する典型的「崩壊国家」。リヴァイアサン状態(ホッブズ)とされる。国際的に未承認国家のソマリランドの方が安定しているらしい(高野秀行『謎の独立国家ソマリランド』)。ソマリア出身のトップモデルの自叙伝『砂漠の女ディリー』が読ませる。ソマリアで数千年続いてきたヤギの遊牧の実際、ラクダの貴重さ、何よりイスラームの女性器削除の慣習、著者が受けた手術の描写が痛々しい。

PROPOS　＊3

統一したイタリアはローマ市内の古代ローマ帝国の遺跡を整備。いまローマを歩くと古の都を歩く錯覚をする場所があるが、イタリアがローマ帝国の後継国として、北アフリカ(古代ローマ帝国の領土)進出を正当化するために遺跡整備した結果。

PROPOS　＊補足

アフリカの国境線は人為的。直線国境もある。植民地時代に宗主国の都合で約1万の小集団が40の被支配地域に再編成。それでも一度引かれた国境線は変えない、が現在の国際社会の不文律。1カ所でも変更すると収拾がつかなくなる。現実にはアフリカで国境線紛争は少ない。多いのは国家内部での内戦。内戦の犠牲になるのは戦士ではなく市民となり犠牲者数も多い。国際社会も介入が難しく無関心になりがち。

画蛇添足

▼幅わずか14㎞のジブラルタル海峡がヨーロッパとアフリカを隔てる。地中海の制海権をめぐる要衝。スペイン側のジブラルタルは英領。スペイン継承戦争(1713)で獲得し、今も返還を拒み続けている。逆にスペインはモロッコ側にセウタの町を領有。ここはまだ歴史が絡まったまま。▼帝国主義時代はモロッコがフランスとドイツの角逐の場となり、フランスの保護国となった。モロッコは人口の半分が先住民のベルベル人。その料理がクスクス、タジン鍋。小国の割に存在感があるのは、この両料理の人気に負うのかもしれない。フランスの直轄植民地となった隣国アルジェリアと違い、保護国だったのでベルベル文化が残った。▼古都マラケシュにベルベル文化が凝縮。広大なフナ広場には日が落ちるとどこからともなく人が集まってきて連日、祝祭空間と化す。大道芸人の笛で踊るコブラ。広場の奥は迷宮状の市場。目印となるものがない。吸い込まれて自分がどこを彷徨うのか、喧噪の中で方向感覚を失う。▼ここからアトラス山脈をバスで越えたところにワルザードというサハラ砂漠の入り口の町がある。日中は50℃近くまで上がり人影を見かけない。砂が音を吸い込んでいく。自分がどこにいるのか、無音に近い静寂の中では時間感覚が奪われる。▼一日の中に四季がある乾燥地帯。日干しレンガの厚い壁の中に夜の冷気を閉じ込め、酷暑の日中も涼しく過ごす。小さな開口部から中に入れば殺伐とした外観からは想像できない贅沢な空間が現れる。アラベスク文様の絨毯が敷き詰められ、ここは天国の楽園かと空間感覚を失う経験が味わえる。映画『イヴ・サンローラン』(2010制作の方)にモロッコ住居の魅力が詰まっている。

わんクリック　イタリア(ムッソリーニ)の近代兵器を使ったリビア侵略に馬で抵抗した英雄オマル・ムフタールを描いた映画『砂漠のライオン』(1981)。かなり史実に正確にCGを使わない大規模な戦闘シーンを描き、イタリア政府が強く反発したことで話題になった。これまでイタリアは国民に「アフリカの文明化に貢献した」と教えてきた。イタリア統一後、イタリアは植民地を持たなければ一等国(近代国家)でないと、旧ローマ帝国領土であった、と歴史を根拠に、なりふり構わぬ侵略を展開する。イタリアが統一されなければ、イタリアが分裂したままであれば、これらの地域が侵略されることもなかった。

History Literacy　「リビアが併合された」に感情が湧かない―リビアに言及してこなかった世界史叙述の問題。

ヨーロッパとアジア

①英独の対立激化

- イギリスのエジプト植民地化 (1882)、ペルシャ湾岸地域支配
  └ 3Ｃ政策の一環、「インドへの道」確保
- ドイツの新航路政策 (大海軍創設、帝国主義政策)
  バグダード鉄道敷設権とバスラ築港権オスマン帝国より獲得 (1899)
  ベルリン、イスタンブル (ビザンティウム)、バクダードを結ぶ政策 (３Ｂ政策)
  →イギリスの3Ｃ政策と衝突　＊1

②英露の対立 ― ユーラシア大陸でのグレートゲーム

- イギリスの中央アジア進出
  └ 3Ｃ政策の一環、「インドへの道」確保
  アフガニスタン保護国化 (1880)
  └ 2次にわたるアフガニスタン戦争に敗退、外交手段で保護国化
  アフガニスタン王国 (1747 ~ 1903)
  ロシアの南下に対抗してイギリスが進出
- ロシアの南下
  中央アジアでロシア領トルキスタン形成 (西トルキスタン)　＊2　＊3
  └ ブハラ・ハン国、ヒヴァ・ハン国、コーカンド・ハン国保護国化

合衆国の勢力拡大とラテンアメリカ

①アメリカ工業の躍進

- 広大な国内市場、豊富な天然資源
  大陸横断鉄道完成による西部と東部の一体化
  移民による豊富な労働力 ― 東欧、南欧、アジア系の移民 (低賃金不熟練労働者)
  └ 西欧からの旧移民に対して、新移民
  → 1890年代、世界一の工業国へ発展
- 1890年代、フロンティア消滅で海外進出活発化　＊4
- 労働組合運動の活発化
  └ 政権は求めない (政党との違い)
  アメリカ労働総同盟 (AFL)(1886) 結成
  └ 穏健な職業別熟練労働者の労働組合、のちに未熟練労働者が分離 (産業別組織会議、CIO)

PROPOS　＊1

1899年ドイツ皇帝はイスタンブルを訪れ、トルコ皇帝からバグダード鉄道の敷設権を獲得。長年、ロシアの南下に苦しめられていたオスマン帝国は、バルカンにおけるロシア (パン・スラヴ主義) とドイツ (パン・ゲルマン主義) の抗争においてドイツ側に組した。バグダード鉄道が完成すればドイツは、ベルリン～イスタンブル～バグダード経由、つまり陸続きでペルシア湾、インドへ進出することが可能となる。これはイギリス3Ｃ政策、イギリス帝国の存立を脅かす (現実味はなく、バグダード鉄道も未完成)。このドイツの脅威を背景に1898年のファショダ事件を契機に英仏は接近。

PROPOS　＊2

現在、トルキスタン (中央アジア) はロシアが支配する西トルキスタン (5カ国) と中国の支配下にある東トルキスタン (新疆ウイグル自治区) に分断されている。

PROPOS　＊3

西トルキスタンは20cにスターリンの分断政策で容赦なく分断され、地域の一体性は失われ、各共和国主義、民族主義が強くなっている。スターリンはこの地域を民族分布とも水系とも関係なく5カ国に分けた。トルクメニスタン・ウズベキスタン・キルギスタン・カザフスタン・タジキスタンに分断された (筆者は女優の名、加藤タキと覚えた)。タジク人が多かったブハラがウズベキスタンに編入されたりして共和国間の火種を作る分断がなされた。ペルシア語系はタジキスタンだけだがスンナ派であり、南のイランと一緒になることはない。

PROPOS　＊4

この年、アルフレッド・マハンの海上政策『海上権力史論』が刊行 (1890)。海洋を制した国 (制海権をとった国) が世界の覇権を握ってきたと「シーパワー」概念を提唱 (地政学の重要概念)。パナマ運河建設、アメリカによるハワイ、フィリピンの併合を主張。アメリカの海外進出を促した (※)。

画蛇添足

▼たこ焼き、お好み焼きなど鉄板を囲み一緒に作りながら楽しめる「粉もん」は関西のソウルフード。そばめしは神戸で人気のB級グルメ。この「粉もん文化」を作り上げたのはメリケン粉。アメリカからきた小麦粉の意味で現地風に発音された。神戸港には「メリケン波止場」が残る。▼南北戦争後にアメリカは世界最大の工業国に躍進。もう一つ、世界最大の農業国の顔も持つ。ナポレオンから購入したミシシッピ以西のルイジアナ、いまのアメリカ中西部が「世界のパンかご」と呼ばれる一大穀倉地帯に化けた。小麦はミシシッピ川を下り、ニューオリンズからメキシコ湾、パナマ運河、太平洋経由で神戸に運ばれ「粉もん文化」を支えてきた。▼かつてバイソン (大型の野牛) が牧草を食(は)み、それらを先住民が追った大草原地帯。そもそも小麦は西アジアの作物。アメリカでは18世紀まで栽培されなかった。草が地中深くまで張りめぐらされ開墾は容易でなかったが、5年以上開拓に従事すれば無償で土地が払い下げられるホームステッド法が移民を引き寄せた。中西部にはドイツ系、ロシア系移民が多く入植。▼グーグルアースでカンザス州をのぞくと800メートル四方の区画 (64ha)、正方形模様が約25万枚も広がり圧巻。開墾後は世界有数の肥沃な黒土プレーリー地帯となり、小麦、トウモロコシ、大豆畑となった。70年代後半の人気ドラマ『大草原の小さな家』(Little House on the Prairie) が描く世界。▼開墾に拍車をかけた大陸横断鉄道の開通。しかし鉄道は先住民にとって「悪魔の縄」、バイソンにとって「鉄のロープ」。土地を奪われた先住民は指定区に閉じ込められ鬱屈とした生活を送る。バイソンは絶滅危惧種となる。自然は手厚く保護され国立公園となった。

わんクリック　帝国主義時代になって人類学者が「未開の地」に分け入り、先史時代の生活を続ける「未開人」を観察する機会が生まれた。「未開人」の観察は「人間とは何か」を考える上で重要な機会。かつて人間は平等だったというルソーの主張 (『人間不平等起源論』) を確かめる時がきた。ところでアイヌはコーカソイド (ヨーロッパ人) の末裔(まつえい)という説があった。人類学者はこれを骨格標本で確認したい欲求を抑えられなかった。北海道各地のコタン (アイヌの村) で墓を掘り返し、その骨を大学研究室に持ち帰った。好奇心や出世の欲望などが、学問の名の下で正当化されて良心を麻痺させることがある。

History Literacy　国際関係を地理的観点から考察する地政学(ちせいがく)―得失関係で国家を侵略政策に向かわせた過去を持つ。

②アメリカの帝国主義政策

a. 汎米(パン・アメリカ)会議(1889 ~ 90)

・ラテンアメリカにアメリカの影響力拡大

└ 英、西の影響力を排す　└ モンロー宣言の現実化、解釈の変化(新大陸を米の勢力圏化)

b. マッキンリー(共和党、在任 1897 ~1901)時代

・1898 年、米西戦争　＊1

キューバの独立運動を契機に開戦

└ スペインからまだ独立できていなかった数少ない国の一つ

プエルトリコ、グアム、フィリピン獲得　＊2

キューバを保護下

└ キューバ憲法にプラット修正条項を追加し、事実上の保護国化(1901)

・1898 年、ハワイ王国併合　＊3

・1899 ~ 1900 年、門戸開放宣言

ジョン・ヘイが中国の門戸開放、機会均等、領土保全要求

└ 国務長官　└ 中国分割(1898)後の 1899・1900 年

c. セオドア・ローズヴェルト(共和党、在任 1901 ~ 09)時代

・棍棒政策(カリブ海政策)

└「棍棒(アメリカ海軍)をたずさえて穏やかに話せ、それで言い分は通る」

南北アメリカ、大西洋と太平洋の十字路として重要性増加

・パナマ運河開削(1904 年着工、1914 年完成)

└ 1 次大戦勃発の年

コロンビアより運河地帯をパナマとして独立させる(1903)

パナマより運河地帯を永久租借(1999 年返還)

・ポーツマス会議(日露戦争の講和)を仲介(1905)

・国内では進歩主義(革新主義)を標榜、社会改革に取り組む

└「自由のない秩序も、秩序のない自由も破壊的」(T. ローズヴェルト)

シャーマン反トラスト法(1890)で独占資本と対決　＊4

d. ウィルソン(民主党、在任 1913 ~ 21)時代　(※)

・「新しい自由」を主張して独占資本を抑制

クレイトン反トラスト法(1914)で強化

・メキシコ革命(1910 ~ 17)介入(反革命側を支援)

└ 大統領は(自分の宗教には)敬虔な信者、「宣教師外交」

PROPOS　＊1

米西戦争はアメリカの大衆紙が引き起こした戦争(映画『市民王ケーン』)。"Remember the Maine(メイン号を忘れるな)" と世論を戦争へ駆り立てた。独立戦争中のスペイン領キューバで現地アメリカ人保護のため駐留中の米戦艦メイン号が爆発沈没。アメリカの自作自演とみられるがスペインの陰謀と世論を煽った。戦争で部数を伸ばした新聞。

PROPOS　＊2

スペイン太平洋艦隊の本拠地フィリピン。米西戦争が勃発するとアメリカはここを急襲。折しもホセ・リサールから始まった独立運動でアギナルドが独立を達成した直後。その独立したフィリピンと戦争。数十万の犠牲を強いた。門戸開放以来、「非公式帝国」を追求してきたアメリカ。フィリピン領有の是非をめぐり議論があった。

PROPOS　＊3

クックによる「発見」(1778)後、ハワイ王国(1795 ~ 1893)は太平洋航路の中継地として繁栄。また砂糖プランテーションが米資本により展開。彼らがハワイ王国の武力併合をはかる。最後の女王がリリウオカラニ(「アロハオエ」作曲者)。大農園はストライキを恐れて特定の国から移民が集中しないようにした(分割統治)。そのため多数派民族のいない多民族社会がハワイに誕生。気候は快適、蛇がいない楽園。

PROPOS　＊4

南北戦争後の金ぴか時代。ロックフェラーのスタンダード石油、カーネギーのUSスチールなどトラストによる独占が進展。政治だけでなく経済にも王はいらない、とT. ローズヴェルト。「目を星に向け、足を地につけよ」と社会改革を志した若い大統領(その「地」の拡大にもアグレッシブだったが)。本気の「トラストバスター」。シャーマン反トラスト法で各社を訴訟に持ち込む。引退後の彼がアフリカにサファリにでかける際にモーガンは「ライオンが本来の義務を果たすように期待」とコメント。

画蛇添足

▼パナマ運河開削は難工事だった。山越えの必要があり3つの閘門(水門)で水位を上下させ船を山越えさせる。太平洋と大西洋には海面差があり、山がなくても閘門は必要だった。新大陸は太平洋側に偏ったところにロッキー、アンデス山脈が分水嶺として連なる。雨の9割以上が大西洋に流れ込むためこちらの海面がやや高い。▼セオドア・ローズヴェルトは日露戦争後のアジアでの日米の新興二大国の対立を見据え、大西洋艦隊を太平洋に回航できるように巨費を注いでパナマ運河開削を急いだ。強引にコロンビアからパナマ地峡一帯を切り離して傀儡国家パナマを作り、パナマから運河の建設・管理権、運河地帯の永久租借権を得た上でパナマ運河を完成させた(1914)。▼運河の開削はマラリアとの戦いだった。両側がジャングル。アメリカは運河の両側8㎞の運河地帯を永久租借したが、この幅は蚊の飛行距離限界とされた。完成後は運河地帯に米軍が駐留。あるパナマ大統領は「私の夢は天国に入ることではなく運河地帯に入ること」と述懐。船を「水のエレベータ」で高低差、26mも上下させる。一隻を通すのに約2億ℓの水と9時間が必要。山頂付近に人工湖を作り必要な水を貯めた。年中降雨がある熱帯雨林気候だから可能なシステム。▼紆余曲折の末、アメリカは運河地帯の主権をパナマに返却(1999)。莫大な富がパナマを現在の超高層ビルが立ち並ぶ町に変えた。パナマックスとされる通行可能な最大規模の船(39×366m)の通行料が数千万円。近年、高層ビルの一角にある法律事務所から流出した膨大な内部文書「パナマ文書」が世界に衝撃を与えた。租税回避地パナマ。こんなことを許している限りまともな国ではない。

わんクリック　ニューヨークの冬の風物詩がロックフェラーセンターのクリスマスツリー。ロックフェラーは石油の将来性に目をつけてスタンダード石油を創業(1870)。その後は業界の「大虐殺」とされる買収(トラスト)を繰り返して規模の拡大をはかり、石油の精製、販売のほとんどの会社を傘下に収めた。アメリカで世界最初の産油が発見され、次々に油田が開削。1901 年にテキサスで史上最大級の油田発見。戦前の日本は石油の 8 割近くをアメリカから輸入していた。苦い経験から、戦後の日本は石油に関しては国際石油資本(メジャー)に(外資の出資を受けていない)民族系元売り会社が対抗した。

History Literacy　国王、権力者名の列挙への拒絶反応(世界史離れ)は健全な反応(本ページ叙述は稚拙の見本、筆者の能力不足)。

メキシコの近代化とメキシコ革命

①メキシコ内乱

・ファレス大統領（在任 1858 ~ 72）時代　＊1 ＊2

土地改革、教会財産没収などの試み、対外利子支払い停止など

・メキシコ内乱（1861 ~ 67）

イギリス、フランス、スペインの共同出兵

ナポレオン3世（仏）の野心 — ラテンアメリカ市場開拓

マクシミリアン（オーストリア）を皇帝に擁立（位 1864 ~ 67）　＊3

└ オーストリア皇帝の弟

→ファレスの抵抗、南北戦争後のアメリカ干渉で失敗

→仏軍撤退、皇帝は退位を拒否

└ ナポレオン3世（第二帝政）失脚の端緒

②ディアスの独裁（在任 1876 、1877 ~ 80 、84 ~ 1911）　＊4

└ 日本の明治維新後の近代化と時期も内容も重なる

・外国資本の導入による経済開発、近代化推進

多くの農民は土地を失い貧困化、格差拡大のひずみ

③メキシコ革命

・1910 年、メキシコ革命（~ 17）　＊5

・自由主義者マデロ、農民運動の指導者サパタ、ビリャなど武装蜂起

└ 富裕な地主で農地解放に消極的

ディアス追放成功後、分裂して複雑な経緯

└ 農地解放を唱えるサパータもビジャも共に暗殺される

政教分離、教会財産の没収、農地改革と外国資本の国有化などの改革

・1917 年、メキシコ憲法制定

当時もっとも進歩的な憲法制定、現代のメキシコの基礎

└ 8時間労働、最低賃金制、産休制、社会保障制度、大土地所有の解体、農地改革など

→農地解放の本格実施はカルデナス政権（在任 1934 ~ 40）時

└ アメリカの善隣外交の時代で実施の追い風

・壁画運動（1920 年代）

先住民の歴史を国民で共有するために各地で壁画を製作

└ 字の読めない人に壁画を通してメキシコの歴史や革命の意義を伝える

PROPOS　＊1

カトリック教会は世界のどこでも単なる教会ではなく、それは役所であり学校で、地域の人びとの人生を支配した。子どもは教会で洗礼名をもらってはじめて生まれた記録が残される。ここで結婚式をあげてはじめて夫婦となれる。臨終の秘蹟（ひせき）をとってもらって初めて死んだことになる。

PROPOS　＊2

カトリック教会は敬虔（けいけん）な信者を作り出すために子どもの教育を独占。教会は間違っても自由主義的な個人を育成しない。教会は寄進などによって広大な土地を所有。教会から土地と人間を解放しない限りはメキシコ社会の近代化はなかった。ここにメキシコで最初に手を付けたのがファレス。

PROPOS　＊3

ナポレオン3世のメキシコ干渉戦争に際し、請われて皇帝となったマクシミリアン。フランス軍の撤退に際して、理想を追求しようとした皇帝マクシミリアンは残留、処刑される。マネ『マクミリアンの処刑』。習作では銃を構えるメキシコ兵がフランス軍服で描かれていた。「マクシミリアンを殺したのはフランスだ」とマネは強調する。ゴヤ『1808 年5月3日』と同じ構図。マネしい、と言われるゆえん。

PROPOS　＊4

後発国の工業化（近代化）は外資なしには不可能。しかし外資は国内政治が安定しているところにしか向かわない（不安定なところは焦げ付きのリスクがある）。さらに必要なのは安価な労働力。農民は土地を奪われ、労働者とされて搾取された。この2つ—安定と安価な労働力を作る手っ取り早い手段が強権政治。ディアスの独裁政治の下でメキシコ社会は急速に近代化する。

PROPOS　＊5

ロシア革命（1917）に先行したメキシコ革命（1910）。組織されていない貧農が自然発生的に起こし、社会改革をめざした。

画蛇添足

▼明治維新後の日本の歩みのように多くの国が欧米の白人国家を国民国家作りのモデルとした。その例外がメキシコ。古代文明を開花させた先住民の血を受け継ぐ「メスティーソ（混血人種）」の国であることに自国のアイデンティティを求めた。▼ディアスの時代（1876 ~ 1911）は開発独裁。この時代は帝国主義時代に重なる。政治的に安定し、豊かな鉱産資源のあるメキシコは列強にとり理想的な資本の投下先となった。外国資本導入でメキシコ社会は大きく変容。都市には近代的なビルと大規模な工場が、都市間には鉄道が張りめぐらされた。彼の前と後ではメキシコ社会は激変。▼経済発展に取り残された貧農たちによる自然発生的な運動がメキシコ革命。35年続いた独裁は終わる。その後、農民も加わり社会改革も実現。外国資本を追放する民族主義的、またカトリック教会から宗教以外の機能をなくす反教権的な改革が進められることになる。▼メキシコ革命では先住民も包摂したメキシコナショナリズムが掲げられた。メキシコは自己のアイデンティティを先住民文明に求め、先住民を国民に統合しようとした。国民の8割がメスティーソの国ではそれが現実的だった。▼民族の純潔性を唱える政治家と比較して、混血性を礼賛する政治家への警戒を緩めがちになる（※）。混血こそが偉大な文明を作ってきた、と西欧近代文明と比較。そこに欠けていた黒人（アフリカ）、アジア、インディオもがメキシコでひとつになったとした。問題がないように聞こえるが、これはスペインによるアステカ文明征服の正当化、インディオに対する同化政策の正当化でもあった。メキシコ壁画運動も見方を変えれば特定の国民像を称揚するプロパガンダ。

わんクリック　インディオ文化も内包した新たな国民国家形成をめざした革命政府。革命の意義、メキシコの歴史、メキシコのアイデンティティを非識字者の多い民衆に公共建築物に壁画を描いて伝えた。美術館に納められてしまう絵画でなく、街頭の大きな壁画ならばいつでも誰でも見ることができる。「お久しぶりです」に「俺に過去はない」で応えた伝説の岡本太郎もメキシコで壁画を見た。そして「メキシコはけしからん。何百年も前から俺のイミテーションをやっている」。大阪万博の太陽の塔、渋谷駅通路壁画『明日の神話』は、どう見てもメキシコ壁画運動（1920 年代 -30 年代）の影響を受けている。

History Literacy　すべての言説は政治性を免れない—政治家の発言には政治性しかない（政治性は悪いことではない）。

20 世紀前半のラテンアメリカ

①ブラジル

- ヴァルガス大統領の権威主義体制 (1930 ~ 45)
- 1937 年、クーデタで国家主義的権威主義体制樹立　＊1
  - └ イタリアのファシズムをモデル
- 5 カ年計画で工業化推進 ― 農業国ブラジルの工業化
- 「貧者の父」として労働者保護、他方で共産主義者弾圧
  - └ 戦後も圧倒的支持で大統領 (1951 ~ 54) に
- ナショナリズムの称揚 ― 移民国家ブラジルのアイデンティティ模索　＊2
  - └ カトリック教会、サッカー
- 2 次大戦は連合国側で参戦
  - └ 枢軸国側に親和性のある政治体制にもかかわらず

②アルゼンチン　＊3 (※)

- 1880 年代 ~ 1929 年、イギリス資本とヨーロッパ人移民が流入
- パンパ開発で急速に経済繁栄
  乾燥パンパで牧畜、湿潤パンパで小麦
  - └ 現在世界有数の牛肉生産国　└ 肥沃な黒色土、ラテンアメリカで珍しく小麦栽培可
- 人口構成の劇的変化 ― 人口構成の「白人」化
  - └ 371 万人もの白人の大量流入 (1871 ~ 1913)

  人口比に占めるメスティーソ比が減少し、白人比が増加

③ウルグアイ　＊4 ＊5

└ 大国アルゼンチンとブラジルに挟まれた小国、従来の世界史では言及されない

- 首都モンテビデオ
  ブエノスアイレスに並ぶ貿易港として発展
- 牛、羊の飼育
  - └ 人口より牛の数が多く、国民人のあたりの牛肉消費量世界一
- バッジェ大統領 (1903 ~ 07 、1911 ~ 15) の下で政治的安定
  社会改革で「南米のスイス」とされる福祉国家建設に成功
  - └ 国民の半分がヨーロッパからの移民で価値観共有

PROPOS　＊1
コーヒー価格が大暴落。世界恐慌を剛腕で乗り切る。右派的な権威主義体制。戦後は彼のような人物が政権につけないように制度変更された大統領選挙でまた当選。2 度めは保守層から離反して労働者に接近。左派的なポピュリズム政権となる。部下の政敵暗殺事件の責任をとり自殺した。

PROPOS　＊2
リオデジャネイロといえばコルコバードの丘で両手を広げてグアナバラ湾を見下ろす巨大なキリスト像 (1931)。ヴァルガス体制期に教会が復権、体制の支柱とするため建立。眺望絶佳(ぜっか)―高級リゾート地イパネマ海岸にバラック小屋が密集する世界最大のスラム街 (ファベーラ) が隣接。貧富の格差を象徴する街を見下ろすキリスト像。

PROPOS　＊3
東京のちょうど裏側 (対蹠点(たいせき)) がブエノスアイレスの沖合にあたる。東海岸で気候も同じ Cfb。明治維新と同じ頃、国家として形を整えて近代 (西欧) 化に向けて、双方とも知らずに競争していた。長くアルゼンチンが経済的に日本を先行していた。

PROPOS　＊4
ウルグアイの首都モンテビデオ。南米一「生活の質 (QOL)」の高い都市として知られる。公教育無料、100% 再生エネルギー、同性婚、大麻も合法化。先駆的な政策を次々に採用するリベラルな国。「世界一貧しい大統領」ホセ・ムヒカでも話題になった。

PROPOS　＊5
ウルグアイとよく似た名前の国がすぐ北のパラグアイ (イグアスの滝が有名)。ウルグアイ建国にで内陸に撤退した先住民グアラニー人が 9 割。南米で大きな需要のあるマテ茶輸出。好戦的とされた彼らへ布教を試みたイエズス会宣教師。密林の奥深くにいくつもインディオ教化集落を築いて共同生活する理想郷を作る。この史実に基づいた 2 次創作が映画『ミッション』(1986)。

画蛇添足

▼右利きの人間は今の社会が「右利き (多数派) 仕様」になっているので「便利」ということにすら気づかない。左利きだと改札一つ通るのも不便を感じる。自らの特権に無自覚―つまり無自覚でも生活に困らない、これが多数派(マジョリティ)の特徴。▼社会は多数派仕様になっている。多数派集団が「普通」と感じることが実は特権。自分がどの集団に属しているか、を意識する必要がないことが特権。日常遣いの家具一つとっても男性の身体をベースにした仕様になっている (冷房温度も)。いまの社会で男性は生まれながらに下駄をはかせてもらっていながらそのことに気づいていない。▼自分からは気づけない、外部から指摘されないと自らの特権に気づかない、も多数派の特徴。指摘を受けるのは不愉快。その時にしがちな反応の一つが逆ギレ。例えば現状を是正しようとする積極的差別是正措置に対して「女性は得だ」「逆差別」とする態度。▼自分仕様の社会で暮らす多数派は日常生活で特に怒る必要も声を荒げる必要もない。穏やかでいることができる。それに対して少数派は怒って声を上げないと社会が変わらない。そうして上げた声に対して「その言い方では人は聞いてくれない」と「言い方 (口調)」を取り締まるトーンポリシングに走る。▼先日、どうして世界の裏側のことまで学ばなくてはいけないの、と厳しい質問があった。子どもは目的を持って遊ぶわけではない。ただ遊ぶことが楽しく夢中になっている―世界史を学ぶこともそういう時間にしたいと取り組んできた。学ぶ理由の説明が求められるのは筆者の力不足。理由としては弱いが、世界史なんて知らなくても生きていける、と言えるのが特権階級。そのようなことも一応、指摘しておきたい。

わんクリック　ラテンアメリカ諸国の民族構成は国ごとに大きく違う。例外的に白人が主体なのが南・南米のアルゼンチン、ウルグアイと中米のコスタリカ。アルゼンチンは気候がヨーロッパと同じ。湿潤パンパで小麦ができる。19 世紀にパンパから先住民を追い出し、ここにイタリア人を中心とする移民が流入した。デ・アミーチス『母をたずねて三千里』(1886) はイタリアの少年マルコが出稼ぎに行った母を追ってアルゼンチンへ旅をする物語。当時はイタリアよりアルゼンチンの方が豊かだった。アニメ版 (1976) がやっぱりすごい。長いけどまったく飽きない。最後は号泣するしかないでしょう。

History Literacy　「地球の裏側」アルゼンチンは日本からの見方―地球は球体 (中心は核) で地表のどこも中心でない。

第 16 章　アジア諸地域の変革運動

1　西アジアの改革運動

イスラーム改革運動の始まり

①オスマン帝国の成熟と衰退
- 17 世紀に安定繁栄、17 世紀末から領土縮小
  第 2 次ウィーン包囲失敗 (1683)
  カルロヴィッツ条約 (1699)　＊1
  └ オスマン帝国初の領土縮小
  ハンガリーなどをオーストリアに割譲
- 18 世紀、華やかな宮廷文化の開花「チューリップ時代」(アフメト 3 世時代)
- 地方分権化の進展
  軍事封土制 (ティマール制) から徴税請負制へ
  →地方の属州の自立化 (エジプト、チュニジアなど)

②アラブ民族意識の高まり　＊2
- 18 世紀初、ワッハーブ運動おこる
  原始イスラームへの復帰を主張 (イスラーム原理運動の始まり)
  神秘主義教団 (トルコ系)、聖者崇拝 (イラン系) などの信仰を徹底批判 ＊2
- サウード王国 (ワッハーブ王国) 建設 (1744 ~ 1818 、23 ~ 89)　＊3
  └ 現サウジ・アラビア (首都リヤド) の原型、ワッハーブは他称　＊4
  豪族イブン・サウードの援助で建国
  オスマン帝国はムハンマド・アリーの援助で弾圧、のち復活

③イスラーム復興の動き
- 「西洋の衝撃」— ナポレオンによるエジプト侵略 (1798 ~ 1801)
  近代的フランス軍にオスマン帝国のマムルーク軍完敗
- アフガーニー (19c) がパン・イスラーム主義主張
  └ イラン生まれ、「アフガン人」と自称 (宗派、民族対立を招かないように出身をはぐらかした)
  イスラーム各地をまわり反帝国主義運動に関与
  インド大反乱 (1857)、アラービー革命 (1881、エジプト)
  タバコボイコット運動 (1891、イラン) など

PROPOS　＊1
イスラーム世界と西欧の力関係の逆転という現実が露わになったのが「西洋の衝撃 (ウェスタンインパクト)」、日本における黒船の来航に相当。イスラームの軍事的敗北であるカルロヴィッツ条約 (1699) やナポレオンのエジプト遠征 (1789) など。

PROPOS　＊2
「民族」概念が 19 c に西欧から入ってきた。以後「自分は何々人だ」の民族意識に人びとは強く束縛される存在になる。

PROPOS　＊3
イブン・アブドゥルワッハーブは聖人廟崇拝や聖人崇拝 (個人崇拝) を多神教に通じるものとして、またスーフィズムを絶対神を冒涜するものとして批判。イブン・サウード家の武力と結びつき、大きな政治運動になった。このアラビア半島での運動をオスマン帝国は押さえられず、鎮圧をエジプトのムハンマド・アリーに頼った。その結果、オスマン帝国の弱体、ムハンマド・アリーの力量が広く知られるようになる。

PROPOS　＊4
イスラーム法 (シャリーア) の厳守を要求するワッハーブ派。異民族 (トルコ) 支配とその文化からの独立を意味。アラブ民族運動の先駆となった。現在もサウジアラビアは厳格なワッハーブ派をとる。首都リヤド空港の荷物検査は徹底。イスラーム社会を汚染すると考えられる物品は容赦なく没収。アルコールは厳禁。子どもが持つ人形も偶像崇拝の象徴として容赦なく没収 (最近は緩和)。麻薬は所持だけで死刑。裁判は通訳なしのアラビア語。しかしここを統治するのはサウード家の王族たち。巨万の富で贅沢の限りを尽くし、イスラームの教えから最も遠い人びと。その反発からアルカイーダなどのイスラーム原理組織がここで生まれた。アメリカで 9.11 テロの首謀者オスマ・ビン・ラディンはサウジアラビア人。いま未来都市「The Line」を計画中。幅 200m、全長 170km の細長い都市。

画蛇添足

▼寒冷地、乾燥地など地表の気候が厳しいところでは植物は地下茎に栄養を溜め込む。その地下茎を人間は根菜（野菜）、あるいは球根と呼び分けるが、玉ねぎ、ジャガイモなどとチューリップの球根は基本的に同じ。▼チューリップの原産地はアナトリア高原。根の部分は食用、薬用。花も観賞対象になった。球根植物は厳しい季節には球根として休眠。好季が到来すれば、葉を広げ、花を咲かせて炭水化物を合成して、地下の球根に蓄積する。そして最適な気候条件で生長を再開する。球根として休眠できるので遠距離移動が可能。世界中に広がった。▼トルコからオランダに渡ったのは16世紀末。この花は時に人を狂わせる。5千種を超える品種がコレクターの胸を騒がせた。球根からどのような美しい花が咲くか分からない。経済が期待値で動く時、バブルが発生する（※）。17世紀に球根が高値で取引されて投機的資金が流入。最初のバブル経済。球根1つに住宅1軒分の値がついた。金融商品チューリップの散り方は激しかった。▼オランダではチューリップバブルが収まったあとで健全な花卉産業が成長。チューリップはいまオランダのトレードマーク。当時の熱狂は18世紀にオスマン帝国に逆輸入。帝国の繁栄期をチューリップ時代という。▼チューリップは人を狂わせる。かつては盤上のチューリップが開くフィーバーを楽しみに足繁くパチンコに通い、多くの人が大金をつぎ込んだ。コロナ禍初期にパチンコは社会の敵に認定された。愛好者は黙々と打つから密でもクラスターは発生しなかった。差別意識は非常時に正義の名を借りて表面化する。本物は簡単に花が咲くので栽培が容易。今では世界中のフラワーフェスティバルの主役。

わんクリック　帝国主義支配を支えたのは非対称性。支配者層は少人数だが団結しているのに対して、数で圧倒的に上回る被支配者層が分断されている (※)。帝国主義諸国もまた団結しているが非植民地間に繋がりがない。一地域で反乱を起こしても勝ち目がない。アフガーニーはこれを覆そうと、イラン、インド、アフガニスタン、オスマン帝国、エジプトとほぼイスラーム世界全域を歩いて各地で要人と会談。王朝の壁を越えたムスリムの連帯を説き、2 億人のムスリムを連帯させようとした。彼が訪ねた所では反乱が起こった。ただ現在はパン・イスラーム運動に積極的に取り組むのはイスラーム過激派。

History Literacy　「民衆」と被支配者層を一括りにしがちだが、必ずしも一枚岩ではなく、まとまってもいない。

エジプトの台頭と挫折

①ムハンマド・アリーの台頭 — 事実上の独立

- ナポレオンの侵略を撃退してエジプト実権掌握 (1811)
- ギリシア独立戦争 (1821 ~ 29) でオスマン帝国支援
  →代償にシリアを要求するがオスマン帝国は拒否
- エジプト・トルコ戦争 (エジプト事件)(1831 ~ 33 、39 ~ 40)
  独立をはかるもエジプト強大化を嫌った列強の干渉で失敗
  シリアを獲得できず、エジプト総督の地位は世襲化 (事実上の独立) ＊1

②ムハンマド・アリー朝の繁栄と挫折
└ エジプト最後の王朝、1952 年まで存続

- 近代化政策推進
  近代的常備軍 (農民から徴兵)、近代的工場整備
  └ 復活していたマムルークを廃止、オスマン帝国のイェニチェリ廃止 (1826) に先行
  綿花栽培振興、鉄道、スエズ運河などインフラ整備 ＊2 ＊3
- 1869 年、スエズ運河開削 ＊4
  └ 明治維新の翌年 └ インド洋の主役が快速帆船 (クリッパー) から蒸気船に交代する契機
  フランス人レセップスが開削
  └ フランスとエジプトがスエズ運河の株式を約 1:1 で保有 (出資)
  →エジプトは財政難でスエズ運河株券をイギリスに売却 (1875)
  →エジプト財政破綻 (1881)
  →ウラービー・パシャの抵抗運動 (1881)
  └ エジプト最初の民族運動、「エジプト人のエジプト」を掲げる
  →イギリスが単独出兵して鎮圧、事実上の保護国に (1882、正式 1914)
- イギリスのスーダン侵略
  ムハンマド・アフマドがマフディー (救世主) と称して抵抗 (1881 ~ 98) ＊5

オスマン帝国の改革

①軍政改革

- 近代化した西欧各国軍隊に対抗できず
- イェニチェリ解体 (1826)

PROPOS ＊1
エジプト強国化を嫌った列強は第 2 次エジプト事件に介入。四国条約でエジプトの世襲は認めたが、シリアの領有は認めずエジプトの対外進出を抑えた。ムハンマド・アリー王朝は 1952 年まで 1 世紀半続く。

PROPOS ＊2
エジプトの近代化。半世紀後の日本の富国強兵、殖産興業政策に先んじた。南北戦争でアメリカ南部の綿花供給が停止。商機とみて綿花産業に特化。この結果、エジプト経済はモノカルチャー経済に変質。1 次産品の需要は一定だが、供給は自然条件に左右されて価格が不安定になる (※)。南北戦争後、アメリカ綿の再流通で綿花国際価格は暴落。エジプト財政破綻を招いた。

PROPOS ＊3
綿は繊維の長さと細さで品質が決まる。繊維が長ければ糸を細く丈夫に作ることができる。その結果、生地も軽くしなやかなシルクのような光沢の高級綿になる。ナイル川のデルタ地帯周縁部で栽培されている綿花はすべてが長繊維綿。エジプト綿は世界三大綿花の一つに数えられていて人気。

PROPOS ＊4
エジプトの南の黒人国家スーダン。ここからサブサハラアフリカ。青ナイル、白ナイル—2 つのナイル源流が合流して 1 つになる地点がスーダンの首都ハルトゥーム。

PROPOS ＊5
スーダンのムハンマド・アフマドはマフディー (救世主) を名乗り反英闘争。英国はエジプトのウラービーに首都ハルトゥームが包囲される。中国で常勝軍を組織して太平天国の乱を鎮圧したゴードンを送り込んだが戦死。キッチナー将軍はヨーロッパで使用しなかった大量破壊兵器—機関銃 (マクシム銃) を初めてスーダン人に対して用いて鎮圧。英軍死者数十人に対してマフディー側は 1 万人強 (参考『機関銃の社会史』)。きわめて非対称な犠牲者数となった。

画蛇添足

▼地中海と紅海を結ぶ人工運河。何度もの拡張工事で現在では全長200km弱。深さは当初８m、戦後に日本企業が苦労して厚い岩盤を掘り崩し、24mにまで浚渫(しゅんせつ)。大型船通行が可能になった。当時は毎日数万人が炎天下に手掘りで進めた。▼アフリカ、アジア両大陸を人間の腕力で切り離そうとするピラミッド建設に匹敵する大事業。まだブルドーザーやダンプなどの重機はなかった。工事で数千人の労働者が犠牲になった。のちに運河浚渫のために蒸気を動力とするいわゆる重機(じゅうき)が開発、導入されていった。▼南北に開削された運河内で風は利用できず通過できたのは蒸気船のみ。いまも通過には十数時間かかる。波立てると岸の砂が崩れるのでゆっくりと進む。船団(コンボイ)を組んで航行する光景が壮観。シナイ半島側に地平線まで望める砂漠が広がる。運河完成を記念して作曲、カイロで初演されたのがヴェルディ『アイーダ』。▼古代エジプトを舞台にしたエチオピア王女アイーダの恋愛悲劇。エジプト勝利の凱旋行進曲のトランペットの重奏は誰もが聞いたことがあるはず。開通によってヨーロッパからアジアまでの距離は約1万km短縮。開通がアフリカ分割を促進させた。▼またこの開通で運河を通過できる蒸気船が帆船に対して優位にたった。すでに30年前から使われていた蒸気船だが、長距離航海に石炭の大量積み込みが必要で貨物用のスペースを奪ったり、世界各地に石炭補給港を整備する必要もあったりで、使い勝手はよくなかった。外洋航海、早く届ければプレミアがつく新茶などは大型、高速化した快速帆船クリッパーが主役だった。ところでいま脱炭素化の追い風が帆船に吹き出した。タンカー帆船化計画まで進んでいる。

わんクリック スエズ運河の完成でアジアに行くまでに 2 度赤道を越える必要がなくなる。お茶など商品を変質させずに輸送できるようになった。スエズ運河の成功に触発されて開削されたコリントス運河 (1893) も壮観。以来、ずっと計画があるが未着手なのがクラ運河。マレー半島の付け根のくびれた部分 (クラ地峡) を開削する計画。西側諸国がホルムズ海峡封鎖を恐れるように、一帯一路を進める中国はマラッカ海峡封鎖を恐れてクラ運河に関心を持つ。これと並ぶビッグプロジェクトが日韓トンネル。日本が大陸と繋がる日がくるのか。すでにイギリスは大陸とトンネルで繋がっている (1994)。

History Literacy 着る人 (の肌) に優しいが作る人に厳しい「綿」がグローバル資本主義を生み出す国際商品となる。

②上からの改革　＊1

a. 背景

・帝国解体の危機(帝国内へのナショナリズムの波及への対応)
　ギリシアの喪失(1829)、エジプト事件での敗北(1831～33、39～40)

b. 内容

・タンズィマート(恩恵改革)(1839～1876)
　└ムハンマド・アリーの近代化成功(エジプト強大化)も刺激
　ギュルハネ勅令で改革開始
　全臣民の法の下の平等(非ムスリムの法的平等)
　　司法、行政、財政、軍事の近代化(西欧化)

c. 結果

・改革のため外資導入で国家財政の破綻(1875)　＊2
・1876年、ミドハト憲法発布(宰相ミドハト・パシャ)— アジア最初の憲法発布
・アブデュルハミト2世の専制政治復活(30年間)　＊3
　露土戦争(1877～78)勃発口実に憲法停止(1878)
・ベルリン条約(1878)でバルカン領土の大半を失う

青年トルコ革命

・青年トルコの結成(1889頃)
　└エンヴェル・パシャなど士官学校出身のエリートが結成、正式名称「統一と進歩委員会」
　オスマン帝国の多数派トルコ人の間に「トルコ人」としての民族意識　(※)
　└民族を区別しない「オスマン人」意識が優越　└各国国民意識の高まりの鏡像として後発
　スルタンの専制を批判、憲法の復活を要求
・1908年、青年トルコ革命
　サロニカで武力蜂起し、ミドハト憲法を復活
　→パン・トルコ主義に他民族の強い反発、政治混乱　＊4
　ブルガリア独立(1908)
　オーストリアのボスニア・ヘルツェゴヴィナ(1908)
　イタリア・トルコ戦争(1911～12)
　└第2次モロッコ事件に乗じる、イタリアは空爆(世界最初の飛行機を使った爆撃)
　バルカン戦争(1912～13)
　└イタリア・トルコ戦争に乗じる

PROPOS　＊1
恩恵改革は「西洋の衝撃」(国民主義、国民国家体制の波及)に対して「ムスリム優位下の不平等の下の共存」から「すべてのオスマン臣民の平等の下の共存」へ向けた改革(鈴木董『オスマン帝国の解体』)で対応しようとした。新オスマン人というアイデンティティを創出。「オスマン臣民」が皆平等として国民再統合を図ろうとした。そのことでバルカン半島の諸民族の独立要求を抑え、列強の介入の口実をなくし帝国の維持を計ろうとした(この内容は1839年のギュルハネ勅令ではなく1856年の勅令)。オスマン帝国で民族を国家の基礎単位にすれば、限りなく国家は細分されることになる。

PROPOS　＊2
クリミア戦争(1853～6)。近代戦に伴う多額の戦費をオスマン帝国は外債に依存。イギリス、フランスの支援で勝利したが、このため財政難に陥り、財政破綻。同じくロシアの南下に対抗、日露戦争を外債で戦った日本。賠償金がとれず償還に苦労。

PROPOS　＊3
ミドハト・パシャ、アフガーニーを死に追いやった「赤い流血の皇帝」アブデュルハミト2世。冷酷非情な独裁者。最初のアルメニア人虐殺(19c末)も治世下で起こる。他方、強権で鉄道網の拡大、初等教育制度拡充などトルコの近代化を進める。

PROPOS　＊4
19c末になるとアナトリア半島東部に住むアルメニア人(キリスト教徒)間でも民族意識が高まり、オスマン朝からの独立を求めるようになる。1次大戦でオスマン朝(青年トルコ政府)はロシアと戦う。この時、アルメニア人はロシアに内通しかねない「内なる敵」とみなされ、予防措置としてシリア方面へ強制移住が行われる。その途上に餓死者、死者が出た(1915～6)。死者数は20万(トルコ)から200万(アルメニア)と開きがある。アルメニアはオスマン政府による計画的なジェノサイドと非難する。

画蛇添足

▼17世紀まで世界を動かしていたイスラーム。ところが西洋キリスト教文明が近代的軍隊を伴ってイスラーム世界に出現。力関係が逆転した現実を突きつけられ「西洋の衝撃(ウエスタンインパクト)」が走った。ユダヤ教、キリスト教の誤りを正すものとして出現した「完成された宗教」イスラーム(『コーラン』)がどこで遅れをとったのか。自問が始まった。▼教えに間違いはないが次第に不純なものが付け加わったから、とみる人びとの間では政教一致の原点に戻ろうとする原理主義が広がる。他方で近代化(世俗化)をめざして西欧諸国のような政教分離をめざす動きが試みられるようになった。以来、イスラーム世界はこの二つの潮流に分かれている。前者がサウジアラビア、イラン、後者がトルコ、インドネシア。▼宗教が政治と癒着することによる弊害をなくすために政教分離がとられた西欧キリスト教世界。神から主権を取り返すことで民主主義が形成された、とこれまで学んできた。ただし政教分離が可能だったのはそもそも国家(ローマ文明)があったところにキリスト教が後から生まれた、つまり政治が宗教に先んじていた歴史も関係する。▼ところがアラビア半島では国家といえるものがなかったところに宗教共同体(ウンマ)が成立し、それがあとで国家へと発展していった経緯がある。そのため宗教と政治が最初から未分化で、政教分離という概念がない。イスラーム法(シャリーア)が施行されるのがイスラーム世界。▼立法権は神に属し、国家にあるのは法の執行権。国が制定するとしてもそれはあくまで法を執行する規則。最近、サウジアラビアで女性も運転できるようになった。変更されたのは「道路交通規則」で「道路交通法」ではない。それでも政教分離に近づいている。

わんクリック　アルメニアは最初にキリスト教を国教化した「世界最古のキリスト教国」(301)。首都エレバンのすぐ背後にノアの箱舟が大洪水で流れ着いたとされるアララト山(5137m)が聳(そび)える。現在はトルコ領でアルメニア人は簡単にはアクセスできない。イスラーム世界の中でキリスト教信仰を保持してきた孤島のような小国アルメニア(人口300万)。利子をとれないイスラーム世界では、アルメニア人やユダヤ人にそういった仕事が外部化されてきた。ユダヤ人と同じでアルメニア人は古くから世界中に離散。世界中に商業ネットワークを持っている。いま世界に1200万人。アメリカに多く住む。

History Literacy　ナショナリズムに基盤を置かない歴史(世界史)の語り方(語り手の国籍が分からない語りかた)を意識する。

北アフリカの動向

- 北アフリカ諸国（アラブ諸国）の植民地化
  マグレブ諸国（アルジェリア・チュニジア・モロッコ）、エジプト人、リビア人
  └ ベルベル人居住域、アラブ人（ウマイヤ朝）によりイスラーム化、今はアラブ人が主流

ガージャール朝 ― 内憂外患に悩まされたイラン（※）

- ガージャール朝（1796 ~ 1925）
  ロシア、イギリスの圧力下で両国の緩衝国へ（1907 年英露協商）
- トルコマンチャーイ条約（1828）
  └ イランの対列強従属化のはじまり、不平等条約の出発点
  ロシアに治外法権、北アゼルバイジャン、アルメニア割譲
  ロシアに対抗して進出したイギリスとも通商条約締結
- バーブ教徒の乱（1848 ~ 50）
  シーア派系の神秘主義教徒による農民反乱
- 1860 年代、ロシア、イギリスに利権譲渡して経済的従属
- タバコボイコット運動（1891）
  └ パン・イスラーム主義（アフガーニー）の影響、イラン民族運動の原点 ＊1
  ガージャール朝はタバコ利権をイギリスに売却（1890）
  ウラマー（イスラーム法学者）を中心に利権回収運動
- 1905 年、イラン立憲革命
  └ ロシア第一革命、日露戦争の日本の勝利の影響
  議会開設と憲法制定、イギリス・ロシアの干渉で解散、廃止（1911）
  └ 英露協商（1907）
- 1907 年、英露協商でイランは両国の勢力圏に
- 1908 年、イランで中東最初の油田発見
  アングロ・イラニアン会社（イギリス）が採掘権独占

カフカス・中央アジアの動向

- カフカス（コーカサス）へのロシアの進出 ＊3 ＊4
  └ 黒海とカスピ海の間、グルジア（ジョージア）、アルメニア、アゼルバイジャンなど
  グルジアを直轄化、アルメニアをガージャール朝から

PROPOS ＊1
アルコールを嗜まないムスリムにとりタバコは生活に欠かせない嗜好品。そのような市井の人びとが2年間にわたりタバコを我慢したのがタバコボイコット運動。ガージャール朝は外資に依存、返済が滞り財政難に陥る。国王がイギリスにイランにおけるタバコの専売権を与え、引き換えに負債返済の軽減を求めた。これに対してウラマー（イスラーム法学者）が指導して全国規模のタバコをボイコットする運動を組織。この運動を通じて人びとは「イラン人」としての強い連帯感、アイデンティティを持った。国王（シャー）はタバコ利権を撤回。

PROPOS ＊2
インド・ヨーロッパ語族発祥の地ともされるカフカス（英語読みでコーカサス）。風光明媚な山岳地帯。様々な言語、文化、宗教をもった民族集団が複雑に入り組んで暮らしており、地球上で最も民族的に多様な地域。カフカス山脈の北はロシア。冷戦終了後、チェチェン紛争など民族紛争が起こり政治的に不安定な地域だったがいまはロシアの強権支配で抑え込まれている。

PROPOS ＊3
アゼルバイジャンはかつてフレグ・ウルス（イル・ハン国）の所在地。バクーはゾロアスター教発祥地とされ、自噴する原油に灯がともされ続けている。サファビー朝の領域内だった時にシーア派になったトルコ系イスラーム国。2回のイラン・ロシア戦争によるゴレスターン条約、トルコマンチャーイ条約でロシア領になった。バクーで油田が発見（19c 中頃）。テキサス油田も同じ頃に発見され、石油時代が始まる。

PROPOS ＊4
山岳国ジョージア。パンキシ渓谷がロシアと戦うチェチェン人ゲリラの隠れ場所となりロシアとの関係が緊張した。「テロリストの温床」との先入観に挑んだのがNHK BS1「テロリストの母と呼ばれて～闘いと再生の記録～」。何かの機会にぜひ。

画蛇添足

▼カスピ海と黒海の間の風光明媚なカフカス山脈。その南北がカフカス。コーカソイド（白人種）の発祥の地。山脈の南、南カフカスは非スラヴ系世界。旧ソ連から独立したアゼルバイジャン、ジョージア、アルメニアの3カ国。▼地理の時間に習ったBTCパイプラインの敷設ルートが、この3カ国とロシア、トルコの関係のすべてを物語る。アゼルバイジャンのバクーの原油はアルメニアを避けて、ジョージアの首都トビリシを通ってトルコのジェイハンに運ばれる。地図アプリで確認しながら読んでほしい。▼アゼルバイジャンはトルコ系イスラーム国でロシアと対立。最古の産油国。ワインで知られる世俗的イスラーム国。西隣のアルメニアは印欧語族アルメニア人のキリスト教国。アゼルバイジャンとは犬猿の仲でその領域内に住むアルメニア人居住区（ナゴルノ・カラバフ地方）を実効支配する。▼オスマン帝国末期、オスマン帝国がロシアと戦うと領内のアルメニア人はトルコ人から「内なる敵」とみなされ、予防措置的に移住を強制された。その際にアルメニア人虐殺が起こる。その歴史的経緯からアルメニアは親ロシアのスタンス。首都エレバンからキリスト教徒にとり重要なノアの箱舟伝説があるアララト山が望めるがそこはトルコ領。▼孤立語ジョージア語を話す正教徒のジョージア。ずっとこの地にある白人国（正教徒）。コーカソイド発祥の地なのか。山岳地帯で地政学的に重要でないため存在してこられたがロシアが天敵（北部の南オセチアはロシアが実効支配）。ゆえにアゼルバイジャンと仲良くパイプラインを受け入れている。NATO加盟を切望。物価が安く治安がよく、温泉もある首都トビリシはデジタルノマドに人気の街。

わんクリック　産油国アゼルバイジャンはトルコ系でトルコとの関係が深い。ただイラン諸王朝の支配下に長くあってペルシア文化圏の一員。歴史的にロシアにより南北に分断された。北部がトルコマンチャーイ条約でロシア帝国に割譲されてソ連支配下。その反発からトルコ民族意識を強く持つ。いまはアゼルバイジャン共和国（中心バクー）として南カフカスの独立国（シーア派）。バクーは「第二のドバイ」とされる活況を呈する。内部のナゴルノ・カラバフ自治州（アルメニア人）が事実上独立。南部はずっとイランの一部（中心タブリーズ）でイランと一体化（シーア派）していて独立の動きはない。

History Literacy　大国はやっかいな存在―最大版図の強調など、大国を賛美する心性は歴史叙述が作ってきた。

2　インド・東南アジアの植民地化と民族運動の黎明

イギリスのインド支配の拡大

①ムガル帝国の混乱

- 18世紀アウラングゼブ帝時代（在位1658～1707）
  厳格なスンナ派ムスリム、聖戦（ジハード）で最大版図
  →デカン高原のマラーター同盟（ヒンドゥー教徒）の抵抗
  　パンジャーブ地方シク教徒の反乱　＊1
- 帝死後、各地で藩王が分立
  ニーザム王国、アウド王国、ベンガル太守、マイソール王国
  └デカン高原　└ガンジス川　└南インドのイスラーム王朝
  →ムガル帝国はデリー周辺の地方権力に

②地方の時代

- 17世紀、インド各地方の経済発展
  デリー、アグラ、ラホールの政治都市、寺院・聖廟周囲に宗教都市
- 農村で商品作物の栽培と加工業の発展
  グジャラート、ベンガル、タミルの綿、デリー南方のインディゴ（藍）
  ベンガルの砂糖、高級綿織物（モスリン、キャラコ、サラサなど）
- 地方分権色の強い、今日のインド諸州の枠組み形成

③イギリスのインド支配の拡大　＊2 ＊3
└17世紀後半、アウラングゼブ帝末期

- インド東インド会社のインド支配
  └イギリスはコスト面から東インド会社に統治させる
  交易拠点　マドラス、ボンベイ、カルカッタ
- フランスとの抗争
  インド総督デュプレクスのフランス軍が優勢
  カーナティック戦争（1744～63、3回）
  　南インドでイギリス東インド会社が勝利し、支配領域拡大

PROPOS　＊1
ターバンと長髪と髭がトレードマークのシク教徒。アウラングゼブ帝以後のムガル帝国の弾圧で多くの殉教者をだし、次第に軍事的色彩を強く帯び「男子はすべて武人たるべし」となる。現在でも軍人、警官、そして技術者、タクシーの運転手など（武器を扱っていた名残り）の職業が多い。カーストの制約がなく、商業に従事する者も多く比較的裕福。肉食するため体格もよい。

PROPOS　＊2
イギリスはなぜ数十万人で数億人のインドを2世紀近くも統治できたのか。これは問い方がおかしい。当時は「インド」が存在していなかった。インドにあったのは様々な利益が相反する諸集団。一致団結して抵抗する「インド」は存在していなかった（※）。イギリスは、インド内部の宗教上の差異、カースト制度などを利用して分割統治を行った。個別の「支配／被支配」の束が、イギリスのインド統治。だからガンジーはヒンドゥー教を紐帯にした「インド」を作りだし抵抗の主体にしようとした。

PROPOS　＊3
インドにあった寡婦殉死（サティ）の悪習（ヒンドゥーの英雄神話に基づく）。妻は夫が死んだ場合、夫の亡骸を焼く火の中に身を投じて殉死することが期待された。夫の死が自分の死となってしまう社会。家の名誉のため抵抗する寡婦を一族で説得し力ずくで火の中に入れることもあった。現実問題として拒否した寡婦に生きる場所はなかった。ただこれは上位カーストの慣習。上位カーストほどカースト保持のため慣習を守ろうとする。下位カーストにとって女性は労働力。離婚も再婚も普通のことだった。ただ社会的上昇を図ろうとする下位カーストは上位カーストを模倣しようとするから広がっていく慣習でもあった。この悪習はベンガルの地主（ザミンダール）ラーム・モーハン・ローイがイギリス総督に禁止令（1829）を出させることに成功。英支配下でインド社会の近代化も進んだ。

画蛇添足

▼フランス革命時にギルド制度が廃止され職業選択の自由が確立したように、近代になり、私たちは何を生業（なりわい）にするかを自ら選ばなくてはならない時代となった。それまで仕事は家業を継ぐのが当たり前だった。それぞれが世襲の仕事を継ぐ限り食いはぐれることはない。▼成長のない停滞した社会が前提になっているが、職業選択の自由がない社会にもメリットはあった。長く続いてきたことにはそれなりの理由がある。インドのカースト制度も職業の世襲がその中心にあり、社会を安定させるシステムとして機能してきた。▼人間の歴史の大部分を通じて、人びとは日々の糧をいかに安定的に入手するかに労力のほとんどを注いできた。輪廻転生（りんねてんしょう）というフィクションを信じ込ませ、来世のよりよき生のため、として現世での辛苦（しんく）を受忍させた。▼「長く続いてきた」としたがカースト制は綿々と続いてきたインドの特殊な慣習ではない。英統治下で社会的に再構築されたものと指摘される（小谷汪之『大地の子（ブーミ・プトラ）』など）。イギリスはインド社会の近代化を進める一方で、秩序維持のために廃（すた）れかけていたカースト制を利用。英統治下でインドはカースト的な社会となった側面がある。伝統に見えるものが近代における創造であることは多い。▼この不条理の最大の犠牲者は女性。すべての職業は男性に割り当てられており、女性は男性に従属せねば生きていけなかった。インドでは男尊女卑社会がいまも続く。また2億人がカースト外の無権利状態—奴隷に相当する状態に置かれている。生まれつきそうであり、周囲も受け入れる環境の中で、人間は不条理を「そういうものだ」と受け入れる存在。人間の慣性と廃止のきっかけを失い、続いてきた制度。

わんクリック　「何をして食べていくか」が皆さんにとっての最大の選択。近代社会に生きる若者の最大の関心事。いま世襲の家業といえば歌舞伎役者と政治家ぐらいしかない。社会は分業なので想像を超える多様な仕事が世間にはある。「生き方に貴賤（きせん）はあるが職業に貴賤はない」（永六輔（えいろくすけ））。打ち込める仕事を見つけてほしい。「ヒストリーリテラシー」育成のための歴史教育のあり方の探求—誰も後継者がいない。筆者の力不足で本書はまだ未熟。少しでも興味を持ってくれたなら誰か引き継いでくれないだろうか。教室で授業しながら「実用的な過去」（ヘイドン・ホワイト）のあり方を探る楽しい仕事です。

History Literacy　問い方を問うこと—問い方がおかしいため答えが見いだせないことがある。

④プラッシーの戦い (1757)
└ 七年戦争中

東インド会社書記クライヴ率いるイギリス東インド会社軍の勝利
ベンガル太守とフランスの連合軍を破る
1765年、ベンガル地方の徴税権獲得
└ ブクサールの戦い (1764) で再勝利後　└ 代償として皇帝に年金支給
→東インド会社のインドの農村 (農民) 支配の開始

⑤イギリス東インド会社領の拡大
- 本国の監督下に東インド会社がインド経営
- マイソール戦争 (4回、1767 ~ 1799)
  南インド (マドラス地方) を獲得
- マラーター戦争 (3回、1775 ~ 1818)
  マラーター同盟と戦い、中部インド (デカン高原) 獲得
- シク戦争 (2回、1845 ~ 49)
  シク教徒と戦い、東北インド (パンジャーブ地方) 獲得

⑥イギリス東インド会社の変質
- 本国での産業革命の進展と自由貿易の確立
- 1813年、東インド会社の対インド貿易独占権停止　＊1
- 1833年、東インド会社の対中国貿易独占権廃止 (翌1834年実施)
  →全商業活動停止で商業機関から統治機関へ変質

⑦インド社会の変質
- 伝統的木綿産業の衰退
  従来は手織り綿織物、藍の輸出国
  →イギリスの原料供給地、商品市場に転落
  └ 綿花、茶　└ 機械製織綿織物
- 自給自足的村落社会の崩壊
  輸出作物の栽培、商品経済の浸透
  近代的地租制度　北部はザミンダーリー制の導入　＊2 ＊3
  南部はライヤットワーリー制
  └ 大地主が存在せず、富裕農民を地主にしてここから地税をとる

PROPOS　＊1
イギリスでは労働者が安い値段の朝食—パンを砂糖がたっぷり入った紅茶で摂ることを労働者だけでなく、その労働者を雇う産業資本家も要求した。結果的に賃金の上昇を抑えられるし、活力を漲らせて出勤する労働者を迎えたかった。パン価格の下落は穀物法の廃止 (1846) で実現。それに先立って、東インド会社の貿易独占権の廃止を要求。この会社を通すため茶の価格は高かった。また西インド諸島の奴隷業者が砂糖製造を独占。そこに打撃を与える一環で奴隷制度の廃止 (1833) も決定された。こういった一連の改革で自由貿易が実現するとアジアに様々な業者が殺到。アジアは資本主義社会に巻き込まれることになる。

PROPOS　＊2
イギリスのインド経営の財政基盤は地税収入。しかし徴税は簡単ではない。前近代的社会では土地の権利関係は複雑。インドの農村共同体においても農民も共有地の使用権、土地の占有権など様々な権利を持ち無権利の小作人ではなかった。イギリスはそこから徴税するために近代的土地所有制度 (ザミンダーリー制) を導入。結果的に「みんなのもの」だった土地が誰かが排他的に所有権を持つ「誰かのもの」になり農村共同体が崩壊。一般的に新制度には様々な手続きが必要。読み書きができて新制度に順応できた人びとができなかった人びとから土地を収奪する手段となることもあった。

PROPOS　＊3
イギリスが最初にベンガル地方に導入した徴税制度ザミンダーリー制。現地有力者に徴税額を入札させてその人物を納税義務を負う近代的地主 (ザミンダール) として徴税。全土に広げようとしたがうまくいかなかった。インドは南北差が大きく、北部と南部は別の世界。南インドでは村落の代表者に村落全体の徴税を請け負わせる制度が導入。代表者は耕作農民 (ライヤット) を土地所有者と認定して地税を納入させた。由来の異なる2つの制度が併存した。

画蛇添足

▼植民地支配は大きな枠組みの中で評価されなくてはならない。一斑（いっぱん）を見て全豹（ぜんぴょう）を卜（ぼく）してはならない。時にバランスを見誤り、植民地支配を全面肯定するような議論がある。人びとが抑圧され、その命が簡単に奪われた。暴力による支配が行われた時代は正当化できない。▼ただ植民地支配の全局面、どこを切り取っても金太郎飴（きんたろうあめ）のように「暴力的な支配」「過酷な搾取（さくしゅ）」が顔をのぞかせるわけではない。激しい抵抗が起これば容赦ない弾圧が行われる。しかし通常はあからさまな暴力行使ではなく、被支配者の自主的な協力を引き出すソフトな統治が行われる。▼植民地支配下でも穏やかな日常がまわっていく。人生に不時着はままある。支配者も被支配者も人びとは生まれ落ちた時代を生きるしかない。私たちは制約下で精一杯生きる。後からその日々を懐かしく肯定的に振り返る当事者もいる。誰もが一度きりの人生を生きている。その生の否定は控えたい。▼少数の人間が圧倒的多数を支配できたのは植民地側の国民意識が未形成だったこともある。また植民地支配を通じて社会の近代化が進められ、豊かさをもたらしたこともある (植民地近代化論)。支配者側にも「先に文明化した者の天命」として現地社会の発展のために尽力した人たちがいる。▼植民地支配は現地エリートとの合作で遂行される。どんな状況でもうまく立ち回って私腹を肥やす人もいる。ただそんな人たちだけでもない。宗主国による近代化を通じて社会に残る不合理な因習などを取り除こうとした人びともいた。クローズショットで見れば様々な植民地経験がある。しかしロングショットで植民地支配は正当化できない。人が人を支配する。人が尊重されなかった時代。

わんクリック　「支配 / 被支配」という非対称な歴史的経験を公平に叙述することはできない。それでも事実レベルで叙述できることはある。例えば、宗主国によるインフラ整備があったから植民地は独立後、経済発展できた、という見方。これは事実だろう。ただしそれは宗主国が植民地を自国経済に組み込むためにしたこと (富を収奪するためにしたこと)。慈善事業で投資したのではない。結局、宗主国の資金の持ち出しで終わったケースが多く、植民地支配は引き合わない、という歴史的教訓を残したが、それは単なる結果論。単に植民地支配が継続できなかったので損失がでたというだけのこと (※)。

History Literacy　結果を偏重して物事を考えるのが結果論—違う結果だと違う結論になってしまう不毛な議論。

インド大反乱とインド帝国の成立

①インド大反乱（シパーヒーの乱） ＊1

- 1857年、東インド会社傭兵（シパーヒー）が反乱（~59）
  - └ プラッシーの戦いの100周年
- 大規模な民族的反乱（インド大反乱）発展
  - └「第1次独立戦争」とされるインド民族運動の原点

  農民、地主、藩王、ムガル王族など各階層が反乱加担

  ヒンドゥー、イスラーム両教徒が協力し参加

  首都デリーを占領、ムガル皇帝を擁立し、全国に波及
- ２年後、イギリスの本国派遣の近代的軍隊により鎮圧

②インド帝国の成立

- イギリスはインドを直轄植民地化
  - └ コスト面から普通は植民地の直接支配（直轄化）は避ける（「非公式帝国」）
- 1858年、ムガル帝国滅亡

  東インド会社解散
- 1877年、インド帝国成立
  - └「帝国の中の帝国」 ＊2

  ヴィクトリア女王がインド皇帝兼任（ディズレイリ内閣に要請）
  - └ 皇帝位を希望（国王位ではドイツ皇帝、ロシア皇帝より儀礼上格下であることを嫌う）

  直轄領（直接統治）と藩王国（間接統治）からなる
  - └ 藩王国を残し、自治を認める懐柔（旧勢力温存） ＊3
- イギリスは鉄道などインドの社会基盤を整備 ＊4
- セイロン島の茶栽培などプランテーションの展開
  - └ 現スリランカ　└ タミル人（ヒンドゥー教徒）労働力がインド本土から
- 分割統治
  - └ 共和政ローマのイタリア統治

  地域、宗教、カースト制などの対立、分裂を助長
  - └ 少数派を優遇（シク→ムスリム→ヒンドゥー、タミル→シンハリ）
- 英語による大学教育の設立

  インド知識人の成長

PROPOS ＊1

反乱を過小評価したいイギリスは当初この運動を「セポイの反乱」と呼んだが、いまではインド各層の広範な人びとの運動だったと「インド大反乱」と呼ばれている。インド側から見れば「第１次インド独立戦争」。成功したら「革命」、失敗したら「乱」と叙述するのが歴史教科書の文法である。

PROPOS ＊2

インドは植民地ながら植民地を持つ「インド帝国」（ビルマ、シンガポールなどがインド帝国の植民地）。人口は19c初頭で3億を超え、イギリスの10倍。インドはイギリスの有事の際の兵力供給源「東洋におけるイギリス兵の兵舎」。中国から中東にかけての有事の際はインド兵を派兵し、本国から派遣する時間と費用を節約。また他のイギリス植民地開発に必要な労働力供給源。インド人が世界に移住（印僑）。インドからの財政収入はイギリス本国の半分を占め、大英帝国はインド抜きでは考えられなくなった。以後、イギリス外交の柱はインドへの交通路の安全確保になった。

PROPOS ＊3

武力により藩王国を併合した地域ほどインド大反乱が激しくなった。これに懲りたイギリスは戦後、大小500余の藩王国を残した間接統治へと統治策を転換した。

PROPOS ＊4

宗主国は植民地からの収奪のために先行投資としてインフラ整備をする。積み出し港ボンベイを起点に生産地に向けて放射線状に鉄道敷設がはじまった。この恩恵を受けた国の一つが日本。集荷された綿花の大半はマンチェスターではなく、1893年に日本郵船が日本で最初に開設した国際定期航路（神戸―ボンベイ間）で大阪に出荷。ただしイギリスは無計画に鉄道を敷設したため、インド鉄道には3つのゲージ（線路幅）が併存、独立後の市場統一を妨げた。他方でこの時、国土の隅々まで張り巡らされた鉄道網がいまの鉄道王国インドを支える。

画蛇添足

▼対立を煽る国家指導者などは定義違反。指導者の仕事は各派の異なる意見・利害の調整にあり、和解の象徴となるべき存在。南アフリカの民主化指導者ネルソン・マンデラ。自分を27年間牢獄に入れた白人勢力に対して、「憎しみは牢獄に置いてきた」と率先して国民の和解を説き、新しい国家を作った。▼敵を作ることで自陣営の支持固めをするのは政治家の常套手段。しかしそれは権力を獲得する時のこと。勝敗がつけばノーサイドを説いた。ところがアメリカで、自らの権力保持にしか関心がない自己中心主義者が大統領に当選（2016）。就任後も国家の分裂を煽り続けた。▼そのようなことが可能になったのは、社会の分断が進み、自らの岩盤支持層だけを取り込んでおけば、権力を維持できる構造が出現したことによる。モデルは分割統治。支配地域に意図的に分断を持ち込み、人びとを反目させあうことで支配者が漁夫の利をとる政策。▼共和政ローマによるイタリア半島統治、「分割して統治せよ」（Divide and rule）をイギリスはインド統治で踏襲した。ベンガル分割令は廃止されたが、この分割線が現在のインドとバングラデシュの国境線として残った。セイロン島でもイギリスはシンハラ人でなく少数派のタミル人（ヒンドゥー教徒）―茶栽培のためにインド南部から移動してきた人びとに肩入れした。▼インドでも多数派のヒンドゥーより少数派のムスリム、ムスリムより少数派のシク教徒を支援。軍隊の募集対象は少数派のシク教徒などに限定。こうすれば多数派の矛先が、イギリスではなく少数派に向かう。イギリスは去ったが、植民地時代にイギリスに優遇された少数派への多数派の憎悪は社会に強く残った。

わんクリック　当時のインドの人口は3億人。イギリスの20万の軍事力で支配はできない。現地の様々な勢力、エリート層と協力、協調関係を築いたから可能だった。植民地に高等教育機関を置いたのがイギリスの植民地支配。日本もまねて台北帝国大学、京城帝国大学を設置。植民支配に抵抗した人たちだけでなく、協力した人たちもいた。最も多くの人たちがいたのは抵抗と協力の狭間のグレーゾーン。これまで歴史学は植民地支配に協力した人びと（加害国側、被害国側）、その狭間にいた人びとをあまり取り上げてこなかった。抵抗した人だけに焦点を合わすのでは人間の一面しか見たことにならない（※）。

History Literacy　協力した人びと（加害国者、被害国側）、狭間にいた人びとも見なければ人間の一面を見ただけになる。

インドの経済成長と国民会議派

①インド紡績産業の発展とアジア ― 植民地下でのインドの経済発展

- 綿紡績業の発展と中国市場への綿布輸出拡大　＊1
  ムンバイ（ボンベイ）を中心に民族資本家による機械式紡績業発達
  └ 後背地にデカン高原（綿花土とされるレグール土が広がる綿花の産地）
  他方で伝統的手織り綿業も存続
  └ インド綿産業は壊滅した、はマルクスの一面的な見方
- 日本市場への棉花、綿糸輸出拡大
  └ 植物として木についた状態が棉（めん）、加工されたのが綿（めん）（これは工業製品）
  大阪の紡績産業隆盛でインド棉花、綿糸が大阪に輸出　＊2
  └ 1893年インド－神戸航路（ボンベイ航路）開設
- 中国市場ではインド産、日本産の綿糸、綿布が競合
  └ 品質、価格でイギリス製品（マンチェスター産）を凌ぎ、同製品を放逐

②インド国民会議の形成

- 1885年、インド国民会議
  イギリスが反英運動緩和のためボンベイで開催
  ヒンドゥー教徒の知識人、商人、地主が中心　＊3
- 設立当初、対英協調的性格
  日露戦争での日本の勝利で反英的性格、急進派ティラク指導（～1920）

③民族運動の進展

- 1905年、ベンガル分割令（カーゾン法）
  インド総督カーゾンが導入した分割統治策　＊4 ＊5
  ベンガル州を東西に分割
- 1906年、国民会議派カルカッタ大会
  英貨排斥、スワデーシ、スワラージ、民族教育
  └ この「貨」は商品　└ 国産品愛用　└ この段階では「自治」獲得
  綱領を決定し、反英対決姿勢を強化
- 1906年、全インド・ムスリム同盟
  英の支援のもとに結成、インド国民会議派と対決
  ジンナー（1924～）は反ヒンドゥー、対英協力路線
- 1911年、ベンガル分割令撤回

PROPOS　＊1

植民地支配下で資本主義が高度に発展したインド。アジアでいち早く機械製紡績工場が発達。現在、インド最大財閥がタタ財閥。ペルシアからきたパールシー（ゾロアスター教徒）の子孫タタがボンベイで設立(1853)。1860年代、アメリカ南北戦争で世界の綿花供給が逼迫（ひっぱく）すると、インドは増産、綿花の代替供給地として繁栄した。

PROPOS　＊2

日本では大阪を中心に紡績業が発達。「繊維の街」大阪の始まり。インドの産地（デカン高原）から直接綿花を輸入、様々な消費財（雑貨）を輸出。貿易に従事したのが商業ネットワークを持つ印僑や華僑。神戸の中華街(1868)はますます発展、日本最古のモスクも作られた(1935)(見学可)。

PROPOS　＊3

インド国民会議派は上位カーストの影響が強く、インド人全体を包摂する政党になりきれず、結果的に分離独立を回避できなかった。どのような組織も一枚岩でない。独立に際しても主流派の現地のエリートは植民地支配に協力してきた経緯もあり、帝国内自治領をめざす勢力もあった（※）。

PROPOS　＊4

イギリスのインド支配が始まったベンガルが反英運動の拠点となる。総督カーゾンはベンガル州は広大で行政効率が悪いとして2州に分割しようとした。カーゾンライン（分割線）はヒンドゥー教徒が多い西ベンガルとムスリムが多い東ベンガルを対立させて反英運動の分断を狙うものだった。

PROPOS　＊5

イギリスはパシュトゥーン人居住地域（パシュートゥニスタン）も分割統治。この真ん中にデュアランド・ライン(1893)という人工線を引いてアフガニスタンとパキスタンの2か国に分けた。両国のカブールとペシャワールは共にパシュトゥーン人居住域だがカイバル峠で切り離された。

画蛇添足

▼植民地支配当初にインド経済は落ち込んだが、19世紀後半からはアジア各国間の貿易が活況を呈してインドはそのメインプレーヤーの一つとして繁栄した（※）。現地資本による近代紡績業が勃興。南北戦争で供給不足になった綿花、綿製品を増産。▼20世紀前半には鉄鋼など重工業も発展。同じく植民地化された東南アジアの島嶼部で世界商品生産のためのプランテーションが展開。奴隷に代わってインド、中国から労働者が移民。そこでの鉄道敷設などインフラ整備資本はイギリスが投下したが、彼らの衣食住を支えるための日常品の生産、貿易はアジア各国が担った。東南アジア大陸部のデルタ地帯の米が彼らの食を、インドからの綿織物が衣を、日本からの日用雑貨、日常生活グッズ（マッチ、石鹸、タオル、歯ブラシなど）が生活をまかなった。ヨーロッパによる植民地化でアジア各地で軽工業が発展、それらを扱うアジア間貿易が発展した。▼インドでもヨーロッパ向けの綿布輸出こそ激減したが、アジア、西アフリカ向け輸出が伸びた。この地域で人気の厚手の綿布（ジーンズのイメージ）には太いインド糸が適した。綿布の厚みは糸の太さで決まる。イギリスのマンチェスター産の薄手の綿布（ワイシャツのイメージ）はアジア、アフリカの需要に合わず不振だった。▼アジア間貿易の胴元はイギリス。これらの貿易はイギリスの自由貿易体制下でそのインフラを用いて行われた。貿易回数が増すほどにイギリスには手形決済、保険などの金融手数料、通信などのサービス料が入ってきた。イギリスは産業立国でなく金融立国。マンチェスターの綿産業という自国の工業振興よりも、世界の自由貿易の活発化、自由貿易体制の確立に力点を置いた。

わんクリック　開国後、英国の機械制綿織物、インド産綿糸が大量に流入。綿織物工業、紡績業が大打撃を受けた日本はミュール紡績機を購入。官営紡績所を設立しては民間に払い下げた。渋沢栄一らの主唱で近代的設備を備えた大阪紡績会社（現・東洋紡）(1882)が設立。この成功で次々に紡績会社が設立。その後、インド綿花の半分近くが大阪に運ばれ、ここで綿糸、綿織物になりアジア各地へ輸出されるようになった。イギリスが築いた自由貿易体制の下で「アジア間貿易」（杉原薫）が活況を呈し、1925年大阪は人口で東京を抜いて世界第6位となり「大大阪」「東洋のマンチェスター」と呼ばれるようになった。

History Literacy　「インドは」は大きな主語の語り―どの集団も内部は多様、同じ述語（繁栄した）では受けられない。

近代の東南アジア大陸部　＊1

①ベトナム

- 黎 (レイ) 朝 (15c ~ 18c)

  紅河デルタの農業生産力を背景に南下

  チャンパーを征服、キン人が中部ベトナムにまで支配域広げる

- 阮 (グエン) 朝 (1802 ~ 1945)

  阮福映 (グエン・フォック・アイン) が黎朝末期の複雑な内乱を最終的に収拾

  └ 黎朝は 16c 頃に北のチン氏と南のグエン氏に分裂

  フランス人宣教師ピニョーの援助

  └ プラッシーの戦いでの敗北 (1757) 以後、インドシナ進出

  首都フエ (ユエ)、国号越南 (ベトナム)、清朝に朝貢 (冊封体制下)　＊2

  成立後、鎖国政策をとりフランス人宣教師を追放　＊3

  └ 当時のアジアは清朝の海禁策、朝鮮の鎖国 (大院君)、日本の「鎖国」

②ビルマ (ミャンマー)　＊4

- タウングー朝 (15 ~ 18c)

  ペグー人征服 (ビルマ再統一)、アユタヤ朝圧迫、モン人に滅ぼされる

- コンバウン朝 (18c)　アラウンパヤーが創始

  └ タイのアユタヤ朝を攻撃、滅亡 (1767)

- モン人の少数民族化

  └ エーヤワディー川下流域で諸王朝 (6 ~ 11c ドヴァーラヴァティ、13 ~ 18c ペグー王国)

③シャム (タイ)

- ラタナコーシン (チャクリー) 朝 (1782 ~ 現在)

  └ バンコクの王宮のある島の名前、チャクリーはラーマ 1 世の名前

  ビルマ軍を撃退したタークシン将軍がバンコクでトンブリー朝

  └ タイの民族的英雄だが廃位 (詳細不明)、トンブリー朝は一代限り

  タークシンを廃位して部下のラーマ 1 世がラタナコーシン朝開く

  チュラーロンコーン (ラーマ 5 世)(在位 1868 ~ 1910) の独立維持

  近代化政策推進

  英領、仏領の緩衝地帯として植民地化を免れる

  └ 両国に領土を切り売りした代償、英仏協商 (1904) で緩衝地帯に

  奴隷制の廃止、チャオプラヤー川のデルタ地帯の水田開発

PROPOS　＊1

いまの東南アジア大陸部の 3 カ国―タイ、ベトナム、ビルマ (ミャンマー) はそれぞれ現在の多数派を中心に政治統合された国で、その民族名称が国名になっている。各国家ともに様々な民族集団を抱えている (特にビルマ)。また統合を嫌った人びとが周縁のベトナム中部高原、タイ・ビルマ北部の山地、インド東北部、西南中国などの山地地帯に居住する。これらの地域は統合を嫌う人びとの避難地として機能した。

PROPOS　＊2

近代 (19c) に作られたチャイナ式都城フエは阮朝の都。フォン川 (香河) のほとりに王宮、寺院、皇帝廟が点在する落ち着いた佇(たたず)まいの街。フランス人は h を発音できないのでフエ (Hue) はユエになる。「フエはユエと言え」と改称したのではない。

PROPOS　＊3

当時の東アジア 4 カ国 (清朝・阮朝越南国・徳川幕府・李氏朝鮮) は海禁体制。列強はこれらの国に「砲艦外交」で臨み、開国を強いた。その結果、南京条約 (1842) 、日米和親条約 (1854)、サイゴン条約 (1862)、そして日本が朝鮮に対して開国を迫り、日朝修好条規 (江華条約)(1876) が結ばれた。

PROPOS　＊4

ミャンマーは全人口の 6 割がビルマ人。全体で 100 を超える民族からなる連邦国家。カレン州、カチン州など民族名を掲げた州も多い。上座仏教徒が 9 割近くを占める。この地ではもともとエーヤワディー川下流域のモン人が様々な王朝を作ってきたが南下して中流域を根拠地とするようになったビルマ人がその支配域を広げていき、ついにモン人もその支配下にはいった。ところでこの国をビルマと呼ぶと中心民族の名称になるのでミャンマーのほうがよいが、民主化運動を弾圧して成立した軍事政権が改称を提唱 (1989) した経緯があり、当否に関わりなくビルマ呼称にこだわり、「ビルマ (ミャンマー)」と書く人が多い。

画蛇添足

▼海外旅行では料理のおいしくない所、いや、自分の口に合わない所もある。そういう時は中華料理店かインド料理店に入るのがよい。華僑・印僑は世界中のどの都市にもいる。基本的に想像した通りのものが出てくる。▼時間がないときは店先で羊肉を回転させながら焼いて、火が通った表面から少しずつ削ぎ取るケバブの店が役に立つ。トルコを中心とした中東出身者が経営している。これもはずれがない。ところで最近はフォーを食べさせる店をよく見かけるようになった。▼ベトナムで広東省のタンメンとフランスのビーフシチューが融合してできたのが肉入り米粉麺フォー(※)。70年代後半以降ベトナム難民が世界中に広めた。これに限らずベトナム料理がおいしい。中華料理とフランス料理の影響を受けている。国土のほとんどが海に面していて海産物をふんだんに使う。さらに東南アジア原産のスパイスをうまく利かせている。▼阮朝がはじめて今のベトナム全土を統一支配。今の「ベトナム」の形が誕生し、国号も越南と改められた。海岸線を総取りしたえげつない形。このような国土は他はチリぐらい。北が本来のキン人の土地、中部はチャム人、南部はクメール人の世界。キン人の南下でいまのS字を縦に伸ばしたような細長い国土になった。▼植民地時代に西欧人が北部をトンキン、中部をアンナン、南部をコーチシナと呼んだ。トンキンの中心ハノイは紅河沿いに発展したベトナムの首都。唐代に安南都護府がおかれ、独立後は李朝の首都。霧にむせぶことの多いしっとりと落ち着いた街。コーチシナの中心がサイゴン。フランスが植民地支配の拠点に利用してから「東洋のパリ」となった。南国の陽光がまぶしい街。

わんクリック　タイのラーマ 5 世は近代西欧文明の影響で近代化のための改革 (チャクリー改革) に着手。改革の中心は奴隷制の廃止 (1905)。19 世紀中頃、タイ人口の少なくとも 4 分の 1 が奴隷 (タート) だった。人口希薄な東南アジア社会の特徴。このあと奴隷の代わりの労働力として華僑の割合がタイでは急増していく。また国土を英仏に切り売りすることで東南アジアで唯一独立を保った。その結果、いまの象の顔のような国土に縮小した。この時代を扱ったミュージカル『王様と私』は偏見だらけ。「知れば知るほどにお互いが好きになる」と西側世界から見た予定調和の心地よい世界が描かれている。

History Literacy　「無国籍」の魅力は無国籍料理だけではないはず (様々なエスニック料理をフージョンしたのが無国籍料理)。

東南アジア大陸部の変動— 植民地化　＊1

①ベトナムの植民地化

- フランスの進出

  1858 年、ナポレオン 3 世が出兵

  └ 宣教師殺害事件を口実にアロー戦争のために中国に派遣していた艦隊を回航

  1862 年、サイゴン条約

  サイゴンとコーチシナ東部 3 省を獲得　＊2

  └ コーチシナはメコンデルタ地帯、ベトナム南部

  キリスト教布教の自由などの不平等条約

  1863 年、カンボジアを保護国化

  └ コーチシナ東部 3 省の安全を図るため

  1867 年、コーチシナ西部 3 省を獲得

  コーチシナの開発進み一大米作地帯に　＊3

  劉永福が、黒旗軍を組織して抵抗 (1873 ~ 85)

  1883 年、トンキン占領、ベトナム保護国化

- 清仏戦争 (1884 ~ 85)

  清朝がベトナムの宗主権を主張し開戦、敗北

  └ 阮朝は清朝の冊封を受ける、清朝は洋務運動の成果を試すため

  → 1885 年、天津条約

  ベトナムの保護国化 (ユエ条約) を清朝が承認

- 1887 年、フランス領インドシナ成立 (総督府ハノイ)

  コーチシナ、トンキン、アンナン、カンボジアで構成

- 1899 年、ラオスを併合、インドシナ連邦に加入

  └ 主要民族ラーオ人はタイ族の一派 (タイ語とラオス語は方言レベルの相違)

②ビルマ (ミャンマー)

- イギリス・ビルマ戦争 (3 回、1824 ~ 86)

  イギリスがコンバウン朝滅ぼし (1885)、インド帝国に編入

  └「帝国の中の帝国」インド帝国

- 下流のデルタ地帯の寒村を州都にラングーン (ヤンゴン)

  デルタ地帯の開発 (灌漑設備などの投資で輸出用の稲作)

  └ 人口希薄地帯　＊4

PROPOS　＊1

19c 末に東南アジアは西欧の衝撃で激動期を迎える。阮朝 (ベトナム) が仏、コンバウン朝 (ビルマ) が英の植民地になる。

PROPOS　＊2

コーチシナ支配を確実にするためフランスは後背地のカンボジアとラオスも支配。ラーオ人はメコン川中流域両岸に居住して当時はタイ領。仏は左岸をタイに要求。仏が植民地支配した地域が現在のラオス。ラーオ社会は分断。右岸のタイに住んでいるラーオ人の方が人口は多い。当初、仏はメコン川経由で中国への進出を計画したが急流、滝があり断念。代替案として紅河経由でルートを確保するためベトナム全土の植民地化を進めた。結局、ハノイと中国雲南省の昆明(クンミン)を結ぶ滇越(てんえつ)鉄道を敷設 (1910)。後にこれが援蒋ルートとなった。

PROPOS　＊3

東南アジアの三大デルタ地帯の開発 (イラワディー川、チャオプラヤー川、メコン川の各デルタ地帯) は 19c 末からと遅い (紅河デルタは 3000 年前から)。インド大反乱 (1857 ~) とアメリカ南北戦争 (1861 ~) の混乱でカリフォルニア米輸出が止まり世界の米市場が逼迫(ひっぱく)。今でこそ 3 期作の広大な沃地デルタ地帯も、洪水の起こりやすい低湿地帯でマラリアが猖獗(しょうけつ)をきわめ、未開のまま放置されていた (それまでは中流域の平地、上流部の盆地で米作)。メコンデルタではフランスが反乱鎮圧のために張りめぐらした運河網が開拓を促した。運河が湿地帯の排水を助け、その土が住宅用地となった。

PROPOS　＊4

「人間」の歴史を描こうとすればその叙述が、人口の多い所、人口密度の高い所 (温帯) を中心にしたものになるのはやむを得ない。前近代の東南アジアは特に人口の希薄地帯として知られていた。20c になって人口が爆発。本書の東南アジア史叙述のボリュームもこのあたりから増えていく。特にインドネシアの大国化が著しい。

画蛇添足

▼いまASEAN(アセアン)に加盟する10カ国と東ティモールが「東南アジア」であるが、これは2次大戦中に米軍が使った軍事作戦上の名称。「東南アジア」という地域枠組みは最近まで存在しなかった。それまで日本では「南洋」と呼んでいた地域。▼現代の言葉、枠組みで過去をみるのが歴史。現在と過去を同時にみる知的営み。この地域の国家の枠組みは近代、植民地時代に作られた。7千以上の島々からなるフィリピン。スペインによる植民地支配を通じていまのまとまりが形作られた。それまでフィリピンは存在しなかった。東南アジアの大国インドネシア。この枠組みも戦後にできたもの。かつてこの地域はマレー圏。これをイギリスとオランダが分断した (英蘭協定、1824)。▼約1万7千の島々がオランダの植民地として切り離されてオランダ領東インドが形成。それらの島々にはオランダ支配以外の共通項はなかったが、独立に際してこの枠組みに依拠するしかなく3百の民族、5百の言葉からなる「多様性の中の統一」を掲げる東南アジア最大の多民族国家インドネシアが出現。「インドネシア史」の枠組みで過去を振り返ることはできない (※)。▼マレー圏の残りの地域はイギリス領マレーとなる。ここはマレー人、マレー語、イスラームの単民族地域だったが英領下で華僑・印僑が大量に移住し、多民族国家となった。いまはマレー世界が見えにくい。▼ベトナムは中華文明圏に属した国。インド争奪戦に敗れたフランスがここに目をつけて清朝から奪い取って、インド文化圏のラオス、カンボジアと一緒にして仏領インドシナとしたことでベトナムは中華文明圏から東南アジア文明圏の国に移行した。文字がローマ字となったことが決定的契機。

わんクリック　世界史では「華僑・華人」とされる存在。仮に住んでいる、が華僑。そのうち当該国籍を取った人が華人、と区別はあるが実際には線引きが難しい。中国が大国で、戦後は共産国になったので、彼らは滞在的の国で警戒されて、様々な対応をとる必要が生じた。南のホーチミン市には大きなチャイナタウンがあるのに、ベトナムの首都ハノイにはチャイナタウンがない。中国に隣接するハノイでは華人として現地と融合しないと暮らしていけなかったためチャイナタウンがない。そのように現地に溶け込み、誰が華人系なのか不明瞭になると、その影響力が時に過大に、時に過少に評価される。

History Literacy　大国化するインドネシア (人口世界 4 位の国の経済急成長)—こういうことで世界史内容は再編成される。

東南アジア島嶼部の植民地化

①インドネシア

- 17 世紀、オランダ領東インドがバタヴィアを拠点に交易
- 18 世紀、マタラム王国滅ぼし、ジャワ島全域に支配拡大 ＊1
  └ イスラーム国家　└ 港市支配から領域支配へ
- ウィーン会議後、オランダ東インド会社に代わりオランダが直接統治
- マレー語圏の分断
  1824 年、英蘭協定で島嶼部はオランダ、半島部はイギリスが勢力圏
- 1830 年、政府栽培制度導入 (ベルギー独立による本国の財政難) ＊2
  オランダ東インド総督ファン・デン・ボスが導入
  輸出用商品作物を強制的に作付け
  └ コーヒー、サトウキビなど　└「強制栽培制度」と非難されるようになり 1870 年代廃止
- 1904 年、オランダ領東インド形成 ＊3
  スマトラ島北部イスラーム国家アチェー王国滅ぼす (アチェー戦争)

②マレー半島

- 海峡植民地 (1826 年成立、1867 年直轄植民地)
  └ 国際貿易港として重要な役割　└ 東インド会社解散後
  ペナン、シンガポール、マラッカ (1824 年蘭より獲得) からなる ＊4
  └ 1786 年領有　└ 1819 年買収、ラッフルズが自由貿易港に
- マレー半島内陸部での錫鉱山、ゴム園プランテーション展開
  錫鉱山の労働力として華僑の導入 ＊5
  └ 1840 年代に海峡植民地の背後で錫鉱山の開発進む
  ゴム園は 1890 年代から急増、印僑の導入
  └ ゴムの木栽培開始 (ブラジルからイギリス植物園経由)　└ 南インド (タミル人) から
  1920 年代、ブラジルに代わり世界の半分生産
- 英領マラヤ (1895) としてマレー半島の小国 (連合マレー諸州) も支配
  └ 海峡植民地も含めた呼称　└ マレー半島には連合にはいらなかった諸国も併存

③フィリピン

- ガレオン貿易衰退後、大農園制度 (アシエンダ) の導入
  マニラ麻、砂糖、タバコなど商品作物のプランテーション展開
  └ 20c 初頭のミンダナオ島ダバオが産地、日本人が経営 (東南アジア最大の日本人街)

PROPOS ＊1

17c に入ると、ヨーロッパでの胡椒価格暴落 (1670 年代)、日本の鎖国政策、明清交代期と清朝の遷海令 (1661 ~ 84) などで東南アジアの「交易の時代」は終焉した。このあとオランダ東インド会社の「陸上がり」(内陸部の領土支配) が始まり、マタラム王国の内政に介入、領域支配を開始した。

PROPOS ＊2

強制栽培制度は肥沃なジャワ島に餓死者をもたらす。ジャワ島では砂糖、コーヒーなどのモノカルチャー経済が定着。高価で利幅の大きい商品作物を最もよい土地に栽培させたから食料自給が困難となり、穀物は国外からの輸入に依存。1 次産品の需要は一定だが、自然条件で供給が大きく上下して価格変動が激しいのがモノカルチャー経済。国際価格が下がった時に自給作物を欠いているので飢餓が広がる。制度は 40 年ほどで中止。住民の生活向上を優先する倫理政策が 20c に入ってから実施された。

PROPOS ＊3

インドネシア鉄道はオランダによりスマトラ島とジャワ島に敷設されたが、うねうねと山を迂回する曲線区間が多い。山のないオランダはトンネル掘削が苦手だった。

PROPOS ＊4

自由主義者ラッフルズの先見でマラッカ海峡出口のシンガポールは自由貿易港となる。今日まで東南アジアの中心として繁栄。

PROPOS ＊5

帝国主義戦争で携帯食料として缶詰が普及。鉄を錫でめっきしたブリキによる缶詰。保存料を使わずに食品を常温長期保存できる。イギリスは当初、マレー半島への支配拡大をためらった (王家、首長間の紛争頻発でコスト高) が錫鉱山の偏在するマレー半島の重要性が高まり方針を変更。海峡植民地だけでなく、錫を産出する 4 国だけイギリスの保護下に「英領マラヤ (連合マレー諸州)」(1895)、マレー半島支配を開始した。

画蛇添足

▼バンコクからシンガポールまでローカルバスを乗り継いでマレー半島を縦断した。何度も乗り換えて24時間かかった。半島の主な交通路は西側に集中。イギリスがインド洋岸を開発したことに関係する。タイの農村風景は国境を越えてマレーシアに入ったとたん、延々と続くゴムのプランテーション風景に変わる。▼ゴムはブラジル原産。生ゴムは暑いとベトつき、寒いと固まる。消しゴム用途しかなかったが、グッドイヤーが生ゴムに硫黄を交ぜれば温度で性質が変わらないことを偶然発見 (1839)。ダンロップが中に空気をいれてクッション性を高めるタイヤを発明 (1887)。折から自転車、自動車産業が隆盛 (1880 年代)。世界のゴム需要が増し、半島はゴム園となった (今は油やし畑に転換)。▼乗り継ぎの度にバスターミナルに滞在したが、そこは華僑、印僑の世界。多くが漢字の新聞を広げている。労働集約的な生ゴムの採集と錫鉱山労働のために移住してきた人びとの子孫。マレー社会は東海岸に広がる。現在、東南アジア各地には、華僑・華人が多く住む。マレーシアは植民地時代にそれまでのマレー人の単一民族社会から多民族社会へと大きく変質した。▼西欧列強が東南アジアへ本格的に進出した19世紀初頭はちょうど奴隷制の廃止時期。奴隷にかわる安価な労働力として清朝の半植民地化によって窮乏していた漢民族、イギリスのインド支配で窮乏していたインド人が使われた。▼それまでマレー半島は両海岸部に小さな集落が点在。それが王国。いまもマレーシアは9つの王国の連合王国。かつて内陸部はマラリアが猖獗する危険な地域。イギリスも当初はペナン、マラッカ、シンガポールの貿易の要衝しか支配しなかった (海峡植民地)。

わんクリック　金属などの素材の表面に金属の薄い皮膜を施す技術が鍍金。「めっきが剥がれる」というが現代のめっきは容易に剥がれない。「偽物」のように言われるが「鍍金」という「本物」(※)。剥がれるのは「立派な鍍金でなかった」ということ。装飾性よりは防錆性、耐食性を素材に与えることが目的。もっとも役立つのは鉄に亜鉛めっきをすること。亜鉛は鉄よりイオン化傾向が大きく錆びやすい。亜鉛が先に腐食して (犠牲になって) 鉄の腐食を遅らせる (犠牲防食機能)。缶詰の錫メッキも耐食性に優れる。しかも錫は融点が低く利用しやすい。歴史を濫用から守るめっきはないのだろうか。

History Literacy　純粋物が本物なのではない (例えばワイン―ワインとはアルコール発酵した果汁と酸化防止剤、亜硫酸の混合物のこと)。

オセアニアの植民地化

①アボリジニーの大陸 — 人類最古の文明を継承

- 約8万年前からアボリジニーが生活
  - └ 近年はアボリジナル・ピープルと呼称

  約300の言語集団に分かれ、狩猟採集生活で独自の文化形成
  - └ イギリス植民開始時、現在30~40言語に減少

  聖地ウルルなど ＊1

②イギリス人の入植、アボリジニー社会の破壊

- タスマン(蘭)の「発見」(17c)、クック(英)が英領宣言(18c) ＊2
- イギリスは流刑植民地として開拓(1788)
  - └ オランダは使用価値なしと判断、イギリスは流刑地(多くはアイルランド関係の政治犯)利用
- 1850年代、金鉱発見で移民が急増
  - └ 1851年金鉱発見 └ パースなど大都市発展
- アボリジニー狩りなど先住民絶滅を意図、人口激減(300万→7万)

③オーストラリア建国

- 1901年、オーストラリア連邦成立

  白豪主義で差別政策(1888年中国人移住制限法~1970年代)

  イギリスとの関係緊密 — アイデンティティはイギリス人(オーストラリア人でない)
- 1970年代、多民族、多文化主義社会へ大転換 — 特にアジアとの強い結びつき

  アジア太平洋地域との連携強化へ大転換、APEC(アジア太平洋経済協力)提唱

  経済発展のため人口増加(アジアからの移民)が必要となる
  - └ イギリスのヨーロッパ回帰(EC参加)(1973)もきっかけ
- 資源大国として経済発展 — あらゆる鉱物資源に恵まれる宝島オーストラリア

④ニュージーランド

- 先住民マオリ人
  - └ ニュージーランドは長く無人島、ポリネシアからマオリ人の移住(9~10c)も比較的最近
- 19世紀、イギリスによる植民地化にマオリ人は抵抗
  - └ 両者はそれなりに融合、現在もマオリ人口は15%程度
- 19世紀末から牧羊業

  冷凍船(蒸気船)の就航(1882)で躍進
- 1907年、ニュージーランド自治領化

PROPOS ＊1

聖地ウルル(エアーズロック)は大きな一枚岩。似た一枚岩なら近所にも多くある(播州平野)。ただ360度の地平線が望めるオーストラリア楯状地の真ん中にポツンとあるので目を瞠る。ウルルを見る時は周囲にも着目。物事は関係性の中で意味を持つ(※)。

PROPOS ＊2

かつてコロンブスによる新大陸到達が「コロンブスの発見」と叙述されていた。今でもタスマンによるニュージーランド発見(17c)といった表記が残る。ポルトガル人の種子島到着を「ポルトガル人による日本発見(1543)」と書くようなおかしさ。18cにクックがオーストラリアを探検、無主地としてイギリスの領有を宣言。入植という先住民の土地収奪が始まる。「無主地」のイメージを作るための言葉「発見」。先住民アボリジニーに対しては相当残虐なことをした。まだ解決できていない。

PROPOS ＊補足

太平洋は巧みな航海技術で拡散したオーストロネシア人(台湾から拡散)の居住域。3地域からなる。ハワイとイースター島、ニュージーランドを結ぶ広大な三角形の中がポリネシア(「多数の島々」の意)。ハワイの先住民ポリネシア人はアウトリガー(カヌー)でタヒチからきたと考えられている。タヒチ—ハワイ間(4000km)に島はない。島影のない大海原に漕ぎ出た海の民オーストロネシア人の勇気。ポリネシア人の主食はタロイモ。体格が大きい。次に太平洋西部、概ね赤道より北の地域がミクロネシア(「小さな島々」の意味)。1次大戦後、日本の委任統治領として日本領に組み込まれた。巨大な石の貨幣を用いるヤップ島がこの地域の中心。最後に、その南でニューギニア島を中心とした地域がメラネシア(「黒い肌の人びとが住む島々」の意)。ニューカレドニア島(仏)、フィジー島(英)など。肌の色は濃いがアフリカ黒人とは別の系統。島々は人口希薄地域で文字記録もない。世界史教科書にほとんど叙述されない。

画蛇添足

▼オーストラリアとインドネシア(スラウェシ島)は隣接。スラウェシ島の漁民は海の底に棲むナマコを採集。オーストラリアのアボリジニーらと加工して中国(ナマコは高級食材)へ輸出してきた。しかしかたやオセアニア、かたや東南アジアと括られると関係が見えにくくなる。▼乾燥大陸オーストラリアは遠隔地で流刑地としてしか利用価値がなく移住希望者は少なかった。しかし領有権主張のためには実効支配が必要。イギリスは軽犯罪者を自国より遥かに広大なオーストラリア島へ「島流し」した。そこに金鉱が発見されて人びとが殺到。多かった中国人による低賃金労働を排するため白豪主義がとられた。▼その後、牧場として開発が進む。それまでは赤道を越える食肉輸出は難しかった。事態が変わったのは冷蔵技術の開発と冷凍船の就航(1882)。コールドチェーンが確立したことで北半球が市場になった。またグレートアーテジアン盆地の地下には被圧地下水があり井戸を掘れば自噴する。乾燥に強いメリノ種の羊を羊毛用に数百万頭放牧。温暖で冬も舎飼いの必要がない。▼ところで冷凍船は三枚羽スクリューで推進力を増した鋼鉄製の蒸気船。高速での大量輸送が可能。これまでは蒸気船も外輪船で輸送力には限界があった。大量の積み荷を運ぶ船体は鉄板で覆われた。鋼鉄製の船でも海に浮かぶと誰が思いついたのか、スクリュープロペラの発明もすごい。▼南半球はラテンアメリカは熱帯、オセアニアも乾燥帯で穀物生産に向かない。ここが灌漑事業で乾燥に強い小麦の産地にもなった。獲れた小麦は北半球の端境期に出荷できるアドバンテージがある。いまは讃岐うどんの原料にも使われている。様々なモノが南北世界を繋ぐ。

わんクリック 鶴見良行『ナマコの眼(まなこ)』。国家単位の歴史からは見えず、見えても外される世界。ナマコという「重要視されぬもの」「忘れ去られたもの」で辺境から歴史を語りなおした。眼のないナマコに眼をつけた著者の視野は広い。世界史教科書的な歴史観への批判。同じ著者で『バナナと日本人—フィリピン農園と食卓のあいだ』も名著。続けて村井吉敬『エビと日本人』と読む人が多い。「辺境にこそ歴史の真実がある」(宮本常一)。こういう問題提起の延長線上に今日の「持続可能な開発目標(SDGs)」がある。微力ながら本書もSDGsゴール4「質の高い教育をみんなに」に寄与したい。

History Literacy 物事は関係性の中で意味を持つ—ウルルを見る時は周囲(何もない大地)にこそ着目したい。

3　清の動揺と変貌する東アジア

18 世紀後半 ~19 世紀後半の変化

①清朝の衰退　＊1

・抗租、抗糧運動の活発化

・白蓮教徒の乱 (1796 ~ 1804)

└ 嘉慶帝の時　　└ 乾隆帝退位の翌年

8 年間にわたり鎮圧できず

→清朝正規軍 (八旗・緑営) の弱体化を露呈

郷勇 (地主の自衛組織)、団練 (自警団) が鎮圧

②清朝の貿易制限　＊2

・片貿易 (18c)

└ これは対イギリスの話

典礼問題の結果 (1757 年乾隆帝時代)

└ 典礼 (中国の先祖崇拝の習慣) の尊重をめぐって

貿易港は広州に限定

朝貢形式で公行 (コホン)(貿易商人組合) が貿易独占

└ 中華思想に基づく　└ 広東十三行

茶・陶磁器・絹織物

イギリス ⇄ 清朝

東インド会社　　銀　　広東十三行 (広州)

・三角貿易 (18c 以降)

18 世紀末よりアヘンを中国へ密輸し、銀の回収を図る　＊3

└ インド、ベンガル地方で栽培

茶・陶磁器・絹織物

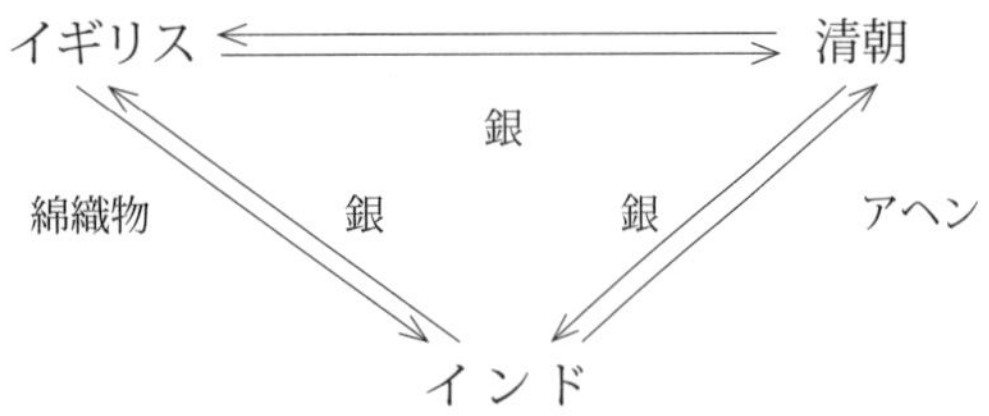

PROPOS　＊1

康熙帝・雍正帝・乾隆帝時代の全盛期に満洲貴族は満洲語を忘れ、馬にすら乗れなくなってしまったという。乾隆帝が引退して嘉慶帝が帝位についた年に白蓮教徒の乱が勃発。この年が清朝の転換点となった。

PROPOS　＊2

片貿易の是正を求めてイギリスからきた最初の使節マカートニー (1793) は夏の離宮である熱河で乾隆帝と謁見し、開港・公行の廃止、つまり自由貿易を要求。この際、乾隆帝は「天朝は物産が豊盈であらざるものはなく、もとより外夷の貨物に頼って有無を通じてはいない。ただ天朝所産の茶葉・磁器・絲斤は西洋各国および爾の国に必需の物であるから、恩恵を与え同情しているのであり…」と「地大物博」を誇り、にべもなかった。アマースト (1834) にいたっては、三跪九叩頭を拒否したため、皇帝への拝謁も許されず、即日北京からの退去を命ぜられた。跪いて三回頭をたれることを三度繰り返して臣下であると示す。これが屈辱的であり、儀礼とは割り切れなかった。

PROPOS　＊3

アヘン密貿易が本格化すると、中国からの銀の流出は顕著になる。1827 年に銀の収支が逆転。密輸とはいえアヘン取り締まりにあたる清朝の役人自体が腐敗しており、賄賂を受け取り、事実上容認していた。「密貿易」という名の貿易となっていた。

PROPOS　＊4

当初、40 万人分の消費量だったものがアヘン戦争直前には 400 万人分に急増 (※)。清朝内部では輸入・吸引を禁じて対策に乗り出す。需要があるから供給が生じる。対策は 2 通り。吸飲者を取り締まる (内禁) か、販売者を取り締まる (外禁) か。林則徐は厳格な内禁論者、吸引を死刑とする厳罰論もあったが、400 万人を死刑にするわけにもいかず、結局、流入を取り締まることになった。厳しさと真面目さが道光帝の目に留まり、欽差大臣に任命された。

画蛇添足

▼茶（広東語でチャ）をオランダ人が中国から持ち帰り、名誉革命でメアリが持ち込んだことで喫茶の習慣がイギリスに広がった。福建から輸出されたものは方言でテと呼ばれた。上流階級が午後の紅茶（アフタヌーンティー）を楽しんでいたときは茶は嗜好品だったがイギリス式朝食（イングリッシュブレックファースト）が労働者の間に広がるようになると茶は必需品となった。▼その茶は中国でしか産せず、中国から輸入するしかなかった。快速帆船ティークリッパーが茶葉を輸送した。カフェインは文字どおりコーヒー豆の中にある眠気覚まし、覚醒作用を持つ物質。動けない植物は大なり小なり毒を持つ。カフェインもその一つ。葉に虫が付くのを防ぐ忌避物質が作り出す苦味。茶葉もこれを持つ。毒と薬は表裏の関係にあり、クスリはリスク。体は微量の毒でも摂取するとそれを体の外に出そうとする。茶が持つ利尿作用。この苦味がもたらす覚醒作用を人びとは嗜むようになる。▼「地大物博」を誇ってきた清朝は何も輸入するものはないが、求められるからとして、これまで生糸、陶磁器を輸出、さらに茶葉を輸出するようになり、代償として世界の銀を吸収し続けた。中国は「銀の墓場」とも呼ばれる貿易黒字国になる。その銀を取り戻すためにイギリスはアヘンを輸出。銀はアヘン貿易によって逆流しはじめる。▼アヘン戦争後、インドを植民地にすると、そこでの茶の栽培に成功。いま北東インドのアッサム平原が茶の最大の産地になった。味わいが濃くミルクティーに向く。植物の持つ毒に人類はあてられ続けている。カフェインはモルヒネに似た化学構造で神経を興奮させる。この魔力から逃れられなくなったイギリス人。アヘン戦争のあとも、清国に対して洋薬の名でアヘンを輸出しつづける。

わんクリック　本書にはないが、一般に書籍や新聞には適当に写真が挿入されている。本文の内容理解に不可欠、というよりは空いたスペースの埋め草、活字に疲れた眼のための箸休め効果を狙ったものにもなっている。新聞に挿入される首相の写真。載せなくとも誰でも知っている顔である。世界史教科書に掲載されている絵、写真にも注意が必要。アヘン戦争で添えられる『乾隆帝に謁見するアマースト』『アヘン戦争』はともに想像図。挿入される写真がいずれも本文と無関係な W・G・ゼーバルト『アウステルリッツ』。記憶を取り扱った小説で、記憶と写真の関係のあやうさを描こうとしている。

History Literacy　人びとが溺れた麻薬―貧困による空腹、重労働の疲れ、将来への絶望を忘れることができた魔薬。

③イギリスの貿易改善要求

- 自由貿易を求める
  イギリス産業革命の進行
- マカートニー、アマースト、ネーピアらの使節派遣
  └ 18 c 末、乾隆帝時代　└ 19 c 初
  →交渉失敗

イギリスの軍事衝突と欧米諸国との条約締結

①アヘン戦争

a. 原因

- チャイナへのアヘン流出激増
  └ 1833 年イギリス東インド会社の対中国貿易独占権廃止
- 三角貿易による銀価高騰で農民の生活圧迫
  当時の税制、地丁銀の下で銀価高騰は実質税負担増
  └ 農民は銅銭を銀に換金して納入　└ 銀高銅安が進行
- アヘン吸飲による社会問題 (アヘン中毒者急増) 深刻化　＊1
- 1839 年、道光帝は欽差大臣林則徐を広州派遣
  └ 全権を委任
  林則徐はアヘン厳禁策を断行、アヘンを没収し化学的に廃棄　＊2 ＊3

b. 経過

- アヘン戦争 (1840 ~ 2)
  └ イギリスの戦争目的は自由貿易体制の実現、アヘン戦争はミスリードを誘う名称
- 当時のイギリスは自由貿易実現を優先、開戦 (「砲艦外交」)
  └ 議会で是非をめぐり激論、僅差で パーマストン外相の主張通る
- 清朝敗北
  └ 清朝の古いジャンク船はイギリスの外輪式蒸気船に対抗できず
  イギリス軍は沿海地域を攻撃、南京に迫る
  林則徐は道光帝によりイリに左遷
- 平英団事件 (1841)
  └ チャイナの民族運動の先駆
  広州郊外三元里の民衆がイギリス軍を包囲攻撃

PROPOS　＊1

アヘン (オピウム)。美しいケシの花が咲き終わった後の未熟な果実を傷つけると乳液が滲み出てくる。これを固めたものがアヘン (阿片) でいわゆる麻薬の代名詞。主成分はモルヒネ。種子にはモルヒネ成分はなく食用されてきた。発芽するとアヘンになるので煎って加熱処理。煎ると香ばしい (アンパンの芥子粒)。

PROPOS　＊2

アヘンからモルヒネを精製、さらに化学的に加工してさらに強力なヘロイン (英雄的な効き目の意) が作られる。これまで様々な反社会的勢力がこの生産、精製に携わり資金源とした。日本にイギリスの非道を責める資格はない。日本は国民にアヘン吸引を厳禁したがアヘン生産に携わった。満洲国経営、日中戦争で嵩んだ経費の相当部分をアヘン取引の利益で賄った。日本軍は占領地でケシを栽培、中国全土にアヘンを流し続けた。販売所に「日の丸」が掲げられていたから、それを国旗でなくアヘンの商標と思っていた中国人も多かった。(阿片王の里見甫を扱った佐野眞一『阿片王―満州の夜と霧』などがある)。ただ抗日のため共産党を率いた毛沢東もケシ栽培を奨励、財源とした。作る側も使う側も狂わす魔薬。

PROPOS　＊3

情報の重要性に気づいた林則徐は、魏源に世界情勢を調査させた。それはアヘン戦争後に『海国図志』(60 巻本) として日本にも伝わりよく読まれた。アヘン戦争の戦況は長崎に入港するチャイナ船がもたらす『唐風説書』でも詳しく伝えられた。それらの最新情報を踏まえて、幕府は従来の異国船打ち払い令 (1825) を異国船薪水給与令に変更 (1842) するなど外交政策を柔軟に転換できた。日本はいきなり砲撃して外国船を打ち払う、と国際的評判が悪く、これが偶発的衝突を引き起こしかねなかった。日本が不平等条約どまりで植民地化をまぬがれた一因は情報に耳を傾けたこと (※)。他にもいくつも偶然が重なった。

画蛇添足

▼天然の植物に、人間の神経中枢作用を麻痺させ激しい痛みをおさえる成分が含まれる。その代表が麻からとれるアヘン、それを精製したモルヒネ。本来、麻薬は痛みを和らげる神の配剤。しかし貧しさからくる空腹感など現実生活の痛みから逃避するために手を出して、貧困だけでなくアヘンからも逃れられなくなる悪循環に落ちた人が多く出た。▼いま世界最大のケシの栽培地はアフガニスタン。政府の支配が及ばない貧しい地域。ケシ栽培に携わるのも貧しさゆえ。他に換金作物がない。ここをタリバンが資金源として政権に返り咲いた。各国は密輸を取り締まるが、需要がある限り、取り締まるほどに価格と毒性が上がり、密輸業者を富ませるので根絶できない。だからといって緩めることもできない。強い依存性があり常習者はアヘン窟に籠り、食欲も睡眠欲も失い、ただアヘンを吸い続ける。目の虚ろな廃人となる。▼現代を蝕むアヘンはケータイ。アヘン以上の依存性。依存者は現代のアヘン窟―自室に閉じ籠り、夜を通して小さな画面を覗き込んでゲームに興じ続け、時間を吸いとられ続けられている。それでなくともケータイは自撮り機能で自分にばかり関心を向け、私たちから直に世界と向き合う機会を奪ってきた。▼日用品に実用美を見いだして民藝概念を提唱した柳宗悦。彼は、対象と自分の眼の間に、思想（イデオロギー）・嗜好（好き嫌い）・習慣の3つのSを挟むことを問題にした。いまはスマートフォンを加えて4つのSとすべきか。小さな画面から覗けるものは限られる。頭をあげて自分の眼で世界とじかに向き合おう。どこか遠くに行くのもよいし、身の回りにありながら見えていなかったものを見つけるのもよい。

わんクリック　ケータイゲーム。若者の貴重な時間と課金でお金を吸い取っていく。中国政府が「ゲームは精神的アヘン」と警告してゲーム業界に衝撃を与えた。ゲームの普及で日本の中学校、高校の校内暴力は沈静化。かつては校内のタバコの見回りが高校教師の冴えない日課だったが、タバコ代は通信費へとかわり、いまタバコを吸う高校生は希少種。ゲームは若者の反抗するエネルギーも吸い取る。中高生はおとなしくなり教師の仕事はやりやすくなった。部屋への引きこもりが増えた。基本的には学校教育のあり方が問われる事態だが、かつては部屋にいてもすることはなく、引きこもる誘因がなかった。

History Literacy　現代の『風説書』(NHK、BS1 の『ワールドニュース』『世界のトップニュース』など) に定期的に目を通したい。

c. 結果

- 南京条約 (1842)

  上海、寧波、福州、厦門、広州　＊1

  └ いずれも長江以南の沿岸部、福建・厦門は貧しい地域

  公行の廃止

  イギリスに香港島割譲

  賠償金支払い

  アヘンに関する取り決めなく、アヘン密輸とまらず　＊2

- 不平等条約の締結

  五港通商章程 (1843) で領事裁判権喪失

  虎門寨追加条約 (1843) で不平等条約になる　＊3

  　領事裁判権、関税自主権喪失を追加

  望厦条約 (1844)　対アメリカ

  └ この時「合衆国」と漢訳

  黄埔条約 (1844)　対フランス

②アロー戦争

a. 原因

- 南京条約によるイギリスなどの利益不十分　＊4

  └ 期待していた綿布輸出伸びず

- ロシアの南下への牽制

  └ ユーラシア大陸全体でのグレート・ゲーム (英露の対立) の一環

- 清朝の南京条約不履行

  └ 根強い中華思想、公使の北京入城拒否

- アロー号事件

  清朝の官憲によるアロー号の検問、中国人乗組員逮捕　＊5

  └ イギリス船籍

- 広西省でのフランス人宣教師殺害事件

PROPOS　＊1

上海は 1842 年開港。当時はまだ寒村。1845 年に租界 (中国の領土だが行政権が及ばない地域) を設置。以後、租界は中国の主権の及ばない列強の植民地となる。欧米人が広州から移動、上海は急速に発展。

PROPOS　＊2

いま「アヘン戦争」として知られるが、当時のイギリスはアヘン問題と戦争の関係を隠そうとした。南京条約交渉でもイギリスはアヘン問題に言及しなかった。戦争後、アヘンの密貿易は加速度的に伸びた。

PROPOS　＊3

中国において領事裁判権など不平等条約が撤廃されたのは 2 次大戦中の 1943 年 (当時の中華民国が連合国の一員となったため) で、それまでこの条約に苦しみ続けた。

PROPOS　＊4

イギリスの機械製綿織物は売れなかった。チャイナの伝統的な農村家内工業で作られる良質で安価な綿織物、いわゆる南京木綿の需要が根強かった。イギリスの製品は薄手の高級なものが多く現地の需要にあっていなかった。またイギリス商人にとり言葉だけでなく商慣習の違うチャイナでの商売は難しかった。現実には「買弁」と呼ばれた中国人商人の助けを借りた。のちに、外国に追随して自国の利益を損なう行為を「買弁的な行為」というようになる。

PROPOS　＊5

アロー号事件は口実。イギリスの言い分は香港籍の船 (英領) なのに清朝の官憲が臨検のために乗り込んできたこと。理由は何でもよかった。事件が広東でおこったにもかかわらず、英仏軍は広州を占領した後、華北に向かった。イギリスは華北、北京まで攻め上がることが必要だった。清朝当局と直接交渉をしたかった。またロシアの南下への対抗もあり、これはグレートゲームの一環だった。再交渉で経済先進地域、購買力のある市場—華中・華南を開拓した。

画蛇添足

▼いまの中華人民共和国。この国名の中に地名がない。これは中華思想の残滓。かつてのチャイナの国際秩序はいまの主権国家体制ではなく朝貢体制 (冊封体制)。チャイナの伝統的価値観 (儒教) に平等という関係がない。国家間にも対等の関係がなかった。▼朝貢体制を支えた価値観が華夷思想。世界の中心には中華 (チャイナ) があって、その周囲に文明の及んでいない野蛮な夷狄 (北狄、南蛮、東夷、西戎) があるという世界観。とはいえ現実に皇帝の力が及ぶ範囲は限定され、その外は辺疆と位置づけられた。本来は支配すべき地域だが、そこにはまだ影響力が及んでいない、という理解。潜在的に世界はすべて領土という考え方。▼現実にチャイナ周辺に位置する国はチャイナの王朝に朝貢してくることで君主としての地位を承認される (冊封される) との考えで運用されてきた。これまでチャイナで興亡してきた国には基本的に国号がなく、あるのは王朝名だけだった。名前は他との区別のための記号 (※)。すべてが潜在的に自国の領土であれば国号を持つ必要もない。▼中華思想では自分たちそのものが世界であるから、外国も国境も存在しなかった。役所で外務省にあたるものはなく、朝貢国との交渉は六部の一つ礼部が取り仕切ってきた。こういう地域が、アヘン戦争を通じて、主権国家体制という異なる国際秩序とすり合わさなくてはいけなくなった。▼清朝はアヘン戦争敗北を重大には受け取らなかった。現実には夷狄への敗北がよく起こる。しばらく飴を与えて懐柔しておく感覚で南京条約に調印。イギリスを夷として扱い、公使は交換せず首都北京に入れなかった。条約は国内法より優先する。この主権国家体制のルールに疎かった。

わんクリック　英領香港は自由貿易港として発展。世界で最も人口密度の高い街で、ビルが立ち並んだ。九龍半島の中心街に九龍城砦とされた無法地帯の魔窟—高層スラム街が発生。そうしたビル群の隙間にかつては空港があって、ビルの明かりを誘導灯代わりにすれすれに飛行機が離着陸した。それ自体が観光名物だった。世界一着陸の難しい空港だったが大きな事故はなかった。本州側の九龍から旅情たっぷりのスターフェリーで渡ったところが香港島。二階建てバスとケーブルカーに乗り換えればヴィクトリアピークに着く。そこから百万ドルの夜景が楽しめた。乗り物、建物好きにはたまらない街だった。

History Literacy　名前は区別のための記号—赤ん坊が親から学び、学校が教え続けるは名前という世界の分節方法。

b. 経過

・1856 ~ 1860 年、アロー戦争

└ クリミア戦争終了年

・イギリス、フランスの共同出兵

└ クリミア戦争で協力

・清朝の完敗

英仏両軍は北京近郊の白河（はくが）河口を攻撃

c. 結果

・1858 年、天津（てんしん）条約

└ 同年、日米修好通商条約　＊1

外国公使の北京駐在

清朝は総理各国事務衙門（そうりかっこくじむがもん）を設置 (1861)

中華思想の破綻による対等外交の開始 (条約締結国とのみ)

└ 中国で最初の外交事務官庁つまり外務省　　└ 朝貢国とは依然として礼部で応接

南京など 10 港を開港

└ 長江流域の経済先進地域

キリスト教布教の自由

└ 1727 年の雍正帝による禁止以来

アヘン貿易の合法化 (関税化)　＊2

└「洋薬」という名称

賠償金の支払

・批准（ひじゅん）問題で再戦

→英仏連合軍の北京占領、円明園（えんめいえん）破壊　＊3

→ロシアの調停で停戦

・1860 年、北京条約

天津条約に追加

中国人海外渡航の自由化　＊4

└ 以後、苦力 (クーリー) として海外へ

天津の開港

└ 南京は南京条約でなく天津条約で、天津は天津条約でなく北京条約で開港

九龍半島南端のイギリスへの割譲

PROPOS　＊1

天津条約締結のあと諸外国は日本との修好通商条約の交渉に入り、安政の 5 カ国条約が締結された (1858)。列強は第 2 次アヘン戦争を外交圧力として利用したが、日本は中国の経験から学びながら交渉できる地理的な有利さがあった。そのため条約回避から条約締結へと方針を変更できた。アヘンの取り扱いでも中国は天津条約でアヘン貿易を合法化されたが、日本は日米修好通商条約でアヘン禁輸と明記できた。ところで日本は国策として国内 (和歌山県が中心) でケシの栽培、アヘン生産を始め、世界一のアヘン生産国 (1930 年代) となる。

PROPOS　＊2

天津条約と北京条約は内容が同じ。アヘン貿易がついに解禁。「洋薬」という理由がつけられた。膏薬（こうやく）と理屈はどこにでもつく。太平天国の乱鎮圧で財政難に陥っていた清朝も貿易合法化に伴う関税収入を欲した。ますますアヘンが中国社会で蔓延。

PROPOS　＊3

ゲルマンの移動でも最も長距離を移動し、先々で先行文明を破壊した、という濡れ衣を着せられたのがヴァンダル人。そこから文化破壊のことをヴァンダリズムというようになった。本物の文化破壊はアロー戦争時の英仏連合軍によるバロック式の離宮円明園の略奪とその破壊。破壊は略奪を隠すためとみられている。映画『西太后』というプロパガンダ映画で映像化されて告発された。最近、オークションでこの時に略奪された芸術品が出品されるたびに、中国政府が高額で落札。取り返している。

PROPOS　＊4

アメリカの強い要求で、北京条約には外国人が苦力 (クーリー) を国外に連れ出す権利も織り込まれた。これによりアメリカは大陸横断鉄道建設の労働力を確保。鉄道の西半分の建設作業は彼らに多大な犠牲を強いることで作られた。枕木一本に、一人の中国人苦力が眠っているとされる。

画蛇添足

▼田舎に出かけて、延々と田んぼが広がる風景に「何もなかった」と感じる。そこには「田んぼ」が広がっているのだが、非日常を求めて旅している時には視界に入ってこない。▼五賢帝の 4 人目ピウス帝。凡庸な歴史教師の筆者は「特に何もないから覚えなくてよい」としてきた。名著の誉（ほま）れ高いギボン『ローマ帝国衰亡史』はその治世を「歴史に書き残す材料が少ないのが特徴」と記す。この時代は戦争もなく人びとは安心して暮らした。ギボンは先の言葉を最高の褒（ほ）め言葉として使った。▼筆者は戦争で領土を拡大した先々代のトラヤヌスを記憶させてきた。「無事、これ名馬」に気づかない。見慣れた田んぼがいつの間にか減少し、洪水や土砂崩れが起こって初めてそれが失われたこと、それがこれまで果たしていた保水機能などに気づく。▼歴史叙述とニュース記事は似ている。戦争、事件、事故など非日常、異常なことばかりを伝える。めったにテロが起こらないところで起こったテロは大事件だが、テロが日常茶飯になっている地域のテロはニュースにも歴史にも記されることがない。▼新聞の社会面。紙面を賑（にぎ）わす殺人、事故、汚職。ただこの社会面を毎日読んでいても、社会がこれらの要素だけで成り立っているとは思わない。それが外国や過去の叙述だったらどうだろう。言及されていることがどれくらいの頻度で起こるかを推測するのは難しい。▼史料にも当時の誰もが知っている当たり前のことは叙述されない。しかし時代が経って常識が変わるとそれが分からなくなる。私たちはその時代、時代の「当たり前」を知らなくて逸脱（いつだつ）事例ばかり示される。教科書を読むとはそういう経験 (※)。戦争にまつわることばかり叙述するのが教科書。

わんクリック　マキシーン・ホン・キングストン『チャイナ・メン』。帯の紹介文をそのまま引用したい。「アメリカを目指して海を渡った中国人たちがいた。鉄道建設や鉱山労働に従事し、アメリカの繁栄の礎を築いたが、深い沈黙の向こう側へと泡のように消えていった―。その末裔（まつえい）として生まれた女性作家が声なき声に顔と名前を与え、神話的に紡いだ一族の物語。」こういった人びとを「無名の人びと」として片づけてしまいがちだが、「無名」のままにしているのは私たち。「無名」の人びとの名前を掘り起そうとする仕事は文学者を中心に取り組まれている。犠牲者を数だけで表すのが歴史叙述の致命的欠陥。

History Literacy　「図」という逸脱事例ばかり読むと「地」の日常が想像できなくなる―教科書を読むことの陥穽（かんせい）。

頻発する地方反乱と「洋務」

①太平天国の運動

a. 原因

- アヘン戦争の出費と敗北による賠償金支払い
  →銀価高騰で農民の生活を圧迫

b. 経過

- 洪秀全（客家出身）が上帝会組織　＊1 ＊2
  └ 科挙落第生　　└ キリスト教的組織
- 1851年、広西省金田村で挙兵
- 太平天国と称して北上、長江流域に拡大、南京を占領天京と改称
  └ 古代の大同思想から「太平」、『聖書』から「天国」を借用した地上の天国「太平天国」
- 呼応して華北では捻軍の乱拡大

c. 政策

- 滅満興漢を提唱、辮髪廃止
- 男女平等を主張 ― 纏足廃止、女子の科挙採用　＊3
  └ 漢民族の封建的悪習、後進性の象徴として廃止が課題に
- 天朝田畝制という土地均分策、減租主張（実施せず）
  └ 地主の土地私有廃止、年齢に応じて平等配分

d. 結果

- 郷勇が鎮圧
  曽国藩の湘勇（軍）（湖南省）、李鴻章の淮勇（軍）（安徽省）など
- 諸外国の態度
  └ 英仏はアロー戦争開始（1856～60）
  当初、外国勢力は中立
  └ キリスト教を奉じる太平天国への期待感
  太平天国の上海租界攻撃、北京条約締結以後は鎮圧策に
  └ 条約を有効なものにするため
  ゴードン（英）率いる常勝軍（外国人義勇軍）の活動
- 太平天国内部の対立激化、新政策実施されず　＊4
  →内外の不信感、洪秀全自殺で太平天国崩壊（1864）

PROPOS ＊1

中国南部や東南アジアには客家と呼ばれる漢民族がいる。「他所からやってきた人びと」の意味。中原にいた人びとが戦乱を避けて南下。彼ら新参者に豊かな土地が残されている訳もなく、敵意に囲まれる山間地や未開耕地に定着。このことが客家の団結心に富む、強い尚武の精神を形成。概して保守的な漢民族の中で客家は進取の精神に富む。現在5千万人程度だが、中国近代史で重要な役割を果たしてきた。洪秀全はともかく、孫文、鄧小平など幾多の革命家を生み、李登輝（台湾総統）、リー・クワン・ユー（シンガポール建国者）などを輩出。

PROPOS ＊2

及第者以上に落第者を生み出しつづけた科挙。科挙落第者は政府に対して反感を抱きやすく、政府にとって「落第者というエリート」の処遇は各王朝の悩みの種だった。体制側にとっては落第者が反体制に変わるのが最悪のシナリオ。黄巣の乱の黄巣や太平天国の洪秀全がその代表例となった。

PROPOS ＊3

客家には貧しい土地しかない。女性も働かないと食べていけない社会で纏足がはいる隙はなかった。客家主体の太平天国で廃止。いまは欧米由来の皮革製のハイヒール文化にとって代わられた。足の加工なしで足を小さく見せ、背丈を高く見せるハイヒール「靴」。その強制を「苦痛」と訴えたツイートに「私も（Me Too）」とリツイートするKu Too（クーツー）運動が広がった。纏足、ハイヒールを美とみる力がどのようにて生まれ、一部の女性に受け入れさせたのか。そんなことも併せて考えてみたい。

PROPOS ＊4

洪秀全は幼少より優秀で村の期待を集めたが4回科挙に失敗。高熱で天命を受けたとイエスの弟を自称。皇帝打倒をめざした運動が別の皇帝を生み、理想とかけ離れた社会を作った。戦闘、権力闘争で膨大な人びとが命を失う（菊池秀明『太平天国』）。

画蛇纏足

▼歴史は時局の婢。中国近代史の評価はその折々の政治状況にリンクして変化する。他地域と違うのは中国で「近代」は植民地時代を表す否定的な言葉。それを乗り越えるのが「現代化」。その近代の中で例外的に評価されてきたのが太平天国運動。▼従来の農民運動と違い、滅満興漢のスローガンを掲げた民族運動、天朝田畝制度、纏足など悪習の撤廃などの革命運動、上海租界の攻撃など反帝国主義運動―そのような側面が共産主義革命の先駆として評価されてきた。これらの運動の延長線上に中国共産党による人民解放をみるのが中国の公式史観。▼天朝田畝制度は実施されなかった。理想にみえる平等政策だが実際は生産性を著しく減退させて皆が貧しくなる悪平等政策。そのことを中国は人民公社の失敗で学んだが、教科書には依然として残る。一度掲載されたものはどこかの大学が入試に使う限り、消去しにくい力が働く。▼徹底批判されたのが太平天国を鎮圧した曽国藩。清朝崩壊を救った英雄から最低の評価に転落。しかしいまの共産党が秩序、安定を重視して民衆運動を警戒するようになると、過去の民衆運動への評価も微妙に変化。最近では伝統文化を体現した人物として曽国藩の評価はむしろ高い。早晩、名称も「太平天国の乱」へ戻るのではないか。▼人間、歴史に関して中立の知識はない。時代のバイアスがかかる偏見でしかない。大切なのは教科書で学んだ偏見を根付かせず、自分で剥がして、次の偏見へと張り替えていくこと（※）。かつては家庭で襖と障子の張り替えを定期的にした。面倒だが張り替えた時の部屋の変化、いかに「黄ばんでいたか」と改めて気づき、張り替えてよかったと喜んだ―学ぶことの喜びでもある。

わんクリック　再評価著しい文人将軍曽国藩。家訓が「冷ニ耐へ、苦ニ耐へ、煩ニ耐へ、閑ニ耐へ、激セズ、躁ガズ、競ハズ、随ハズ、以テ、大事ヲ成スベシ。」（王陽明）。実際にそのように生きた野心のない人物とされる。優秀な科挙官僚。膨大な著述を残した。曽国藩期待の弟子が李鴻章。のちに西太后の目に留まり外交一般を取り仕切るようになる。日清戦争の講和に際しては清朝の全権、実質的な外務大臣として下関にきて伊藤博文と交渉にあたる。フグで有名な割烹旅館春帆楼に記念館があり李鴻章の書などが展示されている。その教養の高さに圧倒される。岡本隆司『李鴻章』『曽国藩』がお薦め。

History Literacy　中立の知識はない―学んだことはすべて偏見、それを根付かせず、次の偏見へと張り替えていく。

②洋務運動

a. 背景

・清朝正規軍（八旗・緑営）の無力さ、暴露

・太平天国の乱鎮圧に貢献した漢人官僚の発言力強化　＊1

└ 郷勇を指導した漢人地主

b. 経過

・同治帝（位 1861 ~ 75)、実権は西太后

・曽国藩、李鴻章ら洋務派官僚が中心　＊2

└ 常勝軍とともに太平天国の乱を鎮圧　└ 伝統的な科挙エリート

・中体西用　＊3

上からの近代化、旧体制延命策

ヨーロッパの軍事技術導入による富国強兵策

近代的軍隊創立、兵器工場、造船所設立など

└ 李鴻章の北洋海軍など

c. 結果

・清朝は一時安定し、同治の中興と呼ばれる

当時の国際状況（日本では明治維新期 1868 ~）

列強は内外で多事でアジアへの進出が弱まる

イギリス…インド大反乱 (1857 ~ 58) 後でインド経営専念

└ パーマストンに代わり小英国主義のグラッドストーン外交で圧力緩和

フランス…メキシコ出兵 (1861 ~ 67)、普仏戦争 (1870 ~ 71) の敗北

ロシア　…ポーランド独立運動 (1863)、ナロードニキ運動対処に忙殺

アメリカ…南北戦争 (1861 ~ 65) の戦後再建

・洋務派官僚による企業独占と軍隊の私物化

└ 軍閥の出現

・清仏戦争 (1884 ~ 85)、日清戦争 (1894 ~ 95) 敗北　＊4

→洋務運動の限界を露呈

PROPOS　＊1

この時代、満洲旗人は都市に居住して貴族化。使い物にならなかった。アジアの前近代社会では治安は正規の警察権力と反社会勢力の二元構造があった。チャイナでも自警組織が治安を維持。これが中国での黒社会の淵源。日本も昭和の後半まで国家組織とと反社会勢力の癒着構造を引きずる。

PROPOS　＊2

清朝滅亡後に中国は軍閥割拠状態となる。中国最初の軍閥が曾国藩の湘勇。曾国藩はこの軍隊を部下の李鴻章に譲る。李鴻章は洋務運動の中で淮勇の近代化を図ると同時に北洋海軍と呼ばれる中国史上最初の近代海軍を創設。清仏戦争時、南洋海軍は李鴻章の北洋海軍に援軍を求めたが、勢力温存を図る李鴻章は応じなかった。日清戦争時も李鴻章は当初から開戦に消極的。私兵的性格を持つ軍隊が壊滅すれば自らの権力基盤が失われる。ここに洋務運動の限界があった。日清戦争は日本対清国との戦争というよりは日本対李鴻章の北洋海軍の戦い。清朝に敗戦の実感は弱かった。戦後、南方の清朝打倒をめざす若者は日本留学。

PROPOS　＊3

かつて洋務運動と明治維新を比較して、「中体西用」の洋務運動では近代化できない、と結論づけた。日本の経済成長が著しく、そう見えた時期もあった。この比較はもはやナンセンス。「中国の特色ある」民主主義。あくまでも現段階ではこの現代版「中体西用」がうまく機能。歴史を切り取るスパンの長さで出来事の評価はいか様にも変化する。

PROPOS　＊4

ヨーロッパで誕生した主権国家体制がアジアに波及。清朝はロシアとの国境線画定交渉を通じて、冊封体制から条約体制へと柔軟に移行。まず冊封体制の枠組みを維持しつつネルチンスク、キャフタ条約を、次に条約体制を受け入れてアイグン、北京条約を締結。世界一長い国境線を確定させた。

画蛇添足

▼清朝末期に半世紀にわたって実権を握った西太后。咸豊帝の側室だがその死後、実子の同治帝と甥の光緒帝が幼少で即位したため「垂簾聴政」（幼少の皇帝に代わり御簾の裏で政治を執る）を行い実権を振るった (1861~1908)。▼その統治の前半は曽国藩・李鴻章ら漢人官僚による洋務運動を支持して同治の中興と言われる安定期をもたらした。概ね善政と評価されるが、晩年は保守化して清朝近代化の足かせとなり、晩節を汚した。▼男女を問わず権力者にありがちなこと。儒教の国で女性の評価は低く、その業績の評価にはジェンダーバイアスがかかる。競争相手の后の手足を切断して「生きダルマ」にしたなどと流布された西太后の残忍なイメージはまったくのフィクション。▼最近、西太后の評価が高い。肖像写真で残る西太后だが当時は宮中にいて直接知る人も少なくその実像は歪められて理解されていた。適確に日々の政務をこなして、地方からあがってくる上奏文には達筆で朱をいれている。政治家としての優秀さを垣間見ることができる。▼イギリスが中国を支配するためには、中国は腐敗堕落していなければならなかった。統治能力を失っていなければならなかった。西太后の悪人イメージはもっぱらバックハウス『西太后治下の中国』などイギリス経由で形成されてきた。▼とにかく中国近代史の人物に対する毀誉褒貶は激しい。権力と虚栄心の塊と悪評にまみれていた袁世凱の評価が最近は高い。他方で国父として尊敬されてきた孫文の評価は降下気味。本当の人物像は分からない。過去からは何でも切り取ることができるが全体は切り取れない（※）。知るとは誤解と心するしかない。しかし誤解が理解への入口にもなる。

わんクリック　チャイナ史で登場する女性は「傾国の美女」か「悪女」と偏っている。傾国の美女として褒姒、楊貴妃。悪女として則天武后、西太后。この取り上げ方で露わになっているのは男性の愚かさと偏見。筆者は男女にかかわらず、どの権力者にも感情移入したり、肩入れするつもりもない。則天武后や西太后にも個人的な思い入れはないが、改革者としてそれなりに支持があったから長期にわたり権力の座にいることができた、と考えるべきなのだろうとは思う。少なくとも、これを悪女扱いする世界史教育は、女性が政治に口を出すのはよくない、という儒教的観念を再生産することになる。

History Literacy　過去からは任意の部分をどのようにも切り取ることができるが、全体を切り取ることはできない。

ロシアの東方進出

・シベリア総督ムラヴィヨフの時代　＊1

太平天国の乱、アロー戦争に乗じて南下

アイグン条約 (1858) でアムール川以北を領有

北京条約 (1860)

アロー戦争を調停して、有利な国境線を画定

沿海州を領有 ― 対岸のサハリン (樺太) の戦略的重要性強まる

└ ウスリー江以東、60 余万平方キロでフランスの広さに匹敵

ウラジヴォストーク建設

└ 極東経営の基地 (軍事拠点)、シベリア鉄道の起点

イリ条約 (1881)　東トルキスタンの国境画定

日本の開国と明治維新

①「開国」― 日本という国家意識の形成

・1853 年、ペリー来航　＊2 ＊3

・1854 年、日米和親条約 ― 約 200 年続けた「鎖国」終わる

下田、箱館 (函館) の開港、アメリカ船への燃料・食料の供給 (通商は拒否)

・1858 年、日米修好通商条約

神奈川など 4 港追加開港、領事裁判権なし、のちに関税自主権喪失 (1866)

└ 文化の違う両国の摩擦回避のため　└ 当時の日本に不平等の認識なし

同年、蘭・露・英・仏とほぼ同じ内容の条約　＊4

→独断で結んだ井伊直弼への非難の高まりの中で大政奉還 (1867)

└ 天皇の許可なく締結したと尊王攘夷論高まる

・貿易拡大　輸出は生糸中心 (国内養蚕業発展)、輸入は綿織物など

②明治維新 ― 世界史上例のない王朝交代、復古の形で進めた近代化　＊5

・尊王攘夷派 (長州藩中心) 勢力拡大、薩摩藩も加わる (薩長連合)

・1868 年、明治維新

15 代将軍徳川慶喜は大政奉還を受諾、王政復古の大号令で新政権樹立

└ 土佐藩山内豊信らが提案、諸藩を統制できないと考えた徳川慶喜

戊辰戦争 (鳥羽伏見の戦い、江戸無血開城、会津落城、箱館五稜郭の戦い) で国内平定

└ 薩摩藩・長州藩らを中心とした新政府軍が旧幕府軍破る

PROPOS　＊1

西欧列強のチャイナ進出に懸念を抱いたロシア。極東地域のロシア領有を主張するために太平洋への出口、沿海州進出を本格化。問題は労働力不足。ロシア政府は近隣諸国からの移民受入政策を行った。シベリア鉄道建設が着工 (1891) されると多くの日本人移民がここに渡り住んでいた。

PROPOS　＊2

19c 後半のアメリカの花形産業は捕鯨。鯨油を求めてアメリカの捕鯨船が日本近海に出没。石油から灯油が精製されるまで、鯨油が明かりとりに必要だった (アメリカは 1960 年代まで－ 60℃まで凍らない鯨油をジェット機オイルとして使用)。の鯨は絶滅危惧種となる。アメリカは捕鯨活動のため薪炭と飲料水の補給基地を日本に求めた。黒船来航。メルヴィル『白鯨』の航海士から名前をとったのがスターバックス。日本上陸以来、街の喫茶店を駆逐し続けている。

PROPOS　＊3

幕末に外国船は頻繁に来航している。ペリーは開国を迫ってきた点で違った。無知で弱腰な幕府が開国させられた、は明治政府の作った物語。幕府は前年に『唐風説書』で来航を知り、浦賀にオランダ語通詞を待機させていた。江戸時代の武士は「日本」という国家意識を持たなかった。黒船に直面して日本という国家を意識しはじめる。

PROPOS　＊4

日米和親条約に続いて同年、日露和親条約締結。はじめて日本が国境を画定した条約。千島列島では択捉島とウルップ島の間で北千島と南千島に分け国境とした。これが「北方四島」(南千島) は日本領とする根拠。樺太は国境を決めず雑居地とした。

PROPOS　＊5

当時、知る人の少なかった天皇を持ち出して「復古」を掲げた近代化を推進。世襲身分制を一気に崩した。にもかかわらず内戦の死者は 3 万人程度と少なかった (※)。

画蛇添足

▼倒幕が成功したというよりは自ら瓦解したのが幕府。しかも見事な瓦解だった。崩壊する王朝としては珍しく最後まで優秀な幕臣が揃っていて開国、大政奉還、江戸無血開城などベターな選択を採ることができた。特権階級が自ら特権を放棄。▼日米和親条約のあと、交渉にきたロシアのプチャーチンと日露和親条約を締結した川路聖謨を描いた吉村昭『落日の宴』。幕末の高官は外国からの借款導入を考えずに幕末の危機を乗り越えた。なかでも幕末から明治前半にかけて外国から借金しなかった決断が光る。▼明治新政府も外資導入を考えなかった。▼同じ頃、恩恵改革、クリミア戦争期の外債導入を通じてオスマン帝国の半植民地化がすすむ。外資依存で衰退したオスマン帝国、エジプト、イランといった事例を他山の石とできた。来日したグラント元米大統領の強いアドバイスもあった。▼関税自主権を持たない国 (不平等条約対象国) は対外信用度が低い。国債は高い利率に設定しなければ売れず、外資導入は不利。明治新政府が代わりの財源として、安定度の高い歳入が見込める租税制度の確立に成功 (地租改正) したことも大きい。▼明治新政府がはじめて謁見した外国君主がオスマン帝国の悪名高いスルタンのアブドュルハミト2世。以後欧州派遣のたびに明治政府高官は彼と謁見。皇室外交も始まった。その一環で来日した軍艦エルトゥールル号が和歌山で遭難 (1890) した際は、地元漁民が救助した。▼このような関係にあったアジアの東西に位置する2つの君主政国家。オスマン帝国の方が先に憲法を制定しながら30年にわたる専制を招くなど異なった道筋をたどった。外債依存の有無が国家の明暗をわけた。今の財政規律が気になる。

わんクリック　鎖国政策で各藩は大型船―船の背骨である竜骨 (キール) を持つ造船を禁止された (大船建造禁止令)。北前船などの和船は平底だった。制限は開国で撤廃され、造船大国日本の歴史がはじまる。最初が「ヘダ (戸田) 号」(1855)。ロシアのプチャーチンが乗ってきた船が座礁して沈没。伊豆の戸田港の船大工により帰路のための船が作られたのが日本初の大型洋式帆船。オランダの造船技術を移転して長崎製鉄所 (造船所) が作られ (1861)、のちに岩崎弥太郎に払い下げられて三菱重工業長崎造船所へと発展。以後、150 年で世界一の造船国となった。その船舶のほとんどを 2 次大戦で失う。

History Literacy　比較することで理解は深まる―復古を掲げた近代化 (「明治維新」) の特殊性 (個性) が見える世界史学習。

③明治政府の三大改革 — 近代国民国家「日本」へ

- 学制公布 (1872) — 日本の学校教育制度の誕生
  小学校建設は自治体負担、学制一揆も
- 徴兵令公布 (1873)
  満 20 歳以上は兵役義務、当初の免除規定なくなり国民皆兵 (1889) に
- 地租改正 (1873)
  全国測量で地租納入者を確定 (農民を把握)、財政基礎確立
  └ 太閤検地以来、課税対象が収穫高から地価 (3% → 2.5%)、物納から金納へ

④「日本」の広がり — 近代国家のための領土確定

- 北海道開拓事業 (1869) — 内国植民地として発展
  ロシアの脅威 (南下) に備え北海道開拓使設置 (1869)　＊1
  蝦夷地を北海道として日本に編入、和人を屯田兵として移住　＊2
  └ 日本の外、異域　└ ロシアのコサックがモデル
- 廃藩置県 (1871) — 日本全土が政府の直接統治下に
- 日清修好条規 (1871) — 外国と結んだ最初の平等条約
- 台湾出兵 (1874) — 最初の海外派兵
  台湾漂着の琉球漁民殺害事件 (1872) を利用、清朝から琉球と無関係の言質
  └ 西郷従道が出兵、清朝に「殺された漁民 (琉球人) は日本人」と認めさせる
- ロシアと樺太千島交換条約 (1875)　＊3
  └ 樺太は気候が厳しく農業開拓に不向きと判断、放棄して千島と交換
- 小笠原諸島の領有宣言 (1876)
  └ 東京から南に 1000km、1830 年代まで無人島、欧米人が居住、開拓
- 琉球処分 (1879) — 450 年続いた王国が日本の県へ　＊4
  └ 廃藩置県の翌年に琉球藩設置　└ 廃藩置県に抵抗、行政処分で強制、事実上「併合」(※)
  琉球藩を沖縄県として日本の一部に編入　＊5
- 1889 年、大日本帝国憲法制定
  └ 明治維新の 20 年後、国内合意醸成がずれ込む
  自由民権運動の高まり、不平等条約改正のため近代国家の体裁必要
  天皇は無答責の立憲君主 (「神聖不可侵」)
  └ 天皇は内閣の輔弼どおりに裁可
  極端な権力分散 (行政は内閣と枢密院の二元性、立法も二院制)
  └ 天皇は無答責の存在、しかし天皇を超える存在を出現させない体制

PROPOS　＊1
日本の植民地政策の特徴は、西欧諸国のそれと違い、安全保障のために同心円的に支配を拡大したことにある。北海道開拓 (アイヌへの侵略)、朝鮮半島の植民地支配はともにロシアの南下への警戒が背景にある。

PROPOS　＊2
屯田兵—開墾 (北海道開拓) と兵役 (対ロシアの北方警備) を担当した公務員。維新で失業した旧士族の救済をはかる。最初は札幌の琴似に置かれた屯田兵。のちに旭川の第七師団 (陸軍最強ともされる師団) に発展。いま北海道住民の圧倒的多数は和人。ヨークの人が入植してニューヨークとしたように広島の人が入植して北広島とした。北広島市は広島県でなく、北海道にある。

PROPOS　＊3
交換条約後、ロシアは樺太を流刑地とする。流刑地樺太のルポルタージュがチェーホフ『サハリン島』(1895)。各国とも領土権主張のために実効支配が必要だった。

PROPOS　＊4
廃藩置県だが反発を恐れて琉球王国は琉球藩 (1872) とした。その後軍隊を派遣して首里城を接収、国王を東京に連行して沖縄県とした (1879 年琉球処分)。この「行政処分」で琉球は日本の一部、沖縄県となる。外国を併合しながら「琉球処分」と国内の出来事 (行政処分) のような事の本質を隠す命名。和人はあまり入植せず、琉球語を話す人びとに日本標準語 (東京の山の手の言葉) を強制する同化政策をとった。

PROPOS　＊5
琉球時代のあと、1879 ~ 1945 年の 66 年間と 1972 年沖縄復帰後の 50 年が沖縄時代。この間、沖縄は経済的にも苦しく (1920 年代のソテツ地獄)、台湾、ハワイ、ブラジルなどに多くの移民を送り出す。また内地の大和人 (ヤマトンチュ) との対照の中で、「沖縄人 (ウチナンチュ)」というアイデンティティが形成されていった。

画蛇添足

▼国家の求心軸として国王が果たす役割がある。しかし世襲される国王が常に普通以上の資質を持つことは期待できない。そこで国王の個人的な資質で現実政治が左右されることのないように立憲王政がとられた。天皇が直接政治に関する親政をしてこなかった日本。だから責任も負わず天皇制は長く続いた。権威と権力を分ける二権分立。▼明治天皇も自分が「君臨すれども統治せず」の存在と了解して憲法を発布。憲法制定までの天皇は専制君主、制定後が立憲君主、ではない。当初から明治天皇は立憲君主。明治憲法は形式上は欽定憲法だが現実には立憲王政的運用がなされている。▼憲法で天皇は神聖不可侵と書かれているが、現実には天皇も内閣など同じく国家機関の一つで天皇の政治的権限は限定的だった。これを天皇機関説という。天皇は政治責任が生じて権威が傷つくことがないように政治に関与しない。立憲君主体制における君主は「無答責性」を持つ。その表現が「神聖不可侵」。伝統的に立憲君主国の憲法で使われてきた表現。▼このことが一般の人に理解されていない。密教的運用がされてきたからである。一般大衆は知らなかったが知識人は知っていた。公務員試験は天皇機関説で答えないと合格できなかった。明治憲法には、一般大衆向けに天皇は絶対君主と説かれる顕教的側面と、知識人向けに立憲王政と理解させる密教的側面があった。▼明治憲法は万歳の発声で発布。全員で声を揃え、同じ動作をすることで「私たち」の一体感を確認する動作。しかし昭和に入り「天皇万歳」で国民に命を捧げてもらう必要が生じると天皇が国家機関では不都合となり密教的運用は封印された。これは事実上の明治憲法の改正だった。

わんクリック　仏教の密教。釈迦の上位に大日如来を置き、釈迦が言葉で説いた教えの他に宇宙の根本仏—大日如来から直接その法力で伝えられる秘密の教えがあるとする密教。そしてこの秘密の教えの方が重要とした。戦前の日本では、尋常小学校では天皇は現人神と教えて、旧制高校以上のエリートに対しては天皇機関説を教えてきた。 現人神と天皇機関説の戦前の「二重構造」(久野収「日本の超国家主義」『現代日本の思想』)。いまも基本的人権に関して中等教育 (顕教レベル) では「天与の権利」と教えて絶対視させて、高等教育 (密教レベル) では必要なフィクションとして作られたものと教える。

History Literacy　侵略者側の呼称「琉球処分」「開拓」を心で「琉球併合」(開拓の苦労も思いつつ)「侵略」と理解する。

蝦夷・樺太・千島列島 ― 北方社会のアイヌ

①アイヌとは　＊1

└「アイヌ」は「人間・ひと」を表す言葉（アイヌ語）

・アイヌモシリ（人間の住む大地）に居住 ― 和人にとり蝦夷地の先住民

17～9世紀には北海道、サハリン（樺太）、千島列島、東北の一部に居住

・狩猟、漁労が生業（ヒエなどの農耕も）、大陸や本州と交易

└熊、エゾシカ、サケ、マスなど、アイヌ独自の食文化である鮭漁や鹿猟

・川沿い海沿いに数十の住居（チセ）からなる集落（コタン）

・無文字社会、言語はアイヌ語

└世界史は国家を形成して文字資料を残した集団を叙述対象にする

②和人とのかかわり ― 松前藩による間接統治

・和人（当時は幕府）は当初、アイヌに関心を持たず

・商場知行制（あきないばちぎょうせい） ― アイヌと松前藩の対等の交易

幕府よりアイヌ交易の独占権（17c）

└米がとれず石高制がとれないため

松前藩は一定地域（商場）での交易権を知行として家臣に付与

・場所請負制 ― アイヌ伝統社会の崩壊

海産物（ニシン、干しアワビ、昆布など）の需要増大

└干しアワビは俵物（たわらもの）としてチャイナに長崎より輸出、ニシンは搾って〆粕（しめかす）として肥料

→家臣は商人に下請（場所請負制）して運上金（うんじょうきん）徴収

→商人はアイヌを雇用労働者として使役

→アイヌの伝統社会が崩壊、生活基盤を失う　＊2 ＊3

・クナシリ・メナシの戦い（1789）　＊4

└国後（クナシリ）、目梨（メナシ、知床半島）のアイヌの蜂起

場所請負制で追い詰められたアイヌの最後の抵抗

→幕府による蝦夷地支配の本格化

└松前藩の支配ではロシア南下を抑えられないという危機感

幕府は蝦夷地の直轄支配に乗り出す（1802、1807、1885）

→幕府の財政悪化

PROPOS　＊1

アイヌは自然や物などすべての物に魂が宿っていると考え、それらを人と区別してカムイ（神）と崇（あが）めた。例えばコップ。人は手に水を貯めておくことができない。その代わりにやってくれているという発想。魂が宿るものとして大切に扱う。違うモノの見方。文化が失われるとはこういう考え方も失われていくこと。その一方で、一般的にアイヌ文化表象に際しては枕詞のように「深い精神性」と記される。これは「『聖化』」と呼ばれる差別の一類型」（内藤千珠子（ちずこ））という指摘もある。また「自然と共生するアイヌ」言説が、近代の物質文明批判の商品として消費される傾向もある。

PROPOS　＊2

田沼意次の改革で幕府が金銀の海外流出を抑える俵物（干しアワビ、フカヒレなど）の輸出をはじめると、産地の蝦夷地が重要になった。松前藩は武士が交易に従事する（商場知行制）からプロの商人にアイヌと直接交易させて代わりに税をとる場所請負制に変えた。これがアイヌ社会を激変させた。

PROPOS　＊3

場所請負制で商人はアイヌを漁場に集めてニシン漁、それを搾って〆粕にする労働者として使役した。アイヌは川の流域のコタンから、海岸沿いの漁場の近くに集住させられた。そのため伝染病がはやり、人口激減、生業の狩猟漁労もできなくなる。

PROPOS　＊4

コシャマインの戦い（1456）、江戸時代最大のアイヌと和人の戦い―シャクシャインの戦い（1669）などが鎮圧される中でアイヌが松前藩の支配下に入っていく（以前の教科書は日本の領土でなかったのに「シャクシャインの乱」と「反乱」扱いだったのが「戦い」表記になる）。クナシリ・メナシの戦いを松前藩の統治の失敗とみた幕府は蝦夷地の直轄支配に乗り出す。この直後（1789）にラクスマンが根室に来航（1792）。アイヌとロシアが結ぶことを幕府は恐れた。

画蛇添足

▼いまの北海道はかつてはアイヌの居住地「アイヌモシリ」。和人（幕府）は領土外と認識して蝦夷地としていた。米による年貢収入に頼る幕府（農本主義）にとり米がとれない蝦夷地への関心は薄かった。幕府がこの地の領有を意識し始めたのは18世紀のロシアの南下がきっかけ。▼明治新政府はこの地を北海道として日本領に組み込んだ。その国際的承認のためには和人が移住して土地を使用している先占の実態が必要になる。アイヌの生業、狩猟採集の舞台を「無主地」扱いとした。とはいえ札幌（乾いた大きな川（サッポロペッ））以北は原野、冬は酷寒の地。そこに和人を屯田兵、あるいは民間の開拓民として入植させた。いまも北海道各地には碁盤目状の屯田兵村が残る。▼世界史的に「開拓」とは土地所有権を持たない狩猟採集民、遊牧民が暮らすところ、あるいは農耕社会でも「入会地（共有地）」を持っていたところに、「近代的土地所有制度」を導入する形で土地を収奪していくこと（土地の合法的強奪）。入会地―コモンズ（Commons）の消滅。狩猟採集民の世界は人口希薄（生産性が低いので一人あたりの生存に広い土地が必要）。土地所有概念はない。そこに文明（生産性が高い農耕社会）が接した時に悲劇がおこる。▼アイヌには移住、転住を強いた。アイヌ人口は約2万人で変わらないが、幕末に約8万だった和人の人口が20世紀初頭には約１００万となりアイヌは人口で少数派となった。激しい差別をすることで同化を迫る圧倒的存在に対して、抵抗する人びともいれば、激しい差別から逃れて生き残るために適応を選んだ人びともいる。その偏差はどのような集団でも見られる。いまアイヌのアイデンティティを掲げるとは奪われた自己の尊厳を回復することでもある。

わんクリック　差別問題を扱っていないとの批判もあるが、アイヌ文化への関心を高めた野田サトルのマンガ『ゴールデンカムイ』。この作品のアイヌ語監修を務めた中川裕『アイヌ文化で読み解く「ゴールデンカムイ」』と併読するとよい。歴史叙述は基本的に文字表象との立場から本書は文字のみの使用だが、マンガでしか描けないものもある。分からぬことが多い歴史は余白を残せるマンガと相性がよい。ただし強いデフォルメが漫画の強さでもあり弱さ。背伸びして内藤千珠子（ちずこ）「ヒロインとしてのアイヌ」『思想』（2022.12.）もよい。ゴールデンカムイに潜む差別の構造を摘出。人文科学が必要だと分かる。

History Literacy　アイヌ民族であり日本国民であることは、ヤマト民族（和人）であり日本国民であることと同じ。

③明治新政府による「北海道」開拓 ― 日本の植民地支配

a. 北海道開拓 ― 開拓民の苦労、開拓で追いやられたアイヌの悲劇

・1869 年、開拓使設置、蝦夷地を北海道と改称

└ 日本の外部 └ 日本の一部

・1871 年、戸籍法制定

アイヌは日本国の「平民」に編入、「旧土人」と併記

└「旧土人という国民」と扱われ、「先住民族」の配慮はされず

・1874 年、屯田兵制度 (和人が屯田兵として開拓)

・1875 年、千島・樺太交換条約 ＊1

アイヌ居住地の分断、アイヌの頭越しに日露間で領土変更

・1877 年、北海道地券発行条例

土地所有権不明地 (アイヌが共同で使っていた土地) を官有地に編入

└ その土地の払下げで多くの東京の不在地主が生まれる

→アイヌは生活基盤を喪失、貧困化

狩猟、漁労、山林伐採の権利失い、従来の生活が困難に ＊2

└ シカ猟禁止、川でのサケ・マス漁禁止 (1889)

アイヌ文化は尊重されず、和人の文化への同化を余儀なくされる

b. アイヌに対する同化政策 ― アイヌの内国化政策

・1899 年、北海道旧土人保護法制定 (～1997)

アイヌに農業を強制、土地分与 ＊3

└ 農業適地には既に入植者、湿地や傾斜地などの荒地が分与

日本文化、日本語強制、風俗の禁止など同化政策

└ 男子の髪、ひげを切らずに伸ばす風俗、女子の刺青などの風俗が禁止

・貧困化するアイヌに対する和人の蔑視観、差別意識

→アイヌへの強い同化圧力

└ 厳しい差別から逃れるため離散、同化 ― 内地への出稼ぎ、移住、和人との結婚など

④アイヌのいま

・アイヌの人々の先住民族としての権利回復を求める運動

・1997 年、旧土人保護法廃止

・2007 年、国連総会「先住民族の権利に関する国際連合宣言」採択

・2008 年、日本政府はアイヌを先住民族と認める

・2019 年、アイヌ民族支援法 (アイヌ新法) 成立 ＊4

PROPOS ＊1

この条約で樺太のアイヌは強制的に石狩川沿岸に移住、北千島のアイヌはロシア移住を余儀なくされた。樺太全域にいたアイヌはロシア領と日本領に分断。近代国家の国境画定は常に先住民の分断を伴った。

PROPOS ＊2

アイヌの主食はシカとサケ・マス。しかしアイヌ独自の食文化である鮭漁や鹿猟の権利が奪われ (仕掛け弓や毒矢の使用の禁止など)、農業で穀物からタンパクなどを取る生活の変化を強いられた。これに身体が適応できず、シカ猟のために山に入ると不法侵入、寒いから焚き火をしようと木を拾うと窃盗、川に行って上ってくるサケを捕っても密漁。アイヌの生活は不安定化。国際社会の捕鯨禁止に「日本文化を守れ」と憤る和人がアイヌのサケ漁は許さない。

PROPOS ＊3

アイヌにも土地が与えられたが、それは狩猟採集民を農耕化させる政策。アイヌはこれに適応できなかった。農業を生業とする和人の開拓民ですら冷涼な北海道で苦労して酪農に切り替えたのに、農業をしてこなかったアイヌ、しかも生産性の低い土地しか与えられず、うまく生計を立てられるはずがなかった。「保護」をうたう差別的立法。「旧土人」表記で仕事は断られた。

PROPOS ＊4

日本政府はアイヌを文化を持った存在として認めず、その保護をしてこなかった。それはさておき、展覧会「木彫り熊の申し子 藤戸竹喜(ふじとたけき) アイヌであればこそ」でのアイヌの彫刻家の作品を見て鳥肌がたった。どうしてこの人が知られていなかったのか。ミケランジェロよりすごい。「自然保護」という人間中心の考え方でなく、自然と共生してきた文化を破壊した取り返しのつかなさ。それが読後感になるのが宇梶(うかじ)静江(しずえ)『アイヌ力(ちから)よ！』。少数文化がどのように壊されるのか、どのように差別されてアイヌ語を口に出せなくなるか分かる。

画蛇添足

▼「かつての北海道では、アイヌ語を身につけずに一人旅をすることは不可能だった。ところが、今日ではどんなことでも日本語で済ますことができ、ゲストもホストの大方も和人である。この状況に疑問をいだかせない仕掛けが、過去の物語というスタイルである。」(北原モコットゥナシ「神秘と癒し―アイヌ文化発信の陥穽」『記号化される先住民／女性／子ども』) 疑問を抱かせる過去の語り方の探求が歴史教育に課せられた課題。▼ようやく保護の対象となると「もうアイヌ民族などいない。いるのはアイヌ系日本人」といった非難めいた発言が和人(※)の間から出てくる。そこまで追い詰めたのは誰なのか。「純粋なアイヌ人」の発想も問題。今日(こんにち)「純粋な民族」など存在しない。アイヌとオホーツク人、和人との通婚が進んだ。「純粋な和人」も存在しない。和人も様々な集団と通婚して混血を繰り返している。▼民族は主観的に自分がどこに属するかの帰属意識の問題。それは多数派(和人)文化側からの同調圧力がある中で様々な形をとる。アイヌ文化を継承してアイヌとして生きる人もいれば、アイヌのアイデンティティは持って生きる人、持っていても触れずに生きる人、和文化に同化して生きる人―と様々だろう。日本語を使用しなければ生きていけない。生存のために変容を余儀なくされた文化である。▼グラデーションは和人も同じ。和人も伝統文化の継承に苦慮している。「和文化教育」までである。近代においてどの集団も所属民族文化に対する距離感は様々だが、文化はその継承に危機感を持った人びとによって継承されてきた面がある。関心がなくともそういう人びとを支えたい。特に危機に瀕する少数文化は保護がなければ消滅する。

わんクリック いまどれほどのアイヌがいるのか人口統計にはあらわれない。かつてのチャイナの人口統計と同じで、差別のためや政府に把握されてよいことがない反映。自己申告数は約2万5千人。北海道―日高、胆振(いぶり)地方、次いで首都圏に多い。アイヌと和人の交雑は進んだので姿形(すがたかたち)などでは両者の区別はつかない。問題は生活基盤の喪失、差別などから生じた生活格差 (生活保護受給世帯数) や教育格差 (大学進学者数)。ようやくアイヌを「先住民族」と明記したアイヌ新法が制定された (2019)。文化振興が中心 (博物館が作られた) で先住権 (土地、狩猟採集権など)、自決権などには触れていない。

History Literacy 多数派の有標化表記 (「和人」)―特権集団 (民族性を意識しなくてよい) が特権性を自覚するために必要。

朝鮮の開国

①開国前後の李氏朝鮮

- 大院君が摂政として実権 (1863 ~ 73)
  - └ 幼少の国王高宗 (11 歳で即位) の実父
  - 徹底した鎖国攘夷策、明治新政府の国交再開要求を拒否 ＊1
  - └ 平壌付近に侵入したアメリカ船の焼き打ち (シャーマン号事件) └ 日本で征韓論台頭
- 閔妃が政権掌握 (1873) し、大院君失脚
  - └ 高宗の親政開始で王妃の一族が実権掌握

②朝鮮の開国

- 1875 年、江華島事件 ＊2
  - 日本の軍艦雲揚号の江華島での挑発行為に守備兵が発砲
- 1876 年、日朝修好条規 ＊3
  - 朝鮮の独立、釜山、仁川、元山の３港の開港
  - 治外法権、無関税などの不平等条約

日清戦争と朝鮮をめぐる国際情勢

①壬午事変 (1882) ＊4

- 軍隊の反閔、反日クーデタ (大院君を擁立)
  - └ 開国による大量の米流出による米価高騰で生活が困窮 (特に軍人)
- 清朝 (洋務運動中) が出兵して鎮圧
  - →清朝の宗主権強まる、閔妃政権復帰 ＊4
- 乱後の情勢
  - 事大党 (閔妃) と開化派 (金玉均) の対立
  - └ 清の洋務運動をモデル、親清派　└ 日本の明治維新をモデル、親日派

②甲申事変 (1884) ― 朝鮮の近代化の試み失敗
　└ 清仏戦争勃発が契機 ＊5

- 金玉均がクーデタ、失敗
  - └ 明治維新をモデル　└「三日維新」で金玉均は亡命 (暗殺される)
- 清軍の出兵

PROPOS ＊1
列強が開国を迫る中で大院君は頑なな鎖国攘夷策をとる。明治新政府が送った国書で日本が「皇」「勅」の字を使ったことに反発。開国を拒んだ。清朝冊封体制下で両語を使えるのは中国皇帝のみだった。

PROPOS ＊2
日本の軍艦雲揚号が漢江河口の江華島付近で飲料水の補給を求めて上陸しようと挑発。朝鮮守備軍から砲撃されると雲揚号は応戦 (江華島事件)。米英仕込みの砲艦外交。ペリーの東京湾侵入と同じ国際法違反。雲揚号は飲料水の補給をせずに長崎帰港。

PROPOS ＊3
日朝修好条規の交渉日が 2 月 11 日。沖で停泊していた日本の軍艦は紀元節を祝う名目で空砲を轟かせる圧力をかけて交渉。第一項の朝鮮の独立は清朝宗主権の否定の意味。条規は日朝修好条規、日清修好条規の２つだけ。条規と条約は同じ意味。日本は treaty を「条約」と訳した (和製漢語) が漢語に「条規」があり漢字文化圏間での treaty の和訳には「条規」が使われた。

PROPOS ＊4
政権に復帰した閔妃は事大党 (親清) 勢力を形成。事大とは「大に事える」の意味 (出典『孟子』だがここでは福沢諭吉が侮蔑的に使った)。日本の半島政策は後退。壬午の軍乱で公使館を焼かれた日本への謝罪のため金玉均らの使節団が来日。金玉均らは日本の近代化を実見。近代化の必要性を痛感。また福沢諭吉ら日本のアジア主義者らが彼を援助。帰国して開化派の中心的存在になった金玉均が清仏戦争 (1884) を機会にクーデタを決行したが失敗。日本公使館は再び焼き払われる。甲申事変失敗後、失望した福沢諭吉は「脱亜論」に舵をきる。

PROPOS ＊5
清仏戦争 (1884~5) は仏領インドシナ形成のきっかけ (仏)、洋務運動の無力化を露呈 (清)、甲申事変の引き金 (朝鮮) となる。

画蛇添足

▼「琉球併合」後、沖縄の人びとは「日本人」になろうとした。「朝鮮人」「台湾人」も「日本人」になろうとした。国民国家への同調圧力は周縁にいる者にほど強く働く。新参者はオールドメンバーより忠誠心を見せる必要がある。▼古参メンバーは自分がその集団に帰属していることを証拠だてる必要はない。自分は「非国民」とうそぶくスタンスすら楽しめる。それに対して後者は集団への献身を示さなくてはならず過剰適応が強いられる(※)。戦争末期、沖縄の人は玉砕した。本土侵攻があったときに、はたして本土の人間は国家のために自死を選んだか。玉砕は沖縄だから起こったことではないのか。そのような問いがある。▼在日韓国人でコンサルタントのシンスゴは会社を立ち上げた時、「日本名」を使えば仕事が受注できるのに使わなかった。そのため社員にしわ寄せがいったという。アメリカで同じホテルに予約を入れようとしてもユダヤ系の名前の場合は「満室です」と返答される率が高いという実験結果がある。かつての日本社会にも「本名を使っても何ひとつよいことがない」と感じさせる差別構造があった。▼琉球併合後、生徒に淀みのない日本語を身につけさせようとした教師がいた。方言を使った生徒の首に「方言札」をかけることを強制した。琉球方言を引きずっていたらこの子達の将来はない、と考えた熱心な教師たちの行動でもある。国民化には「実利」が伴っていた。しかしこの「善意」は「内なる善」(シンスゴ) であって結果的に既存の社会構造の強化に繋がってしまう。「方言札」をいまから「おかしい」というのは簡単。いま私たちの社会に「内なる善」の「方言札」が残っていないかの自己点検が必要。

わんクリック　国王高宗が優柔不断で、保守固陋な大院君と野心家の閔妃が権力争い。支配者階級の両班は現実離れ、統治能力を失っていた。このように、他王朝末期を批判する時と同じ筆致での叙述が難しい。自然科学の記述とは異なり、歴史の叙述には話者の国籍が関係。「国境なき歴史教育者」となれない。そもそも朝鮮王朝末期の政治状況が日本の朝鮮植民支配を正当化する理由にならない。当時の日本の関心事はロシアの南下に対する自国の安全保障。そのため隣国朝鮮に防波堤の役割を期待。その近代化が日本にとり必須と思い込んだ。その達成 (甲申事変) が失敗したから内政干渉するという論理をとった。

History Literacy　組織では言いにくい本音を新参者に代弁させるメカニズム (新参者にとっては過剰同化戦略) が働く。

③天津条約 (1885)　＊1

・伊藤博文と李鴻章が両国軍の撤兵、将来の出兵時の事前通告を約束

④甲午農民戦争 (1894)

・農民が地方官 (古阜郡守) の圧政に抗議して蜂起 (反封建農民運動)
・全琫準が指導、全羅道の中心地全州を占領
・指導者の多くが東学党関係者
　└ 崔済愚が創始 (1860) した民族宗教、西学 (キリスト教) に対して東学
・閔妃政権は清朝に出兵依頼
　→日清両軍 (清 2500、日本 8000) の出兵
　　└ 日本は居留民保護のためとして首都に出兵 (いまも外国出兵の理由づけに使われる)
　→農民軍は政府と全州和約で反乱終結
・両軍は駐兵理由消滅するが撤兵を拒否
　→日本は内政改革要求、王宮を占領、大院君を擁立 (親日政権樹立)
　　└ 朝鮮を近代化することで西洋の植民地化を止めたい ―「日本の類焼を予防」(福沢諭吉)

⑤日清戦争　＊2

・1894 年、日本海軍は黄海の豊島沖で清朝海軍を奇襲
　└ 大院君からの要請という建前
・平壌会戦、黄海海戦で日本の勝利　＊3 ＊4

⑥下関条約

・日本側全権－伊藤博文、清朝側全権－李鴻章
　└ 伊藤は故郷長州 (山口) で見せ場を作る
・清朝は朝鮮の独立を承認
　└ 朝鮮が清国の属国である限り近代化は不可能との認識
・清朝は遼東半島、台湾、澎湖島を日本に割譲
・賠償金２億両 (テール) の支払い
・開港場の増加と租界での製造業設立権 (資本輸出条項)　＊5

⑦日清戦争の影響

・「眠れる獅子」清の弱体ぶりを暴露
・列強の中国侵略のきっかけ
　└「中国分割」という表現は過度で不適切
・日本とロシアの対立深化
　三国干渉で日本の対ロシア感情悪化

PROPOS　＊1

天津条約は３つ。1858 年 (清・英仏米露間) はアロー戦争講和条約。1885 年 (清・仏間) は清仏戦争講和条約。1885 年 (清・日間) は甲申事変後の両国軍撤退を約束した条約。実際に東学党の乱が起こると、清軍が乱が起こった全州に向かったのに対して、日本軍は根本的に朝鮮政府の「内政改革」が必要、と首都ソウルに向かった。

PROPOS　＊2

日清戦争は日本と李鴻章の北洋海軍の戦い。清朝側に李鴻章失脚を願う勢力もいた。清朝に敗戦国の意識はない。勝敗を決めたのは明治維新と洋務運動の差と当時は理解され､戦後は多くの清国留学生が来日した。梁啓超、孫文、汪兆銘、蒋介石など錚々たる顔ぶれ。欧米文明を漢字に翻訳して吸収した日本で学ぶのが合理的と考えられた。

PROPOS　＊3

1895 年西太后の還暦を祝賀するために、殺伐とした華北に西太后の故郷である江南の山紫水明を再現する意図で作られたのが頤和園。日清戦争に使うべき軍費は造園費用に流用、清軍の士気喪失を招いた。

PROPOS　＊4

日清戦争の戦死者は千人程度だがその10 倍の病死者がでた。清国でコレラ、赤痢などの感染症が蔓延。兵士を帰国させる際、後藤新平は瀬戸内海の似島に検疫所を作り、全帰還船を島で検疫して患者を隔離。

PROPOS　＊5

下関条約第６条で開市・開港場で日本人が「自由ニ各種ノ製造業ニ従事スルコト」(資本輸出条項) を認めさせた。これは最恵国待遇ですべての国に認められた。帝国主義時代に入り資本の投下先を探していた列強にとり、賠償金支払いの借款を必要としていた清朝は一石二鳥の資本の輸出先。列強は、資本を貸して利子を取り、その担保として鉄道敷設権や鉱山採掘権を獲得して資本輸出のビッグプロジェクトを獲得。

画蛇添足

▼戦勝国は敗戦国から賠償金を取り立てた。賠償金は被害者が加害者から受け取るもの。侵略された側がさらに賠償金を課せられるのはひどい話だが、歴史とは勝者の記録。そこで読者がひっかかることないように叙述されている。▼川で水を飲んでいた子羊が上流で飲んでいた狼から「お前のせいで水が濁った」と難癖をつけられる。子羊が「私はあなた様から20歩以上も川下ですから、あなた様の水を濁すわけがありません」。いや「おまえはおれの水を汚した」さらに狼は「それに1年前、おまえはおれの悪口を言った」。「どうしてそんなことができましょうか？私は生まれてもいないのに」子羊は続けた。結局、子羊は狼に食べられた。かつて子どもはこういう動物寓話から現実を学んだ(※)。勝てば官軍─強者の理屈はいつも正しかった。▼近代で最も賠償金に苦しんだ中国。アヘン戦争､アロー戦争､日清戦争､義和団事件。累積した賠償金支払いを中国は1940年代までかかって完済。日清戦争賠償金2億両は清朝の国家財政の3年分。払える額ではなく、全額を列強からの借款に依存。その借款の担保に鉄道敷設権、鉱山開削権などを与えた。賠償金支払いが中国の半植民地化のきっかけとなった。▼日中戦争後、冷戦、国共内戦再発という国際関係の中で中華民国の蒋介石は「以徳報怨」─徳を以って恨みに報いよ、と対日賠償権を放棄。日中国交回復後、中華人民共和国もこれを継承した。日本は日清戦争での賠償金で資本主義へ離陸したが、満洲事変から日中戦争において中国に与えた甚大な被害に対して正式には賠償金を払っていない。日本はその代償に多額の政府開発援助（ＯＤＡ）を続けることで中国の経済発展を支援した。

わんクリック　蒋介石は日本から賠償金をとり国家再建に使いたかった。しかし冷戦が進行する中で、アメリカの無賠償方針に逆らえずこれに同調。日本が中華民国 (台湾) を正統な中国と支持したこともあった。中華人民共和国も賠償放棄を継承。負い目を持った日本はODA を提供。これが戦後の中国の国づくりに貢献した。ただこれは感謝されるものではなく事実上の戦後賠償。個人の生き方は「かけた情は水に流せ、受けた恩は石に刻め」でよいが国家間レベルでは別の論理が必要。この経緯を日中双方の国民が理解しておいたほうがよい。米ソ核軍縮も一時、「信頼せよ、しかし検証せよ」で進んだ。

History Literacy　子供への動物寓話の影響力は大きい―それは寓話の力なのか、動物の力なのか。

⑧中国侵略の進行

a. 背景

・日清戦争における清朝の敗北

b. 利権獲得の方法

・清朝に対する借款供与

└ 清朝は日清戦争の賠償金を列強からの借款に依存

・鉄道敷設権、鉱山採掘権の獲得

・租界(外国人居留地)の拡大、勢力圏の設定と不割譲条約締結

c. 中国侵略の内容

・1895年、三国干渉　＊1

日本の遼東半島進出阻止のためロシア、ドイツ、フランスが干渉

└ ドイツ皇帝は黄禍論(黄色人種の脅威に白人の協力を説く)主張　＊2

日本に遼東半島を清朝に返還させる

・1896年、ロシアは東清鉄道敷設権獲得

遼東半島南部租借(1898)　＊3

シベリア鉄道建設の一環

1891年着工－1904年東清鉄道経由開通、1916年全線開通

└ 露仏同盟　　└ 日露戦争

・各国の租借地、勢力圏

	租借地	年代	勢力圏
ロシア	旅順・大連	1898	長城以北
ドイツ	膠州湾	1898	山東半島
イギリス	威海衛・九龍半島(新界)	1898	長江流域
フランス	広州湾	1899	広西省
日本	(旅順・大連)	1905	福建省

・1898年を中心に中国侵略(中国の半植民地化)　＊4

└ 米西戦争、ファショダ事件

1899年、アメリカは門戸開放宣言

└ 中国侵略の年1898年に中国進出の拠点フィリピン獲得

門戸開放、機会均等(1899)、領土保全(1900)三原則

└ 義和団後のロシアの満洲駐兵牽制

PROPOS　＊1

三国干渉はロシア皇帝ニコライ2世が主犯。これを教唆して協力したのが黄禍論を掲げたドイツ皇帝ヴィルヘルム2世。欧州で両国は対立関係だったが、新航路政策でバルカンに進出をうかがうドイツにとってロシアの関心がアジアに向くことは好都合だった(「ロシアは極東へ、ドイツは近東へ」)。ドイツはロシアの勢力をヨーロッパから遠ざけて極東に釘付けにしようとした。フランスは露仏同盟による利害関係で参加。

PROPOS　＊2

人類が平等であるという啓蒙思想を生んだヨーロッパ。19c帝国主義時代に非ヨーロッパ世界を植民地化して現地の人びとを支配していく矛盾に直面した。その矛盾解決のために「人種」という概念を作り出し、そこに優劣があると、自らを正当化した。

PROPOS　＊3

ウラジヴォストーク港は冬期の4カ月間氷に囲まれ使用できない。そこで旅順を狙った。1891年ロシアはフランス資本を導入してシベリア鉄道の建設に着工。しかしロシア領のアムール河の北側、ウスリー江の東側は沼地で工事が困難であり、相当の遠回りになった。そこで清朝から満洲里－綏芬河間の東清鉄道敷設権を獲得。この鉄道が完成すれば、首都とウラジヴォストークが約2週間で結ばれる。それが完成すれば海路で中国まで約3カ月を要するイギリスにとり脅威となる。日本にも脅威。

PROPOS　＊4

山東半島の南側のくぼみが膠州湾。ドイツは租借後、ここにドイツ風の都市青島を建設。これに対抗してロシアは遼東半島の南端の大連と旅順を武力占領したのちに租借する。大連は商港で現在も中国の玄関口。旅順は軍港として使われ、長く外国人がはいれない未解放都市だった。これに対抗してイギリスが対岸の山東半島北の威海衛を租借した。ここはかつて李鴻章の北洋艦隊の母港。日清戦争時、日本が攻撃した軍港。

画蛇添足

▼いまも日本統治時代を懐かしむ台湾人がいる。ありがたく大切にしたい。しかしそのことで日本の台湾統治を肯定することは慎みたい。当事者は一様ではない。日本支配に抵抗した人は容赦のない弾圧で多くが命を落とした。その人たちの証言を聞くことはもはやできない(※)。▼日本統治以前、清朝の台湾統治が稚拙だった。日本統治が終わった後の国民党支配は苛酷で「犬が去り豚が来た」と嘆かれた。そのため日本統治時代は相対的に評価される。また現在の日台関係が良好で、現在の対日感情のよさが過去の振り返りに反映される。▼現実に日本は台湾全土を接収するのに各地で抵抗を受け、半年を要した。民政局長後藤新平の名で語られることが多い台湾統治。統治のため隅々まで警察官を配置。抵抗を容赦なく弾圧したことで治安は安定した。法治主義も導入、植民地行政も法に基づき運営された。▼医療制度も向上、マラリアが猖獗を極めた「化外の地」(清朝)の衛生環境も格段に向上。農業振興のための池灌漑施設、道路、鉄道、港湾などのインフラ整備も進んだ。近代的教育制度の導入で教育機会は拡大し、台北帝国大学も創設された。日本は最初の植民地台湾の統治に成功することで国際的評価も高めようとした。▼日本統治が台湾に文明、近代をもたらした。しかしこれらは日本の植民地経営の利益を最大化するため、植民地の富を運び出すための施策。１９３０年に起こった先民族の大規模武装蜂起「霧社事件」は台湾総督府を震撼させた。その凄惨な復讐。生き残った人びととの証言から映画『セデック・バレ』(2011)が撮られた。植民地支配をめぐる証言の非対称性を補う試み。21世紀の台湾で最大観客動員作となる。

わんクリック　新興勢力に不気味さを感じて排斥する感情。日露戦争後、日本に対する黄禍論が欧米に広がる。得体の知れないものへの警戒感、恐怖感は、アメリカの対日外交にも影響を与えた。黄禍論はのちに赤禍論(対共産主義)となり、緑禍論(対イスラーム)となっていった(山内昌之)。1980年代の日米貿易摩擦でも黄禍論が日本脅威論として再燃。いまは世界中に紅禍論(対中国)が広がる。「よく分からない」「知らない」が偏見を作る。ムスリムがほとんど住んでいないハンガリーでイスラームフォビアが激しい。身の回りで黒人を見かけることなどないアメリカの内部諸州で黒人排斥運動が激しい。

History Literacy　証言の非対称性を常に意識する―出来事の犠牲者(犯罪被害者も含めて)の声は聞けない。

変法運動と義和団事件

①変法自強運動（へんぽうじきょう）

- 清仏戦争、日清戦争の敗北による洋務運動の限界露呈

  列強による中国侵略の進行

- 1898年、戊戌（ぼじゅつ）の変法（へんぽう）

  公羊（くよう）学派の康有為（こうゆうい）や梁啓超（りょうけいちょう）が中心

  └ 孔子を社会改革者と位置づけた『春秋』公羊伝を重視　＊1

  光緒（こうしょ）帝に進言し、政治の革新を断行

  └ 康有為は科挙受験生時代から立憲政採用を請願した上書魔

  日本の明治維新にならった立憲運動

- 1898年、戊戌の政変

  西太后ら清朝保守派の弾圧で失敗（百日維新）

  光緒帝は幽閉、康有為は日本亡命

  └ 神戸の須磨で亡命生活　＊2

②義和団（ぎわだん）事件（1899～1901）　＊3

- 仇教（きゅうきょう）運動頻発

  キリスト教宣教師と中国民衆との紛争、日清戦争後の排外感情激化

  └ 北京条約（1860）でキリスト教の布教承認

- 義和団が山東半島で排外運動

  └ 白蓮教系の拳法　└ 列強の侵略が最も激しかった地域

  「扶清滅洋（ふしんめつよう）」「除教安民（じょきょうあんみん）」がスローガン

  └ キリスト教排除

  北京へ向い、各国の公使館に迫る

  └ 北京条約で設置

  西太后は反乱を支援し、列強へ宣戦布告

  8カ国連合軍（日本・ロシア軍主力）が共同出兵して鎮圧　＊4

  └「極東の憲兵」

- 北京議定書（1901）― 中国の半植民地化進展

  4億5千万両の賠償金

  └ 利子を含めて9億8千万両という巨額

  外国軍隊の北京駐留権　＊5

PROPOS　＊1

福沢諭吉は明治維新の成功を「無学の賜（たまもの）」と理解した。つまり日本では儒学が近代化の障壁とならなかったが中国は違った。康有為は立憲君主政の実現に先だち、それが西洋の模倣ではなく孔子の理念の実現に他ならない、と位置づけることから始めねばならなかった。西洋の価値観と思われている自由・平等が孔子が述べる中国固有の価値であると『公羊伝』で解釈した。

PROPOS　＊2

時流におもねらず自らの「大同思想」に基づき立憲君主政を追求した康有為。革命派の孫文と比較されて低い評価だった。両者ともたびたび日本に亡命。革命派の孫文はしばしば神戸へ、康有為は神戸の隣町の須磨（すま）に二年間の流寓（りゅうぐう）生活。兵庫県で清朝末期に革命派と立憲君主政派が競い合った。

PROPOS　＊3

義和拳により身体を鍛えた義和団員は、列強から「ボクサー」と恐れられた。義和団は目標を北京の公使館においた。義和団が北京に入城すると清朝保守派はこれに荷担して列強に宣戦。西太后は清軍に対して義和団とともに公使館を攻撃せよと命じた。8カ国連合軍により北京が陥落するまでの55日間の列強の籠城を描いた作品が映画『北京の55日』。列強視線で描かれる。

PROPOS　＊4

南ア戦争（1899～1902）でのゲリラ戦に忙殺されて身動きとれなかったイギリスは極東のロシアの南下を日本を使って牽制（けんせい）。

PROPOS　＊5

北京議定書で列強は北京公使館の安全のために軍隊を駐留させる権利を認めさせた。のちに日中戦争のきっかけになる盧溝橋事件（1937）で日本軍が北京郊外で演習していたのはこの駐兵権に基づく。国の首都に他国の軍隊が駐兵するのは異例のこと。現在の東京に米軍基地が点在。日本はアメリカの51番目の州と揶揄（やゆ）される。

画蛇添足

▼かつて反帝国主義運動と評価されていた義和団事件。いまは視野の狭い民衆がおこした排外的な暴動、と評価が逆転した。そして事件に荷担（かたん）した西太后（せいたいこう）の識見（しきけん）のなさが非難されている。歴史の見方はそれをみる現在の社会状況により変わる。▼社会を壊してしまう可能性があるのが社会で高まる排斥（はいせき）感情。「ここは私たちの国だ。外国人は出ていけ」。外国人に対する排斥感情―外国人嫌悪（ゼノフォビア）が世界各地で広がっている。この克服が課題の現在にあって、外国人排斥運動である義和団事件を評価することは、当時の時代的制約を慮（おもんぱか）ったとしても難しい。▼最初は人道的、あるいは人権尊重の立場から移民を積極的に受け入れようとしていた人たちも、移民の増加によって自分の仕事が奪われたり、賃金水準が低くなったり、自分たちの生活が脅かされるようになると態度を変えてしまうことがある。異なる文化背景を持つ人と、どう接していいか分からない戸惑い。問題は受け入れのスピードと規模―正しいことであっても生活している人びとの不安を喚起するような急激な変化をもたらす政策は好ましくない。▼未知の存在に対する警戒心は本能。アフリカは長く暗黒大陸だった。白人はそこに人食い人種がいるのでは、と踏み入ることを恐れた。他方で、黒人は白人を人食い人種と恐れていた。未知に疑心暗鬼（ぎしんあんき）が育つ。▼知らないものを好きになることはできない。まずは知ることから始めるしかない。しかし知ったから好きになる、の予定調和も夢見ない。共感を持てない相手がいるのが当然。文化も同じ。共感できない相手、好きになれない文化もある。ぎくしゃくしながらも共存していく。共感をベースにしない寛容さがいま求められている。

わんクリック　外国人嫌い（ゼノフォビア）が引き起こした義和団事件。人権スローガンとして「みんな仲良く」の標語が小学校のクラスに貼ってあったりする。しかし人権の尊重と「仲良く」は必ずしも両立しない。大切なのは前者。仲良くないけど相手を人として尊重する（一緒に生きていく）。そのための技法を学ぶ。好きになれないものを好きになる必要はない。ただ長く生きる中で本書のタイトルのように「出会いなおし」の機会が訪れることもある。それまで好きになれなかった人のよさが分かったりする。とりあえず、いま好きになれない人、モノも排除したり、憎んだりしない、それが共存の技法（※）。

History Literacy　外見に惑わされない（個々の人間の遺伝子配列の違いは外見に関する部分が中心、中身に関する違いは少ない）。

日露戦争と日本の韓国併合

①日露戦争

a. 背景　＊1

・三国干渉後のロシアの満洲駐兵
日本はロシアの朝鮮進出に危惧をいだく
満洲撤兵をめぐる対露交渉いきづまりで対露強硬世論の高まり

・1902年、日英同盟 ― グレートゲームの最終章
イギリス外交の転換（「光栄ある孤立」政策放棄）
└ 南下を企てるロシアと阻止を図るイギリスのユーラシア大陸での対立「グレートゲーム」
ロシア南下進展（シベリア鉄道建設）、南ア戦争（1899～1902）泥沼化

b. 構図

└ 両国とも支援国で戦費調達（借金戦争としての日露戦争）

・日本をイギリスが支援（1902 日英同盟）、アメリカの支援
└ ロシアの満洲駐兵は門戸開放の妨げ

・ロシアをフランスが支援（1891年露仏同盟）

c. 経過

・1904年、日本の奇襲で開戦　＊2
└ 開戦直後、英仏は協商締結（1904）で戦争を日露間に限定（日露戦争は帝国主義代理戦争）

・旅順攻防戦（1905.1）― 日露戦争最大の激戦地　＊3
旅順陥落後にロシアの首都ペテルブルクで血の日曜日事件

・奉天海戦（1905.3.）で勝利した日本が講和求めるがロシア拒否

・日本海海戦（1905.3.）でバルチック艦隊敗北し、ロシア講和応諾

d. 結果

・1905年、ポーツマス条約締結　＊4
全権　日本―小村寿太郎、ロシア―ウィッテ
アメリカ大統領セオドア・ローズヴェルトが調停
└ 門戸開放の立場から調停
日本による朝鮮の保護権承認
└ 1897年に朝鮮は大韓帝国と改称
旅順・大連租借、南満洲鉄道（長春－旅順）の利権譲渡
樺太（北緯50度以南）割譲、賠償金はとれず

PROPOS　＊1

維新後、外国からの借款に頼らない財政運営をしてきた日本。日露戦争戦費は国家予算の5倍。戦費調達のため相続税導入など増税。戦費の3分の1を外債に頼った。高橋是清がニューヨークとロンドンで政府債を販売。両都に多いユダヤ人の反ロシア感情に助けられてこの新興国債券は売れた。ポーツマス条約で賠償金がとれずこれらの債務を自力で返還（2次大戦までかかる）。「日本ほど借金を拵えて、貧乏震いをしている国はありゃしない。（中略）あらゆる方面に向かって奥行きを削って一等国だけの間口を張っちまった。（中略）牛と競争をする蛙と同じ事で、もう君腹が裂けるよ」（夏目漱石『それから』（1909））。

PROPOS　＊2

日露開戦時に、陸軍の携帯用胃腸薬として発売されたのがラッパのマークの「征露丸」。ロシア征服のための弾丸を模した丸薬。公序良俗に反すると「正露丸」に改称。

PROPOS　＊3

日本はバルチック艦隊来航前に旅順を陥落させる必要があり、乃木希典大将率いる陸軍が旅順を攻撃。しかしステッセル中将率いる守備兵の守る要塞は難攻不落。旅順港内を望見できる203高地を攻略するために多くの犠牲者を出すことになった。

PROPOS　＊4

ニコライ2世は太平洋艦隊支援のためバルチック艦隊を喜望峰経由で回航（大型戦艦はスエズ運河通行不可、エジプトは日本の同盟国イギリスの保護国）。日本軍奇襲の影に脅え（イギリスの謀略活動の成果）、神経を消耗。対馬海峡到達時には敗色が濃かった。バルチック艦隊は東郷平八郎率いる連合艦隊に迎撃されほぼ全滅。吉村昭『海の史劇』は7カ月の大回航の苦心を克明に描いた記録文学。またポーツマス条約を日本の全権小村寿太郎に視点をあて、敗けたと考えていない大国を相手にした小国の外交の苦悩を描いたのが『ポーツマスの旗』。

画蛇添足

▼過去を題材とする小説で、登場人物がまったくの創作なのが時代小説。それに対して実在した人物を軸に史実も織り込むことで、読者に本当にあったことと思わせて読ませるのが歴史小説。読者に史実と思わせる気がなく、紛れをつけないのが時代小説。▼歴史を愉しみながら学べるのだから歴史小説には一定の需要がある。しかし面白さと史実性は背反関係にある。どちらに傾けるかは作家のさじ加減。史実への遠近をめぐってしばしば議論がおこる。▼歴史小説に格好の題材を提供する日露戦争。中でもよく読まれるのが司馬遼太郎『坂の上の雲』だがこれには批判も多い。司馬への批判が多いのは国民作家としての彼の影響の大きさのため。筆者も司馬作品を愛読してきた。日本の近代化を牽引した福沢諭吉とその継承者丸山真男が、あらゆるところで批判されることと同じ。大きな存在であることの裏返し（※）。▼この小説が批判されるのは彼が日露戦争を祖国防衛戦争―当時の多数派の感覚で描くため。日本の安全保障のために朝鮮半島を他国支配下に委ねるわけにはいかない、が当時の安全保障政策だった。陸軍の創設者山縣有朋は主権の及ぶ範囲（主権線）だけでなく、朝鮮半島の外側に利益線を設定した（1890）。▼ところでこの主権線・利益線論と瓜二つなのが中国がいま国防ラインとして掲げる第一列島線。中国は対米国防上、絶対に譲れないラインと考えている。中国にとり、この内側にある台湾はかつての日本にとっての朝鮮半島。日露戦争は朝鮮の植民地化と不可分の関係にあった。当時の日本は必死で祖国を守ろうとしていたが、客観的に見ればいまの中国と同じ。この突き放した視点が『坂の上の雲』では捨象されている。

わんクリック　英語で固有名詞がどのように表されているかを知るのも日本版世界史の相対化によい。日本の高校世界史教科書の英語版が複数販売されている。キャサリン？ああエカチェリーナのことか、Keynes? ケインズってこう綴るのか、など発見がある。日本は日露戦争時に「日本海海戦」と命名して「日本海」呼称を一般化したが、これは Battle of TSUSHIMA。日清戦争は First Sino-Japanese war で日中戦争はその Second という扱い。しかし何でも英語読みしてよいわけではない。違和感の問題もある。パリ（Paris）を「パリス」とか、ハンブルクをハンバーグと英語読みで発音するのはいただけない。

History Literacy　よく批判される人物はそれだけ大きな存在であることの裏返し（福沢諭吉など）―だから批判が必要。

e. 影響

・日本の勝利（ロシアの専制政治の敗北）はアジアのナショナリズム刺激　＊1

中国	孫文が東京において中国同盟会結成
ベトナム	ファン・ボイ・チャウらによる東遊運動展開
インド	国民会議がカルカッタ大会で反英的性格強める
イラン	イラン立憲革命が勃発（1906 ~ 11）
トルコ	青年トルコ革命が勃発（1908）

・国際情勢の変化

└ 帝国主義時代の画期 ― ①ビスマルク時代、②ビスマルク引退後、③日露戦争後

英仏協商（1904）、英露協商（1907）で三国協商成立

└ 日露戦争勃発 2 週間後

→二大陣営（三国同盟と三国協商）の対立

└ 二国間関係の強弱（友好関係→協商関係→同盟関係）

→ドイツの国際的孤立

②日清戦争後の朝鮮

・三国干渉後、閔妃政権は親露傾向

・1895 年、閔妃暗殺事件　＊2

日本公使三浦梧楼（ごろう）の指揮、軍人らが王宮（景福宮）に乱入、閔妃殺害

③日露戦争前後の朝鮮植民地化

└ 国号を大韓帝国に改称（1897）、清朝からの冊封体制から離脱

・1904 年 2 月、日韓議定書

日露戦争時の朝鮮における日本の軍事行動の自由（領土使用権）

・1904 年 8 月、第 1 次日韓協約

財政、外交に日本人顧問（顧問政治）

・1905 年、第 2 次日韓協約　＊3

内政権・外交権を奪い、韓国を保護国化

└ 各国はソウルの大使館閉鎖、東京へ

統監府設置、初代統監伊藤博文

・保護条約制定前の帝国主義諸国間の協定（植民地の相互承認）　＊4

桂・タフト協定（1905）	米のフィリピン支配承認
第 2 次日英同盟（1905）	英のインド支配承認
日露協約（1907）	露の外モンゴル支配承認

PROPOS　＊1

日露戦争の日本の勝利は憲法と議会を備えた国民国家が専制体制に勝利したとみなされ、各国（ロシア、イラン、清国）で憲法、議会の設立をめざす運動が展開された。

PROPOS　＊2

日本公使が指揮して王宮に乱入して王妃を虐殺、遺体を焼いた前代未聞の閔妃殺害事件。他国の王妃をこのような形で殺害した出来事は世界史上に例がない。生前の閔妃は民衆の怨嗟の的だったが事件後に評価は一変「国母殺害」と記憶された。朝鮮半島でこの事件を知らない人は少ないが、日本人でこの事件を知る人は少ない。被害者と加害者の歴史認識の温度差を示す。

PROPOS　＊3

第 2 次日韓協約（保護条約）で日本は大韓帝国の外交権を奪い保護国とした。以後、在ソウルの各国大使館は東京に移る。条約の締結は伊藤博文らの圧力による。憲兵隊の包囲の中で閣僚会議開催を強要。伊藤は各大臣に個別に賛意を強要。ただこの文書には高宗の御璽（ぎょじ）がなく形式的には無効（ただ押印があっても無理やりであれば無効であり有無自体は脇筋（わきすじ）の話）。高宗は不法性を訴えるため第 2 回万国平和会議へ密使を派遣。日本は事前に根回しして密使の会議参加を防ぎ、会場周辺でのビラ配布で終わった。この保護条約の現物は外交史料館（東京）で展示されている（御璽はない）。

PROPOS　＊4

帝国主義諸国は相互の権益を事前に調整して認め合った。日本の大陸進出を「当時の国際社会（世界）も認めていた」とする議論があるが、当時の「国際社会（世界）」とは帝国主義諸国のこと。最近でも西側先進国に限定されることが「世界では」と語られの傾向にある。私たちが日常生活でよく口にする「みんな言ってた」の「みんな」と同じで基本的にお友達を指している。日露戦争のあとは対ロシア関係も好転、3 次日露協約まで結ぶ「お友達」となった。

画蛇添足

▼理解が誤解でしかないのが通常のあり方。日露戦争における日本の勝利は、帝国主義国ロシアにこれまで侵略され、抑圧されてきたアジアの小国が勝利した、と誤解された。日本の勝利にこれまでロシアに苦しめられてきた国は溜飲（りゅういん）をさげた。▼この戦争を通じて日本もまた他民族を抑圧する側、帝国主義諸国の一員となっていく過程とは想像されなかった。「アジアの一国である日本の勝利は、アジアのすべての国々に、大きな影響を与えた。わたしは少年時代、それにどんなに感激したかを、お前によく話したことがあったものだ」。これは反英運動で投獄されていたネルー（のちインド初代首相）が娘（のちの首相）に獄中で書いた『父が子に語る世界歴史』の一節。▼当時、ロシアの支配下にあったフィンランドではのちに東郷ビールが販売された。日本海海戦でロシア海軍を壊滅させた東郷平八郎にちなむ。ロシアの南下圧力下にあったトルコの大都市では大通りがトーゴー通りと命名された。今日も両国では親日感情が続く。▼ネルーは先の文章に「ところが、日露戦争のすぐ後の結果は、ひとにぎりの侵略的帝国主義のグループにもう一国（日本）を付け加えたというにすぎなかった。その苦い結果を、まず、最初になめたのは朝鮮であった。」と続けることになる。▼植民地を持つことで日本では軍部の肥大化が進み、軍部が国政を左右する勢力となった。日本はその後も 1 次大戦、満洲事変を戦ったがいずれも短期の戦いで内地に被害はなかった。日本人は、戦争とは外地で行われ、内地に好景気をもたらすと理解した。日中戦争が始まった時も、人びとはこれを歓迎。理解とは誤解の別名。東郷ビールも単に「世界の提督」ビールのひとつ。

わんクリック　日韓の領土問題が竹島（独島）。1904 年に島根の漁民の申し出で 1905 年に日本は「先占」宣言。漁民はそこで漁をした（実効支配）。韓国はそれ以前に島の所有を宣言していたとするが実効支配はしていない。帝国主義時代の論理では日本の領有に分がある。ただ 1905 年はまさに日本が韓国の植民地化を進めた年。韓国は、独島はその一環で奪われた島であり、日本が戦後朝鮮半島を放棄した時にこの島も放棄した、と理解。日本は竹島は「先占権」の論理で獲得した島で、韓国併合条約で植民地とした半島とは別物、という論理だから平行線。誰かが言っていた。「もうカモメにあげたら」(※)。

History Literacy　歴史でなく知恵を出す問題もある―歴史を持ち出したら解決できないこともある。

- 1907年、ハーグ密使事件
  高宗はハーグ万国平和会議に密使派遣、第2次日韓協約無効を主張
- 1907年、第3次日韓協約
  軍事権を奪い、韓国の軍隊解散
  →義兵闘争の開始
- 1909年、伊藤博文暗殺
  義兵闘争の指導者安重根が伊藤博文をハルビンで殺害　＊1
- 1910年、韓国併合条約　＊2
  朝鮮総督府を設置し、武断統治開始（初代総督寺内正毅）

辛亥革命と中華民国の成立

①革命勢力の増大

- 民族資本家（紡績業など）の成長
- 華僑、留学生などが革命を支援
  └「海水至る所、華僑あり」　└日清戦争後、日本に留学（漢字で高等教育可）
- 1895年、孫文はハワイで興中会結成
  └日清戦争中　└革命のための秘密結社

②清朝の改革（光緒新政）

- 西太后らが中心になり新政
  └革命運動の進展に対抗　└戊戌の変法の内容と同じ
  1905年、科挙廃止（最後の殿試1904年）　＊3
  1908年、憲法大綱の発布
  └光緒帝（西太后による殺害？）、西太后が死去、宣統帝即位
  8年後の国会開設約束、軍機処を廃して責任内閣制施行（1911）

③中国同盟会

- 1905年、孫文らが東京で革命諸団体を再編、会報『民報』
  └日露戦争の影響　└神田YMCA
  興中会（孫文）、華興会（黄興、宋教仁）、光復会（章炳麟）など結集
- 三民主義
  中国同盟会は孫文の三民主義に基づき4綱領を発表　＊4
  民族独立、民権確立、民生安定
  └駆除韃虜・恢復中華　└創立民国　└平均地権

PROPOS　＊1

伊藤博文を暗殺した安重根。ソウルに安重根記念館があり、彼の揮毫が多く展示してある。獄中で彼の世話をした日本人獄吏たちは彼の学識と人柄に触れて、競って揮毫を求めた。歴史教科書はテロリストの名を記さないのが原則。彼はテロリストでなく義兵との了解がある。伊藤自身は消極的併合論者だが併合は既定路線だった。

PROPOS　＊2

植民地ではなく「併合」。問題は韓国併合が違法かどうか。今日の日韓問題のすべてはここに戻ってくる。1965年の日韓基本条約では「もはや無効」という玉虫色の表現で棚上げした。日本からは「いまは」無効（当時は有効だった）と、韓国側からは「いまの観点からは」（当時も無効だった）ともとれる。倫理的に不法であったことは論をまたないが、違法であったかどうかも現実の様々な問題を考える時に重要になる。

PROPOS　＊3

1905年についに科挙が廃止。隋の文帝以来1300年間も続いた制度。新たに学歴が官吏になる条件となった。そのことも安価で簡単に学位がとれる日本に清国の留学生が集まる理由のひとつとなった。

PROPOS　＊4

少し前まで中華民国（台湾）では街角の至るところ、バスの切符の裏にも三民主義のスローガンが掲げてあった。内容は時代とともに変化。民族主義は清朝打倒から反帝国主義に立脚した民族自決主義となる。民権主義は三段階が設けられて、当初は軍政（軍事独裁）、そして訓政（以党治国—政党による指導）、最後に「憲政」とされた。愚民観を持っていた孫文は「指導された民主主義」に近い訓政をとる（※）。国民党は憲政に踏み切れなかった。それが最終的に国共内戦で国民党が支持を失う原因になった。民生主義も大地主の発生防止といった消極的なものから、「平均地権」「資本節制」（独占資本の抑制）を柱に深化。

画蛇添足

▼古書を探すのなら何だかんだといってもやっぱり神田。世界最大の古書街が神保町交差点周辺。日差しを避けて通りに対して北面する古書店が並ぶ様は壮観。画家もアトリエは光が一定する北窓を好む。南面する学校の教室は暑すぎる。▼新刊書の寿命は短い。専門分野を持てば新刊書は片っ端から購入しないと入手できなくなる。古書を専門書ごとに保存する古書店。ネット探索で入手できるのは知っている本だけ。現実の古書店に足を運ばなければ知らない本に出会えない。▼その神田界隈にいつからかカレー屋が蝟集するようになった。いまや神田はカレーの聖地、カレーファンの巡礼地。店を開くなら同業店の並びがよい。競合して利益が減るとひるみがちだが、かえって客を呼び込み市場自体が大きくなる相乗効果がある。だから古書店も軒を連ねる。▼ここはかつて日本最大のチャイナタウン。長崎、神戸、横浜では「三刀業」（料理、仕立て、理容）が中心だがここには日清戦争後に一万人の清国留学生が集まった。世界の文献に漢字でアクセスできる神田は世界を知る窓口。彼らが学術用語翻訳のために作られた日本漢語—経済、社会、法律、革命などの言葉と概念を中国に逆輸出した。日本経由で「近代」を学んだ。近代もまた和製漢語。▼孫文、梁啓超、魯迅、周恩来、蒋介石、汪兆銘など錚々たる人物たちが学んだ街。いまも魯迅ゆかりの内山書店（本店は上海）や留学生向けの食堂漢陽楼は営業を続ける。JR御茶ノ水駅。神田川沿いに駅と並んで孔子廟である湯島聖堂、ロシア正教のニコライ堂。明治大学を右手に下ると神保町交差点。そのまま進むと九段の靖国神社。用もなく出かけて街を散歩することほどの贅沢はない。

わんクリック　周恩来『十九歳の東京日記』（小学館文庫）。毛沢東の下で27年間首相を務めた。1972年の日中国交回復は日本留学経験のある周恩来の存在が大きかった。当時の帝都東京の叙述が興味深い。4月23日の日記、本屋で立ち読みしてロシア革命のことを知り、過激派（ボリシェヴィキのこと）と温和派（メンシェヴィキのこと）の違いなどを日記にまとめている。受験に失敗、失意で日本を去る。温厚で控えめな人格者。毛沢東の上司（党中央委員会主任）だったが遵義会議（1935）で毛沢東の支持に転じた後は一貫して彼に従う。最後は毛沢東の執事のような存在だったが、日中両国で人気があった。

History Literacy　「民衆」（教育を受けていない人びと）は私たちにとって「他者」—虐げられた、したたかな存在。

④辛亥革命

・借款のため民間鉄道国有化計画　＊1

→各地で反対運動（保線運動）

・四川暴動

→1911年10月10日、武昌の新軍蜂起　＊2 ＊3

└ 現在の台湾の双十節　└ 宋教仁らが指導

→14の省が清朝より独立を宣言

→1912年1月、中華民国建国

└ 当時は軍閥の一つが加わった程度の認識

帰国した孫文を臨時大総統に選出、首都南京

└ アメリカ亡命中で革命と無関係、国際知名度（集金力）を期待される

⑤清朝滅亡（1912）

・袁世凱（えんせいがい）と孫文の密約　＊4

└ 清朝から全権委任　└ 軍事力・資金不足で革命遂行不可能

袁世凱が宣統帝溥儀（ふぎ）を退位させる（清朝滅亡）

└ これまでと同じ待遇を保証される

袁が臨時大総統に就任、臨時約法（りんじやくほう）を公布

└ 中国最初の憲法、総統でなく議会に強い権力

→中国同盟会は改組して公開政党、国民党となる

└ 袁の牽制のため国会で多数派を形成をめざすため　└ 現在の国民党（台湾）と別組織

・袁世凱の独裁

北京遷都、臨時約法を軽視、国会選挙で圧勝した国民党を弾圧

└ 勝利の立役者、宋教仁が上海駅で暗殺される

・第二革命（1913）

袁に対して孫文らが袁打倒の武力蜂起をするが失敗

袁は大総統に就任し、国民党を解散

孫文は日本亡命、東京で中華革命党結成

・第三革命（1915）

袁の帝政復活宣言に対し反袁運動

袁は世論の支持得られず帝政取り消し宣言、病死（1916）

⑥軍閥割拠（1916～28）　＊5

・中国各地に軍閥が割拠、各軍閥を帝国主義諸国が支援

PROPOS　＊1

広州から漢口までの粤漢（えっかん）鉄道の利権はナショナリズムの高まりで利権回収運動で民間資本によりベルギー資本から回収されたもの。その後、民間資本により鉄道建設がはじまっていたものを政府は一方的な条件で買い上げて国有とし、この鉄道利権を担保にさらに借款を重ねようとした。

PROPOS　＊2

辛亥革命での武装蜂起の中心は清朝が日清戦争後に西欧式に編成した新軍と呼ばれる軍隊。日本の陸軍士官学校を出た軍人が作った。また日清戦争後、多くの留学生が来日したが彼らは弁髪を切り落とし革命派となる（「革命」は日本漢語）。帰国した彼らは新軍の兵士に働きかけて革命派とした。結果的に清朝は官費で革命派を養った。

PROPOS　＊3

孫文は武装蜂起を10回続けて失敗。辟易した宋教仁や黄興が別のやり方で成功したのが武昌蜂起。孫文は知名度があって国際的に通用するので祭り上げられた。革命独裁を唱える孫文と議会中心を唱えた宋教仁は対立したが、宋は何者かに暗殺される。

PROPOS　＊4

李鴻章から北洋軍を引き継いだ袁世凱。1908年3歳の溥儀が即位すると、実父の醇親王（じゅんしんのう）が摂政として実権を握る。彼は私憤から袁世凱を罷免（ひめん）。そのことで清朝の軍事力は低下。革命勃発後に醇親王は袁世凱を再登用するが、袁世凱は清朝を見限り革命派と取引。辛亥革命そのものが心外な出来事で政権準備がなかった孫文が応じた。

PROPOS　＊5

軍閥割拠は戦国の七雄以来、しばしば見られる現象。一つひとつの軍閥がフランスやドイツを大きく上回る面積と人口を有する。中国が統一されている状態を常態とみるのは秦の統一以来のイデオロギー。その立場からは「軍閥割拠」は異常事態だったが、このまま固定すると見られてもいた。

画蛇添足

▼兵庫県庁の本館横に「大アジア主義講演地」の記念碑がある。かつてここに神戸高等女学校（現神戸高校）体育館があり、孫文はここで大アジア主義演説をして日本に大きな感銘を残した。欧米の力による覇道（はどう）に対して東洋の徳による王道（おうどう）を対置し、日本はどちらの道をとるのか、と問うた。▼この印象も強く日本では孫文に高潔な人格を重ねる人が多い。魅力的な人物だったらしいが革命家としての実績はない。初期に試みた武装蜂起計画が発覚し、生涯の大半は外国での亡命生活。日本には17回も来日、滞在は9年に及んだ。中国同盟会は東京で結成、神戸滞在も多かった。▼ロンドン亡命中、清朝大使館に身柄を拘束され、そこを脱出したことで革命派の象徴的存在として国際的知名度をあげる。辛亥革命を孫文はアメリカで知り急きょ帰国。知名度（集金力）が期待され臨時大総統に選出された。▼しかし革命を軌道に乗せられなかった。彼自身が権威主義的性格と愚民観の持ち主で民衆に信用を置かなかった。軍閥の袁世凱と取引したり、共産主義ソ連に共鳴するなど主張が揺らいだ。漢民族国家樹立を主張したが辛亥革命後は「五族共和」で清朝の版図継承に転じた。時代に臨機応変に対応したともいえるが他の革命派からの不信も招いた。▼これまで孫文は過大に評価されてきた面がある。いまは現在の中国の権威主義的、非民主的体制の起源として批判的に言及されることもある。若き孫文は故郷の孔子廟を偶像として破壊して村を追われた。その孫文がいつしか「革命の父」として神格化―政治利用される偶像になった。社会はいつも求心力のある偶像を必要としている（※）。歴史学はその偶像破壊を試みる知的営みといえる。

わんクリック　国号がなく便宜的にチャイナ（日本では支那）と呼ばれてきた。この不便から19世紀に梁啓超が「中国」という日本漢語を作った。チャイナでは治者と被治者が分離。そこにあったのは治者（王朝、軍閥）と被治者（家族と宗族など）。その中で両者の統合―国民統合の必要性を梁啓超は痛感。言葉ができると、それに応じた実態―中国、中国人というナショナリズムも育っていく（本書もこのあたりから「中国」表記を使う）。中国には日本陸軍の「支那通」がたくさんいたが、「支那通」であるがゆえにその情勢を読み違えた。日本の侵略に対する抵抗の中で高揚するナショナリズムが読めなかった。

History Literacy　社会は求心力のある偶像を必要とする―「私たち」の歴史（国民史）もまたそんな偶像の一つ。

第 17 章　世界戦争の時代

1　第 1 次世界大戦

三国同盟と三国協商

①ビスマルク時代 (1871 ~ 90)　＊ 1

- ビスマルク外交の基本
  ヨーロッパの平和維持 (フランスの孤立とドイツとロシアの連携強化)
- 三帝同盟 (1873 ~ 78) 締結
  ドイツ、オーストリア、ロシア間で締結
  └ ヴィルヘルム 1 世、フランツ・ヨーゼフ 2 世、アレクサンドル 2 世
  →ベルリン条約 (1878) による独露関係冷却で三帝同盟失効 (1878)
  └ ビスマルクは戦争回避を優先させ、ロシアのサン・ステファノ条約破棄
  →三帝協商 (1881 ~ 87)　＊ 2
  └ 中央アジアでの英露対立激化 (1878 ~ 80、第 2 次アフガン戦争) でロシアが再度独に接近
- 三国同盟 (1882) 締結
  ドイツ、オーストリア、イタリア間で締結
  └ フランスのチュニジア占領 (1881) に憤慨して独墺へ接近
  ただし独墺間は「未回収のイタリア問題」を含み不安定
- バルカンにおけるロシア、オーストリアの対立進展
  →独露再保障条約 (1887) 締結
  ドイツはロシアとの関係強化
  └ バルカンのロシア、オーストリアの対立で三帝協商が事実上消滅 (1887)
  →フランスの国際的孤立

②三勢力の鼎立(ていりつ) (1890 ~ 1904)

- ビスマルク引退 (1890)、ドイツ新航路政策
  →ドイツの再保障条約更新拒否 (1890) で露仏同盟 (1891) 結成　＊ 3
  →英独の対立激化
  　ドイツ大海軍建設で英独建艦競争
  　独のバグダード鉄道敷設権獲得 (1899)
  →３Ｂ政策と３Ｃ政策の衝突　＊ 4

PROPOS　＊ 1

ロシアとオーストリアはバルカン半島で激しく対立。それゆえ三帝同盟 (1873) は崩壊 (78) し、ドイツはオーストリアとの二国間同盟 (独墺同盟 1879) に格下げせざるを得なかった。それでもビスマルクは再びロシアを誘って三帝協商 (1881 ~ 87) を復活させた。そもそも両立しない独墺関係と独露関係をクモの糸を繋げるようにまとめてきたビスマルク外交。複雑な個人技。個人の力量に依存していて永続性がなかった。結局、ロシアはオーストリアから離反。ドイツと再保障条約 (1887 ~ 90) を結ぶ。

PROPOS　＊ 2

ロシア皇帝が提案した再保障条約の更新をヴィルヘルム 2 世は拒否。ビスマルク体制の最も重要な柱を外す。ロシアおよびオーストリアとの同盟関係を同時に維持する矛盾含みのビスマルクの政策によって保たれてきたヨーロッパの微妙な均衡は崩れた。ビスマルクの後任者は、バルカンにおけるロシアの利益を支持せず、オーストリアの利益を優先させる政策に舵をきった。これがオーストリアの冒険主義を煽った。

PROPOS　＊ 3

再保障条約更新を拒否したドイツの指導者は、それでもフランスとロシアの同盟はあり得ないと考えた。アルザス・ロレーヌのためにロシアは戦わず、バルカンのためにフランスは戦わないと計算。実際は両国は 1891 年に協商関係 (政治協定)、1894 年には同盟関係 (軍事協定) に発展させた。

PROPOS　＊ 4

「3C 政策対 3B 政策」の理解は不適切という指摘もある。「３Ｂを結ぶ線と３Ｃを結ぶ三角形は地政学的にかすりもしないから、対抗のしようがない」(小野塚知二『論点・西洋史学』) など。そもそも、手持ちの欧米の歴史教科書のどこにも「3C 政策」「3B 政策」という用語が見当たらない。どうやら日本で作られた歴史用語で、日本の世界史教科書だけで使われる説明らしい。

画蛇添足

▼人類が経験した当時最も悲惨な「大戦争(ザグレートウォー)」―愚かなことに 20 年後に同じことを繰り返し、第 1 次世界大戦と命名され直されることになった。何をどう間違えて何千万人もの命を失うことになったのか。確かなことは、誰も願わず、誰にも意思がなく、にもかかわらず誰も止められなかった戦争だったこと。▼大戦終了直後から様々な検討がなされてきた。勝者国は敗戦国ドイツに戦争責任を押し付けてヴェルサイユ体制を構築。ドイツの世界政策が戦争を引き起こしたと断罪。私たちは最初の印象に引きずられる (※)。いまもこの見方が 1 次大戦前夜の叙述の執拗低音(しつようていおん)となって消えていない。▼時間の経緯とともに少し冷静になって、ドイツにも責任の一端はあるが、基本的には帝国主義諸国が対外膨張をしたために対立が嵩(こう)じた帝国主義戦争と理解されるようになった。「驚くべきことは、それが到来したということではなく、これほど遅く始まったということ」(オースタハメル)。この言葉は、戦争は必然だったと見るだけでなく、外交で何度も危機を乗り越えてきて、また乗り越える可能性があった、とも語る。▼ファショダ事件、モロッコ事件が大戦のきっかけだったとしてもおかしくなかった。これらは外交で解決できたのにはるかに小国同士の衝突だったサライェヴォ事件を外交で解決できなかったのか。▼B・タックマン『八月の砲声』は「視野狭窄(しやきょうさく)な強気論の応酬が誰一人望まなかった死闘に全欧州を沈めた」とみる。この本は、キューバ危機時 (1963) に当事者のケネディ大統領が読み、強気を封印したことで危機を回避した書として知られる。読む時間があったのかは疑問だが、現実を救った稀有(けう)な歴史書、が売り文句になっている。

わんクリック　ヴィクトリア女王は子だくさん。子どもを各国王室に出した。ドイツ皇帝ヴィルヘルム 2 世はヴィクトリア女王の初孫。ロシア皇帝ニコライ 2 世も、開戦時の英国王ジョージ 5 世も孫。彼らは従兄弟(いとこ)同士で女王健在時は折々にロンドンに集まり仲もよかった。特にニコライ 2 世とジョージ 5 世のから 2 人は背格好も顔だちも区別がつかないぐらい似ている。2 人は服を取り替えてはお付きの人間を混乱させて楽しんでいた。表面的に各国政府が対立しても、王室の繋がりが対立を決定的なものに高じさせないメカニズムが 19 世紀には働いていた。やはり親戚づきあいは大切にしていきたい。

History Literacy　私たちは最初の印象に引きずられる (認知バイアス、アンカリング) から歴史教科書問題が熱くなる。

③二大陣営の対立 (1904 ~ 14)

・ブール(ボーア)戦争 (1899 ~ 1902)、義和団事件 (1899 ~ 1901)

・日英同盟 (1902) でイギリスは「光栄ある孤立政策」放棄

・英仏協商 (1904)

└ ファショダ事件後 (1898) ドイツの脅威を背景に接近、日露戦争開戦直後に締結

エジプトでのイギリス、モロッコでのフランスの優位を相互承認

・英露協商 (1907)

イラン北部でのロシア、イラン南部でのイギリスの優位を相互承認

→三国協商の成立 (露仏同盟・英仏協商・英露協商)

→ドイツの国際的孤立で武装平和の7年間 (1907 ~ 14)

PROPOS ＊1

協商は同盟非公式な結びつき。利害が共通する問題について協力しあうことの取り決め程度。漠然とした友好関係で実質的効力はない。三国協商といっても、大戦が勃発するまでは実際にどのように動くか分からなかった。ドイツは最後までイギリスとの提携が可能で、イギリスの参戦はないと考えていた(ヴィルヘルム2世と英王ジョージ5世は仲のよい従弟)。そしてこれらの関係はすべて秘密裏に結ばれ(秘密外交)、当時の人は推測して理解するしかなかった。

バルカン情勢の緊迫

①バルカン問題 ＊2

・日露戦争敗北後、ロシアがバルカンに再南下

パン・スラヴ主義とパン・ゲルマン主義の対立激化

→「ヨーロッパの火薬庫」と呼ばれる

└ バルカン半島(オスマン朝)はヨーロッパとみなされていた

②青年トルコ革命

・1908年、青年トルコ革命

青年トルコ(統一と進歩委員会)がサロニカで蜂起、革命に成功 ＊3

└ ミドハト憲法復活めざす　└ 現テッサロニキ(バルカン戦争でギリシア領へ)

スルタンの専制政治打倒、憲法復活、国会開設

・革命による政局混乱

ブルガリア独立 (1908)

└ ベルリン条約 (1878) で自治国

オーストリアのボスニア、ヘルツェゴヴィナ併合 (1908)

└ ベルリン条約で管理権獲得　└ 日露戦争後のロシアは対応できず

→セルビアが反発

└ 両州に多くのスラヴ人、中世の「大セルビア国」の復活、海への出口、求める

・イタリア・トルコ戦争 (1911)

イタリアはトリポリ、キレナイカを併合、リビアと改称

└ 古代ローマ時代の名称リビアを使うことによって併合を正当化

PROPOS ＊2

バルカン半島での国際対立。19cはロシアとイギリスの対立を軸として「東方問題」と呼ばれた。20cになるとロシアとドイツの対立が軸となり「バルカン問題」と呼ばれた。長くイギリスとロシアは中央アジアでも勢力圏を奪い合うグレートゲームを繰り広げてきた。イギリスはインドへの道を確保することが最優先課題でユーラシア大陸各地でロシアの南下と衝突した。日露戦争でロシア海軍が壊滅したことで、ロシアはもはやイギリスの脅威でなくなった。その後、両国は接近。各地で勢力範囲を調整しあった。ロシアはイギリスからダーダネルス・ボスフォラス両海峡およびバルカンへの進出にイギリスの了解を取り付けた。

PROPOS ＊3

マジョリティは自民族のナショナリズム強調を自制しなくてはいけない。青年トルコによるトルコナショナリズムはバルカン半島での他民族のナショナリズム—特にパン・スラヴ主義をかき立てた。これを領内に多くのスラヴ系民族を含む多民族国家オーストリアは自国の存亡が脅かされる危機と認識した。セルビアがめざす大セルビア主義はオーストリア領内のスラヴ人の解放も意味していた。これに対抗するためにオーストリアはバルカン半島へ勢力を拡大しようとした。ナショナリズムは対抗ナショナリズムを生む。ナショナリズムの合わせ鏡の中で憎悪は増幅されていく。

画蛇添足

▼大陸での一匹の蝶の羽ばたきがやがて大きくなって太平洋に台風を起こすバタフライ効果。ローカルなサライェヴォ事件が世界大戦にまで発展したのもこれに似た現象。大戦直前までこの事件は各国の関心の枠外にあった。セルビアの狙撃手も自ら放った2発の銃弾が何千万人の命を奪うとは知らぬまま獄死。▼歴史学は変化に因果関係を見てそれを叙述する学問。前提はその変化が線形(リニア)であること。原因と結果が一本の直線で結ばれ、その直線が未来にも伸びるイメージ。延長線上に未来予想が可能になるから過去を知ることは大切となる。▼しかし複雑系と呼ばれる社会での変化は非線形(ノンリニア)。最初に入力した初期値のわずかな違いが大きな違いとなって出力されるため物事の挙動が予測しにくい。「クレオパトラの鼻がもう少し低ければ世界の歴史は変わっただろう」(パスカル)は彼女がその鼻の高さゆえ、視野が妨げられていた、鼻高々で自分を見失っていた、ではない。これは初期値鋭敏性の指摘であり、それゆえこの言葉は時代をくぐり抜けた(※)。▼「あの出会いからすべては始まった」と回顧されるのが恋愛ドラマの定番だが、複雑化した社会では出来事の初期値を特定すること、これが原因だった、と特定することは難しい。サライェヴォ事件は「きっかけ」として位置付けるしかない。▼1次大戦はこれほど大きな出来事なのに未だに「なぜ起きたのか」が確定しない。誰も望んでいなかったのにどの国も引き下がることができず戦争に突入。「ただ一匹の蝶が飛ぶためにも空全体を必要とする」(ポール・クローデル)。現在では原因追求より「戦争やむなし」へと傾いていった社会的な空気、メカニズムの解明が関心を集めている。

わんクリック　1次世界大戦が起こった必然性のなさはクリストファー・クラーク『夢遊病者たち』が詳しい。ここでは「なぜ」が問われず、「いかに」の叙述になっている。歴史叙述の基本文法は5W1Hとされるが、それに従うとこういった「必然性なく」「偶然おこったこと」の描写ができない。「偶然の連鎖」は語り方により必然に見せてしまう。(たまたま)こうなって、(たまたま)こう続いて、という事項の連鎖を語ることは丸暗記と非難されるが、これが過去に対する正直な向き合いかたである場合もある。記憶することを、歴史を暗記と矮小化してはいけない。暗記することが誠実な場合がある。

History Literacy　「クレオパトラの鼻がもう少し低ければ…」は初期値鋭敏性の指摘—原因が特定できない事もある。

③バルカン戦争

・バルカン同盟 (1912)

墺のバルカン進出に対抗のためセルビアの支援で結成

セルビア、ブルガリア、モンテネグロ、ギリシアの4カ国

└ギリシアだけはスラヴ系でない

・第1次バルカン戦争 (1913)

バルカン同盟がトルコに宣戦

└伊土戦争中

トルコは敗北し、イタンブルを除くヨーロッパ領を失う

・第2次バルカン戦争 (1913)

占領地の分割をめぐりブルガリアと他の3国が対立

└マケドニア地方

ブルガリアの大敗

→戦後ブルガリアはドイツ、オーストリアに接近　＊1

④パン・スラヴ主義とパン・ゲルマン主義の対立激化

・パン・スラヴ主義の勢力強化

セルビアは2度の戦勝で国威発揚

・パン・ゲルマン主義の進展

ブルガリアの独・墺接近による3B政策の進展　＊2

戦争防止の努力と挫折

・万国平和会議の開催 (1899、1907)

ロシア皇帝ニコライ2世が提唱

・第2インターナショナルの反戦運動

ドイツ社会民主党が中心

「あらゆる手段で戦争を阻止」するバーゼル決議 (1912)

→戦争勃発前夜、祖国防衛戦争として戦争協力に転じる

└戦争が始まると反戦運動は、戦っている人を支えない「卑怯な行為」と意味が反転する

・反戦主義者ロマン・ロラン、トルストイ　＊3

└トルストイは後半生を反戦運動に専念

・ジャン・ジョレス (仏) は暗殺されるまで平和維持の努力　＊4

PROPOS　＊1

東方問題 (19c) でロシア南下の焦点となりバルカン半島にあって独立できなかった国がブルガリア。バルカン戦争でも多くの犠牲を払ったにもかかわらずその代償が得られず、大きな不満を持っていた。またオスマン帝国はヨーロッパ側領土を一気に失い危機感を募らせた。この両国が接近したことが1次大戦の一つの要因となった。

PROPOS　＊2

ドイツからみればオーストリア、ブルガリア、トルコが友好国になったことで、あとセルビアさえ支配下に入れば一気にバルカン半島を縦断して南下することが可能になり、新航路政策の実現が現実味を帯びた。オーストリアとセルビアが対立したが、オーストリアから見ればセルビアは人口で10分の1程度の小国であり軽く見ていた。

PROPOS　＊3

フランスの小説家ロマン・ロラン。理想主義的立場から反戦を唱え続けた。トルストイとも文通などで連絡をとりあった。人口に膾炙（かいしゃ）する「決して誤ることのない者とは、何事もなさない者である」は彼の言葉。そのような主人公、何度傷つこうとも闘うことをやめないジャン・クリストフの生涯を滔々（とうとう）たる大河のように描いた小説『ジャン・クリストフ』。モデルはベートーベン。彼にとっての英雄。「英雄とは、自分のできることをする人だ」(ロマン・ロラン)。

PROPOS　＊4

フランスで圧倒的に尊敬されている政治家がジャン・ジョレス。多くの街に彼の名を付けた広場、通りがある。開戦阻止のために奔走（ほんそう）したが、開戦直前に暗殺された。「直前に」というよりは、彼の死により戦争を止める者がいなくなり、翌日フランスは総動員令をだした。超エリートだが服装も無頓着、風貌は田舎のおじさん。その口からでる演説が聴衆を惹きつけた。ギリシア・ローマの古典から的確な引用、巧みな修辞、ちりばめられた絶妙なウィット。

画蛇添足

▼1914年の6月28日から7月28日までの1か月間、多くの人が戦争阻止のために奔走（ほんそう）。暑い夏だったと記憶される。マルタン・デュ・ガールの大河小説『チボー家の人々』、その1章「1914年夏」がこの夏を活写する。▼第2インターナショナルの「あらゆる手段で戦争を阻止」の指示で反戦運動が展開。しかしいよいよ戦争が避けられなくなり、各国政府が「祖国防衛」の大義を掲げて国民に戦争協力を求めると多くが戦争支持に転じた。▼ナショナリズム―国境の壁を越えて労働者が連帯することで戦争を阻止しようとしたが、結局はナショナリズムに呑（の）み込まれた。戦争に反対する市民が戦争の波に押し流される過程を描いた「1914年夏」に対するノーベル文学賞の授与にはこれを二度と繰り返さないとの決意が込められていたが、20年後、再び戦争がおこるのを防げなかった(※)。▼さらに半世紀後、テロ攻撃(2001)を受けたアメリカはイラク政府が「大量破壊兵器」を隠し持って世界の脅威であると強く主張。イラク攻撃に前のめりになった。開戦理由の不確かさに世界で空前の反戦運動が広がった。しかしこの時も、いざ開戦となると各国世論は戦争容認に傾斜。反戦運動もしぼんだ。後にアメリカが大量破壊兵器は存在しなかったと謝罪したこの戦争のために約50万人もの無垢のイラク人の命が失われた。▼いったん戦争が始まると、出征した自国兵士を支えようとする国民感情が強まる。そこでの反戦運動は「自分は戦場にいかない」に矮小化（わいしょうか）され、それは自分の代わりに誰かが戦場にいくことを意味するものになる。良心的な人ほど耐えられず自ら出征を選ぶ。よき人ほど帰ってこなかった、といわれるのが戦争。

わんクリック　セルビアが強硬姿勢にでた背景。第1次バルカン戦争、第2次バルカン戦争で勝利、2回直前に勝っていた。日清、日露で勝利して勢いづいていた日本とよく似ている。戦争に勝った国では軍部の発言力が増す。この戦争で最終的に協商側の勝利で終わったが、戦争中、セルビアはオーストリアとブルガリアに敗北、人口の3割近くを失い一時は滅亡の危機に立たされた。人口でセルビアは500万ほどの小国、オーストリアは10倍の5000万の大国。戦って勝てる相手ではない。ブルガリアのセルビアに対する虐殺が強烈だった。最終的に協商国側が勝利したのでセルビアも戦勝国になった。

History Literacy　「戦争がおこる」ことはない、「誰かが戦争をおこす」―「おこった」表現に主語を補って読む。

大戦の勃発 — 戦争を防げなかった政治家たち（※）

①契機

- 1914年6月28日、サライェヴォ事件　＊1
  セルビアの一青年がオーストリア帝位継承者夫妻暗殺事件
  └ 秘密結社「黒い手」　└フェルディナント公
- 1914年7月28日、オーストリアのセルビア宣戦布告

②世界大戦化

- ロシアが総動員令（7月30日）
  └ 戦争準備を意味する不用意な総動員令がドイツを刺激
- ドイツがロシア（8月1日）、フランス（8月3日）に宣戦布告
- ドイツは中立国ベルギーを侵犯（8月4日）　＊2
  シュリーフェーン・プランに基づく　＊3
  └ 前参謀総長の短期決戦計画、ベルギー軍の頑強な抗戦にあい失敗
- イギリスがドイツに宣戦布告（8月4日）
  └ ドイツのベルギー侵犯が理由

同盟国…ドイツ、オーストリア、ブルガリア、トルコなど
連合国…英、仏、露、イタリア、アメリカ、日本など

③戦況

- 西部戦線
  └ 主としてフランス国内
  マルヌの戦い（1914）以後、膠着、塹壕戦に
  └ ジョッフル将軍（仏）がドイツ進撃を阻止、ドイツはパリ進撃に失敗
  ヴェルダンの戦い（1916）
  　ドイツ軍の総攻撃、ペタン将軍（仏）が死守
  　死者―約31万5千人（仏）、約28万人（独）
  ソンムの戦い（1916）
  　連合軍（英）の反撃、戦車の使用
- 東部戦線
  タンネンベルクの戦い（1914）以後、膠着化
  └ ヒンデンブルク将軍（独）がロシアの進撃阻止
- ユトランド沖海戦（1916）で海上ではイギリスが制海権

PROPOS　＊1
日頃から国粋主義的な発言で反感を買っていたフェルディナント夫妻が、よりによってボスニアの州都サライェヴォを、よりによってオーストリア軍の演習閲兵のために、よりによってセルビアの国辱記念日とされる日（500年前にセルビアがトルコに敗れた日）に訪問。政治的センスを欠いた。街角各所に暗殺者が配置されていた。

PROPOS　＊2
セルビアとオーストリアの局地紛争が世界大戦にエスカレートしたのは各国の誤算。戦争になっても短期の局地戦で終わるはずだった。長期間の世界戦争など想像していなかった。誰も戦争を望んでいなかった。墺外相はセルビアに強硬姿勢をとった。大国が恫喝（どうかつ）すれば小国を屈服できると考えていた。あるいは小国セルビアと戦争することで緩んできた多民族国家のたがを締めようとした。ドイツの支援があるのでロシアの介入は阻止できると考えた。そのロシアも総動員令をかけてオーストリアを恫喝すればオーストリアとドイツの介入を阻止できると考えた。そのドイツの皇帝をはじめ政府・軍部の首脳部はすでに夏の長期バカンスモードになっていた。サライェヴォ事件のあと、オーストリアを支持する「白紙委任」を与えたがこれが世界戦争にエスカレートするとは考えていなかった。

PROPOS　＊3
ドイツは早い段階で参謀総長シュリーフェンがフランスとロシアとの二正面作戦を想定した軍事作戦を計画。当時のロシアは日露戦争敗北後で弱体化。ロシアの動員に数週間かかると想定。そこでベルギーの中立を侵犯して手薄な国境からフランスに侵略、短期決戦で屈服させたあと、東部に転戦し、ロシアにあたろうとした。実際は予想外のベルギー軍、フランス軍の抵抗、ロシアの早い動員でかなりの人数を東部戦線に割かざるを得ず、マルヌの戦いで進撃が止まった。計画は失敗。クリスマスまでのはずの戦争は4年の長期にわたった。

画蛇添足

▼シャンパーニュ平野に見渡す限りの十字架が並ぶ激戦地ヴェルダン。ここをドイツが攻めてフランスが応戦した。突破されると首都パリは守れない要衝（ようしょう）の地。フランスは塹壕（ざんごう）を掘りめぐらし、機関銃で応戦した。▼塹壕戦は防御側が圧倒的に有利。ドイツに突破できる可能性はなく、突破できるとも思っていなかった。フランスが死守するしかない場所を攻撃し続けることで、できる限り多くの兵士を殺して士気をくじくことを目的に攻撃した。▼ヴェルダンで戦争の意味が変質。それまでは特定の戦略拠点の獲得が目的であり、その過程でやむなく戦死者が出た。ヴェルダンでは、敵兵をどれだけ多く殺すかが目的となった。消耗戦へと戦いが変質した。使用された砲弾は六千万発。ここだけで戦いが約一年間続き、七十万人が亡くなった。▼この戦いの三年後、まだ砲弾が点在し、白骨が散乱する「地獄そのもの」（『昭和天皇実録』）の戦場を、死守したフランスのペタン元帥の案内で歩いたのが皇太子時代の昭和天皇。戦争の惨禍に衝撃を受ける。筆者が訪れたのは百年後だが、穴だらけで変形した地形は当時のままで塹壕の跡も残っていた。▼映画『西部戦線異状なし』（1930）は、主人公が希望の象徴である蝶（ちょう）をつかもうとして狙撃されて死ぬ場面で終わる。その日も司令部は「西部戦線異状なし。報告すべき件なし」と報告（原作のみ）。原作は自らも参戦したドイツ人レマルク。熱狂的な愛国主義の風潮の中で、青年が戦場に駆りたてられて全く無意味に死んでいく様、人間の死が「異状なし」で片付けられていく様を描いた。辛いがネットフリックス版（2022）も併せて見たい。政治家、評論家の語る言葉がいかに現実を知らない空語（くうご）か分かる。

わんクリック　「僕らは下あごのない人間、顔のない人間を見た、出血で死なないように、二時間のあいだ腕の動脈を噛（か）みしめていた兵隊を見た。」『西部戦線異状なし』。1次大戦は大量死だけでなく、障害を負った傷病軍人を大量に生み出した。復員した彼らへ、今度は社会の冷たい視線が突き刺さった。彼らをどのように社会復帰させるか。この時に考えられたプログラムがリハビリテーションの始まり。そして2次大戦後にパラリンピック（イギリスのある病院の障害者スポーツ大会が前身）がはじまった。いまでも選手の一定数は戦争での傷痍軍人。アフガニスタン戦争、イラク戦争後に参加者が増えた。

History Literacy　教科書叙述のありかたを変える（社会的合意を得ることが条件）ことで現代の政治家たちを牽制できる。

戦争の長期化と総力戦

- 総力戦　＊1 ＊2
  └ ルーデンドルフ(独)の命名、total war(英)、前線への補給力、経済力
  全国民を組織して戦争を遂行(挙国一致体制)
  　ロイド・ジョージ(1916、英)、クレマンソー(1917、仏)挙国一致内閣
  女性の地位向上で女性参政権実現
  　└ 世界最初の女性参政権はニュージーランド(1893)　(※)
  　イギリス　第4回選挙法改正(1918)で実現
  　アメリカ　ウィルソン大統領時(1920)
- 新兵器の登場 ― 長く戦場の主役だった騎兵にとって代わる
  毒ガス、戦車(タンク)、飛行機など　＊3
  └ イープルの戦いで独軍が塩素ガス使用　└ 偵察が主だが爆撃も
- 大量の戦死者 ― 犠牲者数の飛躍的増加
  軍人死者約1000万人、負傷者約2000万人、非戦闘員の戦傷者も同数

大戦下のアジアとアフリカ

①植民地を巻き込んだ戦争
- 各国は植民地に資源、人員の支援求める
  └ 例えばインドはイギリスに兵士約150万人供出、植民地の重要性増す

②イギリスの「三枚舌」外交　＊4
- 3つの矛盾する外交が現在の中東紛争の背景
- フサイン・マクマホン協定(1915)
  アラブ人の独立国家樹立を約束、アラビアのロレンス「砂漠の反乱」
- サイクス・ピコ協定(1916)
  └革命後にボリシェヴィキ政権により暴露
  イギリス、フランス、ロシアによる分割協定
- バルフォア宣言(1917)
  └ バルフォア英外相がユダヤ財閥ロスチャイルド家へ書簡
  パレスチナにユダヤ人の「民族的郷土(National Home)」建設を約束
  →ユダヤ人のパレスチナへの移住が始まる
- 日本は中国の袁世凱政権に21カ条の要求(1915)

PROPOS　＊1
両軍が相手の背後にまわろうと伸翼競争した結果、スイス国境からベルギーの海岸部まで約700 kmにわたり塹壕が掘られ、西部戦線が形成。塹壕での生活は寒さとぬかるみで不衛生。あらゆる病原菌の温床(赤痢、発疹チフス、コレラ)。アクアスキュータム社は塹壕戦のために悪天候用の防水コート、トレンチ(塹壕)コートを作った。

PROPOS　＊2
西部戦線も東部戦線も膠着戦争の勝敗は戦場の「前線」でなく「銃後」の工場で決定。経済統制、食料配給、女性の軍需工場動員。食料難、物価高騰で各国の我慢比べ。

PROPOS　＊3
塹壕線は有刺鉄線と機関銃で守られた。西部戦線での膠着を打破するため開発された戦車(暗号名でタンク(給水車))、相手側を偵察する飛行機。何より毒ガスの開発で1次大戦は「化学者の戦争」とされた(2次大戦は原爆開発など「物理学者の戦争」)。機関銃はその威力ゆえ抑止力として働いて戦死者を減らせると考えられていたが逆に多くの犠牲者を生んだ。弾をおくる技術はホッチキスの発明。その文房具への応用がホッチキス。芯のことを「たま」というのはその名残。世界史を変えたモノの一つが有刺鉄線(1865)。牧場で家畜を囲い込むために使われアメリカ西部開拓を可能にした。この塹壕での使用を経て、捕虜収容所に使われ、人間を囲い込むものに変質した。

PROPOS　＊4
「三枚舌外交」―相互に実現不可能な空手形を出したのではない。弁解不能なことをはしない。イギリス、フランスの勢力圏の線引きとアラブ国家想定範囲は矛盾しない。ユダヤ人はnational homeという居住権であって国家でないから矛盾しない、と説明できるように逃げ道は作ってある。最初から、勘違いした者、騙された者が悪い、と開き直るつもりでいる。戦争では、騙す者が悪いのだけど、騙されることも悪徳。

画蛇添足

▼古代ギリシアでサラミスの海戦で、無産市民―財産を持たないため裸一貫(はだかいっかん)で船を漕ぐことでしか戦争に参加できない市民、が参加してアテネを防衛。それゆえ戦後、彼らにまで政治参加の道が開かれてアテネ民主政が完成したと理解されてきた。▼共同体防衛に与(あずか)る者が共同体の政治に携わることができる。しかし民主政の起源はギリシアだけに求められるものではなく、もっと多元的なはず。ギリシアだけに求めると、ここに述べた参戦(さんせん)と参政(さんせい)をコインの裏表の関係とみてしまうミリタリー・デモクラシーの罠(わな)に陥る。▼しかしこれがアテネ民主政を評価する高校世界史教科書が行間に忍ばせるメッセージ。この市民皆兵原則は近代においても、徴兵に応じることが市民の義務、それを忌避する者は非国民、とする。この系譜にあるヨーロッパでは女性への参政権付与―本格的な社会進出は総力戦となった1次大戦までずれ込んだ。▼戦中・戦後に女性の社会(職場)進出を後押ししたパリの人気デザイナー、ココ・シャネル。前あきの上着と袖なしのブラウス、膝丈のスカートを組合せたシャネルスーツ。着やすく、動きやすい軽いジャージ素材で働く女性のための服を裁断して女性を家庭に閉じ込めていたコルセットから解放。模造宝石で作ったアクセサリーで宝石で着飾る貴族を挑発。▼あえて著作権を放棄してコピーを許した。そのためニセシャネルスーツが作られ続け、世界で女性服の景色が一変。偽物が出回るほどに本物のブランド価値が高まった。それがシャネルを高価なブランドにした。女性の生き方を自由にする服を生涯をかけて探求。女性解放の世紀―20世紀を準備した。ただのちに反ユダヤ主義者となりナチスに接近した。

わんクリック　総力戦を可能にしたのは鉄道網の拡大。鉄道なしに大量動員はできない。その結果、指揮官の能力、兵士の力が少々変わっても質の差は量で圧倒されるようになった。天才的な戦術を考え出す指揮官は必要なくなる。個人の指揮官に代わりドイツが参謀本部を作る。これに日本の陸軍も倣った(1878)。ところで戦争ではずっと動物が武器として使われてきた。兵馬というように特に馬。そして犬。地雷原をまず羊の群れに先行させることも行われてきた。馬に関してはこのあとの2次大戦で800万頭が使われた。南船「北馬」の華北で、日本軍によって使われた馬は約100万頭が犠牲になった。

History Literacy　「小さな国だからできた」と例外視すると、政治単位の適正規模を考えるきっかけが失われる。

アメリカ合衆国の参戦と大戦の終結

①大戦の転機

- 1917年、アメリカの参戦
  連合国敗戦による債権回収不能を危惧
  └ あるいは戦争長期化での英仏経済疲弊を危惧
  中立政策でアメリカは大戦中、連合国に多大な資本を投下
  └ 戦争ばかりの欧州で戦争中に貿易を続ける必要から生まれた概念
  ドイツの無制限潜水艦作戦 (1917.2.)
  貨客船ルシタニア号撃沈 (1915) も遠因　＊1
  └ 貨物はイギリスに輸出する大量の爆薬
- 1917年、ロシア革命
  └ 戦争を帝国主義戦争として即時停戦を主張して支持獲得
  「平和に関する布告」で無賠償、無併合による即時講和を主張
  →連合国は黙殺
  └ 共産主義者に倫理的優越性、主導権を握られることを嫌う
  →ブレスト・リトフスク条約でドイツと単独講和 (1918. 3.)　＊2
  └ 西部の広大な地域 (ウクライナの穀倉地帯など) を放棄 (宣言に矛盾)、ドイツ敗戦で無効

②大戦の終結

- アメリカ大統領ウィルソンが平和十四か条原則発表
  └「平和に関する布告」に対抗、ほぼ同内容
- 有利になったドイツの西部戦線での反攻で勝利できず
  └ 東部戦線の消滅でドイツは負担半減
- 同盟国側総崩れ
  ブルガリア、オスマン帝国、オーストリアの降伏 (1918)
- 1918年、ドイツ革命
  キール軍港の水兵反乱が発端
  皇帝はオランダ亡命、臨時政府成立　＊3
- 1918年11月11日、ドイツ臨時政府は休戦条約調印　＊4

PROPOS　＊1

海軍力で劣り、制海権をイギリスにとられたドイツ。潜水艦 (Uボート) を使い多くのイギリス商船を撃沈。船舶の保険料を上げることで貿易を阻害しようとした。イギリス貨客船ルシタニア号撃沈 (1915) では100名以上のアメリカ人が死亡。これが2年後のアメリカ参戦につながる。アメリカは民主主義と商売を両立させる国。

PROPOS　＊2

足下をみられながら交渉せざるを得なかったトロツキー。史上、例をみない広大な地域を放棄。ロシアの農民は戦争中止を何より望んでいた。それを原点にして大胆に譲歩する決断ができたことがロシア革命 (十月革命) が成功した大きな要因。

PROPOS　＊3

オランダに亡命した皇帝ヴィルヘルム。彼のせいで何千万人もの犠牲者が出た、と連合国は受け入れたオランダを激しく非難。皇帝の即時引き渡しを強く欲求。しかしオランダは引き渡しを拒み通した。感情的に戦争の最高責任者が逃亡して免責されるなど納得できない。しかし独裁者の亡命を受け入れる国があるから、独裁者に権力を放棄する選択肢が生まれる。亡命を受け入れる国がないと独裁者は最後まで権力にしがみつき、国民の犠牲はさらに増す。

PROPOS　＊4

人類の感染症で最大の被害が1918～9年のインフルエンザのパンデミック (「スペイン風邪」)。当時、世界人口16億の中で約2千万人の死者。戦死者数を上回る大惨事。世界大戦で兵士が世界規模で移動したのでウイルスも拡散。戦争中で各国とも罹患(りかん)状況を隠したから感染が広がった。また正式な死者数も不明。中立国のスペインは被害を正確に報告。そのため「スペイン風邪」と命名されてしまった。香港風邪、日本脳炎など他にも濡れ衣を着せられた被害国は多い。地名にちなむ命名をWHOが禁止。そうしないと発生を隠す国が出る。

画蛇添足

▼ある歴史叢書(そうしょ)の帯広告にあった「こんどの戦後も、やっぱり戦前なんだろうか。」というキャッチコピーにはっとさせられる。現在が「戦前」であると思っている人は少ない。しかし後世から「第3次大戦前夜」と叙述される可能性はある (ロシアのウクライナ侵略で現実味を帯びてきた)。▼20世紀初頭を私たちは、「第1次大戦前夜」として叙述し、その時代に生きた人びとの迂闊(うかつ)さを非難めいて叙述する。当時の人びとにとり世界戦争など想像の枠外のことだった。過去は、それがどういう結果をもたらしたかを知らずに叙述できない。こういう歴史叙述の平常文を「物語り文」という。ある時期を「戦前」と叙述できるのは結果を知っている人だけ。「戦前」は典型的な物語り語。▼物語り文とは、言ってみればある時代を次の時代の「前史」としてしか位置付けられない文体。これからどうなるか分からない私たちは現在を「ポスト○○」と叙述できる。実際の用法として「ポスト○○」とは「まだ○○が続いている」ことを意味する。ただし「プレ□□」と叙述することができない。どの時代も次の時代の「前史」ではない。しかしそのように叙述するのが物語り文。歴史は所詮(しょせん)「後知恵」「後日談」とされるゆえん。▼物語り文は行為者の意図は汲(く)めず、あくまで結果から物語る。たとえばいまを生きる上で私たちには「予兆」を見逃さない感性が求められる。しかし予兆候補のほとんどは実際には予兆として成就(じょうじゅ)しない。何かが起こった時、「それが予兆だった」と指摘されるのは膨大な予兆候補のごく一部。事前に特定できず、事後にそれと分かるのが予兆。歴史はこの予兆に似ていて、事が起こってからそれを振り返り、物語り文で綴ったもの (※)。

わんクリック　ドイツは戦争継続が困難になり休戦したが、戦闘自体で負けたという感覚はない。戦場ではロシアに勝っていたし、戦いはフランス国内の西部戦線で行われ、ドイツ国内は戦場にもなっていなかった。ウイルソンの十四か条原則が提示され、ドイツはこれを講和の原則にする条件で休戦。しかしそれが大きく歪められたヴェルサイユ条約を押し付けられた。ドイツには敗戦国としてのすべての戦争責任が被せられた。ドイツに一次大戦の原因があるのは確かだが、すべての責任がドイツにあるかといえばそれは違う。この納得がいかない感覚が戦後のドイツで様々な形となって噴出した。

History Literacy　「物語り論的歴史理解」とは「歴史は物語」ではない—歴史叙述が「物語り文」であることの指摘。

ロシア革命

①二月（ロシア暦で三月）革命

- 1次大戦の長期化による国民生活の窮乏　＊1
- 1917年3月8日、首都ペトログラードで女性労働者デモ
  └国際婦人デー　└開戦時にロシア風に改称
  労働者のストライキ、暴動拡大、軍隊と市街戦
  └「平和とパンと土地」を求める
  鎮圧に向かった軍隊も革命派に合流
  └兵士といっても農民が徴兵されている、軍人とは「軍服を着た農民」
- 各地でソヴィエトの結成
  └「会議」という名の普通名詞（労兵評議会）、1905年の経験に基づく
- 皇帝ニコライ2世が退位し、ロマノフ朝滅亡
- 臨時政府とソヴィエトの二重権力
  臨時政府
  国会（ドゥーマ）が樹立、官僚、将校を掌握
  立憲民主党（首班リヴォフ公）が中心
  ソヴィエト
  自然発生的に成立、労働者、兵士を掌握
  社会革命党、メンシェヴィキが中心
  まだ市民革命の段階で社会主義革命は時期尚早と臨時政府支持
- 臨時政府は戦争継続を決定 ― 連合国側（特にアメリカ）から強い戦争継続圧力
  └産業資本家（軍需で利益）は「祖国防衛戦争」と再定義して、継続決定

②十月（十一月）革命

- レーニンが「封印列車」で亡命先スイスから帰国（4月）　＊2
- 『四月テーゼ』発表 ― ボリシェヴィキの勢力増大
  「すべての権力はソヴィエトへ」― 二重権力状態解消を主張　＊3
- ボリシェヴィキ武力蜂起が失敗（7月）、レーニンはフィンランド亡命
- 帝政派反乱（8月）を臨時政府が鎮圧できず、ボリシェヴィキが勢力回復
- 1917年11月7日、ボリシェヴィキ武力蜂起で臨時政府崩壊（首相亡命）

PROPOS　＊1

革命前夜、ロマノフ朝末期の宮廷を牛耳った妖僧ラスプーチン。伸び放題の黒髪、催眠力を持つという鋭い眼に多くの者が帰依。特に霊的な治癒力によって血友病の皇太子の出血を止めてからは、皇帝夫妻の心を支配（出血が止まりそうになってから彼はいつも現れる、との陰口もあった。血友病は痛みを伴う大変な病）。宮廷への出入りが自由となり、政治にも大きな影響力を持つようになる。その弊害を憂いた人びとにより暗殺される。数人分の致死量の青酸カリが使われたが彼はびくともせず。驚いた暗殺者たちが拳銃で全身を撃ち、絶命を見届けてから梱包して橋の上から氷結した川に投げ込んだ。しかし彼の死体を検視した医者の下した死因は溺死（肺の中には水が残っていた）。彼は氷点下の川の中で蘇生し、縄を解こうとしたらしい。本当なのだろうか。

PROPOS　＊2

レーニンは亡命中のスイスで革命勃発を知る。一刻も早く帰国しようとするが、帰国の方途がない。結局、ロシアの敵国ドイツとの密約（内容不明）を交わし「封印（ふういん）列車」で帰国。ドイツはレーニンとその一派をロシアに入国させて革命派を増大させ、ロシア軍内部に反戦気分を高め東部戦線を崩壊させることを狙った。しかし彼らがドイツで途中下車してドイツ国内で工作をされたら困る。そこで列車の窓、乗車口をすべて封印してドイツ国内を通過だけさせた。

PROPOS　＊3

教科書によく使われている「レーニンが民衆に演説している絵」は1955年に50周年を記念して描かれた絵。「ロシア革命成功直後に労働者と兵士の前で演説するレーニン」（V.A.セーロフ）。時代は戻るが血の日曜日事件の「冬宮の襲撃」に関しては写真を含めて映像記録はない。絵が使われている。ただいったん書かれた絵は改変しにくい。それに対して、写真は撮影後に修正、改変が簡単なメディア。周知のことだろうが改めて気に留めておきたい。

画蛇添足

▼十一月革命のルポルタージュがジョン・リードの『世界をゆるがした十日間』。アメリカ人ジャーナリストとして臨時政府とソヴィエトの双方に出入りできた（利用されている面もある）。彼が実見した革命の臨場感を楽しめる。無血革命だった。▼しかし革命は暗転。その後の対ソ干渉戦争と内乱で数百万人もの人命が失われた。唯物史観では三月革命から十月革命の移行は歴史の必然となるが、実際は軍事的才覚に優れたレーニンの強いリーダーシップによった。「社会はこうあるべき」とイデオロギーが優先される時、政治が現実に合わすのでなく、現実が政治に合わされる時、悲劇はおこる。▼なぜ共産党の一党独裁体制なのか。十一月革命は必ずしも民意を反映していなかったからレーニンはそう選択せざるを得なかった。しかし抑圧なしに立ちゆかない体制、一党独裁でなければ維持できない体制とは何なのか。▼その後継者スターリンの独裁によって苛酷な人権抑圧―反対者数百万人の処刑、いわゆる粛清が行われソ連は『収容所群島』（ソルジェニーツィン）と化した。反対者を「反革命」の名の下に粛清しなければ維持できない体制とは何なのか。抑圧からの解放を掲げた政権がより抑圧的な存在になった。レーニンはよかったがスターリンが、は革命を守りたい人びとの評価。▼責任はスターリンの個人的性格だけに帰するものではない。レーニンもトロツキーもまた非情で冷酷。イデオロギーに忠実であろうとすると現実―生身の人間を抑圧するしかない。誰が担当してもあの革命を遂行しようとすれば、あのようにするしかなかったのか。いまロシアでは、ロシアが強かった時代として、スターリン時代がノスタルジックに回顧されている。

わんクリック　「戦国武将に学ぶ」特集の多くは成功者の体験、典型的な「生存者バイアス」（※）。彼らに倒された側から学んだ方が役立つ。合格体験記より不合格体験記―それも浪人したけど駄目だった受験生の体験記が役立つ。しかしそのようなものは存在しない。「「努力すれば夢は叶う」と皆さんに伝えたい」と涙の金メダリストのインタビュー。叶ったのは彼一人の夢だけ。同じ夢を見て努力したその他全員の夢は彼に奪われた。勝利したボリシェヴィキの「生存者」視点でなく、敗北した「臨時政府」の視点でロシア革命を読みなおした池田嘉郎（いけだよしろう）『ロシア革命―破局の8か月』から学べる事が多い。

History Literacy　歴史教科書に書かれていることには生存者バイアスがかかっている。

③ボリシェヴィキ政権の施策

- 全ロシア・ソヴィエト会議の開催 (1917.11. 7 未明)
- 平和に関する布告

  無併合、無賠償、民族自決による即時講和
- 土地に関する布告

  地主の土地を無償で没収
- 人民委員会議の成立 (議長レーニン、外務人民委員トロツキーなど)
- ボリシェヴィキ一党独裁 (1918 年 1 月 19 日)

  憲法制定議会選挙で社会革命党が第一党、ボリシェヴィキは敗北

  └ 社会革命党 40.4% (議席 370)、ボリシェヴィキ 24% (議席 175)

  →レーニンは武力で議会を閉鎖して権力奪取　＊1
- ドイツとの単独講和、ブレスト・リトフスク条約締結 (1918. 3.)

  外務人民委員トロツキーが交渉

  西部の広大な地域 (ウクライナの穀倉地帯など) を放棄

  →ドイツの敗戦で無効
- ボリシェヴィキはロシア共産党と改称 (1918. 3.)　＊2

内戦と対ソ干渉戦争　＊3

①対ソ干渉戦争 (1918 ~ 20 、22)

- 各地に反革命軍 (白軍) が組織、反革命政権が樹立され内乱へ

  └ 革命は首都の出来事、農村では社会革命党の影響力が強い

  英仏米日など連合軍がチェコ兵捕虜の救出を口実に反革命政権の支援

  └ 革命の自国への波及を恐れる

  日本もシベリア出兵 (1918 ~ 22)

  └ 成果なく犠牲のみで撤兵できなくなった日本 (撤兵が最も遅くなる)、大失敗の軍事出兵

  ソヴィエト・ポーランド戦争 (1920)

②ソヴィエト政府の対応

- トロツキーが赤軍を組織、モスクワ遷都
- チェカ (非常委員会) の設立　＊4

  反革命、サボタージュの取り締まり、反革命派の逮捕、処刑
- コミンテルン創設 (1919 ~ 43)　＊5

  世界革命の推進、各国の民族運動の支持

PROPOS ＊1

革命記念日がソヴィエト政権により 11 月 7 日とされたことで見えなくされたのが 1 月 19 日。選挙で選ばれた議会を武力で閉鎖した日。「共産党」のうしろに「一党独裁」が続くことになった出来事。ボリシェヴィキは選挙で正当性を確保できず、共産党の前衛性—その意思がルソーのいう「一般意思」であるかのように正当化した。

PROPOS ＊2

あくまで到達すべき理念が共産主義。そこにいたるまでの過渡期、現実に存在するのは社会主義。ただしレーニンは 1 次大戦を阻止できなかった「社会」主義のイメージの悪さを嫌い、「共産」党を名乗った。

PROPOS ＊3

革命国家として常に外からの圧力にさらされたソ連。対ソ干渉戦争、内乱期の苦しい体験がソ連の基本的な性格を形成。祖国防衛のための強大な軍事力の保持、極端な中央集権体制、反革命摘発のための秘密警察、民生品より軍備優先の経済、これらがその後のソ連を特徴づけるものになる。

PROPOS ＊4

チェカがのちの KGB(国家政治保安部) に発展。ソ連崩壊まで存在した諜報機関、秘密警察。街角のいたるところに KGB の盗聴マイクが仕掛けられていた。冷戦時代に米中央情報局 (CIA) と諜報戦を展開した。

PROPOS ＊5

世界の共産党の指導機関。上意下達でコミンテルンの指令に各国の共産党は従った。他国を共産主義化することでソヴィエト政権の生き残りを図ろうとした。世界からは国際共産主義運動と警戒された。日本ではゾルゲ事件が発覚。近衛首相側近の尾崎秀美がコミンテルンのスパイとして国策 (南進への誘導) に影響を与えていた。コミンテルンの影響力は限定的だが、当時のすべての出来事の背景にコミンテルンの影を認める謀略史観がなくならない (※)。

画蛇添足

▼「損をして得をとれ」が格言になるほど、損切りは難しい。すでに支払ってしまって回収できない無駄になる費用を埋没コストという。３２００円も支払って買った本。３１０ページも読んでもういいと感じたが、ここで止めるとお金と時間が無駄になる。▼止めて残りの時間を有効に使うことが経済学的には合理的選択だが、この損切りができなくてさらに時間を浪費する非合理な意思決定をするのが人間。日露戦争に投入したコスト「10万の生霊、20億の国帑」が後の人びとを呪縛した。日本はこのコスト切りができず、ずるずると大陸進出を続けた。日中戦争でも40万を超える死者、払った代償に引きずられて安易な和平交渉ができなくなってしまった。生き残った人間が、死者が死ぬことになったその出来事を「無駄だった」と言えない。遺族がいて、実際に戦場に赴いた退役軍人がいる。▼帝政ロシアが革命の危機を外にそらしたい思惑もあって参戦した1次大戦。東部戦線での戦況は芳しくなく死者が増え、ロシア社会では厭戦感が広がっていった。民衆にはロシアがドイツと戦争する理由、帝政は終わったのに戦争が終わらない理由が理解できない。臨時政府は、帝政期は帝国主義戦争だったが革命後は祖国防衛的戦争へ転化した、と戦争継続を正当化、戦争からの離脱に踏み切れなかった。▼この死者たちを埋没コストと割り切れたのが利害関係のなかったボリシェヴィキ政権。交渉にあたったトロツキーは無条件での即時講和をめざした。実際は足下を見られ、広大な土地を失う条件を飲んだ。それでも戦争から離脱。日本の先の戦争の被害者の過半は最後の半年。戦争直前、中国大陸からの撤兵決断がどうしてもできなかった。

わんクリック　退位後、ニコライ２世一家は、ウラル地方のエカテリンブルグに幽閉。干渉戦争の最中、反革命のチェコ軍がこの街に迫った。一家が反革命派の手にわたれば反革命派を勢いづかせる。このような危惧から、一家は正式な裁判にかけられず銃殺された。その際、四女のアナスタシアだけは絶命せず、生き残ったと信じられた。これに関連して映画『追想』(1956 米) などが作られた。ロマノフ王家の最期を襲った悲劇を多くが悼んだ。このように「私たち」は馴染あるものに感情移入できるが、知らないものには何も感じない。帝政下では無数の人びとがもっと悲惨な最期を余儀なくされていた。

History Literacy　陰謀史観は「真実に目覚めた私」が使命感で広げる—これが「選民思想」が持つ強さ。

ドイツ革命

- 1918年11月、キール軍港の水兵反乱　＊1
  労働者がゼネストで呼応し、レーテ（評議会）を結成
  スパルタクス団が強い影響力
  社会民主党左派で大戦中も反戦貫く、社会主義革命主張
- 皇帝ヴィルヘルム2世の退位でドイツ帝国崩壊
- 臨時政府は共和国宣言（「即興の共和国」）　＊2
  社会民主党のエーベルトが中心、軍部と結ぶ
  └ スパルタクス団の勢力増大（ロシア革命の二の舞い）を恐れる
  旧勢力残存（「皇帝は去ったが、将軍は残った」、「共和主義者のいない共和国」）
- 1918年11月、休戦協定に調印　＊3
- 1919年1月、スパルタクス団の蜂起
  社会民主党により鎮圧され失敗
  └ ロシアの臨時政府が戦争を継続したのに対し、ドイツの臨時政府は停戦したことも関係
  ローザ・ルクセンブルク、カール・リープクネヒトは殺害

ヴェルサイユ体制 ― 利益の旧外交から理念の新外交へ

①パリ講和会議（1919.1～1919.6）
└ フランスの強い要求でパリ郊外各地で開催

- 各国の代表
  クレマンソー（仏）、ロイド・ジョージ（英）、ウィルソン（米）が主導権
  オルランド（伊）、西園寺公望（日）
  敗戦国ドイツとソ連は会議から除外
- 会議の基本原則 ―「民族自決」イデオロギーが流れに
  平和十四カ条（1918年1月教書）
  └ ソヴィエト政権の「平和に関する布告」に対抗して発表
  秘密外交廃止、航海の自由、関税障壁の撤廃
  軍備縮小、東欧の民族自決に基づく植民地問題の公正な解決
  国際平和機構の設立など

PROPOS　＊1
ドイツ革命はロシア革命の1年後に起こる。レーテはロシア革命でのソヴィエトに相当。ロシア革命でのボリシェヴィキにあたるのがスパルタクス団。レーニンに相当したのがローザ・ルクセンブルク。

PROPOS　＊2
開戦直前に戦争協力に転じた社会民主党（右派）は、大戦中、軍部・ユンカー・資本家と「城内平和」を保ち、労働者を戦争へと駆り立てた。戦後、労働者のゼネストを指導したスパルタクス団の指導者カール・リープクネヒトが社会主義共和国の宣言をしようとした。それを察知した社会民主党の一幹部が議事堂の前に集まった群衆に対して、独断で共和国の樹立を宣言。この緊急避難的に行った措置で誕生したのが「即興の共和国」ヴァイマル共和国。左派のスパルタクス団に権力を奪われることと、ロシア革命の二の舞いを恐れた社会民主党のエーベルトは、帝政軍部との間で秘密協定を結ぶ。このことが、帝政軍部、ドイツ旧支配層復活のきっかけとなった。

PROPOS　＊3
1917年11月8日にレーニンが「平和に関する布告」を発表。無併合・無賠償・民族自決を原則とした即時講和を提案。同時に帝政時代の秘密外交を暴露。この戦争が帝国主義戦争であることを白日にさらした。各国はこれを無視しきれず、2カ月後の1918年1月、ウィルソン米大統領が「勝利なき平和」を唱え、議会への教書の形で「十四カ条の平和原則」を提案。国際政治の主導権をソ連に握らせないための争い。ドイツはこれを講和の原則にする条件で休戦したため、翌1919年からはじまったパリ講和会議の基本原則になった。しかし、英仏の憎悪の前にこの原則は歪曲され、この原則とはかけ離れた条約となった。コミンテルンに対抗するために国際連盟が作られた。その条項がヴェルサイユ条約の第一条に置かれた。ヴェルサイユ条約調印国が国際連盟に加盟する仕組みであった。

画蛇添足

▼パリ講和会議は戦勝国である連合国のみが参加する前代未聞の講和会議。参加が許されなかったドイツは条約の調印だけを強要された。ドイツはこの条約を「ヴェルサイユの命令」と呼んだ。▼調印式はドイツ帝国が戴冠式を挙行したヴェルサイユ宮殿鏡の間で、サライェヴォ事件と同じ6月28日が選ばれた。この日は普仏戦争の講和の日でもあった。そこまで念入りに憎しみが演出された調印式。▼ウィルソン米大統領は政治学者で元大学学長。熱心な信者で地上に神の国を実現する強い使命感を持っており、理想主義的な「勝利なき平和」を提唱。しかし復讐の鬼と化したクレマンソー仏首相により歪められた。歴代英首相の中でも傑物とされたロイド・ジョージでもフランスを止められなかった。▼怒りと不安がヴェルサイユ講和を支配した。フランスは何よりドイツの再強大化を恐れた。ライン川を自然の防波堤とするため右岸の非武装、左岸の分離など無理を要求。またドイツの軍備縮小も要求。ドイツに多大な賠償金を課すことで再軍備を現実に不可能にしようとした。▼日本の全権代表の西園寺公望は老齢で健康問題を抱え、存在感が乏しかった。十年の滞仏経験がありソルボンヌ大学時代の旧友クレマンソーに山東問題利権の日本継承問題で助けられた。日本はこれと人種差別撤廃条項を併せて提案したが、会議を実見した若き近衛文麿、松岡洋右は日本の論理は国際社会で通用しないと感想を残した（※）。▼ヴェルサイユ講和の反省から2次大戦後、日本に対するサンフランシスコ講和会議（1951）は日本への賠償請求放棄を基調とする極めて寛容な講和となる。四半世紀後に日本がヴェルサイユ会議の最大の受益者となった。

わんクリック　革命家ローザ・ルクセンブルク。属する社会民主党が戦争賛成に転じ、「城内平和」で労働運動を自粛したことに衝撃を受ける。レーニンが議会を解散して一党独裁体制をとったことを批判。「自由とはつねに、思想を異にする者のための自由である」と独自の理論を構築。大戦中は獄中に捕えられた。幼馴染のゾフィーにあてた書簡が『獄中の手紙』。検閲のため獄中で見た鳥など、繊細な感受性で自然の美しさについて語る。皆さんにとっては別の書簡集にある「女の性格が分かるのは恋が始まる時ではないわ。恋が終わる時よ」が気になるか。もちろん文中の「女」は「人間」に変えて読もう。

History Literacy　人権問題に敏感なのは差別されている側―だから戦前の日本はいまより人権問題に敏感だった。

②ヴェルサイユ条約 (1919)

- 対ドイツ講和条約
- 国際連盟の設立
- 全植民地の放棄　＊1

  国際連盟の委任統治領に

  南西アフリカ (ナミビア) は英領南アフリカ

  東アフリカ (タンガニーカ) はベルギー領ルワンダ、英領タンザニア

  太平洋 (赤道以北、マーシャル、パラオ、マリアナなど) は日本領南洋諸島

  太平洋 (ビスマルク諸島、ニューギニア北部) はオーストラリア領
- 国境の変更

  アルザス・ロレーヌをフランスに割譲

  炭田地帯ザールは国際連盟が管理

  └ 人口の 90%がドイツ人　└ 15 年後に人民投票で帰属を決定

  ポーランド回廊をポーランドに割譲、ドイツは飛び地国家に

  └ ポーランドに海への出口を保障　└ 分割した三帝国消滅でポーランド復活

  ダンツィヒは国際連盟管理下の自由市
- 軍備制限　＊2

  陸軍 10 万、海軍 1 万 5 千、潜水艦・航空機 (空軍) の保有禁止
- ラインラント非武装

  ライン右岸は非武装、左岸は連合軍が保障占領
- 賠償金支払い

  金額はロンドン会議 (1921) で 1320 億金マルクに決定

  └ 当時のドイツの GDP の 1.67 倍、現在の価値で 5000 億ドル (67 兆円) 程度
- オーストリアとの合併禁止

③他の敗戦国との講和

- サン・ジェルマン条約 (対オーストリア)

  オーストリア・ハンガリー帝国解体

  トリエステ、ティロルをイタリアへ割譲 (「未回収のイタリア問題」解決)

  オーストリアとドイツの合併禁止　＊3
- トリアノン (対ハンガリー)、ヌイイ (対ブルガリア)、セーブル (対トルコ)　＊4

PROPOS　＊1

ドイツはすべての海外領土 (全植民地) を放棄。委任統治領として英仏が分け合う。これは「委任統治という名の植民地主義」「実質上の英・仏による植民地再編」と批判される。他方で国連の委任統治領という形をとらなくては支配ができなくなったことも意味。「便所の中の差別落書き」と同じで「まだ社会に差別が残っている」と批判を続けなくてはいけないが「こんなところでしか差別的言辞を吐けなくなるところまで追い込んだ」と評価もできる。委任統治は、植民地時代の終わりの始まりとなった。2 次大戦後は信託統治 (～1960)。

PROPOS　＊2

ウィルソンの十四カ条で初めて軍備縮小が主張された。しかし結果的にドイツのみ軍縮を強要された。条約の狙いはドイツの弱体化。他国も軍縮を実行するとドイツに説明。しかし約束は実行されなかった。この矛盾をついて、ヒトラーは「軍事平等権」を主張。ヴェルサイユ条約そのものより、その実施過程の不備が後にヒトラーの主張を説得力のあるものにしてしまった。飛行機製造が禁じられ、そのノウハウは日本へ。日本の民間企業がドイツ人顧問を招いた。

PROPOS　＊3

民族自決の対象は東欧。敗戦国へは認められなかった。ドイツとオーストリアの合併は認められず、サン・ジェルマン条約によって合邦 (アンシュルス) の禁止が明文化。ヴェルサイユ条約のねらいはドイツの弱体化を図ることにあり、巨大なドイツ、「大ドイツ主義」の実現などは論外だった。

PROPOS　＊4

多民族国家だったハンガリー自体も講和条約で解体され、各民族は周辺国へ併合、人口は 3 分の 1 となる。しかしマジャール人の民族自決は認められず、周辺諸国に多くのマジャール人が少数派となった。この過酷な講和はハンガリーの右傾化を促し、2 次大戦では枢軸国側に立って参戦。

画蛇添足

▼「失敗したヴェルサイユ講和」が世界の通説。歴史は勝者によって描かれ、それが通説となるが、これはむしろ敗者のドイツ側に同情的な見方であり、敗者によって描かれた歴史が通説になった稀な例。▼条約調印直後から英仏側からも自省的な見方が広がった。特に経済学者ケインズが『講和の経済的帰結』でこの条約の苛酷さをポエニ戦争時の「カルタゴの講和」にたとえ、ここでの賠償金問題が次の戦争に繋がる、と予言したことの影響が大きかった。不幸にもケインズの予言は的中した。▼英仏はすべての戦争のコストを賠償金としてドイツに負担させようとした。賠償金総額が当初の段階で明示されなかったのは、どれほどの巨額を書き込んでも英仏国民を納得させられない、またそのような巨額を書き込んだらドイツは条約を受諾しない、と考えられたことによる。▼のちに決定された「天文学的数字」と形容される1320億金マルクの賠償金。これを決定する会議に英国代表で出席したケインズ。彼はドイツ経済を破綻させない賠償額を見積もったが、クレマンソーの怒りがそれを3倍以上の賠償金額に膨らませた。ケインズは職を辞してこれを糾弾。▼英仏の憎しみ、ウィルソンの現実を軽視した過度の理想主義が講和を失敗させたと当初から非難された。しかし最近では「ヴェルサイユ条約は失敗ではなかった」「当時にあってこれ以上に妥当な講和を達成することは難しかった」と条約を再評価する声もある。条約は悪くなかったのに不当に攻撃されたため条約の権威が失墜、それがヒトラーの行動に正当性を与えたとみる解釈。少々の瑕疵があっても作ったもの (フィクション) には自信を持って毅然とすべきなのか。

わんクリック　「委任統治」― 戦勝国による実質的な植民地分割。しかしこういう手続きが必要になった。欺瞞的にではあれ、ゆっくりと国際ルールは変わりつつあった (※)。台湾統治が評価されて南洋諸島の委任統治をまかされた日本。日本が 25 年間委任統治したパラオ。南洋庁という役所ができ、そこに役人として赴任したのが『山月記』でおなじみの小説家中島敦。そこでの『南洋通信』が興味深い。沖縄県出身の農民が多い。寺尾紗穂『あのころのパラオをさがして 日本統治下の南洋を生きた人々』は忘れられた日本の事実上の植民地を訪ねた記録。国民の 2 割は日系 (ミクロネシア全体で同じ)。

History Literacy　形からはいる、にも一片の真実はある―器ができたからよい内容を盛ろうという気持ちになる。

④民族自決が生んだ新興国
- 民族自決の原則により８カ国が誕生　＊1
- 四帝国の崩壊　（※）
  ロシア帝国 (1917)、ドイツ帝国 (1918)
  オーストリア・ハンガリー帝国 (1919)、オスマン帝国 (1922)
- ８カ国の誕生　＊2
  フィンランド
  バルト三国 (エストニア、ラトヴィア、リトアニア)
  ポーランド
    ポーランド・ソヴィエト戦争 (1920) により領土拡大
    議会政治が混乱し、ピウスツキが独裁権掌握 (1926)
  チェコスロヴァキア　＊3
    初代大統領マサリク、第２代ベネシュにより安定した民主政治
  ハンガリー
    ハンガリー革命でベラ・クンによりソヴィエト政権樹立
    ソヴィエト政権崩壊後、摂政ホルティの権威主義体制
  ユーゴスラヴィア

⑤歪められた民族自決 ― 東欧にしか適用されなかった民族自決

a. アジアなどでの民族自決は否定
- 大戦で各国は植民地の有用性を再認識
- 民族自決は東ヨーロッパでのみ適用
- 委任統治
  アフリカ、太平洋の旧ドイツ植民地、旧トルコ領で適用

b. ヨーロッパでの民族自決の恣意的な運用
- 新興８カ国の不自然な国境
  ソ連への反共の防波堤、ドイツの大国化防止
  →各国が少数民族問題を内包　＊4
    ドイツ人居住地のズデーテン地方がチェコ領に
    マジャール (ハンガリー) 人がルーマニア、チェコスロヴァキア領に
      └ ハンガリーの国土はは３分の１に、ホルティによる独裁体制樹立
- オーストリアとドイツの合併禁止
  └ ドイツ人だけの人口600万人の小国に転落、ドイツとの合併を期待

PROPOS　＊1

「東欧」という地域枠組みは冷戦期にソ連の影響下に入った社会主義諸国の総称として使われはじめた。以後、それ以前の時代にまで遡ってこの地域を東欧とみる眼差しが生まれた。中世ではエルベ川以東が東欧として、以西の西欧に食糧を供給する地域とみなされた。１次大戦後に生まれた新興国家のいくつかも東欧とみなされた。

PROPOS　＊2

「一つの民族が一つの国家を作るべき」という、国家の基礎単位を民族におく「民族自決」はイデオロギー。前提となる「民族」が時代を超えて存在するかのように想定している点でもイデオロギー。それがこの適用に最もふさわしくない東欧にのみ適用された。この地域は民族分布が複雑な地域。それゆえ帝国支配の対象地域だったが、戦勝国はまさにその帝国支配―ロマノフ家、ハプスブルク家、ホーエンツォレルン家による支配を復活させないためにこの原則を東欧にのみ適用した。それが好都合な英仏はこれを支持。ドイツ人、中東やアジアなど他地域に適用するつもりはなかった。

PROPOS　＊3

民族自決というイデオロギーで国境線が引けるわけもなく東欧諸国はいずれも少数民族問題を抱えた。各国間で住民を交換することで問題解決を図ったが、これでは際限なく住民交換を続けなければ同質的な民族に基づいた国家を建設することは難しい。冷戦終了後、この発想はいくつかの国で「エスニッククレンジング (民族浄化)」というおぞましい行為にまで発展した。

PROPOS　＊4

ドイツ人居住域のズデーテンは民族自決の原則からドイツにすべきとアメリカは主張したが、ドイツの弱体化を図りたいフランスなどの主張でチェコに含まれることになった。このことも、ヒトラーに自民族保護という格好の侵略の口実を与えることになった。ズデーテンの住民はこれを歓迎。

画蛇添足

▼「表現の自由」を盾に弱者への差別発言、暴言が擁護されることがある。多くの概念は先行する何かの対抗概念として登場する。「表現の自由」もそれを規制、禁止しようとする国家権力―強者への対抗のために作り出された概念。いつでもどこでも認められる絶対的概念ではない。▼他者の尊厳を損なう揶揄は「表現の自由」で認められない。概念にはカウンター（アンチ）としては有効なものがある。「個性の尊重」は何事でも揃えたがる学校文化の中で対抗概念として意味があるが教育目標にはなりえない。個性は押さえようとする力に反発する中で育つもので育てるものではない。▼ところが学校現場には、異論を押し切り「みんな違ってみんないい」を統一目標にしたとか、こう書いたポスターをどのクラスでも同じ場所に貼るように統一した、といった同調圧力の威力をまざまざと伝える話がある。「個性の尊重」すらこのように扱われるのが学校文化。▼概念はカウンターの出自を隠し持つ。それなのにどこにでも通用するかのような「普遍」の顔をする。普遍に見えてもそこには個別性がある。カウンターはそれが対抗するものの過剰な意味を和らげること、あくまでも解毒剤であることに意味があるのであってそれを新しく中心に据えてはいけない。ところが元の概念が忘れられた時、対抗概念が暴走しはじめる。▼民族自決原則も植民地支配の不当性を指摘するための対抗概念。解放のイデオロギーとして一枚岩で宗主国に対抗することを可能にする。しかしいったん独立したらその内部を均質化する抑圧的なものとして働く。現実に人びとは必ずしも民族単位で住まずに混住している。民族自決の過剰もまた新たな悲劇を作り出す。

わんクリック　隣接するので「バルト三国」とまとめられるが民族も言語も違う。エストニアは、エストニア語 (ウラル系) を話すプロテスタント国。行政の電子化のお手本としてよく話題にあがる小国。skype はエストニアで生まれた。リトアニアはリトアニア語 (印欧語族) を話すカトリック国。長くポーランドと同君連合を組んでいた影響。ラトビアはラトビア語 (印欧語族) を話すプロテスタント、カトリック国。「バルト海の真珠」リガ。「歌の民」でも知られる。エストニア、ラトビアに３割程度リトアニアに１割程度のロシア系住民がいて、その保護の名目でロシアが侵攻してくる可能性を抱えている。

History Literacy　いま私たちは「帝国」のない例外的な時代を生きる (広域支配は、治安、公安機関の力による支配に変わる)。

⑥国際連盟の設立 (1920)

└ 2 次大戦を防げず「失敗した国際組織」と見られがちだが民生分野で多くの業績

・ウィルソンの平和十四カ条に基づき設立

・集団安全保障に基づく史上初の平和維持のための国際機構

・主要機関　総会、理事会、連盟事務局、本部ジュネーヴ

・補助機関　国際労働機関（ＩＬＯ）、国際司法裁判所

・参加国

アメリカが不参加、日本は常任理事国の地位　＊1

└ アメリカ上院はヴェルサイユ条約を批准せず (条約第 1 条が国際連盟条項)

ソ連 (34 年加盟)、ドイツ (26 年加盟、33 年脱退) が除外

└ 前年、ヒトラー内閣成立、翌年コミンテルン第 7 回大会

・経済制裁のみ、強制執行力 (武力制裁) なし

└ 16 条に武力制裁をほのめかす条項はあるが現実には「持たない」を意味

日本の列強化とワシントン体制

・ワシントン会議 (1921 ~ 22)　＊2

・東アジア、太平洋地域の戦後の国際秩序

└ 1 次大戦中、列強は中国に関与できず、日本が独占的に進出

・ハーディング米大統領の提唱

・九カ国条約 (1922)

参加 9 カ国 (中国を含む) で中国の主権尊重、領土保全を約束

└ アメリカの門戸開放原則を各国が承認

日本は二十一カ条の要求を破棄、山東半島利権の大部分を返還

└ 戦争中の妥協、石井・ランシング協定を事実上破棄

・四カ国条約 (1921)　＊3

太平洋諸島の現状維持、集団安全保障をとり日英同盟破棄

・ワシントン海軍軍縮条約 (1922)

主力艦の保有比率 (英 5：米 5：日 3：仏 1.67：伊 1.67)　＊4

└ 主席全権加藤友三郎 (海軍) の決断、当時の日本は財政難で軍拡に耐えられず

・ワシントン体制の成立

日本の大陸進出抑制、アメリカの外交的勝利　＊5

└ 財政余力なく軍拡競争を避けられた日本にとり有益、以後日本は協調外交 (幣原外交)

PROPOS　＊1

国際連盟設立のためにパリ講和会議で妥協を重ねたウィルソン大統領。しかし条約批准権を持つ上院を説得できず、提唱者アメリカが参加しない形で国際連盟が発足。三権分立のアメリカで議会と大統領は対等の権力を持つ。議会は連盟への参加が主権制限になることを嫌い、また際限なく国際問題に関与することになる、と反対した。

PROPOS　＊2

連盟不参加のアメリカだが大国として孤立政策には戻れなかった。20 年代の共和党政権はワシントン会議、ドイツ賠償金問題、パリ不戦条約で主導的役割を果たす。

PROPOS　＊3

ワシントン会議では集団安全保障での平和維持が採択。二国間条約の日英同盟は破棄。20 年以上、日本外交の屋台骨だった同盟が破棄。日英関係はぎくしゃく。20 年後に対英宣戦するまで反英感情は悪化。

PROPOS　＊4

軍縮は実施と検証が容易な海軍が中心になった (軍艦は衆人監視の前で海に沈めればよい)。とはいえ一隻沈めると艦長以下多くのポストもなくなり抵抗は大きかった。将校の夢は艦長になること。ポスト削減は憎まれる。しかし各国とも建艦競争を続ける財政余力はなく政治決断で軍縮。一般の職業軍人にとって軍縮は失業を意味。社会不安が生み出された。組織のダウンサイジングは難しい。肥大化しがちな存在。

PROPOS　＊5

「満洲事変、そして国際連盟からの脱退。日本は、次第に、国際社会が壮絶な犠牲の上に築こうとした『新しい国際秩序』への『挑戦者』となっていった。進むべき進路を誤り、戦争への道を進んでいきました」(戦後 70 年での当時の安倍首相談話)。悲惨な大戦を経験した欧米。これを繰り返さない新しい国際秩序を模索。日本も当初は協調外交 (幣原外交) で臨んでいた (※)。

画蛇添足

▼国家の安全をいかに保障するか。基本は自強だが、「相手が強くなる前に」と仮想敵国を予防戦争に追い込んでかえって安全を損なうこともある。大戦前は同盟を組む勢力均衡が試みられたがこれは軍拡競争を招き、一地域紛争を世界戦争までエスカレートさせた。反省から戦後は集団安全保障が採用。▼加盟国内で侵略国がでた場合、他の加盟国が集団的制裁を加えることで平和を維持する発想。これに基づき国際連盟、四カ国条約、ロカルノ条約が締結されたが機能せず世界大戦を招いた。国際連合も集団安全保障を採るが、国連軍の組織はまだない。集団安全保障は現実的運用が難しく空手形に終わりがち。その不備を集団的自衛権で補っている (国連憲章第51条)。▼両者はよく似た言葉。家を守るために木刀を置いて備えるのが個別的自衛権。隣家と「互いに助け合おう」と有事の際には木刀を持って駆けつけ合うのが集団的自衛権。それに対して、揉め事があった時には隣保全員で加害者を「袋叩きにする」と脅すことで侵略を思いとどまらせるのが集団安全保障。ただ予防が主眼で実際の有事には機能しない。▼学校現場にも平和構築のために提供できる知見がある。ルール違反した生徒に長い説教を垂らしてうんざりさせること。筆者は「叱る時は短くその行為を叱る」で臨んできたが、そんな理屈のたったやり方は自己満足でしかないと見られてきた。その通りである。▼「破ると後が面倒」―面倒くさいのは教師の方だが生徒に「(あれであれだけなら) こんなことしたらとんでもない面倒になる」とコスト計算させて自制させる。泥臭い、ねちっこさで校内秩序は保たれてきた。いわゆる頭でっかちな人に欠けているのがこの姿勢。

わんクリック　ウィルソン米大統領の悲願、国際連盟の設立。ドイツの山東省利権継承を目的に会議に臨んだ日本は渋るアメリカに対して、退会、国際連盟不参加で揺さぶり、そして交渉カードに人種的差別撤廃提案を使った。もとより、戦争中に中国に「二十一カ条の要求」を突きつけ、何より植民地を持ち、三一独立運動を厳しく弾圧した日本に提案資格などない。黒人差別問題を抱えるアメリカが受け容れられない提案をして、これを引っ込めてアメリカに恩を売り、山東省利権を確保しようとする戦術。対するウィルソンは南部出身。学長時代は白人以外を入学させなかった強い差別意識の持ち主。

History Literacy　理解の温度差―「壮絶な犠牲」を知らない日本は「新しい外交」の本気度が理解できなかった。

国際協調と軍備縮小

①国際協調による平和醸成の試み — 世界の新潮流

・1925年、ロカルノ条約

└ 各国によるソ連の国家承認が背景

ドイツ外相シュトレーゼマンが提唱　＊1

7カ国によるヨーロッパの集団安全保障条約

ドイツとフランス・ベルギー国境の不可侵

ラインラント非武装

・1926年、ドイツの国際連盟加入で国連強化

└ ロカルノ条約発効の前提

②パリ不戦条約締結 — 国家の権利だった戦争が違法化

・1928年、パリ不戦条約締結

仏外相ブリアンと米国務長官ケロッグが提唱

国際紛争解決のための戦争を否認

└ 違法になったため例外に関して理由が必要になる

15カ国が調印（日本も調印、批准）

└ 現在までに68カ国が参加、現在も有効

③軍縮の進展

・1930年、ロンドン軍縮会議　＊2

└ 満洲事変前年、英米との協調外交（濱口内閣、幣原外相）

補助艦の保有比率（英10：米10：日7）　＊3

・日本では条約調印をめぐり統帥権干犯（とうすいけんかんぱん）問題

海軍軍令部と野党が天皇の大権統帥権を犯していると非難　＊4

④日本の対応

・国際協調

国際連盟常任理事国として日本も国際協調路線　＊5

1920年代は幣原喜重郎（しではらきじゅうろう）による協調外交（幣原外交）

└ 中国にも一切不干渉、居留民攻撃を受けるたびに弱腰、軟弱との批判も高まる

・国内の不満

アメリカで排日移民法（1924）が成立 — 反米感情高まる

└ 協調外交をしていながらこれを防げなかった、と非難

PROPOS　＊1

ドイツに押し付けたヴェルサイユ条約下での平和に実効性があるか懐疑されていた。それゆえドイツ発案による集団安全保障体制ロカルノ条約は各国に歓迎された。

PROPOS　＊2

ワシントン海軍軍縮条約で主力艦（重さ1万t以上）の保有比率を制限すると各国は上限ぎりぎりの補助艦を増やした。

PROPOS　＊3

補助艦制限に国際協調を優先させた海相に対して作戦担当の軍令部（ぐんれいぶ）が反発。当時は巡洋艦、駆逐艦、特に潜水艦などの補助艦を使って米海軍との戦いを計画。陸軍と違い海軍の勝敗の帰趨（きすう）は装備によるところが大きく、図上演習で勝敗が計算できた。軍令部は勝てないと判断。海軍内で反対派（艦隊派）と条約推進派（条約派）が対立した。

PROPOS　＊4

日本の軍隊（特に陸軍）ほど政治化した軍隊はない。本来、軍は非政治的存在。明治憲法特有の短い条文「天皇ハ陸海軍ヲ統帥ス」—統帥権の独立は軍を政治（当時は自由民権運動）から守る条文。それが昭和になると逆に解釈され、軍の政治介入の根拠となる（条文が短く多様な解釈を許す明治憲法の欠陥）。補助艦軍縮条約締結時、海軍と野党政友会の犬養毅などの政治家が条約締結は「統帥権干犯」—天皇が持つ軍の指揮権への干渉と攻撃。倒閣運動に利用した。党利党略、反対のための反対。この後、政党は国民の信頼を失い軍の独走を招いた。

PROPOS　＊5

大戦後の国際関係の変化を理解して帝国主義外交から脱却した国際協調外交を進めた幣原喜重郎外相。国益の追求が国家の外交目的。各国が利益を追求しあう国際社会。そこでの国際協調と国益追求は二律背反ではない。ところが国際協調が「弱腰」「追随」と突き上げられ、偏狭な国益追求に走ってしまい、結果的に日本は国益を損なった。

画蛇添足

▼1次大戦のあまりの惨禍から、戦後は戦争を違法とする方向へ転換。パリ不戦条約まで戦争—大量殺人と破壊が戦争と名付けられて国家の権利と許されてきたこと自体が驚き。パリ不戦条約で初めて戦争は「違法」となった。▼17世紀までは、法的に許される戦争（正戦）と許されない戦争（不正義の戦争）があると理解されてきた。18世紀に「正しいも正しくないもない」と理解が変わった（無差別戦争観）が、この理解がすべての戦争を認める方向へ思わぬ後退をしていた。不戦条約でようやく戦争は違法となった。▼「戦争解決の手段としての武力行使」の文言を生んだ不戦条約。戦争が侵略戦争と自衛戦争に分けられ自衛戦争の抜け道は残った。例外なく戦争は自衛、居留民保護のためと称して始められる。だから不戦条約は戦争を認めた戦争条約、と受け取る国もあった。無益だが無害と多くの国が調印した。それでも自衛戦争という抜け道を通るのに理由が必要になった。理由を取り繕う煩雑さが少しは武力行使抑止につながった。▼2次大戦を防げなかったが不戦条約の理想は戦後の国連憲章、日本国憲法第九条に受け継がれた。後者の論理構造、文言は瓜二つ。不戦条約に全権として調印した幣原首相が発案したものに、大統領選を意識したマッカーサーがラジカルな絶対平和主義へ上書きしたとされる。▼用法として「不法侵入」はあるが「違法侵入」はない。侵入自体が法の有・無に関わらず許されない行為。戦争を違法化したパリ不戦条約、と語る時、そこに戦争を悪とみる感覚がない。ロシアのウクライナ侵略—これを最後に、戦争は「違法」から「不法」の対象となった、と歴史教科書に叙述できる時代を必ず作らねばならない。

わんクリック　この時代の雰囲気を知るための3冊。ロンドン海軍軍縮条約締結に関与した山梨勝之進（やまなしかつのしん）（のちに艦隊派に敗れて海軍の主流から外れた条約派）が戦後、海上自衛隊で行った講義録が『歴史と名将—戦史に見るリーダーシップの条件』。とにかく視野が広い。1920年代は国際協調—帝国主義諸国との協調の意味だが—この時代に協調外交を展開した幣原喜重郎の自伝『外交五十年』。外交官石射猪太郎（いしいいたろう）の自伝『外交官の一生』。仕えた立場から見た幣原喜重郎、近衛文麿、広田弘毅などの人物評が興味深い。彼によれば幣原喜重郎の英語力は「日本人が到達しうる最高レベル」「鬼に金棒」レベル。

History Literacy　いま戦争を正当化する理由は自衛と居留民保護—他国に後者の理由を与えない（外国人排斥に注意）。

3　大戦後の合衆国とヨーロッパ

アメリカ合衆国の繁栄

①繁栄

- 世界最大の債務国から世界最大の債権国へ
- 大戦中に連合国へ物資を補給
- 戦禍なく、戦後復興景気で貿易拡大、復興資金の海外投資
  └ 世界金融の中心はロンドンのシティからニューヨークのウォール街へ

②外交

- 二重外交
  国際連盟不参加 ― 上院の反対でヴェルサイユ条約批准せず
  ワシントン会議の主催
  └ 世界最大の債権国として国際政治で指導的地位
  ドイツの経済復興（ドーズ案）、中国の民族運動（9カ国条約締結）援助

③内政

- 女性参政権の実現（1920）
- 共和党政権下の「永遠の繁栄」
  ハーディング、クーリッジ、フーヴァー各大統領　＊1 ＊2
  自由放任、大資本の利益優先策

④社会 ― 失われた寛容性

- 禁酒法制定（1919）
  └ 大戦中の敵国ドイツ産業への打撃、禁欲主義への傾斜
- 社会主義運動への迫害 ― サッコとヴァンゼッティ（冤罪）事件
  └ 大戦中のロシア革命をきっかけに共産主義へのアレルギー
- 人種差別感情、排斥感情の広がり　＊3
  ＫＫＫの再活動化で黒人へのリンチ事件頻発
  移民法（1924）でアジア系移民の事実上の禁止　＊4 ＊5
  カリフォルニア州外国人土地法（1913）などで日米間の懸案事項に
  └ 外国人の土地取得、帰化などが禁止
  ヴェルサイユ会議で日本の人種平等法案（不受理）提出の背景
  →移民法制定で日米関係悪化

PROPOS　＊1
ハーディング「正常への復帰」。「正常」とはモンロー主義、「アメリカ・ファースト」（トランプ）でアメリカの伝統的外交政策。国際組織にかかわることを主権が制限されると嫌うのはアメリカの政治文化。

PROPOS　＊2
無口なクーリッジ。3語以上は喋（しゃべ）らない。ある食事時「3語以上喋るか賭けよう」と側近たち。賭（か）けをしていたと打ち明けると、「喋らない」に賭けた人物に "You win."。

PROPOS　＊3
非アメリカ的なものを排除しようとする風潮が強くなる。白人至上主義で黒人に私刑（リンチ）を加えるKKKが再結成（1915）、社会主義運動への迫害も強くなる。ロシア革命後、共産主義への恐怖を背景に起こったサッコとヴァンゼッティ事件。強盗殺人事件で捕まった2人のアナーキストに証拠なしで死刑判決。真犯人が逮捕されたにもかかわらず処刑が執行された。映画『死刑台のメロディ』（1970、伊）はこれに取材。

PROPOS　＊4
禁酒法（1919）、移民法（1924）と非寛容な立法が続く。ダーウィンの進化論を教えた高校教師が有罪判決を受けた（1925）。

PROPOS　＊5
日露戦争時から日本を警戒するようになっていたアメリカ。在米日本人の勤勉さも現地の仕事を奪うと脅威にみられた。他方、日本では米国はアジアで門戸開放、機会均等を唱えているのに、アメリカの日本人移民に適用されないのはおかしい、アメリカが唱える普遍主義はダブルスタンダード、と日本では対米不信感が強まった（※）。条約改正で一等国になったつもりの日本にとり耐えがたい人種差別に感じられた。その日本は台湾、朝鮮を植民地支配。中国人、朝鮮人に強い蔑視意識を持っていた。日本が出した人種平等法案は「日本人を特別扱いせよ」の説得力のないものだった。

画蛇添足

▼大麻吸引は問題になるが、それ以上に害の大きいアルコール摂取が日本では野放し。居酒屋で「飲み放題」での提供がなぜ許されるのか。酔っぱらいの喧嘩（けんか）、飲酒運転。殺人の多くは酒が絡（から）む。依存症による健康被害、家庭崩壊、医療費増大を含め社会的コストは大きい。▼なぜ取り締まらないのか。酒税がそれほど貴重で手放せないのか。世界人口の4分の1を占めるイスラーム世界は禁酒。酒の定義を変えて飲むムスリムもいるが、全体として飲まない。アメリカでも建国以来ピューリタニズムの影響で禁酒社会をめざす動きがあった。それが1次大戦中の愛国主義的、禁欲的雰囲気の下で禁酒法制定に繋がった。▼ビール醸造（じょうぞう）業者には敵国ドイツ系が多かった。そこに打撃を与えるだけでなく、穀物確保の大義名分が加わった。ビールは穀物由来。しかしドイツ人醸造業者への打撃が狙いだったため、禁止の対象は製造と販売、運搬。飲酒自体が禁止にならなかった。そのためカナダからシカゴ経由でアルコールが密輸された。運輸業者を地下で組織したマフィアに付け入る隙を与えた。▼大儲（おおもう）けしたアル・カポネは「夜の大統領」として君臨。ある葡萄（ぶどう）業者は葡萄汁に「この状態で60日間寝かしておくとワインになってしまうので注意」と警告文をつけて出荷。飛ぶように売れたが、遵法（じゅんぽう）精神も飛ぶように失われて、法律無視に罪悪感を感じない風潮が蔓延（まんえん）した。▼ストレスの多い近代社会にあってアルコールの需要は高い。その禁止は薬物乱用など別の問題を生むだけだろう。禁止はむしろ欲望を作り出す。欲望の上手なコントロール、飲酒場所の限定―ゾーニングなどが有効だと思うが、まずは飲み放題を禁止すべきではないか。

わんクリック　アメリカは労働力として移民を必要としてきた移民大国。経済状況の変化に応じて移民排斥も繰り返してきた。1次大戦後は貧しい移民が共産主義の受け皿になると危惧。日本人移民も排斥された。日本はアメリカ社会に対して強い欺瞞を感じ、日米関係悪化のきっかけとなった。今の日本、低賃金労働力不足を背景に、なし崩し的に外国人労働力を受け入れてすでに「移民大国」。人口の2%、300万人が外国人。また国内の低賃金水準に見切りをつけて日本人自体が賃金の高い海外に労働力として出るようになった。当初は歓迎されるが、現地の賃金水準を下げる、と排斥される可能性もある。

History Literacy　「移民」は物語り語―多くは一旗揚（ひとはたあ）げて故郷に戻るつもりだったが、結果として「移民」となった。

アメリカ大衆社会の出現

①物質文明の本格化 — フォーディズムの出現

- フォード社による自動車の大量生産、大衆化
  - └ ベルトコンベアシステムでT型フォード生産、販売開始 (1908)
  - →フォーディズムが他分野に波及、大量生産、大量消費社会現出
- 航空機時代の幕開け
  - リンドバーグが無着陸大西洋横断に成功 (1927)

②アメリカンライフスタイルの出現

- 家庭電化製品 (洗濯機、冷蔵庫、ラジオなど) の普及 (月賦制度の開始)
  - →女性の家事負担軽減、社会進出 ＊1
  - └ 女性参政権 (1919) も背景
- 摩天楼(まてんろう)の景観 — 華やかな都会生活 ＊2

③アメリカンカルチャーの形成 — 劇場、ベースボールスタジアム

- 繁華街ブロードウェイ
  - ジャズ、映画、ミュージカル ＊3 ＊4
  - └ 黒人音楽からはじまる、サッチモことルイ・アームストロングが人気
- ベースボールなどプロスポーツ

フランスの戦後

- 戦後の財政難
  - 大戦の被害甚大 (国土が戦場で最大の被害)、ロシア革命による対ロ債権喪失
  - →対ドイツ警戒心、反共感情
- 右派内閣の対ドイツ強硬政策
- 1923年、ルール占領
  - ドイツの賠償不履行に対してベルギーとルールへ共同出兵
  - └ ドイツ最大の工業地帯、生産物担保確保のため
  - ドイツの「消極的抵抗」で失敗
- 左派連合政権の成立 (1924)
  - └ 右派によるルール占領強硬策失敗の反動
  - 外相ブリアンが協調外交
  - ルール撤兵 (1925)、ロカルノ条約締結 (1925)、ソ連承認 (1924)

PROPOS ＊1

社会進出に伴い女性は化粧をして短いスカートを身に着けた。これらはそれまで娼婦の習慣。またこれまで監督者の下で自宅で行われた男女交際が、監督者なしに外出するデートという新しい習慣となった。

PROPOS ＊2

マンハッタン島に摩天楼の景観が出現。エンパイアステートビル (381m) が象徴。日本一のあべのハルカス (300m) より高い。ただし完成時 (1932) は大恐慌後でテナントが埋まらずエンプティーステートビルと揶揄された。屋上が『めぐり逢い』『めぐり逢えたら』など数々の映画の舞台。日が沈んだあとのひと時、黄昏時のマンハッタンの夕景が素晴らしい。美しいのは夜景でなく夕景。登楼時間を間違わないように。

PROPOS ＊3

1920年代のアメリカ社会は未曾有の繁栄を謳歌。伝統文化のないアメリカでは劇場でオペラでなく映画が上映されたりミュージカルが上演された。料金の安い映画は大衆文化を一気に開花させた。当初は音のないサイレント映画だったから英語ができない移民も楽しめた。喜劇王チャップリンの『黄金狂時代』(1925) はサイレント映画の傑作。ウォルト・ディズニーによる漫画映画もはじまる (1928)。ミッキーマウスのキャラクターが全米で人気。「狂騒の20年代」(F. スコット・フィッツジェラルド)、「ジャズ・エイジ」でもあった。

PROPOS ＊4

ヨーロッパの舞台芸術オペラ、バレエの要素を取り込んだミュージカル。突然歌いだすので最初は驚くが「そういうもの」と慣れれば楽しめる。生音楽でないので値段は少し安め。「ブロードウェイ」はマンハッタンを南北に貫く通り、タイムズスクエア付近に劇場街が集中。ブロードウェイはミュージカルの代名詞。『レ・ミゼラブル』『オペラ座の怪人』は一度見ておきたい。『パリのアメリカ人』『リトルダンサー』もよい。

画蛇添足

▼アメリカの繁栄を牽引(けんいん)したのは自動車産業。数万点の部品からなる裾野(すその)の広い産業。フォード、ジェネラル・モーターズ（GM）、クライスラーのビッグ3が激しく競争し、1920年代末には8割弱の所帯が自動車を所有する自動車社会になった。日本がこの水準に到達したのは80年代。▼「自分の薪(まき)を割れ、そうすればそれはあなたを二度温めるだろう」—立志伝中のヘンリー・フォード。徹底した分業による組み立てライン(フォードシステム)を作り、20年間モデルチェンジをせずにコストを削減、規格化された低価格の大衆車T型フォードのみを大量生産。労働者は消費者との哲学から賃金を倍増。高賃金労働者によって作られた高品質のT型フォードは、彼らによっても購入され、累計で千五百万台販売。この成功で「フォーディズ」とされる生産、経営手法が広がった。▼「T型フォードは決して追い越せない。その先にも必ずT型がいるから」とさすがにT型フォードで市場が飽和すると自分の車が判別できない問題も生じた。そこに登場したライバル車がGM。高級車キャデラックから大衆車シヴォレーまで様々な車種を取り揃えた。頻繁にモデルチェンジをしては広告を打って消費者に買い替えを強いた。▼日本でも最近まで自動車は4年ごとにフルモデルチェンジをした。オーナーに自分の車を時代遅れに感じさせて「買い替え需要」を作り出した。GMはこのように市場を拡大していくシステムを作り出した。そして買い替え資金のために「購入は今すぐ、支払いは後で」の月賦(げっぷ)制度を導入。消費者に自動車と同時にクレジットという金融商品も売ることで利益を倍増させるビジネスモデルを作った。これがさらに市場を拡大させた（※）。

わんクリック　ヘンリー・フォードが神として崇(あが)められる未来世界を描いたディストピア小説がオルダス・ハクスリー『すばらしい新世界』(1932)。食肉工場で流れてくる枝肉(えだにく)からヒントを得た流れ作業。仕事は熟練した職人仕事から、単調なつまらない作業になった。そんな仕事への応募自体がなく、また離職を防止するため賃金を倍増した、との説もある。フォードは社会進化論を信奉。弱肉強食の論理で、敗者の救済など必要ないと主張。また反ユダヤ主義者として保有する新聞社を使って反ユダヤ世論を広めた。徹底したコストダウンで得た巨万の富の一部をユダヤ人を迫害するナチスに提供した。

イギリス帝国のかげり

①選挙法改正と労働党の進出

- 1918 年、第 4 回選挙法改正
  21 歳以上の男子と 30 歳以上の女子 (女性参政権)
- 1924 年、第 1 次マクドナルド労働党連立内閣
  不況と選挙法改正で労働党が第 2 党に躍進、自由党と連立
  ソ連邦承認 (1924)
- 1928 年、第 5 回選挙法改正
  21 歳以上のすべての男女に選挙権　＊1
- 第 2 次マクドナルド労働党 (単独) 内閣 (1929 ~ 31)

②アイルランド独立

- シン・フェイン党結成 (1905)
  └「われら自身の手で」の意、独立をめざす、非暴力主義
- 1916 年、イースター (復活祭) 蜂起　＊2
  アイルランド自治法 (1914 成立) 実施延期に抗議、義勇軍が武装蜂起
  →鎮圧され首謀者は処刑、その反発から独立機運高まる　＊3
  └ 戦後の選挙で独立をめざすシン・フェイン党勝利
- 1922 年、アイルランド自由国
  独立戦争開始、イギリスと講和
  自治領、ただし北部のアルスター地方を除く
  └ 英帝国内「自治」は独立と同義 (英王への忠誠が必要)　└ プロテスタントの多い地域
  →あくまで独立をめざすデ・ヴァレラらとの間で内戦に発展　＊4
- 1937 年、エールとして事実上の独立
  └ ゲール語でアイルランドの意　└ 英国王への忠誠宣言廃止
  → 2 次大戦では中立 (イギリスを支援せず)
- 1949 年、アイルランド共和国と改称、英連邦離脱

③コモンウェルス (英連邦) 体制
└ 英帝国 (British Empire) から英連邦 (British Commonwealth of Nations) へ

- 1926 年、帝国会議で宣言
  各自治領は本国と名目上対等に、両者は「王冠への忠誠」により統合
- 1931 年、ウェストミンスター憲章で正式に成文化

PROPOS　＊1
結果論なのか、漸進的改革の政治文化がそうさせたのか。イギリスでは 5 回にわたる選挙法改正で参政権格差を徐々に是正。それがうまく機能した。一気に実施して混乱したのがフランス (革命)。

PROPOS　＊2
ついに第 3 次アイルランド自治法案が上下両院で可決 (1914) されたとき 1 次大戦が勃発、施行は保留された。これに反発して「イギリスの危機はアイルランドの好機」と大戦中にイースター蜂起 (1916) が起こる。正義はアイルランド側にあったとしても火事場泥棒的な敵国ドイツと連携する蜂起はイギリス側に不正義に映る。蜂起が鎮圧された後、イギリスは首謀者たちを処刑。しかしその過酷さがアイルランドの人びとの民族意識を刺激。これをきっかけに自治獲得から独立へと運動は変化した。

PROPOS　＊3
アイルランドにもイギリスの一部であることに親しみを感じている人びともいて世論はかならずしも独立一辺倒でなかった。イースター蜂起で処刑された首謀者は「殉教者」となり独立をめざすシン・フェイン党が有力になった。鎮圧後、イギリスは自治を延期しているのにアイルランド人から徴兵しようとする失政。反英感情が高まり、選挙でシン・フェイン党が第一党に躍進。戦後にマイケル・コリンズらを中心にイギリスと戦う独立運動が始まる。

PROPOS　＊4
1920 年代の国際協調の時代。イギリスも不承不承(ふしょうぶしょう)でも植民地に対する譲歩は時代の趨勢(すうせい)と考えるようになる。独立ではないがイギリスの譲歩をコリンズは「自由国」は自由 (独立) を得るための足がかりになると受け入れ、アイルランド自由国が成立。これに対してデ・ヴァレラが反発。独立戦争が必要のない無益な内戦へと展開してしまった。独立戦争に数倍する犠牲者を出し、コリンズも何者かにより殺害された。

画蛇添足

▼本書で頻出のアイデンティティという用語。ボランティアと同じで日本にない概念なので日本語に訳せない。逆に「いただきます」「つまらないものですが」を他の言語に訳せない。イギリス理解のためのキーワードがコモンウェルス。ラテン語「公共善」の直訳。しっくりくる訳がない。「連邦」訳は不適当。カタカナ表記するしかない。英帝国の同窓会のような分かりにくい組織。▼「自由国」といっても独立国ではなく英王への忠誠が必要な「自治」国という扱い。歴史的経緯から英王への忠誠を受け入れ難いと感じる民族感情を別にすれば、英帝国内「自治」は他地域での事実上の独立国家とほぼ同義。同じ言葉でも別のものが、別の言葉でも同じものがある。文脈に即して判断していくしかない (※)。▼過去のことを言葉で表象するのが歴史。言葉の使われ方には細心の注意が必要。アメリカがアフガン戦争 (2001) で激しい空爆を繰り返した時のこと。民間病院などに着弾するたびにアメリカは「誤爆」だったと謝罪した。しかしアメリカが「誤爆」と謝罪を繰り返すほどにそれ以外の爆撃が「正しい爆撃」と受けとられることになった。▼シリア内戦で「非人道的兵器」毒ガスを使った疑いでシリアのアサド大統領を非難した国際社会。その言葉が使われるたびに、その他の殺戮(さつりく)殺器が「人道的兵器」のようになった。言葉の使い方には注意が必要。何かを否定したものが別の思いがけないものを肯定するように働くことがある。▼ある言葉の使い方を「誤用」と指摘すると、言葉の使い方に「正しい用法」がある、と認めてしまうことになる。言葉は生き物で常に変化している。言葉の用法に正しいも間違いもない。適切な言葉づかいをしたい。

わんクリック　ケン・ローチ監督の映画『麦の穂をゆらす風』(2006) が必見。イギリスの提示した講和条約 (老獪な分断政策) でイギリスとの独立戦争として一緒に戦ったもの同士が今度は戦うことになる。アイルランド内で、条約賛成派と反対派の無益で不毛な内戦に発展してしまった悲劇。アイルランド独立問題を通して、国家とは何か、政治とは何か、独立とは何か、と「いまの問題」を描く。条約賛成派の側から描いた映画『マイケル・コリンズ』(1996) と併せてみると理解が深まる。700 年にわたるイギリス支配に対する抵抗、闘争の歴史がアイルランド史、がいまも支配的だが、これを見直す動きもある。

History Literacy　言葉は文脈の中で解釈する―同じ言葉でも別のものが、別の言葉でも同じものがある。

敗戦国ドイツ

①ヴァイマル共和国の成立

- 1919年、ヴァイマル憲法制定（8月）
  ヴァイマルで憲法制定議会開催
  └ゲーテなどゆかりの文化都市、首都はベルリン
- 当時世界で最も民主的な憲法　＊1
  主権在民、議院内閣制、男女普通選挙
  社会権（労働者の団結権と団体交渉権）、生存権の導入
  └「20世紀的基本権」社会権、生存権を世界で最初に明記
- 比例代表制の採用
  └民意を反映するが、政党組織に忠実な人しか議員になりにくく、小党分立も招く
- 第48条で大統領の非常大権（緊急事態条項）＊2
- 初代大統領に社会民主党のエーベルト就任

②政局の混乱

- 1923～25年、ルール占領　＊3
  フランス、ベルギーがルール地方を占領
  ドイツは「消極的抵抗」で対抗
  └政府は全労働者に対して占領軍に対する非協力とストライキを呼びかける
  天文学的インフレーションを招き、ドイツ経済破綻　＊4
  →ドイツの中産階級に大打撃（貯金がすべて紙切れに）
- 1923年、ミュンヘン一揆
  ヒトラーら指導のナチスによる共和国打倒の試み、失敗

③経済の復興

- インフレの収拾
  シュトレーゼマンがレンテンマルク発行で収拾
- シュトレーゼマンの協調外交（1923～29）
  1924年、ドーズ案
  　アメリカ資本の導入による経済復興
  フランスはルール撤兵（1925）
  ロカルノ条約締結（1925）、国際連盟加入（1926）
- ヒンデンブルク元将軍の大統領当選（1925）

PROPOS　＊1
　ロシアの二の舞を恐れ、社会主義革命回避のため軍部と結託してスパルタクス団の蜂起を弾圧した社会民主党エーベルト。その結果、軍部だけでなく、ユンカー、資本家、官僚、裁判官、保守政治家など、これまでドイツ民主主義を抑えてきた勢力が復活（「皇帝は去ったが、将軍は残った」「革命は裁判所の前で止まった」）。当時、世界で最も民主的な憲法と謳われたヴァイマル憲法。しかし民主主義は憲法の条文の中にしか存在しなかった。民主主義を攻撃する時の決まり文句に「当時最も民主的な国がヒトラーを生んだ」があるが当時の社会が民主的だったのか、の検討が必要。逆に明治憲法は文字通り読めば君主権が大きいが、ある時期までは民主的に運用された。

PROPOS　＊2
　大統領の非常大権（憲法第48条）の濫用がヴァイマル憲法を形骸化。憲法の起草はマックス・ウェーバー。共和国発足当時に武装勢力があったこと、議会制民主主義に習熟していないドイツの現状を考え、直接公選による強力な大統領をおいた。首相の任命権も大統領の大権のひとつだった。

PROPOS　＊3
　フランスとベルギーはドイツ経済の心臓部ルール地方に軍隊を派遣。生産物を直接賠償として確保しようとした。それがドイツのサボタージュなどの消極的抵抗を招き、ドイツ経済を麻痺させた。参加しなかった国に注目したい。イギリスはルール出兵に加わらずフランスを批判。伝統的にイギリスは勢力均衡政策でドイツの肩を持つことでフランスの強大化を牽制してきた。

PROPOS　＊4
　いまの日本は世界最大の1000兆円を超える累積財政赤字を抱える「破綻国家」。それで破綻しないのは国民がそれを上回る1500兆の個人資産を持つから。非常時には日本政府が政策的にインフレを進めて両者を相殺できると世界からみられている。

画蛇添足

▼ドイツの消極的抵抗による未曾有のインフレによって長年の蓄財を一夜にして失ったドイツの中産階級。一方で、少数の資本家は、このインフレを利用して多大な利益を得た。彼らは政府や銀行から金を借りて、買えるものをすべて買い漁った。その借金は進行したインフレがすべて帳消しにした。▼インフレとは物価の上昇、貨幣価値の下落。激しいインフレ下では、貯金している者はその貨幣価値が下落するから財産を失う。借金している者は事実上、実質的な借金額が日に日に小さくなっていく。物価の上昇だからモノ（不動産）を所有する地主も利益を得る。▼ドイツ人の美徳は勤勉。その結果の利潤は神の恩恵として受け取ってよい、とのカルヴァン主義下で蓄財してきた。その貯金が紙クズとなった怒りはいかほどだっただろう。通貨の安定が政府の仕事。中産階級の怒りのはけ口のために3つの贖罪の子羊が用意された。▼消極的抵抗をとった「十一月の犯罪者」―ヴァイマル共和国の政権担当者（社会民主党）、この問題の原因、賠償金を規定したヴェルサイユ条約、そしてユダヤ人。ユダヤ人はインフレを利用して金儲けをした人びとの象徴とされた。▼この共和国で復権した帝政ドイツの旧支配者層は、「戦場での不敗」神話、「背後からの一撃」論を広げた。ドイツ軍は戦場で負けていないのに本国で革命が起こった―背後からあい首で刺されたから、さしもの不敗のドイツ軍も戦争続行が不可能になった、との主張。ドイツの敗北は前線でなく銃後での社会主義者やユダヤ人の裏切りによる、という主張はドイツ帝国の旧支配者層を免責すると同時に、ヴァイマル共和国を担う勢力を犯罪者扱いするものになった。

わんクリック　ヴァイマル時代の女優マレーネ・ディートリヒの「リリー・マルレーン」。2次大戦中、ラジオでこの曲が流れるとドイツ兵士だけでなく連合軍兵士も武器をおいて、それぞれが故郷に残してきた大切な人のことを夢見た。「兵舎の近く大きな門の前に／外灯があって彼女はそこに立っていた／あの場所でもう一度会って／外灯のそばで二人でまた立てるだろうか／昔のように／リリー・マルレーン／…二人の影がひとつになるほどに／ぼくらは愛し合い／…／ぼくにもしものことがあったら／誰があの外灯のそばに立つのだろう」。戦争がどれだけの恋人たちを引き離し、その人生を奪っていったか。

History Literacy　議会外勢力の野心家（ポピュリスト）の言葉を魅力的に響かせるのは既存の政治家への不信感。

イタリアのファシズム

①戦後の情勢

- ヴェルサイユ体制への不満（「傷つけられた講和」）
  ロンドン密約による領土要求満たされず（フィウメはユーゴスラヴィア領に）
  詩人ダヌンティオが義勇軍を率いてフィウメを占領　＊1
- 大戦後の経済混乱（インフレーション）による国民生活窮乏
- 1919～20年、北イタリアの工場労働者のストライキ、工場占拠
  └「赤い2年間」と呼ばれる革命前夜を思わせる時代　＊2

②ファシスト党の台頭 ― 暴力とカリスマ的魅力

- 1919年、ムッソリーニがファシスト党結成
  共産主義打倒を掲げ、資本家、地主の支持
  「黒シャツ隊」が左翼運動を暴力で抑圧
  共産主義革命を恐れる警察・軍部の黙認、地主・資本家の積極的支援
- 1922年、ローマ進軍　＊3
  ファシスト党の軍事的示威行動
  国王は政府の戒厳令要求を拒否、ムッソリーニに組閣命令
- 1924年、新選挙法（25%以上獲得した政党に3分の2の議席）で総選挙
  暴力的選挙により第一党に
  └議会外の示威運動で政権獲得したため、あとから議会に進出
- 1926年、一党独裁体制　＊4
  党の最高議決機関ファシスト大評議会が国家の最高議決機関に（1928）
- 1929年、ラテラノ条約
  ムッソリーニはローマ教皇（イタリア王国成立以来「バチカンの囚人」）と和解
  バチカン市国の独立承認
  └東京ディズニーランドより小さい

③外征

- アドリア海の制圧
  フィウメ併合（1924）、アルバニア保護国化（1926、39併合）
- 1935年、エチオピア侵略
  国際連盟の経済制裁は実効なく、エチオピア併合（1936）、国連脱退（1937）
  └経済制裁下で戦争を短期で収束させようとイタリアは毒ガスを利用

PROPOS　＊1

オーストリアの首都ウィーンから海への出口を探した時、最短距離はトリエステ、ついでフィウメ（現リエカ）。高台から一気に下る地形になっている。愛国派の右翼詩人の占領後、国際連盟管理の自由市となる。

PROPOS　＊2

戦争に勝利して講和で敗れた、とされたのがイタリア。生活必需品の不足、インフレの進行、失業者の増大。各地で賃上げを求めるストライキが続発。多くの工場を労働者が占領、武装して革命に備えた。ボリシェヴィキのような革命政党とレーニンのような革命家がいれば共産主義革命は成功したとされたイタリアの『赤い2年間』。

PROPOS　＊3

ファシスト党は、イタリア語のファシズモ―古代ローマの元老院議員が権威の象徴に持った一本の斧のまわりに小枝を束ねたもの、に由来。遠心力が強く働くイタリア人を束ねようとした。古代ローマへの回帰をイメージし、右手を伸ばす敬礼などを復活させた。ガリバルディのローマ入城をイメージしたローマ進軍（1922）は詩人ダヌンティオの構想。飛行機も操縦したが、言葉で民衆を操り熱狂させる方が巧かった。

PROPOS　＊4

1次大戦後の混乱で生じた民衆の不満や恐怖。人びとが方向感覚を失っていた時にムッソリーニは巧みな演説を使ったポピュリズム的手法で人びとをまとめあげ、イタリアを個人よりも全体（国家）を優先させる全体主義国家とした（ファシズム体制）。ヒトラーもまねてナチズム体制を作る。ファシズムとナチズムは別物。この時代、資本主義がもたらした危機的状況を背景に全体主義を作ろうとする運動はイギリス、フランス、アメリカなど各地で広がっており特別な現象ではなかった。政権掌握まで至ったのがドイツとイタリア。教科書は起こらなかったことに言及しない。そのため時代の雰囲気（全体像）を見損いがち（※）。

画蛇添足

▼「共産主義（コミュニズム）か、ファシズムか」―究極の選択を迫られたローマ教皇はファシストと取引。教会がファシズムを支持したことで国民のファシズム受け入れの心理的バリアは弱くなった。▼「宗教はアヘン」と宗教を否定するのが共産主義。宗教は現世の悲惨に向き合おうとせず、来世での幸福を問題にすることで、人びとを現実から逃避させる麻薬の役割しか果たしてこなかった、と痛烈に批判する。実際に沈黙したのは神ではなく教会。教会は自らを否定するコミュニズムを選ぶわけにいかず、ファシズムに肩入れした。▼右翼と左翼―自らの主張を通すために暴力の行使を厭（いと）わない点で共通する。資本主義体制―多くの国で現体制―を守ろうとする右翼に対して、共産主義体制への移行をめざす左翼。体制側の権力は右翼に甘い。右翼の暴力を見て見ぬふりをして利用する。それ以下の暴力でも左翼が行えば容赦なく取り締まる。▼共産主義革命前夜の様相を呈した戦後のイタリアで、私有財産の危機を感じとった地主、資本家はファシスト党が街頭で繰り広げる暴力を支持。彼らが社会党施設や労働組合の事務所、活動家などを襲撃するのを警察もまた黙認。治安の安定を欲する世論を察してムッソリーニは賭けにでた。▼政権を要求してナポリに武装勢力2万6千人を結集してローマに向けて進軍する示威（じい）行動。時の政府は戒厳令（かいげんれい）布告を国王に求めたが、内乱を恐れた国王が拒否したためローマ入城に成功。ムッソリーニは棚ぼた式に権力を獲得。国王は政府軍とファシストが衝突すること、資本主義陣営内の衝突で共産主義者が漁夫の利を占めることを恐れた。またムッソリーニなら飼いならせる、立憲王政の枠内に取りこめると見誤った。

わんクリック　ミケランジェロのデザインとされる服で斧に似た武器を持つスイス人衛兵に守られるバチカン。「剣を取る者は皆、剣で滅びる」はイエスの言葉でなかったか。話題となったルポ『ソドム バチカン教皇庁最大の秘密』によればバチカンの高位聖職者の大半が同性愛者。いまカトリック教会は神父のなり手が少ない。厳しい学問を修めることと生涯独身（異性愛禁止）が求められるため。それゆえ同性愛者が集まりやすい構造がある。同性愛が問題なのではない。教会が同性愛を禁止することで起こっている混乱、聖職者の児童性的虐待が問題。後者はかつての聖職叙任権、課税権問題どころではない。

History Literacy　教科書は「事件未満」に言及しない―そのため時代の雰囲気（臨界前の緊張）を見損いがちになる。

ソ連の発展

①経済政策の変化

・戦時共産主義 (1918 ~ 20)　＊1

対ソ干渉戦争への対処 (赤軍維持) のため実施

強力な経済統制による土地の無償没収と分配、穀物の強制徴発

銀行、貿易、工業の国営化

→危機は克服、穀物生産激減、工業生産激減、国民経済は破綻

└ 農民の生産意欲の減退　　└ 餓死者数百万人

・新経済政策 (NEP、ネップ)(1921 ~ 1928)　＊2

生産力回復のため余剰農作物の自由販売、中小企業の私的営業許可

一定限度内での資本主義的要素を認める

└「資本主義への譲歩」二歩前進のための一歩後退

戦前 (帝政期) の生産水準に回復、クラークやネップマンの出現

└ 富農　└ 小所有者階級

②ソヴィエト社会主義共和国連邦 (ソ連邦) の成立 (1922)　＊3

└ 国名に固有名詞 (地名) を含まない

・多民族国家ロシア帝国での革命で国家解体の危機、各地に赤軍派遣

・ロシア、ウクライナ、白ロシア、ザカフカースの4共和国　＊4

└ ザカフカース (カフカス山脈の向こう側の意) はアルメニア、アゼルバイジャン、グルジア

→のち15共和国が加盟

③列国のソ連邦承認

・新経済政策 (ネップ) に好感

・1922年、ラパロ条約　＊5

ドイツがソ連と国交回復

・イギリス (1924)、フランス (1924) が国交回復

└ マクドナルド労働党内閣　└ ルール占領失敗後に成立した左派連立政権

・アメリカ (1933) が国交回復 (列強中、最後ソ連邦を承認)

フランクリン・ローズヴェルト大統領の善隣友好外交

ロシア市場への進出期待、日本の大陸進出への牽制

・ソ連邦、国際連盟加盟 (1934)

└ ドイツの脅威に対抗するためフランスの斡旋で加盟

PROPOS　＊1

戦時共産主義のもとで食糧強制徴発が行われると、農民の生産意欲は減退。播種面積は激減。生産量は戦前の半分に低下、ウクライナ (地方) の農民数百万人が餓死。

PROPOS　＊2

人口で圧倒的多数の農民に基盤のなかったレーニン。農民に譲歩して権力強化を図る。この柔軟さでネップは成功。農民に自由を与えたことで農業生産は回復。共産党支配へのアレルギーも緩和。熱心な農民が富農 (クラーク) 層を形成したが、この篤農(とくのう)家を後にスターリンは階級の敵として粛清したため再び農業生産は激減。以後、ソ連のアキレス腱は農業であり続けた。冬が寒すぎ、秋まきの小麦が厳しかった。

PROPOS　＊3

国境を越えて労働者が団結して実現した (ことになっている) 共産主義では建前上、民族問題は存在しない。実際は声が封印されただけでソ連は「民族の牢獄」「民族の墓場」。ソ連解体 (1991) 前後に民族問題が噴出。バルト三国の一つエストニアのジョーク。「エストニアは世界で最も広大な国。西の国境がバルト海に接しているのに、国民は東のオホーツク海沿いに多く住む」(国民の多くがシベリア流刑になった)。

PROPOS　＊4

「白ロシア」はベラルーシ (東スラヴ人) のかつての呼称。ロシア人と違いタタール人の支配を受けなかった (「白ロシア」の名称の由来)。またウクライナは「小ロシア」と呼ばれた。「大」は拡大地域で、「小」が核心地域の意味。しかし後には蔑称になる。

PROPOS　＊5

ドイツとソ連—ヴェルサイユ体制で疎外された両国。接近して互いの存在を認め合った。のちに独ソ不可侵条約—ファシズムとコミュニズムの思想的に180度違う両国が協力関係に入り世界を驚愕させたが両国間にはこのような前史があった (※)。

画蛇添足

▼ロシアは共産党一党独裁からスターリンの個人独裁へ進む。一人の人間への権力集中はロシア社会にとてつもない犠牲をもたらした。個人独裁は過去のことではなく、21世紀にはいって日本の近隣諸国—中国、北朝鮮、ロシアで個人独裁体制が簇生(そうせい)。地下茎で繋がる。▼どのようにして自分が生き残るかを考えざるを得ない独裁者。中国の習近平(シーチンピン)は憲法改正で終身国家主席への道筋をつけた。反腐敗運動で政敵を次々に獄中に送って権力を掌握。事情はロシアのプーチンも同じ。憲法改正で36年まで大統領の座にとどまれるようにした。北朝鮮の金正恩も然(しか)り。独裁者は権力を持ち続けなければ自分の身を守れない。▼庶民はジョークで個人独裁に対抗した。空欄のオチを考えてほしい。スターリン独裁下のソ連は極端な物不足。何を入手するにも長い行列に並ぶ必要があった。あるおばあさん。共産主義下になって宗教が禁止されていることも知らない。長い行列に並んだ末、ようやくパンを手に入れて、胸の前で十字を切って、思わず「神様ありがとう」と口にした。▼後ろにいた男性が慌てて「おばあさん。「神様ありがとう」は禁句だよ。こういう時は「スターリン様ありがとう」と言うのだよ」と諭(さと)した。するとこのおばあさん「じゃあスターリンが死んだ時はどう言えばいいの」と尋ねる。男はあたりを見渡してから、おばあさんの耳元で、「おばあさん。こういう時に心から「○○○○○○」と言うのさ」と囁(ささや)いた。▼辞めさせることも、辞めることも期待できず、権力者の死が福音になる事態。神ではなくプーチンを信じる人物が、なぜロシア正教総主教であり、人びとがそれを信じるのか。そのメカニズムの解明が喫緊(きっきん)の課題。

わんクリック　1922年ロシア・ソヴィエト共和国と他にソヴィエト共和国を形成したウクライナ、ベラルーシなどが建前上は自由意思で結成 (建前上は脱退も可能) したのがソ連邦 (ソヴィエト社会主義共和国連邦)。各地でボリシェヴィキ軍を組織、強大化して勝利させた戦略家レーニンの手腕。連邦というが、共産党一党独裁体制下で国家は共産党の決定を実行するだけの機関。また共産党は上意下達のピラミッド型組織。モスクワのロシア共産党の決定がコミンテルンを通じて下部組織の各国共産党に伝達される。ウクライナという国家はロシア共産党の一行政単位。(上記の答えは「神様ありがとう」)

History Literacy　見当識失調(けんとうしきしっちょう) (「ここはどこなのか」「いつなのか」)—予想外の出来事 (左右の協力) で方向感覚喪失が起こる。

ソ連の一国社会主義

①スターリン政権の誕生

- 1924 年、レーニン死亡で後継者争い
  トロツキーの世界革命論
  └ ドイツ革命 (1918) の失敗で現実味失う
  スターリンの一国社会主義論
- スターリンの勝利 とトロツキー追放 (1929)

②第 1 次 5 カ年計画 (1928)

- 急速な工業化による一国社会主義建設
- 重工業に重点、農業の集団化と機械化の強行
  └ 軽工業でなく重工業から　└ 工業化に必要な穀物確保のため穀物増産をはかる
- コルホーズ (集団農場)・ソホーズ (国営農場)
  └ 働く人は公務員
  →工業生産は躍進、世界恐慌の影響受けず
  └ 初期値が小さいため　└ 計画経済のため
  農民の困窮化 (大飢饉 1932 ~ 33、死者数百万)　＊1
  →社会主義体制の基礎確立 (一国社会主義論の勝利)
- 第 2 次 5 カ年計画 (1933 ~ 37) で軽工業重視
- 第 3 次 5 カ年計画 (1938 ~ 42) で軍需工業の育成中心
  └ ナチスに対抗するため軍需工業中心、生活必需品など消費財の生産が後回し

③スターリン個人独裁　＊2

- 1936 ~ 8 年、反対派を大粛清し、独裁権強化
  └ 告発されないためには告発者になるしかない社会。「告発者は告発されない」(スターリン)
  多くの革命功労者、赤軍幹部が反革命の罪で処刑　＊3
- 1936 年、スターリン憲法　＊4
  18 歳以上の男女の秘密投票による直接選挙
  └ 選挙候補者は推薦制　└ 投票者でなく開票者が結果を決めるのが独裁政権
- アメリカのソ連承認 (1933)、ソ連の国連加入 (1934)
  └ ドイツの脱退に対抗するため
- ザカフカース共和国の分断 (1936) ― ロシアからみて「カフカス山脈の向こう側」
  宗教、民族対立を利用し、アゼルバイジャン、アルメニア、グルジアに分断

PROPOS　＊1

当時、国家を持たなかったので言及されないがスターリンの標的にされたのはコサックの伝統から独立心旺盛だったウクライナ農民。ここに農業集団化が強制された。農地をとられる前に農民は家畜を処分して激しく抵抗。抵抗した農民は銃殺。その後の飢饉―この失政への批判封じから大粛清が行われた。ウクライナでは飢餓から人肉食が横行。犠牲者数は農業集団化でクラークを中心に数百万人、飢饉での餓死者が数百万人、大粛清犠牲者が数十万人。豊かな土地に収穫でなく餓死者の山ができた。

PROPOS　＊2

モスクワ地下鉄が 1 次 5 カ年計画の象徴。地下宮殿とされる各駅舎を見ると圧倒される。大粛清中の 1936 年に世界で最も民主的と自賛したスターリン憲法が制定。粛清を隠す「いちじくの葉」説もあったが西側の多くの知識人がこれに騙され、社会主義の確立―ソ連成功の宣伝に担がれた。

PROPOS　＊3

スターリンは権力掌握のため革命の立役者、赤軍幹部 (将校) を徹底粛清 (創始者トロツキーの影響力が強い)。その結果、赤軍は弱体化。独ソ戦では当初、総崩れとなる。しかし最終的に 2700 万人の犠牲を出しながらも戦争継続できたのは反対派を事前に粛清していたため。逆にみればそれが桁違いに犠牲を膨らませた。もっとも主因は殲滅戦を挑んだドイツへの応戦だったため。

PROPOS　＊4

戦争準備のため「国内の敵 (第五列)」を摘発しないと勝てない―この信念があったからスターリンの粛清は容赦なかった。彼に良心の呵責はなかったとされる。一般に独裁者は少数を見せしめに他を怯えさせる。「これ以上するとひっかかる」と線引きを可視化。気まぐれで軽微な事例も罰することで「あの程度でも」と行動すべてを萎縮(いしゅく)させる場合もある。そうして権力者が恣意的に振る舞えるかを見せつける (※)。

画蛇添足

▼後継者を指名しなかったレーニン。遺書でスターリンの粗暴さを指摘したがこの遺書はスターリンによって隠匿されたという説がある。それとは別にレーニンは自分より優れたトロツキーを嫌い凡庸なスターリンを指名したとの説もある。▼いずれにせよ、一国社会主義を唱えたスターリンが世界革命論のトロツキーを失脚させ、追放。トロツキーの存在は写真や公式記録から抹消された。ブレスト・リトフスク条約の締結に尽力した功績者、赤軍を創設して内戦を勝利に導いた功績者は存在しなかったことになった。こんなジョークがある。「革命の時スターリンはどこにいたのだ」「スターリンはトロツキーという名で活動していたのだ」。こんなジョークを言うのもリスクがあった。▼二人の裁判官が法廷の外で出くわした。一人はくすくす笑っていた。「こんにちは同志、何を笑っているんだい」「見なかったことにしてくれ。あまりに面白いジョークを聞いたのでつい思い出してしまって…」「どんなジョークだったんだ」「いや、それだけは言えない。そのジョークを言った男に、ついさっき、強制労働10年の刑を言い渡したばかりなんだ」。▼追放されたトロツキーは各国を転々としながら世界革命を唱え続けた。スターリンは彼を執拗に追う。1940年トロツキーはスターリンが放った刺客により亡命先のメキシコで暗殺された(映画『暗殺者のメロディー』)。スターリンや各国共産党は、党内の反対派に対してトロツキー主義者のレッテルを張り弾圧した。判官(はんがん)びいきからトロツキーへのシンパも多いが、彼も革命のために敵を倒すことを躊躇(ちゅうちょ)しない非情な革命家。「非情とは最高の革命的ヒューマニズムである」(トロツキー)。

わんクリック　スターリンの大粛清のさなか。反体制派とみなされ生命の危険があったショスタコーヴィチが書いた交響曲第 5 番 (1937)。社会主義勝利を称えた曲として評価され、彼は芸術が政治の下僕であった時代を生き延びることができた。彼は西側からソ連の御用(ごよう)作曲家とみなされることになった。体制との軋轢(あつれき)の中で「生きるために仕方なく書いた」との告白もある。本心は分からない。第四楽章の太鼓の連打―大衆動員による総力戦の時代の楽曲。筆者はこの曲に陶酔する。面従腹背(めんじゅうふくはい)で書かれたかもしれない曲に簡単に高揚させられる。自分の一般化はだめだが、人間の感情に信頼を置けないと思う。

History Literacy　戦争が最大の人権侵害―権力者は「勝利のため」にどのような犠牲も正当化できるようになる。

4　アジア・アフリカでの国家形成の動き

トルコ共和国とイランの独立

①トルコ

- 1次大戦の敗北でトルコは連合国の占領下
- ギリシア軍の侵攻（ギリシア・トルコ戦争）
  イズミル地方を占領
  └古代ギリシアの領土「イオニア植民地」
- セーブル条約（1920）
  └イスタンブールのスルタン政府は承認
  領土削減、治外法権など「亡国的」内容
  └領土4分の1、小アジア（イズミルを除く）だけの小国に
- トルコ人の抵抗運動
  軍人ムスタファ・ケマルが運動を統合
  └1次大戦の激戦ガリポリの戦いで英軍の上陸阻止で名をあげる
  アンカラに臨時政府（トルコ大国民会議）を組織
  └トルコ国民党（1923年改組）に
  オスマン朝のスルタン・カリフ政府（イスタンブル）と対立
  └二重政権状態（~1922）に
  ギリシア・トルコ戦争（1920~22）に勝利
- 1922年、オスマン帝国滅亡
- 1923年、ローザンヌ条約
  セーブル条約破棄し、連合国と新たな講和条約締結
  └戦争で負けて講和で勝利したトルコ
  新国境の画定、治外法権廃止、関税自主権回復
- 1923年、トルコ共和国樹立
  初代大統領ケマル・アタチュルク、首都アンカラ　＊1
  近代化政策として政教分離、カリフ制廃止（1924）　＊2　＊3
  └イスラーム世界の盟主の地位を捨てる
  女性解放、太陽暦、ローマ字採用　＊4　＊5
  └ヒジュラ暦廃止　└アラビア文字廃止

PROPOS　＊1
首都は内陸のアンカラ。それまではアンゴラと呼ばれたアナトリア高原の都市。自然環境の厳しいところでアンゴラ羊が生息。寒冷地に生息する動物の毛は保温力がある。日本でアンゴラセーター、モヘアとして知られる高級セーターの産地。

PROPOS　＊2
国民の多くが特定の宗教を信奉しているにもかかわらず政教分離を国是としている国として他にインドネシア（イスラーム）、フランス（カトリック）。意外だがユダヤ人が作ったイスラエルは信仰の自由がある。

PROPOS　＊3
祖国解放戦争に勝利したアンカラ政府は1922年にスルタン・カリフ制度を分離した上で前者を廃止。スルタンの国外亡命でオスマン朝は滅亡。その後、独裁傾向を強めたケマル・アタチュルクは自らの権力を脅かしかねないカリフを廃位。ここにムハンマドの死から続いてきたカリフ制度は終わった。トルコは世俗国家となるため、またケマルの独裁体制のためにイスラーム世界盟主の地位を捨てた。政教分離で近代化。いま中東での先進国（OECD加盟国）はイスラエルとトルコの2カ国だけ。

PROPOS　＊4
太陰暦は分かりやすい。月が変わったのも、いまが何日かも月を見れば分かる。15日が満月だから電灯がなかった時代はこの日に盆踊りなど行事を入れていた。しかし季節を反映しないので農業には適さない。イスラーム発祥の地アラビア半島に季節はなく商業の民だから太陰暦（ヒジュラ暦）でよかった。トルコは農業国。

PROPOS　＊5
トルコのローマ字改革、中国の胡適による白話運動、日本の二葉亭四迷による言文一致運動などには民主化のプロセスとしての側面がある。話し言葉と書き言葉の一致は識字率を高めるために必須。

画蛇添足

▼洋装で黒板の前でローマ字を教える。アタチュルクを象徴する姿。いわゆるトルコ帽—礼拝で邪魔になるつばのない帽子、も被っていない。彼はトルコ近代化のためにローマ字を採用、政教分離を断行した。▼それまでトルコ語はアラビア文字で表記。アラビア文字の読み書きは難解で国民の識字率向上の妨げだった。セム系のアラビア文字には母音文字がない。母音の多いウラル系のトルコ語をセム系の子音だけのアラビア文字で表記するのには無理があった。▼戦後日本でも漢字の読み書きの難しさが民主化を阻害、軍国主義を許したとして、漢字をローマ字に置き換えようとする動きもあった。ベトナム語はローマ字、モンゴル語はキリル文字表記になり、朝鮮はハングル表記だけで漢字は使われなくなり、中国では漢字が書きかけのような残念な文字（簡体字）に簡略化。台湾、香港、そして日本だけが漢字文化を継承。しかし義務教育の相当な時間が文字（漢字）習得に割かれ、別の何かを習得する機会が失われている。▼これらの文字改革は政治による文化破壊。アタチュルクの諸政策—アルファベットの導入や、洋服の着用などの近代化（西欧化）がトップダウンで行われたことが教科書で肯定的に叙述されていることに驚く。歴史叙述には著者の無意識が反映されて、肯定的叙述と否定的叙述が混じる。意識して読みたい。政教分離は西欧の価値観。これをより優れた政治体制とみる価値観がこの叙述には裏張りされている。▼文字改革をすれば過去へのアクセスが難しくなり、これまでの体制との断絶が起こる。それが為政者の思惑なのだろう。ローマ字を採用していたら、いまの私たちと日本文化との繋がりは切れていただろう。

わんクリック　歴史は課題化認識。いまの課題意識というレンズを通して過去を見る。あの静物のような動物—いま発見されたら「スーパーエコ」と命名されるだろうが、経済成長期だったので「ナマケモノ」になった。戦後世界史が誕生した時は「民族の独立」が脱植民化を象徴する最重要事項。独立運動の指導者が高く称揚されて叙述された。教科書はまだこれを引きずる（※）。いまの課題は権威主義的体制の拡大をいかに止めるか。その課題意識から現在、アタチュルク、孫文などは批判的に取り上げられる。しかし当時の民族独立運動では求心軸になる強いカリスマ性を持った人物が不可欠だった。

History Literacy　世界史教科書は独立運動指導者を高く称揚して叙述。まだこれを引きずっている。

②イラン

・パフレヴィー朝 (1925)

レザー・ハーンがガージャール朝倒す

└ 共産化阻止の期待からイギリスが支援　└ 脆弱な王朝で列強の進出に対抗できない

トルコを範として近代化政策推進

イランナショナリズムの強調、『王の書』を国民的叙事詩に位置づけ

国号をイランと改称 (1935)

③アフガニスタン

・第３次アフガン戦争で外交権奪還 (ラワルピンディー条約)

アラブ地域の民族運動

①エジプト

・正式にイギリスの保護国化 (1914)

└ 大戦勃発で英はエジプトを同盟国陣営のトルコから切り離すため

・大戦後、ワフド党中心の反英運動

└ パリ講和会議への「派遣団」の意

・エジプト王国独立 (ムハンマド・アリー朝)(1922)

└ イギリスは実質的権益を確保のため独立承認　└ 1923 年憲法制定 (ベルギー憲法がモデル)

イギリス支配残存 (スエズ運河地帯のイギリス軍駐留)

②中東諸国の分立　＊1 ＊2 ＊3

└ ナショナリズム高揚をおそれ、アラブ民族には民族自決適用せず (アラブ国家は現在 22 カ国)

・イギリスの三枚舌外交の帰結

・フランス委任統治領　シリア (1943)、レバノン (1946)

・イギリス委任統治領　イラク (1932)、ヨルダン (1946)、パレスチナ

・アラビア半島

ヒジャーズ王国 (1916 ~ 32)

サウジアラビア (1932) ― 油より水が貴重な国

イギリスがサウード家のイヴン・サウードを援助

メッカ、メディナの両聖都を管理

ワッハーブ派 (サラフィー派) イスラーム教を国教とする

油田発見 (1938)、世界最大ガワール油田発見 (1948) で世界最大の産油国

PROPOS ＊1

真珠の海だったペルシア湾。イギリスのインド進出以降は「インドへの道」として、石油が産出してからはさらに注目された。しかしイランの魅力は、ここで紡がれてきたペルシア語による豊饒なペルシア文化にある。岡田恵美子は美しいペルシアの箴言の数々を紹介。「心は憎しみを生まない。憎しみを生むのはいつも言葉だ」「心から心へは道がある」「早く熟した実は早く落ちる」「バラには後ろも前もない」「麝香 (じゃこう) は自ら香る。香料屋が語るからではない」(『言葉の国イランと私』)。

PROPOS ＊2

現在のシリア、レバノン、ヨルダン、パレスチナは１次大戦後に誕生。英仏に作られた人為的国家。この地域は歴史的にシリアと呼ばれてきた。フランスはシリアから地中海岸のキリスト教徒 (マロン派) アラブ人が多い地域を「レバノン」として (フェニキア人の末裔との自己認識) 切り離して委任統治を行う。狭い国土で「諸宗教の博物館」とされる。現在のシリアも人工国家だが、この地域には歴史的シリアの回復をはかる大シリア主義の動きが常にある。

PROPOS ＊3

超大国「アラブ」誕生を嫌った英仏により民族自決はアラブ世界に適用されなかった。部族内対立が利用されアラブ世界は細分化、分割統治された。イギリスは人工国家ヨルダンを作り、ムハンマドの血を引く名門ハーシム家のフセインの次男に統治させた。一方、メッカ、メディナのあるアラビア半島はハーシム家と対立するサウード家に与えてサウジアラビア王国を樹立 (1932)。さらにフセインの息子ファイサルを国王にイラク王国を建国 (1932) し、サウジアラビアを牽制。サウジでワッハーブ派はサウド家の統治に口出ししない条件で保護された。当時、中東に油田があるなど想定外だった。ひと山当てようとしたイギリス人が安い値段で開発権利を得て探査。1938 年にサウジアラビアで油田が発見。

画蛇添足

▼「アラブ人とは何か」―定義は簡単ではない。ほぼムスリムであるが非ムスリムも存在する。「湾岸から海洋まで」と言われ湾岸、東方、西方の三地域に22カ国に分かれて住む。人口4億を超えるエスニックグループ。▼共通の書き言葉「標準アラビア語」を有する集団、という定義もある。言語には長い歴史を持つ話し言葉（口語）（何十万年）と短い歴史の書き言葉（文語）（五千年）があり、両者は乖離している、つまり言文一致しないのが普通。書き言葉が変化に抗う力を持つのに対して、話し言葉は変化しやすいので乖離が生じる。▼江戸時代の口語は各藩で違ったが、文語は「〜そうろう」と結ばれる候文で共通。方言による意思疎通の困難をこれでカバーしていた。明治以降、東京山の手の話し言葉（これも方言）で言文一致が進められた。いまも「私は駅へ行く」と書いて、「私わ駅え行く」と読むから少しは残っている。話し言葉と書き言葉を一致させて識字率を高めることは民主主義社会にとって必須。▼アラビア語は文語と口語がいまも分かれている言語。アラブ人はそれぞれ自分たちの口語「方言」を話すので地域が違えば、意思疎通が難しい。ちなみに言語学的には言語と方言は区別されない。アラブ世界で共通するのは書籍や新聞に使われる「書き言葉」。私たちが候文で会話できないように標準アラビア語で会話は難しい。▼1次大戦後、巨大なアラブ国家の出現が嫌われ、民族自決原則が適用されず細分化されたアラブ世界。作られた各国に権力者が発生。彼らは口ではアラブの統一を唱えるが既得権益を手放す気はなくアラブ分割に安住する。イスラーム国を若い世代が支持した背景には、現アラブ諸国の指導者への反発もあった。

わんクリック　サウジアラビア王国。厳格なサラフィー主義 (外部からはワッハーブ派) だが、サウード家の統治に口を挟まないことで保護される。王家、王族のふるまいはイスラームから逸脱しているがおとがめなし。1938 年に石油が発見されて超富裕国家となる。国家目標はおそらく王室の維持。「国もどき」の国。湾岸戦争以降、アメリカの高価な武器を購入するアメリカの上顧客。いまアメリカの軍需物資の３分の１までをサウジアラビア (人口 3400 万) が買い取る。隣国イエメン (人口 2900 万)。資源のでない最貧国。したがって世界で関心は持たれないし、世界史の叙述対象とならない (※)。

History Literacy　世界史は人間の歴史だから人口緻密地域の叙述になるが、資源がない場所 (イエメンなど) は例外。

インドの独立運動

①イギリスの背信

- 大戦中、インドは戦後の自治と引き換えに対英協力
  └ モンタギュー宣言　└ 約 150 万人の兵士供出
  →自治の約束を履行せず (1919 年インド統治法)、反英運動弾圧
- 1919 年、ローラット法
  └「パンを与えて石を与えられた」(ガンディー)
  インド人に対する令状なしの逮捕、裁判なしの投獄
  アムリットサル事件 (1919)
  └ ローラット法反対集会に無差別発砲、379 名虐殺

②反英運動の激化 ― 追い詰められるイギリス

- ガンディーが帰国、以後国民会議派を指導　＊1
  南アフリカでのインド人差別撤廃運動 (1893 ~ 1914) で知名度
  └ 詩人タゴール (『ギーターンジャリ』) がガンディーに与えた尊称がマハトマ (偉大なる魂)
- 非暴力・不服従運動推進 (1919 ~ 22 、30 ~ 34)
  サティヤーグラハ (「真理把握」) 運動
  └ 自ら (スワ) の身体、精神の統御 (ラージ) とインドの独立を連関させた
  塩の行進 (1930) など　＊2 ＊3
  └ アフマダーバードからダンディー海岸まで 360km を 29 日かけて行進
  全インド・ムスリム連盟も同調
- 1929 年、インド国民会議派ラホール大会
  ネルーが指導し、プールナ・スワラージ (完全独立) を決議

③イギリスの対応

- 英印円卓会議 (ロンドン) 開催 (1930 ~ 2) で懐柔をはかるが失敗
- 新インド統治法 (1935) ― アイルランド独立の二の舞を避けようとする
  各州の責任自治制と連邦制導入で妥協はかる
  └ イギリスの譲歩により地方の州の自治はほぼ達成

PROPOS ＊1

イギリスはインド統治をインド人に担わせるため優秀な人材にはイギリスで高等教育を受けさせた。ガンディーもイギリスの名門大学を卒業したエリート。彼は弁護士として南アフリカに赴任。そこのアパルトヘイト政策の下で差別を受けて民族差別問題に目覚める。ここでは奴隷制廃止 (1833) 以後、インド人が奴隷に代わるプランテーション労働力として導入され差別を受けていた。赴任早々に差別を受けた彼はインド人に対する指紋押捺(しもんおうなつ)制度を拒否するために非暴力不服従運動を作り出した。

PROPOS ＊2

行列は日を重ねるごとに膨れ上がり、「出エジプト」を思わせる光景が出現。海岸に到着して塩を作ったガンディーは逮捕される。当時、生きるために必要な製塩が許されていなかった。ガンディーは製塩を通じて植民地支配の現実を人びとに意識させた。「塩を作れ、糸を紡げ、洋服を燃やせ、官職をボイコットせよ」と各地で不服従運動を展開。人間は生存に必要な塩―塩味においしさを感じ、つい取りすぎるから注意。

PROPOS ＊3

ガンディーはイギリスから独立しても日本のようになるなら「イギリス人のいないイギリスを作るだけ」と近代文明を問題にする (ガンディー『真の独立への道―ヒンド・スワラージ』)。必要以上の物を所有せず、白布一枚だけを纏(まと)う姿は民衆の目に禁欲的な修行僧に映った。イギリスが巨大なインドを支配できたのは、インドがまとまっていなかったから。ガンディーはインドの伝統的価値観、宗教的心情に訴えてインドを束ね、抵抗のナショナリズムを作ろうとした。彼自身が求心力を持った反近代のアイコンとなった。彼自身は宗教融和を唱えたが、その運動を通じて人びとの宗教意識が活性化、宗教対立を生んだ側面もある。彼が暗殺されたため独立後のインドを率いたのはガンディーとは逆の近代主義者ネルー。インド社会の近代化、産業化を推進。

画蛇添足

▼非暴力運動は消極的な抵抗運動と勘違いされがちだが暴力に対して非暴力で対抗する積極的抵抗運動。相手の不当な要求に従わない不服従運動。その拒絶に激高した相手が暴力で従わせようと迫ってくる。その暴力に逃げずに非暴力で向かい合う。▼一方的に殴られるのに任せる。そうすることで殴っている相手に「自分は何をしているのだ」と自問させる。相手の良心に訴える。自分に対して憎しみを持って迫ってくる相手。その相手に対して憎しみを持つこと自体が相手のコントロール下にはまったことになる。そのように考えるには高い倫理性が要求される。▼マキャベリズムとは正反対の態度。独立が目的だが、それは非暴力という手段で達せられなければだめ、とする。運動の最中で、挑発された農民が挑発した警官を殺害する行動にでた。このように反英闘争が暴力闘争にエスカレートした時、ガンディーは闘いの中止を命令。運動は大混乱した。「よき目的にはよき手段でなければいけない」がガンディーの哲学。▼マイケル・ジャクソンの代表作 Beat it!。これは「殴れ」ではなく「逃げろ」。ギャングの抗争が絶えなかったロサンゼルス。「格好つけて死ぬぐらいなら逃げて命を大事にしろ」が彼の非暴力。それが積極的抵抗かと思うかも知れないが、ガンディーの戦い方だけが正しい訳ではない。▼歴史に囚われるために歴史を学ぶのではない（※）。逃げたら迷惑がかかる、と逃げないことが社会の不健全さを残すことが多い。あなたが大切にされない場所に留まる必要はない。狩猟採集時代が最も暴力が蔓延(はびこ)った時代（キーリー『文明前の戦争』）。人類の歴史は暴力の制御史。人類は暴力を制御する方向に着実に歩んでいる。

わんクリック　その求道的雰囲気から聖人視されがちだがガンディーは運動家。聖人作りに加担してはいけない。マスメディア黎明期に自らの運動を世界に知らせるメディア戦略に長けた政治家。塩の行進でも、誰もが共感できる塩を対象に、ルートも成功するように計算した戦略家。テレビが普及するまで映画館で映画上映の前にはニュースが流された。人びとはこれで世界で何が起こっているかを知った。彼の非暴力不服従運動は映像で切り取られて世界で流された。この実写フィルムを織り交ぜて作られた映画が『ガンディー』。ガンディーの運動には原理主義的な偏狭さ、硬直性など問題も多かった。

History Literacy　歴史に囚(とら)われるべきでない―(が、この言明にも囚われないほうがよく) 歴史にあまり囚われるべきでない。

東南アジア大陸部の民族運動― 東南アジアでのナショナリズム

①ヨーロッパ資本の投下

・三大デルタ米作地帯の開発　＊1

エーヤワディー川デルタ地域（ミャンマー）で先行（1850年代）

└インド大反乱と南北戦争でのカリフォルニア米輸出減少、インドから労働力

世界一の米輸出地帯に

チャオプラヤー川（タイ）、メコン川（ベトナム）各デルタ地帯開発

両地域とも集荷、加工（精米）と流通は華僑が担う

②ベトナム（仏領インドシナ）

・トンズー（東遊）運動（1905～07）の展開

└日露戦争の影響

ファン・ボイ・チャウらが維新会を結成（1904）

日本へ留学生を派遣する運動

1907年日仏協約で日本は留学生を追放

・東京義塾（1907）

慶応義塾に倣いハノイにファン・チャウ・チンが開校（翌年閉鎖）

・ホー・チ・ミンらを中心にインドシナ共産党（1930）　＊2 ＊3

③シャム（タイ）

・1932年、人民党の立憲革命

チャクリー朝（絶対王政）は立憲王政に移行

└形だけ独立は維持したが、経済をイギリス、華僑に握られて近代化に遅れた

エリート官僚（欧州留学組）らが軍の一部と協力したクーデタ

└国王主導の近代化に限界をみる　└その後、タイでは頻繁に軍クーデタ

ピブーンらが実権、国名をシャムからタイへ（1939）

④ビルマ（ミャンマー）

・1930年代、秘密結社タキン党（「我らビルマ人協会」）結成　＊4

└「我ら」がビルマの主人（タキン）の意

アウンサン、ウー・ヌら

└現ミャンマー国家最高顧問アウンサンスーチー（クーデタで身柄拘束中）の父

・タキン党員が日本軍の協力でビルマ独立軍結成

PROPOS　＊1

16c以来「点と線」の支配の対象だった東南アジアも1910年代までほぼ全域で国境線が確定、領域として支配されるようになった。19c末から1910年代半ば（1次大戦勃発）までヨーロッパの東南アジアへの投資が急増した。マレー半島の熱帯雨林の中にゴムのプランテーションと錫鉱山。大陸部三河川のデルタ地帯に広大な水田。世界有数の輸出向け米作地帯が出現した。

PROPOS　＊2

ホー・チ・ミンは1911年フランス船に乗り込んで出国。ニューヨーク、ロンドンなどに滞在、17年から23年まではフランスに滞在。ホーはフランス滞在中に2つの発見をした。ひとつは「フランスにベトナムのような貧しい人がいる」こと。そして「フランス本国のフランス人はインドシナのフランス人より丁重で礼儀正しい」こと。この発見はホーに影響を与えた（※）。

PROPOS　＊3

ホー・チ・ミンは若い時はグエン・アイ・クオック（阮愛国）と名乗るナショナリスト。民族問題を嫌うコミンテルンの指導でベトナム共産党をインドシナ共産党へ改名させられた（1930）。カンボジア、ラオスも一緒の枠組み。インドシナをまとめて解放するのがインドシナ共産党の目的。現実にはベトナムの指導。あとの二か国は反発。

PROPOS　＊4

タキン党はイギリスからの独立をめざした。2次大戦でも戦争協力しなかった。東南アジアでイギリス、フランス、オランダは植民地を手放す意図はなかった。そこに「解放戦争」を掲げた日本軍が進撃。「反ファシズム」（日本に対抗）か「独立」（日本を利用）で迷うが日本と協力する決断。アウンサンの日本との距離の取り方がうまく、最初は日本に接近してその力をうまく利用、最終的には日本軍の名ばかりの独立付与（1943）に反発し、反ファシスト人民自由連盟を結成、逆に対日闘争に踏み切った（1945）。

画蛇添足

▼本プリントはプロ用のDTPソフトを使って作成している。皆さんが使う教科書、図表を作るのと同じソフト。PDFに書き出して印刷所に持ちこめば書籍の体裁に仕上がる。出版者登録をしてISBNコードを取得して裏表紙に付ければできあがり。▼物理的な書籍を作るのは簡単。ただそれを書店に置いてもらうのが難しい。取次(とりつぎ)にお願いすればと思うが、そうは問屋が卸さない。取次(とりつぎ)はにわか仕立ての出版社などと取引しない。流通にのらない書籍は存在しないのと同じ。▼米は基本的に自給作物だが、19世紀後半から東南アジアでは商品作物だった。ミャンマー、タイ、ベトナムの三大河川のデルタ地帯でコメ生産のためのデルタ開発。そのためにかつてない大量の労働力が中国の華南、南インドなどから流入した。人口希薄な東南アジアでは現地での労働力調達は難しかった。▼そこで作られた米は自給でなく東南アジアの他地域のプランテーションで働く人びとの主食用に輸出された。これは精米、流通を担う華僑・華人がいたから可能だった。華僑は勤勉、そしてモノの流通、遠隔地間での決済に必要な広域ネットワークを持っていた。米の生産は現地人に任せて、精米、流通を担った彼らが各国で経済の実権を握るようになった。▼特にミャンマーとタイの上座仏教国。出家宗教と経済は両立しにくい。そこに華僑が入りこんだ。両国は華僑・華人が経済の実権を握るとされる。実際に華僑・華人が占める割合は数字になりにくい。一時的に滞在しているのが華僑、現地国の政治状況との関係で現地国籍をとって定住、現地に溶け込んだのが華人。誰が華僑で華人なのか判然としないので、一般的に「華僑・華人」と表記される。

わんクリック　どの国でも経済の実権を握る華僑は好ましく思われず緊張関係がある。それゆえ現地化（華人化）して出自を見えにくくする。タイは国民の4割程度が華人系とされるが、全体像ははっきりしない。2次大戦でタイが親日姿勢をとったのは華人への反発もあった（日本は中国と戦っていた）。ミャンマーのタキン党は「我らビルマ人」を意味するが、それはイギリス人だけでなく華人・華僑の排除も意味した。ベトナム戦争後、南ベトナムからボートピープルとして脱出したのは華僑・華人が中心。中越関係悪化で国内で迫害された。インドネシアでも九・三〇事件以降、華僑・華人は大粛清された。

History Literacy　内部は多様―どの対象も一色で塗りつぶして見てはいけない（ベタ塗りする世界史図表の最大の問題点）。

東南アジア島嶼部の民族運動

①フィリピン　＊1

- ホセ・リサール (1861 ~ 96) らが民族啓蒙運動　＊2
- フィリピン独立革命
  - └ スペインに対する独立運動の中でフィリピン人の国民意識が形成
  - ボニファシオが秘密結社カティプナンを率いて武力蜂起 (1896)
  - 内部抗争でアギナルドが主導権　＊3
  - └ 下層階級を代表するボニファシオに対し、アギナルドは上層階級の支持、社会改革に消極的
  - 米西戦争勃発でアメリカが独立支援、フィリピン共和国建国 (1899)
- アメリカによる植民地化
  - 米西戦争勝利のアメリカがフィリピン統治権をスペインより譲渡
  - →アギナルドらは反米闘争 (1899 ~ 1902) 展開
  - →鎮圧されアメリカの植民地に　＊4
- フィリピンの反米運動と米国内世論の高揚
  - └ アメリカ国内農家の安いフィリピン産農作物流入への反発など
  - アメリカは自治を承認し、10 年後の独立約束 (1934)

②オランダ領東インド (インドネシア)

- ジャワ島の変化
  - 米作地帯がプランテーション発展で米輸入地帯に (1870)　＊5
  - └ 日本軍政下で東南アジアの流通が混乱、400 万人餓死者がでた背景
- ブディ・ウトモ (「優れた徳」)(1908) — ジャワ最初の民族団体
  - ジャワ島最初の民族主義団体、穏健な啓蒙団体
- サレカット・イスラム (イスラーム同盟) 成立 (1912)
  - └ 辛亥革命 (1911) で高揚した華人ナショナリズムへの対抗
- 「インドネシア」という枠組みでの独立運動 (1920)
  - └ 抵抗の単位がジャワ人、ムスリムから「インドネシア人」という枠組みに変化
  - インドネシア共産党 (1920) による武装蜂起 (1926 ~ 27)
  - インドネシア国民党 (1928)
  - 党首スカルノ、初めて「ムルデカ (独立)」が目標に
  - ムラユ語 (マレー語) をインドネシア語 (国語) とする決議 (1928)
  - └ ジャワ語でなく交易で使われてきた言葉　　└ インドネシア青年会議

PROPOS　＊1

19c 前半、船舶用ロープ製造のためマニラ麻に対する需要が増大。ダバオ (ミンダナオ島) が生産の中心。主として日本移民が従事した (1934 年には約 1 万 5 千人)。19c 後半からココヤシの需要も増大した。

PROPOS　＊2

スペインに留学した知識人らは「フィリピン人」としての民族的自覚を深めた。その一人がホセ・リサール。医師、作家として小説『われに触れるな』(1887) でタブーだったスペインの植民地支配の実態、残虐ぶりを描いた。彼は日本にも立ち寄る。35 歳で逮捕、処刑された。彼の処刑が刺激となりフィリピン独立運動が始まった。

PROPOS　＊3

革命派内で主導権をめぐる闘争が起こりアギナルドはボニファシオを殺害して権力を握った。米西戦争でアメリカの支援を受けてフィリピン (マロロス) 共和国を樹立 (1899)。しかしフィリピン領有権をスペインより獲得したアメリカにより逆に弾圧される。引退したアギナルドは 95 歳まで生きる。最晩年にフィリピンを訪問した現上皇夫妻 (当時皇太子) を自宅でもてなした。

PROPOS　＊4

植民地から独立したアメリカは植民地を持たないのが国是。フィリピン領有には激しい国内の反対もあった。これとハワイ併合はアメリカ史の汚点の一つ。スペインから横滑りでアメリカが支配することへの反発があった。アメリカは大土地所有者の協力を得るためフィリピン社会の構造に手を付けなかった。そのため大農園制が残った。

PROPOS　＊5

東南アジアの島嶼部での世界市場向けの 1 次産品の生産が増すと、ここにアジアから労働力が輸出、彼らの食糧が大陸部から、そして生活必需品などが中国、インド、アジア (日本) などから供給されるようになりアジア内部での貿易が活発化した。

画蛇添足

▼スカイプを使ったフィリピン人英会話が人気。ラテン系の明るいノリで親しみやすい国民性、なのに勤勉。講師が若くて溌剌(はつらつ)としている。国民の平均年齢が26歳。カトリックの影響で人工中絶も避妊も認めないため出生率が高い。日本に迫る人口大国。▼アメリカ支配の影響で英語も公用語。アクセントにくせが少ない。世界で英語を使う会話の4分の3は非英語圏者間。ネイティヴの発音にこだわる必要はなく毎日半時間して2ドル少しの安さは魅力。ルソン島は台湾のすぐ南でかつては日本の隣国。この島にマニラ市が建設されてからはガレオン貿易の中継地となった。▼簡単に儲かる中継貿易から利益をえて、スペイン人は国内産業の育成を怠った。貿易衰退後は大土地所有に立脚した大農園(アシエンダ)制度を導入。農民は1次産品の商品作物を栽培させられた。価格変動の激しい国際経済に飲み込まれて疲弊(ひへい)。近代化の阻害要因となった。▼太平洋戦争でルソン島は日米の激戦地となった。本土決戦を遅らせるために持久戦を強いられたのが沖縄本島とルソン島。20万の日本兵だけでなく100万のフィリピン人が巻き添えで亡くなった。こうした負の遺産にも引きずられ、60年代のアジアの高度経済成長期にフィリピンは取り残された。いまも出稼ぎが外貨獲得の主要産業。国民の1割が国外で暮らす国。▼そんなところに赴任が決まった日本人ビジネスマン。「行きたくない」と泣き、何年か後の帰国に際して「帰りたくない」と2度泣く、という話がある。フレンドリーな国民性。勤勉な教師を安い人件費で雇えて、他方に毎日続けることができない怠惰な生徒がいる—両方の存在がフィリピン英会話のビジネスモデルを成立させている。

わんクリック　上の本文にマレーシアの叙述がない。マレー半島は政治的に諸王国に分断され、また社会も、錫鉱山での採掘、都市商人は華人、ゴム園は南インド (タミル地方) からの労働者、農業従事はマレー人、と分断されていて 20 世紀前半に民族意識は高まらなかった。多民族国家マレーシアは多様性に基づいた社会。ここはマレーシア映画、ヤスミン・アフマド監督『タレンタイム』(2009) をみてほしい。高校青春映画 (と括るのはおかしいが) の間違いなく最高傑作。多民族、多宗教、経済格差—世界史で学んだすべてが描かれる。多様性ある社会で生きる、ということを垣間見ることができる (※)。

History Literacy　多文化社会の叙述は難しい (3 集団あれば 3 つの関係、4 つだと 6 つ、5 つだと 10 の関係を叙述しなくてはいけない)。

中国の近代化と国際的地位の向上

①中国の新文化運動

・新文化運動

　北京大学が中心

　中国の伝統社会の古い因習、儒教道徳を批判

・雑誌『新青年』が舞台 (1915 年創刊)

　陳独秀が刊行

　└ 中国共産党を立ち上げ (1921) るも国共合作失敗 (1927) で総書記辞任

　民主主義と科学をスローガンにかかげた啓蒙

　胡適が『文学改良芻議』を寄稿 (1917)、白話運動提唱　＊1

　└ デューイ (米) に学んだプラグマティスト、戦後は国民党政府 (台湾) で活動

　胡適の提案を受け、陳独秀が『文学革命論』を寄稿

　└「自由」「民主」を一貫して唱えた自由主義知識人、戦後共産党からは無視

　魯迅が『狂人日記』掲載、白話運動を実践

　魯迅の代表作は『阿 Q 正伝』

・李大釗がマルクス主義を中国に紹介

②五・四運動

・パリ講和会議で中国 (戦勝国) の要求認められず　＊2 ＊3

　└ 山東省の利権返還、二十一カ条要求破棄

・1919 年 5 月 4 日、北京大学生の抗議デモ

　二十一カ条要求破棄、ヴェルサイユ条約調印拒否を要求

・全国的な反日・反帝運動運動に進展　＊4

・政府のヴェルサイユ条約調印の方針に対して代表団は調印拒否

・孫文は大衆運動の力を実感、革命の方針を秘密結社方式から変更

③モンゴル人民共和国

・辛亥革命をきっかけに外モンゴルが独立 (1911)　＊5

　└ 清朝の版図で現在唯一中国に含まれない地域

PROPOS ＊1

胡適は『文学改良芻議』で白話 (口語) 文学を提唱。古人の模倣をやめる、白髪三千丈式の陳腐な常套句を避ける、理由もなく深刻がらない、対句対語を考えない、など。まず形―文体を変えることで意識が変わると考えた。「新しい酒は新しい革袋に盛れ」(新約聖書マタイ伝) は一つの考え。

PROPOS ＊2

日本が中国に突きつけた対華二十一カ条要求。大隈重信内閣 (加藤高明外相) が袁世凱に要求。日露戦争で日本が満洲に得た権益 (満洲鉄道など) の期限が 1939 年で切れる。日本にとりこの延長が課題だったが中国側に応じる気はなかった。日本は 1 次大戦勃発を利用。参戦してドイツの山東半島利権 (ドイツが 99 年間租借) を奪い、これを中国に返還して代わりに満鉄の期限延長をとる算段だった。しかし要求に国内各層の様々な要求が盛り込まれて二十一カ条に膨れ上がった。問題は第五号 (中国に日本人顧問を置く)。この内政干渉を中国は国恥と受け取った。列強間でも領土保全原則に反すると激しい反発が起こった。

PROPOS ＊3

加藤は二十一カ条要求を、第五号を外すことで袁世凱に受諾させ、ヴェルサイユ条約でも承認されたが、結局は九カ国条約で破棄。中国からは日本の侵略の起点とみなされた。日本にとり隣国中国の信頼を失った外交上の大きな汚点。加藤は失政を猛省。首相時には国際協調外交 (幣原外交) 展開。

PROPOS ＊4

こんな時に起こった関東大震災 (1923)。被災者への義捐活動を最も早く、そして長期にわたり、米英に次ぐ援助をしてくれたのが中華民国、排日運動中の中国人。

PROPOS ＊5

モンゴルをゴビ砂漠の南北で内外に分けるのは 20c のロシア (ソ連) と中国の政治的思惑による。モンゴル人は分割された。

画蛇添足

▼杜の都仙台。東北大学のキャンパスの中に、魯迅の「幻灯事件」で有名な階段教室が残っている。清国留学生だけで固まりたくないと一人で医学を学びに仙台に来た周樹人 (魯迅)。この間の事情は短編『藤野先生』に詳しい。彼を気にかけた先生との交流。▼授業の合間にスライドで日露戦争の報告会があった。スパイ容疑で処刑される中国人。それを面白そうに取り巻く同じ中国人。この「幻灯事件」をきっかけに魯迅はいまは民族精神の改造こそが必要であると、医学でなく文学を志すことになる。▼魯迅の小説集『吶喊』。『狂人日記』や『阿Q正伝』など代表作がおさめられている。なぜか昔は国語の教科書に中国文学の短編『孔乙己』が載っていて、筆者はこれで魯迅のとりこになった。▼代表作は『阿Q正伝』。主人公阿Qは乞食であるが、当時の典型的な中国知識人の暗喩。子どもに馬鹿にされて殴られながら「大人を馬鹿にするなどかわいそうな子だ」と精神的勝利法で屈辱を受けた現実から目をそらそうとする。民族が滅亡しようとしているのに現実を直視せず中華思想にしがみつく中国人の姿を風刺。▼阿QのQ (queue) とは弁髪。頭に異民族の風習である弁髪をつけていて何も感じていない当時の中国人の鈍感さへの批判。魯迅は中国の現状を非難する時、その批判すべき対象は自分たちの内にこそあると考え、人びとに各自の内面の凝視を迫った(※)。▼不正な世の中では狂人が正しくなる。「まだ人を食ったことのない子供なら、あるいはいるかもしれない。子供を救え…」で終わる『狂人日記』。狂人は儒教の人間性侵害の比喩とされるが、「人を食う」は比喩だけではない。世界中、貧困地域で因習があった。

わんクリック　時代の変化についていけない儒教文化人の典型孔乙己が凋落していく様子を、彼が通う居酒屋の店員が観察する (魯迅『孔乙己』)。儒教批判だが現代でも様々な読みが可能。老醜をさらすのは文明も人間も同じ。『孔乙己』の次はシモーヌ・ド ボーヴォワール『老い』を薦めたい。老いも人間の大切な一局面。誕生から死まですべてのプロセスを美しく生きたい。生花も朽ちるのを見届けて取り除きたい。生花が造花より美しいのは朽ちるプロセスが控えるから。朽ちる局面―日本文化で花は十把一絡げに枯れない。朝顔はしぼみ、菊は舞い、牡丹は崩れ、梅はこぼれる。自分はどう枯れようか。

History Literacy　他人事として済ますことのできる出来事はない―私たちの心の一部分を拡大したものが「阿 Q」。

北京政府の衰退と南京国民政府

①国民党と共産党の成立

・中国国民党 (1919)

孫文は中華革命党 (秘密結社) を改組し、大衆政党を結成

└ 五・四運動で大衆のエネルギーに注目、国民党もコミンテルンの影響受ける

・中国共産党 (1921) ＊1

委員長陳独秀

└ コミンテルンの支部として上海のフランス租界で 13 人が結成

②第 1 次国共合作

・孫文はロシア革命に共鳴、孫文・ヨッフェ会談 (1923)

└ 1919 年カラハン宣言でソヴィエト政権は帝政ロシア時代の債権の一部放棄 ＊2

・「連(れん)ソ・容共・扶助工農(ふじょこうのう)」の三大政策

・国民党改組宣言 (1924)

共産党員 (圧倒的少数) が個人の資格で国民党に入党することを認める

└ 党内合作 (国民党は共産党員を内部に取りこむ / 共産党は共産党員を国民党内に送りこむ)

③国民政府による北伐

・1925 年、五・三〇事件

上海から始まった全国的規模の反帝国主義運動、矛先はイギリス

└ 日本人経営の紡績会社でのストライキが発端

・孫文、北京で客死 (1925) で国民党は求心軸を失い内部の左右対立が激化

・国民党は広州国民政府 (国家主席は汪兆銘、総司令官蒋介石) 樹立 (1925) ＊3

・1926 年、北伐開始 ＊4

北方軍閥打倒が目標、総司令官蒋介石 ＊5

広州→武漢占領→南京・上海占領 (1927 年 3 月)

・1927 年、上海クーデタ (四・一二事件) ＊6

国民党左派 (汪兆銘ら) が共産党と武漢政府樹立

→蒋介石が上海で共産党弾圧に転じる

浙江財閥、イギリス・アメリカが支援

└ 上海を代表する財閥 (資本家) └ 長江流域に利害

→蒋介石は南京国民政府樹立

→武漢政府も共産党弾圧、南京政府に合流 (国共分離)

PROPOS ＊1
コミンテルンの中国支部として十数名で結成された。難解なマルクス主義が理解できるのはインテリ。北京大学教授陳独秀をトップに、図書館長の李大釗教授も加わる。当時、図書館で働いていた毛沢東も参加。

PROPOS ＊2
ロシアはアイグン、北京両条約で獲得した広大な沿海州は返還しなかった。

PROPOS ＊3
中華民国は、民衆に信頼をおけなかった孫文の考えで、軍政、訓政、憲政の三段階をとるとした。国民党による指導、訓政段階の中華民国政府を「国民政府」と呼ぶ。

PROPOS ＊4
革命に何度も失敗した孫文は国民革命軍育成のため黄埔軍官学校を設立 (1924)。校長が蒋介石、教務部長が周恩来。

PROPOS ＊5
曾国藩、李鴻章、袁世凱と受け継がれた軍閥。袁の病死で軍閥は安徽派の段祺瑞 (日本支援) と直隷派の馮国璋(ふうこくしょう) (英・米支援) に分裂。両者の抗争 (安直戦争) で直隷派が勝利。日本は段が敗れ、多額の援助 (西原借款) が貸し倒れになり、今度は段の部下で満洲軍閥の奉天派の張作霖を擁立。北伐が開始された時点は張作霖が北京の実権を掌握していた (1927 大元帥)。日本は軍閥援助で中国の内乱状態の継続を図る (※)。

PROPOS ＊6
北伐軍は快進撃で主要都市を攻略、上海に迫る。同時に上海では労働運動が急進化。上海など長江一帯に利権を持つ帝国主義列強、上海を拠点とする民族資本浙江財閥は危機感を強めた。これらの支援により蒋介石が上海クーデタを起こす。3 日間に約 700 人の共産党員が虐殺され壊滅状態となった共産党は農村部に逃げ込む。初期の都市のインテリを中心とする指導者 (陳独秀、李大釗など) の権威は下がった。

画蛇添足

▼アンドレ・マルローの小説『人間の条件』(1933)—このタイトルは「人間とは」といったニュアンスで訳出する方がよいとされる。上海クーデタ (1927)—昨日までの同志により殺される共産党員たちの絶望的な最期が描かれた。▼国民党 (資本主義) と共産党が連携して軍閥が割拠する中国を統一しようとしていた時代。国民党の蒋介石を司令官とする北伐軍は破竹の勢いで北上、上海(シャンハイ)に迫った。この北伐軍に呼応して上海では共産党の指導で労働者が一斉蜂起。この成功と北伐軍の進攻で上海は解放された。▼しかしこの労働者の蜂起を指導した共産党の勢いに危機感を抱いた列強など資本主義勢力は、蒋介石 (資本主義) に、手遅れになる前に反共クーデタを断行するように強く働きかけた。背後から不意打ちされた共産党員になす術はなかった。▼ナチス占領下ポーランドの首都ワルシャワでの抵抗運動を描いた映画『地下水道』(1956)。ソ連軍はワルシャワの対岸まで到達していた (1944)。ワルシャワ解放の時が来たと、これまで抵抗運動(レジスタンス)を指導してきたロンドン亡命政府 (資本主義) は市民の一斉武装蜂起を指示。しかしソ連軍は蜂起が多くの犠牲者を出して失敗するのを傍観した。▼映画は、ソ連軍に見殺しにされた人びとが暗い地下水道に追い詰められ、出口を見つけられないまま全滅していく過程を描く。絶望的な画面の暗さが伝える虚無感。ソ連はポーランドの戦後再建が資本主義陣営主導下で進むことを嫌った。▼勝利の見通しがつくとそのあとの主導権を見据え、本来協力できる陣営内で不協和音が発生する。日本敗戦後の主導権をソ連に渡さないため、アメリカは広島、長崎市民の上に原爆を投下して日本を軍国主義から解放した。

わんクリック 人権の擁護をはじめ、個々の主張内容は真っ当で、立派な政治家が多いにもかかわらず、共産党の党勢拡大に与する主張は受け入れがたい、という共産党アレルギーが資本主義社会に存在する。共産主義は資本主義 (私有財産制) 否定から出発した思想。当然、財産を持つ階層 (既存の支配者階級) は警戒する。また、私有財産制の否定は人間の欲望を否定する人間観につながる。この欲望を甘くみた人間観が浅いと受け入れられない人もいる。このアレルギーが労働者の権利を向上をめざす左派政党内の分裂—社会民主党系勢力と共産党系勢力の分裂をもたらし、様々な社会運動を混乱させてきた。

History Literacy 中国は南北差 (気候の差が文化の差などすべてに及ぶ) が大きい世界 (華北は南部の国民政府による支配を嫌った)。

④北伐軍の北上と済南事件と反日感情の高まり

- 1928 年、北伐再開
- 1928 年、済南事件（第 2 次山東出兵）
  └ 山東省の省都、九カ国条約で利権は返却するが多くの日本人居住

  田中義一内閣が北伐軍から居留民保護の名目で出兵
  └ 中国の既得権益、居住民の生命と財産をまもる点では幣原外交と同じ

  中国側に多数の犠牲（数千名）で反日世論高揚をまねく
  └ 日清戦争以来の軍事衝突　└ 中国民衆の排外感情が反英から反日に決定的に変化

- 北伐軍は迂回して北上、北京入城
  北京に君臨していた奉天軍閥 張 作霖は敗れて満洲に撤兵

⑤関東軍による張作霖爆殺事件 ― 満洲某重大事件

- 関東軍の謀略
  └ 陸軍の出先機関、参謀河本大作、あるいは組織ぐるみの謀略

  張作霖が乗った列車ごと爆殺（奉天事件）　＊1 ＊2 ＊3
  └ 北京から奉天へ撤兵中、奉天郊外の南満洲鉄道

- 日本政府は関東軍の独断を追認
  └ 権益を守ろうとした動機を評価、処分による日本の対外信用、陸軍内の士気低下を危惧

  陸軍の軍紀の緩み ―「下剋上」「独断専行」の風潮が広がるきっかけ

⑥張学良の易幟、北伐の完成

- 張作霖の息子張学良が奉天軍閥継承、反日姿勢強める
- 張学良は蔣介石支持を示す（易幟）＝形式的には北伐完成（1928）
  └ 張作霖の息子　└ 満洲全域に青天白日旗（中華民国旗）をかかげる
- 蔣介石は幣制改革（1935）
  英米の支援で管理通貨制、統一通貨（不換紙幣）発行に成功
  └ 国民党政権が失脚すれば紙切れになるため支持するしかなくなる

  軍閥に経済的打撃

⑦共産党の動向

- 上海クーデタ後、朱徳らが紅軍を組織、各地を転戦
- 毛沢東は井崗山を拠点に農村工作（「農村で都市を包囲する」）　＊4
- 1931 年、中華ソヴィエト共和国樹立
  └ 満洲事変の年 └ 農民、労働者、兵士の会議（ソヴィエト）が支配する地域程度の意味
- 首都瑞金（江西省）、主席毛沢東

PROPOS　＊1

日露戦争後のポーツマス条約で生まれた関東軍。満洲鉄道沿い（幅 60 m程度）に 1 kmにつき 15 人の兵士を鉄道守備隊として置けるようになった。1 万 5 千人程度の小規模の軍隊。この陸軍の出先機関が陸軍中央、政府の意向に反して暴走した。

PROPOS　＊2

日本は奉天軍閥の張作霖を支援して満洲権益維持をはかってきた。しかし次第に関東軍にとって扱いにくい存在となる。中国統一の野心から北京を支配していた彼が北伐軍に敗れて満洲に撤兵。これを機会に関東軍が彼を謀殺する。息子の張学良の方が扱いやすいと判断した。だが父を殺された学良は反日姿勢に転じた。この頃の新聞は軍部に批判的。真相こそ報道しなかったが「満洲某重大事件」と陸軍の陰謀を匂わせた。国民が事実を知ったのは東京裁判時。

PROPOS　＊3

昭和天皇は後年、爆破事件に繰り返し言及。関東軍の独断を追認して、河本大作ら当事者を軍法会議にかけなかった事が陸軍に蔓延した「下剋上」、軍紀の緩みを生んだと悔いた。この時、天皇は即位したばかり（27 歳）。皇太子時代に半年間も異例の訪欧（1921）。英でロイド・ジョージと会談、仏では激戦場ヴェルダンを訪問。親欧の国際協調派となる。内大臣牧野伸顕（ヴェルサイユ会議で新外交を実見）と共に新しい国際潮流を理解。ただこの事件で天皇は河本の処分をめぐり田中首相を強く叱責。それが田中の辞職、急逝に繋がる。天皇は政治に介入しない存在であることを理解していなかった。以後、政府の輔弼にノーと言わない沈黙の天皇となる（例外的に意思を通したのは二・二六事件の時と終戦の時のみ）。

PROPOS　＊4

井崗山は山地の名称。毛沢東はここを仕切っていた山賊のもとに転がり込み、彼を殺害して乗っ取る（1927）。そのことで住民が反発。ここを放棄して瑞金に移った。

画蛇添足

▼「学校が教える歴史」は大きくは間違っていないが縮尺が大きい（雑すぎる）。学んだことを縮尺の小さな叙述で読むと随分と異なる印象を持つことになる。学校で日本のアジアへの進出を侵略と習う。しかし局所的には逆の事例もある。そういうものに出会った時、人は認識を反転しがちである。▼侵略とされる軍の行動だが、軍は主観的には自衛のために動いている。国のことを考えての独断専行。ただそれがまったく国のためにならなかった。独断専行の謀略事件、張作霖爆殺からはじまった軍部の暴走。対米宣戦まで追い詰められて最後は自滅した。▼正確には軍の中堅将校の独断専行、下剋上を軍上層部が止められなかった。いまでも組織を実際に動かすのは中堅（課長クラス）。彼らを上層部がグリップするのは簡単ではない。暴走した軍部を政府もまた制御できなかった。「起こったことは仕方ない」と既成事実を追認した。▼日本にヒトラーのような独裁者はおらず侵略の意思もなかった。ただ集団の中の大きな声に引きずられた。集団の中では誰もが弱腰、後ろ向きに見られたくない。威勢のよい強硬策が唱えられがちでそれが流れを作った。当時の国際潮流を読み違え、友邦国だった中国、英国、米国に対する反中、反英、反米意識を高めて敵にまわして世界で孤立。▼どんな職場にもやっかいな人はいるが毎日顔を合わせて仕事するしかない。関係を悪くしたくない、面倒なことに時間を割きたくない気持ちが「あの程度なら許容範囲」と自分を納得させる（筆者もそのように許容し、またされてきた）。残された様々な戦記を読むほどに「これは私の職場、今の日本社会」とデジャブ感に襲われる。日本が侵略戦争へと暴走した歴史は自分を安全地帯に置いて語ることはできない。

わんクリック　「歴史の真実」系本の粗製乱造。「真実」のタイトルが付く歴史書はフェイク本、がヒストリーリテラシーの基本（※）。購買力のあるおじさん市場があるので売れる。事実でなくとも売れるものが出版されるのが資本主義社会。加齢に伴う視野狭窄でおじさんが「日本は侵略戦争をしていない」とこじれても「仕方がない」と諦めてもらえるが、将来のある皆さんは手を出してはいけない。高齢化社会は保守化、右傾化していくが、おじさんの歴史認識の劣化が少し深刻か。戦前も同じ。それに反発して若手中堅将校が発言権を高めた経緯は西浦進『昭和戦争史の証言』『日本陸軍秘録』がよい。

History Literacy　「自然」「真実」を標榜するものに注意する―「自然」「真実」と名がつくものは自然、真実ではない。

朝鮮の三・一独立運動

①日本の朝鮮半島植民地化の特徴

- 日本の安全保障上の観点から朝鮮半島支配　＊1
  朝鮮半島がロシアの影響下に入ることの防止
  └ 当時の日本の指導者は脅威と認識したが、ロシアにこの意図があったかは不明
- 当初、朝鮮の近代化を援助するが失敗（壬午事変、甲申事変）
  └ 開化派を支援して、朝鮮の近代化、日本の友好国化を期待
  →植民地化に舵を切る
  └ 帝国主義時代という時代的制約　＊2
- 朝鮮社会の激しい反発、武力弾圧
  併合前後の義兵運動を鎮圧 ─「東学党ジェノサイド」
  └ 徹底した「残党狩り」も行い2万人以上を殺害

②朝鮮総督府による武断統治
　└ 学校の教師も制服にサーベル（長刀）を帯刀して授業

- 1910～18年、土地調査事業　＊3
  地税徴集のため土地調査で所有権帳簿（登記簿）を作成
  └ 朝鮮末期には私有権は発達、これで所有権が国家により確実に保証された
  →課税地、地税収入の増加
- 憲兵警察による武断政治（初代総督寺内正毅）
  └ 全土に憲兵（行政権、裁判権を持つ ─ 鞭でたたく笞刑）を配置して治安強化
  陸軍の憲兵が警察を兼ねて、民族的抵抗を抑圧
- 鉄道敷設（日露戦争中から）
  京釜線（ソウル─釜山）(1905)、京義線（ソウル─新義州）(1904)、満鉄と接続
  └ 清国との国境

③三・一独立運動

- 1919年3月1日、三・一独立運動
  └ 前国王高宗の急死（毒殺の風説流れる）、国葬のためソウルに人びとが集結
  ウィルソンの十四カ条平和原則、ロシア革命の影響
  └ パリ講和会議の最中
  日本からの独立宣言を発表、非暴力運動によるデモ
  └「独立万歳」のデモ行進が全国に波及（～5月）、日本の弾圧で約900名死亡

PROPOS　＊1

西欧の植民地が本国から遠く離れていたのに対して日本は支配領域を同心円的に拡大（北海道(1869)、琉球(1879)、台湾(1895)、朝鮮(1910)）。西欧は資本の投下先（利潤）のために植民地支配を展開。対して日本は主観的には安全保障上の観点─ロシアの南下への脅威への対抗から支配領域を拡大。「自衛のため」に周辺を植民地化したという認識が、今日でも日本の大陸侵略を「侵略でない」とする歴史認識を生んでいる。

PROPOS　＊2

「帝国主義の時代においては、他国の支配を阻止することは、自ら支配することをしばしば意味した。」（北岡伸一『日本政治史』）

PROPOS　＊3

日本の朝鮮半島支配は富の収奪というよりは朝鮮社会の近代化を進めて、富国化することで日本の安全保障上の盾、後半には大陸侵略の軍事的、経済的拠点とした点にある。軍需のために重工業も発展した。植民地だが「併合」であり同化を試みた（しかし明治憲法が適用されない「異法域」つまり植民地だった）。そのような施策であったがゆえに、日本より長い歴史を持つ韓国の民族的自尊心を深く傷つけた。また初期段階の強い抵抗に対して、容赦ない武力弾圧で臨んだから多くの犠牲者を生んだ。

PROPOS　＊4

土地調査事業に関して、筆者は次のように教えてきた。要約すれば「日本は私有権がなかった朝鮮社会で申告方式に基づく土地所有権調査（土地調査事業）を実施。その結果、読み書きできない農民の多くは登録できず耕作権を失い、共同の入会地が国有地になった。それらの土地は東洋拓殖会社や日本人に払い下げられた。この結果、多くの人びとが生活基盤を喪失した」。近年、この認識に根本的見直しを迫る見解もでている（李栄薫ら）。ただその解釈は政治的磁場のただ中にあり、筆者のような専門外の者に妥当性の判断ができない（※）。

画蛇添足

▼戦争が終わり二十数年が経っていたのに街では手や足を失った白装束の傷痍軍人が黙って座り、物乞いしていた。その異形は子どもを怖がらせた。日本軍兵士として徴発され傷ついたにもかかわらず、戦後は日本国籍を奪われ、日本の社会保障制度からはじかれた元日本兵朝鮮人。のちに知った。▼筆者は阪神工業地帯の中心、尼崎の下町で育った。祖父（母方）が1次大戦から復員した後に工員の働き口を見つけた。地域にはかつて朝鮮から多くの貧しい人びとが仕事を求めてやってきた。済州島からの定期船「君が代丸」の下船地、大阪港周辺にいくつもの朝鮮人の集落ができた。大阪猪飼野周辺はいまも日本最大のコリアタウン。▼通っていた高校にも少なくない在日二世が在籍していた。ただ厳しい在日差別があったから多くは通称を使っていた。「本名が名乗れない社会でいいのか」─特設HRのテーマ。「いやなら帰ればいい」。無知からくるこんな暴言を「クローゼットの中から周りをうかがう」（セジウィック）友人たちはどのような思いで聞いたのか。カミングアウトできる環境に変わるまでと、夜遅くまでHRは続いた。▼戦時中に半島から徴用された人々、故郷に生活基盤があった人たちは戦後、帰国した。戦後も「在日」として国内に残ったのはすでに日本に生活拠点があり、半島には帰る場所のなかった人たち。植民地下で様々な理由で人びとは半島から日本内地に移動した。▼学ばないと他人が背負う荷物の重さは分からない。想像には限界がある。加害者だけでなく被害者も口を噤む。偏見と差別は無知から起こる。「カミングアウトこそが正しい」の価値観に反発したが、知らなかったが言い訳にならないと学んだ。

わんクリック　博物館大国の日本だが近隣諸国に対する加害の歴史を正視する博物館はほとんどない。大阪の『ピースおおさか』が公立では唯一の施設だったが、時の大阪市長の政治介入で加害展示が撤去されて、空襲被害を中心とした展示に変更された。丹波マンガン博物館（京都）─戦時中、鉄にまぜて鋼鉄にするマンガンが不足。朝鮮半島からきた人びとがこういった鉱山で働いた。こういうことがあったと伝えようとお金のない個人が作った手作り感満載の個人立博物館。坑道で坑内労働の様子、飯場などが再現。ダム、大河川の改修など日本のインフラ整備に朝鮮人が使われ、各地にこういう飯場があった。

History Literacy　重要な争点ほど解釈が激しく対立する－重要なことほど教室では取り上げにくいジレンマがある。

④文化政治への転換

- 三・一独立運動後、新総督斉藤実（海軍大将）は文化政治を実施
  - └ 原敬首相は前総督を更迭、朝鮮総督は陸軍の指定ポストの慣例を破る
- 憲兵警察廃止、官吏・教員の帯剣廃止、言論・集会・結社の制限緩和
- 朝鮮語新聞、雑誌の発行許可（事前検閲あり）
- 朝鮮人官吏の採用（実際は下級職、臨時職が大半）
- 産米増殖計画 (1920 ~ 34)　＊1 ＊2

内容　朝鮮における米の増産計画

朝鮮殖産銀行融資で大規模灌漑水利事業（農地造成、土地改良）

└ 日本の内地で資金を調達

背景　日本国内の米不足（米騒動 (1918)）

政府の思惑　日本の工業化の推進

総督府の思惑　生活改善による植民地支配への不満解消意図

結果　米の生産量倍増

内地へ米輸出→東北の農民に打撃、都市で低賃金工業労働力

└ 内地の方が3割米価高い、増産量以上が輸出

朝鮮人口増加 (1300万人→2500万人)

地主（朝鮮人、日本人）は大きな利益、小作農は困窮

└ 5割の小作料、満洲からの雑穀が主食

1920年代、困窮した小作人の日本への渡航増加　＊3

⑤植民地統治下での経済発展

- 1930年代前半、民族資本の発展

米輸出で地主が資本蓄積、企業などに出資され植民地経済発展

京城紡績 (1919) など

└ 韓国初の株式会社、「朝鮮人は朝鮮人の布で」

- 1930年代後半、半島北部で重工業化進展

└ 1938年には工業生産額が農業生産額を上回る

日本企業が半島に進出、重化学工業、金属工業などの展開

└ 豊富な資源、安い労働力、国策での低利融資

日本窒素肥料会社が大規模水力発電所と電気化学コンビナート建設　＊4

└ 戦後財閥解体でチッソ、旭化成、信越化学工業、積水化学に　└ 世界屈指の規模

窒素は平時は肥料、戦時は火薬

PROPOS　＊1

結果的に、植民地時代を通じて日本から近代がもたらされ、今日の韓国経済の基盤となる市場経済制度が確立した。インフラ整備のために多額の資本を投下、また近代的諸制度を整えたから韓国社会の近代化は進んだ（生産力、人口の増加など）。ただそれはあくまで日本の安全保障のための近代化。日本の統治が韓国経済に寄与したことを強調する論者は、三・一独立運動後の文化政治―比較的平穏な時期への言及が中心。植民地支配はどの局面に言及するかで引き出される印象は大きく違う（※）。

PROPOS　＊2

日本は農業人口を第2次産業にシフトさせて工業生産力を高め、近代工業国家へ移行するビジョンを持っていた。そのため食糧生産を、朝鮮で米作、満洲で大豆作にシフトしようとした。生産力が上がれば朝鮮総督府にとっても統治が容易になるから歓迎だった。犠牲になったのは日本の東北地方の農民。彼らは農村から都市に低賃金工業労働者として出てくるしかなかった。

PROPOS　＊3

36年間に朝鮮から人口の1割程度が内地に移動。当時の大阪は大大阪と呼ばれアジア第一の都市（東洋のマンチェスター）。国内の労働力不足で植民地からの人口移動を促した。大阪の鶴橋駅界隈（日本にこんなところがあることに驚くだろう）からコリアタウン界隈を歩こう。杉原達『越境する民―近代大阪の朝鮮人史研究』がよい。

PROPOS　＊4

日本企業は水力源（鴨緑江水系）のある半島北部に進出。北部の人びとは現地の工場労働力となり、主として南部（韓国）の人びとが日本内地に移動した。その遺産で戦後は北朝鮮が経済的に優位だった。巨大化学工場を建設した日本窒素（戦後、水俣病を引き起こす）。水俣で最底辺の労働者が朝鮮では夢のような生活を送れた（『聞書水俣民衆史 第5巻 植民地は天国だった』）。

画蛇添足

▼前回の続き。在日二世―日本で生まれ育ち、日本語しか話さない人のアイデンティティが日本であってどうしていけないのか、なぜそれほど民族性に固執するのか（そのように考えるのがマジョリティの特権なのだろうが）。名乗れない人は弱い、と劣等感を植え付けているだけではないか。▼先生は自分の正義を押し付けている―しかし当時はそんな違和感を発言できる雰囲気はなかった。社会に「正義」は必要。皆さんの中から法学部の政治学科で「正義とは何か」を学ぶ人がでてほしい。この正義は扱いが難しい。いや、やっかいなのは正義感。誰もが自分なりの正義感を持っていてこれを振りかざす。その時、決まって攻撃的で不寛容になる。▼攻撃性や不寛容を正当化できるものが正義感しかないからかもしれない。社会の分断が進む。人びともまた、自責感情の強い人と他責感情の強い人に分断されている。おそらくは社会に否定的感情を持つ人だろう、自分が正義の鉄槌を下した、と満足感に浸る世界があちこちに広がる。▼自分が足を踏まれたわけでもないのに代弁者が声高になる。いま著名人をその地位から引きずり下ろして溜飲を下げるキャンセルカルチャーが広がる。これまで足を踏まれた人は泣き寝入りをしてきた。その人のそばで声を上げることは大切。歴史を語ることも同じ行為。しかし正義感を暴走させてはいけない。▼正義漢は手続き（デュープロセス）を軽視する。その結果、冤罪を生んでしまう。異端審問（魔女狩り）も、自分が正義、と信じる者が行った。マルクス主義も自説が正義であるとして懐疑や反論を受け付けなかった。事実を都合よく解釈して人に押し付けようとするのは正義感。この正義感を暴走させないのは正義。いまほど正義が大切な時はない。

わんクリック　山口真一『正義を振りかざす「極端な人」の正体』、田中辰雄・山口真一 (2016)『ネット炎上の研究』が、「ネット世論」が「世論」とかけ離れていることを説明する。通常、「世論」は山型の正規分布で中庸な意見が多数を占めるのに対して「ネット世論」は両極端に偏った谷型となる。ネットに書き込む行為をするのはごく一部の人だが発信量が多い。極端な強い意見を持つ人が書き込みを繰り返す（典型的なノイジーマイノリティ）。穏健で中庸な考え方を持っている人は書き込まない（典型的なサイレントマジョリティ）。そして極端な意見がサイバーカスケードを起こしてさらに先鋭化する。

History Literacy　過去からは何でも切り取れる－植民地支配もどの局面に言及するかで印象（結論）は大きく異なる。

5　世界恐慌と国際対立の激化

世界恐慌と経済ナショナリズム　＊1

①恐慌の原因
- 慢性的な生産過剰　＊2
  購買力を越える生産（生産の合理化、過剰な設備投資）
- 国内市場、海外市場縮小
  農業不況に伴う農民の購買力減退
  ヨーロッパの経済復興、ソ連の工業化、諸国の高関税政策

②恐慌の発生
└「隣人が失業するのが景気後退、自分が失業するのが恐慌」（トルーマン）
- 1929年10月24日、ウォール街で株価大暴落
  └ 戦間期20年（1919～29～39）　└「暗黒の木曜日」　└ 株式投機の過熱で異常に高騰
- 1932年までに銀行の倒産（金融恐慌）、企業倒産あいつぐ
  失業者約1200万人に増大（労働人口約4人に1人の割合）
- 商業、貿易の萎縮
  スムート・ホーレー法（1930）
  　典型的な保護関税政策
  →世界の関税引上げ競争に拍車
  アメリカはヨーロッパから資本を引き上げ
  └ ドーズ案で特にドイツに投資
  →ソ連を除く全資本主義国へ波及
  　└ 前年より第1次5カ年計画

③共和党フーヴァー政権 ― 対策をしないという対策　＊3
- 資本主義の自然回復力を主張して無為無策→恐慌拡大
- フーヴァー・モラトリアム（1931）として賠償、戦債支払いの1年間猶予

④新しい経済思想
- 修正資本主義
  資本主義の枠内での政府による経済への介入
  ケインズの学説に基づく不況、失業問題の克服策
  『雇用・利子および貨幣の一般理論』（1936）で有効需要創出を説く　＊4

PROPOS　＊1
世界恐慌は時代の画期となった。これが全体主義体制を生み、2次大戦につながった。その対策を通じてケインズ理論が経済学の主流となり、政府が肥大化していった。

PROPOS　＊2
世界恐慌は「豊かさの中の貧困」。カリフォルニアでは飢えている人の傍で売れ残りのオレンジに石油をかけて燃やす光景が広がった。市場に出すと値崩れして原価割れ、赤字になることを恐れた。これは資本主義という経済システムの根本的な欠陥。30年代の大恐慌後のアメリカの悲劇的な社会状況を背景に描かれた大叙事詩がスタインベックの『怒りの葡萄』（1939）。映画化もされた。また土地や職を失って流浪する人びとの姿を描いたのが映画『俺たちに明日はない』（1967）。1930年代のアメリカで起きた銀行強盗事件を描いた、1960年代のカウンターカルチャーの代表作。

PROPOS　＊3
人柄が慕われた博愛主義者フーヴァー。「永遠の繁栄」を予言した演説の翌年に世界恐慌が発生。アメリカでは「世界最高水準の生活」「アメリカ的生活様式に優るものなし」と大書きされた広告の前でパンとスープの配給を待って失業者が並ぶ光景が出現。波は高いほど次にくる底は深くなる。恐慌には無策で大統領としては低い評価。

PROPOS　＊4
お金を持っていない人が頭の中だけで自動車を「欲しい」「買いたい」と思っても、実際の自動車生産は刺激されない。絵に描いた餅。貨幣支出に裏付けされた需要が有効需要。この教室で「次の定期考査の予想問題が欲しい人」といって挙手を求めれば30人が手をあげるかもしれない。これが定期考査予想問題への需要。そのあとで「価格は3千円」と言って、「いま3千円を現金で持っていて、それを使ってでもこれを買う気持ちがある人」と尋ねたら5人が挙手し続けた（とする）。これが有効需要。

画蛇添足

▼私たちの不安を駆り立てるのは出来事そのものではなく、それに対する考え方。コロナウイルスも恐ろしいが「コロナウイルスは恐ろしい」との考え方が人びとを不安にする。人間の感情で最もつけこみやすいのが恐怖（不安）感情。いまこの感情を利用するのが各国で移民排斥を主張する極右勢力、日本では資金集め目的の宗教団体。▼未曾有の事態に直面したとき、その「恐れ」から時に人は無謀にも立ち向かったり、時に臆病に怯んでしまう。そうではない中庸の態度を「勇気」と位置づけたのがアリストテレス。これを習慣的徳とせよと説いた。▼F．ローズヴェルト大統領。未曾有の世界恐慌に立ちすくむ人びとに対して大統領就任演説で「恐れることを恐れてはならない」と国民に語りかけた。就任後の百日間に勇気を持ってニューディール政策を推進、民主主義への人びとの信頼をつなぎとめた。恐怖が憎悪に転じる時代にこの訴えは大切。▼東北での震災時（2011）、誰からということなく「正しく恐れよう」と語られはじめた。日本社会で「正しく恐れる」という中庸が社会のエートスとなっていた。中庸とは中途半端でも凡庸でもない（※）。そのような態度で今回のコロナウイルスに対しても臨むことが求められている。▼アウレリウス帝の師匠だった奴隷出身の哲学者エピクテトス。大切なのは「我々次第でなんとかなるもの」と「我々次第では何ともならないもの」を分けすることだとする。（『奴隷の哲学者エピクテトス』）。これはニーバーの祈りとしてよく知られているもの。漫画家小池一夫は「一程度のことを感情を増幅させて十かのように騒ぎ立てる人たちを念頭に「一のことに対しては一の感情で臨む」と自らを諌める。

わんクリック　ケインズの『雇用・利子および貨幣の一般理論』。いまでは当たり前の、政府は赤字を出しても財政出動すべし、は一般的ではなかった。それまでは収支を均衡させることが絶対だった。ケインズは、古典派経済学（アダム・スミス）が説く理論は特殊解として自らの処方箋を一般解とした。定説に逆らって、労働市場においては需給の不一致（失業者がでること）が普通とした。雇用を増すために金利を下げて投資（貨幣）を呼び込む方が、「一般」的とすることで資本主義を破滅から救った。『一般理論』の発表がなければ多くの人が生産手段の国有化（社会主義）しかない、と考えていたかもしれない。

History Literacy　中庸とは「中途半端で凡庸」の略語ではない―成熟に裏付けられた両極にぶれない態度。

アメリカの恐慌対策

①ニューディール（新規まき直し）政策

- 民主党のF.ローズヴェルト大統領（在任1933～45）　＊1
  └ 同1933年ヒトラー内閣成立（独）
- 3R(救済Relief、復興Recovery、改革Reform)が方針　＊2
- 農業調整法(AAA)(1933)
  農業の生産統制（減反）により生産過剰を抑制
- 全国産業復興法(NIRA)(1933)
  産業の生産統制により生産過剰を抑制、労働者の団結権、団体交渉権
- ワグナー法(1935)―　ＮＩＲＡ違憲判決を受けて上院議員ワグナーが再法案化
  労働者の団結権、団体交渉権を認める
- 産業別組織会議(CIO)の成立(1938)
  AFLから独立、未熟練労働者を産業別に組織
- テネシー川流域開発公社(TVA)　＊3
  国家による大公共事業（有効需要の創出）
- 金本位制度廃止（管理通貨制度へ）　＊4

②外交政策

- 中南米に対する善隣友好外交
  キューバに対するプラット条項廃止(1934)、ハイチ、ニカラグア撤兵
  └ 1901年に内政干渉を正当化（事実上、キューバをアメリカの保護国）した条項
- ソ連の国家承認(1933)、フィリピンの10年後の独立承認(1934)

英仏のブロック経済

- 第2次マクドナルド労働党内閣(1929)が恐慌に直面
  失業保険削減などの緊縮財政でマクドナルドは労働党党首を除名される
  →挙国一致内閣（保守党、自由党の支持）として金本位制停止など恐慌対策
- スターリングブロック形成
  ウェストミンスター憲章(1931)でイギリスが帝国から連邦へ再編成
  オタワ連邦会議(1932)
  └ 米スムート・ホーリー法(1930)に対抗、満洲事変(1931)のあと
  排他的なブロック経済政策、連邦内での特恵関税制度

PROPOS　＊1
F.ローズヴェルト大統領はラジオを通じて直接国民に語りかける炉辺談話で国民の人気を集めた。後にケネディはテレビで、トランプはツイッターで直接国民に語りかけた。バランス感覚に優れた大統領。戦時下でもあり、異例の4選大統領となった。

PROPOS　＊2
自助のアメリカ社会に公助という考えを導入したニューディール政策。「小さな政府」から「大きな政府」への転換点となった。資本主義体制の救済をめざしたが、国家権力による経済介入がその維持に不可欠となる（修正資本主義、混合経済）。巨額の財政出動が必要となり、政府は肥大化。深刻な財政難を抱えるようになり、70年代からケインズ理論は批判され、新自由主義政策が唱えられるようになる。ハイエクはケインズがもたらした福祉国家を個人の自由と競争を犠牲にする『隷従への道』として共産主義と同列のものとして批判した。

PROPOS　＊3
ニューディール政策の象徴がＴＶＡの公共事業。テネシー河域に16の新ダムを建設。有効需要を創出し、洪水を防ぎ、従来の3分の1の低料金で電力を供給。流域住民300万人に雇用、生活の安定、そしてなにより電力をもたらした。ただし30年代後半まで景気は回復せず、ニューディール政策は景気浮揚策としては失敗とされる。景気回復は2次大戦での軍需による。

PROPOS　＊4
金本位制の停止―自国通貨の金との兌換（交換）を停止すれば自国通貨の価値は下がり輸出に有利。日本は恐慌時に濱口内閣が金本位制に復帰しようとした（金の輸出入の解禁）。金本位制は現金払い。あるだけしか使えない。管理通貨制度はいわばカード払い。タイミングがまずかった。のちの犬養毅内閣の下で蔵相高橋是清が再び金輸出を禁止、国債の日銀引き受けを決断、金本位制から離脱、大恐慌を鎮静化した。

画蛇添足

▼中国の防疫対策が際立ったコロナ対応。短期間で病院を建てる早業や都市封鎖は権威主義的体制だから可能なこと。民主主義国ではこのような危機への即応が難しい。合意にいたるプロセスを重視するのが民主主義。▼時間がかかるのは仕方がない、と手を拱いていると権威主義的体制に人びとが惹きつけられるのを座視するだけになる。長期的には破綻するしかなかったが、短期的には独裁者ヒトラーの経済政策の方がうまく機能した。スピード感を持って意思決定できる民主主義が求められている。▼日本では20年代から深刻な不況が進行しており、民政党の濱口雄幸と蔵相井上準之助が金解禁（金本位制復帰）と緊縮財政で乗り切ろうと政治生命を賭した。金本位制では身の丈に合った財政支出しかできない。財政面から軍拡を抑制しようとする狙いもあった。城山三郎『男子の本懐』で描かれた彼の剛直な政治姿勢は当時も一目置かれていた。▼金解禁に踏み切ったタイミングが世界恐慌に重なってしまった。不景気時には財布のひもを緩めるのがセオリーだが、まだケインズ理論も知られておらず、結果的に大失政になった。旧平価（円高水準）で解禁したため金は流出。円高となって輸出が不利になる。同時にとった緊縮財政でデフレも進行したから経済は縮小。日本の基幹産業、アメリカ向けの生糸輸出にとり大打撃となった。▼特に農村のダメージが激しかった。昼食を摂れない欠食児童、女子の身売りなど最悪の事態を招いた（昭和恐慌）。国際協調と軍部を抑えようと濱口が断行した信念の政治だったがまったくの裏目に出た（※）。この惨状を大陸進出で打破しようとする軍部独走を呼び込み、政党政治を終焉させてしまった。

わんクリック　城山三郎『男子の本懐』を信念に殉じた二人に感情移入せずに読むのは難しい。この経済政策で昭和恐慌が起こった。経済は難しい。今日の日本の未曽有の累積財政赤字に対しても、これを深刻な事態とする立場から、問題ない（本当だろうか）とする立場（現代貨幣理論、MMT）まで振幅が大きすぎる。経済学は神々の争いなのか。返済できるかではなく、借りることができるかを問題にすべきなのか。井上準之助の決断は結果的には失政だが、ここは中村隆英『昭和恐慌と経済政策』が読みやすく面白い。何が人を失敗に導くのか―信念を持つことの怖さも含め―の観点からも読める。

History Literacy　信念を持つ人を肯定的に見る価値観に注意―考えるのをやめた人が持つのが信念、との側面もある。

ナチスの政権掌握

①泡沫政党ナチス

- 1919年、ドイツ労働者党にヒトラーが入党
  └ 当時乱立していた右翼政党の一つ └ オーストリア出身、画家志望
- 1920年、ナチス（国家（国民）社会主義ドイツ労働者党）に改称
  └ 社会主義的名称の右翼政党、「嘘をつくなら大きな嘘をつけ」
- 二十五カ条党綱領
  ヴェルサイユ条約破棄
  ドイツの民族平等権、過剰人口移住の領土要求
  ユダヤ人排斥、反共産主義
  └ スケープゴート（贖罪の子羊）として「11月の犯罪者」「ユダヤ人」「ヴェルサイユ条約」
  ドイツ民族（アーリア人種）の優秀性
  新しい民族共同体の建設による国民生活の安定
- 1923年、ミュンヘン一揆失敗　＊1
  獄中でヒトラーは『わが闘争（マインカンプ）』執筆
  合法路線に転換、突撃隊（SA）の暴力的手段併用　＊2＊3

②ナチスの伸長

- 世界恐慌による国民経済の危機　＊4
  ドイツは甚大な打撃（失業者数600万人までに増加）
  └ 外資に依存した経済復興　　└ 労働人口3人に1人
- 政府は有効な対抗策とれず
  ヒンデンブルク大統領は緊急事態条項（48条）を濫用
  └タンネンベルクの戦い時の将軍、国民的英雄、1925年大統領当選（81才）、帝政復活が信条
  大統領内閣を指名、議会制民主主義形骸化をねらう
  └ 議会少数派を首相に指名（ブリューニング、パーペン、シュライヒャー）

③賠償金問題の推移

- 1929年、ヤング案で賠償額減額（358億金マルク）
- 1931年、フーヴァー・モラトリアムで支払い期間猶予
- 1932年、ローザンヌ会議で賠償額減額（30億金マルク）
  1933年、ナチス政権は賠償金の支払い打ち切り（ドイツは2010年に完済）
  └ アメリカは債権放棄せず、最終的にヨーロッパ諸国は戦時債務の支払いを拒否

PROPOS　＊1

ヒトラーは前年のムッソリーニの『ローマ進軍』に刺激を得てミュンヘンで最初の武力蜂起を行い失敗（1923）。あえなく逮捕され、裁判にかけられる。裁判官は、法廷においてヒトラーに存分に語らせて、彼の考えが宣伝される手助けをし、終身刑を5年の実刑に手加減（「革命は裁判所の前で止まった」）。投獄中に『わが闘争』を執筆したヒトラーは6カ月で出所した。

PROPOS　＊2

ヒトラーは出獄後は「合法路線」に方針転換。宣伝相ゲッベルスは議会政治を利用して議会政治を破壊すると明言。民主主義は、それを否定しようとする者に対しても民主主義を保障すべきか、という問いがあるが、それをも保障するがゆえに普遍的価値がある、と言うのはナイーブに過ぎる。民主主義を否定する者に対してまで民主主義的である必要はない、が一般的。平等なものは平等に扱わなければいけないが、不平等なものを平等に扱うのは不平等となる、というアリストテレス以来の考え（※）。

PROPOS　＊3

ナチスの突撃隊（SA）はナチスの集会の警備や、他党の集会の妨害、反対派のテロに専念。その暴力の対象が左翼運動に向かう限り、資本家はこれを利用した。資本家にとって利用価値があった。ヴェルサイユ条約で10万人に押さえられた国防軍にとってもSAは来るべき再軍備に向けての予備兵力として歓迎すべき存在だった。

PROPOS　＊4

ヒトラーは『我が闘争』で「嘘をつくなら大きな嘘をつけ」「嘘も百ぺん唱えれば真理になる」「確信をもって行っている言動をみると、大衆というのは、それなりに根拠があるのだ、と判断するものだ」と大衆心理を洞察。ナチスの集会は理性の働きが弱くなる夜に行われた。身振り、手振りの細部まで計算されたヒトラーの演説。その熱意に人びとは魅了されてしまった。

画蛇添足

▼ヒトラーをなぜ人びとは支持したのか。人びとを怯ませるために暴力を効果的に使った。だがナチズムは単なる暴力的な独裁体制ではない。国民に経済的実利を与えて合意を得た独裁だった。国民の多くはヒトラー体制の受益者で積極的にナチス体制を支えた。▼民主主義を無責任なものと激しく批判。指導者が全責任を負う体制でドイツの栄光を取り戻す、と他のどの政治家よりも情熱を込めて語った。国民を救うのは資本主義でも共産主義でもなく国民社会主義とした。議会の無能にうんざりしていた国民に議会外（街頭行動）で訴え、抗議政党として躍進。▼規律を重んじるドイツで弛緩した社会秩序に眉をしかめた人びとは突撃隊の規律ある行進に若者の理想の姿を重ねた。学校の体育大会でも一糸乱れぬ行進を好ましく思う心性が社会にはある。レニ・リーフェンシュタールが撮ったナチ党大会（1934）『意思の勝利』。壮大な演出下のナチス党大会は美しい。▼ベルリンオリンピック（1936）を撮った『民族の祭典』『美の祭典』は集団美がもつ抗いがたい魅力を描く。ナチスは人びとを惹きつけた。「美が人に強く訴えるがために、その後ろや脇に偽や悪があることに人の注意が及びにくくなる」と「美の眩惑作用」を指摘するのは津上英輔（『危険な「美学」』）。壮大な見世物に家族連れでニュルンベルクに向かった。▼ナチスが躍進した年にオルテガ『大衆の反逆』（1930）が刊行。「大衆」とは「他の人々と同一である」ことに喜びを感じる人びと。普及し始めたラジオが大衆社会を作った。宣伝相ゲッベルスは党大会、ヒトラーの演説を実況中継。人びとは同じ体験を共有。同じ民族共同体に属している絆を確かめて満足する大衆となった。

わんクリック　石田勇治『ヒトラーとナチ・ドイツ』がバランスがとれており定評がある。ヒトラーは演説で恐慌に苦しみ、方向感覚を失っていた国民の心をつかんだ。BS1『独裁者ヒトラー 演説の魔力』が参考になる。咆哮の前後には沈黙があり、その使い方がうまい。とにかく「熱い」一この人は本気で社会を変えようとしている、自分が責任を持つという姿勢に、無責任な国会議員にうんざりしていた国民の多くが惹かれた。こういう時、人びとは、彼には少々の問題点はあるが誰でも欠点はある、と考える。ナチスは「国民社会主義」の訳がよい。国民にこの運動に自分も参加している、と感じさせた。

History Literacy　平等なものは平等に扱わなければいけないが、不平等なものを平等に扱うのは不平等となる。

④ナチスの躍進と退潮

・世界恐慌 (1929) まではナチスは泡沫政党の一つ (1928.5. 選挙結果)

・世界恐慌後にナチスと共産党が台頭 (1930.9. 選挙結果)

└ 世界恐慌は資本主義体制の欠陥なので資本主義を否定する共産主義が伸長

・世界恐慌深刻化でナチスが第一党に躍進 (1932.7. 選挙結果)

└ ただし過半数には届かず (総議席は 608)

背景　共産党の躍進を恐れる資本家・軍部の支持

生活不安、没落感を強めた中産階級の支持

疑似社会主義的内容に魅かれた労働者階級の支持

・ナチスの党勢下降 (1932.11. 選挙結果)

└ 選挙資金も枯渇

・議席数の推移

	ナチス (右)	社民党 (中道)	共産党 (左)
1928.5.	12	153	54
1930.9.	107 (第二党に躍進)	143	77
1932.7.	230 (第一党に躍進)	133	89
1932.11.	196 (党勢下降局面へ)	121	100 (共産党躍進)
1933.3.	288 (与党の立場を利用)	120	81

・1933 年 1 月、ヒトラー内閣成立

ヒンデンブルク大統領はヒトラーに組閣任命　＊1 ＊2

└「囲い込んで飼いならす」(パーペンの進言) └ 党勢下降で総議席の 3 分の 1 の議席

→ヒトラーは議会解散、総選挙 (1933.3.)

└ 命運を賭けて選挙に臨む

→選挙期間中国会議事堂炎上 (放火) を利用し共産党弾圧

└ 投票日直前 (2 月 27 日) └ 民主主義の象徴が焼失、共産党の仕業に

→ナチス勝利

└ しかし 44% で単独過半数届かず、与党でも 3 分の 2 届かず

・1933 年、全権委任法 (授権法)　＊3 ＊4

政府が議会の同意なしに法律を制定、ヴァイマル憲法停止

・1934 年、ヒトラーは総統に就任し、全権掌握

└ ヒンデンブルク大統領の死　└ 大統領、首相の兼任

PROPOS　＊1

党勢が下降局面に入ったナチス。第 1 党だが 3 分の 1 の議席。ヒトラーが首相になれたのはヒンデンブルク大統領が任命したため。ヒンデンブルクはドイツの英雄、財界、官僚などエリートからの信頼の厚い人物。ヒトラーを嫌っていたが側近のパーペンの意見を入れた。共産党を脅威と見たパーペン。ナチスを利用して共産党を牽制し、ナチスは利用だけして使い捨てるつもりだった。密室での決定で、連立内閣で閣僚もナチスからは 2 名だけの少数派内閣として発足。副首相パーペンが実質の首相。だが発足後、ヒトラーに主導権をとられた。

PROPOS　＊2

比例代表制なので多くの政党がある。左派政党、社民党と共産党を足した議席はナチスを上回ったが両者は最後まで協力しなかった。社民党にローザ・ルクセンブルクを殺された共産党の憎しみは強かった。

PROPOS　＊3

ナチスに独裁権を与えた授権法。正式名称「民族と国家の苦難除去のための法律」。教科書は「全権委任法」と本質を踏まえた略称を書く。間違いではないが、こう略すと、独裁はこのようなあからさまな名前ではやってこない、ことが見えなくなる (※)。ナチスは過半数を持っておらず、この法案が通る可能性は低かったが、野党を個別に説得 (恫喝)。社会民主党以外は賛成した。

PROPOS　＊4

いったん法として成立すると効果は絶大。人びとの独裁への抵抗力を麻痺させた。抵抗運動が違法行為になったことは心理的な障壁となる。ドイツで「法治主義」が発達。ドイツ人は遵法精神が高いとされるが「法の支配」と「法治主義」は違う。法治主義は、手続として正当に成立した法律であれば、その内容の適正を問わない。よく似た言葉の「法の支配」が法によって権力を抑制し、民主主義を発展させるが、法治主義はどのような政治体制とも結びついた。

画蛇添足

▼国民の大多数はナチスの欺瞞にひっかかったが、少数の人びとはナチスの本質を見抜いていた。「知的で誠実な人はナチスにならなかった」と哲学者ヤスパースは指摘。これは「知的であっても誠実でない人、誠実であっても知的でない人は、欺瞞を見抜けなかった」ことを意味する。▼日本でも戦後になって人びとは政府と軍部に「騙されていた」と言い出した。情報は知らされていなかった。けれども騙されたかったから騙された面は否定できない。その方が心理的負担が軽い。「大本営発表に騙された」と人びとに口実を与えるために大本営は嘘を発表し続けた面もある。▼伊丹万作は「だますものだけでは戦争は起らない。だますものとだまされるものとがそろわなければ戦争は起らない」と「だまされるということ自体がすでに一つの悪」とした (『戦争責任者の問題』)。原発安全神話も「騙されたい」国民がいて成立した神話だった。▼協力してナチスに対抗すべき者同士が憎しみ合ったからナチスは漁夫の利を得た。コミンテルンはファシズムと社会民主主義を同列に置いて敵視する「社会ファシズム」論を採択。社会民主主義の唱える漸進的な改革は、結果的に革命を遠のけて資本主義の延命に力を貸している、と批判。この認識が共産党と社会民主党の提携を不可能にしてヒトラーの政権掌握を許した。▼近い者ほど憎悪が深くなるのが人間。理念を存在根拠にする左派にその傾向が強く、内ゲバがお家芸になっている。野党は「政策が一致しないのに一緒になるのは数合わせの野合」と言うが同じ考えの人間はいない。理念をベースにしていたらいつまでもまとまらない。その点で理念を持ちつつも利益で繋がる右派は融通無碍。

わんクリック　人びとがなぜ熱狂的にナチスを支持したのか。人間そのものに問題があると分析したのがフロム『自由からの逃走』(1941)。苦労して手にした自由をなぜ捨てて支配に服するのか。人びとは自由の負担 (責任と孤独) に耐えられなくなった、との視点を提示。コロナ禍初期の頃、学校現場では、とにかく自校から感染者を出したくない (責められたくない) と、「上」で決めてほしい、決められたことに従う、という責任回避を優先する心性が強くなった。フロムはまた権威へ盲従する人びとを権威主義的性格と名付けた。上に媚びへつらい、下に威張る性格。吉見義明『草の根のファシズム』も読みたい。

History Literacy　「全権委任法」―本質を押さえた略称だが、独裁はこのようにはこないことを見えなくしている。

⑤ ナチスの失業対策 ― ヒトラーの経済奇跡（トリック） ＊1

・1935年、再軍備宣言、徴兵制復活

└ 軍備増強は公然の秘密、徴兵制復活で公式に宣言

・1936年、4カ年計画

大規模な土木工事と軍需工業で失業者吸収 ＊2

└ 東西方向（ドイツ的景観の優先説あり）に建設、当初は重機を使わず手作業

国民車（フォルクスワーゲン）量産

└ ポルシェによるデザイン、小型大衆車量産（T型フォード超える2000万台生産）

⑥ナチスの思想統制

・秘密国家警察（ゲシュタポ）

親衛隊（SS）

└ ナチスの行動隊（突撃隊（SA））粛清後に強大化、国防軍とは別系統の私的軍隊

・言論・出版の統制

└「書物を焼くものはやがて人間を焼くようになる」（ハイネ）、ベルリン「焚書の広場」

自由主義者、民主主義者の迫害

アインシュタイン、トマス・マンら亡命

└ 科学者、相対性理論 └文学者『魔の山』（最高傑作の誉れ高い）

⑦ナチスのユダヤ人、ロマ、障害者迫害

└ 西方から移動してきた非定住民、「ジプシー」名称も

・1935年、ニュルンベルク法制定

ユダヤ人から公民権を奪い取る法律

・「水晶の夜」事件（1938）

└ ドイツ全土でシナゴーグ、ユダヤ人の商店の破壊

・約600万人のユダヤ人の「最終的解決」（虐殺）

アウシュヴィッツ強制収容所などで工場処理的に虐殺

> ナチスが最初共産主義者を攻撃したとき、私は声をあげなかった。
> 私は共産主義者ではなかったから。
> 彼らがユダヤ人を攻撃したとき、私は声をあげなかった。
> 私はユダヤ人ではなかったから。
> そして、彼らが私を攻撃したとき 私のために声をあげる者は、
> 誰一人残っていなかった。
>
> 『彼らが最初共産主義者を攻撃したとき』（マルティン・ニーメラー） ＊3

PROPOS ＊1

ヒトラーは政権をとってから目のくらむ成功を連続させた。組閣後に600万いた失業者をゼロにして恐慌から脱出した。これが経済奇跡に映った。またメーメルの併合まで他国の干渉を招かずにヴェルサイユ条約の破壊に成功して大ドイツを実現した。これが外交奇跡に映った。ポーランド進撃から独ソ戦緒戦までの2年間の電撃戦で勝利した。これは軍事奇跡に映った。1929年までナチスは10議席程度の泡沫(ほうまつ)政党。1933年の組閣時にも国民の支持は過半数に達していなかった。この時点で多くが彼を胡散(うさん)臭くみていた。ヒトラーの支持が上がったのは彼が政権に就いたあと。彼は運が強くどの政策も短期的にうまくいった（すべて長期的に破綻）（※）。上記の奇跡に映った業績の連続に人びとは幻惑され、1939年にヒトラーの支持率は90％に達した。当初疑っていた人も「間違っているのは自分自身なのではないか」と自らの価値観を疑い、最終的にハイルヒトラー（ヒトラー万歳）の歓呼の声をあげた（参考 セバスチャン・ハフナー『ヒトラーとは何か』）。

PROPOS ＊2

アウトバーンは当初、多くの失業者に雇用を与えるため重機を使わずに手作業で進められた。ルートは二正面作戦を想定して東西方向に計画されたとも、「美しいドイツ」を体感させるため景観のよいところを結びドイツ民族共同体の一体感の醸成を狙ったともされる。ヒトラーは大衆社会の到来を洞察、ポルシェにデザインさせた国民車（のちのビートル）を量産。住宅の建築ラッシュも続き、暮らしは目に見えて向上。

PROPOS ＊3

多くの人が非常時だから多少の自由が制限されるのはやむを得ない、と考えた。迫害を受ける者はやりすぎだから仕方ない、また少数なので他所事(よそごと)と考えた。ある人は現実から目をそらした。もう少し様子を見ようとした人もいた。これらすべての同調圧力に従う態度がナチスに有利に働いた。

画蛇添足

▼アウシュヴィッツの悲劇は人間の野蛮によるものではなく、野蛮を克服したはずの理性が生み出した。ユダヤ人は官僚によって効率的に強制収容所に輸送され、ガス室で工場処理的に殺害された。死体からとられた脂や髪の毛などは無駄なく再利用された。官僚は生産性をあげることに専念した。▼ホロコーストは様々な分野で表象(ひょうしょう)されている。映画ではスピルバーグ監督『シンドラーのリスト』（1993）がその代表。商業的に成功し、この出来事を改めて多くの人に知らせることに寄与した。しかしホロコーストという出来事に感動が入る余地はまったくないのに、この映画は音楽の効果で観る者にカタルシスすら与えてしまう。そのことへの批判は強い。▼クロード・ランズマン監督は一切の音楽を使わず当事者の証言だけで綴った記録映画『ショアー』（1995）を撮った。ただ10時間は長すぎる。薦めたいのはパリ警察による大規模なユダヤ人狩り（1942年ヴェルディヴ事件）を描いた映画『サラの鍵』（2011）。歴史と向かい合うことで成長していく一女性を描く秀作。生き残った収容者の証言ではプリーモ・レーヴィ『アウシュヴィッツは終わらない』などの諸作、小説としてベルンハルト・シュリンクの『朗読者』もよい。▼ポーランドのアウシュヴィッツは当然、訪れにくい場所に立地するがポーランド王国の首都だったクラクフからバス便がある。ワシントンのホロコースト博物館は混雑しているがロンドンとパリのホロコースト博物館は静かに思索をめぐらすことができる。ドイツのベルリンには「虐殺されたヨーロッパのユダヤ人のための記念碑」、建築家ダニエル・リベスキンドによるユダヤ人博物館がある。これは建築言語による伝える試み。

わんクリック 注意しなくてはいけないのは、これが表象の限界を超える出来事を表象しようとする営みであること。まず上であげた諸作品を「表象の不可能性」を意識しながら視聴し、また読んでほしい。アンナ・ハーレントが指摘して、そのことが非難されたが、ドイツ人に代わって実際に収容所でユダヤ人を虐殺する実務を担当したのは同じユダヤ人。大虐殺に加担して生き延びるか、殺されるか。究極の選択が迫られた人たちがいる。ドイツ人は直接手を下さないことで罪の意識から逃れることができた。BS1『アウシュビッツ 死者たちの告白』（オンデマンド視聴可能）はこの繊細な問題を扱う。

History **Literacy** 「短期的に成功」は成功でない―出来事の是非を適切なスパンで判断するのが歴史的思考力。

ヴェルサイユ体制の崩壊と三国枢軸

①ナチスの外交

- ヴェルサイユ体制破壊が目的
  - └「ヴェルサイユ条約に対する民主主義国の罪悪感を容赦なく利用」(キッシンジャー)
- 1933 年、軍備平等権を主張、国際連盟脱退
- 1935 年、住民投票でザール併合 (1 月)
- 1935 年、再軍備宣言 (徴兵制復活)(3 月)

②各国の対応

- 1935 年、ストレーザ戦線 (4 月)
  - └ イタリアのリゾート地

  英、仏、伊 (ムッソリーニ) が結束して独に対抗することを確認
  - └ 独の墺併合が南チロル返還要求に発展すると危惧
- 1935 年、仏ソ相互援助条約締結 (5 月)
  - └ 露仏同盟と同じく、同盟政策への回帰
- 1935 年、英独海軍協定 (6 月)　＊1

  イギリスは対イギリス 35%の海軍力保有を認める (再軍備追認)

  宥和政策のはじまり
  - └ イギリスの伝統的外交政策 (対大陸)、勢力均衡政策の一環
- 1935 年、コミンテルン第 7 回大会 (7 月)

  人民戦線戦術を採択
  - └ あくまで共産党の戦術転換で世界への影響力は限定的
- 1935 年、イタリアのエチオピア侵略 (10 月)

  前回の失敗 (アドワの大敗) の屈辱を晴らすため再び侵略
  - └ 大量の毒ガス使用

  国際連盟は伊に (石油をのぞく) 経済制裁
  - └ 英は独に対抗するため伊を懐柔する必要あり

  → 実効力なく国際連盟の無力さ露呈、集団安全保障体制の崩壊
  - └「満洲国」樹立、伊のエチオピア (国際連盟加盟国) 侵略阻止できず
- 1936 年、ドイツのラインラント進駐 (3 月)　＊2 ＊3

  仏ソ相互援助条約批准が理由、これを英仏は黙認

PROPOS　＊1

英独海軍協定。これはイギリスがドイツの再軍備を容認したことを意味。イギリスはフランスのソ連接近に反発、勢力均衡上、ドイツの強化を許容した。ストレーザ戦線は崩壊。イギリスの宥和政策のはじまり。

PROPOS　＊2

まだ軍備の整っていなかったヒトラーにとってラインラント進駐は大きな政治的冒険だった。ヒトラーは英仏は開戦する決意ができないと見込み、政府内の強い反対を押し切って実行した。いまから見れば、この段階であればフランスが強く反発して対抗すればドイツは簡単に敗れ、ヒトラーは政治的に失脚していた。英仏がヒトラーを叩く最後のチャンスはこのラインラント進駐時だった。しかし、「フランスは目を閉じ問題が存在しないふりをした」(A.J.P. テイラー)。逆にこの英仏のとった黙認 (宥和) 政策が彼に自信を深めさせた。ただここに書いたのはすべて後知恵(あとぢえ)。当時はどの国も確証が持てなかった。英仏はドイツは「自国の領土に軍隊を進めただけ」と脅威を過小評価するしかなかった。英仏が協力していたらこの段階ではヒトラーを倒すことはできた。しかし現実に国境侵犯が起こってもいないのに、このことで国民に参戦 (国民に死んでもらうこと) を納得させる力など、英・仏の民主主義国は持たなかった。

PROPOS　＊3

1936 年に開催されたオリンピックのベルリン大会。宣伝相ゲッペルスによりナチス宣伝の場となった。この大会で聖火リレーが取り入れられた。ギリシアで聖火を採取し、ベルリンまで運んでくる。来たるべきバルカン半島侵攻のための情報収集が聖火リレーの隠された目的だった。ドイツ軍はほどなく、この道にそってバルカンを侵略することになる。「聖火の道」はそのまま「戦火の道」となった。またこのオリンピックは初めてラジオ中継された。女子 200m 平泳ぎ決勝での「前畑がんばれ」の実況中継で日本では記憶されている。

画蛇添足

▼ホロコーストも含め、ヒトラーは当初から予定した政策を粛々(しゅくしゅく)と実行したとみる立場がある (意図派)。すべては『我が闘争(マインカンプ)』に書かれていたとみる。他方でヒトラーは機会主義者で彼に一貫した戦略はなくその政策は場当たり的だった、とみる立場がある。ナチス党内にも様々な勢力があり、その力学の中で政策がとられたとみる (構造派)。▼2 次世界大戦の原因は西側諸国の拙劣な外交の失敗が主因としたため激しい論争を招いたテイラー『第二次世界大戦の起源』(1961)。ヒトラー自身が次に何をするか分かっていなかったのに対応を見誤ったイギリス外交に大戦の責任があるとした (いまこの見方は支持されていない)。▼イタリアのエチオピア侵略を英仏は事実上黙認。ドイツが問題だった英仏は遠いアフリカの小国のことでイタリアと対立したくなかった。しかしこの対応はヒトラーに間違ったメッセージを送った。英仏はアフリカの小国のために戦わない。ドイツが東欧の小国を侵略してもそのためにも英仏は戦わない、と。▼航空機にはもう後戻りできない「ポイント・オブ・ノー・リターン (帰還不能点)」がある。ラインラント進駐の英仏黙認がこれにあたると指摘されてきた。歴史に後戻りできない点が存在するのか。現在から過去を振り返って物語る中で作り出される点かもしれない。現在進行中の出来事の進路を変えるのに遅すぎることはない。▼中国の習近平は香港の民主化運動に露骨に介入して弾圧。香港人を快く思わない大多数の国民の支持もあるのだろう。これを予定されている台湾進駐に向けて、世界の反応を注意深く見極める習近平の「ラインラント進駐」になぞらえる見方もある。常に現在は歴史の応用問題である。

わんクリック　「今から考えれば (中略) 当時の人々の愚かさを嘲(あざけ)ることは簡単である。(中略) 彼の野心は決して最初から明らかだったわけではない。(中略) イギリスやフランスの指導者にとっては、ヒトラーの強固な反共姿勢やドイツ経済の回復が、彼の好戦的な外交政策という悪い部分を埋め合わせて余りあるものとなっていた」(キッシンジャー『外交』)。大戦の惨禍の記憶が鮮明な中で、政治家にとり国民を戦場に送る決断は困難だった。人は何もしないことを正当化する情報ばかりに目を向けがち (正常化バイアス)(※)。独裁者に対しても、問題はあるが合理的な判断はできる政治家、と受け入れがち。

History Literacy　私たちは「正常化バイアス」を持つ－何もしないことを正当化する情報に目を向けがち。

③枢軸の形成

・イタリアとドイツの接近　＊1

イタリアのエチオピア侵略、スペイン内戦を通じ接近

・1936年、ベルリン・ローマ枢軸(10月)

└ムッソリーニの造語、世界は独伊を軸として再編されるべきとの考え

・1936年、日独防共協定(11月)

人民戦線戦術に対抗、情報交換程度で実態のない協定

翌年イタリアが加盟し、日独伊三国防共協定に発展

独裁体制の拡大とスペイン内戦

①独裁体制の拡大

・1次大戦後、誕生した東欧各国の政治的不安定と独裁体制化

ハンガリー、ユーゴスラヴィア、ポーランド、ブルガリアなど

└ホルティ独裁(1919～44)　└ピウスツキ独裁(1926～35)

・全体主義

1次大戦後、特に後発資本主義国で出現した政治形態

└イギリス、アメリカを含むすべての国でファシズム運動は観察

ファシズム(伊)、ナチズム(独)、軍国主義(日本)

・共産主義、議会制民主主義を否定

全体主義(個人より国家を優先)、人種主義を説く

暴力を巧みに利用し、強力な指導者のもとで国民を統合

└日本近代史の特徴の一つは政治家の暗殺の多さ

②内戦前のスペイン　＊2

・1931年、スペイン革命

王政打倒、共和政樹立、左派共和主義者のアサーニャが急進的諸改革

└教会、伝統を重視する社会で改革断行、社会に分断もたらす

・1936年、アサーニャ人民戦線内閣成立

・人民戦線戦術の採択

民主主義擁護のため政党、労働組合などの統一戦線樹立

1935年、コミンテルン第7回大会で採択　＊3

└第6回コミンテルン大会では「社会ファシズム論」採択

他にブルム人民戦線内閣(フランス、1935)、第2次国共合作(中国、1937)

PROPOS　＊1

イタリアのムッソリーニはオーストリア問題でヒトラーと利害が対立。インテリのムッソリーニはヒトラーを軽蔑していた。共通点を持たなかった両者だったが反共産主義で接近。反共産主義は史上最強の接着剤。どれほど性質の違う者も接着してしまう。ソ連の脅威下にあった日本(満洲国)はナチスドイツに接近、ソ連を牽制した。

PROPOS　＊2

スペイン王国はカスティーリャとアラゴンの連合王国(1479)。中央集権体制移行はスペイン継承戦争時。この戦争にはスペイン内戦(カスティーリャとアラゴン)の側面があり、敗れたカタルーニャ地方(カタロニア地方)は従属地域に転落。以後、本格化したカスティーリャ主導の国家運営(カスティーリャ語がスペイン語)に不満を募らせた。ただ独立運動は2010年以降の現象。

PROPOS　＊3

ソ連が国際政治の主導権を握ることに資本主義陣営は警戒。共産党の運動方針に従いたくない、と共産主義を嫌う人びとをむしろファシズムに走らせてしまった。第6回大会(1928)では社会民主主義こそが共産主義革命を遠ざけていると敵視してファシズムと同列に位置づけた(社会ファシズム論)。ファシズムと戦うために国内団結が必要とする人びとを、それは国際共産主義運動への反逆と弾圧してきたスターリン。それを真逆に転換した彼への感情的反発もあった。スターリンかヒトラーかの究極の消極的選択を人びとは迫られた(※)。

PROPOS　＊次ページ

ベレー帽で有名なバスク地方。印欧語族と異なるバスク語が話される。バルセロナを中心とするカタルーニャ地方と並ぶ先進経済地域。19cからバスクは製鉄、バルセロナは繊維産業で繁栄。一般的に独立運動が起こるのは独立しても経済的に自立できる先進地域。稼いだ富が後進地域に使われるのを嫌う気持ちが見え隠れしている。

画蛇添足

▼右派と左派の区別にはいろいろあり、明確な線引きは難しい。基本的に右派は国のことを考えるナショナリストが多く、左派は世界のことを考える国際派が多い。そもそも共産主義にインターナショナルな性格がある。▼一国内の労働者だけでは資本家に対抗できない。「万国の労働者よ団結せよ」(『共産党宣言』)として生まれたイデオロギー。国境を越えた労働者の国際組織の名称がインターナショナルだった。民族の伝統と歴史を強調することで国民統合を図るナショナリスト(民族主義者)にとってコミュニスト(共産主義者)は国を潰す存在に映る。▼今日でもこれが右派と左派の対立要因。右派は左派に対して、愛国心がない(非国民)、と批判。他方、左派からみれば右派の愛国心は偏狭でその主張こそが国益を損なうものに映る。分解する力の強いスペイン(カタルーニャ問題・バスク問題など)にあって、軍部はスペインのまとめ役を自任。その軍部の目にアサーニャ人民戦線内閣の政策はスペインの分解に繋がると映り、フランコ将軍を擁立した。▼人民戦線側はインターナショナル。世界各地から民主主義を擁護するためとして義勇兵がスペインに赴いた。その一人、ヘミングウェイは『誰がために鐘はなる』の中で、「全世界のあらゆる貧乏人の為に戦い、あらゆる圧制に抗して戦い、自分の信じる一切のもののために」戦った、と主人公に述懐させた。▼アンドレ・マルローも義勇兵としての体験から『希望』を、ジョージ・オーウェルは『カタロニア讃歌』を残した。しかし人民戦線は左派特有の内部対立を抱えて自滅。そのルポルタージュ『カタロニア讃歌』は対象につかず離れず、大所、局所から俯瞰的、虫瞰的に見た傑作。

わんクリック　バッハ『無伴奏チェロ組曲』。長く練習曲として扱われてきたこの曲の音楽的な価値を再発見、チェロ曲の頂点にしたチェリストがパブロ・カザルス。カタルーニャ地方生まれ。スペイン内戦が勃発するとフランスに亡命。終生、フランコ専制への抗議と反ファシズムを貫く。そのカザルスが故郷と平和への願いから演奏会で頻繁に演奏したのがカタルーニャ地方の民謡『鳥の歌』。ホワイトハウスで披露した演奏を収めた名盤『鳥の歌　ホワイトハウス・コンサート』が知られる。ところで『チェロ独奏』を『無伴奏チェロ』と訳す慣例の日本。ピアノ伴奏があるのを「普通」とする価値観の現れ。

History Literacy　作られた選択―二者択一や「これしかない(There is no alternative.)(サッチャー)」(これはalternativeの誤用)。

③スペイン内乱 (1936 ~ 39)

a. 発端

・北アフリカで軍部が人民戦線内閣に対して反乱、クーデタ
　└ 旧王党派、地主、カトリック教会の支持
　→クーデタ失敗で内乱に、反乱側はフランコが指導者に
　└ 軍隊の半分は政権側につき、市民も抵抗

b. 構図

・フランコ側…ドイツ、イタリア、ポルトガルが支援
　└ 前年 (1935) に再軍備宣言　└ 対立していたドイツ、イタリアの接近
・人民戦線側…ソ連、国際義勇軍 (国際旅団) が援助
　└ 物資援助のみ
　フランス、イギリスは不干渉政策
　└ 隣国ブルム人民戦線内閣　└ ドイツとの戦争、共産主義者の進出恐れる

c. 経過

・ドイツ空軍がバスク地方のゲルニカを無差別爆撃　＊前ページ ＊1 ＊2 ＊3
　└ コンコルド軍団　└ 人口 3000 人の山の中の小村、死者 1654 人

d. 性格

・ファシズム対反ファシズム勢力の小規模の世界戦争 (プレ 2 次大戦)
　→内情はしだいに変質　＊4
　ソ連のスターリンが共和国側の主導権を握ろうとする
　→スターリンへの反発から共和国側内部も内戦化で内部崩壊
・前年に再軍備宣言をしたドイツ軍の実験場
・カスティーリャ対カタルーニャの地域対立

e. 結果

・1939 年、マドリード陥落でフランコが勝利 (3 月)
・フランコ専制体制 (1939 ~ 75)
　└ 弾圧だけでカリスマ性の弱いフランコ専制が続いた理由は議論の対象

④ポルトガルの独裁政権

・サラザール独裁 (1932 ~ 68)
　└ 経済学者で恐慌対策に成功、カトリック教会擁護の反共主義者

PROPOS　＊1

戦争は兵士 (戦闘員) 間で行われる。兵士もいったん降伏して捕虜になれば、その時点で市民として遇される。戦争にも、非戦闘員 (市民) を攻撃してはいけないルールがある。ところが先の戦争の末期に、都市に対する無差別爆撃―戦闘員と非戦闘員を区別しない空襲が一般化。世界の感覚が麻痺したまま今日にいたっている。非戦闘員に対する本格的な無差別爆撃はドイツによるゲルニカ攻撃 (1937)、日本による中国の重慶攻撃 (1938) にはじまる。アメリカは日本本土空襲で「爆弾に眼はありません」とビラを撒いて空襲。爆弾に責任転嫁。

PROPOS　＊2

ドイツはヴェルサイユ条約で空軍の保有が禁止された。そのため多くの技術者が来日。日本の航空機産業の基礎作りに貢献した。またドイツは密かに空軍を再建していたが、その存在を再軍備宣言で公にした (1935)。軍隊は演習しなければ実戦で使えない。空軍実験場にゲルニカが選ばれた。

PROPOS　＊3

パリ万博スペイン館の壁画制作を依頼されていたスペイン出身ピカソはゲルニカ爆撃のニュースを聞いて予定を変更。工業用ペンキを用いたモノクロームの作品『ゲルニカ』を短期間で仕上げた。内戦はフランコ勝利で終わり、その専制政治が続いた。ピカソは生涯、スペインに戻らなかった。遺言により『ゲルニカ』は「スペインに自由 (民主主義) が戻るまで」アメリカの美術館に預けられた。そのため絵がいつスペインに戻るかが、スペインの民主主義の指標と注目された。結局、現在のブルボン朝下で政治が安定した 1981 年に返却。

PROPOS　＊4

スペイン内戦は簡単な図式で説明できない。双方に残虐行為もあり、どちらに正義があると言い切れない展開となった。ファシズムに対抗する熱意が国際共産主義の下でねじ曲げられ、多くの犠牲を生んだ。

画蛇添足

▼白黒で表現された一面モノクロームのキャンバスに、死んだ子を抱き泣き叫ぶ母親。その上の、人間の目を持った牛。地面に倒れる兵士。狂ったようにいななく馬。窓から首を突き出す人。天を仰ぎ救いを求める人。▼ピカソは10代前半で写実絵画を極めたあと、絵画表現を模索し続けて次々に作風を変えた。どの時代にも一目で「ピカソの作品」と分かるスタイルを残した天才画家。筆者は貧しい人びとを描いた「青の時代」の作品に心動かされる。『ゲルニカ』も無二のスタイル。この反戦のアイコンを知らない人はいまい。それが名作の条件か。▼多くの人がこの作品に反戦のメッセージを重ね、絵から政治的寓意(ぐうい)をひきだそうとする。画面左上の雄牛(おぎゅう)の解釈が割れている。これはフランコとする見方。スペインで牛は暴力の象徴。それにしては牛の顔つきが弱々しすぎる。雄牛の下にピカソが繰り返し描いてきた主題「泣く女」、死んだ赤ん坊を両手で抱える女性が描かれる。この赤ん坊に雄牛は無関心に見える。絵の中心で描かれる悲惨さにも顔を背けている。▼雄牛とは隣国の危機に対して不干渉政策をとり続けるフランスなのか。ピカソは「そいつはただの動物。世間の人たちはそこに自分の見たいものを見る。何を見るかは人次第だ」と煙に巻く。思わせぶりに描いて様々な解釈が出てくるのが名作の条件か。▼言葉で表現できないから絵画表現が用いられている。言葉での解説はナンセンスだろう。いまゲルニカの平和博物館は現代アートを使って平和を考える先駆的な試みに取り組んでいる。まだ試行錯誤段階で実際はベタに空襲を疑似体験する部屋の方に人が集まっているが、今後、現代アートは過去表象の鍵になると感じる。

わんクリック　経験しないと空爆の非道さが分からない。堅固(けんご)なコンクリートが破片になる。人間の体は肉片になって周囲に飛び散り、壁にこびりつく。記録写真には五体揃った原型をとどめた乾いた遺体しか映し出されない。戦死者はいつもソフィストケートされて表象。教科書はその悲惨さをピカソ『ゲルニカ』で代表させるのが定番 (※)。直接的な表現を避けたことは評価できる。しかし空爆への憤りを表現するのにもっとふさわしい作品はないのか。10万余が焼き殺された東京大空襲。感情をぶつけただけにならぬように30年かけて完成させた井上有一(ゆういち)の書『噫(ああ)横川国民学校』。これも候補の一つと思う。

History Literacy　「これは何か」だけでなく「これは出来事を代表させるのに適当か」―図像を複数の視線で鑑賞する。

日本社会の不安と軍部の台頭

①貧富の差と社会不安の拡大 ― 政党政治（議員）への不信

- 1次大戦後、日本は債務国から債権国(1918)へ
  大戦景気で財閥は巨額の利益、富裕層の増加、貧困層との格差増大　＊1
  └「成金」が流行語
- 政党内閣政治に当初軍部も協調
  陸相宇垣一成は軍縮に協力、国際協調をとる政党と協調
- 1920年代、慢性的不況による社会不安深刻化
  └大戦景気の反動の戦後恐慌、関東大震災(1923)、その震災手形処理から金融恐慌(1927)

②昭和恐慌(1929)

- 世界恐慌時に金解禁と緊縮財政を実施する失政で昭和恐慌に
  └国際協調路線で世界の流れ（金解禁による金本位制復帰）に追随するがタイミングを誤る
- 高橋是清蔵相の金解禁停止などで景気は回復(1933～35)　＊3

③政党の腐敗堕落と議会外勢力への期待

- 党利党略と金権政治に明け暮れた政党政治
  └倒閣（党利党略）のために統帥権干犯を持ち出した犬養毅内閣など
  財閥、地主の利益を代弁、政治腐敗で国民の支持を失い、8年で終焉
  →議会外勢力への期待高まる
  └革新官僚、革新軍人、革新華族（近衛文麿ら）が発言力強める

④軍部の台頭 ― 日本陸軍の政治化

- 陸軍部内派閥抗争の激化（当初は主流の長州閥に対する反長州閥が皇道派形成）
- 皇道派　天皇親政の下の国家改造（昭和維新）― 国家社会主義　＊3 ＊4
  └直接行動も辞さない、実際の天皇の意向は汲み取っていない
  農民や貧困層を代弁する隊付将校ら
  北一輝『日本改造法案大綱』(1923)が理論的支柱
  二・二六事件(1936)失敗で皇道派消滅
- 統制派　総力戦遂行のため国家総動員体制樹立めざす
  └戦争ができる国作りのために陸相を通じて官僚、財閥、国民に協力要請
  満洲を足掛に大陸の資源確保を意図
  └永田鉄山が理論的支柱（「対支一撃」で中国の資源も視野）、石原莞爾ら
  陸大出身者のエリート中心で軍部内の規律統制重視

PROPOS　＊1
日清、日露、1次大戦と戦争ごとに成長していったのが例えば三菱。また蔵相の失言でおこった取り付け騒ぎによる金融恐慌(1923)。その後、人びとの預金は五大財閥系銀行に集中。財閥支配が強化された。寄生地主は都市で居住、農村から離れるとその窮状も分からなくなる(※)。政党は財閥、寄生地主の利益を代弁する存在になる。

PROPOS　＊2
大戦景気の反動の戦後恐慌、関東大震災による震災恐慌、さらに蔵相の失言による金融恐慌と日本の経済は20年代を通して低迷。教科書などに掲載している統計グラフ(1929年を100とした生産指数グラフ)で日本経済が最も世界恐慌の影響を受けていないように見えるが、これ以上落ちようのない底にあった（グラフの罠）。ただ日本はいち早く恐慌から脱出、景気を回復させた。

PROPOS　＊3
士官学校出の青年将校たちは部下から自分の姉や妹が身売りをしたという話を聞き、正義感から昭和維新を成し遂げようという気持ちを強くする者もでてきた。

PROPOS　＊4
30年代に日本はドイツに急接近。ヒトラーに皇道派軍人は影響を受けた。非エリートの一兵卒あがりだが、憂国の念から腐敗した既存の勢力を咆哮して批判する情熱、国家社会主義という幻想に影響を受けた。一君万民―右派思想と左派思想が混じったもの。天皇を神格化（右翼思想）、天皇の前にすべて国民は平等（左翼思想）、としてその中間に介在した既存の勢力（財閥、それと結びついて腐敗した政党）を排除しようとした。天皇の周囲の人間、政党などを「君側の奸」として取り除こうとした。国家社会主義は天皇を中心に置く点で右翼思想だが、内容は左翼思想。戦前の日本では共産党は広がりを持たず労働者は共産党でなく軍部に社会改革を期待。政党が財閥の声しか聞かず、国民の声に耳を閉ざした。

画蛇添足

▼世界は帝国主義時代の力による利権獲得という古い外交から、国際協調を主とする新しい外交に変わった。1次大戦でヨーロッパは地獄を見た。本気で新しい国際秩序構築を模索。この国際秩序の変化を日本は読み違えた。▼日本にとっての1次大戦は労せずしてドイツの山東利権を横取りできた「大正の天佑」（井上馨）だった。当初、国際連盟常任理事国として期待された日本政府は国際協調路線をとった。九カ国条約に加わり中国の門戸開放を受け入れた。四カ国条約で「外交の骨髄」日英同盟も破棄、幣原外交として国際協調主義、中国に対しては「絶対不干渉」を貫いた。▼在留邦人が攻撃されても介入せず軟弱外交と攻撃されても怯まなかった。不戦条約にも調印。しかし30年代に軍部が勝手に動いて九カ国条約、不戦条約に違反する満洲事変を引き起こした。政府がこれをコントロールできなかった。欧州で永田鉄山は総力戦を目の当たりにして危機感を強め、日本を総力戦を戦える国にしようと決意。旧態依然とした陸軍の変革を志した。▼古い指導者からの世代交代を図り、総動員体制を模索（統制派）。この路線で大陸の資源を確保しようと大陸進出を進めた。その結果、それまでの友好国を次々に敵にまわして国際社会で孤立感を強めていった。反中、反英、反米といがみ合う必要のない国との対立をエスカレートさせた。▼いくつもの致命的ミスが重なって、必要のなかった日中戦争、誰も望まなかった対米開戦。そのことで国内外で有為の多くの命が失われた。大正生まれの1400万人のうち実に200万人が戦死した。政府が軍部を統制できなかった。内部の統制を重視した陸軍だったが下剋上で統制が効かなかった。

わんクリック　戦前の軍将校は超エリート集団。旧制中学（いまの各県公立トップ校）の上位数名が陸軍士官学校、海軍兵学校、東大などに進学（陸軍は旧制中学で色がつくのを嫌い、陸軍幼年学校経由組を主流にした）。前二者は学費不要なので庶民の進学が多かった。その中の選りすぐりが陸大、海大に進学、陸海軍将校となった。このエリートが日本の進むべき道を誤らせた。ただ軍エリートといっても学校秀才（詳細は広田照幸『陸軍将校の教育社会史』など）。戦後、エリート教育はタブーとなったが、いままたグローバル人材育成の名目で中高一貫エリート校が解禁。今度のエリート教育は大丈夫か。

History Literacy　現場から離れた「現場尊重」主義者に注意―人間は現場から離れたら現場のことは忘れる。

満洲事変

①当時の満洲の状況

・中国のナショナリズムの高まり

└ 1 次大戦後の国際思潮、大陸では五・四運動、特に済南事件 (1928) で反日運動高まる

満洲で奉天軍閥張学良が満鉄平行線の建設などで日本の利権に対抗　＊1

└ 易幟以降、国民政府と連携　└ 日本はこれを条約違反として非難

満洲居留民 (約 23 万人) への排斥運動 ―「居留民保護」から始まる侵略

└ 居留民への襲撃事件は多くないが居留民には恐怖、日本に引き揚げる場所のない人も

②満洲事変の背景

a. 満洲権益の維持

・満鉄、関東軍の焦躁感、軍事解決を企図　＊2

・「満蒙は日本の生命線」(松岡洋右) と大陸進出による不況打開を主張

└ 満洲 (遼寧省、吉林省、黒竜江省)、内蒙 (熱河省など)

排日移民法 (1924) でアメリカへの移民の道絶たれる

b. 総力戦に備えるため満蒙資源の獲得 ― 石原莞爾関東軍参謀

・満蒙を資源の補給基地にして総力戦に備えるため

└ 陸軍の仮想敵はソ連 (第 1 次 5 カ年計画で国力増強)

③満洲事変 ― 関東軍の謀略・暴走、既成事実を追認する政府　＊3

・1931 年 9 月 18 日、柳条湖事件

関東軍が南満洲鉄道爆破の謀略 (関東軍参謀石原莞爾、板垣征四郎らが計画)

「自衛」のためとして軍事行動、奉天占領

└ 実際は満鉄から 150km 離れた錦州も爆撃

・政府 (若槻首相、幣原外相) の不拡大方針を無視、朝鮮軍が独断越境し支援

・関東軍は満洲全土支配に成功 ― 抵抗しなかった蒋介石

蒋介石は国内での対共産党軍作戦を優先して不抵抗政策 (「安内攘外」)

④政府による既成事実追認　＊4 (※)

・大新聞が支持、国民の熱狂的支持を前に政府は既成事実追認

└ 1920 年代の軍縮支持 (軍部批判) から一転　└ 自衛、権益擁護の観点からの支持

・当初、政府と陸軍首脳は抵抗するが最終的に追認

└ ロシアを刺激しないため北満、イギリスを刺激しないため錦洲攻撃を止めさせる

若槻首相の辞任 (閣内不一致、安達内相) で犬養内閣成立

PROPOS　＊1

陸軍の仮想敵国はロシア (ソ連)。満洲の日本権益は旅順・大連という猫の額ほどの土地と南満洲鉄道沿線の細長い付属地だけ。そしてここの守備をするのが 1 万人ほどの小規模な関東軍。ロシアに対抗するため関東軍は満洲全土支配を熱望した。

PROPOS　＊2

満洲事変の背景は 2 つあった。1 つは満鉄と関東軍の危機感。中国のナショナリズム台頭で満洲の権益を失う危機感。満洲権益は条約で認められた権利であり、それらを守るのは自衛行動。もう 1 つは陸軍近代化のため満洲の資源を確保したいとする思惑。このために行動すればそれは侵略。

PROPOS　＊3

政府、陸軍首脳は、まさか 1 万の関東軍が 20 万の張学良軍相手に軍事行動を起こし、その行動の支援に天皇の裁可なく朝鮮軍 (林銑十郎司令官) が無断越境するとは予想外だった。国際協調を重視する政府 (民政党若槻礼次郎内閣、幣原外相) と陸軍首脳は不拡大方針で抑えようとした。蒋介石との関係悪化、イギリス、ソ連を刺激することを恐れた。しかし蒋は抵抗せずソ連軍も動かず、満洲全域占領という壮挙を前に「起こったことは仕方ない」と既成事実を追認。この姿勢が軍部の暴走を許した。

PROPOS　＊4

謀略、無許可の軍出動―明白な天皇の統帥権干犯。死刑か無期に相当する軍法違反の責任が問われなかった。軍法違反でも成功なら不問、の前例となる。前例があれば次も許される慣例。会議で新規案件は通しにくいが「昨年と同じです」だと内容も十分吟味されずに通るのが日本社会の意思決定 (前年度踏襲主義―政策の一貫性が保障される利点もある)。帰国した林は「越境将軍」と英雄扱いで迎えられ、のちに陸相、首相に上り詰めた。軍人が功名を求めて謀略に走る、独断専行する悪弊、下剋上の風潮を生んで軍部統制が効かなくなった。

画蛇添足

▼遠くのものはよく見えるのに近くが見えない。遠くの不正義はよく見えるのに近くの不正義になると見えなくなる。利害が自分の不正義を正義と主張する。自分の判断がダブルスタンダードになっていながらそれに気付かない。そうはなりたくないと思う。▼日印貿易を通じてインドの窮状を知るようになり反英意識を高めた日本。ガンディーの不服従運動にも当時から好意的だった。塩の行進 (1929) は法律違反だとしてこれを批判的にみる人などいなかったはず。一方で満洲における張学良の満洲平行線敷設による利権回収はグレーゾーンだが条約違反と憤激した。中国は軍閥割拠 (「中国非国家」論) として、ナショナリズムを「反日」と見誤った。▼外部への抗戦意識を通じて国民意識は作られていく。当時、陸軍は軍閥から多くの情報を収集、その「支那通」が情勢認識を誤った。自己統治能力を欠く中国に代わり日本が援助しているのに思い上がっている、と。真実を知らされていない国民は責めにくい。当時の新聞、雑誌を読み返すと、これらを読んで憤慨しない人がいればその方がおかしい、と感じるほどの情報の偏りがあった。▼筆者も遠近歪曲を繰り返している。本プリントは幾度も書き直している。何かを書こうとして初めて「自分は分かっていない」と気付くことが多い。ある画家の「絵で描けないものは見たと言えない」を至言とつくづく思う。▼高校段階での歴史的思考力は、このような小文「歴史もどき雑文」を書こうとする中で鍛えられる。だから皆さんにも課題として書くことを強いてきた。テーマを絞れば深く考えられるものでもない。深い穴を掘るためにはまず開口部の大きい浅い穴を掘ることから始めるしかない。

わんクリック　朝鮮、ソ連、モンゴル、中国に囲まれた満洲。ここを本拠地にしたマンジュ人が清朝を興した後は入植が制限された禁足地。未開拓の森林、湿地が広がる鬱蒼とした大地だった。清朝末期から漢人が入植。満洲事変時は 3 千万近くになり大地はコーリャン畑に変化。ただし清朝滅亡後にここに国民政府の主権が及ぶのかどうかは微妙な国民国家体制のグレーゾーンだった (ただし少なくとも日本領土ではない)。植民地朝鮮を守るために日本がここに進出、満洲国建国後はその安全確保のために華北 (中国) に進出。事変時の日本人 23 万が終戦時は 155 万。ここで日本人は終始、圧倒的少数派だった。

History Literacy　言葉の具体的姿を知る (謀略で領土を占領、それを追認させて占領を既成事実化する―これが「侵略」という言葉)。

⑤満洲国建国 — 植民地化できず

- 1932 年、(第 1 次) 上海事変 (1 ~ 3 月)

  上海駐在の陸軍軍人が関東軍の要請で謀略、日本軍と中国軍が衝突

  └ 満洲事変から諸国の目をそらすため (それ以前に各国は世界恐慌対策に忙殺中)

- 1932 年、リットン調査団による調査 (3 ~ 6 月)

  蒋介石は国際連盟に日本を九カ国条約、不戦条約違反で提訴

- 1932 年、満洲国建国 (3 月)　＊1

  関東軍は清朝廃帝溥儀擁立 (執政、のち皇帝－名目だけ)

  └ 国連の調査報告書発表前に既成事実を作ることを意図

  関東軍、満鉄が実権を握る傀儡国家

  └ 満鉄付属地は治外法権、関東軍が満洲国の「内面指導」、実権は補佐役の日本人

  1932 年、日本が国家承認 (日満議定書、斉藤実内閣)(9 月)

  └ 調査団報告書前に既成事実化急ぐ　└ 不承認の犬養毅首相は五・一五事件 (1932.5.) で暗殺

⑥日本の連盟脱退

- 1932 年、リットン調査団報告書提出 (10 月)

  └ 英国は上海事件 (1925) で中国ナショナリズムの矛先となり、日本の立場に共感的

  日本の行動は「自衛権によらない」と満洲国を認めず

  └ 中国の形式的な満洲主権を認めるが、その下で日本の権益を認める (日本に宥和的内容)

- 1933 年、国際連盟脱退 (3 月)

  └ 松岡外相にとり不本意、失意で帰国して国民の喝采に迎えられる

  勧告無視 (「頬かむり」「居座り」策) が国連脱退に方針変更

  関東軍の内蒙古の熱河占領が背景　＊2 ＊3

  └ 政府はこれが侵略と見なされ、経済制裁を課されることを危惧して国連脱退

⑦満洲国の発展と国際情勢小康化

- 1933 年、塘沽 (タンクー) 停戦協定 (5 月) － 満洲事変の終結

  長城以南は蒋介石の支配下、など日中当局間で締結

  └ このあと 1933 ~ 5 年の日中関係は安定 (ただし中国は満洲国承認せず)

- 満洲事変後の日本の景気回復 (1933 ~ 35) － 最速で世界恐慌脱出

  高橋是清蔵相の金解禁停止 (1931)、大規模財政支出政策で景気回復

  └ 国民は満洲事変で景気が回復したと錯覚

- 満洲国新国家建設 — 壮大な首都新京 (長春) 建設　＊4

  五族協和、王道楽土を掲げ、開墾で大豆畑広げる

PROPOS　＊1

関東軍は軍事拠点として満洲を領有 (植民地支配) したかったが時代は満洲併合を許さなかった。列強が黙認できる最低ラインが独立国家の樹立。やむを得ず傀儡国家満洲国を樹立。国家運営の手間がかかり関東軍にとって不本意。それでも当時の日本の犬養首相は満洲国承認を拒んだ。犬養は中国 (アジア) を帝国主義支配から解放しようとするアジア主義者 (中国革命を支援した者から、侵略に転じた者まで存在する)。

PROPOS　＊2

関東軍は内蒙古の熱河が満洲国へのゲリラ活動の拠点になっていると軍事制圧する (満洲国の裏面史にはアヘン利権があり、熱河はアヘンの中心産地だった)。この作戦を天皇は裁可。国連加盟のまま実施すると侵略となり日本は経済制裁の対象となる (石油輸入が止まる)。それに気付き急遽、国連を脱退する奇策にでた。作戦中止 (裁可取り消し) は反発が懸念された。国際協調主義の天皇は国家社会主義者たちの望む天皇像とずれがありその立場は盤石でなかった。

PROPOS　＊3

「満蒙は日本の生命線」と日本がモンゴル (蒙古) を支配したことをいまの私たちは忘れている。いまモンゴル人が最も多く住む外国はかつての宗主国日本。満蒙とは、満洲の南半分の南満洲 (南満) と、北京を通る経度を南北に伸ばしてモンゴルを東西に二分した東 (東蒙) の 2 カ所 (満蒙)。

PROPOS　＊4

満鉄初代総裁後藤新平の野心的な都市計画による近代都市新京 (現・長春)。人々の生活水準を目に見える形で高める民生施設—駅、病院、学校、それらが壮大な街路のもとに立ち並ぶ都市を計画。国内よりも立派なものを作ることで日本の文明度を示威して被支配者に劣等感と憧れを植え付ける「文装的武装」。軍事支配よりコストが安い。新京は今なお「日本はスゴかった」と私たちの虚栄心を満たす威容をとどめている。

画蛇添足

▼かつて鉄道の不正乗車にキセル乗車という手口があった。乗車駅と降車駅でお金を払った切符を使い途中区間のお金を払わない手口。喫煙具の煙管が両端だけ金具を使っていることにかけた言い方。歴史叙述にもキセル叙述という中抜き叙述がある。▼例えば満洲国叙述。13年半しか存在しなかった国家。教科書は、関東軍の謀略と侵略により誕生した傀儡国家だったことと、瓦解時の地獄絵にのみ言及する。その間のことは触れない。しかし書店には満洲国ノスタルジーというべき多くの懐古本が並んでいる。▼満洲国に関しては山室信一『キメラ—満洲国の肖像　増補版』がよい。満洲国をギリシア神話の怪物、体に複数の異なる物を持つキメラに譬えている。日本の国益追求のため謀略、侵略で建国された国家。同時に、理想的な近代国家を建設しようとして住民の福祉向上に努めた実験国家としての側面。▼満洲人が民族自決権で建国した建前だが圧倒的多数派は漢族。現実には「五族協和」の理念を用いた。これも建前だがここに理想を見て、「王道楽土」建設にあたった人びとがいたのも事実。ただ理想は次第に変質して結局は帝国主義の片棒を担ぐ存在になった。▼紙幅に限りある授業では「所詮、傀儡国家の枠組みの中での話」「彼らの善意は植民地支配体制を補強し延命するのに寄与しただけ」との理解からその内容は捨象する。ただ、どんな人間も特定の時代の中に生まれ落ちる。与件の中で精一杯もがいて一生を終える。悪い枠組みの中に放り込まれて、与えられた牌の中で最善を尽くす。悪い枠組み (植民地支配、侵略戦争) の中でもよき生き方をした人はいる。それでも悪い枠組みを悪い、と指摘することが筆者の仕事。

わんクリック　満洲国の理想に身を投じた人びとのオムニバス集が平山周吉『満洲国グランドホテル』。雑文家を名乗る作者。筆者は雑文の愛読者だが、「雑文」芸で傀儡国家のイメージが揺さぶられる。ただこれは満洲国を人生の 1 コマとできた強い立場の人たちの話。悪しきことの後始末は弱い立場の人たちに回ってくる。地獄絵が平井美帆『ソ連兵へ差し出された娘たち』。人間がしたことに「仕方なかった」はない。大日方悦夫『満洲分村移民を拒否した村長—佐々木忠綱の生き方と信念』。国策協力を拒否して村民から犠牲者 (加害者) を作らなかった村長。自分で考え、行動した人もいた (※)。

History Literacy　評価に際しては敬意を忘れない—時代に流された人、抗った人。人は生まれる時代を選べない。

⑧関東軍の華北分離工作 — 長城以南(華北)への拡大で日中関係緊張　＊1

・背景

満洲国安全確保のため(華北の非武装地帯化)、華北の鉄鉱石の必要性

└ 対ソ戦の際の後(南)方の安全を確保するため、抗日ゲリラ活動防止のため

・内容

1935年、冀東防共(きとうぼうきょう)自治政府設置

防共の名目で河北省(冀)東部に関東軍がつくった傀儡政権 — ミニ満洲国

└ 長城以南の中国の「内地」にあたり満洲侵略以上の反発受ける

1935年、冀察(きさつ)政務委員会(~1937)

関東軍が華北を南京政府から分離させようと作った緩衝政権

・結果

日中関係が緊張、抗日運動が各地で起こる

⑨政党内閣の崩壊 — 軍人の政治介入、テロの恐怖で政治家は萎縮

・続発するテロ事件(右翼による三月事件、十月事件、血盟団事件)

・1932年、五・一五事件　＊2 ＊3

皇道派(陸軍の一部)、海軍青年将校によるテロ事件、犬養首相など暗殺

政党政治の終わり、斉藤実内閣(中間内閣)

└ 予備役の海軍大将、ロンドン軍縮賛成、満洲国承認、国連脱退

・1935年、天皇機関説問題 — 事実上の明治憲法改変(立憲主義の終焉)

天皇機関説は立憲政治を支える憲法学説(政府の公式見解)

└ 昭和天皇も天皇機関説を支持、自らを立憲君主と規定

政友会が岡田啓介内閣(中間内閣)を天皇機関説問題で攻撃

└ 予備役の海軍大将、ロンドン海軍軍縮に賛成、民政党よりの社会民主主義的施策

・1936年、二・二六事件　＊4 ＊次ページ1・2

皇道派陸軍青年将校のクーデタ

└ 高橋是清蔵相、斎藤実内大臣ら死亡、鈴木貫太郎侍従長重傷、岡田啓介首相は難逃れる

→天皇の激怒で統制派が鎮圧、蜂起失敗

→軍部の政治介入、大陸進出本格化(陸軍内の派閥闘争が終わり、統制派に一本化)

└ 軍隊は政治から独立が基本、軍事勅諭も政治への不関与を厳しく諫める

・軍部大臣現役武官制(広田弘毅内閣)

└ 皇軍派重鎮(予備役が多い)の復権防止、本来は軍と政治介入防止(予備役は政治色あり)

→軍の政治介入の切り札に(軍が大臣を出さねば組閣できず、引きあげられると総辞職)

PROPOS　＊1

日本は総力戦ができる国力をつけるための資源を求めて満洲、(ところがそこにあまりなかったので)華北(中国)に進出。世界恐慌打開のため「持たざる国」として大陸進出したのではない。この過程でイギリスと中国市場をめぐって摩擦を引き起こし、次第に反英感情を高めていく。リットン調査団の(日本に配慮された)報告書の拒否(1931)から10年間で日英関係は急速に悪化。対英宣戦布告(1941)するまでになる。

PROPOS　＊2

貴族院は特権階級、衆議院は党利党略で財界と結託して腐敗。農民に最も近くその窮状を最も理解していたのは隊付の将校社会格差の不正義に怒った青年将校。農村救済のために立ち上がった(それは理念上での義憤にすぎなかったとの批判も強い)。彼らの主張は天皇を担ぐから右翼に見えるが中身は共産主義思想に近い(国家社会主義)。

PROPOS　＊3

現役軍人が首相を白昼に殺害するなど言語道断(ごんごどうだん)。国家組織を守るために軍に武力保持が認められている。これが厳しく裁かれなければ国家は体をなさなくなる。当然、検察は死刑を求刑。ところが国民の間に助命嘆願運動が起こり、結局、軽い処分となる。それがさらに大きなテロ、二・二六事件を招いた。問題は当時の国民が自分たちの意志を代表するのは政府でなく青年将校(軍)だと考えていたこと(政党への不信)。

PROPOS　＊4

二・二六事件後、陸軍主流となった統制派。日本を総力戦で戦える国にするには陸軍だけでは無理として、国家全体で総動員体制をとる必要があり、政治に介入した。事件で皇道派は失墜、統制派に一本化。内部抗争が終わったことで軍の独走が本格化。統制派が日中戦争を推進して泥沼化。しかし撤兵は彼らの責任となり、皇道派の復権に繋がる。それを天皇は受け入れられず、それが中国撤兵の障壁になった。

画蛇添足

▼「軍部の独走」— 戦後の日本では、軍部の独走(政治化)で戦争に突入したという物語が支配的。単純化すればそうだが解像度を高めれば「軍部の独走」だけでは片づけられないものが見えてくる。

軍部、特に陸軍が著しく政治化。さらに陸軍内での下剋上、独断専行という病理が広がった。▼現実には国民が軍部に伴走、あるいは沿道で旗を振って後押しした。社会の格差解消が当時の課題、国民は党利党略に明け暮れる政党を見限り、軍部に社会改革を期待した。音頭をとったのはジャーナリズム。軍と国民は重なり合っていて親近感もあった。陸軍は最終的に800万人(敗戦時192個師団)にまで増大。どの家庭も兵士を出していた。▼当時の軍将校はエリート集団。暴走したのは中堅幕僚(陸軍省、参謀本部の中堅幕僚—陸大出身のエリート)。この中堅幕僚の下剋上、独断専行—暴走を軍首脳部が抑えられなかった。首脳部が彼らをグリップしなくてはいけないが、面倒な実務を任せている後ろめたさで強く出られない。人格識見で一目置かれる人格者は多くない。少将以上になると、下からは新しい時代についていく気概も能力もない老いぼれ、「事なかれ主義」と蔭で馬鹿にされ、場合によっては突き上げられた。▼いまも多くの職場で見られる構図。会社や官庁の実務は30代後半から40代の課長クラスがまわす。書類作成など実務を担当する彼らなしに組織はまわらない。上司はもっぱら部署間の根回しと決済。実務に疎(うと)くなると知識も古くなる。キャリアの終点が見えだすと事なかれ主義で精神的にも時代の変化についていけなくなる。自分のことを書いているつもりはなかったが、思い当たる節もある。

わんクリック　明治憲法下の首相の権力は弱い。内閣のまとめ役。大臣への統制力も弱く、大臣を罷免(ひめん)できない。議会で選出されていないので議会にも弱い。海軍は軍令(ぐんれい)部、陸軍は参謀本部が軍事を司り、政府(首相だけでなく陸相、海相も)は軍事に関与できない(統帥権の独立)。軍隊は皇軍で統帥権は天皇が持つ。その天皇は畏(おそ)れ多い存在とされるが、それは徳川将軍のような天皇を上回る権力の出現を防ぐための牽制。実際の天皇は輔弼(ほひつ)に「はい」としか言えない存在。明治憲法下の政府は見かけは集権的だが実際は分権的。政府は常に不拡大方針だったのに、その意志を一本化できず、軍部に引きずられてしまった(※)。

History Literacy　中庸を維持、中間を衰退させないのが成熟した社会(中央集権も地方分権も行き過ぎると国家を危険にする)。

抗日民族統一戦線の成立と日中戦争

①国共内戦

- 北伐を完成させた国民党は共産党を攻撃
- 1934 年、国民党は瑞金を攻撃、陥落
  - └ 百万の大軍で包囲
- 1934 年、長征 (大西遷)(~ 35)

  新根拠地獲得と日本の侵略に抵抗するため「北上抗日」

  └ 長征 (大西遷) は公式史観による命名、実際は逃避行

  約 1 万 2 千キロの大移動

  └ 人跡未踏の険しい山河を越える行程、8 万人の紅軍は 1 万人に激減

  遵義(じゅんぎ)会議 (1935) で毛沢東の指導権確立

  └ 権力闘争で農村を基盤におく毛沢東が主導権、周恩来が譲る

  1935 年 8 月 1 日、八・一宣言

  └ コミンテルン第 7 回大会中

  内戦の即時停止と抗日統一戦線結成の呼びかけ、国民党蒋介石は拒否

②西安事件と内戦の停止

- 1936 年、西安事件 (12 月) ＊1

  └ この年 2 月に日本では二・二六事件、両国の歴史の転換点

  八・一宣言に西安攻撃中の張学良が動揺

  └ 蒋介石の不抵抗方針のため本拠地東北地方を喪失

  蒋介石を幽閉し、抗日の受諾を強要

  └ 西安郊外の華清池 で「兵諫(へいかん)」(武力で主君をいさめる)、詳細不明

  共産党の周恩来の仲介で合意、内戦停止

③盧溝橋(ろこうきょう)事件

- 1937 年、近衛文麿組閣 (6 月)

  └ 公家出身で「腐敗堕落した政党」と無縁と国民的人気
- 1937 年 7 月 7 日、盧溝橋事件 — 当時頻発していた小競り合い

  └ 真相不明、おそらく偶発的衝突、牟田口連隊長 (のちインパール作戦も指揮) が応酬

  支那天津駐屯軍は現地で停戦協定 (11 日)、政府は増派 (三師団) 決定 (同日)

  └ 義和団議定書 (1901) で駐留　　└ 近衛首相が停戦監視のため決定

  →日中両軍の全面衝突 (28 日 ~)

PROPOS　＊前ページ 1

天皇を中心とした軍事政権を樹立しようと青年将校が政府要人を殺害した大規模なテロ事件が二・二六事件。天皇がこれを「反乱軍」として鎮圧指示したことで事態は収拾。成り行き次第で別の展開もあり得た。実行した中堅将校は、ドイツで一兵卒上がりのヒトラーが熱意を持って社会改革の先頭に立ち、統制経済を実行、恐慌を脱出したことに影響を受けた。有志で軍事政権を打ち立て苦境を乗り切ろうとした。

PROPOS　＊前ページ 2

「中堅将校の言っていることにも一理ある」が問題。一理あろうが正しかろうが、テロはいかなる理由があっても正当化してはいけない。言論で戦うのが民主主義。政治家を殺すテロが五・一五事件以降頻発。この事件で天皇の神格化がはじまるが、実際は天皇も政治家もテロ (暴力) に萎縮。この後は二・二六の再発に怯(おび)え、軍の思うままになっていく。人間は身体を持ち、暴力に弱い。暴力を抑え込むのが文明国(※)。

PROPOS　＊1

二・二六事件で日本が混乱、軍事的に弱体化した、との認識が中国で広がる。それもまた中国での排日運動に勢いをつけた。

PROPOS　＊補足

社会心理学者ミルグラムのアイヒマン実験 (ミルグラム『服従の心理』)。「罰として電気ショックがどれくらい学習効果があるかを調べる」。協力を依頼して集められた被実験者。隣に座る実験者の指示に従って電気ショックの電圧をしだいに上げていく。罰を与えられる生徒たちの悲鳴や泣き声は電圧が上がるたびに激しくなる (彼らはサクラで演技)。「もう続けられない」と申し出る者に実験者は「大切な実験です。続けてください」。3 人に 2 人が悩みながら最高の 450 ボルトまで目盛りを上げた。人間は命令されたり、正当な理由を示されると、話したこともない知らない人間に対してなら残虐になれる、と示唆された。

画蛇添足

▼「あんないい人が戦場でそんな残虐な行為に手を染めるはずがない」。しかし人間という動物は命令されたり、一見正当な理由を示されたりすると残虐になれる。ハンナ・アーレントは『イェルサレムのアイヒマン』で「悪の凡庸(ぼんよう)さ」の問題提起をした。▼凶悪な犯罪者と誰もが思っていたユダヤ人虐殺の責任者―アイヒマンが「机の前に座って職務を果たしていただけの平凡な官吏にすぎなかった」として官僚組織において歯車として働く人間の責任問題を提起した。▼「あんないい人がどうして」という常套句(じょうとうく)には落とし穴がある。「いい人」はしばしば社会的適応の産物。そのつど社会が求めていることを忖度(そんたく)して、期待に添えるように行動する「空気が読める人」。社会全体がおかしな方向に進んでいる時にも、それに棹(さお)さすのが「いい人」。▼「もっと空気を読め」という社会への無条件の同調圧力が強い現代。「どうしようもなかった」「もうとめられなかった」―どうにも抗(あらが)いようのない空気があった、と述懐される戦前の社会と現在は陸続きにある。同調圧力―このアンテナの立たない圏外がなかなか見当たらない。空気を読んではいけない。「いい人」こそが問題―この問題意識で作られた映画『紳士協定』(1947)。▼ユダヤ人差別に立ち向かった主人公は、差別を支えているのは「反ユダヤ主義者ではない。むしろその反対者が実は連中を助けているのだ。ユダヤ人を迫害せず、それが悪でバカなことだと思っている善良な人びとがだ」と考えるようになり、婚約者との溝を深めていく。アーレントも、ユダヤ人虐殺にユダヤ人が協力、加担した事実を描いて四面楚歌となった。それでも空気を読まず、言う必要のあることがある。

わんクリック　日本の風土病「空気を読む」では山本七平『空気の研究』が知られる。ただここでの主張に科学的根拠はない。多くが実感的にその結論に共感するから説得力を感じるのだろう。「見たいものを見る、知りたいことを知る」姿勢を問題にしてきた筆者自身もこの罠にはまりがち。このような本を紹介している。上の画蛇添足でアイヒマン「悪の凡庸さ」に触れ、彼を「服従を理由に処刑された最初の人」のごとくに紹介した。これも実感にあうから紹介しているだけかもしれない。最近、「彼は確信犯」と定説を否定する解釈もでてきたことも紹介しておく (『エルサレム<以前>のアイヒマン』)。

History Literacy　暴力に弱い人間が暴力を封じ込めてきたのが文明史―「体罰」は暴力、正当化する理由などない。

④日中戦争 (支那事変)

- 盧溝橋事件に対し、政府 (近衛内閣)、陸軍参謀本部、海軍は不拡大方針
  └ 石原莞爾参謀本部作戦部長らは「対ソ戦」備えのため不拡大主張 (して失脚)
- 陸軍の一部 (拡大派) に押し切られ、近衛首相は増派決定　＊1
  この機会に武力行使 (「対支一撃論」) で華北分離を意図
  └ 蒋介石の抗戦能力を過小評価、早期解決可能と見積もる
  満洲国の安全確保、事変後満洲に資源が少ない (特に鉄鉱石) と気づく
  →満洲と華北を統合した経済ブロック樹立を図る
  →中国側も抗日気運高まり、各地で衝突発生
  └ 廊坊(ろうぼう)事件 (25 日)、広安門事件 (26 日)
  →華北全域に戦火拡大 (北支事変)(7 月 28 日)　＊2
  └ 近衛首相、広田弘毅(こうき)外相は陸軍の一部の冒険的行動に追随
- 8 月、上海でも日中両軍衝突 (第 2 次上海事変)
  └ 蒋介石が準備、国際都市上海で日本軍を攻撃
  戦火が華中に拡大、戦争全面化 (支那事変)　＊3 ＊4
  上海戦に日本は勝利するが多大な被害
  └ 犠牲者は 2 万人超
  ドイツ製武器で近代化された蒋介石直属軍、空軍が日本租界爆撃
  └ 日本海軍が反撃 (渡洋攻撃)、首都南京爆撃までエスカレート　＊5
  →日本側も勝利するが多大な犠牲
  └ 日露戦争の旅順攻防戦以来とされる激しい戦闘
- 予期しなかった日中全面戦争と国内世論の熱狂
  作戦準備も目的もなく、出兵理由「支那軍の暴戻(ぼうれい)を膺懲(ようちょう)」と政府声明
  └ 通州事件 (7 月 29 日) がきっかけ
- 1937 年、第 2 次国共合作成立
  紅軍 (共産党軍) は国民革命軍に編入
  └ 共産党軍は華北では八路軍、華中では新四軍としてゲリラ戦を担当

⑤日中戦争の拡大 ― 何となくはじまりずるずると深みにはまった戦争　(※)

- 政府の不拡大方針を無視して戦線拡大
  └ 制令線を作り、戦域を上海周辺に限定
- 政府は和平工作 (トラウトマン工作) で収拾を模索
  └ 南京陥落で陸軍は和平条件引き上げを要求、近衛はこれを止めず蒋の不信感を買い失敗

PROPOS　＊1
東京に米軍が駐留することに慣れて麻痺しているが首都に他国軍隊が駐留するのは例外的事態。北京郊外に展開する日本軍の存在は緊張を高めた。現地の両軍はすぐに停戦して偶発衝突を処理。しかし日本政府は三師団の増派決定。これが相手を刺激し、日中全面戦争に拡大。現場の苦労を無にする中央の失政は現場の士気を下げる。

PROPOS　＊2
対ソ戦に備える関東軍は中国との戦争に反対。政府も陸軍上層部も同じ。ただ満洲事変以来の下剋上の風潮の中で一部の陸軍強硬派に引きずられた。当時の石原莞爾(かんじ) (参謀本部作戦本部長) は強く不拡大を主張。「満洲産業開発 5 カ年計画」で対ソ戦に備えている最中。ところが直属の部下武藤章 (作戦担当課長) は「対支一撃」の強硬論者。武藤は上司の石原に「あなたのされた行動 (満洲事変) を見習い (中略) 実行しているものです」(『今村均回顧録』)。石原のプランは結局、部下の下剋上―自分の蒔いた種で水泡に帰す。北進するはずの陸軍が南進、戦う必要のない日中が戦うことになった。

PROPOS　＊3
満洲事変で無抵抗の蒋介石を日本は過小評価。蒋は北伐後、ドイツから最新兵器を導入。ドイツ軍顧問の指導下、上海に塹壕を張り巡らせ徹底抗戦の準備をしていた。

PROPOS　＊4
当時は支那事変。日本は石油など戦略物資をアメリカに依存。アメリカには戦争当事国への物資輸出を禁じる中立法があり、日本は国際法上の戦争にできなかった。

PROPOS　＊5
海軍の陸上攻撃機が九州、台湾の基地から往復千キロ以上の南京 (のち重慶まで) を爆撃 (渡洋爆撃)。ドイツ空軍がゲルニカを実験場としたように日本海軍は南京、重慶を実験場とした (対米戦争を念頭に、予算獲得、長距離爆撃機やゼロ戦開発などのため)。

画蛇添足

▼日中戦争はきわめて複雑な様相を持った戦争。侵略した日本は華北の資源に食指を動かしたが、領土獲得とか中国の植民地化の意図はない。何となくはじまり、ずるずると深みにはまった。しかし相手に与えた被害があまりに甚大。二千万とされる人びとの人生を奪った。▼軍部の一部の暴走を軍部の穏健派も日本政府も止められなかった。上海事変は蒋介石が主導。日本は華北だけを都合よく分離したかったが、全面戦争にひきこまれた。各国租界がある上海。戦争の舞台をここに移すことで世界の世論を味方につけようとした。▼中国側にも国民党と共産党の確執、国民党内にも抗戦派と和平派の対立が最後まで残り、一枚岩になれなかった。満洲、華北の在地勢力は南京国民政府に対して必ずしも好感情を持っておらず日本に協力もした。終始、軍事的に劣勢だった蒋介石は国際世論を味方につけることで勝機を探った。▼戦場の悲惨な写真を世界に発信する宣伝戦でアメリカ世論を中国側につけることに成功した。中国側の爆撃による犠牲者も日本軍によるものと発信。ところで戦後、中国での行為を真摯に反省する人びとが、蒋介石がプロパガンダに使った写真を日本軍の残虐行為を示すものとして使うことがあった。▼反省のためだから、と史料批判が粗雑になった。その脇の甘さが「日本軍は残虐行為をしていない」とする主張に説得力を持たせることに繋がった。膨大にある本物の報道写真には言及せず、ちょっとしたミスを針小棒大にみせる印象操作。いまの中国も文化大革命時の残虐行為から国民の目を逸らせるために同種の印象操作をする。このような大人の醜い世界には距離を置き、実際に何があったのかを直視したい。

わんクリック　日本は長い過去を持つ国。長いゆえに過ちもある。「過」には「すぎたこと」の他に「あやまち」の意味がある。「誰でも祖国を愛するのはそれが偉大だからではなく、それが自分の国だからである」(セネカ)。過ちを含む日本の歴史なら愛せない、は愛国者でないだろう。自らの過ちを認めることは自虐的態度でないだろう。過ちも欠点も含めたすべてを受け入れる、が愛することではないか。受け容れたくない負の側面も歴史的事実として率直に認める勇気を持ち、同じことを繰り返さない国とすることが、ことさら「愛国」を強調したくはないが、愛国主義的態度ではないだろうか。

History Literacy　何となくはじまり、ずるずると深みにはまった戦争―堅い学術用語では説明しにくい経過もある。

⑥南京事件（南京大虐殺）— どう表現するかが政治的争点 （※）

- 現地日本軍が独断で首都南京を占領（1937.12.） ＊1

  └ 現地の松井石根上海派遣軍司令官は政府の許可なく独断追撃で南京進撃を開始 ＊2

- 「南京事件（南京大虐殺として国際的に知られる）」発生

  南京入城後、日本軍兵士による敗残兵、便衣兵、市民に対する残虐行為

  └ 強姦、掠奪、殺害、放火など

  犠牲者数確定は困難 —「20万を上限に4万、2万など」（日中共同歴史研究）

  └ どの範囲を南京とするか、時期をどう区切るか、非戦闘員の定義で数値は増減する

- 日本側要因 ＊3 ＊4

  日本軍兵士の質の低さによる軍紀の乱れ

  └ 正規軍兵士を北進用に温存、上海増派軍は予備役中心（戦時国際法の教育が不十分）

  事変との認識、「暴支膺懲」（勝手な支那を懲らしめる）感覚

  └「戦争」認識（戦時国際法認識不十分に加え、これが適用される認識）の低さ

  蔑視意識を持っていた中国人の予期せぬ激しい抵抗と敵愾心に遭遇

  └ 上海戦で日本軍は2万人近く戦死

  補給がなく大量投降者を捕虜として処遇できない物理的制約

  軍内の統制の乱れ

  └ 満洲事変以来の下剋上の風潮（軍法違反でも大功をあげれば出世する）

- 中国側要因

  大混乱で多くが軍服を脱ぎ捨て平服になり一般市民に紛れた（便衣兵）

  └ 国際法違反

  →日本兵にとって戦闘員と非戦闘員の区別がつかなくなる恐怖

  中国兵の実態

  強制徴兵で士気低い、後方に督戦隊

  └ 戦意が低い兵が逃げないように後方で監視

  南京城の狭さ

  └ 高い城壁で囲まれ、出入口が限定

⑦中国戦線

- 日本軍は華北の共産党の解放区で徹底した掃討作戦を展開

  └「三光作戦」（中国側からの呼称）、総数で南京事件よりも規模も犠牲者数も多い

- 生物、化学兵器の使用

PROPOS ＊1

相手国の首都を攻撃してはいけない。もし入城するにしても人数の限定が必要だった。しかしこの時は指揮命令系統が機能しておらず敵愾心、復讐心から先陣争いが起きた。日本軍自体の食糧もないなかで大量投降者に対し、適切な対応がとれなかった。

PROPOS ＊2

南京攻略戦の司令官松井石根大将はA級戦犯として東京裁判で絞首刑。シナ通（親中派）と自任する大将にとり痛恨事。責任を認め、従容と判決を受け入れた。彼の捕虜解放命令を部下が無視。その「シナ観」も古く、部下に軽くみられていた。

PROPOS ＊3

戦闘員が捕虜になったら一市民に戻し、市民として遇しなければならないが基本。日露戦争までは日本がこれを一番よく守り世界中から評価を受けていた。日本の捕虜虐待は相手の強い抵抗を生んだ。日本はその憎しみを受けてさらに残虐になった。

PROPOS ＊4

自分は当時南京にいたが虐殺など目撃していない、という旧兵士の証言もある（これは嘘でなく、そういう時間、そういう場所にいた、と考えるべきだろう）。陸軍将校の同窓会偕行社が「本当に何があったか」と、本音では「虐殺はなかった」ことを当事者の証言で確かめるため連載「証言による南京戦史」（陸軍の同窓誌『偕行』1984～85）をはじめた。ところが旧将校たちは次々に沈黙を破って事実を語りはじめ、連載は「中国人民には深く詫びるしかない。まことに相すまぬ、むごいことであった」との謝罪で閉じる展開となった。犠牲者数は3～6千人、1万3千人、と通説からはかなり少なめの両説を提示。小泉首相（当時）の靖国参拝で悪化した日中関係改善を図ろうと1次安倍政権が日中歴史共同研究事業を立ちあげた。その報告書で、日本側は「日本の侵略」や「南京虐殺」は「日本の専門家にとって自明の事実」と確認した（2010）。

画蛇添足

▼「南京大虐殺はなかった」というようなタイトルの本が「歴史の真実」として書店の平台に並ぶ。真実だから出版されるのではない。この手の主張に溜飲を下げる読者が存在、市場があって商売として成り立つから並ぶ。▼日本軍の南京入城に際して多くの非戦闘員が犠牲になった。正確な犠牲者数は確定できない。加害側、日本の歴史学者間に十数万人から数万人まで推測値の開きがある。被害側、中国は30万人とする。これは政治的な数字、感情値とされる。犠牲者数が時期と場所の設定しだいで違うこと、しかし確かな資料がなく確定できないこと、がこの出来事で分かっている事実。▼日中双方の指導者が人びとの命を軽んじた。だからこれほどの被害になり、なのに実相は曖昧になっている。政治的争点はこの事実をどう表現するか。物事の意味は量で変わることもあるから数字が争点になる。だがこの出来事はそこを乗り越えて考える必要もある。これは通常の戦闘行為からの逸脱「南京事件」と呼ぶべきとの主張、その惨状を踏まえれば「南京大虐殺」と呼ぶべきとの主張が併存する。▼軍の暴走が引き起こすべくして起こした事故でもある。意図、計画はなくとも予測できた惨事。かつて中国で高速鉄道の大事故（2011）があった。その時、当局が事故原因を調べず脱線車両を穴に埋めようとする様子が報道された。世界は唖然として嘲笑した。▼非戦闘員などいなかった―彼らはそのように装っただけだから戦闘員、と解釈。だから通常の戦闘行為、事件も虐殺も起こっていないと結論付けて済ます「南京大虐殺はなかった」論。大惨事を引き起こしながら事故車両を地中に埋めて何も起こらなかったことにするのと変わらない。

わんクリック 最初に読むべきは実証史学者の秦郁彦『南京事件 増補版』。実証学者というより生来の「調べ魔」（自伝『実証史学の道』に圧倒される）。「数字の幅に諸論があるとはいえ、南京で日本軍によって大量の「虐殺」と各種の非行事件が起きたことは動かせない事実」とまとめる。犠牲者数は少なめの約4万人と算出（これへの批判はある）。増補版で、この出来事をめぐる論争史を「南京事件論争史」としてまとめている。ナショナルアイデンティティの問題が関係して、この出来事をめぐって様々な主張が繰り広げられてきた。数字の増減により直ちに意味が変わるわけではないがやはり数字は大切。

History Literacy 「なぜそんなこと」と国外の人に尋ねられた時に説明する責任がある（筆者は上のような説明をしてきた）。

⑧日中戦争の泥沼化

- 広州、武漢(ぶかん)など主要都市を攻略し、戦線拡大
- 国民政府は武漢、重慶(じゅうけい)に遷都し、徹底抗戦　＊1
- 戦闘レベルでは日本軍が優勢
  └ ポツダム宣言受諾時に中国駐在軍は敗北を認めず戦争継続の動き
  中国軍は近代化された日本軍に対抗できず
  └ 兵数で圧倒するが質が低い (寄せ集めた急ごしらえの軍隊、士気低く、装備で劣る)
- 広大な中国大陸で伸びきった戦線
  戦闘勝利で前線、補給線が長大化、占領地拡大
  →占領地の安全を確保しながら前線への物資補給には限界
  └ 占領各地に傀儡政権を置く　└ 陸軍主力は対ソ戦に備え長大な満ソ国境に配置
  →日本軍は海岸線と華北一帯を支配、あとは「点と線」の支配
  └ 補給ルート伸びきり、日本軍は消耗、疲労　└ 中国側の表現
- 近衛第1次声明「国民政府を対手(たいて)とせず」(1938.1.)　＊2
  └ 外交交渉の糸口を自ら放棄和平の選択肢がなくなったことで戦争は長期化
- 「東亜新秩序」の建設を声明 (1938.11.)　＊3
  └ 戦争目的の確立に戦争開始から1年以上かかる (なしくずしで起こった戦争)
  ワシントン・ヴェルサイユ体制 (との協調外交) の否定
  └ ナチスが「ヨーロッパ新秩序」を唱えたのに呼応
- 1939年、ノモンハン事件 (5～9月)
  満蒙国境線上でソ連軍と関東軍が軍事衝突、大激戦
  関東軍はソ連の近代的機動戦力に対して大損害
  └ 第1次5カ年計画の成果　└ 投入兵力の4分の1(1万8千人) 失う
  ソ連軍も苦戦、軍事力不足を痛感
  └ 軍備増強の時間稼ぎのためドイツとの独ソ不可侵条約に踏み切る (1939年8月23日)
- 1940年、日本は南京に汪兆銘(おうちょうめい) (傀儡政権) 政権樹立

⑨満洲国 ― 五族協和、王道楽土からの後退　＊4　(※)

- 統制経済の実験場 ― 満洲産業開発5カ年計画 (1937)
  └ 第2次5カ年計画 (1932～37) によるソ連の軍事力増強を意識
- 満蒙開拓団　＊5
  国策として日本人「開拓民」がソ連との国境地帯に移住
  └ 国内各村に移住割り当て、終戦前年まで約27万人

PROPOS　＊1
首都を落とせば蒋介石は降伏すると考えた。南京陥落に新聞報道も過熱。「勝った、勝った」と日本中沸き立つ。ところが蒋介石は奥地に首都を移して徹底抗戦。まだ中央集権でなかった国民政府だからできた。

PROPOS　＊2
第1次近衛声明「対手トセズ」は「啖呵をきる快感」だけの悪名高い失政。「相手」ではなく「対手」という新語による曖昧戦略だったが、近衛もすぐに失敗と自覚した。

PROPOS　＊3
中国との戦争は考えられていなかった。戦闘に大義がない。戦争の長期化、士気の低下。開戦から1年経って後付けの戦争目的を発表 (第2次近衛声明)。神国日本には欧米の植民地支配からアジアを解放して新秩序を作る崇高な使命がある、と事変を意味づけた。蒋介石への呼びかけの要素も含ませた。明治以来の欧米協調からの離脱。領土の拡張を日本は考えていなかった。

PROPOS　＊4
満洲国の当初の理想は乗っ取られ、岸信介ら革新官僚 (テクノクラート) がここで実験的な統制経済を実施することになる。総力戦では国家総動員が必要。そのモデルをソ連の計画経済、5カ年計画にみてこれを導入。満洲国は、行政が経済をコントロールする統制経済の実験場に使われた。

PROPOS　＊5
「開拓」(通常は「移住」) という言葉で、そこが無主の土地であるかのような印象操作をした満洲開拓。開拓民はただ同然で農地を提供させられた現地の人びとの憎しみに迎えられた。関東軍は彼らをソ連を牽制する潜在戦力と見なして国境地帯においた。満鉄沿線で生活した人びとの生活水準とは雲泥の差だった。約27万人が国策で移住。8万人弱が終戦前後に死亡した。戦争終盤、関東軍に見放され、ソ連軍に蹂躙(じゅうりん)され、悲惨な引き揚げをすることになった。

画蛇添足

▼帝国主義時代は人々が移動した時代。植民地支配は労働力の移動を引き起こす。人が生まれた土地を離れるのには理由がある。ここでは食べていけない、が多くの場合、人々を押し出す要因(プッシュ)。そこに人びとを引き付ける要因(プル)が揃わなければ人は動かない。▼その移動が時に「強制連行」という言葉で説明されることもあるが実態は多様。権力は暴力をちらつかせることもあるが通常はソフトに行使される。あくまで相手が能動的に行為するように仕向けられる。本人に自発的に行動している、と思わせるように行使される。それが文明国の洗練された植民地統治。▼総力戦遂行のために各国とも帝国の度量を示す必要が生じ、「粗野なレイシズム」から差別を否定し、主流社会への献身を促す「上品なレイシズム」に変化していった (T. フジタニ『共振する帝国』)。力だけで抑え込まない。コストばかりかかり安定は得られない。▼「強制」を「自発性」にみせるのが植民地統治。そうせざるを得ないように追い込む社会の空気を作り、その空気を付度(そんたく)させて、自発的に動かせる。そのように各個人の身体に仕込まれ、内から人々を自発的に動かす強制力。嫌がる人の身体を外部からつかみ無理やり連行していくような強制力だけが植民地社会で働くわけではない。▼自発性か、強制性か、という問題設定はそれほど意味を持たない。内地からも外地に移動した。喜んで満洲に行った開拓移民は少ない。誰も手を挙げたくない中での決断。半島から来日した人たちも時代的な制約の中で決断してきた。そう決断させた与件―多くの場合は食べていけない貧しさ、このままではジリ貧になるという苦境―様々な背景をみていくことが歴史を学ぶことだと思う。

わんクリック　戦前の日本軍がいかに暴力的で不条理のまかり通る組織だったか。まずは山本七平『一下級将校の見た帝国陸軍』、そしてなにより大西巨人『神聖喜劇』が必読書。書かれていることは既視感だらけで現在の日本社会の病理分析になっている。「右向け右」で全員右を向かないと命が脅かされるのが軍隊だとしても、軍隊のいじめの凄まじさ。毎日、ビンタされないことだけを願う軍隊生活。学校外では傍若無人のジャイアンを教室の中では大人しくさせるのが文明。社会に粗暴な連中はいる。それらに暴力を振るうことが割にあわないと自制させるのが文明。粗暴な連中が上に立つのが戦争。

History Literacy　「七文字四字熟語のリズムだけでリアリズムを欠く大言壮語 (八紘一宇(はっこういちう)など)」(半藤一利) に囚われない。

⑩朝鮮人の戦時動員 —「内鮮一体」朝鮮人の戦時動員　＊1 ＊2 ＊3

- 皇国臣民化政策

　1937年（日中戦争）以降、同化政策を強化

　　└ 台湾、満洲国でも実施

　朝鮮人を「皇国臣民」として戦争協力に動員するため

　一村一社、神社参拝、日の丸掲揚、「皇国臣民ノ誓詞」斉唱

　学校は日本式に統一（朝鮮語の使用禁止、日本語の使用強制）

　創氏改名（1939）で日本の家制度導入

　　総督府のねらいは父系血統の宗族集団の力を弱めること

　　└ 単純に朝鮮人の名前を日本人風に変えるものではない

　　中心は創氏で義務、改名は任意

　　└ 自主性に任せられたが応じなければ種々の不利益があり日常生活を事実上送れない

　　日本風に家の称号「氏」を創ることで家（イエ）制度の導入

　　└ イエ制度を導入して天皇への忠誠心を植えつけること

- 「強制連行」

　└ 国家総動員法制定（1938）が背景、内地の日本（人）だけでなく植民地（人）にも適用

　国内の労働力不足解消のため約50万人を徴用

　　募集（1939～）、官斡旋（1942～）は自由意志、徴用（1944～）は強制動員

　　└ 当初は甘言で誘えたが次第に実態が知られて集められなくなり強制力を強める

　炭鉱採掘、土木工事など過酷な環境下での労働

　└ 比較的賃金は高いがリスクの高い仕事、従事していた日本人は兵士として戦場へ

- 志願兵制度導入（1938）から義務徴兵制（1944）へ

　└ それまで朝鮮人は陸軍士官学校卒業生のみが軍人になれた

　日本軍の一員として戦場に動員

- 戦時下の性暴力 — 慰安婦　＊3

　前線の軍人の性的な奉仕に集められた女性

　└ 軍人の現地住民に対する強姦、性病蔓延防止のため（利用しなかった男性もいる）

　日本国内の公娼、植民地下の朝鮮、台湾から集める

　└ 当時は売春は合法（貧しい家庭の女性が応じる）└ 貧しい家庭の女性が前借金で応じる

PROPOS　＊1

台湾支配50年、朝鮮支配35年—日本の植民地支配を論じる際はどの時期を切り取るかで見えるものは違う。支配当初の苛酷な弾圧がなされた時代。社会が次第に落ち着いた時代。最後の日本の総力戦体制に組み込まれて戦時動員された時代。最初の数年、最後の5年間を外して植民地支配を論じ、肯定的な評価を下す人がいる。

PROPOS　＊2

「植民地近代化論」—植民地化される中で社会は近代化、現地にも恩恵があった、と植民地下での社会的諸制度の導入、インフラ整備を肯定的にみる立場。その受益者—犠牲者から時間的に隔たった場所にいる人びとにとっては肯定できる内容。

PROPOS　＊3

日本の植民地支配の特徴はまず、日本の安全保障のため、地理的に隣接する地域へ同心円状に支配地域を拡大しようとした点にある。次に、日中戦争（1937）、対米英戦争（1941）がはじまり、植民地の力を借りなければ戦争を遂行できなくなり、植民地の人びとを本国に忠誠を誓う「国民」（当時は天皇の臣民）にしようとした点にある（必要がなかったヨーロッパの植民地化との違い）。抵抗の強かった植民地から徴兵（武器を渡す）するために「日本人」への同化（皇民化）政策は急進化。内地で不足した労働力穴埋めのために、後に「強制連行」と非難されることになる徴用を行った。日本語教育、神社参拝の強制—文化、人間の尊厳を踏みにじる政策が最後の5年間に実施。

PROPOS　＊4

名前は人間のアイデンティティの要にある。その変更を迫る創氏改名は世界史上でも例のない政策。それがあくまで「自主的」申し出に任された創氏改名。これに従事した植民地政府の一役人の苦悩を描く梶山季之の短編『族譜』（『李朝残影』所収）。罪の意識を現場に担わせる姑息さ。様々な読みに開かれた秀作。読書会で使いたい。

画蛇添足

▼従軍慰安婦問題が国内外で政治問題となって久しい。日韓関係に突き刺さった棘となっている。「どれだけ謝ればいいのだ」—実際に謝る場面があるとも思えないが、そんないらだちが人びとに沈殿する。▼「日本の謝罪と補償は十分でない」—被害者（弱者）の代弁が知識人の仕事。非当事者による歴史の継承。歴史教育もそうだが、自分は正義の側にいるとみなしていると自制が利きにくい。正義感が犠牲者ナショナリズムに交差する危うさ。「先祖が犠牲となった歴史的記憶を後の世代が継承して自分たちを悲劇の犠牲者とみなし、現在のナショナリズムを道徳的、政治的に正当化すること」（林志弦）。▼自分のための運動になっていないか、と常に自省しないと被害者を脇におくことになる。ソウルからバスで一時間ほど、元慰安婦たちが生活するナヌムの家と併設された歴史館を訪れたことがある。無人の歴史館で静寂に随伴されながら展示品と向き合った。場所の放つ磁力で過去に連れ戻される感慨にとらわれた。▼彼女たちに昼食に誘っていただいたが、筆者は他愛ない話しかできなかった。性暴力被害は恥辱の記憶。社会も本人も記憶を抑圧する。信頼できる聞き手がいて語られる記憶。貧しい家族があり、生活を助けるお金が差し出され、家族のために、と応募した女性が多かった。▼前借金返済のために毎日多くの兵士を相手にした青春時代。沈黙という形で存在してきた恥辱の記憶（※）。「従軍慰安婦」問題。直接の軍の関与はないから「従軍」を外せ、いや「性奴隷」と呼ぶべき、の応酬。世界中に慰安婦像を設置して日本を告発する人びと、それに反発する人びと。犠牲者をナショナリズムに紐づけずに語ることはできないか。

わんクリック　集英社版『在日一世の記憶』『在日二世の記憶』。半島から日本に来た50名のオーラルヒストリー。それぞれが違う経験をしているが、背後に時代がある。教科書はそれを一つにまとめようとする。両方が大切。『二世』の方にプロ野球選手として活躍した在日二世であり被爆者である張本勲の語りがある。広島での被爆当日の凄惨な様子、姉を失った時のこと。「来るたびに思い出す」ので「八月六日と九日は暦から失くして欲しい」と思っていたこと、原爆資料館に近づくと「手が震えて汗が溢れ出てきて、辛抱たまらず引き返してしまった」と最近まで入れなかったことを語っている。

History Literacy　教科書が記録しないことがある—記憶は沈黙という形で存在、「記憶は弱者にあり」（マルセ太郎）。

6　第２次世界大戦 ― 世界で５千万人（当時の人口３０億人）が犠牲になる未曽有の惨事

ミュンヘン会談と大戦の勃発

①宥和政策とその破綻

・オーストリア併合（1938）、チェコスロヴァキアにズデーテン地方要求　＊1

・1938 年、ミュンヘン会談

出席者　ネヴィル・チェンバレン（英）、ダラディエ（仏）

ヒトラー（独）、ムッソリーニ（伊）

チェコスロヴァキアとソ連は招待されず（※）

└ 当事国　└ チェコと相互援助条約を結ぶ利害関係国

内容　イギリス、フランスはヒトラーの要求を承認

└「最後の領土的要求」（ヒトラー）を信じた（かった）非戦主義者チェンバレン

→宥和政策の頂点　＊2 ＊3 ＊4

・チェコスロヴァキアの解体（1939）

西半分（チェコ）を併合、東半分（スロヴァキア）を保護国化

└ チェコは工業地帯で武器生産盛ん（蒋介石軍はチェコ銃で日本に応戦、日本は苦戦）

・リトアニアにメーメルを要求し、併合

・ポーランドにダンツィヒとポーランド回廊要求

→ポーランドは拒否、英仏と相互援助条約締結

②第２次世界大戦の勃発

・英、仏のソ連と相互援助条約締結のための交渉が長期化

└ 消極的な英、仏の交渉態度にソ連（スターリン）は不信感抱く

・1939 年 8 月 23 日、独ソ不可侵条約

ドイツの思惑　二正面での戦いの回避

ソ連の思惑　二正面での戦いの回避、英仏の宥和政策への不信

└ 日本とノモンハン（1939.5. ~ 9.）で交戦　└ 反ソ陣営形成を邪推

両国は秘密条約としてポーランド分割締結

・1939 年 9 月 1 日、ドイツ軍ポーランド侵攻

→ 9 月 3 日、イギリス、フランスがドイツに宣戦布告

PROPOS　＊1

１次大戦で７世紀間続いたハプスブルク帝国が崩壊。中欧に小国が群立。ヒトラーはドイツの「生存圏」獲得のためにこの地域を狙った。英仏はチェコと相互援助条約を結んでいたので戦争の危機に世界が緊張。ロンドンで人びとはガスマスクを買い求め、防空壕を掘るパニックとなった。

PROPOS　＊2

ヒトラーが東方―共産圏ソ連に向かったことが英仏の宥和政策を生んだ。宥和政策には戦争回避だけでなく、ナチスの反共性への期待があった。しかし結局はナチスの侵略を助長し、ソ連の英仏への不信感を増幅させた。スターリンはイデオロギーよりも国家利益を優先して独ソ不可侵条約を締結した。これに各国で反ファシズムを旗印に戦ってきた人びとは茫然自失。その時ノモンハンでソ連と激戦を展開していた日本。防共協定を結んだばかりの友邦ドイツがソ連と提携する事態に、平沼内閣は「国際情勢は不可解」と辞職、責任を放棄した。

PROPOS　＊3

ヒトラーは自分は平和を求めていると繰り返した。「総統は平和の人であるという意識がドイツ国民に刷り込まれており、1939 年まで一般のドイツ人の大部分がこれを信じていた」（フレデリック・ティラー『1939 年』）。信じていた、というよりそう信じたかったのだろう。筆者もそこにいれば同じように信じようとしただろう。またチェコのために国民を犠牲にできない、と判断したチェンバレンを支持しただろう。

PROPOS　＊4

まだこの記憶が生々しい時、アジアでは日本のアジア侵略をめぐる日米交渉（1941）が行われていた。中国の蒋介石はアメリカに対して日米交渉を「極東のミュンヘン」にするな、と繰り返し強く牽制。土壇場でアメリカは日本への妥協は困難と判断。ハル・ノートを日本に通知。これを最後通牒と受け取った日本は開戦に踏み切った。

画蛇添足

▼映画『独裁者』の中でチャップリンは“What time is it?”（今は何ていう時代なんだ）と繰り返す。エチオピアとおぼしき国での独裁反対演説。ヒトラーと数日違いの生まれの喜劇王チャップリン。チェコスロヴァキアを分割したヒトラーを痛烈に風刺。▼チェコスロヴァキアはヴェルサイユ体制下で作り出された新興国。英仏はこれら小国に犠牲を強いることで自ら作り上げたヴェルサイユ体制を破壊した。チェンバレンの宥和政策にチャーチルは「今脅かされているのはチェコだけでなくすべての国の自由とデモクラシー」「小国を狼に投げ与えることによって安全が得られると信じることは致命的な妄想」と批判。▼チャーチルが正しかったのはこの認識だけ（ホブズボウム）との評価もあるが、その通りになった。凄惨な1次大戦の記憶がまだ生々しかった英国民は戦争を恐れていた。「これが最後の領土要求」というヒトラーの言質をとって帰国したチェンバレンを凱旋将軍のように歓迎した。▼この宥和政策がナチスの侵略を助長させ、ソ連の英仏への不信を増幅させた。これは後に「ミュンヘンの教訓」と記憶されることになった。本当の教訓は「ヒトラーを早めに叩いておくべきだった」。だがこれでは汎用性がない。「侵略者（独裁者）に妥協してはならない」と一般化するしかない。しかし一般化されたミュンヘンの教訓による失政も多い。アメリカのハル・ノートは日本を対米開戦に導いたし、ナセル（エジプト）にヒトラーを重ねたイギリスはスエズ出兵をしてしまった。▼宥和政策を否定的に見るのはチャーチルの眼。これが大戦を誘発したと批判されるが、連合国の最終的勝利の遠因は、宥和政策による開戦引き延ばしで準備ができたからとの指摘もあり、判断は難しい。

わんクリック　映画『サウンド・オブ・ミュージック』はドイツによるオーストリア併合に抵抗したある家族合唱団の実話。オーストリア国歌にあたる「エーデルワイス」を「永遠に」と歌うシーンが印象的。「出会った山には登ってみよう (Climb Every Mountain)」もよい。国民投票で村で唯一の反対票を投じた実在の人物を描いた映画『名もなき生涯』。こうした抵抗は極めて例外的事例。実際、オーストリアはナチスの進軍を熱狂して歓迎。99% の国民が国民投票で「アンシュルス（合邦）」を是として終戦間際までナチスとの一体感を持ち続けた。戦後になって作られたのが（オーストリアは）「最初の犠牲者」神話。

History Literacy　生き残ることが精一杯だった時代の人びとの行動―それを批判することの是非について考えたい。

③ソ連の侵略 ―「奇妙な戦争」

- 1939 年 9 月、ソ連はポーランド侵略　＊1
  - └ ドイツによるポーランド西半分占領と同時
  - ポーランド消滅
  - 9 月、ソ連はバルト三国侵略 (1940、併合)
  - 11 月、ソ連はフィンランド侵略、国境地帯獲得
  - 12 月、ソ連の国連除名
- 「奇妙な戦争」「見せかけの戦争 (phoney war)」
  - 最初の半年間、ドイツと英、仏間で戦闘なし
  - └ ミュンヘン会談に招かれなかったソ連 (スターリン) は不信感強める　(※)

フランスの降伏とイギリスの抵抗

①ドイツの「電撃戦」

- 1940 年 4 月、デンマーク、ノルウェー侵略、占領　＊2
  - 5 月、オランダ、ベルギー侵略、占領
  - 6 月、フランス侵略、パリ陥落　＊3
    - └ 独仏国境のマジノ線を突破
    - イタリア参戦 (対英仏宣戦布告)
  - 7 月、フランスにヴィシー親独政府成立 (ペタン首班)
    - フランスの東南部を統治
      - └ パリ周辺と大西洋岸はドイツが軍事占領
    - ド・ゴールがロンドンに亡命政府 (自由フランス)(1941.9.)
  - 9 月、日独伊三国軍事同盟形成
    - └ ドイツは日本を利用してソ連、アメリカの参戦牽制をねらう

②イギリスの抵抗

- 1940 年 5 月、　チャーチル内閣成立
- 1940 年 5 月、　ダンケルクの撤退
  - └ 勝機がない時は被害最小化のための退却が重要、退却のロールモデル
  - 手遅れになる前の勇気ある撤退
- 1940 年 8 月、　ロンドン大空襲 (バトル・オブ・ブリテン)(~ 10 月)　＊4
  - ドイツによる空襲に耐え、ドイツ軍の上陸阻止
  - └ 日本はドイツ、イタリアと三国軍事同盟 (9 月) 締結

PROPOS　＊1

大国に挟まれて防衛の難しい「平地の国 (ポーランド)」をドイツとソ連が再び侵略。1 次大戦時の失地回復を図る。ポーランドは再び地図帳から姿を消す。その際、ソ連はポーランド将校を多数虐殺 (カチンの森事件)。この際、リトアニアに避難してきたユダヤ人約 6 千人に外交官杉原千畝は独断で日本のビザを発行して助けた。

PROPOS　＊2

国内に良質の鉄鉱石がないドイツはかつてフランスのロレーヌを狙った。今度は、日本人が「鉄はキルナ」(切ると刃こぼれする) と覚えるキルナ (スウェーデン) を狙う。この頑丈なスウェーデン鋼でボルボ、サーブの自動車が作られている。ここの鉄鉱石は大西洋岸の不凍港ナルヴィク港 (ノルウェー) から出荷。この鉄鉱石搬出ルートを狙いドイツはノルウェーを攻撃占領。

PROPOS　＊3

1939 年 9 月 1 日ドイツ軍が電撃戦を開始。ヒトラーは英仏はポーランドのために戦わない (宥和政策を続ける) と誤算していた。航空機と戦車を主体としたドイツ軍の『電撃戦』の前にフランスの強固な要塞マジノ線も突破された。攻撃開始 35 日目でパリは陥落。総崩れとなった英軍 33 万人は海路脱出 (ダンケルクの撤退)。地上にどれほど強固な要塞を作っても戦争は防げない。戦後、パリに置かれたユネスコの憲章前文に「平和の砦は心の中に築かねばならない」という有名な文言が書き込まれた。

PROPOS　＊4

ドイツ電撃戦の勝利、イギリスも降伏するとみた日本は「バスに乗り遅れるな」とドイツと三国軍事同盟を締結。長年の同盟国イギリスと敵対。しかしイギリスは連日の空襲に耐えた。壁に穴が開いたデパートは「入り口を拡張して営業」と屈しなかった。ドイツの短期決戦失敗を知らなかった日本はドイツ勝利の見通しで北部仏印進駐に踏み切り、アメリカとの対立も深めた。

画蛇添足

▼ヨーロッパの大半がドイツ占領下におかれた時代。占領された国では、2次大戦とは国内でドイツに協力する人びととそれに抵抗する人びとの間での争いだった。相互監視と密告による隠然たる争いで、その時代を生きた人間に深い心理的外傷を残した。▼オランダのアムステルダム。ユダヤ人の少女アンネ・フランクの隠れ家を訪れれば「こんな中心部でよく二年間も」と驚く。隠れ家生活を支援するネットワークがあった。しかし最後は密告された。▼ドイツ占領時代にフランス人は抵抗した、との神話が信じられた時代もあったが、実際は生きるために多くが対独協力した。強権体制には密告が不可欠。「密告者は密告されない」と密告を奨励したのはスターリン。密告者数にノルマが課せられたことがさらに悲劇を増幅した。▼密告は社会を分断、人びとに深刻な人間不信を植え付ける。隣家の幸せを破壊する全能感、社会から「異物」を取り除くことが市民の義務、と人びとは密告した。日本にも「ご注進する (告げ口する)」文化がある。社会的上位の者を密告すれば、そのポストが空いて社会的に上昇できる実利もあったという。▼ピエール・アスリーヌの小説『密告』、パトリック・モディアノの小説『1941年。パリの尋ね人』は歴史家には書けない、小説の形をとらねば伝えられない人間心理の機微に踏み込む。▼現代に生きる作者が偶然出会った些細な出来事から過去と向き合いはじめたことも先の両作品に共通する。学校で伝えることができる歴史は過去の出来事の表面、それもほんの一部を撫でただけのもの。教科書の行間一つひとつに奥行きがある。学んだことをきっかけに行間に分け入って人間洞察の眼を深めたい。

わんクリック　ルイ・マル監督映画『ルシアンの青春』― 戦争末期のドイツ統治下のフランス。まだ若い、とレジスタンスに加えてもらえなかった 17 歳のルシアン少年。ドイツの秘密警察ゲシュタポに大人として扱ってもらった偶然から、逆にその手先となり反ナチ運動―レジスタンスを摘発する側にまわる。ゲシュタポの一員であることで相手を震え上がらせる快感を覚え、残虐な行為にも痛みを感じなくなっていく。戦争によって人生を誤り、人間の弱さ、醜さ、切なさばかりを引き出されてしまった少年の悲劇。ユダヤ人の娘との恋で人間らしさを取り戻すが…(実話に基づく作品だという)。

History **Literacy**　写真を見るときは誰が写っているかだけでなく、(そこにいるべき) 誰が写っていないかを見る。

③独ソ戦の開始 ―「大祖国戦争」(ソ連)

- 1941年3月、ドイツのバルカン進出で独ソ関係悪化
- 1941年4月、日ソ中立条約締結

  スターリンは対独戦に備えて日本に提案

  └ モスクワ訪問中の松岡外相が独断で締結
- 1941年6月、独ソ戦開始　＊1

  └ 7月これを見た日本は南部仏印進駐
- 2次大戦の中心戦場

  2次大戦では西部戦線はなくドイツから見た東部戦線が主戦場　＊2

  └ フランスはすぐに降伏　└ ソ連がヒトラーを引き受け最大の犠牲をだす

④連合国の形成 ― イデオロギーより国益を重視したチャーチル

- チャーチルはドイツ打倒のためソ連の支援、アメリカの協力が必要と認識

  └ 反共の帝国主義者チャーチルが妥協(ソ連は共産主義、米は脱植民地主義の国)

  1941年7月、英ソ相互援助条約

  1941年8月、渡米してF.ローズヴェルト米大統領と大西洋会談
- 1941年8月、大西洋憲章発表　＊3

  └ 1次大戦時のウィルソンの平和十四カ条に相当、国際連合憲章の基礎

  チャーチルとF.ローズヴェルトが会談して発表

  領土不変更、民族自決、自由貿易、戦後の平和構想など
- 1942年1月、連合国宣言　＊4 ＊5

  大西洋憲章に基づき26カ国が連合国(United Nations)と結束
- 1943年5月、ソ連はコミンテルン解散で英米との協調

  └ 外交政策の転換

⑤ドイツ占領地での抵抗運動

- 占領地は戦争遂行のための収奪対象地
- 占領地区へのドイツ人移住(占領地区のドイツ化)
- ユーゴスラヴィア

  ティトーがパルチザン闘争でドイツ軍に抵抗
- フランス

  国内でレジスタンス(抵抗)(ジャン・ムーランらが指導)

  └ 中心だったリヨン市に現在「レジスタンス・強制移送史センター」がある

PROPOS　＊1

ドイツの人種差別意識(対スラヴ人)に基づいた絶滅(殲滅)戦争。ドイツに捕虜をとるつもりはなく、ロシアにとっては、殺されるか殺すかの祖国防衛戦争となった。ドイツ軍はバルカンでイタリア軍を援助したために開始が遅れた。そのため例年より早く訪れた冬将軍でドイツ軍戦車は立ち往生。目論見と違って独ソ戦は長期化。

PROPOS　＊2

ロシア戦線に駆り出されたイタリア兵の多くが厳冬期の退却で命を落とす。ウクライナ平原一面に広がるひまわり畑。その一本一本にイタリア兵の死体が横たわると言われている。哀しいテーマ曲が残響するイタリア映画『ひまわり』(1970)。戦争で2度もの別れを強いられた夫婦を描く名作。

PROPOS　＊3

F.ローズヴェルトが掲げた「言論と表現・信仰・欠乏から・恐怖から」の「4つの自由」が連合国の戦争目的―大西洋憲章となる。約5千万人が犠牲になった戦争。敗戦国日本にもこれらの自由が付与された。「われらは、全世界の国民がひとしく恐怖と欠乏から免れ、平和のうちに生存する権利を有することを確認する」(日本国憲法前文)。

PROPOS　＊4

日本は大西洋憲章(8月)の意味を読みあぐねた。本当に「アジア解放」を望むのならこれに賛同して欧州大戦での中立もありえた。ところが近衛内閣は帝国国策遂行要領を出して(9月)、対米外交交渉に期限を決め、不調時の対英米蘭宣戦を決定した。

PROPOS　＊5

チャーチルはアメリカの協力が必要と危険を冒して大西洋横断。大統領と会談して大西洋憲章を発表。これを連合国26カ国が承認したものが連合国共同宣言。この時United Nations(連合国)名称が使われた。戦後この名称のままの組織を外務省は「国際連合」と苦心して訳して別物に見せた。

画蛇添足

▼分かりやすい戦争映画『カサブランカ』。名セリフ「君の瞳に乾杯」、名曲「時の流れるままに」で知られる映画。戦時中にアメリカのスタジオで制作された。当時、カサブランカはヴィシー政権の支配下。▼恋に破れて自堕落な生活を送っていたリックが迷いを捨てレジスタンスに協力する。ドイツ人少佐は悪役。この映画は反ナチのプロパガンダ。観客に誤読されないよう正義と不正義が分かりやすく書き分けられている。▼分かりにくい映画がクロード・ランズマン監督『ショアー』。ナチス占領下の「ポーランドでおこった出来事」―「ホロコースト」で知られる出来事に聞きなれないラテン語タイトルをつけた。強制収容所で生き残った人の証言だけで綴る10時間。映画館に弁当を持ち込んだのはこの時だけ。音楽も当時の映像も使わない映画。見終えても、そこで起こった出来事が頭の中で簡単に結像しない。被害者とされてきたポーランド農民の加害者性を暗示しようとしているためか。▼戦争映画はどのように、だけでなく、何を描くか、何を描かないか、が重要。太平洋戦争は多く映像化されてきたが、日中戦争はほとんど映画化されない。正義のない侵略戦争。何が描かれても観客は感情移入できない。戦闘機の歴史を描く宮崎駿監督『風立ちぬ』が、省けるはずのない日本海軍の渡洋攻撃、重慶爆撃を描けなかった。▼逆に、映画化されるのは日本が受けた空襲、原爆体験といった戦争末期の日本の被害者体験。野坂昭如原作、高畑勲監督『火垂るの墓』は優れた作品でここから日本人は戦争の悲惨さを痛感、強い厭戦意識を持つ。スクリーンに「空襲する」姿が描かれることがないことが加害者意識の弱い日本人を作っている(※)。

わんクリック　占領下で大多数は大勢順応でやりすごす。占領下にあってもナチスの支配にはあくまで従わない。レジスタンスという抵抗活動が少数の匿名の人びとによって行われた。禁断の果実を口にして楽園から追放されたアダムとイヴ。以来、神に対する不服従は罪と理解されてきた。ところがE.フロムの「人間は不服従を通じて成長してきた。信仰や良心に基づき、権威に対して「NO」と言うことによって精神的発展が可能となった」を引用して将基面貴巳は「不服従という罪を犯すことによって、人間は自らの意思で自分の運命を切り開く存在になった」と指摘する(『従順さのどこがいけないのか』)。

History Literacy　被害者が語り、加害者は語らない戦争―双方の経験が継承されないと理解が一面的になる。

⑥アメリカの動き

- 1935 年、中立法制定
  └ ナチス再軍備の年　└ 交戦国に武器を渡さない
- 1941 年 1 月、教書の中で「四つの自由」提唱
  言論と表現の自由、信仰の自由、恐怖からの自由、欠乏からの自由
  アメリカは「民主主義の兵器廠」と宣言
  └ ナチスに対するアメリカの強い姿勢を明示
- 1941 年 3 月、武器貸与法　＊1
  中立から転換、イギリス、ソ連に対して物資援助
- 1941 年 8 月、訪米したチャーチルと会談し、大西洋憲章発表

日中戦争の長期化と打開のための南進

①日中戦争の行き詰まり（8 年間続く）

- 蒋介石が首都を重慶に移して徹底抗戦
  └ 首都（南京）陥落が戦争終結にならなかった誤算
  重慶は奥地の天然の要害で攻略困難（ここまで補給線を延ばせない）
- 蒋介石は日中戦争の国際化に成功
  蒋は英米から物資援助獲得　＊2
  └ 英米にとっては日中の戦いが続くことが利益
  援蒋ルート経由で物資補給（インドシナルート、ビルマルート）
  アメリカは日米通商条約破棄 (1939)
- 華北では八路軍（共産党軍）が対日ゲリラ戦展開
  └ 共産党は主力を戦後のために温存、日中戦争の前面には国民党をたたせた
- 無数の和平工作の失敗
  日本は戦争収拾のため様々なルートで和平工作を試みる（すべて失敗）
  近衛は蒋と信頼関係結べず（現地軍指揮官の独断専行の戦闘を抑制できず）

②日本の南進 ─ 親独派外交の独走

- 日中戦争打開、資源獲得のため南方進出を企図　＊3 ＊4
  総力戦への備え ─ 特に空中戦のための資源確保が目的
  └ 中国にない石油、ボーキサイト（飛行機生産に欠かせないアルミニウム原料）、錫、ゴムなど

PROPOS　＊1
1 次大戦で戦後に巨額の戦債、賠償問題を発生させた反省から政府による軍事物資の貸与に切り替え、損傷分だけ賃料をとった。国家による対外援助の先駆的試み。アメリカが「世界の警察官」として国際紛争にかかわり始める画期となった。

PROPOS　＊2
日中戦争は両国とも全力投球しない戦争。そもそも両国に戦争をする理由がない。日本の主要敵はソ連。職業軍人からなる最強師団は対ソ戦に備えて温存。日本軍を引き受けた中国の国民党軍にとっても潜在的敵は共産党。結局、日本軍約百万人が中国に釘づけとなり、国民の間に鬱屈（うっくつ）した気分が蔓延（まんえん）。勝てないのは英米が支援しているからと「鬼畜米英」憎悪感情を高めた。

PROPOS　＊3
日中戦争はアメリカの資源（石油と鉄）で遂行した戦争。日本は石油の 8 割近くをアメリカから輸入。産地のカリフォルニア、テキサスまで給油艦が買い付けに通った。満洲の大慶（ターチン）で中国最大の油田が発見されたのは戦後の 1959 年のこと。

PROPOS　＊4
1940 年までは日本社会の雰囲気は親米だった。ジャズ、米映画が人気で、アメリカは人びとの憧れの的だった。まだ日中戦争は国民生活をそれほど圧迫しておらず、国民の生活水準は高く、都会ではすき焼き、ビフテキなど食生活も贅沢だった。後に総動員体制下で「贅沢は敵」がスローガンとなり、それに対して「贅沢は素敵だ」と気の利いた誰かが「素」を書き加えた、と語られるが、この話はそれまでは人々が贅沢をしていたことも物語っている。状況を一変させたのが三国軍事同盟の締結と南部仏印進駐。アメリカを敵に回したことによる経済制裁が国民生活を直撃。くず鉄の輸出禁止で国民は農具、調理用具など鉄の供出が求められた。農業生産力は落ち米の質も低下、麦飯が混ざるようになっていく。

画蛇添足

▼「軍の独走」─軍以上に対外強硬論に染まり十年以上にわたって軍部を熱狂的に支持し、その背中を押し続けたのが「大衆」。政府が不拡大方針を示せば「弱腰」「臆病」と非難。「軍人は過去の戦争を戦う」というが国民は満洲事変後の景気回復（実際は満洲事変と無関係）の記憶から戦争に期待を抱いた。▼日本は戦争に短期で勝利し、景気がよくなった経験しかなかった。1次大戦前のセルビアと同じ。日本にエリートでない「大衆」が出現したのは1920年代。普通選挙法の制定 (1925) で政府も大衆の同意や協力がないと対外戦争を遂行できない時代になった。恐慌で部数を減らした新聞各紙は満洲事変で回復。名を捨てれば実をとれるリットン調査団報告を激しく攻撃、「国連を脱退せよ」と国民を焚（た）き付けた。こういう強い発言が大衆受けした。▼大衆は戦争での勝利への熱狂を通じて国家への一体感、日本人意識を持ち、南京陥落に歓喜した。そこに至る激戦での戦死者の姿を新聞は掲載しなかった。イケイケどんどんの威勢のよい話ばかりになった。そうして大きな旋風に育ててしまった世論に、最後はメディア自身が、そして軍部も、政府も巻き上げられた。世論を慮（おもんぱか）らざるを得なくなり、世論に縛られ後戻りできなくなった。世論に支えられた近衛首相が世論を敵にまわせるわけがなかった。▼大衆はいったん呑み込まれたら逃れられない漏斗（じょうご）の中で渦巻く水流に呑み込まれた。徴兵された男性の多くが戦闘死でなく餓死、海没死。残された人びとは空爆で、地上戦が行われた沖縄では火炎放射器でガマの中で焼き殺された。日本の大衆が作り出した旋風は奔流となってアジア各地で、無数の人びとを巻き込み、その人生を奪った（※）。

わんクリック　情報をとるためにメディアは権力とどういう距離をとればよいか。権力に近づきすぎるとミイラ取りがミイラになる。距離を置けば蚊帳（かや）の外に置かれる。正しい情報がなければ正しい判断はできない。その情報をとって国民に知らせるのがメディアの仕事。戦時中、800 回近い大本営発表があったがその大半は嘘だった。情報だけでなく紙の配給を止めると脅されたメディアはこれを垂れ流した。体質はいまも変わらない。記者クラブでの政府、官公庁の発表を垂れ流すだけのジャーナリストが大半。そこで権力者に嫌われる質問をすれば、記者クラブの和を乱すと同じ記者から嫌われる。

History Literacy　人が世界（歴史）を作り、世界（歴史）が人を作る─いったん轍（わだち）にはまると抜けられなくなる。

- 1940年9月、仏領インドシナ北部進駐
  - └フランスは同年8月パリ陥落　└同盟国親独ヴィシー政府と交渉のため「進駐」
  - 9月、日独伊三国同盟結成 ― アメリカが仮想敵国に　＊1
    - 松岡外相の構想（三国同盟にソ連を加えれば対米牽制になるとの構想）
    - 陸軍は泥沼化した日中戦争の打開を意図
    - 海軍はアジアの植民地（英領、蘭領）再分配を期待
      - └ドイツ快進撃に「バスに乗り遅れるな」と新聞が国民の好戦熱を煽る
- 1941年4月、日ソ中立条約締結
  - スターリンの突然の提案に松岡外相が独断締結
  - ソ連－独ソ戦（1941.6.~）に備えて東方の安全確保
  - 日本－南進に備えて北方の安全確保
- 1941年4月、日米交渉開始
  - 米側から妥協可能な日米諒解案提示も松岡外相が潰す
- 1941年6月、独ソ開戦
  - 松岡構想の破綻、失脚（近衛は松岡外相更迭のため総辞職して再組閣）
    - └「三国同盟＋ソ連」で対米牽制のはずがアメリカを敵にまわすだけに

③仏領インドシナ南部進駐 ― 南部の資源（飛行機関係）獲得を優先

- 1941年7月、仏領インドシナ南部進駐 ― 日米の開戦必至に　＊2
  - └日米交渉中に実施、6月独ソ開戦で北方ソ連の脅威弱まる
  - オランダ領東インドの石油獲得のための拠点
    - └スマトラ島パレンバン、ボルネオ（カリマンタン）島などの産油地
- 予想外のアメリカの強い反応
  - └アメリカがいきなり最後の外交カードを切ったのは想定外　（※）
  - 在米日本資産の凍結
  - 対日石油全面禁輸
    - └日本に開戦の口実を与えたアメリカの失政か、日本を北進させない（ソ連援助）緊急措置か
- 1941年夏頃、「ABCD包囲網（ライン）」形成　＊3
  - 米、英、中、蘭による対日経済封鎖
  - アメリカは対日くず鉄全面禁輸
    - └くず鉄は当時の日本での鉄鋼生産の主流（銑鉄から鉄製品を作るより容易）

PROPOS　＊1

松岡洋右外相主導で締結されたドイツ、イタリアとの三国軍事同盟。開国以来、協調関係にあった英米を敵に回すことになったオウンゴール級の失政。ヒトラーと組んだことで日本の国際的威信も低下。ヒトラーはアジアのイギリス軍を日本を使うことで現地に釘付けしておきたかっただけ。一度、独ソ不可侵条約で裏切られながら再びドイツの勢いに目がくらんだ。駐独「独」大使大島浩のドイツ寄りの情報だけを信じた（典型的な確証バイアス）。三国同盟に強く反対してきた海軍もドイツの快進撃に「バスに乗り遅れるな」と賛成にまわる。石油がないと動けない海軍。パレンバンの原油は魅力だった。その後、独ソ開戦とドイツの再度の背信に際して解消する選択肢もあった。この三国同盟締結と仏印南部進駐がアメリカの態度を決定的に硬化させて日米開戦に繋がっていった。

PROPOS　＊2

独ソ開戦を機会に北進してソ連と戦うのか、南進して資源を獲得するのか。議論の末、海軍の主導で南進に決まる。海軍の資源は北にない。南進に対する英米の反応が危惧されたが、海軍はアメリカが石油全面禁止の強い措置に出るとは考えなかった。陸軍は英米可分論という「こうあってほしい」甘い見通しに立脚して対英戦争のみを想定。北部進駐に強い反発を示さなかったアメリカだが、英領シンガポールと米領フィリピンの目と鼻の先になる南部進駐を東南アジアへの軍事行動とみて強く反発。

PROPOS　＊3

近衛内閣は後付けの戦争目的―アジアに新しい秩序を作ると「東亜新秩序」声明を出した（1938）。しかしこれではアジアに植民地を持たないアメリカと戦争する理由にならない。そのため「ABCD包囲網」という言葉を持ち出し「自存自衛」のためと強弁した。実際に4カ国が日本を包囲したわけではない。新聞が日本人の被害者意識、敵愾心（てきがいしん）を煽るためにこの造語を広めた。

画蛇添足

▼アメリカを相手に戦争するなど日本にとっては自殺行為。そのきっかけになった愚かな選択が日独伊三国軍事同盟。陸軍が始めて泥沼化した日中戦争。これを外交で戦争の枠組みを変えることで打開しようしたのが松岡洋右外相。▼家業が傾き、事実上移民として渡米、苦学して大学をでたが、アメリカに対して屈折した思いを抱いて帰国。外交官としての国際連盟脱退の大芝居―彼の本意でなかったがこれが国民に受けたのを見て、以後スタンドプレーに走るようになる。政治家になり首相をめざした野心家。国民が彼の野心の巻き添えになった。対米開戦回避のために三国同盟が必要、と大言壮語。▼政治はパワーポリティクス。三国とソ連が同盟すれば英米と互角で渡り合えると誇大妄想。ひたすら話を続ける多弁な自己中心的人物。他者―ヒトラー、スターリンの真意が見えず利用されて日本が英米と対立する方向に誘導された。三国同盟、日ソ中立条約と意表をつく外交で耳目を奪ったが、米国からは相手にされなかった。アメリカは多様な顔を持つ。パワーポリティクスだけで動く国ではない。松岡を外相にした失敗に近衛首相が気付いた時は手遅れ。戦後、松岡自身が「死んでも死にきれない」と三国同盟締結を後悔した。▼近代国家の優等生日本。明治以降の外交は堅実だった。不平等条約の改正には時間をかけ、国際社会で信頼を得た上で外交交渉で成し遂げた。日清戦争後の三国干渉の隠忍自重（いんにんじちょう）を外相陸奥宗光は国民に説得できた。日露戦争時の日本の国力に応じた終戦外交、外相小村寿太郎が国民の非難を甘受した。最大の国家の大事を松岡外相に主導させたことは国民にとり「悔やんでも悔やみきれない」痛恨事となった。

わんクリック　イベントで購買部数を伸ばして広告収入の増大を図るのが新聞のビジネスモデル（新聞の収入の半分は広告料、広告料単価は発行部数に比例）。最大のイベントが戦争。新聞は戦争報道で発行部数を伸ばし、数百万部の規模の全国紙に成長。ナチス快進撃を前に「バスに乗り遅れるな」と国民を煽り、「ABCD包囲網」と国民の敵愾心（てきがいしん）を高めた。新聞の役割は権力の提灯持ちでなく監視。その批判機能なしに健全な社会はない。「一緒になって大きな声で嘆かぬこと、騒がぬこと」（アウレリウス『自省録』）が身上（しんじょう）。また「新聞は批判ばかり」の批判もお門違い（かどちがい）。批判が仕事であり、それは敵対でない。

History Literacy　現実には予想外の展開もある―辻褄（つじつま）のあわない歴史叙述もなければおかしい（が、それは存在しない）。

太平洋戦争 — 中国ともアメリカとも戦争する必要のなかった日本

①帝国国策遂行要領

・御前会議決定 (1941.9.6)

戦争回避を求める勢力と開戦不可避とする陸軍強硬派の対立

玉虫色の決着

「戦争を辞せざる決意」で対米交渉、不成立時は「対米開戦を決意」

└ 10月下旬までと時期を決めてしまう

②日米交渉の失敗

・日米交渉 (1941.4.～11.) の失敗　＊1

近衛首相はF. ローズヴェルトとの首脳会談実現できず、総辞職 (10月16日)

└ 東条陸相が中国からの撤兵を頑なに拒否

・アメリカ側の対日方針 (当初)

ヨーロッパでの英国支援が最優先、できれば日本とは宥和

└ イギリスが負けることがあってはならない　└ アメリカの最大の貿易相手国

→独ソ戦に発展した場合は (共産主義国だが) ソ連援助を最優先

ソ連が二正面戦にならないように日ソ戦を起こさせない

└ 日本が北進のために南進で資源獲得するのを防ぐ

・アメリカ側の対日方針方針の変更

チャーチル、蒋介石からの牽制で対日宥和が困難に

└ 対日宥和は「極東のミュンヘンになる」との牽制

米国内世論が圧倒的に親中国に傾斜

└ 蒋介石 (宋美齢夫人) の米国内での巧みな宣伝活動

→日本を開戦に追い込み、それを理由にヨーロッパ戦線に参加

└ 強硬案ハル・ノート提示で日米交渉を終わらせる

・東条英機内閣成立　＊2 ＊3

└ 明治憲法では首相選出に関する規定なし (国会議員でなくともよい)

現役軍人が首相に (陸相、内相兼任)、のちに参謀本部長も兼任

└ 非戦決定時の暴動に備えた　└ 統帥権独立克服のため

当初、天皇の意思を受けて開戦回避を模索

PROPOS　＊1

政治家でない公家の近衛文麿。開戦直前まで4年近く首相など政府中枢部にいた。天皇家に次ぐ名門貴族の御曹司。政党の腐敗と無縁の若くて長身で端正な首相。政党をすべて自主解党させて大政翼賛会に再編 (1940)。各家庭に普及したラジオで国民に直接語りかけて支持を得た。ぼそぼそとした下手な演説に「近衛さん素敵」と黄色い声がとんだ。平和主義者だったのに定見がなく、国民的人気を基盤とするため好戦的世論に逆らえず、軍部強硬派に引きずられ右往左往。不拡大のはずの日中戦争を泥沼化、戦う必要のない対米開戦間際まで日本を引きずった。結局、東条陸相の強固な中国撤兵拒否を説得できず政権を投げ出す。

PROPOS　＊2

近衛首相の後任に内大臣木戸幸一は東条を首相に選ぶ奇策をとる。現役陸軍軍人で強硬派の彼しか日米交渉成功時に陸軍を抑えられないと判断。就任後、天皇の真意 (避戦) を知り、忠誠心から応えようと努力したがすでに遅すぎた。天皇の真意を公表せずに強硬派は押さえられなかった。東条なら陸軍を抑えられる、との期待からの登用だったが対外的には別の受け止めがされた。現役軍人が首相に就任したことで東条首相は軍国主義の象徴とみなされた。日本国民もアメリカも政府は開戦に舵を切った、とのメッセージを受け取った (※)。勤勉で真面目な能吏だが首相、戦争指導者の器ではなく皆、面従腹背した。憲兵を使う恐怖政治で異論を封じ、戦況悪化を精神論で乗り切ろうとして状況を悪化させた。

PROPOS　＊3

アメリカから仕掛けてくる可能性のなかった戦争。対米宣戦を主導したのは海軍。海軍は陸軍と比べてはるかに小さな組織。派閥抗争も少なく、謀略をしない組織として理想化されがち。世界各地に寄港して視野も広くイギリスをモデルにした親英米組織だったが、日ごとに減っていく石油備蓄に主戦派が主流となる。海軍の責任も重い。

画蛇添足

▼中国からの撤兵を断固拒否する東条陸相を近衛首相は説得できず総辞職。東条もアメリカとの国力差は認識。対米開戦回避のためには撤兵やむなしと認識。しかしここまで国民を引っ張ってきた陸軍がいまさら中国から全面撤退すれば陸軍への信頼は失われ、組織は持たない。▼東条は「勝利の見込みがないから戦えない」と海軍に本音を言わせたかった。それなら陸軍のメンツが立ち撤兵できた。海軍も勝てないと分かっていた。しかし対米7割の戦力がないと戦えない、と軍縮に反対して軍拡予算を要求し続けてきた海軍。当時は7割の戦力があった。いまさら「できません」とは言えなかった。▼毎日、石油備蓄は減っていき、アメリカの軍備は増強されていく。絶対的には勝てないが今なら相対的に戦える―ジリ貧を避ける判断で開戦が決まった。ドイツが勝利を続けていた。日本も緒戦で勝利すればアメリカは戦争継続意欲を失う、と希望的観測にすがった。連合艦隊司令長官山本五十六はハワイの真珠湾奇襲しか勝機はないと主張。非開戦論者だった彼はこの無理な主張で開戦を回避しよう、と一縷の望みにかけたと憶測されている。▼集団の中では弱腰と見られたくないため誰もが本心でないのに勇ましいことをいう。このような無責任な指導者たちによって輔弼されていた昭和天皇。天皇もまた権威は盤石でなく弱腰と見られることを恐れ、避戦の真意を公表できなかった。▼なんとなくはじまりずるずると深みにはまった日中戦争。勝つ見込みもなく宣戦した対米戦争。ここまで来たらやむを得ない、の決断。本当に「やむを得ない」だったのか。この逡巡の要素に、戦争になった時に犠牲になる人びとは含まれていたのか。

わんクリック　日中戦争に国民の多くが鬱屈した感情を持っていた。協力して東亜新秩序を作るはずの両国がなぜ戦っているのかの疑問、弱い者いじめという後ろめたさ。戦争が終わらないのは背後に英米がいるからという思い込み (鬼畜米英)。こういったモヤモヤが「強いものに立ち向かう」日米開戦で晴れて、日本中が喜びに沸いた。山田風太郎『同日同刻—太平洋戦争開戦の一日と終戦の十五日』は必読。戦後は「安らかに眠って下さい　過ちは繰り返しませぬから」と原爆慰霊碑に和解の言葉を記した雑賀教授が、開戦時「バンザイ」と快哉をあげた、とある。これが開戦時の一般的空気だった。

History Literacy　言葉がどう受け取られるかは相手次第—「うれしい誤解」も含め、受け取られた事が事実になる。

③ハル・ノートと日米交渉打ち切り

・ハル・ノート

ハル国務長官が野村駐米大使にハル・ノートを手渡す（11月26日）

内容　「チャイナ」とインドシナ から撤退、蒋介石政権承認など要求

└ ここに満洲が含まれているのかが不明

→東条はアメリカの最後通牒と受け取り、交渉打ち切り　＊1

└ 撤兵期限が示されておらず交渉の余地はあったという見方もある

④対米開戦を望む国民世論のつきあげ ― 世論をクールダウンできる政治家の不在

a. 作られた国民の好戦的世論

└ 当時の日本社会はエリートと大衆に分離

・総力戦体制確立をめざした軍部、政府

近代戦は総力戦 ― 大衆の支持なしに遂行できないとの認識　＊2

・勃興期のマスメディア（新聞、ラジオ）

新聞は部数拡大のために煽情的紙面作り

└ 世論をミスリード　＊3

・不確かな情報に基づいて形成された好戦的世論の高まり

└ 情報が十分に開示されない中で形成（「知る権利」「知らされる権利」の重要性）

→軍部、政府自体が自ら作った世論の突き上げにひきずられる

b. 抑えこまれた反戦世論

・政治家は政治テロへの恐怖（五・一五事件、二・二六事件）で萎縮

例外　衆議院議員斎藤隆夫の反軍演説（1940）　＊4

衆議院本会議で政府に代表質問で日中戦争を批判

政党では共産党（非合法下）のみ反戦、大政翼賛会に加わらず

・非戦派軍人は主流派からはずされる ― 権力闘争できない良識派

海軍条約派など

└ 三国同盟反対の米内光政、山本五十六、井上成美など

・大衆は「非国民」のレッテルを恐れる ― 反戦運動が命がけに

治安維持法（1925制定、1928年最高刑が死刑に）で反戦思想取り締まり

特高警察、憲兵が市民生活を監視 ― 隣組による相互監視

└ 逮捕者数十万、送検数万人、死刑はないが拷問などによる獄死・病死者多数（二千人弱）

PROPOS　＊1

日本では「悪名高い」を枕に語られるハル・ノート。それまでの外交交渉の経過を無視した卓袱台返し、最後通牒ととらえた。「チャイナからの撤兵」要求の「チャイナ」に満洲が含まれるか、当時から議論が続くが結論をみない。当時の日本には「ハルさん、何おっしゃってハルんか、ようわかりいしません」（大阪が誇る尊敬の助動詞ハル）と様子を見ようとする余裕はなかった。

PROPOS　＊2

威勢よい言論で国民の危機感を煽り続けて国民を好戦的にしたジャーナリストの代表格が徳富蘇峰。国防、軍備を語ることをタブーにしてはいけない。危機感を高めるのは必要だが、それを恐怖で煽ってはいけない。人を動かすのは恐怖。顧問に怒られるのが怖くて必死で部活の時間をやり過ごした人も多いはず。いまも売名目当ての小さな蘇峰がマスコミ界隈に多く棲息する。NHK『日本人はなぜ戦争へと向かったのか』(第3回"熱狂"はこうして作られた)(2011)の分析が参考になる（オンデマンド視聴可）。

PROPOS　＊3

戦前が新聞の拡大期。煽るほどに部数拡大できた。今は逆に衰退期。新聞だけでなく出版不況。そこは割り切って排外感情を煽る本を作る出版社、配本されたものを淡々と平台に並べる書店がある。言論の自由があり、売れる本が供給される。そこにあえて抵抗しない出版社、編集者、書店。それが資本主義のマイナス面―「市場の失敗」。そういう資本主義社会の失敗を補って生きるリテラシーを身につけたい。

PROPOS　＊4

斎藤は「東亜新秩序を唱える近衛声明で支那事変が解決できるというのは、現実を無視し聖戦の美名にかくれて国民的犠牲を閑却するものではないか。（中略）政府は国民精神総動員に巨額の費用を投じているが国民にはこの事変の目的すらわからない」と的確に批判。議員除名された。

画蛇添足

▼どの国にも右から左まで様々な思想信条を持つ人がいる。これは集団の偏差の問題。多様性を維持した正規分布は社会を安定させる。ただ多数の中間層がどちらかに雪崩を起こして傾斜するとやっかいなことになる。▼現代社会は「液状化社会」（ジグムント・バウマン）。会社など中間共同体が崩壊し、帰属意識を失った個人がばらばらになった。社会が運ぶ積荷が固体から液体に代わった。そのため少しの揺れでも積み荷は大きく揺れて、土台の社会まで横倒しする。液体の内実は感情。いま民主主義は感情主義にかわりつつある。ここが雪崩を打ち「戦争も辞さず」「戦争やむなし」と荷崩れを起こさないように警戒する必要がある。▼いままた30年代と似たメディア環境が出現。世論形成のプラットフォームがSNSに変わった。当時のラジオ、新聞以上に未成熟で危ういメディア。SNSは誰もが簡単に情報発信できるため煽動に用いられやすい。受け手側の格差は当時以上に開き、感情が煽られやすい社会構造になっている。少々のことで炎上しない不燃性、揮発性の低い社会を拵えることが喫緊の課題。▼当時はアメリカがアジアで急速に台頭した新興工業国日本の抑制に失敗。今日の日本に他国を侵略する意図は皆無なのに近隣国に警戒されるのは発信力不足。超大国中国が日本のように暴走することの抑止が課題。ABCD包囲されたと「逆ギレ」した日本の経験を伝えたい。▼この危機に対応できないなら歴史を学ぶことは好事家の趣味にしかならない。歴史から学べることは限定的だが、それでもバックミラーに「歴史」という名の過去を認めながら未来に向かうしかない。大切なことは一つ。変えるのは未来、歴史ではない（※）。

わんクリック　舌鋒鋭く政敵を批判する雄弁な政治家は多い。しかし感情が高ぶった国民をクールダウンさせる力量、覚悟を持つ政治家はいるのか。ロールモデルがない存在は想像しにくい。ドイツで16年間首相を務めたアンゲラ・メルケル。ナチス時代の反省から雄弁であることを拒否した政治家。誠実だけど退屈な演説。ルター派キリスト者らしく質素な服装で自分を飾らない。人の目は気にしないが人を大切にする。移民の受け入れに「困っている人を受け入れない」政策はないと国民を説得。勿論したたかさがなければ首相になれず、過大評価は禁物。カティ・マートン『メルケル』が参考になる。

History Literacy　変えるのは未来、歴史ではない―そのためにヒストリーリテラシーを高める。

⑤対英米開戦 ― 快哉を叫んだ国民

- 1941 年 12 月 8 日、海軍が真珠湾攻撃　＊１＊２
  - └ パールハーバー、「真珠湾」は当時の名称、米太平洋艦隊が駐留

  同日陸軍がマレー半島コタバル上陸　＊３
  - └ マレー全土を支配し、ゴム・錫など資源を獲得
- 1941 年 1 月、香港攻略、フィリピン占領
  - └ アメリカの戦略重要拠点
- 1942 年 2 月、シンガポール占領、華僑に対する虐殺事件
  - └ イギリスの戦略重要拠点、住民の８割が中国系で大きな抵抗

  イギリス人捕虜約 10 万
  - └ イギリスは近代史での最大の屈辱

  占領各地で華僑に対する虐殺事件
  - └ 中国本土での抗日とリンクして、中国系住民が抗日運動

⑥戦争の世界大戦化と構図の明確化（第２次世界大戦）

- 独ソ戦、太平洋戦争で欧州とアジアの戦争が結びつき世界大戦化
- 枢軸国（ファシズム体制）対連合国（民主主義体制）と理解されてきた
  - └ ソ連は全体主義でこの図式は実際にはおかしい

  枢軸国陣営　独、伊、日、ハンガリー、ルーマニアなど

  連合国陣営　英、仏、ソ、米など 50 カ国

  中立国　スイス、スペイン、アイルランド、スウェーデンなど

⑦日本の戦争目的

- 対米宣戦に「アジアのための解放戦争」のロジックは使えず
  - └ アジアに植民地を持たないアメリカ（フィリピンは当時すでに独立準備進む）
- 開戦の詔勅

  「自存自衛」のため「やむにやまれず」開戦（海軍の主張）
  - └ 石油の確保（日米通商条約の復活など）が達成できれば停戦できる

  →開戦後「大東亜共栄圏」建設と東条首相が変更　＊４
  - └ 主として陸軍が主張

PROPOS　＊１

アメリカの予想外の強硬な態度に直面、ドイツの勝利を前提に、そして長期戦では勝てないが緒戦で勝利すればアメリカは戦意を喪失して講和を求めてくる、との希望的観測に基づいた開戦。危機管理の要諦は「悲観的に考えて楽観的に行動する」。それと真逆の行動に日本は追い詰められた。

PROPOS　＊２

海軍随一の知米派で非戦論者の連合艦隊司令長官山本五十六。ハーバード大に留学しながら授業には出ず、もっぱら自動車工場、テキサス油田など全米各地を視察。アメリカの国力を実見して勝てないと分かっていた。ただ、緒戦で連勝すれば戦意を喪失するかもしれない、とアメリカ人を読み違えていた。開戦通告が遅れ、2273 人が死亡した「だまし討ち」に米世論は激高。この日は「屈辱の日」として記憶された。

PROPOS　＊３

海軍のハワイ方面作戦と同時に（実際は２時間程前）に陸軍が南方作戦を実施。55 日間でマレー半島制圧。マレー人にとっては中国系住民（華人・華僑）による経済的支配からの解放の側面もあり日本軍を歓迎した。マレー半島のジャングル。日本軍は食糧を徴発しながらの戦争（日中戦争で皇軍は蝗軍とされた。蝗が通り過ぎたあとには何も残らない）。中国系住民の激しい抵抗にあい虐殺行為も発生、軍紀が乱れる。シンガポール陥落でイギリスに対しても緒戦の勝利。日本中、前線の実態を知らない銃後は歓喜に沸いて提灯行列が繰り広げられる。シンガポールは中国系住民が大多数。彼らに対する虐殺は数万規模になった。

PROPOS　＊４

戦争ははじめたら止めるのが難しくなる。はじめるより終わるのが難しいのが戦争。戦争目的を具体的にせず「大東亜共栄圏」の建設のような大言壮語をはいたためこれが実現しないかぎり、挙げた手を下ろすこと、戦争終結ができなくなった。

画蛇添足

▼「誰ひとり取り残さない」がいま流行のＳＤＧｓのスローガンだが、歴史教科書叙述はそれと真逆。代表的事例一つだけを取り上げて叙述する。太平洋戦争開戦も真珠湾攻撃のみ叙述。すぐあとでグアム島を攻撃したこと、海軍による真珠湾攻撃は陸軍のマレー上陸とセットであったことは記されるが、第2次真珠湾攻撃は言及されない。▼あることが記憶され、あることが記憶からはずされる。観光でグアムを訪れる人は多いが、ここが大宮島として日本に占領支配されたこと、チャモロ人の日本人化が進められたことを知る機会は少ない。▼真珠湾奇襲で撃沈された戦艦アリゾナ。千体を超える遺体は現在も艦体に残されたまま収容されず真珠湾の底に眠る。今日、真珠湾の中央にその沈んだアリゾナを跨いで白い記念館、彼らを追悼する海の墓標が建てられている。▼アリゾナの甲板は海面下すぐの所にあり、この記念館から沈没したアリゾナの輪郭がうかがえる。現在でもすすり泣くように船内から油が漏れて海面を濡らす。訪れた人がこれを目にして「真珠湾を忘れるな」の思いを心に刻む装置となっている。アメリカ社会でも間欠的にこの記憶が噴出する。▼ハワイ大学東西センター主催のセミナー「歴史は共有できるか」に参加した。全米各州と日本から参加した中高歴史教師が一週間、真珠湾攻撃の生存者、記念館の学芸員、真珠湾の自然保護官、真珠湾攻撃を研究する日米の歴史学者、ハワイの先住民など様々な人の真珠湾経験を聞き、日米双方の高校生にどのようにこの出来事を伝えるべきか話し合った。下で紹介する書籍にセミナーの貴重な成果がまとめられている。紹介することで授業に活かしきれなかったお詫びとしたい。

わんクリック　真珠湾攻撃をＦ.ローズヴェルト大統領は事前に知っていたのに、戦争を嫌う国内世論を変えるために攻撃させるにまかせた、という陰謀説。これ自体が断片的事実を継ぎ接ぎした陰謀説（※）。研究者間では決着済みの議論。大統領は日本の攻撃を予想していたが真珠湾攻撃は予想していなかった、が事実。当日、空母が湾外に退避していたのは偶然。何度否定されても歩き回り続けるゾンビ説。そうでも考えないと対米宣戦の説明がつかないためか。矢口祐人、中山京子ら『入門ハワイ・真珠湾の記憶』、上記セミナーの報告集『真珠湾を語る―歴史・記憶・教育』が真珠湾を語るうえで押さえるべき２冊。

History Literacy　陰謀がなかったとしても、陰謀論が唱えられる背後に社会、人間への不信があること、に注意。

緒戦の日本の勝利（～1942年5月）

①緒戦の勝利

a. 英領香港（1941.12.）占領

b. 米領フィリピン占領（1942.1. マニラ、5. 全土）

- アメリカが独立約束（1934）、自治政府（ケソン大統領）が独立準備（1935）
  →司令官マッカーサーは単独脱出、日本軍は歓迎されず　＊1
  大量の捕虜投降に際して捕虜虐待発生（「バターン死の行進」）　＊2
- 日本の軍政開始に対して激しい抵抗運動（ゲリラ戦）展開

c. 英領マラヤ占領（1942.2.）

- マレー人には比較的歓迎されるが、中国系住民が抵抗
  →半島各地で抵抗する華人・華僑を虐殺
  └ とりわけ華人・華僑が住民多数派のシンガポールで大規模な虐殺

d. 英領ビルマ占領（1942.3. ラングーン、5. 全土）

- ビルマ独立義勇軍と侵攻、援蒋ルート遮断が目的
  └ 事前に日本軍（南機関）がアウンサンらを国外で軍事訓練、組織
- 日本は名目上の独立を認める（1943）
  └ 戦況劣勢で連合軍への対抗と抗日運動を押さえるためバ・モオ政権樹立
- アウンサンは抗日組織を結成（1944）、全国的蜂起（1945）
  └ 日本とうまく距離を取る、日本軍のインパール作戦失敗後に抗日運動開始

e. 蘭領東インド占領（1942.3.）

- オランダ統治が過酷だったため当初は解放軍として歓迎
- インドネシアは戦場にならず、抗日運動も組織化されず安定
  └ オランダに民族運動が徹底弾圧されていた
- 資源基地としての重要性から独立認めず最後まで軍政
- 飢饉と強制労働で多数の犠牲者（推計400万人）　＊3
  └「ロームシャ（労務者）」が現在もインドネシア語に定着
- 戦争終盤に協力を得るため将来の独立を約束（1944.9.）
  ジャワ防衛義勇軍の組織など独立準備
  └ のちにインドネシア独立運動の中心に、戦後一部の旧日本兵も協力

PROPOS　＊1

人間は絶対評価が苦手。物事を他との比較で相対的に評価する。フィリピンは半世紀にわたるアメリカの支配を、先行したスペイン統治と比較して善政と評価。その後の日本軍の軍政を圧政ととらえた。逆にインドネシアではオランダ統治と比較して、日本軍を当初、解放軍として歓迎した。

PROPOS　＊2

フィリピンでの緒戦で本間雅晴中将に敗れたマッカーサーは部下を見捨てて I shall return. と逃亡。残された米兵、フィリピン兵数万人が大量投降。日本軍は彼らに収容所まで徒歩での長距離移動を強いた。炎天下での移動で1万を超える犠牲者が生じ、捕虜虐待―「バターン死の行進」と非難された。責任者は戦後逃亡。戻ってきたマッカーサーにより本間が処刑された。人格識見の高かった将校とされる（角田房子『いっさい夢にござ候―本間雅晴中将伝』）。

PROPOS　＊3

国連の報告では、日本軍占領中の飢饉と強制労働によりインドネシアで約400万人が死亡したとされる（日本の大戦中の死者310万を超える規模）。ソ連のスターリンがウクライナ農民の犠牲で第一次五カ年計画を推進したことで引き起こしたホロドモールとされる大量飢餓死と同じ規模。これを今の日本人は忘れている。インドネシア語に「ロームシャ（労務者）」という日本語が残る。日本軍は支配した人びとを国際法に違反して強制徴発。映画『戦場にかける橋』で知られる泰緬鉄道（タイとビルマを結ぶ）。建設に際して十数万人の捕虜、現地人労働者を労務者（ロームシャ）として動員。彼らに犠牲を強いた。タイにあるJEATH戦争博物館の前庭には「許す、しかし忘れない（Forgive but Not Forget）」の文句が刻まれる。

PROPOS　＊4

自存自衛を目的とした海軍が進軍限界から逸脱。国力で維持できる範囲を超えて戦線拡大。後の絶対国防圏が日本軍の限界。

画蛇添足

▼戦争目的をめぐり陸軍と海軍の間に議論があった。当初の詔勅は「自存自衛」。ところが東条首相によりなし崩し的に「大東亜共栄圏」となった。東南アジアを欧米支配から解放して共栄圏を築く、は後付けの理由。日本陸軍の仮想敵国はソ連で北進がその目標だった。▼独ソ戦がなければ日本の南進はなかった。ナチスの快進撃で宗主国の空白地帯となった東南アジアを火事場泥棒的に狙った。計画していないから占領後の政策もなかった。泥棒を捕まえてから縄を編むことを泥縄式という。そのように拵えられた戦争目的。▼しかも実現できない大言壮語を目標にしたから矛を収められなくなった。他方、連合国が戦争目的として掲げたのが大西洋憲章。ただチャーチルはこの原則をアジアに適用するつもりはなかった。実際にイギリスのインド統治と矛盾。その欺瞞を利用した面もある。▼建前として掲げたつもりでも、その建前が逆手に取られて建前だけでは済ませられなくなる。そのようなダイナミズムが社会では働く。偽善的な目標も掲げられたものは新たな規範として働く（※）。政府が立てた机上の目標や計画を、現場の人間が苦労して形に落とすことで社会をまわしていくのが今日まで続く日本の行政の伝統。▼現場での一方的な掠奪などできない。現地で占領政策に携わった人たちは現地の人びとの納得と協力を得ながら占領地行政を進めていった。その人間関係の中でのちに独立運動に力を貸した人たちもいた。ただしそれは小さなエピソード。▼全体として活況だった物流網を麻痺させてしまい、各地で深刻な食糧不足を引き起こした。インドネシアやベトナムでは桁違いの餓死者が発生するなど無数の人びとに犠牲を強いた。

わんクリック　ノンフィクションライター堀川惠子が過去の忘れられた出来事を掘り出す優れた仕事をしている。被爆地「ヒロシマ」を扱った『原爆供養塔 忘れられた遺骨の70年』から、軍都「広島」を扱った『暁の宇品』まで。後者は、陸軍の補給、輸送の拠点、広島宇品の陸軍船舶司令部のこと。旧日本軍は補給や後方支援を重視しなかった。前線に到達する前に彼らを載せた船が沈み（海没死）、前線についても戦うための食糧が届かず、敵ではなく、飢餓と戦い敗れた（餓死）のが先の戦争の実相。とりわけ兵站（食糧、武器、医薬品など必要物資の輸送）の計画が十分に立てられていなかった。

History Literacy　建前であったとしても言葉になったものは現実を変える（「こう書いてあるのに現実は違う」と非難できる）。

②シーレーン防衛の失敗　＊1

└ 兵站（ロジスティック）を軽視した日本、当初、護送船団方式をとらず無警戒

- 日本は開戦時 600 万トンの船舶保有（世界第３位）

  軍用に 300 万トン、商用（南方の資源の輸送用など）300 万トン

- 真珠湾攻撃直後、米海軍は「無制限潜水艦作戦」採用（国際法違反）

  └ アメリカはドイツのこれに反発して１次大戦参戦

  →南方からの資源輸送船、南方への兵士輸送船舶攻撃で大量海没死

  →南進で確保した資源を日本に運べず

③「大東亜共栄圏」構想（1942.1.）　＊2

└ 連合国の大西洋憲章（1941）に対抗して自由、アジアでの民族自決を掲げる

- 資源獲得を目的とする占領政策展開

  └ 無価値の軍票（特殊紙幣）を乱発して物資を徴発、労働力を徴用

- 大東亜会議開催（東京、1943.11.）

  満洲国、汪兆銘政権、フィリピン、ビルマ、など日本の作った国が参加

戦局の転換

①戦局の転換 ― 海軍暴走の悲劇

- 1942 年６月、ミッドウェー海戦　＊3

  日本の連合艦隊大敗、太平洋戦争の転機

  └ 空母４隻（と大量の優秀なパイロット）を失い、制空権、制海権を失う致命的敗北

- 1943 年２月、ガダルカナル島撤退

  └ ソロモン諸島、多くの餓死者で「餓島」とされた、初の領土喪失　＊4

- 1943 年 11 月、カイロ会談　＊5

  出席者　チャーチル、ルーズヴェルト、蒋介石

  内容　日本の無条件降伏、朝鮮の独立、台湾の返還

- 1943 年 12 月、第１回学徒出陣　「学徒は戦場へ」

  └ 大学生（これまで徴兵免除）にも徴兵、遺稿集『きけわだつみの声』

- 1944 年３月、インパール作戦失敗

  援蒋ルート遮断のためインパール（インド、アッサム地方、英軍拠点）攻略はかる

  └ 戦争後半、権力者が自分の地位を守るために無理な作戦を強行、兵士が犠牲になった象徴

- 1944 年７月、サイパン島陥落（日本の委任統治領マリアナ諸島）、玉砕

  日本の「絶対国防圏」崩壊で日本本土へ B29 による空襲本格化

PROPOS　＊1

日本の近代化は造船業の歩み。開国時に持たなかった近代船舶を長崎で作りはじめ、世界有数の造船大国（米英に次ぐ）となったがそのほとんどが大戦中に海の藻屑（もくず）となる。戦地へ送られる兵士が海に放り出された（戦死者の１割強、40 万人が海没死）。最後はその長崎が原爆で攻撃された。神戸に「戦没した船と海員の資料館」がある。

PROPOS　＊2

「大東亜戦争」と呼んでアジアから植民地解放する聖戦としたが、植民地支配する台湾、朝鮮は解放せず、説得力を欠いた。

PROPOS　＊3

緒戦で米艦隊を壊滅させて「戦争継続の戦意をくじく」ことにしか勝機を見いだせなかった山本五十六。軍令部の反対を押し切ってミッドウェー海戦を強行。「成功は失敗のもと」の轍（わだち）を踏み、空母４隻を失う大敗。無理をした成功のためさらなる無理―ミッドウェー海戦が必要になった。敗戦は転進と国民に伝えられた。死者たちの名を取り戻すため私財を投じてこの海戦を記録したのが澤地久枝『滄海（うみ）よ眠れ』。

PROPOS　＊4

アメリカ（ハワイ）とオーストラリア間（日本はオーストラリアのダーウィンも空爆）のシーレーンを分断するために占領したのがガダルカナル島（ソロモン諸島）。ここへの物資補給ができず２万人の戦死者のうち１万５千人が餓死。「日本兵の墓場」となった。いま中国が同じ理由でここに進出。

PROPOS　＊5

大西洋会談で表明されたのはヨーロッパの戦後秩序のみでアジアは未定。抗日を続ける蒋介石が初めてチャーチル、F. ローズヴェルトと会談したカイロ会談。チャーチルに植民地インド、香港を手放す気持ちはない。蒋はチャーチルに反発するがその支援は必要。チャーチルも蒋の抗日継続は必要。代償として台湾の返還が約束された。

画蛇添足

▼「一日も早く戦をやめましょう。一日遅れれば、何千何万の日本人が無駄死にするのですよ」と米内（よない）光政（みつまさ）海相に具体的な数字を挙げて迫った井上成美（しげよし）海軍大将。戦後は自宅で子どもに英語を教える極貧生活を送った。▼メンツにこだわり「戦ってみせます」と言った高級将校。メンツにこだわり和平、終戦機会を何度も逸した首相。その度に犠牲になったのは若者。ようやくメンツを捨てた天皇の判断がなければ終わらなかった。それなのに今またメンツにこだわり過去の日本は間違っていなかったと事実を直視しない風潮が強くなっている。▼特攻作戦の一つ、人間魚雷の訓練基地が瀬戸内海の大津島（おおつしま）にある。知覧などの特攻記念館と同じで、展示されてある遺書は涙なしに読めない。しかし元搭乗員は「回天記念館にはたくさんの遺筆や遺書がありますが、それは家族を不安がらせないため、そして自身を説得、励ますものなのです。そのように見てください」と釘をさす（岩井忠正、『回天記念館と人間魚雷「回天」』）（※）。▼おかしいと分かりながら一度きりの人生を諦（あきら）めるしかない、愛する人を残して死ぬしかない、そういう自分を納得させるしかなかった若者たちがいた。「いまから特攻敵艦に体当たりします。これまでありがとうございました」として通信が断たれた攻撃は「戦果あり」と計上された。▼私たちは敗戦の受益者―特攻作戦で命を失った若者たちのことを思う度に、否応なしにそのことが意識にのぼる。彼らの自己犠牲精神の崇高さを称えること以外、何も言えなくなる。彼らを無駄死と計上できない心情が分かる。ただそれが数字を独り歩きさせて全体認識を誤らせ、さらなる犠牲に繋がった。「無駄死」と迫った井上成美には勇気がある。

わんクリック　NHK 戦争証言アーカイブス。元兵士の証言が多く保存。最も悲惨とされた兵站なきインパール作戦の生き残り兵士の証言。物資の補給―兵站を無視した無謀な戦略。気性の激しい司令官が現実離れした計画を強行。参加した日本兵のほとんどが死亡する「史上最悪の作戦」、退却路は「白骨街道」。マラリアが猖獗（しょうけつ）をきわめる。亡くなるとすぐにウジや赤蟻などで覆われる。一番柔らかい目から食べられて、ハゲワシにたかられ二日間で白骨になったと語られる。NHK スペシャル『戦慄の記録　インパール』（2017）を見て「これはうちの職場だ」と既読感を持った視聴者が多くでた、と話題になった。

History Literacy　行間の思いを丁寧に読む―非業の死を引き受けた人たちが遺したメッセージを誠実に受け取る。

②フィリピン戦

・1943年10月、日本はフィリピンに独立付与

・1944年10月、レイテ島沖海戦 — アメリカの反撃開始

史上最大の海戦で日本の連合艦隊壊滅　＊1

最初の神風特別攻撃隊（特攻隊）が出撃

└ 最初は海軍、陸軍も対抗して開始、「特別」が以後、通常攻撃に

首都マニラ（ルソン島）で市街戦（1945.2.～3.）　＊2

└ 首都での市街戦、フィリピン市民死者10万

ルソン島全域でゲリラ戦（～1945.6.）

└ 本土決戦を遅らせるため、フィリピン人の死者100万に

③沖縄戦

・1945年2月、硫黄島の戦い（～3.、玉砕）　＊3

└ 小笠原諸島で唯一、飛行場あり

・1945年4月、沖縄戦開始（～6.23）

└ 米軍はフィリピンのあと、台湾でなく沖縄に上陸

1500隻、50万人の米軍が上陸

└ 持久戦のため無抵抗で上陸許す

5月、首里城陥落、南部の摩文仁（まぶに）地区へ撤退し抗戦　＊4

└ 本土決戦遅らせるため沖縄は「捨石」扱い（「本土」とみなされず）

住民がすでに多く摩文仁地区に避難していた地域

└ 点在する自然の洞窟（ガマ）などに避難

根こそぎ動員で住民を巻き込んだ戦闘

└ 高校生も壕内で負傷兵看護などに動員（「ひめゆり学徒隊」）

6月、軍司令官自決で軍の組織的抵抗は終結（23日）

└ 降伏命令の代わりに解散命令を出したため米軍の攻撃続く

住民は南端に追い詰められて自決　＊5

└ 別の価値観の存在を知り、自決しなかった人々も存在

・沖縄戦の犠牲者19万人弱のうち12万人が県民（うち9万人強が住民）

└ 戦前の沖縄県人口約49万人、県民の4人に1人が犠牲

PROPOS　＊1

太平洋最大の決戦レイテ沖海戦。自ら従軍した作家の大岡昇平（おおおかしょうへい）が無名のままに亡くなった夥（おびただ）しい仲間の鎮魂のために、何が起こったかを個人名を用いて書き残した。死んだ兵士たちに捧げた小説『レイテ戦記』。

PROPOS　＊2

フィリピンで日本の支配は歓迎されず抵抗が続いた。戻ってきた米軍と避けねばならない首都（マニラ）で市街戦を展開。敗れた日本軍は米軍の本土進攻を遅らせるためルソン島全域のジャングルに逃げこみゲリラ戦で抗戦。日本兵の被害は約20万人。日中戦争に次ぐ犠牲者数だが、フィリピン人に対して100万人の犠牲者を強いた。

PROPOS　＊3

硫黄島の激戦で栗林忠道（くりばやしただみち）率いる日本軍は降伏せず玉砕。この戦いを日米双方の視点から描いたのがクリント・イーストウッドの映画『硫黄（いおう）島からの手紙』『父親たちの星条旗』（特に前者）。戦争中、大本営は投降を禁じ「玉砕」として戦死を美化（玉が美しく砕ける様と関連づける）（※）。国民に名誉や忠義を重んじて潔く死ぬことを求めた。立派な司令官だが部下に玉砕を強いた。

PROPOS　＊4

地形が変わるほどの激しい艦砲射撃が行われその有様は「鉄の暴風」と呼ばれた。一辺数kgの尖った鉄片が空中を飛び交った。当たれば即死。そこに追い出された。

PROPOS　＊5

集団自決、崖からの飛び降り—何が住民をそこまで追い詰めたのか。いろいろな背景がある。普段から在郷軍人の武勇談—自分たちが大陸でした残虐行為（女性を強姦して殺す）を聞いていたことも指摘される。女性は自分たちも同じことをされると恐怖した。遡るが関東大震災時に起こった朝鮮人虐殺も、東学党の乱の残党狩りで残虐の限りを尽くした在郷軍人の恐怖感—今度は自分たちがされる、があったと指摘される。

画蛇添足

▼戦前の日本の大衆は「戦争の実相」の悲惨さを知らなかった。いまの私たちもまたそれを知らない。戦後、実際に戦争を経験してしまった人たちが戦争の実相を伝えようと様々な平和教育を行ってきた。▼沖縄の南端の海岸まで追い詰められ「ばらばらに逃げよう。誰かが生き残って何が起こったかを伝えよう」と別れた（仲宗根政善『ひめゆりの塔をめぐる人々の手記』）—そういう戦争経験者が戦後の平和教育を支えてきた。その人たちはほぼ鬼籍に入られた。私たちはそういう語り手のいなくなった戦争体験の継承の問題に直面している。▼地獄のすべてが集まったとされる沖縄戦。大本営から本土決戦準備のための時間稼ぎをするように命令された牛島満軍司令官。その二つの指令が、軍人より住民の犠牲者の方が多い悲劇を沖縄にもたらした。一つは首里が陥落しながら降伏せずに、軍に対して住民の多くが避難していた南部への撤退命令をだしたこと。軍が使うからと、住民は避難していたガマから砲弾が飛び交う戦場に追い出された。もう一つは彼が6月23日に自決した際に、残った県民に最後まで戦えとした命令。そのため沖縄の犠牲者数が増え続けた。▼個人名での断罪は必要。死を覚悟して沖縄県知事赴任を受諾。住民の疎開、避難などに尽力して殉職した島田叡（あきら）のような人物もいた。個人の果たす役割は大きい。しかし現場を預かった者を責めるだけでは不十分。現場から離れたところで徹底抗戦を命令した大本営。どうしてそのような命令がでてくるのか。▼二度と同じことを繰り返さないために、姿の分からない、戦争を引き起こした原因を探しつづけるのが歴史を学ぶこと。敵は思わぬ形で自らに潜んでいるかもしれない。

わんクリック　1943年の学徒出陣式。雨の中、悲壮な「陸軍分列（ぶんれつ）行進曲」で女学生に見送られる学徒兵。その多くが「無言の帰還」となった。戦争末期に徴兵され戦没した日本の学徒兵の遺書を集めた遺稿集『きけわだつみの声』。死を覚悟して、出陣前夜に書き綴った遺書。自分が死ぬことになったのも国民の一人として戦争を止められなかった自分に責任があるとの諦念（ていねん）から、「まだ見ぬ私たち」に向けてのさまざまな言葉が綴られている。出陣した学徒、無言で帰還した学徒の中には画学生もいた。未完で終わった彼らの作品が集められているのが『無言館（むごんかん）』（長野県上田市）。一度はここに身をおいてほしい。

History Literacy　注意深く言葉を選ぶ—私たちは自ら作り、使った言葉（「聖戦遂行」「玉砕」）から逃れられなくなる。

ヨーロッパ戦線の転換と終結

- ドイツが緒戦の勝利で、ヨーロッパほぼ全域を支配(~1941)
- 1942年に連合国が反撃開始
  北アフリカ戦線　ドイツへの反撃成功
  東部戦線　スターリングラード攻防戦(1942.8.~1943.2.)でソ連勝利
  └ 100万のドイツ軍の包囲、200日間の攻防戦、市民60万人が犠牲
  ドイツの敗北でソ連が反撃開始、ヨーロッパ戦局の転換点
- イタリアの降伏
  1942年11月、連合軍の北アフリカ上陸
  1943年1月、カサブランカ会談
  F.ローズヴェルト、チャーチルが北アフリカ作戦を協議
  7月、ムッソリーニ逮捕、処刑
  └ イタリア本土でレジスタンス開始、パルチザンが捕らえる
  9月、バドリオ政権が無条件降伏
- 1943年11月、テヘラン会談(~12月)
  └ カイロ会談のあとF.ローズヴェルトとチャーチルがイランに移動
  F.ローズヴェルト、チャーチル、スターリン出席
  ソ連の負担軽減のための第二戦線形成問題
- 1944年6月、連合軍ノルマンディー上陸作戦成功　＊1
  15万人の連合軍兵士が上陸成功(第二戦線形成)
  8月、パリ解放
- 1945年2月、ヤルタ会談　＊2
  チャーチル、F.ローズヴェルト、スターリン出席
  ドイツの無条件降伏とドイツの戦後処理
  ポーランド問題
  国際連合設立問題(安全保障理事会における拒否権問題)
  秘密協定としてソ連の対日参戦　＊3
  スターリンはドイツ降伏2～3カ月後の参戦約束
  ソ連の樺太、千島列島領有などを承認
- 1945年4月、ソ連軍によるベルリン進攻、ヒトラー自殺(30日)
- 1945年5月、ドイツ無条件降伏(7日)

PROPOS　＊1
戦争中、ソ連が要求し続けた第二戦線の形成。行われたアイゼンハウアー指揮の「史上最大の上陸作戦」では上陸しようとした多くの兵士が迎撃されて無為に斃れた。映画『史上最大の作戦』(1962)は史上最大の戦争大作。『プライベートライアン』(1998)がはじめてCGで戦争のリアルな悲惨さを再現(最初の30分の映像)。しかし、死臭を欠くこの映像が本当のリアルかと議論になった。現地のノルマンディー平和記念館(カーン)はこのあと上陸地点を訪れる来館者に、戦いを上空の高い地点から撮った俯瞰的で詩的な映像を見せる。命を失った無数の若者の鎮魂と和解を優先させている。

PROPOS　＊2
ソ連を離れられないスターリンはF.ローズヴェルトのため温暖なヤルタを選ぶ。この遠隔地に病気を押して参加した彼は憔悴してみえる(ただし2カ月後に大戦の終結を見ずに死去するとは予想外)。会談で彼はスターリンに譲歩しすぎたとされる。スターリンから樺太・千島列島の割譲を代償に対日参戦の約束をとりつけた。大西洋憲章の精神に反する秘密協定。本土決戦で多くの米兵の被害がでると想定。満洲に日本兵を張りつかせたかった。参戦をしぶるスターリンを説得するための譲歩。この会議で戦後の米ソ二大国主導の国際政治の枠組み(ヤルタ体制)が形成。会議に招かれなかったフランスは戦後、この決定に縛られる理由はない、とヤルタ体制と距離をとった。

PROPOS　＊3
ソ連の対日参戦が今日の北方領土問題の淵源。ソ連はヤルタ秘密協定とサンフランシスコ講和会議による領有を主張。冷戦時代、アメリカも意図的にその帰属を曖昧にすることで日本とソ連を離反させ、日本を自陣営に繋ぎとめてきた。北方四島は講和で放棄した千島列島に含まれない、が日本政府の立場。ロシアの不法占拠が続くが、日本の支配期間より、ロシアの不法ではあるが実効支配の方が長くなってしまった。

画蛇添足

▼戦争中の出来事をめぐっては「強制性」の有無をめぐって議論が繰り返される。その時、人びとが描く「強制」のイメージが異なるから議論はかみ合わず空転する。まず定義から始めるのが学問。▼いまでも社会は「強いられた自発性」と呼ぶべきもので動く。洗練された権力は、あからさまな暴力を使って人を動かさない。閉ざされた人間関係の中で人に無理強いして心ならずも行為させる。そのような自発性を引き出す。▼生存者罪悪感から、若者が自ら志願したと美談化されがちな神風特攻隊。特攻隊は志願兵からなったと言っても志願は形式の問題、志願せざるを得ない状況が作られた。司令官の熱い話のあとで「熱望」「希望」「否」と書かれた紙を配布したのは若者を軽く見た例。▼尊厳に訴えたのが皆の前で「志願する者、一歩前へ」。自分が前へ踏み出さなければ他の誰かが死ぬことになる。多くの若者が自らを前に差し出した。神風特攻隊は学徒動員兵が中心。十分な訓練期間がなく、空中戦の技量がないと自覚。「体当たり攻撃なら」と志願することもあった。シベリア抑留から生還した石原吉郎は、戦争では損な役回りを自ら引き受けた人が死んでいったことを「もっともよき人はかえってこなかった」と書く。▼同じ命であっても戦死者への向き合い方に格差を作っている。特攻死にはさめざめと涙を流すが、南方にいく途中で海没した兵士、南方の密林で死んだ兵士の死への言及は少ない。そして侵略してきた日本兵に抵抗するため徴集されて死んだ中国兵に対して私たちは涙を流さない。彼らのライフストーリーに接することがないので感情移入ができない。自国の戦死者にしか涙を流せない身体を歴史教育が作る(※)。

わんクリック　近代市民社会では「責任」が大切。「責任」をとらせるために「意思」の存在が協調される。そのために「結果」から遡及して「原因」が突き止められる。私たちは自由意志を持っている能動的存在(「する」存在)でもあるし、それを持たない受動的存在(「される」存在)でもある。しかし、そうではない形で世界と関わることもあるとして、「中動態」の世界を提示して蒙を啓かせてくれたのが國分功一郎『中動態の世界』。私たちの行為の中には、能動と受動では分類できない「中動態」として理解すべき行為がある、と考察している。「強いられた自発性」のような行為を考えるときに参考になる。

History Literacy　知らない人に感情移入できない—歴史教育が自国の戦死者にしか涙を流せない身体を作っている。

日本の無条件降伏

①長引いた終戦の決断 ― 約310万人の日本人の犠牲者のかなりが最後の半年に集中

- 1944年7月、サイパン陥落で東条内閣辞任　＊1
- 小磯内閣は和平を模索するが短命
- 終戦のために鈴木貫太郎内閣
  - └ 天皇の元侍従長で気心知れる、二・二六事件で重傷

②無差別都市攻撃

- 1945年3月10日、米軍が東京空襲
  - └ 焼夷弾を使った爆撃で東京の下町で10万人以上焼死
  - 3月26日、沖縄戦 (~6.23)
  - └ 本土決戦のため時間稼ぎ、住民を含む死者20万人以上の激戦
- 日本各地の都市が空襲の対象となる
  名古屋、大阪、神戸、姫路、横浜など各地が空襲 (~8月)

③ポツダム会談とポツダム宣言

- 1945年7月17日、ポツダム会談 (~8.2)
  - └ 会談前日に原爆実験成功 (米)
  - 出席者　チャーチル (アトリー)、トルーマン、スターリン　＊2
  - └ 会議中の総選挙で保守党敗北
  - 内容　ドイツ戦後処理問題、日本無条件降伏、戦後処理問題
- 1945年7月26日、ポツダム宣言通告、日本政府は黙殺　＊3
  - └ 結果的にこの日から受諾までの20日間に日本は甚大な被害を被る
  - ソ連の和平仲介に期待
  - └ すでに4月段階で中立条約不更新を通知してきていた相手で甘い見通し
  - 国体護持 (天皇制の存続、天皇の処遇) の可否不確かで判断できず
  - └ 受諾させたくない (原爆を使いたかった) トルーマンの作為説も根強い

PROPOS　＊1
はじめるより終わらせるのが難しい戦争。動いているものを止めるのは負荷が高い。勝っていると慎重になるが負けていると大胆になるのがギャンブルと戦争。軍はサイパン陥落で必敗と理解したのに止められなかった。なぜ止められなかったのか。

PROPOS　＊2
4期目すぐに急死したローズヴェルト。党内抗争の妥協策としてで副大統領に選ばれたが、何も知らされず何の準備もなかったトルーマンが「まさかの大統領」として戦争指導を引き継ぐ。原爆開発の事実も知らなかった彼が日本に対する事前警告なしの使用を決定。対外的には戦後の冷戦を見据え、国内的には巨額の開発費用を正当化するための政治的決断。ポツダム宣言では国体護持に関する条項を外して、原爆投下まで日本が受諾できない内容とした。原爆投下を正当化するために使ったとの憶測もある。米国内でも、無警告での使用に対する反対、使用自体への反対も多かった。

PROPOS　＊3
国体護持―太平洋戦争末期、連合国との講和を模索する重臣、宮中側近勢力は天皇制―天皇の地位、権威、権能をそのままにするという条件での戦争終結をめざした。

PROPOS　＊次ページ
鈴木貫太郎首相は終戦のために動く。「弱腰」圧力、テロの脅威の中で天皇との阿吽（あうん）の呼吸で「聖断」を仰いで、終戦にこぎつけた。本来、御前会議は形式的なもので内閣の一致した輔弼を天皇が承認するだけの儀式。この時、はじめて内閣不一致の案件が御前会議にかけられて天皇が裁断することになった。そこでポツダム宣言受諾を決定。有利な講和をしたい思惑に引きずられた「遅すぎた聖断」との批判も強い。ソ連の仲介可能性を見誤り、ポツダム宣言に「ノーコメント」とコメント。それでもこの判断がなければ、日本は本土決戦に突き進み、地獄絵が展開された可能性が強い。

画蛇添足

▼先の戦争をどう呼ぶべきか。未だに共通了解はない。新東亜新秩序を樹立するという名目、「大東亜戦争」(東条英機) という名で遂行された。歴史とは現在の観点からの過去の評価。戦争正当化のために用いられた当時の名称を使うのは不適切。▼戦後日本を占領したGHQは「太平洋戦争」と呼ぶように指示。しかしこの呼称では、日中戦争が同時に続いていた事実、日本は中国に勝てなかった (負けた) 事実を見えなくする。実際に太平洋戦争という呼称はアメリカの意図するように機能してきた。中国の抗日戦の意義を弱め、アメリカこそが日本の軍国主義打倒に最大の貢献をしたように歴史認識を誘導する。▼戦争は満洲事変 (1931) 年から続くとみた「十五年戦争」という呼称もあったが、正確さが必要な認識で十四年の戦争の数字を丸めるのはどうか。事変後、日中関係は一時期好転もした。中国は盧溝橋事件からの「抗日八年戦争」とする。またこの名称は中国だけに焦点をあてている。アジア全体を視野に入れた「アジア・太平洋戦争」呼称が妥当という意見は強い。▼「昭和の戦争」と呼ぼうという提案もある。どう呼べばいいのか分からず、筆者は授業で「先の戦争」「前の戦争」と誤魔化してきた。敗戦から78年 (2023年時)。幸いなことに78年前の戦争を「先の戦争」と呼べる戦後78年の平和がある。その間に戦争がなかったから使える呼称。▼当時の記録を読む機会が多くなると支那事変、大東亜戦争呼称の方に馴染んでしまい、日中戦争、太平洋戦争の呼称に違和感を持つ。しかし冒頭で触れたように過去の出来事を現在の言葉で再構成したものが歴史 (※)。歴史書を読んで違和感を持つ感覚。これを大切にすればよいのだろう。

わんクリック　東京大空襲の経験を伝える公立施設がない。その代わりをしてきたのが被害を受けた下町にある民間の小さな東京大空襲・戦災資料センター。運営資金の問題はあるだろうが、公立より体験を語り継ぐ使命感を持った人が携わるこのような施設の方がよいと感じる。気持ちがこもっている。空から爆弾で攻撃される恐怖、非道さを実感する不可欠な施設。公立で必要なのは、過去の国策の過ちを徹底分析した施設。日本の威信をかけて、諸学問を総動員して、深く多角的に過去の誤りを分析し、それを世界の共通財産として公開する学習センター。そういう形で日本の知力を世界に示せないか。

History Literacy　歴史は現在の観点からの過去の評価―過去の出来事を現在の言葉(概念)で再構成したものが歴史。

④原爆、ソ連参戦、敗戦

- 8月6日、広島原爆攻撃（投下）　＊1
  └ 死者約20万人
- 8月8日、ソ連の対日参戦 ― 日本が戦争終結を決めた主因　＊2
  └ 翌日、満洲・樺太・千島列島に進軍
- 8月9日、長崎原爆攻撃（投下）
  └ 死者約14万人
- 8月14日、ポツダム宣言受諾を連合国に通知　＊3
  天皇の「聖断」、日本が無条件降伏
- 8月15日、国民に対して玉音放送で受諾を公表
  └ 外地では戦闘継続した地域あり（武装解除命令が地域により不明確）
- 8月22日、軍に対して戦闘行為の停止命令
  └ 軍の暴発を防ぎ、武装解除するまで緊迫した一週間

15日時点で内外に約800万人の兵士が展開、一部で徹底抗戦の動き
└ 特に負けていなかった支那駐兵軍105万は敗戦認めず

- 8月30日、マッカーサー率いる占領軍来日
- 9月2日、ミズーリ号上で公式に降伏文書調印、2次大戦終結
- 9月7日、沖縄戦で降伏文書調印、9月9日 中国で降伏文書調印

大日本帝国の解体 ― 朝鮮、台湾の独立と在外日本人の残留、抑留、引き揚げ　＊4

- 植民地朝鮮、台湾は日本から独立
  └ 日本とドイツ、イタリアは敗戦で植民地を手放し、植民地解放戦争を経験せず
  日本人の意識変化 ― 多民族国家から「単一民族国家」へと自己規定
  └ 小熊英二『単一民族神話の起源』『〈日本人〉の境界』参照
- 外地の約660万人の日本人の引き揚げ ― 人口の1割相当の帰還　＊5
  輸送船なく、敗戦国日本に受け入れも余裕なく、各地で残留続く
  中国国民党政府などは日本人技術者の残留を希望
  └ インドネシア、ベトナムなどでも一定数の日本人、日本兵が残留
  →最終的に大部分が引き揚げるが一部は自らの意思で残留（残留日本人）
  └ アジア各地に日本の影響力が残ることを嫌ったアメリカが引き揚げを推進
- ソ連によるシベリア抑留（国際法違反）発生　＊6
  50万人以上の日本人を労働力として抑留（酷寒の中での酷使で約1割死亡）

PROPOS　＊1
原爆を投下した米国は事後に非道性を自覚。最初は数万人と見積もっていたが、「地上戦突入で想定された米兵百万の命を救った」とトルーマンが数字を水増しして行為を正当化（R.J. リフトン他『アメリカの中のヒロシマ』）。いまだに米国はこの数字に固執。反省する機会を失っている。また日本占領下の国々は原爆投下を「神の恵み」とみた。

PROPOS　＊2
先の戦争は対ソ戦に備えて日本を総力戦に耐えられる国にしようと満洲、華北へ侵略したことから始まった。ソ連の侵攻は予想どおりだが、実際に満洲国にソ連が攻めてきた時、軍は住民を残して敗走した。

PROPOS　＊3
14日の御前会議。最後までメンツにこだわった陸軍上層部は国民の犠牲を承知しながら本土決戦を強く主張（陸軍暴発を押さえるためだった説も）。沖縄で満洲で、国民を守るべき軍隊が国民に死を強制する倒錯。玉音放送当日に阻止しようとする動きがあった。岡本喜八監督映画『日本のいちばん長い日』（1967）は見ておきたい。

PROPOS　＊4
大仰（おおぎょう）な言葉づかいになるが、日本が「帝国」だった記憶は残す必要がある。戦後はこのことを忘れて日本社会は日本人だけで構成される単一民族国家意識が一般化。

PROPOS　＊5
帝国の解体で海外の約660万の日本人の帰還という大事業が行われた。舞鶴港（京都）の引揚最終船入港は1958年。13年かかった。様々な理由から現地の土になろうと帰国しない選択をした人たちもいる。

PROPOS　＊6
独ソ戦で成年男性の多くを失ったソ連は満洲で捕虜にした日本人を労働力として用いた。詩人石原吉郎（よしろう）の抑留体験、多田茂治（しげはる）『石原吉郎「昭和」の旅』を薦めたい。

画蛇添足

▼日本は8月15日を終戦記念日として記憶。この前後にマスコミは恒例の戦争特集を組む。前日にポツダム宣言を受諾したことを玉音放送で国民に知らせた日。「耐えがたきを耐え」と何を言っているか聞き取れない放送。敗北したと言わず何となく「戦争は終わった」と理解させたあいまいな声明。▼実際にこの日を境に本土空襲はやんだから内地の人は終戦と理解したが、外地で戦闘は継続。正式な終戦は9月2日。この日が敗戦の日と記憶されていたが、次第に国民的記憶は、お盆と重なる15日にシフトして「終戦記念日」が定着。敗戦を終戦と記憶したことで戦争責任、敗戦国であることが意識されなくなる。▼マスコミにとり8月はニュースが夏枯れして紙面を埋めにくい月。そこに受難の記憶をテーマに「戦争の記憶を風化させてはいけない」という記事を埋めた。いまやこれが年中行事。終戦記念日は秋の季語。被害の記憶は読者の批判がこない安全な記事。抜け落ちたのは加害の日の記憶―柳条湖事件（9月18日）、盧溝橋事件（7月7日）、真珠湾攻撃（12月8日）。被害国はこれらの日付を大切にしているから記憶ギャップがある。▼なぜ原爆投下が8月6日なのか。アメリカによる原爆投下は2次大戦での最後の軍事行動、冷戦での最初の軍事行動。予定されていたソ連の対日参戦を無意味にする狙いがあった。しかし日本が終戦を決断したのはソ連参戦。ソ連仲介による休戦の可能性がないと悟ったことによる。▼驚くべきは占領に日本が一切抵抗しなかったこと。アメリカは対日戦に従事していない兵を占領軍に入れ替え。屈託なく陽気な米兵に接して鬼畜感情は親米感情へ反転。9月15日販売の『日米会話手帳』がミリオンセラーになった。

わんクリック　広島平和記念資料館本館展示がリニューアル。入口手前に生徒たちの笑顔の集合写真。1930年代とあるが今と変わらない。遺品を通じて犠牲者一人ひとりと来館者が向き合う展示になった。ガラスケースにいくつかの遺品。後壁に持ち主だった少女（13歳）の顔写真。おかっぱの凛々しい制服姿。その横に姉の短い言葉「恋もしらないまんま、焼き殺されたんです」を添えただけの展示。一人の人生のほんの断片を見せる展示が並ぶ。こういう死が14万もあったのかと、その人生の断片だけでも記憶してあげたいと気持ちが動かされ、来館者が動けなくなる、混雑もやむを得ない展示になった。

History Literacy　被害を学ぶだけで終わってはいけないが「戦争がどういうものであるか」を知ることが原点。

第二次世界大戦で世界はどう変わったのか ― 殺戮の世紀 20 世紀の象徴

①近代戦（総力戦）がもたらした桁外れの被害

・人類史上、比較例のない犠牲者

死者約 5 千万人 （当時の世界人口は約 30 億人）

最大の死者はソ連約 2700 万人 ＊1

→戦後ソ連は自国防衛のため膨張政策（冷戦の原因）

・非戦闘員の死者割合増加

都市爆撃の一般化

└ 戦争を契機に最も進化した武器が飛行機

日本の重慶爆撃（1937）、ドイツのロンドン空爆

└ 海軍の渡洋爆撃、この経験が真珠湾攻撃に繋がる

アメリカによるドイツ諸都市、日本（と日本の植民地）諸都市の無差別空爆

②日本の侵略に伴う犠牲者数（うち非戦闘員の比重の増加）

・日本の戦死者約 310 万人 ＊2 ＊3

軍属が約 230 万人（内 165 万人が陸軍）、非戦闘員約 80 万人

└ 中国で 45 万人 └ そのうち餓死 6 割（藤原彰）～ 4 割弱（秦郁彦）、海没死 40 万人

・大陸で約 1 ～ 2000 万人

└ この推定値の開きが人命が軽く扱われていた時代の象徴

中国 約 1 ～ 2000 万人

フィリピン 約 50 ～ 100 万人

└ 首都マニラでの都市戦、島内でゲリラ戦が長く展開し多くの非戦闘員が巻き添え

インドネシア 約 400 万人（餓死と強制労働）

ベトナム 約 200 万人（戦争末期に北ベトナムで飢饉、餓死）

└ 日本が水田を麻田に転用（麻の調達優先）

・連合国軍 アメリカ軍死者約 16 万人、イギリス軍死者約 8 万 5 千人

③戦争責任と死者の祈念の問題 ― 応答する責任、記憶する責任 ＊4

・戦争責任問題

└ 政府間レベルでは北朝鮮を除き解決、他方で応答責任、後続世代責任（倫理的義務）など

・死者の祈念

国家（公）のために死んだ非業の大量の死者とどう向き合うのか（※）

└ 死者、これから生まれてくる人びとも私たちの社会の構成メンバー

PROPOS ＊1

ソ連側死者数 2700 万。桁違いの犠牲者。侵略された側の被害は大きい。スターリン体制は崩壊しなかった。普通は 1 桁少ない死者数で政権崩壊（1 次大戦中の帝政ロシア）。大戦前に反体制派が完全に粛清されたこともある。開戦時の人口 1 億 7 千万（1939）は激減、男女比も崩れた。人口回復に長い年月がかかり、日本人を不法にシベリア抑留して労働力として使役した。

PROPOS ＊2

日本の戦死者は 310 万。侵略戦争なので長い戦争の割に死者数が少ない。末期に約 700 万の兵を動員したが人口比で他国ほどでない（根こそぎ動員された沖縄は例外）。前近代的な社会構造のため工場で多数の熟練工、農村で多数の小作人が必要で兵士に員数を割けなかった。非戦闘員の死者の割合が高く、多くが 1945 年に集中。

PROPOS ＊3

日本はアジア諸国に日本の死者数約 310 万と 1 桁違う多大な犠牲を強いた。統計がない時代で正確な数は分からない。中国の死者 2 千万。政治色を勘案しても 1 千万近い犠牲者を強いた。インドネシア、ベトナムの犠牲者数も日本に賠償請求するための数字だが、膨大な餓死者がでたのは事実。日本軍占領で東南アジア間貿易（分業体制）が途絶。食糧、医薬品供給が止まり百万単位の飢餓死が発生。これが日本がめざした大東亜共栄圏の現実だった。

PROPOS ＊4

当時、存在しなかった者に戦争責任はない。ただ日本人として過去の日本の遺産を受け継ぎ、豊かな生活を享受しながら、その負債は私に関係ない、とは言えない。被害者の日本の責任を問う声に応答する責任がある（この責任は他国籍をとれば消滅し、たとえ中国生まれでも日本国籍をとれば生じる）。加えて、これは国籍に関係なく、後続世代として記憶を継承して同じ過ちを繰り返さない責任が私たちにはある。

画蛇添足

▼テレビのひな壇に並ぶ芸人がいまの若者のロールモデル。画面中の画面でカメラが映すのは「素早いワイプ芸」。瞬時に場の空気を読み、気の利いた、共感度の高い言葉を発信する瞬発力、キャラがかぶらないように自分のポジションを確保して互いのキャラをいじりあうコミュニケーション力。▼心の中では反対だったが雰囲気に抗えなかった。多くが自分の立場から「仕方なく」「止むにやまれず」したことで本意でなかったと抗弁。だから戦後、責任の所在が宙に浮いた。そのような空気の犠牲となった膨大な人びとをどう祈念すればよいのか。▼自身も徴兵された丸山真男は「無責任の体系」、山本七平は「空気」という言葉で戦前の社会を分析。いまも「空気」を読まなくてはいけない社会が続く。「空気を読めない」と負の烙印を押される。「空気に流されて」「空気に逆らえなかった」―その空気を作っていたのは場の空気。上司の意向を忖度して出世するエリート。▼部下が忖度しただけ、と責任者が問われない無責任の体系。コロナ禍でもマスコミが連日恐怖を煽り続けて、政府の対応を「手ぬるい」と突き上げた。正義の代弁者として振る舞う口先芸人コメンテーター、多くの徳富蘇峰が現れ、誰も逆らえない自粛社会が作り上げられた。政治家は世論を敵にまわせない。▼ひな壇芸人、コメンテーターも「反戦」が空気でないと読めばそれにおもねる。これだけ換気の大切さが言われるのに社会の空気は淀んだまま。下は上、上は下、横並びして皆に倣え。社会全体がひな壇化。責任がどこにも帰属しない無責任体制―与野党、メディアで繰り広げられているのは自分のための椅子取りゲームとポジショントークと理解しておきたい。

わんクリック 現場には現場を知らない（忘れた）上層部から無理難題がおりてくる。現場が過重労働でこなせば「やればできるじゃないか」。現場力の強さとその責任感が社会を苦しい場所にする構造。「たま」にしか当たらないから「たま（弾）」―だから怖がるな、防空の備えをするのは軍に失礼、敵を評価するのは臆病、と精神論の跋扈。戦前の社会は既視感だらけ。市井にあって先の戦争の語り部をつとめてきたのが半藤一利（まずは『昭和史』から）、保阪正康。この両者の著作から始めて専門書にすすむのがお勧め。当時の人びとの感じ方を知るには清沢洌『暗黒日記』、永井荷風『断腸亭日乗』がよい。

History Literacy 私たちの社会に「死者（非業の死を遂げた死者）として存在」している人びと―どう向き合うか。

第 18 章　近代化と「私たち」

近代化と「私たち」　＊1

①時代区分としての近代

- 一般的な時代区分

  古代 / 中世 / 近世 / 近代 / 現代

  └ 日本史であれば鎌倉以降を中世、江戸以降を近世、特に明治以降は近代として区別

  近世 (early modern) という過渡期を設定　＊2

  近代 (18c ~) の諸特徴の萌芽期 (16 ～ 18c)

  └ 時代区分は地域により違う (日本列島でも北海道、沖縄は独自の時代区分)

- 時代区分 ― 初学者 (高校生) 用

  近代以前 ―「私たち」の相対化のために学ぶ対象

  └ 単純過去

  同じことが繰り返された伝統社会 ― 経験、知恵が受け継がれた時代

  単純再生産 (経済成長がない) で、人口もほぼ同じか微増

  └ 農業社会で生産力 (供給) は微増していくが人口増がない限り需要増加もない

  近現代 ―「私たち」を形成した時代を知るために学ぶ対象

  └ 近代 (「単純過去」と「未完の過去」の汽水域)、現代 (「未完の過去」(現在進行形))

  産業革命 (工業化) による生産力向上、資本主義確立がきっかけ

  拡大再生産 (経済成長が必須) で世界経済 (世界人口) は指数関数的増加

  └ 初期投資を他人資本に立脚、金利分以上の生産力向上が必要

②近代の特徴 ― 近代化の程度がものさし

- 動力革命による生産力向上と資本主義体制の確立

  └ 石炭→石油 (エネルギー革命) →原子力・再生可能エネルギー

- 生産力の飛躍的向上による人口増加、人口の都市集中
- 豊かさの実現と不均等 ―「貧しく平等」な社会から「豊かで不平等」な社会へ
- 世界の規格化 (モジュール化) ― 多くが取り換えが効くものに画一化

  効率的な大量生産 (機械化) のために必要な規格化　＊3

- 反近代 ― 模索されつづけてきた近代の超克　＊4

  近代への反発　機械製工業製品に対する職人仕事、手仕事の再評価

  LOHAS(ロハス)、有機農法、スローライフなどの生活態度

PROPOS　＊1

本書でも公理のように多用してきた言葉が「近代」。「何とかの近代化」は本書に頻出する小見出し。何かを「近代化の端緒」と評価、時にある出来事を「近代化の妨げ」と問題視。近代化という物差しで出来事を評価してきた (※)。「まだ封建制が残存している」「まだ近代化していない」と。また「上からの近代化」より「下からの近代化」の方が好ましい、とその実現手段にまで価値を持ち込んできた。手段の良し悪しを問うことで「近代化」自体の当否を問いの対象からはずしてきた側面もある。

PROPOS　＊2

中世から近代 (modern) へのグレーゾーンとして近世 (early modern) が設定されている。ヨーロッパでは資本蓄積が始まる 16c の大航海時代、デカルトの要素還元主義など科学的思考の芽生えとなった 17c の科学革命あたりからを近世として扱う。

PROPOS　＊3

近代資本主義社会はすべてを商品化 (扱いやすいように画一化) して消費財とする。住宅も nLDK(n ＝家族数－ 1) と規格化。その家族数すら 4 と規格化。服もＳＭＬサイズとなり、体形に合わせて布を裁断するのではなく体形を規格に合うようにシェイプアップするようになった。旅(たび)は団体旅行(りょこう)となった。それらは格安化でもあり、人びとの (見かけ上の) 生活水準向上に寄与した。考え方、行動も規格化。それが経済合理性に合致した。過去の振り返り方も国家単位での振り返りなどまた規格化されている。

PROPOS　＊4

「近代を問い直す」営みが止むことがないのも近代の特徴。近代文明の眩(まぶし)さ。その光の影にある犠牲の大きさ。炭鉱でどれだけ犠牲者が出ようと操業―近代の動力源の採掘は止められなかった。大量生産、大量消費で物質的豊かさがもたらされたが、人間も「右向け右」で右向くものにされて大量消費 (大量死) されることになった。

画蛇添足

▼過去との接し方を考えるとき、二通りの過去を想定すればよい。英語でいう単純過去形と現在進行形の過去 (未完の過去) の二通り。ペンキを塗ったベンチ。完全に乾いているのが単純過去。座った時に「綺麗なベンチね」と感想がでる時制。▼関ヶ原の戦いの叙述に際して斃(たお)れた兵士たちへの気遣いは不用。この戦いの後世における意味を叙述すればよい。それが単純過去の叙述。単純過去形で語れる時代を上の本文では前近代と一括した。それでも単純過去の解釈 (通説) は変化する。現在と関係があるから叙述の対象となるのであり、現在は過去に複雑な形で差し込んでいる。▼それでもこれは遠い過去であり「異文化」として、いまを相対化するために、長い時間軸でいまをとらえるために学ぶ対象に近い。前近代を学ばないと、前近代固有の価値体系に触れられなくなり、「いま・ここ・わたし」の絶対化に繋がってしまう。▼単純過去に対するのが現在進行形の過去 (未完の過去)。塗ったのは過去だが、まだペンキが乾ききらないベンチ。座ればペンキがつく。出来事に直接、間接にかかわった人 (当事者、遺族) が存命な出来事の叙述。この過去の語り方、叙述には気遣いが必要となる。また近現代とは、「私たち」を形成した時代。それを知るために学ぶ対象でもある。▼もちろんこのような過去の二分法は便宜的なもの。前近代と近代は交差している。現代にも多くの前近代(プレモダン)が残存する。それを見つけては前近代的と否定的に評価しがちになる。他方で前近代の中に近代を先取りした要素―江戸社会がエコなリサイクル社会であったことなどを見つけてはすでに近代を乗り越えていた (ポストモダン) と近代に軸足を置いた評価をしている。

わんクリック　資本主義における資本とは自己資本でなく他人資本 (借金)。30 歳の人が 35 年間貯蓄して 65 歳でマイホームを購入するのは馬鹿げた行為。あと何年も住めない。30 歳時に 35 年ローンで買うのが基本。金利を支払う必要があるが、借家の家賃と相殺(そうさい)されるし、何より長くそこに住める。ビジネスとは借金して展開するもの。そのため金利を上回る成長―拡大再生産が必須となる。必要な平均成長率は年 3% ぐらい。3% 成長が 20 年続けば経済規模は倍、100 年で 16 倍となる。これが 18 世紀以降の世界経済の指数関数的発展の正体。ただ拡大再生産のために常に競争が強いられる。それが近代。

History Literacy　世界史教科書の価値観―「近代化の端緒」「近代化の妨げ」と近代化の物差しで出来事を評価する。

③近代国家・近代社会・近代人　＊1

・国家レベル　主権国家として独立

国民国家 ― 国民意識（「私たち」意識の誕生）　＊2

└ 初等教育制度（国語、社会、唱歌など）

福祉国家として社会保障制度

└ 伝統社会の相互扶助に代わる

・政治レベル　議会制民主主義、近代法体系整備、教育制度

└ 近代思想（明治憲法、天皇機関説）　└ 不平等条約改訂　└ 官僚養成機関

・経済レベル　国民経済の成立（国内産業の保護育成）

└ 近代化がおこる適正サイズ

・文化レベル　国民文化（大文字の文化）

ソフトパワーとしての文化（服装、立居振舞）

④近代の両義性　＊3 ＊4

・動力革命による生産力向上と資本主義体制の確立

└ 化石燃料の使用による環境破壊　└ 成長至上主義による人間疎外状況

・生活水準の向上（平均寿命の飛躍的延伸）と豊かな物質文明を現出

└ 衛生環境、医学・薬学の発達

・多くの犠牲者を伴う近代 ― 自然環境と弱者が犠牲に

経済発展の動力源は化石燃料と低賃金労働力

└ エネルギー革命（石油）まで炭鉱労働が中心

特に日本の近代化はアジア諸国への軍事進出、植民地支配と表裏一体

大衆化と「私たち」

①「私たち」意識の芽生え

・国民国家の形成による「国民」づくりが契機

線引きによる国家の内部と外部の形成

└「国民化された人びと（「私たち」）」と「国民化されなかった（外部化された）人びと（「彼ら」）」

②「私たち」意識の高まり

・大衆の形成

市民革命以降の民衆の政治参加（選挙権の拡大）、発言力増大

産業革命以降の民衆の生活水準の向上、平準化、マスコミによる世論形成

・大衆意識の高まりと「私たち」意識の高まり

PROPOS ＊1

前近代の地縁、血縁的な村落共同体。人びとは伝統的共同体の中で助け合いながら生きた（互いの自由の制限、拘束でもあった。深沢七郎『楢山節考』が描く厳しい共同体）。前近代で人間は役割の束。成年男子なら夫らしく、父親らしく、（役人なら）役人らしく、兵士らしく生きた。個人でなく役割を生きることが「よく生きること」だった。時に国のために命を捧げた。近代とはこの伝統的な共同体を離れ、一人ひとりが「自立した個人」として、前近代には選択肢でなかった「自分らしく」生きることが推奨される時代。学制発足以降、小学校に掲げられた標語の最大公約数は「自分で考え、自分で行動できる人になろう」。そういう近代人から構成されるのが近代社会。

PROPOS ＊2

近代とは各地域で国民国家と国民を作ろうとした時代。領土（国境線）の確定、その領内住民の選別と国民化、国民の権利と義務の割り振り、安全確保と生活の向上。ただ人類史を通じてみれば国民国家がない時期が圧倒的。小さな政治単位、低い生活水準であれば国家なしで生活していけた。

PROPOS ＊3

日本は明治維新後と2次大戦後の二度の近代化を経験。「黒船」として現れた近代―西欧の衝撃（ウエスタンインパクト）は圧倒的。以来、欧米は日本が達成すべき「近代」を体現するロールモデルとなり、近代化は西欧化と同義語になった。日本で近代化は儒教の影響力を取り除くこと。藁人形化した理想の欧米との比較の中で「日本にはまだ封建制が残る」と未達成感に苛まれ続けることになる。

PROPOS ＊4

歴史を通して「民主主義」は議論のテーマでなかった。近世以来の政治主題は立憲主義と自由主義の実現。多数の政治参加（民主主義）は「大衆」が登場した近代以降の政治主題。「民主主義の歴史」を学ぶこと自体の歴史性も同時に理解しておきたい。

画蛇添足

▼本書で頻出する言葉の一つが「近代」。時代は近代で区分される。近代の誕生と同時に、その模範となる時代「古代」とそれが失われた時代「中世」が作り出された。何が近代を形作るのか。▼近代はいまの「私たち」の「十人十色」の価値観が作られた時代。対する前近代（プレモダン）は個人が未成立な「十人一色」の時代。個人は共同体の一部で「自分らしさ」が求められない「無色」の時代。そしていまポストモダンの現在は「一人十色」の時代。▼山崎正和は Nobody（誰でもない人）、Anybody（誰でもよい人）、Somebody（誰かであること）で三つの時代区分をする（『柔らかい個人主義』）。いまは誰もが、何者か（Somebody）でありたい―そして他者から承認されたいという思いに呪縛されている時代でもある（同『淋しい群衆』）。▼人間を数字に還元、員数として扱ったのが近代。一人ひとりのかけがいのなさが粗末に扱われた時代。茨木のり子に「木の実」という詩がある。ミンダナオ島で樹上の木の実に見えたものが旧日本兵の髑髏だった。「生前　この頭を　かけがえなく　いとおしいものとして　掻抱いた女が　きっと居たに違いない、（中略）もし　それがわたしだったら」の次が書けず「嵌めるべき終行　見いだせず　さらに幾年かが逝く」「もし　それがわたしだったら　に続く一行を　遂に立たせられないまま」。▼誰も Anybody と扱わない過去の語り方を探している。どの時代にも存在したのは個性を持つ個人。冒頭の近代の境界線を挿入して時代を三分する語り自体が近代の語り。非業の死を遂げた人々に納得してもらえる過去の語り方―「嵌めるべき終行」を探したい。すべての人が人生を全うできる社会を作りたい。

わんクリック　昨今の廃墟ブームを象徴するのが長崎県の端島（軍艦島）。小さな岩礁と周囲の埋立地に廃墟化した高層ビルが立ち並ぶ。海底炭田採掘のために炭鉱労働者家族1万人近くが住んだ。20世紀初頭に日本初の9階建て住宅が建設。最先端の設備で高い生活水準。一方で低層階に最も危険な仕事に従事した朝鮮人労働者が住んだ。彼らの描く島の姿は「地獄島」。現地にこのことへの言及がない。長崎港から軍艦ツアーに乗船する前に、長崎駅近くの岡まさはる記念長崎平和資料館に立ち寄りたい。近代の受益者と犠牲者の円が重ならないことも近代の両義性。犠牲だけを背負わされた人たちがいた。

History Literacy　「私たち」とは誰か―ここに誰が含まれ、誰が含まれていないのか。

グローバル化と「私たち」— その過去の語り方(ナショナルヒストリーの乗り越え方)

①グローバル化(グローバリゼーション)とは何か

・国際化(インターナショナリゼーション)

国家を基本単位とした動き、国家間の関係、自国からの視点

└自国から見た他国との関係(例—問題が国際化した)

国境の存在を前提とした動き

・グローバル化(グローバリゼーション)

地球(グローブ)全体を基本単位とした動き、俯瞰的な視点

└宇宙に浮かぶ地球を俯瞰する視点(例—地球温暖化への取り組み)

国境は存在しない

②グローバル時代の歴史認識— ナショナルヒストリーを乗り越える

a. 現在の国家を主語にした歴史叙述(ナショナルヒストリー)からの脱却

└その多くが各国国民意識涵養のための「国家の栄光の物語」

・大きな主語を避けることで内部の多様性、脱領域性に留意した語り

└例「ドイツは」→「ライン流域で農業に従事してきた人々は」

b. 現在の境界線(国境)を過去に投射しない、境界線思考を避ける

・国家の形が時代によって異なることの理解

・境界線思考からの離脱(脱ボーダー思考)

歴史叙述が作り出す境界の脱領域化

└あくまで理解のためのカテゴリー、表画法(色の塗りつぶし)と理解

c. どこにも中心を置かない認識(脱中心主義)— 視点の否定は見ることの否定か

・別の中心主義を呼びこまない脱ヨーロッパ中心主義

└対抗概念による裏返しの認識　└背広、ネクタイをヨーロッパの民族衣装と認識する

③グローバル時代の歴史認識の問題点

・国民史が果たしてきた役割の再認識—「分断」のいままた必要とされる

国民意識の醸成が、福祉国家、それを支える国民経済の前提条件

同質な「私たち」のフィクションが所得再分配、助け合いに果たした役割

・視座のない視点で過去を認識することの現実的可能性

└地球(グローブ)を俯瞰する視点の現実的可能性　└負荷が大きすぎないか

④「私たち」の拡張　＊4

・境界を越えて「私たち」の拡張、「私たち」の無効化へ

PROPOS　＊1

近代に生まれた国民国家が作り出した「私たち」という内部集団。これが福祉国家形成の原動力となった。「同じ日本人なのに」と内部の均質性(平等)を求めることが所得の再分配などを受け入れさせた。

PROPOS　＊2

近代における「私たち」の人生—「学校で学ぶ」準備期、大半を占める「働く」納税期、そのあと健康寿命が尽きるまでが自由を楽しむ年金(黄昏)期。最後は「寝たきり」期を経て、病院で死ぬ。近代以前に人が学んだのは学校でなかった。必要に応じてしか働かなかった。農業は自然のリズムに従う季節労働。安定雇用は近代の工場における大量生産時代(工業国)の特徴。ギグエコノミーは現象的にはこれへの回帰。しかし仕事を左右するのが景気のリズムになった。以前は無理な延命はしなかった。自宅で年寄りが倒れた時に救急車など呼ばず「お迎えがきた」と静かに看取った。

PROPOS　＊3

グローバルな歴史認識。国境を前提を持つ国民国家の形成は近代。前近代をこの目で見ない。国境線のひかれていない地球儀をベースに物事を考える。重要な境界は河川。地表に落ちた雨水はどこかに流れる。人の居住域は水系。水系ごとに人びとが生活する場があった。渡るのが難しい大河の場合は、両岸で別の文化が展開された。

PROPOS　＊4

グローバル化に求められるのはどこにも「境界線」を見ない脱領域的思考。内部を作る「私たち」性の解体を遠い目標において、当面は「私たち」の拡大をめざす。「私」のアイデンティティの複数性も重要。誰もが様々な顔を持ち、一つのラベルを貼られる存在ではない。日本人でもあり、世界の一員でもある拡張した「私」の眼で世界をみたい。異質性や差異を肯定するのは理解に負荷がかかり存在論的安定も揺さぶる。国籍を背負わない歴史叙述は可能なのか。

画蛇添足

▼再び「どうして人を殺してはいけないのか」を考えたい。以前、これに対して「ダメなものはダメ」としたのがカントで、彼が道徳にした理由がないことを道徳の強さにした、と紹介した。しかしこの問いは問い方が間違っている。多くの人は現実には「人を殺してもよい」と考えている。▼日本人の大多数は死刑制度に賛成。自衛のための戦争も認めている。場合により人を殺すのは仕方がないと考えている。「人を殺してはいけない」という道徳律が「人」として想定するのは「仲間」—「私たち」のこと。凶悪犯、国外の敵対勢力—私たちの共感がまったく届かない人たちは「私たち」に含めない。▼高校世界史に『歴史総合』が設けられた。内容の柱に「近代化と私たち」「大衆化と私たち」「グローバル化と私たち」が立項された。近代化(国民国家の成立)が「私たち」を作り出し、大衆化がそれを加速させた。いまその「私たち」の拡大で「私たち」自体を無効化させることがグローバル化の中で求められている。▼まだ「人」は「仲間」でしかない。「仲間以外はみんな風景」という心性が広がっている時代。ウクライナ侵攻中のロシアでは「人を愛すること」が「神を愛すること」とする正教会、ロシア正教総主教がプーチンの蛮行を祝福した。神への服従でなく、自己保身のための権力者への盲従。これまでも戦争と宗教の殺生戒は両立してきた。▼先の戦争で日本の仏教もこぞって戦争協力した。「非・仲間」は対象外だった。私もこれまで応報主義—死刑存置に否と力強く言えず、逡巡(しゅんじゅん)してきた。最近、人を死なせることを正当化するものは一切拒否したい、とようやく立場を決めた。「私たち」意識を拡大することで決心できればよかったが。

わんクリック　「今日の目で昨日を見てはいけない」(※)。現在の国民国家の枠組みで過去を見ない。これまで国民国家の歴史「ナショナルヒストリー」を綴ってきた世界史教育。この乗り越えが求められて久しい。しかしいまがグローバル化が課題な時代だからといって、グローバルという単位が有効でなかった時代までも「グローバル」な枠組みで描出してはいけない。これまでの「ナショナル」な目(一国史観)も、「グローバル」な目(グローバル史観)も、その時々の「今日の目」であり、それで昨日を見ようとすれば同じ営みになる。また、分断と対立の時代、いま再び国民意識の醸成が課題の国もある。

History Literacy　「今日の目で昨日を見てはいけない」—「グローバルな目」も今日(こんにち)のはやり目なので注意。

第 19 章　国民国家体制と東西の対立

1　アメリカ合衆国の覇権と冷戦の展開

戦勝国による戦後処理

①ニュルンベルク国際軍事裁判 (1945.11. ~ 46.12.)　＊ 1

- ドイツのナチス指導者が戦争犯罪人として裁かれる
- 平和に対する罪など事後法による裁き

②極東軍事裁判 (東京裁判)(1946.5. ~ 48.11.)

└ イギリスが中心になり担当、連合国内、各裁判官の意見は多様、2 年半かけて判決

- 日本の戦争指導者 28 名が訴追
  └ 当初、連合国は誰が日本の戦争指導者か分からず、石原莞爾など参謀は裁かれず
  「平和に関する罪」(A 級) などが裁かれる (A 級戦犯)
  └ 誤解される言葉、「A 類型戦犯」が適当
- 国民は裁判を通じて隠されてきた諸事実を初めて知り衝撃を受ける
  └ 張作霖爆殺事件、南京事件など
- 開戦時首相東条英機ら 7 人が A 級戦犯として死刑判決 (のち処刑)　＊ 2
  └ 文民では広田弘毅が唯一死刑判決　└ 7 人しか処刑されなかった、と驚く指摘も (岸信介)
- 判決に少数意見 ― パル判事 (インド) は被告全員を無罪とする　＊ 3

③戦争裁判

- 内外の各地で「 捕虜虐待など通常の戦争犯罪」(B・C 級) が裁かれる
  簡単な裁判で BC 級戦犯約 1000 人が死刑判決 (のち処刑)　＊ 4
  └ 大本営の命令で現場の担当者が行った行為の責任が問われる

戦後の講和条約

①ドイツ

└ 冷戦進行で、ドイツ、オーストリア、日本との講和条約締結困難となる

- 英米ソ仏の 4 カ国による分割管理
  首都ベルリンも 4 カ国による分割管理 (~ 1990)

② オーストリア

- 英米仏ソ 4 カ国による共同管理 (1955 年独立)

PROPOS　＊ 1

ニュルンベルクはヒトラーお気に入りワーグナーの歌劇『ニュルンベルクのマイスタージンガー』(「第一幕への前奏曲」が有名) の舞台。中世を色濃く残す美しい町。この街でナチス党大会が開催され国威発揚の舞台となった。ナチス色が強かったので連合軍の爆撃で完全破壊された。党大会跡地とニュルンベルク裁判会場跡地は現在、ナチスの負の歴史を学ぶ記念館。画家デューラー生誕地、クリスマスマーケットも有名。

PROPOS　＊ 2

茶番劇と見られるのを承知していたからこそ本気の取り組みが行われた東京裁判。「事後法による勝者の裁き」批判を意識して、証拠に基づいた実証主義で貫かれた。日本側被告にはアメリカ人の弁護士がつけられた。彼らは本来の役割を果たし、日本の被告らから驚きを持って感謝された。

PROPOS　＊ 3

パル判事は東京裁判が事後法での裁きである点を批判。被告人の行為を罪刑法定主義に基づき「違法」でないとした。しかしその行為は「不正」である、と日本の侵略行為を批判。この部分は無視して、パル判決を「日本無罪論」に短絡させる議論が多い。A 級戦犯の意味と並んで誤解が多い。

PROPOS　＊ 4

外地での不十分な裁判で千人近くが処刑された。その多くは上官の軍令による行為が問われたもの。不十分な審理が多く、約 2 百人が人違いで処刑。そのような一人、木村久夫の遺書 (『きけわだつみの声』) は「国民的財産」(保阪正康)。「大きな歴史の転換の下には、私のような陰の犠牲がいかに多くあったか」と不条理な死刑判決を受け入れた。納得できない戦争に命令されて動員され、その責任を問われて死ぬことに自分を納得させた (命令した将校の多くは戦後の人生を全うした)。加古陽治『真実の「わだつみ」学徒兵　木村久夫の二通の遺書』は必読 (※)。戦後復興の中、28 歳で刑死。

画蛇添足

▼戦後の東京裁判において、日本の占領支配を円滑に行うためアメリカは戦争責任を軍部、とりわけ陸軍、それも一部の指導者にだけ背負わせた。当時の公家出身首相は「一億総懺悔」という形で天皇と国民を免責。迷惑をかけた国々ではなく、天皇に敗戦を詫びた。▼「全員に罪がある」は「誰にも罪はない」ことであり、国民は免責された。「一億」と平等に括れない。政治家と軍人、大衆ではその責任に軽重がある。日本の植民地支配下の朝鮮人、台湾人もこの「一億」に数えられた。天皇と国民を免責する国際手続きが東京裁判。勝者と事後法による敗者の裁き。▼無差別都市爆撃、米による原爆投下、ソ連参戦など連合国側の犯罪、植民地支配は不問に付せられた。東京裁判は日本政府が受諾したポツダム宣言に基づいたもの。またサンフランシスコ平和条約でこれを受け入れて日本は国際復帰。この政治的取引で戦後の日本は冷戦体制の受益者となり、戦後の高度経済成長を享受。その中で社会に「軍部の独走」物語も定着した。▼裁判ではなく勝者による敗者への制裁。ただこれを否定しても日本が戦時中に行った事実は変わらない。むしろ改めて天皇、国民の戦争責任追及からやり直す必要がでてくる。裁判がなければ戦犯は即時処刑され、多くが語られないままになった可能性が高い。▼戦争中、東南アジア各地で膨大な捕虜のための収容所が作られた。その監視のために朝鮮人が軍属として徴発されて任にあたった。不条理が極まるのが、直接捕虜と接していたために彼らが名指しされ、日本の戦争犯罪を問われて処刑されたこと。戦後 (内地に住んでいた) 朝鮮人の日本国籍は剥奪、恩給の対象から外されたが、刑罰は免責されなかった。

わんクリック　あっという間の 4 時間半。小林正樹監督のドキュメンタリー映画『東京裁判』(1983)。米軍が収録した 50 万フィートの映像を編集。満洲事変から敗戦にいたる過程を丁寧に描く。指導者たちの、内心では戦争に反対だったがそれを言い出せる雰囲気でなかった、といった弁明。集団の中で弱腰とみられたくない。彼らを心ならずも冒険主義へと傾斜させた日本社会の構造はまだ残る。日本軍は敗戦時、証拠隠滅のため書類を焼却。裁判は証言に基づくしかなく長期に渡ったが、裁判のおかげで多くの証言が映像で残った。丹念に証言を集めた内海愛子『朝鮮人 BC 級戦犯の記録』も読みたい。

History Literacy　まずは歴史の不条理、犠牲者の無念を読み継ぐ―歴史の読み方を学ぶのはそのあとでよい。

③イタリア

- 1947 年、パリ講和条約

  イタリアは国民投票で王政廃止 (僅差)

  └ 国王が「ローマ進軍」、ファシスト政権を支持した責任問われる

④日本 ― アメリカが成功した唯一の他国占領政策

- 事実上、アメリカによる占領 (1945 ~ 51)、間接統治で日本政府残る

  └ 形式的には連合国軍　　　└ ドイツの占領支配との違い

- 全植民地を失う　＊1

  └ カイロ会談で方針決定 (劣勢の蒋介石が日本への抗戦を継続するように代償を提示)

- 日本社会の民主化と非軍事化　＊2 ＊3

  経済民主化政策 (農地改革、財閥解体、労働の民主化) など　＊4

各国で進んだ社会の平等化

- 戦時下の総動員体制下で社会の平等化すすむ
- 富裕層の没落 ―「劇的なエリートの富の壊滅」(ウォルター・シャイデル)
- 総力戦での女性の社会参加

  男性が出征、空いた仕事に女性が進出

- 日本社会の平等化

  華族制度の廃止、財閥の解体など

  └ 富裕者ほど打撃を受けて財産を失う

  戦後のインフレ

  累進課税制度の導入、高額の相続税導入

  └ イギリスが導入、日本は 1940 年導入　└ 不労所得の典型

PROPOS　＊1

日本は敗戦とともに全植民地を失う。その結果、日本は植民地独立戦争という脱植民地経験を持たなかった。同時に植民地の問題を考える契機を失った。東京裁判で植民地支配は裁かれなかった。裁く側にとっても植民地問題はタブー。連合国は韓国、北朝鮮を招かなかった。2 次大戦後の社会は植民地主義の責任回避から始まった。

PROPOS　＊2

この占領政策を日本国憲法に落とし込んだ条文が占領政策を容易にするための象徴天皇制 (第一条)、軍事的に無力化するための戦争放棄 (第九条) 条文。右派はここに反発するが、軽武装による経済重視、憲法を理由にアメリカからの安全保障コスト要求を退けることができ、経済大国となった。

PROPOS　＊3

象徴天皇制―という新しい政治形態。これは昭和の後、現上皇が天皇時代に模索。憲法上、天皇に許されるのは国事行為と私的に行う宮中祭祀。ところが現上皇は戦地の慰霊訪問など憲法に規定のない「象徴的行為」を通じて「国民統合の象徴」とする象徴天皇制のフィクションを実体化。人柄が敬愛され、国民の大多数の支持を得ていたが憲法的には微妙な問題とされる。

PROPOS　＊3

技術革新は平時の 10 年が戦時の 1 年。飛行機は速度だけでなく技術革新スピードも速い。もっぱら兵器としての技術革新。戦時中の日本の零戦は航空機史上、傑出した存在。しかし戦後は航空機生産から自主撤退。その技術を自動車生産に傾注した。

PROPOS　＊4

農地改革がいまは桎梏。二度と「不在地主ー小作人」関係を生まないように農地法は農業従事者を農家の子弟に限定。都会人が農業に興味を持っても農家になるのは難しくなった。それも農業衰退の一因 (2019 年民法改正で農地の第三者継承要件は緩和)。

画蛇添足

▼戦争に負けた日本はアメリカ占領下で民主主義を棚ぼた式に手にした。寛大な占領政策を受けた。ニューディール政策に従事した若手官僚が日本で理想を実現しようとした。アメリカの方が戦勝国ゆえ改革の機会がなく、黒人が選挙権のないまま取り残された。▼沖縄はドイツと同じく軍政下に置かれたが、沖縄以外は間接占領となり日本政府が残された。そのため戦前の日本社会の支配者層がそのまま横滑りした。同時に先の戦争を「自衛戦争」「アジアの解放戦争」とする見方も残った。戦争協力を深く恥じて戦後は謹慎した者もいたが、そういう生き方は例外だった。▼戦争ごとに大きく成長したのが三菱などの財閥。戦前の労働者は財閥が支配する競争のない社会で低賃金で搾取された。それゆえ国内市場が狭く、大陸進出に繋がった。反省から財閥が解体され、労働者の地位改善が図られ、国内市場が創出。いまも日本経済は基本的に内需で回っている。▼戦前の寄生地主制度の下で生活が窮迫した農村の小作人。東北の貧しい農民が軍人の供給源だった。軍隊生活の方がましと感じさせる貧しさがあった。戦後は農村の赤化を防ぐことも含めて農地解放が断行。土地を得た農民は一転して保守化。水田地帯は戦後の自民党を支える票田、保守の牙城となった。伝統と歴史を重んじる保守陣営が改革を推進した親米勢力に、革新陣営が反米勢力になるねじれも生じた。▼かつては戦後の占領政策が日本の諸制度を作った、と戦前と戦後に断絶をみる見方が支配的だった。最近はこれらの改革の萌芽は戦前の総動員体制にある、と戦前と戦後に継続をみる見方が有力。総力戦遂行のために民主化が進んだとみる。しかしその代償は大きかった。

わんクリック　ウォルター・シャイデル『暴力と不平等の人類史』。これまで不平等を是正してきたのは「戦争・革命・崩壊・疫病」の 4 要因だけという気が滅入る指摘。いずれも多大な犠牲者を伴う破壊的事態。これまではそうだったかもしれない。しかしこれからもそうである必要はない (※)。いま社会は「根本的、抜本的に」変えなければ、と上記の認識を是認する主張が支持を集める閉塞状況。しかしどの持ち場にも「そこでもできる」ことがある。各人が自分の持ち場で「少しずつ確実に」社会を変えていく。「ないものねだり」でなく「あるものさがし」の姿勢でこのげんなりする指摘を無効化したい。

History Literacy　学ぶことは、過去は現在のようではなかったし、未来は現在のようではない、こと。

国際連合の成立

①国際連合の発足

- 1941 年、大西洋憲章
  戦後の平和機構（国際連合）の設立が構想
  └ F. ローズヴェルトが連合国共同宣言（1942）で初めて United Nations 使用
- 1944 年、ダンバートン・オークス会議
  国際連合憲章草案作成
- 1945 年、ヤルタ会談（2月）
  原案の一部修正、安全保障理事国の拒否権承認
- 1945 年、サンフランシスコ会議（4月）　＊1
  └ ドイツ、日本の降伏直前
  50 カ国が国際連合憲章を採択
  └ のちポーランドを加えて原加盟国は 51 カ国
  国際連合が正式発足（10 月）

②国際連合のしくみ

- 主要機関
  総会
  　全加盟国で構成、議決は多数決で決定　＊2
  　└ 国際連盟は全会一致
  安全保障理事会
  　常任理事国（米英ソ仏中）と 6 非常任理事国で構成
  　└ 現在 10 カ国（日本は 12 回選出される（2022 現在））
  　議決は大国一致の原則、常任理事国は拒否権を持つ　＊3
  　軍事制裁（国連軍）あり
  事務局
  　ニューヨークに設置、現事務総長アントニオ・グテーレス
  　└ 小国から選出する慣例
- 専門機関
  ユネスコ（国連教育科学文化機関）
  　経済、社会、文化を取り扱い人類の福祉増進をめざす
- 1948 年、世界人権宣言採択　＊4

PROPOS　＊1

国際連盟規約がヴェルサイユ条約の冒頭に置かれて不都合が生じたことに鑑み、国際連合憲章は独立した条約として採択。戦争中に連合国陣営で草案が作られて採択されたこと。それゆえドイツ、日本は国連憲章の中では敵国扱い。対ナポレオン戦争時に作られた対仏大同盟が、彼が失脚した後も復活への警戒から「四国同盟」と形を変えて継続したのと似た構図。国連憲章は問題が多く、改正に手を付けることがパンドラの箱を開けることになりかねず、改正が手つかず状態。まだ国連憲章に日本を敵国とする条項が残るが死文扱いされている。United Nations の名称は変わっていないが戦前と戦後では別物として機能している。

PROPOS　＊2

United Nations（連合国）に敗れた日本は戦後 United Nations（国際連合）中心外交を展開した。国連には現在 193 カ国が加盟。小国も総会ではアメリカなど大国と同等の 1 票。そこに国連の限界と可能性が宿る。

PROPOS　＊3

国際連盟は全会一致。これは「すべての国が拒否権を持つ」ということ。この仕組みで連盟は機能不全に陥った。その反省から国連では多数決を採用。ただこれでは数で劣勢の社会主義陣営の意向（少数派）が通らない。スターリンはソ連を含む大国の拒否権を要求。それがヤルタ会談の争点となった。結局、冷戦下では東西両陣営が拒否権を乱発。国連の機能停止が常態化した。

PROPOS　＊4

普遍概念として作られた「人権」概念だが、現実に人権を保証するのは各国民国家が作る実定法（法律条文）。人権を保障するのも奪うのも国民国家なのが現実（※）。世界人権宣言で各国に人権の基準を示したが「宣言」であり実効力がない。そこで 1966 年「国際人権規約」が採択。宣言の条約化がされた。条約（規約）は国内法より上位にあり、批准（ひじゅん）されれば実効力を持つ。

画蛇添足

▼2次大戦中にナチスによるユダヤ人迫害などこれまでと比較にならない人権侵害が起こった。戦後、国連は「世界人権宣言」を採択。「世界」と訳されるのはUniversal。人権を「普遍的」にしようという宣言。▼フランス人権宣言の正式名称は「人と市民の諸権利」であり、ルソーが解説したように「私たちは市民となってはじめて人になる」ものだった。普遍を謳う人権を保護するのが国民国家であることが「人権のアポリア（難問題）」（ハンナ・アーレント）。実際、ナチスのユダヤ人虐殺はポーランドやウクライナなど国民国家が崩壊したところで行われた（ティモシー・スナイダー『ブラック・アース』）。▼国際連盟発足時、最初の実務機関が国際労働機関（ILO）。近代工業化社会では雇用がなければ生きていけない。大恐慌発生時、失業は飢えを意味した。世界人権宣言に先立ち「労働は商品ではない」（フィラデルフィア宣言、1944）と謳われた。人権の中核は働く権利。日本では義務を伴う「勤労の権利」と価値観を帯びる。▼自然は季節の循環に従うので仕事は季節労働。近代になって工場が登場して年間を通しての安定雇用が生まれた。定年は「そこまでは働ける」「そこで解雇できる」と労働者と雇用者の権利をすり合わせた妥協。安定雇用は労使双方に益があったが歴史的には例外的。▼いま労働の商品化が進む。労働は人格を持った人間が担うことが考慮されず、商品として買い叩かれ使い捨てられる。季節でなく景気の循環に合わせたギグワーク（短期・短時間の仕事）が広がる。寄せ場がスマートフォン上に移行。好きな時に好きなだけ働けるようで、「働きがいのある人間らしい仕事（ディーセントワーク）」にならない。雇用者にとても都合のよい仕組み。

わんクリック　大国が拒否権を持つ限り国連は無力、と悲観的になりがち。大国が離脱して崩壊した国際連盟。その反省から作られた国連。「拒否権」は大国（ソ連）を国連に繋ぎとめる鎹（かすがい）。拒否権があるから大国という猛獣も国連という「サーカスのテント」の中にとどまっている。拒否権を廃止しても大国が協力しなければ国連は機能しない。国連に過度の期待をしてはいけない。ただ微力でも無力な存在ではない。大国の国益をすり合わせて合意－正統性を作り上げ、国際協調を作り上げる場として重要。対話の場があれば和平の糸口になる。大国間の関係を改善しなければ国連は機能しない。その逆はない。

History Literacy　歴史を学ぶ目的—すべての人が尊重され「存命の喜び」（『徒然草』第 93 段）を知る社会を作ること。

合衆国主導の経済再建

①超大国アメリカ ― 戦後、世界最強の軍事力、圧倒的な経済力

・ブレトン・ウッズ体制 (IMF・GATT 体制) で自由貿易、経済再建主導 ＊1

②ブレトン・ウッズ体制

a. IMF (国際通貨基金) ＊2

通貨安定が目的、固定為替制度による為替の安定

為替の自由化 ― 為替制限 (通貨交換の制限) を原則認めない制度

途上国 (IMF14 条国) は輸入超過で貿易赤字になる危険のため認める

日本は 1964 年に制限不可の先進国 (IMF 8 条国) に移行

└ 東京オリンピック、同年「先進国クラブ」OECD 加盟 (現 35 カ国加盟)

赤字国への短期融資

└ 財政赤字の削減などの経済改革を条件として緊急融資

b. 国際復興開発銀行 (IBRD) (通称世界銀行)

先進国と途上国への長期融資

└ 日本はこれで東海道新幹線、黒部第四ダム建設資金得る

c. GATT (関税と貿易に関する一般協定)

関税の引き下げ、非関税障壁の撤廃など自由貿易のルール作り

自由・無差別主義・多角的交渉 (ラウンド交渉) の三原則

└ 一国に与えた貿易上の特権は全加盟国へ

ソ連圏の形成

①ソ連圏の形成 ＊3

・枢軸国側 (ナチス) に占領されソ連によって解放された国 (ポーランドなど)

・枢軸国側 (ナチス) で参戦、ソ連に敗れた国 (ハンガリー、ルーマニアなど)

→東欧各地に親ソ的な人民民主主義政権

└ マーシャルプランまでソ連は強い内政干渉をしなかったため議会制民主主義続く

土地改革により地主制を一掃、計画経済による工業化

・ユーゴスラヴィア

ティトー大統領のもとで自立的姿勢 ＊4

└ パルチザン闘争で自力解放

PROPOS ＊1

戦争の要因は複雑で、単一の原因に帰すことはできない。世界恐慌後に各国が保護貿易をとったため世界経済が縮小したことも大きな要因。その結果、植民地を「持てる国」と「持たざる国」の対立が激化し、後者の植民地再分割要求が侵略となった。

PROPOS ＊2

大西洋憲章でも、自由貿易の拡大が連合国の戦争目的に掲げられた。戦後、自由貿易を復活させるために、米主導下で新しい経済体制が作られた。自由貿易のためには信頼できる基軸通貨が必要になる。戦後のアメリカに世界の金の 70％が集まっていたことから、ドルだけを金と交換できる兌換紙幣として、他のすべての通貨を「1 ドル＝いくら」と表示する固定為替相場制が導入された。金は時代を通じて量が一定、朽ちず化学変化もせず、価値が変わりにくく通貨安定の裏付けに最適な貴金属。そこでドルを兌換券 (35 ドルは金 1 オンスと交換できる) として、各国通貨との交換比率 (為替相場) を固定し、各国通貨を安定させた。

PROPOS ＊3

多くの東欧諸国ではソ連軍の進駐と現地の抵抗運動が呼応する形でナチスからの解放が実現。戦後の政権樹立にあたっては、米英に支援された戦前の支配層を代表する亡命政権 (資本主義政権) とソ連軍の後押しで現地に臨時政府を樹立した左翼政権の間で正統性をめぐる争いが展開された。

PROPOS ＊4

ユーゴスラヴィアはパルチザン闘争の結果、ソ連軍の援助によらず「自力」でナチスから解放された。とはいえ、これも多大な犠牲を伴ったソ連の対独戦なしにはあり得なかった。あくまでも「自力」は相対的概念。当然、ソ連はユーゴの主張に不満をもった。戦争中、いったんユーゴは解体。クロアティアには親ナチス政権が成立してセルビア人に対するテロ、虐殺を展開。再び一緒になったが、わだかまりを抱えた。

画蛇添足

▼ＩＭＦ・ＧＡＴＴ体制を自由貿易ゲームに譬えて説明したい。ゲームにはルールが必要。それを決める場がＧＡＴＴ。基本原則は「自由・無差別・多角」。全員に同じルールが適用 (最恵国待遇) されるように、同じ場所で話し合う (ラウンド) 原則。▼ゴールは定番のボードゲーム『人生ゲーム』と同じ。最も多くお金を貯めた者が勝者。貯めたお金がインフレで紙切れになったり、為替変動で価値が減じたりするようでは誰もゲームを続けたいと思わない。そこで通貨安定にあたるＩＭＦ (国際通貨基金) が、兌換紙幣ドルを基軸通貨とする固定為替相場をつくり通貨を安定させた。▼ゲームの途中で財政難に陥り、手持ちの外貨が不足して支払いできなくなればゲームオーバー。こんなことが起こってプレイヤーの数が減ると困る。これらの国に短期融資してゲームを継続させるのもＩＭＦの役割。ただしこの融資は毒饅頭。融資を受けると体質改善してもらいます、とＩＭＦによる屈辱的な内政介入が行われる。▼様々なプレイヤーが参入してゲームは盛り上がる。開発途上国がこのゲームに参加できるようにインフラ整備 (港湾の整備など) のための長期融資をするのがＩＢＲＤ (国際復興開発銀行)。これらアメリカ主導のブレトン・ウッズ体制の下で自由貿易が盛んになった。▼ゲームで儲かるのは胴元。貿易収支は赤字でも構わない。自由貿易システムの主催で保険料、為替手数料など、様々な名目のシステム維持費を稼ぎ、貿易赤字を補う (※)。自由貿易の「自由」―美しい響きだがここは弱肉強食の世界。野生の世界でライオンは胃袋以上の獲物を求めない。しかしこのゲームでは飽くことを知らない強欲資本主義が展開されている。

わんクリック 共産党 (名称は様々) が内務省や法務省でポストを握り、警察権力を使って反ソ・反共的な人物を逮捕、処刑、というパターンをとった。警察権力は国家の官僚組織、中立的な組織だが捜査権があり多くの情報が集まる。かつてこれを持った日本の内務省が「官庁の中の官庁」として絶大な権力を持った (戦後 GHQ により解体)。以下は推測。いまでも政権は政敵の不利な情報をつかむため警察権力を利用する。また警察官僚も時の政権にすり寄る。何トカ砲とされる週刊誌がすっぱ抜く政局絡みのスキャンダル。そのいくつかは内閣情報室 (警察庁からの出向者が多い) が情報源と噂される。

History Literacy 覇権を握る―世界が動く枠組み (プラットフォーム) を作って維持、その手数料で儲けること。

冷戦の始まり

①ヤルタ会談 — 冷戦の始まり

- ポーランドの国境と新政権をめぐる対立
  - └ ソ連にとって自国の安全保障となる西欧との緩衝地帯　＊1
  - ロンドンの亡命資本主義政権か、ソ連支援のルブリン政権か　＊2
- ポーランドの新国境
  - 東ーカーゾン線
    - └ 1次大戦後直後の国境、ポーランド・ソ連戦争の前の国境
  - 西ーオーデル・ナイセ線
    - └ ポーランドは西に平行移動、1990年統一ドイツが承認して確定
- 国連安全保障理事会の拒否権をめぐる問題

②「鉄のカーテン」演説 — 冷戦の顕在化

- 戦争中の連合国の協力関係（特に英米とソ連）冷却化
- 冷戦の開始
  - └ 評論家ウォルター・リップマンが命名
  - 西側（米英など資本主義陣営）と東側（ソ連など共産主義陣営）
    - └ 欧州から見てアメリカは西、ソ連は東 ― 冷戦はヨーロッパのこと、アジアは熱戦　(※)
- 1946年、鉄のカーテン演説
  - 英前首相チャーチルがフルトン大（米ミズーリ州）で演説　＊3
  - 「バルト海のステッティンからアドリア海のトリエステに鉄のカーテン」
    - └ トルーマン米大統領も同席、発言を非難せず

③トルーマンドクトリン — アメリカ外交の大転換

- 1947年、トルーマン・ドクトリン（3月）
  - └ 国内の強い反対を押し切って採用
  - アメリカが内戦中のトルコ、ギリシアへ軍事援助
    - └ 共に大戦中共産系ゲリラが反ナチス運動展開
  - アメリカがイギリスに代わり共産主義の膨張に対抗する意思表示
    - └ 経済悪化と福祉国家指向でギリシアへの援助中止　＊4
  - 共産主義陣営への「封じ込め政策」の始まり
    - └ ジョージ・ケナンが匿名のX論文で使った造語

PROPOS　＊1

ロシア（ソ連）はナポレオン、ヒトラーと二度侵略を受けたが、いずれもその腕（かいな）が長く、両国はモスクワに達するのに手間取った。そこに訪れた「冬将軍」（厳しい冬）のおかげでかろうじて両国を撃退。戦後のソ連も自国と西側資本主義国の間に緩衝地帯を置いて腕を長くとることで安全保障を図ろうとした。東欧各国を占領はせず、衛星国としてソ連圏を形成した。西側からの侵略を防ぐための予防措置。これは主権国家体制下で、他国への内政干渉を意味した。

PROPOS　＊2

東欧では人民民主主義と呼ばれる複数政党制をとった政権が樹立された。当初は共産党を中心に反ナチス政党や団体の協力も得る形をとっていた。しかし冷戦の進展とともに、共産党以外の勢力は政権から追放され、共産党の一党独裁となる。さらにその共産党内部でも粛清が行われ、各国で民族派と呼ばれる自国（民族）の独自性を主張する指導者は失脚、ソ連に忠実な独裁政権（ソ連の衛星国）が東欧各地に成立した。

PROPOS　＊3

現職を離れると自由な立場で発言できる。その立場を利用して現職が言えないことを代弁する場合もある。もともと毒舌だがチャーチルの演説は挑発的。いまの中国の報道官の記者会見に似ているが、これらは基本的には聞き流しておけばよいもの。

PROPOS　＊4

戦争で疲弊したイギリスはアトリー労働党内閣下で植民地維持より福祉国家建設を優先させた（インド、アイルランド独立承認、パレスチナ委任統治返上）。ギリシア、トルコへの援助も打ち切った。トルーマン・ドクトリンは国際政治の主導権がイギリスからアメリカへ移行したことを意味する。またアメリカが建国以来の国是であるモンロー主義を捨てて「世界の警察官」となる転換点となった。そのアメリカはいままたもとの孤立主義に回帰しようとしている。

画蛇添足

▼一つの民族が一つの国家を作って一つの国民を形成する―この国民国家（ネーションステート）という国家モデルは民族分布にまとまりがあった西欧で生まれた地域モデル。それが「民族自決」原則として普遍原則のようにみなされ、事情の異なる地域にも押し付けられたことで様々な悲劇が生じた。▼特に1次大戦後の「東欧」地域。この地域の民族分布は複雑。民族自決原則で国境を引ける地域ではなかった。1次大戦後に復活したポーランドは人口の3割以上が少数派となった。新設されたチェコスロヴァキアでは過半数を占めるチェコ人に次いだのはドイツ人。スロヴァキア人口を上回った。これらの歪（いびつ）さがナチスに付け込む隙を与えた。「1次大戦後は国境が動いた」が「2次大戦では人が動いた」とされる。2次大戦後は各国の少数派の多くは強制移住を余儀なくされた。▼例えばポーランド。西側に250キロも平行移動させられた。新しい国境オーデル・ナイセ川以東に住んでいたドイツ人は一人20キロの荷物の持ち出しだけを許されて追放。その結果、ダンツィヒはポーランド領グダニスクに、フリードリヒ2世が確保したシェレジェン地方もポーランド領となった。▼こういった悲劇を繰り返す中で民族分布は改善され、東欧各国は比較的均質な国家となっていった。冷戦後、各民族が最後まで入れ子状に共存していたユーゴスラヴィアが分解。その過程で各国で凄惨な民族浄化（エスニッククレンジング）が行われ、東欧の国民国家体制は完成に近づいた。▼「東欧」は地理的名称ではなく政治的名称。2次大戦後、東西対立という文脈の中で使われた。ソ連から離れられずその周囲をまわる衛星国とみなされた国々を指す名称。今日ではこの地域は中欧と呼ばれている。

わんクリック　学習指導要領が変更され、「固有の領土」を歴史教科書に書き込むことになった。国家権力が歴史教育に何を期待しているかがよく分かる。歴史教育は政治教育でない、とナイーブなことは言わないが少し露骨。歴史で学ぶべきは、国境が近代の産物であること、それが絶えず動くものであること、うかうかしていれば力で変更されること。いま尖閣諸島を海上保安庁の人びとが命がけで守る。大変な仕事だと頭が下がる。それにしても「固有の領土」というネーミングが拙い。本土をそのようには呼ばない。特定の地域を「固有の領土」と呼ぶことで「領有権は不確かかも」のメッセージを発している。

History Literacy　つまづきながら自己修正的に読む（「つまづき読み」）―東にあるアメリカがなぜ西側諸国なのか、と。

④マーシャルプラン　＊1

- 1947年、マーシャルプラン（6月）
  戦後のヨーロッパ経済の悪化、1946～47年の厳冬
  └ 貧困、経済混乱は共産主義拡大の温床（特にフランス、イタリアでは共産党勢力が増大）
  米国務長官が発表した全ヨーロッパ対象の経済復興援助計画
  └ 東欧含む　└ 共産主義拡大の未然防止　＊2
  東欧はソ連の圧力で参加断念
  西欧は受け入れ機関としてヨーロッパ経済協力機構（OEEC）設置
  └ のちに「先進国クラブ」OECDへ改組（1961）

⑤ソ連の対応

- 1947年、コミンフォルム結成（～1956）
  マーシャルプランに対抗、ヨーロッパ9カ国の共産党の情報交換組織
  1948年、ユーゴスラヴィアのコミンフォルム除名
  └ ティトーのマーシャルプラン受け入れに対し、民族的偏向を理由
- 1949年、コメコン（COMECON）（～1991）
  ソ連、東欧諸国の国際分業をはかるための経済協力機構　＊3

ベルリン封鎖と戦争の危機

①東西対立の固定化

- 1948年、チェコスロヴァキアのクーデタ　＊4
  戦後、共産党を含む連立内閣（ベネシュ大統領）
  非共産党派の閣僚（マーシャル・プランの受け入れを主張）を共産党が追放
- 1948年、西ヨーロッパ連合条約（ブリュッセル条約）
  チェコのクーデタに対抗して防衛体制を強化
  イギリス、フランスとベネルクス3国の5カ国が締結
- 1949年、ベルリン封鎖
- 1949年、北大西洋条約機構（NATO）
  └「ナトー」というローマ字読みはもうやめて、「ネイトウ」と英語読みすべき
  アメリカが西欧連合を母体として結成した軍事同盟
- 東西ドイツの成立（1949）と西ドイツのNATO加盟（1954）
- 1955年、ワルシャワ条約機構（WTO）（～1991）
  西ドイツのNATO加盟（1954）がきっかけ

PROPOS　＊1
相当額の支援となったマーシャルプランの結果、欧州経済は復興。アメリカにとり欧州は重要な市場。欧州市場が復興しなければ、アメリカは再び生産過剰恐慌になる危険もあったから、自国の経済政策でもあった。このプランの受け入れをめぐって世界は東西両陣営に分かれた。冷戦はソ連の領土膨張的な行動によって引き起こされたと見られがちだが、自国の安全保障に基づいたソ連の行動に、アメリカが市場拡大のために攻撃的に対応したという見方もある。プランはソ連・東欧諸国が受け入れを拒否せざるを得ない形で提案された。

PROPOS　＊2
朝鮮戦争の勃発でプランは経済援助から軍事援助へと変質。Marshall plan は Martial plan（軍事計画）となった。戦後の日本占領中の物資援助も同じ流れの中にある。

PROPOS　＊3
チェコのある小学校で先生が生徒に質問。「真夜中に羅針盤なしに方角を知るのにはどうすればいいですか」。生徒「近くの線路を見ればいいです」「貨物列車の荷物がいっぱいなら、走って行く方角が東（ソ連）です」。コメコンはソ連中心の分業体制。客観的には、この分業体制が東側の一体感を作ってきた。東欧からはソ連による支配の道具と見られた。他方で、ロシア人はこれは東欧に恩恵を与えすぎで、ロシアが犠牲になっている、と不満を高めた（※）。

PROPOS　＊4
チェコスロヴァキアは独立の際、旧ハプスブルク家からボヘミアの工業地帯を引き継いだ（ドイツのルール地方に匹敵）。豊富な工業資源と国民車シュコダを作り出した高度な技術水準。他の農業を中心とする東欧諸国とは一線を画していた。またチェコスロヴァキアはナチスの侵略まで議会制民主主義が機能。このような経済、政治土壌の国においてすら起きた共産主義クーデタ（1948）に西欧諸国は大きな衝撃を受けた。

画蛇添足

▼資本主義の欠陥である恐慌に端を発したナチズムの台頭と世界大戦。それを一手に引き受けて打倒したのは共産主義ソ連。戦争中、ナチスに占領された各国で抵抗したのも共産党勢力が中心。戦後、各国で共産党勢力が伸長したのは自然の成り行きだった。▼それに対して資本主義陣営は福祉国家への転換、社会保障制度を充実させて国民の生活水準の向上をはかることで共産主義の広がりを防ごうとした。ヒトラーとの戦いで甚大な損害を受けたソ連に余裕はなく、敗戦国東ドイツ、日本（満洲国）から工場の生産設備などを現物賠償として根こそぎ持ちだした。▼それに対して本土の被害がなく余裕のあったアメリカは、西ドイツだけでなくヨーロッパに援助して経済復興に力を入れた。世界恐慌発生時、セーフティネットなど存在しなかった時代、失業は飢餓を意味した。戦時下のイギリスですべての国民を対象として、これまでは教会が担っていた「ゆりかごから墓場まで」を手厚く保護するベバリッジ報告が出された。▼労働者保護は国家の経済発展に寄与する、という論理が資本家にも受け入れられた。日本でも高度経済成長期に国民皆保険、国民皆年金制度が整備された。保険料は雇用者が折半して負担。資本家の負担は大きいが、それが労働者の生活不安を解消、生産性の増加につながると了解した。▼筆者の父は戦前は軍国少年だった。精神論を振りかざす東条首相に唆され、竹槍を持って米軍の本土上陸に備えた。敗戦後はジープに乗った米兵（進駐軍）を「ギブミーチョコレート」と追いかけた。常に腹を空かしていたのでもらえると嬉しかったという。満腹の人間を動かすイデオロギーはない。アメリカは経済援助をはじめた。

わんクリック　加盟国のどこかの国が武力攻撃を受けた場合、全加盟国への攻撃とみなして共同で守る。冷戦下に西側諸国の安全を守るために集団的自衛権に基づいた組織がNATO。本音は「アメリカを引き入れ、ロシアを締め出し、ドイツを抑え込むこと」（初代NATO事務総長）。冷戦が終わり、東側のワルシャワ条約機構が解体されたがNATOは存続、加盟国を増やしつつある。かつての東欧諸国が次々にNATOに加盟、旧ソ連のバルト3国まで加盟（2004）。ここまではロシアは屈辱に耐えた。しかし、ジョージアとウクライナの将来的な加盟承認（2008）にいたってロシアの怒りは限界点を超えた。

History Literacy　立場により受け取り方は違う－「手を打てば、鳥は飛び立ち鯉は寄る、女中茶を持つ、猿沢の池」。

②ベルリン封鎖とドイツの東西分裂

- 1948 年、ベルリン封鎖 (6月 ~ 1949 年5月)

  米英仏が占領地区でマーシャルプラン適用のため通貨改革　＊1

  ソ連は西ベルリンへの交通 (陸路) 遮断

  米英仏は空輸 (「空の架橋」) で対抗、緊張高まる　＊2

  ソ連の封鎖解除で解決するが、ドイツ分断決定的に

- 1949 年、ドイツ連邦共和国 (西ドイツ) 成立 (5月)、首都ボン

  初代首相アデナウアー (キリスト教民主同盟)　＊3

  └ 73 ~ 87 歳　└ 戦後ドイツ最大の保守政党

  ボン基本法制定　＊4

  └ 事実上の憲法、ドイツ統一までは暫定的という含意

- 1949 年、ドイツ民主共和国 (東ドイツ) 成立 (10月)、首都東ベルリン
- 1954 年、パリ協定

  西ドイツの主権回復、同時に再軍備 (NATO 加盟)　＊5

  └ ただしベルリンは冷戦終結まで占領が続く

冷戦体制の世界化

①日本の逆コース

- 朝鮮戦争 (1950 ~ 3) 勃発でアメリカの日本占領政策転換

  「民主化・非軍事化」から日本をアジアの「反共の砦」に

  →日本を西側陣営の一員として国際社会に復帰させて再軍備させる

  警察予備隊設置 (1950) →保安隊 (52) →自衛隊 (54)

  └ 国内の治安維持 (警察権)　└ 警察権を微妙に超えた軍事権 (再軍備のはじまり)

- 1951 年、サンフランシスコ平和条約

  西側諸国中心の講和 (片面講和)

  中華人民共和国、中華民国、韓国、北朝鮮は招かれず

  会議不参加国 (インド、ビルマなど)、調印拒否国 (ソ連など) が発生

  日本は主権 (独立) 回復 (1952)

  朝鮮、台湾、南樺太、千島列島を放棄

  沖縄・奄美群島、小笠原諸島を切り離した主権回復

  └ 戦時中日本の「捨石」沖縄はアメリカの極東戦略の「太平洋の要石」に

  日米安全保障条約を同時締結し、米軍の駐留、米軍基地存続

PROPOS　＊1
英米仏占領軍は預金封鎖して 1 人あたりの制限をかけて新通貨の切り替えを行う。この改革で物不足、インフレが一気に解消される奇跡が起きた。モノ不足は信頼できる通貨の不在が原因。まだナチス時代のマルクが使われており、それと交換するためにモノを売る人はいなかった。

PROPOS　＊2
アメリカは「空の架橋」作戦を展開。西ベルリン市民約 235 万人の生活必需品を 28 万回弱にわたって空輸。ソ連がベルリン市民を餓死させようとしたのに対してアメリカがこれを救った、というイメージが広がる。スターリンの大失政となった。

PROPOS　＊3
敗戦国ドイツと日本の戦後は共通点が多い。指導者アデナウアーと吉田茂はともに自由主義者として戦前は反ナチ、開戦反対を主張。戦後は共に反共を掲げて冷戦外交を展開。西側陣営に与することで国際社会に復帰して再軍備。両国ともに安定した保守政治の中で「奇跡の経済復興」をとげて経済大国となる。両者ともにあくの強い人物。「したたかな理想主義者」アデナウアーと吉田茂。両国とも焼野原となり、古い生産設備が焼けたのも復興に有利に働いた。

PROPOS　＊4
ボン基本法—期待されずに作られた憲法がドイツ史で最も信頼され、統一ドイツ誕生まで長く存在した憲法となる。

PROPOS　＊5
冷戦の中で西独に西側軍事力の一端を担わせるねらい。そのため、大戦中の残虐行為はナチスと親衛隊 (SS) によるもので国防軍は無関係という「国防軍神話」が作られた。戦後の西ドイツではナチズムの反省から分権化を図り、大統領より議会、首相に権限をおく。比例代表制の小党分立がナチス政権に繋がった反省から一定の得票がないと議席数を割り当てない工夫をした。

画蛇添足

▼前文は大西洋憲章、9条にパリ不戦条約、13条に米独立宣言書と、なじみのあるフレーズが使われている日本国憲法。極東の島国はよいものは躊躇なく取り入れてきた。日本文化の重層性の象徴。他方で占領下でアメリカに押し付けられたと反発する人もいる。▼法律は国民全員に守る義務があるが、憲法を守る義務は国民一般ではなく公権力を行使する者にある (第99条)。憲法の名宛人は首相を筆頭に公務員。権力の恣意的な行使を防ぐために権力者を憲法の制約下におくのが立憲主義。この教室で憲法遵守義務を負うのは筆者 (教育公務員)。憲法には人びとがこれまでに勝ち取ってきた権利が列挙される。義務が書いてないと批判するのはお門違い。▼朝鮮戦争で日本の占領政策は転換。再武装のために保安隊を設けた時点で憲法改正が必要だった。現行憲法を素直に読めば自衛隊は違憲。「違憲でない」と読ませるのなら国語教育は控えめにすべき。内閣は解釈改憲で、最高裁は統治行為論という理屈で判断から逃げるしかなかった。▼災害派遣などを通じて自衛隊は国民の信頼を得て社会に根付いているのが現実。この現実を踏まえ、立憲主義を守るなら改憲しかない。現状の9条の放置は立憲主義の放棄を意味する。しかし立憲主義を守る立場のはずの革新勢力が「9条を守れ」と護憲を主張。既成事実の追認が先の戦争につながった歴史を考えた時、理念でなく現実に合わせる選択は取り難い。▼他方、矛盾があっても現実にうまくいっていることを尊重するのが保守の態度。その保守が改憲を主張する。変える理由がないから、押し付け憲法論など理由の弱いものを持ち出す。保革のねじれた主張が9条をめぐる混迷を深めている。

わんクリック　東ドイツは徹底的な相互監視網を敷いて反体制運動をつぶした。監視対象者の生活を暴き、その秘密を広げるなどして反体制派の国民を心理的に追い詰めた。誰が監視者で誰が密告者なのか分からない疑心暗鬼の中で社会 (人間関係) と人間 (人格) は破壊される。そうしないと成立しない体制だった。東ドイツの秘密警察 (シュタージ) を主題にした映画『善き人のためのソナタ』(2007)、映画『東ベルリンから来た女』(2012) を薦めたい。ただ体制を受け入れて目をつぶれば、衣食住は保証され、教育も医療も無料、競争がないので (物質的豊かさはないが) 穏やかな生活が送れた (※)。

History Literacy　喩えは分かりやすいがその理解で終わる (危険なサバンナで自由に生きるか、動物園の中で安心して暮らすか)。

②反共軍事同盟の成立

- 1947 年、米州共同防衛条約（リオデジャネイロ条約）
- 1948 年、米州機構（OAS）の発足
- 中華人民共和国成立（1949）と朝鮮戦争勃発（1950）
- 1951 年、米比相互防衛条約　＊1
- 1951 年、太平洋安全保障条約（ANZUS）（~ 85）
  米、オーストラリア、ニュージーランド
- 1951 年、日米安全保障条約
- 1953 年、米韓相互防衛条約
  └ 朝鮮戦争の板門店休戦協定（1953）後、米軍が引き続き韓国駐留
- 1954 年、東南アジア条約機構（SEATO）（~ 77）
  └ インドシナ戦争のジュネーヴ休戦協定（1954）後
  米、英、仏、豪、フィリピン、タイ、パキスタン
  └ 東南アジアなのに域内参加は 2 カ国だけで実効力が弱かった
- 1954 年、米華相互防衛条約（~ 79）
- 1955 年、中東条約機構（METO）　＊2
  トルコ、イラク、英、パキスタン、イラン
  アメリカ不参加、イラク脱退のため中央条約機構（CENTO）に再編

ヨーロッパ統合と西欧諸国

①ヨーロッパ統合のはじまり

- 1950 年、シューマンプラン
  └ 経済学者ジャン・モネ（仏）の提案、外相シューマン（仏）による具体化
  独仏の石炭、鉄鋼共同管理を提唱
- 1952 年、ヨーロッパ石炭鉄鋼共同体（ECSC）
  フランス、西ドイツ、イタリア、ベネルクス三国で結成　＊3
  └ EC の原加盟 6 か国（インナーシックス）
- 1958 年、ヨーロッパ経済共同体（EEC）
  ローマ条約（1957）で ECSC が経済統合の範囲を拡大
  域内での関税撤廃、域外への共通関税
- 1958 年、ヨーロッパ原子力共同体（EURATOM）結成
  → 1967 年、ヨーロッパ共同体（EC）として統合　＊4

PROPOS　＊1
アジアでは NATO のような安全保障組織が作られなかった。米比相互防衛条約とアンザスは、反共軍事同盟としての性格だけでなく、日本の軍事的復興に備える性格もあわせ持った。日本の再軍備は、まだ戦前の記憶が新しかったアジア・太平洋諸国に警戒感を抱かせた。そこで日米安全保障条約で日本の軍事力をアメリカの影響下に置くと同時に、上記の二つの軍事同盟でその暴走に備える形がとられた（木畑洋一『帝国のたそがれ　冷戦下のイギリスとアジア』）。

PROPOS　＊2
中東ではアメリカがイスラエルを支援したから、イスラエルと対立するアラブ諸国は基本的に反米。METO にはアラブ諸国以外のトルコ、イラン、パキスタンが加入。例外が当時イギリスの支援でハーシム家が支配したイラク。当初、バグダードに本部が置かれ、バグダード条約機構と呼ばれた。

PROPOS　＊3
イギリスの離脱で 27 カ国となった EU。当初はフランス、西ドイツ、イタリア、ベネルクス三国（インナーシックス）の 6 か国を原加盟国として始まった。この領域はフランク王国の版図に重なる。戦後の独仏はパリ・ボン枢軸と言われる密接な関係を形成。フランスにとって脅威はプロイセン（軍国主義）だったからプロイセンが東ドイツとして西ドイツから切り離されると、フランスの西ドイツへの抵抗感は和らいだ。

PROPOS　＊4
当初、イギリスはフランスと西ドイツが主導するヨーロッパ統合に反対。対抗してヨーロッパ自由貿易連合（EFTA、エフタ）を結成。しかし加盟国に偏りがあり、アメリカの EEC（当時）支持もあり、うまく機能しなかった。途中からイギリスは参加を希望したが、フランスのド・ゴールに「イギリスはアメリカのトロイの木馬」と警戒され、2 度までも加盟を拒絶された。ようやく 73 年に EC（当時）に加盟できた。

画蛇添足

▼近代の西欧で成立した国家モデルが国民国家。国民、主権、領域が三要素。ある領域を領土として特定の国家が排他的に領有するのは自明にみえるがこれは国民国家モデルの発想。領土の下に眠る地下資源を国家の枠から外して共同利用しようとするのは古くて新しい発想だった。▼いまは仏領のアルザス地方。ここは元来ドイツ語圏でアルザス語もドイツ語系。名物料理ソーセージと付け合わせのザワークラウト（キャベツの酢漬け）はドイツ料理そのもの。三十年戦争で仏領になったが、普仏戦争以後80年間で3回帰属を変えた。その度に地上に住む人びとが翻弄された。▼抗争の原因は地下の鉄鉱石と石炭。この国際化で不戦の枠組みを作ろうとした。高い見晴らしのよい所に皆さんを連れて行くのが筆者の仕事。高いほど視界は広がる。アルザスの中心都市ストラスブール。街の中央にゲーテが驚嘆した大聖堂があり、尖塔に登れる。▼そこからライン川越しにドイツの黒い森シュヴァルツヴァルトが望見できる。原生林だったが伐採が進み、効率性から生育の早い針葉樹（ドイツトウヒ）が密に植林され、単調なトウヒ林となった。密に植えられたので遠目には暗い「黒い森」となった。「木を見て森を見ず」とよく警戒が促される。縮尺の大きな世界史を学んでいると逆に「森を見て木を見ず」になる。▼ドイツトウヒが一本だけあれば樹冠も彼方の見飽きない巨木。森の中に木がある時と、木が単独で立つ時ではあり方が違う。密集すると樹間（関係の中に）に「黒」の単調さを宿すだけになる。木は人間、森は社会か。高所から森を見て、近くに寄って木も見る。そして見えない地下の根の張り方にも目配りする。物事を見る、とは一辺倒（いっぺんとう）にならないこと（※）。

わんクリック　モンロー宣言（1923）は当初はアメリカの独り言（ひとりごと）。アメリカの地位向上で実体化。同時に、新旧両大陸の相互不干渉から、新大陸はアメリカの勢力圏、と内容が変質。ここを汎米大陸とするために汎米会議（第 1 回、1889 ~ 90）を重ね、2 次大戦後、独り言モンロー宣言を「米州の一国に対する攻撃は米州諸国すべてに対する侵略」という多国間の取り決めまで発展させ（1947、米州相互援助条約）、米州機構を設立（1948）。本来は反共主義と無関係だったが、時代は冷戦の最中、反共的色彩を帯びた。以後、アメリカは中南米各国の内政に干渉。その反発から汎米（パン）は反米（はん）へと空気は変質した。

History Literacy　「木を見て森を見ず」—部分の総和は必ずしも全体（世界史）にならないので注意。

②各国の動き

a. イギリス ― 福祉国家イギリスへ

・1945 年、アトリー労働党内閣成立 (～51)

重要産業の国有化

社会福祉制度の充実による福祉国家の建設

└「ゆりかごから墓場まで」、ベバリッジ報告 (1942) により推進

インド (1947)、アイルランド (1949) 独立承認　＊1

└ 大戦中アイルランドは (敵対してもおかしくない状況下で) 中立

・チャーチル保守党内閣 (1951～55) でも戦後の基本方針継承

・イーデン保守党内閣 (1955～57)

スエズ出兵の失敗 (1956、第 2 次中東戦争) で国際的地位低下

b. フランス ― 多民族社会フランスへ

・パリ解放後、ド・ゴールが臨時政府首班、辞任 (1946)

・1947 年、第四共和政発足 (～58)

政局不安定が続く　＊2

└ 12 年間で 25 の内閣交代、平均 6 カ月

インドシナ戦争 (1946～54)、アルジェリア独立戦争 (1954～62)

・1959 年、第五共和政発足 (～現在)

└ 軍部のクーデタ圧力で第四共和政崩壊、「フランスの栄光」を体現するド・ゴール擁立

・ド・ゴール政権 (1959～69)　＊3 ＊4

アルジェリア独立承認で戦争終結

独自外交の展開

└ カイロ、ヤルタ会談に招かれなかったド・ゴール、その決定に束縛されない独自外交

核保有 (60)、中華人民共和国承認 (64)、NATO 軍事機構脱退 (66～95)

└ 西側諸国でイギリスに次いで 2 番目

イギリスの EEC 加盟拒否 (2 回) ― 英は米の「トロイの木馬」と認識

・ポンピドゥー、ジスカールデスタン大統領時代

高度経済成長 (栄光の三十年間)

労働力不足で旧植民地からの移民の大量受け入れ

└ 出生地主義 (1889 年兵力増強のため導入) で国籍取得化

→現フランスはヨーロッパ有数の多民族社会に

└ 4 人に 1 人が移民の子孫、人口の 5% がマグレブ系 (北アフリカ)

PROPOS　＊1

イギリス帝国はソフトランディングで解体したと語られるが、それはハードランディングしたフランスとの比較での話。インドは非暴力運動で平和裏に独立したイメージだが、暴力を使わなかったのはインド側の話。イギリスは武力で運動を弾圧。ケニアの独立運動「マウマウ団の乱」(1952～60) への弾圧はとりわけ残虐だった。

PROPOS　＊2

大革命後のフランスは、強力な行政権を持つ体制と、対照的な議会中心の体制が交互に現れた。民主主義が根付くにはこれだけの試行錯誤、時間がかかるという見本。戦後は議会中心の第四共和政になったが直面した二つの植民地戦争に対処できず、特にアルジェリア戦争で泥沼に陥った。

PROPOS　＊3

ド・ゴール首相は軍部、右派の支持で政権に復帰。祖国愛の塊。頑固一徹の軍人。戦わなかったフランスを「戦勝国」にした英雄。気難しい性格で臨時政府首班をあっさり手放したり、F. ローズヴェルトとの個人的不仲を反米的な政策に繋げたりした。強い行政権を大統領に与えた第五共和国憲法を制定、フランス政体を安定させた。その上で軍部・右派の期待を裏切り、アルジェリア独立を認める政治決断をした。祖国か世論のどちらかを裏切らねばならない時、私は世論を裏切る、と巧みな二分法で世論を抑えて国策を方向転換できた稀有な政治家。死後に「救国の英雄」と評価された。

PROPOS　＊4

ド・ゴールが作った第五共和政。大統領が強い時は国王のような存在。ただ議会で少数派になると野党から首相を任命せざるを得ず、大統領と首相の権限分担が不明確なためどちらが元首か分からなくなる。君主政を廃止したフランスやアメリカで強い権限を持つ大統領が作られ、君主政を継続させた国々が王室典範改正で国王を非政治化。言葉と違い実権のありかは逆転 (※)。

画蛇添足

▼常に演説後に「V サイン」で聴衆を鼓舞したチャーチル。連合国勝利の功績者。戦後、彼にノーベル賞が授与。ただそれは平和賞ではなく文学賞 (1953)。文豪ヘミングウェイの高い前評判を覆しての驚きの受賞。▼終戦直後に平和賞をとったのはコーデル・ハル (1945)。日米交渉破たんの張本人だが、戦後アメリカの国際連合参加を実現させて「国連の父」とされる。チャーチルは画才でも知られたが受賞対象は文才の方で『第二次世界大戦回顧録』が評価された。しゃべりさえしなければ尊敬を集められた人物。▼政治家は引退後に『回顧録』を残して評価を後世に委ねる責任がある。戦争を指導した F. ローズヴェルトは終戦直前に病死、ヒトラーは自殺、ムッソリーニは処刑、スターリンは謎の多い急逝。いずれも現役で亡くなったため 2 次大戦前後の指導者の回顧録はチャーチルのものぐらいで貴重。▼もちろん回顧録はしばしば自画自賛になるから慎重に読む必要がある。何を語っても結局のところ事に託して自分を語るのが回顧録。著者が自制を利かせて『自省録』と題したとしても自慢録としての性格をぬぐいがたく持ってしまう。後悔、悔恨などの外衣を纏っても結局、自慢になってしまう。人間は自分の存在を大きく見せたい欲望から離れられない。▼ペルシアの大軍を誇大表記したヘロドトス『歴史』。自分を大きく見せるため敵を大きく見せるのは歴史出発点からの特徴。かつて勤務した学校の大先輩の「バラ二本」という短い詩を額装して書斎に飾っている。「バラ二本　一本は花大にして　一本は小。大　大を誇らず、小　小なるを恥じず。力の限り咲けるが美し」(芦田恵之助)。これと真逆の世界が回顧録。だけど面白い。

わんクリック　それでも回顧録は面白い。圧倒されるのは過去の出来事の細部にまでわたる記憶力。功成り名遂げた者の能力の絶対値の大きさにはいつも舌を巻く。ただ、嘘をつくのが政治家の仕事の一部で、嘘をつく才能も美徳、が政治家の倫理観。自分を大きく見せる、自分を輝かせることに長けている (これがリーダーには必要な資質) から間引いて読む必要はある。政治家以外の回顧録で陸軍大将今村均の『今村均回顧録　正・続』に感銘を受ける。自ら志願して東南アジアの戦犯刑務所に入り執筆をはじめた。大部なのでまず角田房子の評伝『責任　ラバウルの将軍今村均』から読むのがよい。

History Literacy　権力の所在に注意 (通常は地位に権力が伴うが、時々の状況で肩書きのない「実質的な権力者」が出現することもある)。

核の脅威と平和運動

①核開発の進展

・アインシュタインの相対性理論

・核開発

原爆開発　アメリカ (1945)、ソ連 (1949)、イギリス (1952)

└ 核分裂によるエネルギー　　　└ アメリカの核独占終わる (核拡散)

水爆開発　アメリカ (1952)、ソ連 (1954)

└ 核融合エネルギー、原爆の数千倍の破壊力 (破壊力に上限なし)

・戦略兵器開発 (50 年代)　＊1

└ 核の運搬手段、ナチス・ドイツが開発した V2 ロケットの技術がベース

1957 年、ソ連が大陸間弾道弾 (ミサイル)(ICBM) を開発 (8 月)

└ 射程 1 万キロ、Intercontinental ballistic missile

1957 年、ソ連が人工衛星の打ち上げ成功、スプートニックショック　＊2

1961 年、ソ連が最初の有人飛行

└「地球は青かった」(ガガーリン)

→アメリカの焦燥、月に人を送り込むアポロ計画発表

└ ケネディ大統領→ 1968 年アポロ 11 号月面着陸

・潜水艦発射弾道弾 (SLBM)(米ソ)(1950 年代後半)　＊3

└ 原子力潜水艦、精度は低いが居所の探索がほぼ不可能で「抑止力」大

→世界は (偶発的) 全面核戦争の可能性に直面　(※)

②核反対運動

・1954 年、第五福竜丸被爆

└ まぐろ延縄(はえなわ)漁船、アメリカのビキニ環礁で水爆実験「死の灰」被爆

・1955 年、原水爆禁止世界大会

・1955 年、ラッセル・アインシュタイン宣言

哲学者ラッセル (英) と物理学者アインシュタイン (米)

└ 桁違いの天才ラッセル、当時の「知の巨人」とされた二人

核兵器廃絶、科学技術の平和利用を訴えた

・1957 年、パグウォッシュ会議 (カナダ)

└ 湯川秀樹が宣言に署名、会議に参加

核兵器廃絶を訴える科学者の会議

PROPOS　＊1

1 万 km を超える射程の大陸間弾道弾などを戦略兵器という。到達時間は数分で迎撃は困難。破壊力は強大で使用は事実上不可能。その点で通常の戦術兵器と異なる。相手が使ったら同じ反撃ができるものを持つことで相手に使わせない抑止力を持つとされる。本当に抑止力として働いているかは不明。大量殺害兵器の核―戦略兵器の保持を正当化できる理由などない。方便として核抑止力概念が使われている。核抑止力は保有国間で働くが、プーチン (ロシア) が非核保有国ウクライナに対して核の使用 (低出力の戦術核) をほのめかす脅しを繰り返す (NPT 体制は無意味となる)(2022)。緊張を高めて譲歩を勝ち取る瀬戸際(せとぎわ)戦術。この脅しに抵抗を自制すれば核保有の有効性を認めることになるジレンマに世界は直面。

PROPOS　＊2

核実験とミサイル発射実験が繰り返される。発射基地が攻撃されると抑止力 (核報復攻撃能力) は無効。そのため、核の小型化 (移動式にする)、注入時間の不要な固形燃料化、迎撃困難な変則軌道化、多頭核化、超音速化などが進められている。決め手は相手国に近い深い海底から攻撃できる潜水艦発射弾道弾 (SLBM)。いま核ミサイルを搭載した戦略原子力潜水艦 (燃料補給が不要) が相互に常時追尾。戦略核兵器だけでなく「使える」戦術核兵器開発も進む。

PROPOS　＊3

巡航ミサイルは翼とジェットエンジンで水平飛行 (ただし燃料が必要で巡航距離に限界あり)。対して弾道ミサイルは大気圏外に出て、弧の弾道を描いて再突入して着弾する (燃料は打ち上げ時のみ、酸素のない大気圏外では燃焼できない)。弾道ミサイルと宇宙ロケットの基本的構造は同じ。弾道ミサイルから弾頭を外し、代わりに小型衛星を付ければ衛星打ち上げロケットとなる。どこかの国が「人工衛星打ち上げに成功した」はその国が「大陸間弾道弾を保持する能力を持った」と読み替えて理解したい。

画蛇添足

▼砕く前と砕いた後の破片を集めて質量を測ると砕いたものの方が軽くなっている。何かが失われたため質量が減った。その失われたものがエネルギーと分かり、質量がエネルギーであることが $E=mc^2$ として表された。アインシュタインの相対性理論の中でも最も有名な方程式。▼とはいえそのエネルギーを取り出すのは不可能と考えられていた。ところが 30 年代のドイツで、原子の原子核 (陽子と中性子が集まる) に中性子をあてると原子核が分裂して中性子が飛び出すこと、同時に飛び出た中性子が他の原子核を分裂させる連鎖反応が起こることが分かった。▼自然には崩壊しない原子核。それだけ強い凝縮力でまとまっていることを示す。これを崩壊させれば莫大なエネルギーが放出されることになる。原子核分裂の連鎖反応を一気に起こして瞬間的に巨大なエネルギーを放出させるのが核爆弾。戦争下、核分裂発見からたった 7 年で原爆が開発された。中性子を吸収する制御棒を出し入れして中性子の量を制御、連鎖反応をコントロールするのが原子炉。両者は技術的に同じ。▼核兵器廃絶を訴えたラッセル・アインシュタイン宣言は短いが格調高い内容。哲学者ラッセルは説明がうまい。有名な『哲学入門』で帰納法を説明するくだりが秀逸。主人から毎朝エサを与えられたニワトリ。「主人はいい人だ」と思うようになる (そういう知識を得る)。▼ところがある朝、主人に首を絞められて絶命する。帰納的に得た知識の頼りなさをこう説明する。「愛国主義者たちは常に、祖国のために死ねとはいうが、祖国のために人殺しをしろとは言わない」。言葉で核兵器の怖さと廃絶を説いた。誰かが原子力発電所を「自国に向けた核」と表現した。

わんクリック　「ピッ、ピッ、ピッ」と地球をまわるスプートニクから送られてくる信号に、アメリカはソ連が先に人工衛星打ち上げに成功 (大陸間弾道弾保持を意味)、ソ連がボタン一つで自国を核攻撃できる態勢になったと知る。ソ連に先んじられたことに真珠湾攻撃以上とされるショックを受けた。アメリカの学校カリキュラムは知識偏重に変えられ、日本もこれに続いた。これに先立って 1955 年のＡＡ会議で世界史教科書の西欧中心主義が問題になるとアジア・アフリカの叙述が、オイルショック以降はイスラーム世界の叙述が、世界で何かが起こるたびに「高校世界史」の内容が膨れ上がっていった。

History Literacy　理論は特定の条件下でのみ成立―核抑止論は指導者が合理的な判断をするという条件下で成立。

2　アジア・アフリカ諸国の独立と戦争

中国の内戦と中華人民共和国の成立

①大戦後の中国

・戦争中、中国の国際的地位向上

列強との不平等条約撤廃 (1942)、国際連合の常任理事国

└ 虎門寨追加条約 (1843) 以来 1 世紀ぶり

・長い内戦と抗日戦争で国内は疲弊（「惨勝」）

・1945 年、双十（そうじゅう）協定で蒋介石と毛沢東は内戦回避で合意　＊1

②国共内戦と共産党の勝利

・1946 年、国共内戦再発

当初、国民党の圧倒的優勢もしだいに共産党優勢に推移　＊2

└ アメリカが支援、当初はソ連 (スターリン) も支持

・1948 年共産党の人民解放軍が総反撃、中国全土解放

└ 1947 年改称、建軍理念「三大規律八項注意」　＊3

毛沢東の土地革命に対する農民の支持と恐怖

・毛沢東は新民主主義を提唱、民主諸勢力を結集

生産力向上を優先、一部のブルジョワ階級の政権参加も求めた

└ 漸進的に社会主義社会を実現しようとした 2 段階革命論

③中華人民共和国の成立

・1949 年 10 月 1 日、中華人民共和国成立

人民政治協商会議で建国を決定

└ 当初は国会代わりだったが現在は全人代 (全国人民代表大会) の諮問機関として形骸化

共産党と 8 民主党派、国民党内の反蒋介石グループが連立

└ 党員は共産党 (約 1 億人) に対して各党 10 万人程度、形式上は一党独裁ではない

・主席毛沢東、首相周恩来

④台湾で中華民国の維持 ― 2 つの中国

・蒋介石ら国民党は台湾に亡命政権樹立　＊4

└ 人口約 600 万 (本省人) の島に約 150 万 (外省人) が新たな支配者として来島

・中華民国を台湾で維持、国連の代表権を継承

└ 朝鮮戦争勃発 (1950) で毛沢東は台湾接収を断念、蒋介石にも大陸反攻の余力なし

PROPOS　＊1

戦後の日本軍の武装解除。国民党軍も共産党軍も日本軍の近代的兵器を獲得しようと、自軍への武装解除を進めようとして緊張。共産党軍が満洲の日本軍の兵器をソ連経由で獲得。装備面で優位にたった。国共内戦は双十協定でいったんは回避された。

PROPOS　＊2

共産党の勝利は予想外の出来事。多くが国民党の勝利を疑わなかった。共産党も全土の支配ではなく、まずは地方政権の樹立を考えていた。ただ日中戦争で日本侵略の矢面に立った国民党と違って共産党は後方で輸送網の破壊などのゲリラ戦に従事しただけ。国共内戦に備えて兵力を温存していた。また延安周辺でのケシ栽培 (アヘン) で財力も蓄えていた。加えて土地改革で農民を味方に兵力として動員できた。対する国民党に対する農民の戦時中の動員に対する怨嗟（えんさ）は大きかった。戦後の経済復興は国民党の仕事だったが、これが容易ではなくインフレと不況の進行で民心を失った。

PROPOS　＊3

革命家毛沢東はゲリラ戦の要諦（ようてい）を 16 文字でまとめた。「敵が進めば、我は退く。敵が止まれば、我は撹乱する。敵が疲れれば、我は打つ。敵が退けば、我は追う」。これを歌にして文字の読めない農民にも覚えさせた。また「行動は指揮に従う」「労働者のものを奪わない」「敵から奪ったものは一人占めにせず、みんなのものにする」の三カ条に八つの注意事項をつけた「三大規律八項注意」を作ってこれを徹底した。

PROPOS　＊4

内戦に敗れた蒋介石ら国民党約 150 万人が人口約 600 万人の島に亡命政権を建設。実際は台湾島しか支配していないが大陸全土も支配しているとの建前。この亡命政権を西側資本主義諸国は正式の中国と国家承認した。なおこの時、故宮にあった中国の文物を台湾に持ち去ったから、中国文明の主な遺物は台北の故宮博物館にある。

画蛇添足

▼「良い鉄は釘（くぎ）にならず、良い男は兵士にならない」の古諺（こげん）がある中国。そこで農民に圧倒的に支持された軍隊―紅軍（人民解放軍）が生まれた。この軍隊の司令官が朱徳将軍。その前半生の聞き書きがスメドレー『偉大なる道』。当時の中国の貧農の生活ぶり、朱徳の生い立ちが細かく記録。大陸で農民が生きてきた貧しさと価値観が分かって面白い。▼長征直後の延安に潜入取材した作品がエドガー・スノー『中国の赤い星』。革命家毛沢東の卓越した活動を描く。農村で都市を包囲する農村根拠方式で中国を解放しつつあった若き精悍（せいかん）な革命家。赤かぶれの山賊と認識されていた毛沢東と共産党に対する世界のイメージを一変させた。筆者も若い時分に読んで感化された（実際はスノーは毛沢東に利用されている）。▼皇帝の権力が県城までしかこないのが伝統的なチャイナ社会。支配者層と被支配者層がくっきりと分かれた二重構造社会。支配者層の争い（戦争）に農民は関わらないし、王朝交代も関係なかった。その点で江戸時代までの日本も同じ。戦争は武士がするもの。戦争になると百姓は逃げた。幕府からみても担税者の農民を戦争に巻き込むわけにいかなかった。▼国民政府は日中戦争前にはまだ「中国」としての国民国家の実質を作れていなかった。満足な戸籍もなく（だから日中戦争の正確な犠牲者数が分からない）、人びとに「国民」意識もなく、蒋介石は抵抗する農民を拉致同然に徴兵した。農民にとっては日本以前に、国民党による徴兵との戦いだった。蒋介石は戦場で彼らが逃げないように後方に督戦（とくせん）隊をおいて監視、逃げようとする兵を撃った。それに対して毛沢東は土地改革で農民に土地を与えた。農民を味方にすることに成功した。

わんクリック　当時、販売されたライカという小型カメラで、「決定的瞬間」をスナップショットで撮り続けたのが写真家アンリ・カルティエ・ブッレソン。撮った時の構図そのままに、現像時にトリミング処理しなかった。インドでは暗殺される前日のガンディーの姿を、中国では国民党の最後の日々を写真におさめた。毛沢東軍が到着する前の「北京の最期の日々」を取材、その中の一枚が有名な故宮から出てきた宦官の写真。どの世界史教科書にも掲載されている。また「金の配給、上海、中国 1949」―国民政府の紙幣を金に交換しようと銀行に殺到する群衆の写真 (※) などはまさに決定的瞬間。

History Literacy　写真に写るもの―写真は被写体だけでなく、写真家が被写体との間で築いてきた人間関係を写す。

⑤中華人民共和国の政治

- 1950 年、中ソ友好同盟相互援助条約 (~ 1980)　＊1 ＊2

  └「封じ込め政策」はアジアで破綻

- 中国の承認

  インド (1949)、イギリス (1950) が承認　＊3

  └ ネルー首相　└アトリー労働党内閣

  アメリカ、日本は中華民国を支持

- 1950 年、朝鮮戦争勃発 (~ 1953)、義勇軍派遣

  └ 実質的にアメリカと中華人民共和国の代理戦争

第三世界の形成

- 第三勢力の形成

  └ 仏革命で主役となった第三身分の連想からの造語

  西側でも東側でもない第三勢力を作ろうとした

- 1954 年、平和五原則　＊4

  中華人民共和国の周恩来とインドのネルー

  └ インドシナ戦争の終結をめざすジュネーブ国際会議の休会中を利用してインドを訪問

  領土と主権の相互尊重、内政不干渉、平和共存など

  両国間関係の基本原則として確認、世界各国間関係に適用すべきと宣言

- 1955 年、アジア・アフリカ会議 (A・A 会議)　＊5

  インドネシアのバンドンで 29 カ国の参加 (日本も参加)

  平和十原則

  └ 平和五原則をふまえたもの

- 1961 年、非同盟諸国首脳会議

  └ 1960 年アフリカで 17 カ国独立 (アフリカの年) などアジア・アフリカの発言力は強化

  ユーゴスラビアのティトーが呼びかけ、ベオグラードで開催　＊6

  └ 当初の参加国は 25 カ国、現在は 117 カ国

- 1962 年、中印国境紛争で主要国の中印が対立

  └ 1950 年中国の人民解放軍のチベット進駐で中印が国境を接するようになる

  中印国境 (チベット) はヒマラヤ山岳地帯で多くが未確定

  └ 1954 年平和五原則で調整

  中国の勝利で以後、インドは強い中国の強い圧力下にありロシアに接近

PROPOS　＊1

当初スターリンはヤルタ密約の満洲利権 (日本の満洲利権のロシアへの譲渡、F. ローズヴェルトも承認) 確保のため国民党を支持。ソ連と中国共産党の関係は微妙だった。中国共産党は当初コミンテルンの指導下に結成されたが毛沢東が権力についてからは独自路線。モスクワを訪問した毛はスターリンに 2 カ月も会談を待たされた。締結された中ソ相互援助条約で満洲利権は破棄。

PROPOS　＊2

1949 年はソ連が原爆を開発、中国内戦で共産党が勝利した年。その衝撃は大きかった。中ソ関係は微妙だったが翌 50 年に両国が結んだ中ソ友好同盟相互援助条約はアメリカによる共産主義封じ込め政策のアジアにおける破綻を意味した。アメリカは極東政策の見直しを余儀なくされた。

PROPOS　＊3

毛沢東は英領香港を接収しなかった。その返礼が、イギリスのいち早い国家承認。イギリスが労働党内閣だったことも関係。

PROPOS　＊4

平和五原則以来、中国共産党は「主権尊重」を掲げて中国「国内」の諸問題への外国からの非難を内政干渉、帝国主義と牽制してきた。それがいま覇権的傾向を強める。

PROPOS　＊5

1955 年初の非白人国家 (有色人種) の国際会議、第 1 回アジア・アフリカ (A・A 会議)。平和十原則を採択したが第三の勢力の結集は推進役の中印関係悪化で 1 回だけに終わり、地名のバンドン会議が通称。

PROPOS　＊6

ケネディー、フルシチョフ、ティトーの乗った車。二差路に差しかかり運転手が曲がる方向を尋ねた。「もちろん右」(ケネディー)、「もちろん左」(フルシチョフ) に戸惑う運転手に「方向指示器は左にだして、右に行って」(ティトー)。もちろんジョーク。

画蛇添足

▼トゥキュディデス『戦史』が戦争の誘因としてあげたのが恐怖、利益、名誉。これは人間を動かす三要素として理解されてきた。私たちの社会は法の支配。法や規制を使って人びとの利益と名誉に訴えることで行動を誘導する。▼「こうした方が得をする」という利益誘導に名誉もからませる。マーケティングの基本の一つは人びとに「恥ずかしい」と思わせること。こんな服装をしたら、こんな物を持っていたら恥ずかしい、と思わせて物を買わせる。恥は名誉の裏返し。▼法の支配は人の支配を克服して生まれた。人の支配は独裁体制になりやすい。恐怖で人びとを萎縮させて従わせる体制。ただ恐怖だけで統治は成立しない。例えば選挙の洗礼を受けていない中国の共産党政権は様々な形で国民と対話して支持を取り付ける。▼日本政府は国会を取り巻くデモがあっても意に介さないが、独裁政権はデモの声を正確に聞き取る。そうしなければ政権の正統性が確保できない。強権だけで長期にわたる統治は不可能。独裁支配は被支配者から服従の同意を得て成立している。独裁国には独裁国の対話がある。特に長く専制体制下で生き延びてきた中国の民衆はしたたか。そこには様々な駆け引きがある。▼毛沢東の土地革命。抵抗する地主、富農を容赦なく殺害。その土地を農民に分配。毛沢東にとって人間性や倫理観などは些事(さじ)。人の命を塵芥(ちりあくた)として扱う伝統的なやり方で地主、富農を殺害。農民が欲しいもの、農民を操るのは恐れさせることと熟知。農民に畏敬(いけい)の念ではなく、畏怖(いふ)の念を植え付けて統治した。中国の統治原理を徳治 (人治) とするのは特徴の言及。現実にはどのような政体も混合政体。様々な要素を組み立てて統治する (※)。

わんクリック　国防費の増大が周辺諸国の脅威になっている中国。しかし中国が軍事費以上に使っているのは国内治安維持のための公安(こうあん)費。チャイナ史は王朝交代史。王朝の最期はきまって数百万規模の農民反乱。いま中国はテロ、反乱防止のためのカメラ、全国民監視システムを張りめぐらし、ビッグデータ収集とその処理技術で世界の先頭を走る。国内の治安は大幅に改善。自由、民主主義といった理念にこだわらず政府に恭順(きょうじゅん)すれば安全に暮らせる社会になった。新疆(しんきょう)が中国のデジタル統治の実験場。いま世界はこれを人権侵害と批判するが、国内治安が悪化すればこの技術をこぞって受け入れるだろう。

History Literacy　言及されるのは特徴―どのような政体も混合政体、中国の統治原理も徳治 (人治) だけではない。

中華人民共和国の内政

- 1950年、土地改革（～1952）で地主の土地を農民に分配
- 1950年、婚姻法で男女平等の家族制度、儒教に基づく家父長制廃止　＊1
  └ 典型的な男尊女卑の封建社会に女性が進出、中国社会は大きく変容
- 1953年、第1次5カ年計画（～1958）
  朝鮮戦争後、ソ連の5カ年計画をモデルとした重工業化に方針転換
  農業の集団化（初級合作社、高級合作社）で農民は土地を再び失う
  └ 提供した財産に応じた分配の初級合作社、なされた労働に対して分配の高級合作社
- 1957年、「百花斉放、百家争鳴」後、一転して反右派闘争　＊2
  └ ソ連でのスターリン批判、平和共存政策（1956）が背景
- 1958年、大躍進政策
  人民公社運動、製鉄運動が大失敗
  → 1960～63年、3年にわたる飢饉、大量の餓死者
  └ 餓死者3600万「人類史上最悪の惨劇」（楊継縄『毛沢東　大躍進秘録』）

多民族国家中国 ― 56の民族、圧倒的存在の漢民族　＊3

- 人口の9割が漢族だが、面積の3分の2は少数民族の自治区
  └ この地域にハイテク産業に欠かせないレアメタルが偏在
- 主要言語は漢語（漢族の言語）― 中国語という音声言語が存在しない中国
  └ 中国語は秦の始皇帝以来、漢字の使用を共有する（筆談可）文字言語
- チベット自治区 ― 辛亥革命（1911）以降、事実上独立
  1950年、人民解放軍がチベット進駐（「チベット解放」）
  1959年、チベット独立運動
  　指導者ダライ・ラマ14世はインドに亡命
  └ チベットでは多くの高僧が化身ラマとみなされて尊崇
  特に文化大革命時、チベット文化を破壊
- 新疆ウイグル自治区 ―「ウイグリスタン」になれなかった地域　＊4 ＊5
  トルコ語を話し、アラビア文字で記すムスリムの居住地
  └ 長く仏教が主流で、イスラーム化は15c以降と遅い
- 内モンゴル自治区
  └ かつての「オルドス」（匈奴発祥の地）、「チャハル部」（清朝）で遊牧地帯の最重要地

PROPOS　＊1
社会進出して仕事を持った女性は家事も担当。男女平等の実現ではない。男女格差（ジェンダーギャップ）指数ランキングで日中韓の旧儒教圏3カ国は100番台だが、日本は中国、韓国の後塵を拝している。

PROPOS　＊2
反右派闘争（1957）までは毛沢東に多様な意見を聞く姿勢があった。しかしこれ以後は彼に意見する者を敵とみなした。王兵『鳳鳴　中国の記憶』は30年間にわたる迫害（中国現代史）を生き抜いた女性の18カット3時間にわたる圧巻のモノローグ。

PROPOS　＊3
遊牧世界（モンゴル人、チベット人）と農耕世界（漢民族）の統合は満洲人による統治だったから可能だった。辛亥革命（清朝滅亡）でこの枠組みは消滅。モンゴルとチベットは独立。しかし孫文は五族共和を唱えて中華民国を大清帝国の後継国と位置づけて、その版図の継承をはかった。

PROPOS　＊4
中央アジアのトルコナショナリズムを恐れたスターリンは東トルキスタン（新疆）を中国に譲り、テュルク世界を東西分断。ソ連は支配する西トルキスタンを5カ国分割統治（1924）。この分断線に妨げられずテュルク世界の輪郭をとらえる力を培いたい（※）。いま中国は新疆ウイグルの漢化に舵を切った。豊富な地下資源。産油国カザフスタンからのパイプラインも通る。

PROPOS　＊5
中国はモンゴルも外モンゴルと内モンゴルに分断。中国は内モンゴルではモンゴル人と呼ばせずモンゴル族と「中国の少数民族」扱いする。モンゴルはモンゴル国（外モンゴル）と内モンゴル、ロシア共和国内のブリヤート共和国に分断（バイカル湖畔のブリヤート―外見は日本そっくりの社会）。そして次にモンゴル人が多く居住する（力士だけでない）のはかつての宗主国日本。

画蛇添足

▼「昨日のチベット、今日の香港、明日の台湾」―台湾にとり今の香港の民主化デモの行方は他人事ではない。中華人民共和国はチベットだけでなく、香港、台湾を自国領土と考える。「昨日のチベット」―チベットは武力併合されて久しく、漢化政策はほぼ最終局面。▼中国（中華民国、中華人民共和国）は清朝の後継国を自認。中国共産党は共産主義政権として「帝国」を否定しながら、帝国だったがゆえに広大になった領土を継承。チベット（モンゴルも同様）は満洲とチベット仏教を通した紐帯があり、内政に干渉されなかったから清朝に服属してきた経緯がある。▼編入を不当としてこれらの地域では独立の思いがくすぶる。中国の共産党支配を脅かす存在の一つはこれらの民族独立運動。これらを中国はテロと断罪、厳しく弾圧してきた。テロとは自らが支持しない暴力を指す恣意的な呼称。▼当時のチベットは僧侶が人びとを支配する暗黒社会、と中国人民解放軍がチベットを解放。以後、文明化の名目で漢化を進めた。多額の資本を投下して社会資本を整備、住民の生活水準は飛躍的に向上したがそれはチベット文化の破壊でもあった。▼現在の漢化最前線は新疆ウイグル自治区。「AI監獄」とされる徹底した屋外カメラによる監視。共産党に恭順の意を示していないとみなされた百万人以上のムスリムが「再教育施設」の名の施設に収容された。そこで何が行われたのか。様々な話が漏れ伝わってくる。▼漢語を話さず漢字も読めない両地域は漢民族の大量入植によって漢化が急激に進められている。漢字を使えるのが漢民族。この漢化、中国文明圏の拡大を「大唐帝国の成立」などとある種の憧憬と高揚感で肯定的に語ってきたのが世界史教育。

わんクリック　ローマ帝国は地中海周辺の先行文化に「ローマ文明」を上書きしていった。東アジアでは「漢民族」が漢字文化圏を広げつつ、「漢民族」なるものを作りあげていった。そのことを学んで不快感を持った人は少ないだろう。冷静に考えれば、いま中国共産党が行っているのはその最終仕上げ。アラビア文字を使う新疆ウイグル自治区、キリル文字を使う内モンゴル自治区の漢化。両地域の生活水準は向上している。筆者はこの事態に不快感を持つが、過去のローマ帝国の拡大、漢、唐帝国の拡大に肯定的な感情移入をして授業で語ってきた。それはダブルスタンダードではなかったかと自問している。

History Literacy　権力者のひいた分断線に惑わされない―ある世界の広がり（例えばテュルク世界）の輪郭を見失わない。

朝鮮半島の分断と日本の主権回復

①朝鮮半島の分断

- 北緯38度線を軍事境界線として米ソが分割占領
- 1948年、大韓民国建国（8月）、首都ソウル、大統領李承晩（イスンマン）
- 1948年、朝鮮民主主義人民共和国建国（9月）、首都平壌（ピョンヤン）、首相金日成（キムイルソン）

②朝鮮戦争 — 米中が交戦（アジアの冷戦は以後、米中対立）（※）

a. 発端

- 1950年、北朝鮮軍が38度線を越えて南進（6月25日） ＊1

b. 経過

- ソウル陥落、北朝鮮軍が韓国軍を釜山（プサン）（半島南端）まで追い込む
- 「国連軍」の名でアメリカが仁川（インチョン）上陸（9月）
  - └ ソ連は中華人民共和国が中国の正式政権と主張し、安保理ボイコット中で拒否権使えず

  総司令官マッカーサー

  国連軍は戦線を38度線まで押し戻し、さらに中国国境鴨緑江（おうりょくこう）まで進撃
- 「義勇軍」の名で中国が参戦（10月）戦線を押し戻す ＊2
  - └ ソ連は米との戦争を回避、参戦せず（武器援助のみ）
- 戦線は38度線上で膠着 ＊3
  - └ 北朝鮮、中国、アメリカの国力消耗をスターリンは歓迎、和平に動かず

c. 結果

- 1953年、休戦協定成立（7月）
  - └ スターリンの死、アイゼンハウアー大統領就任

  板門店（はんもんてん）において調印、38度線が休戦ライン

  └ 未だ国境はなく、軍事境界線が存在
- 甚大な被害（死者約300万人、前線が全土を往復）
- 朝鮮半島の分断固定化

③アメリカの極東政策の転換と日本の独立、経済復興 ＊4

- アメリカは日本を西側（反共産主義陣営）の一員として独立させる
- 1951年、サンフランシスコ講和条約、日米安全保障条約締結
  - └ 韓国、北朝鮮不参加には植民地問題を取り上げたくない西側の思惑もあった
- 日本の再軍備
- 朝鮮戦争特需による日本経済の復興

PROPOS ＊1

アチソン米国務長官は、アメリカが責任を持つ防衛線として「フィリピン、沖縄、日本、アリューシャン列島」を結ぶアチソンラインを表明（1950）。ソ連との直接対決が起こることを避けて韓国を外した。これを好機とみた、中華人民共和国の統一に刺激を受けた金日成が武力による半島統一を可能とみて南進。事前承認したソ連のスターリンは武器供与のみにとどめた。

PROPOS ＊2

国連軍（米軍）が中国国境、鴨緑江に迫る情勢の中で中華人民共和国が参戦。内戦終了後の建国間もない中で毛沢東が反対を押し切り義勇軍派遣を決定。空軍も持たない義勇軍100万人が徒歩で圧力をかける「人海戦術」で近代兵器で武装した国連軍を圧倒、形勢を逆転させた。新体制への不満分子を前線に立たせて粛清の手間を省いた非情な側面も指摘されている。

PROPOS ＊3

マッカーサーは戦争の膠着（こうちゃく）状態打開のため中国東北地方での原爆使用を主張。当時ソ連の原爆保有（1949）で始まった核拡散の危機に始まった核兵器禁止を求める署名が5億筆に到達。この国際世論、ストックホルム・アピール（1950）を前に原爆使用を後悔していたトルーマンは彼を解任。

PROPOS ＊4

冷戦激化で全面講和は現実味がなかった。日本の講和は戦後処理の性格を超えて冷戦の一環として位置づけられる出来事となる。全面講和が正論だが（命がけで終戦工作をした南原繁らが主張）それは現実には占領が続くことを意味した。吉田茂の現実的判断で、日本は連合国中の西側諸国を中心に講和を結び（片面講和）、西側諸国の一員として国際社会に復帰。日本が植民地支配していた台湾、朝鮮、侵略で甚大な被害を与えた中国との講和は先送り。同時に日本は植民地責任、戦争責任問題を先延ばししたため、今日まで引きずることになる。

画蛇添足

▼朝鮮戦争の犠牲者数約３００万は全人口の10％に相当。大戦での日本の死者数（約３１０万、人口比３％）とほぼ同じ。これだけの人命が失われ、前線がローラーのように往復したため全土が焦土となり、全国民が巻き込まれて逃げまどった。▼朝鮮といえば高麗青磁、李朝白磁で知られる陶磁器の国だったが日常の器は携帯できるアルミ製にかわる。戦争で残ったのは憎悪と不信感による分断の固定化。戦争中、共産主義に反発する者は南へ、共鳴する者は北へ移り、各体制の不満分子が移動したことが南北分断を安定させた。朝鮮半島は安定陸塊（りくかい）の楯状地（たてじょうち）—地学的には安定するが、地政学的に極めて不安定。アジアの冷戦はまだ終わっていない。▼焦土となった日本の復興は半世紀かかるとされた。経済もモノ不足によるインフレ、ドッジラインによる安定恐慌の二重苦。当初、アメリカ、中国は日本のすべての工場から機械設備を回収する現物賠償取り立てを計画していた。しかし朝鮮戦争勃発でこれらを日本で稼働させる必要が生まれ、賠償計画は放棄された。▼それらが朝鮮戦争特需でフル稼働。隣国の不幸で10年で日本経済は戦争前の水準に戻り、55年からは高度経済成長（〜73、18年間）局面に入った。戦後、わずか23年で68年にはＧＮＰ世界2位の経済大国となった。▼日本軍武装解除のための米ソ分割占領が国家分断につながった朝鮮半島。朝鮮戦争再開を睨（にら）んで北朝鮮は独裁化、韓国では軍事独裁体制が続いた。先に経済復興した日本は南の独裁政権とのみ日韓基本条約で国交回復。経済援助と引き換えに植民地支配の賠償終了の同意を取り付けた。ただ韓国国民は民意を代表していなかった軍事独裁政権の妥協に納得できていない。

わんクリック 日本の敗戦時、ソ連軍は朝鮮半島と地続きの満洲に駐兵、アメリカ軍は遠く離れた沖縄にいた。朝鮮における日本軍の武装解除にあたってソ連軍が圧倒的に有利だった。そこでアメリカは首都ソウルのすぐ北の38度線に着目。ここで半島を分割占領することをソ連に提案。余力のなかったスターリンはこれを了承した。ところで日本が植民地時代に展開した重化学工場などの多くは北に立地、これらを接収できた北朝鮮が戦後は工業化で韓国に対して優位に立った。38度線北側への不時着からはじまる韓国ドラマ『愛の不時着』(2020)。人生に不時着はままある。それも楽しむのが人生の達人。

History Literacy 言葉の指示対象に注意（「冷戦」は米ソが戦わなかっただけで、代理戦争としての地域紛争で無数の人びとが犠牲になった）。

東南アジアの国民国家

①フランス領インドシナ

- 戦争中、ホーチミン指導のベトナム独立同盟が対日武装闘争 ＊1
- 1945年、ベトナム共和国独立宣言（9月） ＊2

②インドシナ戦争

- 1946年、インドシナ戦争（12月）
  フランスは独立を認めず民主共和国を攻撃
  ベトナム国成立（1949）
  仏が南ベトナムに阮朝廃帝バオ・ダイ擁立

③フランスの敗北

- 1954年、ディエンビエンフーでフランス大敗 ＊3
- 1954年、ジュネーヴ休戦協定
  仏軍撤退、北緯17度線を暫定軍事境界線、2年後の南北統一選挙実施
  └ 現実には共産主義の勝利を意味

④フィリピン

- 1946年、フィリピン共和国の独立
  └ アメリカは1934年に10年後の独立承認
  →共産主義勢力（フクバラハップ）が地主制と対米従属に抵抗
  ミンダナオ島南部のムスリム（モロ人）居住地域も編入
  →モロ民族解放戦線の解放闘争起こる
- 1951年、米比相互防衛条約

⑤ビルマ（ミャンマー）

- ビルマ国軍
  ビルマ独立軍、ビルマ国（首班バー・モウ）の国軍が前身
- 1948年、イギリス連邦から独立
  初代首相ウー・ヌー
  └ タキン党員、アウンサンは直前に暗殺される
- 1962年、クーデタでネ・ウィン軍事政権（~88） ＊4
  独自の政治経済体制（ビルマ式社会主義）、非同盟外交政策
  └ 当時のインドシナ情勢に巻き込まれないために事実上の鎖国（社会主義国とも関係持たず）
  国軍の強い力で閉鎖的な政権（26年間）

PROPOS ＊1

ヤギ髭（ひげ）で「ホーおじさん」と国民の敬愛を集めた。日本では負のスティグマ「おじさん」が肯定的に使われている希少事例。人民服にサンダル履きのスタイルで親しまれ最後まで質素な暮らし。神格化を拒んだが、彼を神格化したい人びとにより遺体は特殊な防腐措置が施され廟に安置された。毎日、顔色伺（うかが）いに訪れる人もいるらしい。

PROPOS ＊2

人権の普遍性を掲げたフランス人権宣言。それを植民地支配正当化の理由としてきたフランス。ホーチミンはベトナム民主共和国独立宣言の冒頭にあえてアメリカ独立宣言とフランス人権宣言を引用。自由・平等・幸福追求の権利の普遍性を主張してフランス植民地支配の不当性を訴えた（※）。フランスは戦後も復興、自国の国際的地位確保のために植民地にしがみついた。これにアメリカは当初は冷淡だったが中華人民共和国の成立、朝鮮戦争の勃発を受けて、アメリカは独立運動を国際共産主義運動とみなして積極的介入を開始した。

PROPOS ＊3

ゲリラ戦に苦慮したフランスは山に囲まれた盆地ディエンビエンフーに撤退。ベトナムの英雄ボー・グエン・ザックはその周囲の山に大砲を運び上げ、フランス軍を破る。アジア勢力がヨーロッパ勢力を破ったのは日本海海戦以来のこと。ジュネーヴ和平会議中のフランスは和平協定に応じた。

PROPOS ＊4

ビルマ国軍。ビルマはビルマ人と少数民族（人口の3割程度）の連邦国家として独立。中国国境近くの山岳地帯に居住する少数民族は独立志向が強く、カレン人などは分離独立を認めて武装闘争を展開。武装化する少数民族を抑えるビルマ国軍の存在感が大きい、国家統合のため軍が強い国家になった。軍には様々な特権が認められ多くの経済活動に関与（癒着）。ビルマの民主化とは国軍の利権にメスを入れることだった。

画蛇添足

▼赤道直下の都市国家シンガポール。琵琶湖ほどの面積の島に兵庫県全体の人口5百万人強が住む。人口密度5千人の超過密都市。都市国家が生き残れるわけがないと見られていたが建国の父リー・クアン・ユーの下で自立に成功。典型的な開発独裁が続くが、いま一人当りGDP6万ドルのアジアで最も豊かな国家（日本は4万ドル）。▼マラッカ海峡の入り口の自由貿易港。中継ぎ貿易で繁栄。その象徴が世界有数のコンテナターミナル。他方でジュロン工業地区も設けられ、アジアNIEsの一角を占める工業国にも数えられる。物価は高いが一度は訪れたい。赤道直下、熱帯気候を体験できる。▼国内に農地はなく、橋で繋がる隣のマレーシアのジョホールバールから生鮮食料品を輸入、飲料水もパイプで引く。ジョホールバールを併せて訪ねたい。陸路で国境を越える体験は意外とない。渡った先はイスラーム世界。住民の8割が中国系だが、公用語は英語（シングリッシュ）、中国語（マンダリン）、マレー語、タミル語。▼街のすべての標識が4カ国語表記。多言語、多文化環境にあるシンガポール大学はアジアで人気が高い。シンガポールは外食文化。自炊文化がなく人びとは食事を外食で済ます。あちこちにある安く食事できる屋台やフードコート。栄養バランスが気になるが、時間的だけでなく経済的にも外食が効率的なのか。▼厳しい罰金（Fine）制度により、治安は抜群によい。国中にある監視カメラが逃げ得させない。お馴染みの赤字の禁止マークの中に禁止事項が絵で表示。罰金額も記載。旅行者が注意すべきなのは、この国へのガムの持ち込み、地下鉄内でペットボトルで水を飲むこと、公園で鳩に餌をやってしまうこと。規則と罰金で外形的な美しさを保つFine Countryシンガポール。

わんクリック　戦争中に市街戦となったマニラは市民10万人の犠牲を出して廃墟となった。戦後、日本に対する強い憎悪感情があるフィリピンで、憎しみの連鎖を切るためとして日本人BC級戦犯を解放（1953）する政治決断をしたのがキリノ大統領。妻と3人の子どもを日本兵に殺された大統領。冷戦下での様々な政治的思惑もあったが、国民感情に反する政治家の決断がフィリピンの反日感情が変わるきっかけになった。彼に代わった清廉な姿勢で人気だったマグサイサイ大統領は飛行機事故で亡くなった。後にマグサイサイ賞が創設。アジアで社会を変える草の根の活動に与えられる評価の高い賞。

History Literacy　アメリカ独立宣言、フランス人権宣言—いったん言葉にされたものは現実を変えていく根拠になる。

⑥マレーシア

・1957年、マラヤ連邦として独立　＊1 ＊2

└ マレー人、華人の地位をめぐり交渉難航、独立遅れ、マレー半島のみ独立

・1963年、マレーシア連邦成立

マラヤ連邦を拡大、英領サバ、サラワク（ボルネオ島）、シンガポール合併

└ 領海内に石油、天然ガス存在のブルネイは合併拒否

⑦シンガポール

・1965年、シンガポールがマレーシア連邦より独立（から追放）　＊3

└ 中国系住民が多数派を形成、マレー人中心政策のマレーシア連邦と対立

首相リー・クアン・ユーが指導する開発独裁

└ 客家出身

国際自由港、工業国（ジュロン工業区）として経済発展、アジアNIEsの一員

⑧インドネシア

・大戦中、日本による支配

└ オランダ支配の過酷さから日本軍を解放軍として迎え、強い抗日運動はおきず

・1945年、インドネシア共和国独立宣言（8月）

オランダに対して独立戦争（～1945）

└ 残留日本兵の一部も協力

・1949年、インドネシア共和国独立（ハーグ協定）　＊4

初代大統領スカルノの権威主義的体制（「指導された民主主義」）　＊5

・内政はナサコム体制

民族主義、イスラーム、共産主義のバランスをとった政権運営

└ アジア最古の インドネシア共産党（1920）は最大勢力に成長

・外交は建国当初、非同盟外交推進

アジア・アフリカ会議（バンドン会議）主催（1955）

1960年代、共産党と協力して親中路線

└ 非共産主義国で最大の共産党

マレーシアと対決（サバ・サラワク編入に反発）し、国連脱退通告（1965）

└ 国連に未加盟の中国への接近の意味、アジアの2大国が国連に加入しない事態に

PROPOS　＊1

東南アジア各国では少数派の華僑、華人（中国系住民）が経済実権（特に物流）を握る。マレーシアはマレー人社会だったが、植民地支配下で華僑・華人、印僑が流入し多民族社会となった。そのため「マレーシア人」意識が育ちにくく、行政も海峡植民地、連合マレー州、非連合マレー州、英領ボルネオに分かれていたため独立が遅れた。独立後はマレー人優遇策ブミプトラ（土地の子）政策でマレー語が国語、イスラームが国教となる。多数派への積極的差別是正措置（アファーマティブアクション）は珍しい。

PROPOS　＊2

マレーシアでグリコのポッキー（Pocky）はPorky（豚の）と紛らわしくRockyという名で売られていた（数年前にPockyに戻る）。

PROPOS　＊3

日本で最も稼ぎながらそのお金が地方のために使われる不遇な地域が東京。東京の独立運動が起こらないのが不思議だが、それが日本がうまくできた国民国家であるゆえん。「私たち」が助けあうことを当然と思い、地域エゴが湧かない。シンガポールはマレーシアから追い出される形で独立。前途はとても暗かったが、自由貿易港、人材育成、輸入代替工業化などで乗り切った。

PROPOS　＊4

西端のスマトラ島から東端のニューギニア島まで約5000km。ジャワ島を中心とした約1万7千の島々に2億人近くが住む島嶼国家インドネシア。大半はムスリム。世界最大のイスラーム人口を有する国家だが政教分離を掲げ、イスラームは国教ではない（パンチャシラ、建国五原則）。アジアを代表する大国として存在感を高める。

PROPOS　＊5

西欧型民主主義はインドネシアになじまないとスカルノは「指導された民主主義」―権威主義的な民主主義を主張した。この下で国軍と共産党が勢力を伸張した。

画蛇添足

▼2次大戦後いくつもの人工国家が作られた。インドネシアもその一つ。東南アジアの島嶼部。オランダからの独立運動を起こすまでは一体性をもたなかった地域―インドネシア。オランダは支配下においた島々が互いに連絡をとれないようにオランダ語を含め共通語をおかなかった。▼オランダの植民地に組み込まれたジャワ人、スマトラ人など3百以上に及ぶ民族がオランダに対する抵抗運動で連帯意識を持つようになり、「インドネシア」人としてのアイデンティティを持つようになった。歴史的にインドネシア人はいない。植民地オランダ領東インドが独立することで新国家インドネシアが成立。▼最大人口のジャワ人が使用するジャワ語はあえて国語に採用されなかった。採用されたのは商業語としてこの地域の共通語だったマレー語。これを少し変えて人工語インドネシア語が作られた。数カ月でマスターできることを前提にした世界で最も簡単な言語。文字はアルファベット、表記と発音は一致し、格変化、時制変化、単複数の区別、冠詞などはない。▼歩くがジャラン、ジャランジャランになるとみんなで歩く（散歩）。「魚はいかん、飯はなし、菓子はくえん、人はおらん、死ぬのはまて！」（「魚」＝イカン、「飯」＝ナシ、「菓子」＝クエン、「人」＝オラン、「死」＝マテ）と日本語での学習との相性もよい。▼学校の授業は国語インドネシア語で行われるが、ジャワ島であれば休み時間で生徒は母語のジャワ語でおしゃべりする。公用語と数百の地域語が併存している。国語ではあるけど多くの人にとって母語でない。ところで日本の教科「国語」。昨今の教室の多国籍状況下では「日本語」が適当でないか。いずれも抑圧性のある言葉だが「国史」は戦後「日本史」に名称を変えている。

わんクリック　ギリシア語で「ネシア」は群島。太平洋には地殻運動が活発な環太平洋造山帯があり、噴火活動でできた島々が弧状に連なる。インドネシアやマレーシア（マライは半島部を指し、マレーシアで島嶼部を含む）。日本周辺の5つの弧状列島をヤポネシア（島尾敏雄）とみる見方がある。カムチャッカの先端あたりから与那国島までで台湾は含まない。台湾はポリネシア人の拠点。なぜか彼らはそれ以上は北上すること、与那国以北には向かわなかった。それにしても日本は島国といいながら「本州」人に島民の自覚がない。スマトラ島と呼んでいるが、本州島の方がよほど小さい。本州は本島と呼ぶべき（※）。

History Literacy　言語が思考を規定する―「島」と呼称しないから日本の「本州」住民に島民の自覚がない。

インドの独立

①インドの独立前夜

・大戦中対英非協力、反ファシズム路線をとる

└「インドから立ち去れ」運動　　└チャンドラ・ボースは親日路線　＊1

・戦後の対立

インド国民会議派ガンディーらは統一インド主張　＊2

全インド・ムスリム同盟ジンナーはパキスタンの分離独立主張

└世俗主義者でヒンドゥー勢力との対抗上、イスラームとの差異を強調

②インド連邦の独立

・1947年、独立(英連邦内の自治国)

└アトリー労働党内閣が完全独立許容宣言

・ヒンドゥー教徒中心、初代首相ネルー

└近代主義者、以後、ネルー家が34年間首相独占

インド憲法施行(1950)、インド共和国に　＊3

└アンベードカル起草　　└英国王への忠誠宣誓を拒否したが英連邦には残留　＊4

厳格な政教分離、世俗主義を採用 ― 政教分離が独立以来の国是

③パキスタンの独立

・ムスリムがパキスタン・イスラーム共和国(1956)として英連邦離脱

東西パキスタンに約2000km離れた飛び地国家(西が主導権)

└西はウルドゥー語、東はベンガル語、イスラーム信仰以外に共通点が少ない

④セイロンの独立　＊5

・1948年、セイロン独立

イギリス連邦内の自治領として独立

非同盟外交としてコロンボ会議(1954)開催

└インドシナ戦争解決、A・A会議の開催を提唱

・1972年、スリランカと改称

└シンハラ民族主義高揚、仏教由来のシンハラ語の名称(輝く土地)

・シンハラ人とタミル人の対立激化

シンハラ人　上座仏教、多数派

タミル人　ヒンドゥー教、少数派、南インドのドラヴィダ系

└過激派「タミルの虎」による武力解放闘争(1972~)は完全鎮圧される(2009)

PROPOS　＊1

インドでは独立を優先するため、インド国民軍を率いたチャンドラ・ボースなどイギリスと戦う日本に接近する者もいた。

PROPOS　＊2

分離独立で各地域で少数派となった両教徒の移住に際し、共に殺しあう惨劇が各地で展開。犠牲者は信じがたいが数百万とされる。宗教和解を唱え続けたガンディーはイスラームに寛容すぎる、とヒンドゥー至上主義者により暗殺された。その後、近代主義者ネルーは憲法に厳格な政教分離を書き込む。以後、インドでは世俗主義が国是だったが、最近はヒンドゥー主義を唱えるインド人民党(モディ首相)が政権をとる。

PROPOS　＊3

不可触民制度(カースト制度)否定を憲法に起草した初代法務大臣アンベードカル。不可触民(ダリット)出身で苦労した彼はガンディーと対立。ガンディーは独立運動のためにインドを束ねる国民宗教ヒンドゥー教の枠組み維持を優先。ヒンドゥー教とカースト制度は不可分の関係(輪廻転生の世界観がカースト制の前提)。アンベードカルは多くの不可触民とともに仏教へ集団改宗。彼らが現在のインド仏教徒。

PROPOS　＊4

イギリスはアメリカ、アイルランドを失った愚を繰り返さぬようにインドには大幅な譲歩を重ね、最終的に独立を認めた。その後も、共和政を選択したインドが英連邦に残留できるように、英王への忠誠を加盟資格から削除。「英(British)」を外して、Commonwealth of Nations(1949)と再編した。

PROPOS　＊5

「インドから落ちたひとしずくの涙」セイロン島。人口の70%が仏教徒のシンハラ人。20%がヒンドゥー教徒のタミル人。タミル人は茶園の労働力として南インドからイギリスが導入。英統治下で優遇されたため、独立後に立場は逆転する(※)。

画蛇添足

▼亜大陸と呼ばれる広大なインド。ほぼ欧州と同じ面積。25州がそれぞれ独立国家であっても不思議でない。何でもあるインド。気候はhot(暑い)、hotter(暑すぎ)、hottest(いい加減にして)の三季節、はステレオタイプ。実際は熱帯から冷帯まですべて揃う気候のデパート。冬には寒波による凍死者もでる。▼人口の8割がヒンドゥー教徒の多神教世界だが、少数派とされるムスリム人口は2億人近く、世界有数のムスリム人口を有する国でもある。それゆえ牛肉の消費、牛乳の生産量も多い。牛を神聖視する国、は一面的理解。▼話好きのインド人だがインド語はない。英語(準公用語)は道具と割り切ったインド英語。発音の難しいrはル、thはタと発音。parkはパルク、Thank youはタンキュ。とはいえ実際に英語を話すのは人口の1割程度(富裕層)。▼世界最大の議会制民主主義国インド。この人口規模で選挙が機能しているのは驚きだが、社会は民主主義からはほど遠い。生存を脅かされている膨大な貧困層を抱える。女性の地位も著しく低く、女性に対する犯罪が後を絶たない。かつての不可触民(いまはダリト)、村の共同井戸利用が許されず、井戸の周囲で上位カーストの憐みで水を分けてもらえるのを待った。その状況がどれほど変わったか。▼独立後は科学技術立国をめざして、エリート教育システムを作ったインド。その象徴がネルーが創始したIIT(インド工科大学)。毎年、卒業生約1万人を世界の企業が奪い合う。インドはICT(情報通信)分野の優秀な人材の供給国。この分野ならカーストに関係なく誰でも従事できる。世界一の人口大国、その半分が25歳以下(あと40年は現役世代がいる)の「人口ボーナス」の強味を持つ国。

わんクリック　映画大国インド。突然、歌がはじまりバックダンサーが登場して激しく踊るのがかつてのインド映画の特徴。物語が語られる時に、歌、音楽、踊りがセットになるインドの伝統を映画も受け継いでいる。何はさておき世界的に大ヒットした傑作『きっと、うまくいく』(2009)からはじめよう。とにかく面白い。主演のアーミル・カーン(シーア派のムスリム)がカッコよい。踊りはないが『裁き』(2014)が味わい深い。民衆詩人(こんな仕事があることに驚く)が地方裁判にかけられる。この田舎芝居にかかわる人びとの日常を淡々と描く。カースト制度がインドに根強く残ることが見え隠れする。

History Literacy　「分断」で支配された植民地の経験―権威主義国(多くが旧植民地)が異論を「分断」と弾圧する理由。

戦後のインド

①中国との緊張関係

- ネルーは非同盟外交採用（～80年代）　＊1
  1954年、中国の周恩来と平和五原則を発表
- 1959年、チベット独立運動で中印関係悪化
  インドがダライラマ14世の亡命を受け入れ（中国の強い反発）
  →インドはソ連に接近、中国はパキスタンに接近
  └ 現在も対中国牽制の必要からロシアの友好国
- 1962年、中印国境紛争でインドは屈辱的大敗
- 1974年、インド核実験
  └ 中ソ対立で中国がソ連に対抗して1964年に核開発、その中国へ対抗してインドが核開発

②インド・パキスタン関係

- 第1次印パ紛争（1947～49）
  カシミール地方の帰属をめぐり国境で軍事衝突　＊2
  └ 藩王がヒンドゥー教徒で、住民の大多数がムスリム
  現在、インド、パキスタン、中国の三国が実効支配
- 1971年、バングラデシュ（人民共和国）の独立　＊3
  └ カーゾン線が国境（1911ベンガル分割令時の分割線）
  東パキスタンの独立運動をインドが支援（第3次印パ戦争）(1971)
  アワミ連盟（ラーマン）が主導
  └ イスラームによる国民統合失敗、ベンガルナショナリズムに勝てず

③インド国内の緊張

- 国民会議派が半世紀近く政権を担当
  政教分離を国是とし、他党を圧倒して政権運営
- ナショナリズムの高まりで緊張高まる
  シク教徒の独立運動、インディラ・ガンディー首相暗殺
- インド人民党(BJP)政権の成立 ― ヒンドゥー主義の台頭　＊4
  ヒンドゥーナショナリズムに立脚する政党
  バジパイ政権（1998～2004）、モディ政権（2014～）　＊5
  └ 核実験強行(1998)、対抗からパキスタンも核開発　└ 2014、19年選挙で圧勝

PROPOS　＊1

世界史を学んでも現代インドは分からない。戦後の日印関係が疎遠。日本人にとり現代インドより古代インドのほうが近く、インドのイメージは「悠久の」「神秘の」にとどまりがち。戦後のインドは非同盟外交でソ連に近く、途上国と近い関係を持った。「国産品愛用」の国でもあり、日本商品はインド市場に入りこめなかった。

PROPOS　＊2

世界地図に今も国境線が描かれないカシミール地方。風光明媚な避暑地。寒暖差のある高冷地に生息する山羊の毛はカシミヤとして人気。英統治時代は藩王国。ヒンドゥー教徒の藩王は独立を目論んだが、住民（住民の8割がムスリム）がパキスタンに援護を求めて阻止。その対抗として藩王がインドに庇護を求めたことで紛争となる。

PROPOS　＊3

バングラデシュは雨季の洪水が経済のネックで「世界の最貧国」として語られてきたが、21世紀に経済成長が加速。いま一人あたりGDPではインドよりも上。いまは世界の縫製工場が集中。ただ貧困の病コレラが蔓延するなど貧富の差が激しい。

PROPOS　＊4

宗教は布教先では虐げられた人びとに布教を行うのが定石。だから既存の宗教との間で対立が起こる。低位カーストの人びとがイスラームに改宗した、とヒンドゥー教徒にムスリムを見下す感情がある（※）。

PROPOS　＊5

インドは80年代まで低成長。冷戦終結、中国の台頭に対抗して経済改革開始。海外からの投資の呼び込み、大胆な構造改革で経済急成長、GDP世界5位(2019)に。中国への対抗の必要からソ連、ロシアに接近。そのロシアの中国への接近（インドは不快）をとらえ、対中国包囲網を形成したい日本は「アジア太平洋」から「インド太平洋」へ、外交枠組みを変えてインドに接近中。

画蛇添足

▼生物にとって高地に居住するのはニッチ戦略。生産力は低く生活は苦しいが天敵、ウィルスなどの病原菌がほとんどいない。低酸素で負荷はかかるが順応できればメリットがある。世界での主だった高地文明はエチオピア文明、アンデス文明、マヤ文明、そしてチベット文明。▼高校世界史には登場しないがインドの北方ヒマラヤ山麓の小国ブータン王国もそんな一つ。しばしば「幸せの国」として言及されたブータン。経済成長至上主義批判の文脈でブータンが創出した指数「国民総幸福量（GNH）」が好意的に取り上げられた。▼社会的マイナス要素も数値に計上する国内総生産（GDP）。その増加を経済成長とみなすことへの批判が背景にあった。とはいえ幸福の指標化には心の偏差値ほどではないが、いかがわしさがある。ブータンはインドと中国の二大国に挟まれた小国。「幸せの国」宣伝は生き抜くための小国の戦略。幸せの国の侵略は国際的非難を考えれば難しい。どのような社会も、特に田舎の閉鎖的な村落共同体は内部に諸矛盾を抱える。「幸せの国」が田舎にあると信じるのはナイーブ。▼インド北西部ラダック地方。ヒマラヤとカラコルムの両山脈に囲まれた荒涼とした茶褐色の大地。空気が薄く空は高く青い。行政上はインドだがここはチベット世界。チベットが中国に併合、漢化されたので今はここにチベット文化が残る。▼ここを舞台にした映画『輪廻の少年』（韓国）。チベット高僧の生まれ変わりとされた少年と面倒を見るおじいさんの交流。厳しいが美しい自然の中で人びとが暮らす。本当に彼はリンポチェ（転生した高僧）なのか、と手のひら返しする狭い共同体の因循姑息さも描く。それゆえ自然の美しさが際立つ。

わんクリック　戦後幾度も食糧不足、飢饉で大量の餓死者を出したインド。1960年代よりパンジャーブ地方で「緑の革命」をはじめる。新品種の導入、灌漑、化学肥料、農薬の使用。ここを中心に小麦の生産力が飛躍的に向上。インドは小麦、米の生産量ともに世界第2位、輸出国となる。鶏にまで餌がまわりタンドリーチキンが名物料理となる。農民所得の上昇が今日のインドの経済成長の基礎となった。しかし農村内の格差は依然として大きく、人口の3割が貧困人口で4億弱にのぼる。国として農業セクターの比重が大きい。IT産業こそ隆盛だが、都市にはそれほどの産業がなく深刻な雇用不足が続く。

History Literacy　隠れた理由がある（外来宗教は虐げられた人びとに受容されることが多く、そのことで現地の多数派の反感を受けがち）。

ゆれ動く中東地域

①シオニズム運動の発生　＊1

- シオニズム運動 ― ヨーロッパで生まれたユダヤ人のナショナリズム
  ドレフュス事件 (1894～1906) をきっかけにヘルツルが提唱
  ロシアでもユダヤ人の集団的迫害 (ポグロム)　＊2
  離散ユダヤ人が「約束の地」パレスチナ移住でユダヤ人国家建設
  └ 神がイスラエルの民に与えると約束 (『旧約聖書』)、既にアラブ人が 1300 年間居住
- 1 次大戦中、バルフォア宣言を受けパレスチナにユダヤ人移住
  └ 多くの場合、アラブ人不在地主から土地を購入、耕作していたアラブ人小作人を追放
  大戦後、パレスチナはイギリスの委任統治領
- 2 次大戦中のナチス・ドイツのユダヤ人絶滅政策 (約 600 万人が虐殺)
  →ユダヤ人の急激なパレスチナ移住

②建国

- ユダヤ人とアラブ人の対立激化
  解決できなかったイギリスは委任統治を放棄、国連に解決を委託
- 1947 年、パレスチナ分割案
  アラブ国家とユダヤ国家の分割案、聖地イェルサレムは国際管理
  →国連総会でパレスチナ分割案を可決　＊3
  └ ユダヤ人にとって著しく有利な内容、賛成 33(当時加盟国 67)
- 1948 年、イスラエル建国
  初代首相ベングリオン、首都テルアビブ

③パレスチナ戦争 (第 1 次中東戦争)

- 1948 年、第 1 次中東戦争 (パレスチナ戦争)
  イスラエル建国と同時にアラブ 5 カ国 (のちさらに 3 カ国) が侵入
  →アラブの敗北 (アラブ諸国内での利害対立で 1 つになれず)
  　イスラエルの占領区拡大
  　　ヨルダン川西岸地区はヨルダンが占領、ガザ地区はエジプトが占領
  →パレスチナの消滅、パレスチナ難民発生　＊次ページ
  └ 約 70 万人、難民発生過程 (時期と原因) には諸説 (建国前から難民化、戦争難民)

PROPOS　＊1

土地という民族を束ねる紐帯を失って約 2000 年間世界に離散したユダヤ人は、共通の記憶としての歴史の保持、「神に選ばれた民」という強い選民意識、食に関する多くのタブーで共食関係を保つなど、宗教によってしかアイデンティティを確保できなかった。その宗教も神殿を破壊されたため各家庭で律法に基づいて行われる儀式が中心になった。そのようなユダヤ共同体のあり方が、外部に強い閉鎖性、排他性を感じさせるものとなり、距離をとらせた。

PROPOS　＊2

離散したユダヤ人の多数はアシュケナジーム (ドイツ系、東欧、ロシアに離散、イディッシュ語)。一時期、ユダヤ人の 80% はポーランドに住んでいた。ポーランド分割で居住域はロシア領になった (とりわけウクライナ)。彼らがイスラエルに移住。いまはアラブ世界からの移民が多い。

PROPOS　＊3

1947 年の国連分割案はユダヤ人に不自然に有利でアラブ人には到底受け入れがたい内容。当時、パレスチナでユダヤ人は 5 % 程度ほどの土地しか保有していなかったのに全土を折半する内容。これが国連で採択されたことは「レークサクセスの奇跡」とされた (当時の国連本部の所在地名)。ユダヤ人ロビー活動の成果。ニューヨーク以外の都市で採決したら結果は違っていた。ニューアムステルダム時代から New York は世界で最もユダヤ人の多い街 (別称 Jew York)。かつては彼らの票がアメリカ大統領選挙を左右する力を持っていた。全米での絶対人口は多くないが、大都市に集中し、選挙で特定候補に投票するため影響力を持った。いまはアメリカ中南部に多いキリスト教福音派の一部 (キリスト教徒のシオニスト) が強くイスラエルを支持。この票が大統領選を左右する。アメリカはイスラエルの生みの親であり育ての親。イスラエルはアメリカの一部、中東問題はアメリカにとって国内問題と考えた方がよい。

画蛇添足

▼キリスト教社会が生み出したユダヤ人差別。この差別を自分たちで解決できず外に持ち出したことが今日の中東問題の根本原因。ユダヤ人差別は根本的には宗教的差別。キリスト教のイエスを磔刑に追い込んだのがユダヤ人だったことへの反発。イエスもユダヤ人だったことは忘れられた。▼ローマ帝国の迫害で各地に離散を余儀なくされたユダヤ人。移住した各地で土地は持てず都市に居住。キリスト教徒が蔑視する商業や高利貸しに従事するしかなかった。これがユダヤ人の経済的地位を向上させたが、そのことで経済的なねたみを買った。文明の中心、都市に住むしかなかったが、それは教育へのアクセスを容易にした。結果的にユダヤ人は社会的に地位の高い職業 (大学教授、裁判官など) に多く就いた。それが社会的なねたみを買った。▼しかし、ねたみがユダヤ人迫害となったのは国民国家が広がった19世紀以降。国民国家は内外に他者を作り出して排除することで内部の凝縮性を高める (※)。ユダヤ人は国民とみなされず他者化された。シオニズムの発想は決して主流でなかった。むしろユダヤ人社会では反発が強く、それぞれの社会の中で生きていこうとする人の方が多かった。その努力を不可能にしたのが、ナチスの始めたユダヤ人の絶滅政策。▼国家を持たず、弱かったからホロコーストが起きたとの認識から戦後ユダヤ人はイスラエルという国民国家を中東に作り、世界有数の軍事大国とした。そのことによる紛争の結果、今度はユダヤ人が経済的弱者のアラブ人を抑圧する構造―アラブ人が高い壁で囲まれた中で暮らす状況が生まれた。一方でホロコーストを経験したからこそ、現状は許されないとするユダヤ人も少なくない。

わんクリック　イスラエルを全面支援するアメリカ。キリスト教福音派の原理主義者 (約 2 千万人) の存在が大きい。聖書は寓意的に解釈していくもの (アウグスティヌス) だが、一字一句を文字通りに信じるのが原理主義者。終末にイエスが再臨 (再び地上に降りてくる) して審判が下ると本気で信じる。その日のために「約束の地」は旧約聖書通り (ユダヤ人の土地) である必要がある。彼らはユダヤ人以上にシオニズム、イスラエルを強く支持する (キリスト教シオニズム)。そして再臨したイエスを救世主としたユダヤ人だけが救われる、と考える。福音派は本質的に反ユダヤ主義者だが、いまは同床異夢。

History Literacy　排除を生まない歴史叙述になっているか―「私はこの色の石が好き」は誰も排除しない語り (岸政彦)。

④エジプト革命
　└ アラブ諸国の中の大国（アラブ世界の政治、経済、文化の中心）
- 1952年、エジプト革命
　パレスチナ戦争の敗北がきっかけ、王政の腐敗が背景
　　└ 民主的な1923年憲法遵守せず
　ナギブ将軍、ナセル中佐ら自由将校団の軍事クーデタ
　　└ 実際の革命の首謀者
　王政廃止、共和国樹立でイギリスから完全独立
　　└ ムハンマド・アリー朝
- ナセルが実権掌握（1954）、大統領就任（1956）

⑤スエズ戦争（第3次中東戦争）
- ナセルは非同盟中立外交展開
　アジア、アフリカ会議に参加
　ナセルはMETO加盟拒否
　　└ 基本的に中東でアラブは反米（アメリカのイスラエル支持のため）
　→米・英はアスワン・ハイ・ダム建設資金融資約束を撤回
　　└ エジプト近代化のためナセルが計画
- 1956年、スエズ運河国有化宣言　＊1
　　└ イギリスとフランスが株主（所有者）
　アスワン・ハイ・ダム建設資金の捻出のため
　　└ 1970年、ソ連の援助などで完成
　アブシンベル神殿の移転をきっかけにユネスコ世界遺産条約制定　＊2
- 1956年、スエズ戦争（第2次中東戦争）　＊3
　　└ ハンガリー事件（1956）の2週間後に起こる
　英・仏がイスラエルを巻き込んで出兵
　　└ 運河の武力奪回による植民地支配継続がねらい、批判をかわすため中東問題を装う
　戦闘では勝利したが、アメリカの強い非難で撤兵

PROPOS　＊前ページ
パレスチナとはイギリスの委任統治領となった地域。ここに住んでいたアラブ人を現在はパレスチナ人と呼ぶ。イスラエルの建国、数次にわたる中東戦争の結果、多くが難民化して現在にいたる（パレスチナ難民）（イスラエルにも住む、国民の2割程度）。イスラエル建国以来、パレスチナの奪還を周辺アラブ諸国は「アラブは一つ」との大義を掲げてきたが、それは自らの下での「一つ」であり、国益優先で行動する。

PROPOS　＊1
エジプトのナセルのスエズ運河国有化宣言（1956）は、多くの人に20年前のヒトラーのラインラント進駐（1936）を想起させた。当時の英仏がこれを黙認した（宥和政策）ことがヒトラーに自信を与え、その侵略を助長させてしまった苦い経験を思い返させた。スエズ戦争時の英首相イーデンは宥和政策をすすめた当時の首相ネヴィル・チェンバレンに抗議して辞任した人物。ナセルを第二のヒトラーにしてはならない—歴史から学ぼうとしたイーデンはフランスとともにスエズに出兵。しかしナセルはヒトラーではなかった（参照レーモン・アロン『回顧録』）。歴史から学ぶのは難しい。

PROPOS　＊2
アスワンハイダム建設でできるナセル湖に水没することになったアブシンベル神殿。ユネスコが中心になって救済活動を展開。石塊を細かくキュービック状に分割切断して神殿を高台に移転。これをきっかけにユネスコの世界遺産条約が始まる。

PROPOS　＊3
スエズ戦争直前のハンガリー事件（1956）で、アメリカはソ連軍の武力侵攻を強く非難。その同じアメリカがイスラエルと英仏の武力侵攻を是認することなどできなかった。それ以前に、アメリカは戦後の英仏の帝国主義的行動には不快感を持ち一線を画していた。またこの軍事行動は東側の利益になるとは強く非難。イギリスは国際孤立。

画蛇添足

▼何事もナセばナセルと考えたナセル大統領。ナセルはアスワン・ハイ・ダム建設の壮大な計画に着手。その財源確保のためにスエズ運河の国有化を宣言。英仏の反発を抑えて国有化に成功した。▼ナイルの氾濫防止、農業用水確保、二毛作による食糧増産、大発電による工業化の推進。一石数鳥を狙ったアスワン・ハイ・ダムが完成した。これによりエジプトは有史以来続いた定期的な氾濫から解放された。▼しかし意図と異なる結果を招くパラドックスが行為には付きまとう。思いもしなかった副作用。失ってはじめて気づくことは多い。私たちは問題点を指摘するのは得意。課題は見えやすいが、うまくいっていることを見落としやすい（※）。川が流していたのは水だけでないことに気づかなかった。▼天然の肥料、栄養分を含んだ土砂が運ばれてこなくなった結果、河口の三角州は成長せず波の浸食で海岸線が後退しはじめた。流域に氾濫した水が乾燥地帯の地表に蓄積しがちな塩分を流し去っていたことにも気づかなかった。乾燥地帯で水を撒くと耕地の地下深いところにある塩類が毛細管現象で水とともに上昇。地表に上昇した水は塩類だけを地表に残してすぐに蒸発。こうなると耕作は不可能。▼このようにしてエジプトを肥沃としてきた条件「エジプトはナイルの賜物」（ヘロドトス）は失われた。エジプトが恐れるのはアスワン・ハイ・ダムの決壊。ダムの完成により生まれた南北5百キロにわたる巨大な人造湖ナセル湖。水圧でダムが決壊した時、エジプト全土の水没が危惧される。長くこのダム写真はテロ攻撃を警戒して公開されていなかった。どのようなダムなのかと想像が膨らんだ。見なければよかった、と後悔することが人生には多い。

わんクリック　世界史図表のガイド本化。掲載される遺跡の写真に世界遺産マークが添えてある。アブシンベル神殿保存から始まったユネスコ世界遺産条約。修正されてきてはいるがヨーロッパ文明の価値観で登録の是非を判断してきた。登録がその価値観の拡散で、世界の文化財の序列化でもあった。世界には古いものに価値を認めず、新しいものに価値を認める文化もある。そういった文化は評価しない。国家が登録数の多寡を競いあい、遺産登録が商業主義に拍車をかけ、遺産保護に寄与しない現実も生じている。世界遺産マークを添えるような、お墨付きをありがたがるメンタリティも作り出した。

History Literacy　問題点の指摘は簡単、うまくいっていることの指摘が難しい—「問題」意識と「問題がない」意識。

⑥スエズ戦争の影響

・中東におけるアメリカ、ソ連の影響力増加

└ 親米（イラン・サウジなど）・親ソ（エジプト・シリア・イラクなど）

中東におけるイギリス、フランスの影響力が大きく低下

・スエズ運河国有化実現　＊1

→ナセルのアラブ民族主義指導者としての地位高まる　＊2

1958年、アラブ連合共和国（～61）

エジプトとシリアの合邦、ナセルが大統領就任

└ 当時はアラブ民族統合の第一歩とみなされた

⑦第3次中東戦争

・1964年、パレスチナ解放機構（PLO）結成

└ パレスチナ人の代表

特にファタハがテロ活動など武装闘争開始（1965～）

└ アラビア語で「征服」の意

議長アラファト（ファタハの指導者）

・1967年、六日間戦争（第3次中東戦争）

エジプトのアカバ湾封鎖が発端

└ シナイ半島と紅海の出口にあたる

イスラエルがアラブ諸国を奇襲攻撃し、圧勝（「六日戦争」）

└ アラブ諸国に不穏な動きがあるとして先制攻撃で一気に攻め込む

→イスラエルの占領地区拡大（約4倍に拡大）

ヨルダンから西岸地区、東イェルサレムも占領　＊3

└ 旧市街、聖地「嘆きの壁」を占領

エジプトからガザ地区、シナイ半島

シリアからゴラン高原

└ イスラエルを臨む高地

→パレスチナ難民の増加、ナセルの権威失墜

└ さらに約100万人　└ アラブナショナリズムの象徴だった

→国連決議242号　＊4

イスラエルの占領地撤退、アラブによるイスラエルの存在承認

・パレスチナゲリラの活発化

ミュンヘンオリンピックでのイスラエル選手村襲撃事件（1972）など

PROPOS　＊1

スエズ戦争は英仏がエジプトでの利権を維持するための帝国主義戦争であって、イスラエルは唆（そそのか）されて参戦した面もあり、中東戦争としての性格は薄い。戦闘は英仏、イスラエルが勝利したが、アメリカなど国際世論の強い非難で結局は撤兵。スエズ運河は宣言通り、エジプトのものになった。

PROPOS　＊2

「アラブ（パレスチナ）の大義」はアラブ国家の指導者が唱え続けてきた言葉。イスラエルの建国、占領によって奪われたパレスチナ人の土地の回復、パレスチナ解放がアラブ世界全体の正義、という主張。そのために自分はパレスチナ人と連帯し、その実現のために尽くす、という主張。

PROPOS　＊3

三宗教の聖地イェルサレムは国連分割案（1947）では永久信託統治と決められていた。しかしイスラエルは第1次戦争で西イェルサレムを占領、第3次戦争で東イェルサレムも占領。今日に至るまでイェルサレム全体を実効支配し、ここを首都としている。しかし国際社会はこれを追認せず各国は大使館をテルアビブに置きつづけている。その中でトランプ政権はアメリカ大使館をイェルサレムに移転した（2018）。

PROPOS　＊4

中東和平の大枠は国連決議242号の実現にある。内容の曖昧さもあってイスラエルはこれを無視して占領地に植民を展開。そこをイスラエル領とする既成事実化を続けてきた。そのイスラエルの行為をアメリカは黙認。このことが他の国際問題でも、当該国が国連決議を守らずに開き直る風潮を作ってきた。すでに占領から半世紀。この現実―不正義を追認しなければ状況を打開する展望が持てない段階に入りつつある（※）。半世紀たったいまアラブ諸国の脅威はむしろイラン。共通の利害からアラブ諸国がイスラエルと「パレスチナ和平」なき国交を結ぶ動きが広がりつつある（2020）。

画蛇添足

▼長い間、アラブ世界の地図に「イスラエル」という国は存在しなかった。イスラエル入国に際してパスポートに入国印を押されたら、その旅券ではアラブ諸国に入国できないので注意が必要だった。存在しない国の印が押されているパスポートは偽造とみなされた。▼最近、アラブの3カ国（バーレーン、首長国、スーダン）がイスラエルと国交を樹立（2020）。エジプト（79）、ヨルダン（94）以来、久しぶりの国交樹立国が現れた。いずれも脱石油依存を課題とする国々。いつまでもパレスチナ問題で対立するよりハイテク先進国イスラエルと関係改善したほうが国益にかなうとの現実的判断。イスラエルは大歓迎。アラブ諸国間に楔（くさび）を打ちながら、パレスチナ問題が解決に向かっている印象を国際社会に与えることができる。▼第3次中東戦争以来のイスラエルによるパレスチナ占領はまだ続いている。占領地域へのユダヤ人の入植も進行、その治安確保のために各地に分離壁が建設。パレスチナ人は占領下で様々な制約下にある。各地に検問が作られ、自由に移動できない。アラブ人にとっての「嘆きの壁」。分断の時代の象徴にもなっている。すべてを物語るのが一人当たりGDP。イスラエル人が日本を超える4万ドル強。それに対して、同じところに住むパレスチナ人は1割以下の3千ドル強。▼希望を奪われ、現状打破の活路が見いだせない。連帯していたはずのアラブ諸国のイスラエルとの国交樹立。閉塞状況下の彼らの一部がテロ行為に走ればそれに対してイスラエルから容赦ない反撃が行われる。テロとそれに対する国家テロの応酬の悪循環。世界の無関心がそれを容認してきた。変化の主導権をとれるのは強者のイスラエル。

わんクリック　匿名のグラフィティーアーティスト、バンクシー。社会的メッセージを載せた作品を街角の壁に素早く描く。作品が入館料の必要な美術館で展示されたら届けたいメッセージが届かない。アートを美術館から外に出したのはバスキア。バンクシーはそこに連なる。代表作『風船に手を伸ばす少女』『狙われた鳩』『愛は空中に』など。彼の出資で開業した『世界で最も眺めの悪いホテル』がヨルダン川西岸地区にある。高さ8m、500kmにわたる分離壁に正面を防がれ、客室に日差しもない。部屋からも分離壁とイスラエル軍の監視塔しか見えないが、ホテル内でバンクシー作品が鑑賞できる。

History Literacy　言うは易し―不正をした者が得をする前例を作る「正義の戦争より不正義の平和」受容の困難さ。

⑧イラク

・1958年、イラク革命　＊1

カセムら軍部がクーデタで王政（ハーシム家）打倒（イギリスの影響力排除）

中東条約機構（METO）脱退

└ METOは中央条約機構（CENTO）と改称（イランが中心に）

・アラブ民族主義掲げるバース党の勢力拡大

カセム失脚（1963）、バース党政権掌握（1968）、サダム・フセイン政権（1979）

⑨イラン

・1951年、石油国有化法

モサデグ首相がアングロ・イラニアン石油会社接収

└「資源ナショナリズム」（資源は産出する国のもの）

大戦で財政難のイギリスが石油利権の確保を画策

└ 当初アメリカはイギリスの植民地支配継続を批判、協力せず

・1953年、国王派のクーデタでモサデグ失脚

アメリカが支援したイラン軍将校のクーデタ

└ 反共主義者アイゼンハワー大統領が中東へのソ連の影響力を恐れて実行

国王パフレヴィー2世（～1979）が復権

「白色革命」と呼ばれる近代化で貧富の差拡大　＊2

アメリカの影響力増加　＊3

└「湾岸の憲兵」、スエズ戦争（1956）以後のイギリスの影響力低下が加速

PROPOS　＊1

中東でのアラブ諸国の王政打倒クーデタにはパターンがある。いずれもイスラエルに敗れたあと、敗因除去をめざした体制変革が行われる。1次中東戦争で敗れたエジプト。近代化しなければイスラエルに勝てないとの危機意識があった。2次中東戦争後はイラク革命、3次中東戦争後はリビアで王政が打倒された。これらは現実はクーデタ。その後、独裁者となった指導者が「革命」と呼び変えて正統性を繕（つくろ）った。

PROPOS　＊2

タバコボイコット運動（1891～92）、イラン立憲革命（1905）などで高まったイランナショナリズム。パフレヴィー朝下の支配的イデオロギーになる。イスラーム化以前のペルシア古代王朝が称揚。ペルセポリス宮殿が整備、イランの神話・伝承の集大成である『王の書（シャー・ナーメ）』が国民的叙事詩として讃えられ、著者フィルダウスィーが国民的詩人として顕彰された。イスラーム社会にありながらナショナリズムが国民統合の求心力として用いられた（八尾師誠『イラン近代の原像』）。世界史教科書のイラン史叙述はこの影響下にある。

PROPOS　＊3

アメリカは中東、ペルシア湾岸でのソ連の影響力を嫌った。石油安定確保もありペルシア湾周辺に親米国家を作ることを優先。親米であれば内実を問わなかった。「ペルシア湾の憲兵」イランではパフレヴィー国王の独裁を容認。いまも湾岸の産油地帯には首長国連邦（エミレーツ）という時代錯誤の「首長」による君主支配体制が続く。こんな前近代的な同族支配を支援してきたのが民主主義国アメリカ。原油利益で王族と市民は豊かな生活を享受。市民に数倍する外国人出稼ぎ労働者が無権利状態で働いて市民を支える「現代のアテネ」。ただアメリカは近年、国家の内実―民主政を問題にするようになる。すると世界の専制国家は「内政干渉はしない」と何もとがめずに投資してくれる中国、ロシアに接近するようになった（※）。

アフリカ諸国の独立

①北アフリカ諸国の独立

・2次大戦前の独立国

リベリア、エチオピア、南アフリカ連邦（1910年、自治植民地）

└ 独立国　　└ 大戦中にイタリアより独立回復

・2次大戦後の独立国

リビア（1951）、スーダン・モロッコ・チュニジア（1956）

└ アフリカ最初の独立（英仏の信託統治）

・西サハラ ― アフリカ最後の植民地

スペイン領から独立（1975）、隣国モロッコが占領、実効支配続く

└ 豊富なリン鉱石資源が存在

画蛇添足

▼国家は自国の安全保障のために武力による影響力（ハードパワー）の行使だけでなく、文化による影響力（ソフトパワー）も用いる。また非合法に情報を獲得する諜報（ちょうほう）活動、それに基づいた謀略（ぼうりゃく）活動（破壊工作）などのダークパワーの行使も厭（いと）わない。▼国家の安全保障上、重要な情報（インフォメーション）を収集し、分析して必要なものを諜報（インテリジェンス）としてまとめる。アメリカのCIAは中央情報局と訳されるが、この「情報」と訳されるのはインフォメーションではなくインテリジェンス。各国政府は諜報機関―いわゆるスパイ組織を持っている。ただその活動の詳細は分からない。▼最も有名な諜報機関はイギリスのMI6。スパイ映画『007シリーズ』のジェームズボンドはこの諜報部員という設定。イスラエルの諜報機関モサドなども歴史の裏面史で暗躍している。最近ではアメリカの国家安全保障局が各国首脳の通信を傍受していたことがスノーデンによる内部告発で発覚。同盟国に対しても「ここまでしているのか」と世界に衝撃を与えた。▼今世紀初頭に「黒い黄金」「アッラーの贈り物」石油が産出したイラン。イギリスはアングロ・イラニアン石油会社（AIOC）を設立。以後、イランの事実上の支配者としてイランの石油利権を独占。レザー・ハーンのクーデタ（1921）によるパフレヴィー朝成立（1925）。これはこの地域へのソ連の影響力波及を阻止するためのイギリスの画策とされる。▼民族派のモサデク首相による資源ナショナリズムの動き、AIOC接収に対して英国はアメリカと共に彼を失脚させた。これはCIAがクーデタに関与したことを後にアメリカ政府が認めた稀有な例。「忍び（忍者）」の伝統を持つ日本。諜報活動をしていると仄聞（そくぶん）するが、その実際を知る由もない。

わんクリック　庶民の味方、回転寿司に欠かせない輸入タコ。その過半は大西洋でとれるモロッコ産冷凍もの。そこにかなりの「モロッコ領」西サハラ産が混じる。砂漠の国「西サハラ（現在は亡命政権）」は独立を主張。世界で約80カ国が承認するが日本は不承認。ここを占領するモロッコを支持。タコの強い吸盤から離れられない状態。砂漠の中にモロッコは総延長約2700キロの「砂の壁」を建設。住民を引き裂いた。アフリカ諸国に関しては、通常「アフリカ55カ国（アフリカ連盟加盟国、西サハラを含む）」と呼ぶ（本書も同じ）が、西サハラを承認しない日本政府は「アフリカ54カ国」と呼んでいる。

History Literacy　すべての概念には適用条件、賞味期限がある（いまや専制国家との取引正当化のために使われる「内政不干渉」）。

②アルジェリア独立戦争

・1954年、アルジェリア独立戦争（~62）

└ インドシナ戦争でディエンビエンフー要塞陥落の日

民族解放戦線（FLN）がフランスからの独立戦争開始

→フランスの第四共和政は対応できず崩壊

・1958年、フランス第五共和政成立

ド・ゴールが首相に復帰、憲法を改正して権限を強化した大統領に就任

1962年、エヴィアン協定でアルジェリアの独立承認

③黒人アフリカの独立

・1957年、ガーナ独立　＊1

ンクルマの指導でイギリスより独立（黒人アフリカ最初の独立）

・1958年、ギニア独立

セク・トゥーレの指導でフランスより独立　＊2

・1960年、「アフリカの年」　＊3

コンゴなど17カ国独立

└ 最初はカメルーン　└ うち14カ国はフランス領植民地

④新植民地主義による混乱と再出発

a.1960年、コンゴ動乱　＊4

旧宗主国ベルギーがカタンガ州分離を画策

首相ルムンバは軍司令官のモブツによって逮捕、処刑

新植民地主義を象徴

モブツの独裁（1965~97）、ザイールと改称（1971）

└「平和以外すべてある国」コンゴ

b.1963年アフリカ統一機構（OAU）

ンクルマ指導のパンアフリカ主義

アフリカ諸国の連帯と協力、植民地主義の一掃を主張

→アフリカ連合（AU）に発展的解消（2002）

c.1967年、ビアフラ戦争（~70）　＊5

・1960年、ナイジェリア独立

多民族国家、アフリカ最大の人口、GDP、産油国 —「アフリカの巨人」

・南部イボ人（ビアフラ州）の分離独立をフランスが画策、失敗（1967~70）

└ ここで油田発見　└ 敗れたフランスは原子力発電に全面依存

PROPOS　＊1

ガーナはカカオ生産に頼る典型的モノカルチャー経済。独立後に経済的自立が困難で、ンクルマは社会主義による経済再建を図る。いまはアフリカで安定した国の一つ。

PROPOS　＊2

アルジェリアとの戦争中、植民地独立を不可避とみたド・ゴールは自治を各植民地に提案。ギニアのセク・トゥーレは「隷属の中の豊かさよりも、自由の中の貧困を選ぶ」と独立を選択。ただ彼は独立後、独裁者として反対派を粛清する恐怖政治を展開。多くの国民が国外に脱出した。

PROPOS　＊3

アフリカの年。サハラ以南の仏系植民地の多くが独立。ド・ゴールは独立を認めて親仏国を作り、国際社会（国連）での発言力を高めようした。この1960年の世界ファッションモードはブラック一色。黒は何色にも染まらない色。裁判官が着衣。重くならないブラックコーデが結構、難しい。

PROPOS　＊4

収奪しかなかったベルギー。コンゴ独立運動の指導者ルムンバは小学校卒業で働いていた。政治的独立を認めた後も経済的支配の継続を図ろうとする旧宗主国の動きが新植民地主義。その象徴がコンゴ動乱。ベルギーは鉱物資源（銅、コバルト、ウラン、ダイヤモンドなど）が豊かな「アフリカの奇跡」カタンガ州分離独立を図る。分離独立派は首相ルムンバを殺害。紛争仲介で現地に向かった国連事務総長ハマショールドは謎の墜落死。日記『道しるべ』を残した。

PROPOS　＊5

イボ人のビアフラは独立宣言。ナイジェリアはビアフラを封鎖。100万人以上が餓死。お腹が膨れ上がった餓死寸前の子どもたちの写真が報道されて国際的関心がビアフラに集まった。敗北したイボ人は海外に亡命。在日ナイジェリア人はイボ人が多い。その2世がスポーツ界で活躍している。

画蛇添足

▼「民族が独立したのではなく植民地が独立した」アフリカ。一つの国家に多くの部族が含まれたり、一つの部族が多くの国にまたがったりしたため独立後も紛争が絶えなかった。▼白人による支配は酷(みにく)かった。「アフリカには富はあったが十字架はなかった。白人が来てから富はなくなり十字架だけが残った」。独立したアフリカ諸国。独立運動の指導者—英雄がそのまま汚職まみれの独裁者になるのがアフリカの20世紀後半のお決まりの風景となった。▼コンゴ動乱は言語道断(ごんごどうだん)だが、その後のモブツの統治が酷(ひど)かった。モブツが「コンゴは今後、ザイールと呼べ」と国名を改称したが彼の死後またコンゴに戻った。モブツ独裁の32年間を支援したのは欧米諸国。支援の代償に同国の資源を収奪。平和以外は何でもある国にした。▼アフリカ最大の産油国ナイジェリアは典型的多民族国家。3百ほどの民族2億人がナイジェリアという枠組みに押し込められた。アフリカは北半分がイスラーム世界で南半分がキリスト教世界（プロテスタントの過半はアフリカに住む。アフリカはムスリムよりキリスト教徒が多い）。この分断線がスーダンとナイジェリアの真ん中を通る。ナイジェリア北部はムスリムが主流（ハウサ人など）、南部はキリスト教徒が主流（イボ人など）。その南部に油田が発見されてビアフラ戦争が起こった。▼コンゴ動乱もビアフラ戦争も資源の偏在がもたらした悲劇。ただ偏っているのは資源だけではない。私たちのアフリカの語り方が偏っている。このコラムのように何でも部族対立で説明する。アフリカ現代史も問題の指摘ばかり。うまくいっている国のことを語らない（※）。広大なアフリカの地域偏差はほとんど考慮されていない。

わんクリック　なによりもまず白人支配により伝統的共同体が崩壊する過程を描いたイボ人の作家アチェベ『崩れゆく絆』を薦めたい。ところで腐敗が風土病のように言及されるアフリカだが、セネガル、ガーナ、ボツワナ、ベナン、ナミビアなど多くの国が選挙で民主化に移行している。日本国債の格付けがボツワナ国債より下がった時に「何かの間違いだろう」と見下す発言がでた（2002）。ここはダイヤモンド産出国で政治経済とも安定。クーデタも内戦もない。だから世界史教科書では言及されない。世界史教科書はそういうメディア。自ら修正をいれないとバランスよく世界を見ることはできない。

History Literacy　世界史教科書は課題にばかり焦点を当てて「うまくいっていること」は書かないメディア。

サブサハラアフリカの内戦と飢餓

①概略

- アフリカ独立の年 (1960) 以降、半世紀に 49 カ国中 38 カ国で内戦
- 独立運動指導者の多くが腐敗、独裁化、反体制側の部族が反発　(※)

　└ 近代国家を統治する能力の欠如　　└ 背景に部族対立

②東アフリカ

- 1975 年、アンゴラ、モザンビーク、ギニアビサウ独立　＊2

　└ 独立後に内戦 (1975 ~ 2002)、内戦後に石油、ダイヤモンド発見

　最後の植民地帝国ポルトガル領からの独立

　└ 1974 年、ポルトガルのサラザール独裁政権崩壊 (「リスボンの春」)

- 1990 年、ナミビアの独立　＊3

　ドイツ領南西アフリカ、南アの委任統治領、2 次大戦後信託統治 (1966)

　信託統治後も南アフリカが不法占領、独立 (1990)

③エチオピア内戦

- 長年、皇帝による独裁統治
- 1974 年、帝政廃止で社会主義政権 (エチオピア革命)

　→内戦化　政府をソ連が支援

　　　　　　反政府側をアメリカが支援

　└ エチオピアの対岸はアメリカが石油利権を持つサウジアラビア

　社会主義化と内戦で深刻な経済停滞

　→内戦終了、社会主義政権崩壊 (1990)

- エリトリアの分離独立 (1993)

　└ エチオピアの海への出口、ムスリムの分離独立運動をアメリカが支持

④ソマリア内戦　＊4

└ 東アフリカの「アフリカの角」に位置

- 1980 年代から内戦激化、現在も無政府状態 (破綻国家)

⑤ルワンダ内戦　＊5

└ 内陸の小国、産業はないが「千の丘の国」とされた平和なキリスト教国

- フツ人 (多数派) とツチ人 (少数派) の部族対立から内戦 (1990 ~ 94)

　└ ベルギー統治時代は少数派ツチ人が支配者階級でフツ人を支配

　→ルワンダ虐殺 (1994)

PROPOS　＊1

アンゴラはアフリカ有数の産油国で、アフリカで最も腐敗した国の一つ。アフリカでは独立後のインフラ整備が課題。その資金提供に積極的に行っていまアフリカ各国で、各旧宗主国に次いで影響力を持つのが中国。国連でのアフリカ票 (54 票) が狙い。一国一票の国連で大きな影響力。アンゴラにも原油を担保に巨額の融資をしている。

PROPOS　＊2

ソ連、中国が支援するモザンビーク解放戦線 (フレリモ) が解放闘争後に社会主義国「モザンビーク人民共和国」を建国。これと南アなど資本主義国が支援する勢力との間で激しい内戦に発展 (1977 ~ 92)。約 100 万人が犠牲。地雷が多く敷設された。

PROPOS　＊3

観光促進の惹句(じゃっく)だが「世界で一番美しい砂漠」ナミブ砂漠。風呂に入らないのに「世界で一番美しい民族」ヒンバ族。赤石を削った粉と牛脂で肌と髪を塗り固めている。

PROPOS　＊4

ソマリア内戦に国連安保理は米兵を中心とする多国籍軍を派遣。内戦に巻き込まれて 18 名の米兵が虐殺される。衝撃を受けたアメリカは撤退 (1993)。この衝撃が翌年のルワンダ虐殺を国際社会が傍観した背景となった。今日も南部ソマリアは事実上の無政府状態で、誰が支配しているか分からない破綻国家の代表例 (他にコンゴ民主共和国、イエメン、リビア、イラクなど)。ソマリアが面するアデン湾は海賊の多発海域。日本は自衛隊を派遣、駐留を続けている。

PROPOS　＊5

当時、ルワンダ難民が流れ込んだ隣国コンゴ。難民として流れこんだのはツチ人だけでなく、虐殺した側のフツ人もいた。フツ人はコンゴで反ルワンダ政府を形成。それをルワンダ政府軍 (ツチ人) が攻撃。これが引き金となり、コンゴ内戦がはじまり、ルワンダの悲劇に数倍する犠牲を生んだ。

画蛇添足

▼独立後、多数派フツ人は植民地時代に優遇されていた少数派ツチ人を冷遇。94年にフツ人大統領が乗った飛行機が墜落。これをツチ人の仕業としてフツ人のラジオ局が「ナタ(山刀)をとってツチ人に報復せよ」「襲わなければ襲われる」と煽(あお)った。その後フツ人過激派が隣家の知人をナタで襲う凄惨な光景が約百日間続いた。ラジオは想像力を膨らませるメディア。身近だった隣人が豹変(ひょうへん)して襲いかかってくる恐怖。▼植民地支配の前は両者は外見でも言葉でも区別できない存在だった。ベルギーが統治のために反目させた。それでも両者は隣人として暮らしてきた。だから隣人の殺害を拒否したフツ人穏健派も多くいた。彼らもまた虐殺の対象にされた。▼よき隣人も集団になると変わる。集団の中では声の大きな主張が通り、責任が分散されて無責任になる。「群衆の中の個人」(ル・ボン)として動く。集団の中で人は臆病とみられたくない気持ちが働く。私たちは不必要に群れてはいけない。集団心理学の知見から学ぶことが多くある。▼資源を産出しない、戦略的重要性を持たない小国でのジェノサイドは先進国にとり他人事、無関心だった。国連駐在軍は虐殺を前に中立をとった。この虐殺への国際社会の傍観を描いた映画『ホテルルワンダ』(2006)。劇中の会話「あの残虐行為を見れば必ず誰かが助けにくる」「世界の人びとはあの映像を見て、怖いねというだけでディナーを続けるよ」。▼人間を「ゴキブリ」と呼ぶことから始まった悲劇。同じ言葉を使うヘイトスピーチが日本で行われて衝撃が走った。ヘイトスピーチ解消法 (2016) 制定で抑えているが、私たちの社会に差別者の居場所はない、と強い意思表示を続ける必要がある。

わんクリック　写真集『ルワンダ ジェノサイドから生まれて』。家族を目の前で殺された後、多くの女性が強姦された。その結果、2 万人の子どもが生まれた。女性に対する武器として性的暴力が使われるのが戦争。大戦中に日本兵が中国女性に、大戦後のソ連兵がドイツ女性、満洲で日本女性に行った。関係者は口を閉ざすので語られることは少ない。写真に「どうしても我が子を愛せない」「産んだら殺そうと思っていた」という悲しい言葉が添えられている。同じ問題を扱った BS 世界のドキュメンタリー『ルワンダ 虐殺の子どもたち』(2019)(オンデマンド視聴可)。こういうことが行われるのが戦争。

History Literacy　教育がないところに部族 (利害) 対立と安価な武器 (カラシニコフ) があると内戦がおさまらない。

南アフリカ ― 冷戦とアパルトイトの終焉

・大戦後、国民党政権が黒人に対するアパルトヘイト政策

└ ブール人（オランダ系白人）が主体、19 世紀末からアフリカーナと呼称

原住民土地法（13）、集団地域法（51）、分離施設法（53）が根幹３法

・冷戦下で西側諸国は強い制裁措置とれず　＊１ ＊２

冷戦終了で情勢変化、デクラーク大統領が少数白人支配を止める決断

└ 服役中のマンデラと交渉、報復、共産主義化しないことを確認

・1989 年、ANC（アフリカ民族会議）合法化、ネルソン・マンデラ釈放

・1991 年、アパルトヘイト諸法全廃

・1994 年、全人種選挙でネルソン・マンデラが大統領（~ 1999）　＊３

└ １期５年で大統領辞任（アフリカで例外的）、汚職と無縁

白人の土地接収せず、経済格差はそのまま　＊４

サブサハラアフリカの現在

①急速な経済発展 ―「人類のアフリカ化」が進行

└ 世界人口の急増地帯、世界のキリスト教信仰の中心地（ペンテコステ派が急増）

・援助対象から投資対象へ ― 最後の巨大市場アフリカ

多くの国で内戦終了、平和と民主主義が定着

人口の増加、経済成長加速

└ アフリカ全体で現在 13 億→ 25 億 / 世界人口 100 億（2050）と予想

GDP でナイジェリア、南ア、アンゴラ、エチオピア、ケニアの順

・土地の生産性の低さを耕地面積拡大、穀物輸入で代替

②サヘル地域（サハラ砂漠南縁部）

・マリ、ニジェール、ブルキナファソなどイスラーム過激派の広がり

└フランスが情勢安定のため派兵するもサヘル地域は「フランスのアフガニスタン」化

③ナイジェリア

・開発から取り残された北部でイスラーム過激派（ボコ・ハラム）のテロ

└ 油田は南部に集中　　└ 女子学生の集団拉致など

④エチオピア

・首都アディスアベバ、エリトリアと国交回復（2018）

└ 高地にある高層ビルの並ぶ近代都市、アフリカ連合本部所在地

PROPOS ＊１

南アはケープ沖の地政学的に重要な地域。周辺諸国が共産主義化する中で最後の反共の砦（とりで）だった。戦略資源の希少資源（レアメタル）も南アに偏在。原爆原料であるウランの生産量も当時は多く、冷戦下で南アを東側に接近させないために西側諸国は南アのアパルトヘイトを黙認した。

PROPOS ＊２

人種隔離政策で黒人は一定の居住区に隔離された。そこに産業はなく外に出て働くしかない。こうして作られた低賃金労働力の存在が西側先進諸国にとっての南アフリカの魅力だった。多くの企業が南アに進出、南アを支えた。貢献度の高かった日本人は有色だが「名誉白人」と人種隔離の対象から外された。白人と黒人の生活圏が物理的に隔てられたことで、白人は黒人の悲惨な生活を知らずに豊かな生活を享受できた。

PROPOS ＊３

独立運動指導者ネルソン・マンデラ。27 年間獄中生活で「なぜこれほどまでに黒人を憎むのか」と敵対する人間―白人刑務官を理解しようと彼らの言葉を学び白人の多様性に気づく。出所後は「憎しみはすべて刑務所に置いてきた」（『自由への道』）と大統領として国民の和解を唱え続けた。支配者（少数派）と被支配者（多数派）の立場が入れ替わったが「赦す」リーダーの指導で逆の悲劇が起こらなかった稀な国。

PROPOS ＊４

先に独立したジンバブエ政権は白人の土地を接収。白人が去り、農業技術も失われて生産力が激減。逆に南アメリカでは国土の８割を人口で１割程度の白人が所有したまま。経済は堅調だが世界で最も不平等な国（1 に近いほど不平等な社会を表すジニ係数が 0.63、日本は 0.32）。マンデラの後の ANC は腐敗が目立つ。極端な貧富の差で治安は悪化。ただ概して治安に関するネット上の情報は偏見の産物（とはいえ日本人の治安感覚は世界でまったく通用しない）。

画蛇添足

▼後進国の方が既得権を持った抵抗勢力がないから最先端技術の導入が容易。その結果、後発者が一気に先頭に躍り出る蛙飛び（リープフロッグ）現象が起こる。更地に新しいビルを建てるのは簡単。古い建物は権利関係が入り組んでいて撤去すら簡単でない。▼いま電気自動車（ＥＶ）で中国が先頭をいく。日本の自動車産業はすそ野の広い産業を切り捨てられない。固定電話、銀行が未発達なアフリカでケータイ、電子口座を使ったキャッシュレス決済が一気に進んだ。いまはサバンナでアンテナが立つ。垂直ジャンプを繰り返す独特の踊り文化で知られたマサイ人もスマホでキャッシュレス決済をする。▼多額の現金を持ち歩くことが危険な地域ではキャッシュレス送金が安全。日本は信用できるキャッシュが発行されているため時代が先に進まない。日本は偽造防止のための世界最高の印刷技術を持つ。それゆえさらにもっと精巧な新紙幣を発行しようという発想になる（※）。▼首都キガリが「アフリカのシンガポール」とされるルワンダ。虐殺事件後、再建のための投資が国際社会から集まり、ルワンダは「アフリカの奇跡」とされる高度経済成長をとげた。ここだけでなく、もはや貧困、紛争、野生動物だけではアフリカを語れない。▼多くの固定観念に束縛されて日本がアフリカ進出に大きく出遅れた間にアフリカのインフラ整備は中国の資本で進んだ。外資が入れば社会の外見が別物に変貌するのに20年とかからない。瞬く間に高層ビルが立ち並び、地下鉄が走る近代都市ができる。大都市住民の悩みは同じで運動不足。巨大なショッピングモールの一角にあるジムが人気を集める。画面に映るサバンナを見ながら都市住民がトレッドミルで汗を流す。

わんクリック　映画『インビクタス―負けざる者たち』（2009）。新生南アフリカの国民統合をはかるためにラグビーを選んだマンデラ。ラグビーは白人文化を体現する白人のスポーツ、人種差別アパルトヘイトの象徴だった。過去にとらわれなかったマンデラの奇跡（W 杯優勝）を描く作品。ところでアパルトヘイトを戦ったのは彼だけではない。それまで多くの活動家が闘い、命を落とした。殺されたスティーヴ・ビコの実話に基づく映画『遠い夜明け』（1987）は反アパルトヘイトの国際世論を高めた。最後にマンデラのようなプラグマティストの出番があった。マンデラが潔（いさぎよ）すぎて１期で大統領辞任したのが痛手。

History Literacy　分厚い知識「世界史」を持つ日本―それは社会の新陳代謝の桎梏（しっこく）なのか、貴重な資源なのか。

ラテンアメリカの民族運動

①戦後のラテンアメリカ諸国 ―「アメリカの裏庭化」

- 1948 年、米州機構 (OAS)(ボゴダ憲章、発足 1951)
  米州相互援助条約 (1947 年リオデジャネイロ協定) に基づく米主導の反共体制
  └ 米にとってカリブ海は裏庭、「植民地なき植民地主義」アメリカ
- 中南米の経済構造　＊1
  大地主・アメリカ資本・独裁政権の癒着構造
- 大衆を支持基盤とした政治運動ポピュリズム (20 世紀中頃)
  ブラジルのヴァルガス政権 (1930 ~ 45、1951 ~ 54)
  アルゼンチンのペロン政権 (1946 ~ 55、1973 ~ 74) など

②キューバ革命

- 1959 年、キューバ革命
  キューバで砂糖のプランテーション展開　＊2
  フィデル・カストロ、チェ・ゲバラなどが指導　＊3
  親米バティスタ政権を打倒
  土地改革、アメリカ系資本の企業国有化など民主化政策
  アメリカはキューバと断交
  └ 当初は新政権を承認、カストロは民族主義者 (当初は社会主義者ではなかった)
- 1961 年、社会主義宣言でソ連に接近 ― ラテンアメリカ初の社会主義政権

③キューバ危機

- 1962 年、キューバ危機
  ソ連のフルシチョフはキューバにミサイル基地建設
  アメリカのケネディは海上封鎖、戦後最大の核戦争の危機
  →土壇場でのフルシチョフの譲歩、ミサイル基地撤去で危機回避　＊4
  └ 代償にトルコのミサイル基地をアメリカは撤去 (フルシチョフの外交勝利との見方も)
- ホットラインの設置 (ホワイトハウスとクレムリンの直通電話)
- 1963 年、部分的核実験停止条約 (PTBT)(大気圏内外水中核実験停止条約)
  地下実験をのぞく核実験禁止
  └ 検証不可能が理由、実験できる大国の核独占に繋がると批判
  米英ソが調印、フランス、中国は調印せず
  └ 1960 年フランス核実験 (ド・ゴール外交)、1964 年中国核実験 (中ソ対立)

PROPOS　＊1
中南米の多くの国では独立以来、大地主制度 (アシエンダ制) が存続。そこに膨大なアメリカ資本が投下された。この体制維持のため軍事独裁が一般的となる。大地主・米資本・独裁政権の癒着構造の下での社会改革は農地改革と米資本の接収。民主主義を追求すれば反米となる構図があった。

PROPOS　＊2
革命前のキューバは一握りの大地主がアメリカ資本によって砂糖のモノカルチャーを展開する中南米に典型的な経済構造。砂糖工場の 6 割以上がアメリカ資本。病虫害や天候に左右される不安定なモノカルチャー経済、低賃金の季節労働者 (収穫が終われば失業) を必要とする経済構造 (※)。

PROPOS　＊3
亡命していたフィデル・カストロら 82 名はキューバ島に上陸。各地の反乱軍と提携したゲリラ戦を展開。規律正しい革命軍は農民の圧倒的支持を得て、バティスタ政権を打倒。カストロの盟友がチェ・ゲバラ。アルゼンチンの医者。学生時代の貧乏旅行でラテンアメリカ社会の現実を見聞。そこで人びとを救うのは医者ではなく社会改革と決意。医者をやめてキューバ革命に参加。革命成功後もキューバの要職に就かず、さらにボリビアに赴き、そこでの社会改革に着手しようとして暗殺された。現在もその生き方への共鳴が続く。夭折者の特権か。

PROPOS　＊4
当時 ICBM を持たなかったソ連はアメリカの裏庭に中距離核ミサイル基地建設を計画。「世界を震撼させた 13 日間」中、米ソの首脳はコミュニケーションをとる手段がなく、相手国のラジオ放送を傍受して互いの動向を推測。ケネディとフルシチョフ、双方の浅慮が引き起した危機。危機発生後、ケネディはフルシチョフの立場も考慮した適切な対応をとった。フルシチョフも冷静に対応。双方の熟慮による賢慮で危機は回避 (この通説に対し、回避は偶然、説もある)。

画蛇添足

▼ポピュリスト―大衆を煽動する言葉でカリスマ的人気を得る指導者。その指導者に熱狂的歓呼を与える大衆との間で繰り広げられる政治劇。日本ではこの手法で郵政民営化を断行した首相がその嚆矢。東京、大阪など大都市の首長選挙が直接選挙なのでポピュリズム化しやすい。▼アメリカではトランプが大統領に当選する番狂わせ。目立ちたがり屋の売名行為と見られていた立候補。背景にグローバル化で急速に進行する経済格差がある。変化の速度に対応できない既存の政治家への不信感、グローバリズムの勝ち組、リベラル勢力（左派）の欺瞞性への嫌悪感などが背景。ポピュリストは勝ち組を既得権益層と仮想敵に設定して激しく攻撃。▼既得権益叩きと権威の引きずり下ろしが大衆に胸のすく爽快感を与える。「ぶっちゃけ」に続く差別言動が大衆には建前にとらわれない強いリーダーシップに映る。これまで置き去りにされていた人びとの声が政治に反映されるのは民主主義の進歩だが、それが望ましい社会をもたらすかは別問題。結局、どのような指導者を持っているかがその国の文明度を示す。▼大衆を基盤とした政治運動ポピュリズムの起源の一つは戦後のラテンアメリカ。大地主に対抗するため、資本家と労働者を提携させ、その均衡の上に独裁権を掌握したアルゼンチンのペロン大統領。社会の抜本的改革を指向しない点で共産主義と異なる。▼ペロン時代のアルゼンチンの雰囲気を垣間見るために映画『エビータ』が参考になる。エビータは大統領夫人エヴァ。大統領就任式前夜に集まった支持者の前で歌う「アルゼンチンよ泣かないで」の美しさ。ポピュリズムとナショナリズムが合わさった時の危険な蠱惑、陶酔感。

わんクリック　ポピュリズム。最初は大恐慌後の経済不況に直面したラテンアメリカ諸国で 1930-40 年代に出現した。上で紹介したように、人気の高い大統領が大統領府のバルコニーから前の広場に集まった労働者に直接語りかけ、人びとがそれに熱狂する―これがポピュリズムを象徴する風景。日本でも、選挙時に大都市ターミナル駅前で出現する。ブラジルでは「貧者の父」ヴァルガス。戦前は右翼型権威主義 (大衆参加は少ない) だったが、戦後、彼の独裁を生んだ反省から改正された憲法下で再び選出された。個人的人気があった。戦後は利益誘導の左翼的権威主義。部下の不手際の責任をとり自殺した。

History Literacy　大きい言葉は内部の多様性を隠す (「労働者」も技術を持つ熟練労働者と、そうでない非熟練労働者は異なる存在)。

3　緊張緩和とベトナム戦争

スターリン批判と平和共存

- 1953 年、スターリンの死 (公式死因は脳卒中、様々な憶測あり)
  当初、集団指導体制
  └ 個人への権力集中を避けた「トロイカ(三頭立ての馬車)体制」(1953 ~ 58)
  フルシチョフ第一書記が平和共存主張
  └ 1958 年以降はフルシチョフ第一書記が首相兼任、水爆開発 (1952) も背景
  →「雪解け」気運　＊1
  └ ソ連のエレンブルクの小説『雪解け』に由来
- 1954 年、ジュネーヴ会談
  朝鮮統一問題とインドシナ戦争終結のために開催
  ジュネーヴ休戦協定成立
  └ 会議の最中にディエンビエンフー要塞陥落
- 1955 年、オーストリア国家条約　＊2
  オーストリアから四国占領軍撤退、永世中立国として独立
- 1955 年、ジュネーヴ四巨頭会談
  └ ポツダム会談以来 10 年ぶりの首脳会談、バンドン会議に刺激受ける
  具体的成果はないが「ジュネーヴ精神 (話し合いによる解決)」生まれる
- 1956 年、コミンフォルム解散　＊3
  フルシチョフの指示で解散、ユーゴスラヴィアに謝罪して和解
- フルシチョフのアメリカ訪問 (1959)
  └ ソ連の最高指導者初のアメリカ訪問
- キューバ危機 (1962) と部分的核実験停止条約 (1963)

社会主義圏の動揺

①スターリン批判

- 1956 年、フルシチョフがスターリン批判
  共産党第 20 回大会の秘密報告でスターリン批判　(※)
  スターリンの個人崇拝と大量粛清が批判　＊4
  └ 4 時間にわたる衝撃の報告 (それまでスターリンは英雄で大量粛清は知られていなかった)

PROPOS　＊1
「雪解け」は一直線に進んだわけではなかった。この間も、アメリカが巨額の開発費を使って開発したＵ２型偵察機が高度２万５千ｍもの上空を密かに飛行。敵対陣営の地上の施設をくまなく撮影。このＵ２型機がキューバ島上空で撮影した写真に、ヤシの木でも隠しきれなかったソ連の中距離核ミサイルが映っていた。「雪解け」の最中の出来事。雪は溶ける時が危ない。

PROPOS　＊2
「オーストリアは最初の犠牲者」神話はもともとは連合国がオーストリア国内の抵抗運動を促進するために流布 (1943 年の連合国のモスクワ宣言)。戦後の同国の指導者はこれを利用。オーストリアはヒトラーによる最初の被害者である、という自己像を広め、「合併」された以降はオーストリアは国家として存在しなかったのだから戦争責任はないと自らを免罪しようとした。

PROPOS　＊3
1956 年スターリン批判を行い平和共存を打ち出したフルシチョフ。社会主義への移行形態は多様で、革命によらない移行も可能であり、資本主義体制と社会主義体制の共存は可能とした。現実に水爆が開発されたことにより戦争は世界の破滅を意味するようになった。この考え方に基づき、フルシチョフはコミンフォルムを解散した。

PROPOS　＊4
受験勉強息抜きのスターリンジョーク。スターリン批判後、スターリンの遺体はレーニン廟から追い出されたが引き取り手がいない。イワン雷帝もピョートル大帝も彼が横にくるのを嫌がった (笑)。国外に候補地を探していたところイスラエル首相ベルグリオンからイェルサレムに埋葬してもよいとの申し出。これを知ったフルシチョフ、「あそこはダメ。一人生き返っている」(笑)。途方に暮れていたとき、救いの声が。「おひげさん、私の横にいらっしゃい」、エカチェリーナ２世だった (笑)。

画蛇添足

▼「自身が世界を楽しみ、世界が彼を楽しんだ」(ニクソン)と評されたフルシチョフ。明るいキャラ、型破りな言動で人気があった。スプートニクの打ち上げ成功で優位にたった余裕からソ連トップとして資本主義の総本山アメリカを初訪問。▼カメラの前で、すぐに経済力でアメリカを抜くと豪語した。「いつ抜くのか」と問うニクソンに「心配するな。抜くときはバイ、バイ、と言う」とはぐらかして周囲を爆笑させた。感情の起伏が激しく、楽しみにしていたディズニーランド訪問を突然キャンセルされて激高。そういう暴言も遠因となって失脚。それだけにフルシチョフはよくジョークの題材に使われた。次の話はあくまでフィクション。▼56年、ソ連共産党20回大会においてフルシチョフは4時間にわたってスターリンの数々の犯罪を暴露。しかしフルシチョフはなぜスターリンの暴走を止めなかったのか。ある集会でフルシチョフが演説している時、若い活動家がヤジを飛ばした。「そりゃ結構だ。フルシチョフ。いまあんたはスターリンの犯罪を暴露している。しかし、あの頃、あなた方はどこにいたのか」。これを聞いたフルシチョフ。怒髪天をつく様相で立ち上がり、会場に向かって怒鳴りつけた。▼「いま質問したのは誰だ！」会場は水を打ったような沈黙。フルシチョフはさらに激怒して、「これが最後だ、いま質問したのは誰だ！」。誰もが声を殺す。しばらく会場を睨み回したあと、フルシチョフは穏やかに言った。「同志諸君、君たちはその時、わたしがどこにいたかを知りたがっている。ここに答えがある。いま君たちがいるところだ」。この話はフィクションだが内容は深刻。私たちも陸続きのところに座っている。

わんクリック　スターリンを批判したとして逮捕、８年間投獄されたソルジェニーツィン。ソ連の収容所の過酷な生活を『イワン・デニーソヴィチの一日』として発表。内外に衝撃を与えた。フルシチョフが政治的思惑から出版を許可。出版そのものが「雪解け」の象徴となった。1958 年、ソ連が文化的優位を誇示するため始めたのがチャイコフスキー国際コンクール。当然、ソ連から優勝者が選出される手はずだったが、ピアノ部門でアメリカ人クライバーンが最高の評価を受けた。議論の末、彼が優勝者として発表された。この公正な審査がコンクールの評価を高め、世界三大コンクールの一つとなった。

History Literacy　起こっても不思議でなかったこと (鄧小平の「毛沢東批判」が起こっても不思議でなかった) を意識する。

②フルシチョフ時代 (1958 ~ 64)

- 1959 年、アメリカ訪問 (キャンプデーヴィッド会談)
  - └ 1957 年、人工衛星打ち上げ成功で優位 (アメリカ、スプートニクショック)
- 1962 年、キューバ危機
  - └ 自ら作り出した危機でアメリカに譲歩 (ただしトルコの基地撤去を得る)
- 1964 年、解任 (農業政策の失敗が表向きの理由)

③東欧諸国での動揺

- 1953 年、東ベルリンで反ソ暴動、ソ連軍が鎮圧
  - └ 東欧諸国で最初の暴動、労働者のストライキ、デモ、死者 50 名ほど
- 1956 年、ポーランドのポズナニ暴動
  - └ 最も反ソ的国民感情が強い

  ゴムウカ (1956 ~ 70) が自ら暴動収拾、以後非スターリン化
  - └ スターリン時代に民族主義者として失脚、復権　＊1
- 1956 年、ハンガリー事件　＊2　(※)
  - └ 1 週間後にスエズ戦争 (第 2 次中東戦争) 勃発

  首都ブタペストで反ソ暴動、ナジ・イムレが第一書記に就任

  一党独裁制の放棄、ワルシャワ条約機構からの脱退宣言
  - └ 社会主義体制からの離脱を意味

  ソ連軍介入を招き、ナジ・イムレ首相失脚
  - └ 社会主義体制を西側から守るための軍隊が、体制引き締めのために武力行使

  ガーダール (1956 ~ 88) のもとで経済改革、80 年代経済成長
- 1968 年、チェコスロヴァキアの自由化

  ドプチェクが第一書記に就任

  「プラハの春」と呼ばれる自由化政策 (「人間の顔をした社会主義」)

  ワルシャワ条約機構の介入で改革失敗
  - └ 東ドイツ、ブルガリア、ハンガリー、ポーランド、非暴力で抵抗したため犠牲者は少ない

  制限主権論 (ブレジネフ・ドクトリン) が武力介入の根拠　＊3

  →世界の多極化を促進

  中国はソ連を社会帝国主義と非難　＊4
  - └ 社会主義の仮面をかぶった帝国主義

  アルバニアはワルシャワ条約機構を脱退、中国に接近
  - └ ホッジャ独裁の小国、バルカン半島の先住民族 (スラヴでもゲルマンでもない存在)

PROPOS　＊1

評価が逆転した二人の政治家。ポーランドのゴムウカは国民の期待を背負って登場。スターリン派の官僚を一掃して改革に着手。しかし経済停滞で国民の怨嗟の的となって 70 年に退任。ハンガリー事件でソ連の戦車に乗って登場したガーダール。ソ連に再び介入の口実を与えないように慎重に着実に改革を進め、ハンガリーを東欧で経済的に最も成功した国に、東欧で最初に共産党の一党独裁を放棄する国に導いた。

PROPOS　＊2

ドナウ川はブダペストを通過する時に最も喜ぶという。「ドナウ川の真珠」ブダペスト。その象徴が川沿いに聳える国会議事堂。ここで複数政党による議論、議会制民主主義が行われていた。それを復活させようとしたナジ・イムレ首相はソ連により殺害された。 全土がソ連軍の戦車 2500 両に蹂躙され、1 万人以上の死傷者がでた。

PROPOS　＊3

ブレジネフは「社会共同体の利益は各国の個別利害に優先する (制限主権論)」というブレジネフ・ドクトリンで「プラハの春」弾圧を正当化。以後、東欧諸国では、改革を急げばソ連の介入を招き、流血の事態になると予想できたので妙な安定をみた。1989 年ゴルバチョフがこのドクトリンを否定したことから東欧革命は加速した。

PROPOS　＊4

アジアの冷戦は中国とアメリカの対立。しかし中ソ対立が進展し、ウスリー江の中州ダマンスキー島で国境紛争がおこり (1969)、中ソの全面戦争が危惧されるようになると中国はアメリカに接近。アメリカのニクソン大統領もベトナム戦争から脱出の糸口を求めて中国に接近。1972 年に米中は国交回復。ところで中ソ (中ロ) 国境は世界一長い。大半が河川国境。山は動かないが、河川は流路を変更する。河川国境はトラブルが多い。ただ中ロ国境はすべて確定。ロシアも中国も双方が妥協した。

画蛇添足

▼物事を見るときは対象との距離のとり方が大切。近づきすぎると視野の外に出してしまうものがあり、遠ざかりすぎると小さく見えなくなるものもある。東欧を俯瞰的に見れば、そこにソ連の衛星国として一枚岩の団結が見える。▼しかしもう少し高度を下げれば東欧諸国とソ連の心理的距離が一様でないことが見えてくる。私たちは他者の内部の多様性を見損ない、そこに均質性を作りがち。「ソ連の1番目の共和国」ブルガリア、「優等生」東ドイツはソ連に近かった。東ドイツの場合、体制に不満な市民は壁が建設されるまでに西ベルリン経由で西側に流出。勤勉な国民性もあってそれなりに豊かな生活、競争のない穏やかな社会を実現。▼歴史上、ソ連(ロシア)に2度も侵略され、戦後は共産政権を押し付けられたポーランド。国民の反ソ感情は強かった。冷戦を崩壊させた89年の東欧革命はポーランドの10年にわたる抵抗、改革からはじまった。ソ連からの離脱の動きに対して武力介入を受けたハンガリーとチェコスロヴァキア。表向きはソ連を刺激しない現実路線をとったが、ソ連に対する国民感情が穏やかなはずがなかった。▼ソ連軍の援助によらず「自力」でナチスから解放されたユーゴスラヴィア、アルバニアは独自路線をとった。これも多大な犠牲を伴ったソ連の対独戦なしにはあり得ないもので、両国の自力の強調にソ連は不快感を示した。ルーマニアも豊富な石油資源を背景に独自路線をとり、『プラハの春』へのワルシャワ条約機構軍の武力介入にも参加しなかった。ただ地政学的重要性の低かったこともありソ連は武力干渉しなかった。東欧諸国と括られてもそれぞれの国は違う。また国内諸勢力間にも温度差があった。

わんクリック　チェコの作家ミラン・クンデラ『存在の耐えられない軽さ』。冷戦下のチェコスロヴァキアのプラハの春を題材にした恋愛小説。映画化もされた。文学を読む愉しみに浸れる恋愛小説。体制に反抗した主人公の医師は窓拭きの仕事を強いられる。現実に体制に反対したことで、仕事を奪われ内職で糊口をしのぎ生き延びたのが人気歌手マルタ・クビショヴァー。そのビートルズ『ヘイジュード』のチェコ語のカヴァーが、反体制運動を支える歌としてプラハの春鎮圧後のチェコで秘かに歌い継がれた。人々の心を揺さぶり、勇気づけた音楽、人びとの心の支えとなった音楽―歴史の隠れた主役。

History* *Literacy　臨場感を伝えた「動乱」呼称 (ハンガリー動乱) ―記憶の風化で軒並み「事件」表記に (ハンガリー事件)。

④中ソ対立の進展

- 中国はソ連のフルシチョフの平和共存路線、スターリン批判に反発
  └ 朝鮮戦争（1950 ~ 3）でアメリカとの交戦直後　└ 個人崇拝をすすめる毛沢東に逆風
- 1959 年、中ソ技術協定破棄
  ソ連は中国から派遣技術者を引きあげ、ソ連援助のダムなどの建設中止
- 1960 年、中ソ論争公然化
  中国はソ連を修正主義と非難、ソ連は教条主義と応酬
- 1962 年、中ソ対立激化
  中ソ国境紛争でソ連はインドを支持
  キューバ危機で中国はソ連を冒険主義、降伏主義と非難
- 1964 年、中国は原爆保有
- 1969 年、ダマンスキー島（珍宝島）事件
  └ ウスリー江中州（北京条約）、ソ連が実効支配、中ソ和解後、中国領へ

プロレタリア文化大革命

①文化大革命

- 大躍進政策（1958）の大失敗
  飢饉（1960 ~ 63）で数千万人餓死、毛沢東は国家主席辞任（党主席は残留）　＊1
- 1959 年、劉少奇が国家主席
  劉少奇、鄧小平などが実務を掌握し、経済政策の見直し
  人民公社の規模縮小、資本主義的要素の導入
- 1966 年、プロレタリア大革命（~ 1976）　＊2
  毛沢東は紅衛兵を用いて全国民を巻き込んだ奪権闘争を行う
  └ 連続革命、継続革命論 に基づく　＊3　（※）
  劉少奇、鄧小平らを実権派（走資派）として批判
  └「ブルジョワ実権派」「資本主義の道を歩む走資派」
  多くの党幹部、知識人が批判され追放、劉少奇は獄死、鄧小平失脚（1968）
- 毛沢東の国家主席復帰
- 社会の大混乱と経済の停滞
  └ 経済活動に従事することが「走資派」とみなされる
  教育を受けなかった文革世代、人びとの心に大きな傷跡
  └ 教育の停止、のち紅衛兵は現場（農村）を知れ、として農村に送られる（「下放」）

PROPOS　＊1

独裁者の手許には正しい情報が上がってこない。飢饉の３年間も「今年も豊作」と報告された。責任は都合の悪い情報をあげられない組織を作った側にある。集団農場で生産性が落ちた。自分の土地でないと人は手入れをしなくなる（「共有地の悲劇」）。農業は自然相手。24 時間気を配る必要がある。日本では台風の度に、水嵩が増した用水路に田んぼの様子を見に行ったおじいさんが流されて亡くなる。「分かっていて行くなよ」という話ではない。自然相手の農業ではこの熱心さ、きめ細かさが必要。9 ~ 17 時の労働ではおいしく育たない。

PROPOS　＊2

失脚した毛沢東が利用したのが紅衛兵（共産主義をまもる兵の意）という現実社会を知らない学生。毛は、批判精神旺盛で純粋な彼らに革命思想を学習させ（『毛語録』学習）、この理念に照らしあわせて現実社会を批判させた。「革命の精神を忘れて堕落している」と党幹部を糾弾させた。党幹部の子弟が優遇されていることに不満を鬱積させていた彼らに毛は「造反有理（反抗する者に道理がある）」とお墨付きを与えた。『毛語録』を振りかざし、紅衛兵は全能感を持って街をのし歩いた。「走資派」の家に押し入っては三角帽子をかぶせ、背中に自己批判の壁新聞を貼り付けて市内を引き回した。その紅衛兵が邪魔になると、毛は「頭でっかちになるな、農村で現実社会を学んでこい」と農村に追放（下放）した。

PROPOS　＊3

毛沢東は社会主義社会になっても搾取階級と非搾取階級という階級が存在するとして、階級闘争の継続が必要とした。当時も現在も、中国では共産党幹部、人民解放軍幹部が特権階級を形成し、腐敗している。常に革命を学習し、自己点検を続ける必要があるとした主張は共感を持って受け取られた（「連続革命」「継続革命」論）。詳細は不明だが、文革での死者 110 ~ 160 万人、2000 ~ 3000 万人が迫害されたとされる。

画蛇添足

▼大躍進政策で数千万の死者を出した毛沢東。党大会で劉少奇ら多くの党幹部に批判されて失脚。この侮辱を忘れず復讐を誓った毛沢東。政敵に「走資派」というレッテルを貼り「走資派をあぶりだせ」と純粋な学生を扇動。永久革命を演出することで政敵を抹殺していった。▼何が起ころうとしているのか誰も分からなかった。まさか毛が自身の権力奪還のために社会を破壊し、数千万人を犠牲にするなど想像できなかった。晩年の毛沢東は皇帝そのもの。国民が死ぬことに何の痛痒も感じていなかった。劉少奇は標的が自分とは気づかなかった。▼日本社会も永久革命論に目を眩まされた。「支配―被支配」の関係撤廃をめざした革命が新たな支配者を生んでいないか―常に自己点検を怠らないでおこうとする永久革命論。自分たちが打倒したものと同じ存在になっていないか。革命の初心を持ち続けようとしたプロレタリア文化大革命。この「魂を揺さぶられる真の革命」は眩しく映った。当時のソ連が官僚主義に陥り、抑圧体制と化していたからなおさらだった。▼紅衛兵は反共産主義的なものすべてを破壊対象とした。知識人、学者、芸術家を吊し上げ、寺院などの文化財を破壊。常軌を逸した行動に眉をひそめた人も「ブルジョワ」「反革命」のレッテルを貼られるのを恐れて沈黙した。紅衛兵、農民は利用されただけではない。私怨を公憤とするのに毛の権威を利用。持ちつもたれつの関係もあった。▼理論に純化した大衆運動は経済の大混乱、社会・家族、人間に大きな亀裂を与える大惨事となった。この文革期を生き抜いた家族のノンフィクションがユン・チアン『ワイルドスワン』。「巻を措く能わず」はこのためにある言葉。

わんクリック　農民を組織して解放した精悍な革命家としての毛沢東の前半生。そのルポルタージュ『中国の赤い星』（のちに作者スノーは毛に利用されたと知る、いまは毛のプロパガンダと理解される）と朱徳を描いた『偉大なる道』の２冊に英雄の姿を見て、学生時代の筆者は深く共感。独裁者となり大衆を扇動するようになった後半生の毛の晩年の記録が専属医師李志綏『毛沢東の私生活』（1994）。堕落しきった私生活、権力の濫用。「権力は腐敗する、絶対権力は絶対腐敗する」（ジョン・アクトン）の好例。鄧小平は、毛を誤りもあったが建国の功績が大きい、誤り３割、功績７割と総括して否定しなかった。

History Literacy　歴史の鉄則「革命は成功時から反動化」－それゆえ継続革命が支持されたがこれも例外でなかった。

②文革後の中国

・1971年、林彪(りんぴょう)のモンゴル墜死

└毛により後継者に指名された軍指導者、毛殺害未遂で逃避行か(中国で唯一の軍クーデタ)

・1971年、江青(こうせい)ら四人組による「批林批孔(ひりんひこう)」運動

└毛の四番目の夫人(元女優)ら文革推進派 └文革終息派の周恩来攻撃

「批孔」として封建制を徹底批判、社会のモラルの低下

・1976年、第1次天安門事件

周恩来死去(1976.1.)を悼み、天安門に集まった市民を武力排除

・1976年、毛沢東死去(9月) ＊1

・1976年、華国鋒首相(在任76~80)が四人組逮捕、文化大革命終結宣言

③文革中の中国外交の転換

・1971年、中華人民共和国の国連代表権承認(10月) ＊2

・1972年、ニクソン訪中(2月) ＊3

└事実上の中国承認、日本にとって青天の霹靂(へきれき)

・1972年、日中国交回復(9月) ＊4

└田中角栄首相が党内の反対(親台湾派)を押し切る政治決断

・1978年、日中平和友好条約(2月)

└中華民国との関係断絶(再構築)に時間がかかる、以後名称は台湾

・1979年、米中国交正常化(9月)

└アメリカは対中国封じ込めから関与政策に180度転換

ベトナム戦争とアメリカ合衆国

①戦後のアメリカ

a. トルーマン大統領(民主党、在任1945~53)時代

└「まさか」の大統領、ローズヴェルト4選時にまさかの副大統領指名、まさかの大統領死去

・冷戦体制を構築

国家安全保障会議(NSC)(1949)、国防総省(1949)、CIA(1949)など

・マッカーシズム(赤狩り)(1950~54) ＊5

朝鮮戦争勃発でアメリカ社会で共産主義に対するヒステリー現象

上院議員マッカーシー(共和党)が主導

└「赤」のレッテル貼りを恐れたトルーマン(民主党)はこの動きを放任 (※)

特に映画界が対象になる(業界にはリベラルで社会的影響力を持つ人が多い) ＊6

PROPOS ＊1

文化大革命のためアジア各国の経済成長が著しかった時代に中国だけが大きく立ち後れた。この遅れを取り戻すために始められたのが「改革開放」政策。その後の40年間で目を瞠(みは)る経済成長が達成された。

PROPOS ＊2

アフリカで中国は圧倒的な存在感。中国は各国の援助を文革期から始めた。国連のアフリカ票集めが狙いで、国連の中国代表権を中華民国から奪取に成功した(1971)。

PROPOS ＊3

文革中に中ソ対立が進展。中国はソ連の脅威からアメリカに接近。アメリカもベトナム戦争打開のため中国に接近。米大統領補佐官キッシンジャーが中国を極秘訪問(1971)。ニクソン電撃訪中を準備。知らなかった日本は20cのマキャベリスト「キッシンジャーの忍者外交」に衝撃を受ける。

PROPOS ＊4

日本は日中国交回復がないと戦争は終わらないという気持ちから中国との関係正常化を探っていた。中国からはパンダが寄贈され(中国外交の切り札、パンダ外交)国内は一気に親中モードとなる(今はレンタル)。家永真幸『パンダ外交史』が面白い。

PROPOS ＊5

20億ドルの巨費と英知を集めてマンハッタン計画で開発した原爆。4年後にソ連も開発成功。できるはずがない—スパイにより情報漏えいがあった、という思い込みが赤狩りの背景。アメリカは原爆が作れるかどうか分からない段階からの試行錯誤だったが、ソ連は「作ることができる」から出発。この差が大きいと指摘される。

PROPOS ＊6

集団反共ヒステリー、赤狩り。何万人の人生が台無しにされた現代の魔女狩り。資本主義を風刺した『モダンタイムス』のチャップリンも映画界から追放された。

画蛇添足

▼理念よりも国益のためには現実の力関係を使って何でもするレアルポリティーク(現実政治)。ニクソンとキッシンジャーのコンビがソ連を牽制するために切ったチャイナカード(中国接近)。対中政策は「封じ込め」から「関与政策」に大転換。このアメリカの政策が結果的に超大国中国を育てた。▼経済発展が進んで中産階級が育てば、彼らが政治的自由を求めるようになり政治の民主化が進むはずだった。豊かさは格差を拡大しながら進んだ。結果的に富裕階層は自分たちを豊かにした体制の変更を求めなかった。生まれた富のかなりが公安費にまわされた。▼テロが多発する中で人びとは自由やプライバシーよりも安全や安心に価値をおくようになった。それが保証されるなら、国家権力による監視を受け入れる。「悪いことをしないのだから問題はない」という感覚が強くなった。日本では自暴自棄になった人が無差別に人びとを襲う事件が続く。このような無差別殺傷事件が頻発すれば、日本でも防止を目的(口実)にした監視社会の受け入れに抵抗はおこらないだろう。▼中国共産党の支配をどの社会にもある制約と考え、むしろ起業には理想的な環境とみなす若者も多い。改革開放前の中国のGDPは日本の10分の1程度だった。改革開放による中国の経済成長は世界の経済格差の解消に寄与した。いま日本経済が何とか維持できているのも中国の経済成長に負うところが大きい。▼中国の超大国化にアメリカ社会が赤狩りの時ほどではないが再び過剰な反応—反中、デカップリング(切り離し)に転じている。中国は事実上資本主義(紅い資本主義)。ただ民主主義的価値観を共有しない国が世界のリーダーとなることへの危機感がある。

わんクリック　自己啓発本ばかり読み漁(あさ)る人がいる。自己啓発書は栄養ドリンクと同じで、新しくて値段が高いほど効くように錯覚する、その思い込みを利用した商売。その9割が営業のための自費出版。この商法に動かされている時点で人は動かせない。松下幸之助『道をひらく』(1968)の1冊だけで十分。大切なことが書いてある。世界中で読まれている。文革で疲弊しきった中国を助けてほしいと鄧小平に助力を求められ、日本で最初に中国に工場進出したのが松下電器産業(現パナソニック)。世の中から貧しさ失くすのが経営者の仕事と、丁稚奉公(でっちぼうこう)から一代で「経営の神様」とされるまでになった。

History Literacy　攻撃の矛先(ほこさき)が自分に向かうことを恐れて沈黙する、暴力を恐れて沈黙するから暴力がまかり通る。

b. アイゼンハウアー大統領 (共和党、在任 1954 ~ 61) 時代

└ ノルマンディー上陸作戦指揮の将軍、反共主義者　＊1

・朝鮮戦争の終結

・ダレス国務長官の「巻き返し政策」

└ 政策に大統領以外の名がでてくるのはここに主導権があったことを示唆

・冷戦下での軍産複合体の成長を警告　＊2

・レイ・クロックがマクドナルド出店 ― ファストフード文化広がる　＊3

└ マクドナルド兄弟創案の効率よいハンバーガー提供システムのフランチャイズ権獲得

c. ケネディ大統領 (民主党、在任 1961 ~ 63) 時代　＊4

・ニューフロンティア政策による国内改革

・黒人解放運動の高揚

└ 2 次大戦に多くの黒人が従軍、軍隊ではじめて黒人は人として扱われた

黒人差別諸法 (ジム・クロウ法) が存在

1963 年、ワシントン大行進　＊5

└ リンカーンの奴隷解放宣言の 100 年目

マーティン・ルーサー・キング牧師『私には夢がある』演説

首都での 20 数万人の集会を平和裏に終了　＊6

・1962 年、キューバ危機 (回避)、1963 年部分的核実験停止条約調印

d. ジョンソン (民主党、在任 1963 ~ 69) 時代

・1964 年公民権法

└ 議会対策がうまい、南部出身ジョンソン大統領の手腕

・「偉大な社会」計画で貧困の撲滅をめざす

・1965 年ベトナム戦争本格的介入

e. ニクソン (共和党、在任 1969 ~ 74) 時代

・ニクソン外交の展開

ドルの金交換停止などの政策転換 (1971、ニクソンショック)

中華人民共和国の電撃訪問 (1972)

ベトナム戦争からのアメリカ軍の撤退 (ベトナム戦争のベトナム化)(1973)

└ 打開のためにカンボジアに戦火拡大

ソ連邦 (ブレジネフ書記長) とのデタント (緊張緩和) 推進

・ウォーターゲート事件 (1972) で再選後辞任 (1974)

└ 選挙での盗聴事件　└ 任期途中で辞任した唯一の米大統領

PROPOS　＊1

平時は多様性を強みとするアメリカ社会だが非常時には同じであろうとする内圧 (同調圧力) が強く働く。ソ連の原爆保有、中国の共産主義化 (赤化) と朝鮮戦争勃発で共産主義への恐怖が高まった。政府に批判的なだけで「共産主義者 (アカ)」と排斥される雰囲気が作り出された。巻き込まれないために人びとは沈黙。赤狩りはアメリカ外交を硬直化。インドシナ戦争のジュネーヴ協定を拒否せざるを得なくなる。

PROPOS　＊2

アイゼンハウアーは退任に際してアメリカでの軍需産業の成長が民主主義の脅威になっている (軍産複合体の形成) と警告した。

PROPOS　＊3

マニュアル化による徹底した分業化、作業の非熟練化で作業を合理化。非熟練労働とは「履歴書」の提示が求められない (これまでの経験が評価されない) 仕事。以後「社会のマクドナルド化」(G. リッツァ) が進む。

PROPOS　＊4

Ask not what your country can do for you, Ask what you can do for your country. 心をつかむ就任演説、最年少 43 歳での当選―育ちのよさの魅力で理想視されたが、ベトナム派兵を始め、官邸に女性を連れ込むなどの乱れた私生活から脱神話化も進む (※)。

PROPOS　＊5

キング牧師の I have a dream. 演説は巧み。訴えたいことは一つ (a dream) と人びとをひきつけ次々に夢を語る。当時の雰囲気を知るには映画『招かれざる客』(67) がよい。

PROPOS　＊6

既存の制度への異議申し立て「カウンターカルチャー (対抗文化)」が広がる。ボブ・ディラン「風に吹かれて」(1963) は公民権運動のテーマソング。サイモンとガーファンクル「明日に架ける橋」(1970)、ジョン・レノン「イマジン」(1971) など。

画蛇添足

▼オバマ元米大統領。当選時は初の黒人大統領とされた。彼自身が戦略的にその表現を容認した面もある。黒人 (父親) と白人 (母親) の混血はムラートと呼ばれる。いまは史上初のアフリカ系大統領と位置付けられる。▼黒人大統領という発想は「一滴でも黒人の血が混じっていたら黒人」という見方に基づく。公民権法が制定 (1964) されるまで、黒人の公共施設の利用の禁止制限などの差別諸法 (ジム・クロウ法) があり、それが黒人の定義に「一滴規定 (One-drop rule)」を採用していた。▼公民権法で法律は廃止されたがこの発想はまだ葬り去られていない。以前にも触れたが、シマウマは「白地に黒のシマ」なのか「黒地に白のシマ」なのか。私たちが、何を地として、何を図として見ているか、が問われる問題。▼戦後のアメリカ南部の黒人差別の凄まじさは映画『ミシシッピバーニング』(88) に生々しい。黒人が選挙登録するのすら命がけだった。非暴力運動、アラバマ州モンゴメリーのバスボイコット運動 (55) を描いたのが映画『ロングウォークホーム』(90)。バスで白人に席を譲れとされて「屈服することに疲れていたから」と拒絶した女性がローザ・パークス。▼差別と戦うとは勇気を出して声を上げること。声を上げた人を支えること。声を上げた人を「みんな我慢しているのに」「わがまま」と叩くことが差別を残す。残念なことに、犠牲者は我慢していたら同情されるが、声を上げると叩かれる。▼「わがまま」とされた人たちの勇気で私たちが享受する多くの自由が実現した。彼女の逮捕に多くの人が立ち上がりバスボイコット運動を起こした。黙っていたら問題は解決しない。それが非暴力・不服従運動という積極的抵抗運動。

わんクリック　公民権運動はキング牧師一人の功績ではない。彼を聖人視してはいけない。そのような印象にミスリードしているのは歴史教科書。一つの出来事を一人に紐づける紙幅しかない。多くの出来事は一人の個人名で代表されない。モンゴメリー・バス・ボイコットを成功させたのも多くの貧しい黒人女性たち。「何々といえば誰」の一問一答的理解は受験が終われば学び捨てたい。ところでケネディの葬儀時に流されたのがサミュエル・バーバー『弦楽のためのアダージョ』。葬儀用曲ではないが、そのイメージが強すぎて他に使えない。このイメージも学び捨てないとせっかくの名曲がもったいない。

History Literacy　情報化時代でも、関係者に周知のことが公には知られていない、など情報の非対称性がある。

②ベトナム戦争 — アメリカのベトナム侵攻

a. 背景

- 1955年、ベトナム共和国（南ベトナム）の成立
  ゴ・ディン・ディエムがアメリカの支援で建国　＊1
  └仏教徒弾圧、腐敗で国民の支持失う（米の誤算）└ジュネーヴ協定の統一選挙拒否
- 1960年、南ベトナム解放民族戦線（ベトコン）結成
  ゲリラ戦による反政府運動開始
  北ベトナムはホー・チ・ミンルートで物資援助
  └ラオス、カンボジア国境地帯を通過する4000km、1万台のトラック
  ケネディは軍事顧問団を派遣して南ベトナムを指導開始
  →北は南の4分の3を解放（1964年段階）
- 1965年、アメリカの北爆開始
  └この年、インドネシアで9・30事件で親米スハルト政権成立
  トンキン湾事件（64）がきっかけ
  └米国駆逐艦が北の領海を侵犯し攻撃される（不確かでアメリカの謀略とされる）
  アメリカの本格介入開始
  └ベトナム戦争がアメリカの戦争に

b. 経過

- ジャングルでのゲリラ戦にアメリカは勝てず　＊2 ＊3
  └「お茶の間の戦争」で戦場の様子がはじめてテレビ放映
  枯葉剤、ナパーム弾など非人道兵器の使用
  └催奇性を持つ猛毒ダイオキシン含む　└粘着性があり消火が難しい焼夷弾
  →国内外でのベトナム反戦運動の高まり
  「1968年」…世界的に若者が既存体制へ異議申し立てをした年
  5月危機（仏）、学園紛争（日本）など
- 1968年、解放戦線のテト（旧正月）攻勢で米大使館占拠
  └アメリカの権威の象徴
  →米国民は劣勢を知り、反戦運動本格化、ジョンソン再選断念
  →ニクソン新大統領、ベトナム戦争からの撤退模索
  北爆停止、パリ和平会談開始
  ラオス、カンボジアの爆撃（自国の撤退のためにベトナム戦争の戦火拡大）
- 中国とソ連が競って北ベトナムを物資支援

PROPOS　＊1

1954年ジュネーヴ協定後に東南アジア条約機構（SEATO）結成。加盟した東南アジアの国はタイとフィリピンのみ。北ベトナムとインドネシア（共産党が存在感）に挟まれて南ベトナムの共産化は時間の問題、とアメリカはみた。ベトナムの民族運動を共産主義運動と誤解、ベトナム戦争の泥沼に突き進む。当時、アメリカ国内に吹き荒れていた反共マッカーシー旋風（赤狩り）でアジア担当の外交官は沈黙を余儀なくされ、アジア政策が硬直化。ドミノ理論を本気で信じていた者はいなかった、とハンナ・アーレントは書く（『暴力について』）。

PROPOS　＊2

戦争の悲惨さ、狂気、帰還兵の苦しみ。ベトナム反戦映画が多く作られ、映画を通じて記憶されている（『ディアハンター』『地獄の黙示録』『プラトーン』など）。ただ映画はハリウッドで発達したアメリカ文化。アメリカ側から見た戦争。映画に登場するベトナム人は殺されるか、強姦されるか、米兵に救われて「ありがとう」という存在（ヴィエット・タン・グエン、『シンパサイザー』の著者）。例えば北ベトナムの一兵士から見たバオニン『戦争の悲しみ』の併読を。

PROPOS　＊3

世界最強国アメリカが最貧国ベトナムに負けた。ジャングルでのゲリラ相手では勝手が違った。2次大戦の使用量を上回る爆弾を北ベトナムに投下して国土を穴だらけにしたが、村人は地下にトンネルを掘って生活（体格の差で米兵は通れない）。米兵は誰が一般の村人で誰が解放戦線兵士（ベトコン）か区別できなかった。誰が敵か分からない中で、狂気に駆られて村民500人全員を殺害するソンミ村虐殺事件（1969）などを引き起こした。枯れ葉剤でジャングル自体を枯らして消滅させようとした。恐怖で麻薬に依存した兵士。帰還兵によりアメリカ社会に麻薬問題が広がった。そのベトナム帰還兵を見る世間の目は厳しかった。戦争で米社会自体が退廃していった。

画蛇添足

▼反戦運動の高まりにニクソンは彼らを「声高な少数派（ノイジーマイノリティー）」として自分は積極的に声を上げない「物言わぬ多数派（サイレントマジョリティー）」の声に耳を傾けるとしてベトナムからの即時全面撤廃を退けた。反戦運動を、兵役を回避した大学生の運動と冷ややかにみた労働者の反感がニクソンの圧倒的再選に繋がった。▼国内世論のまとまりなしに戦争遂行は難しいが、徴兵には国内の格差も必要。アメリカではベトナム戦争後に志願制となる。志願制とは貧困層を経済的利益で徴兵（リクルート）する経済的徴兵制。貧困家庭の学生が就職先、大学進学の奨学金を得る手段として戦場に赴く（おもむ）システム。▼先の戦争は日本社会の平等化を進めた。戦後の民主化改革にもよるが、戦争は失うものが大きい富裕層に打撃が大きい。戦争自体に平等をもたらす性格があるから経済格差の広がった社会では戦争への期待が生まれる。経済格差は戦争の誘因。▼志願制の下では戦争にいく可能性がない人びとがそれらしい好戦論を口にする。だからといって、徴兵制を復活した方が逆説的に戦争を遠ざけることになる、といった詭弁に与（くみ）することはできない。徴兵制が戦争を廃絶した話など聞いたことがない。論壇での場所取りのための逆張りの空論が多い。▼今日の情報化社会ではSNS上の多数派にみえる意見が「声高な少数派」であることが多い。これを世論と取り違えないように注意したい。しかし現行の政治に声を上げなければ「物言わぬ多数派」として為政者の口実として利用されるのは往時と同じ。多数派であれ少数派であれ、声を上げるべき時に声を上げる。その中で声を上げにくいのは少数派。だから少数派の声には特に耳を傾けたい。

わんクリック　中国国境（鴨緑江）まで進軍して中国参戦を招いた朝鮮戦争の反省から米軍は北は空爆にとどめた。中国も意図を了解したため、アメリカの猛烈な北への空爆は歯止めを失った。破壊の限りを尽くした。これは戦争ではなくアメリカの国家犯罪。ホーチミンシティの戦争犯罪博物館には枯葉剤で生まれた二重胎児の標本が陳列。正視できない。日本の世界史教科書は、共産主義国の他国への侵略は、中国のチベット侵攻、ソ連のアフガニスタン侵攻と書くが、アメリカのベトナム侵攻を「ベトナム戦争」—侵略した側の呼称を使う。安全保障を米国に依存する国として同盟国へ配慮する（※）。

History Literacy　表記で差別しない—中国のチベット侵攻、ソ連のアフガニスタン侵攻、アメリカのベトナム侵攻。

c. 結果

- 1973年、パリ和平協定　＊1
  - └ アメリカ軍のベトナム撤兵「ベトナム戦争のベトナム化」(ニクソン)
- 1975年、サイゴン陥落(解放)　(※)
  - └ 華僑など中国系住民が国外脱出(ベトナム難民、ボートピープル)
- 1976年、ベトナム社会主義共和国成立
  - └ 南北統一、ベトナム全土の共産主義化(パリ和平協定違反)
- 1978年、ベトナムのカンボジア侵攻

d. 影響

- 1971年、金とドルの交換停止
  - └ 戦後の自由貿易体制(IMF・GATT体制の動揺)

  ニクソンが金流出阻止のため発表　＊2

  →円の切り上げ(1971)、変動相場制へ移行(1973)

アジアでの経済成長 — 限定された局地戦争ベトナム戦争の恩恵

①日本

- 1956年、日ソ国交回復と国連加盟
  - └ スターリン死後の平和共存外交、日本は国連加盟(ソ連が拒否権)のため不条理を呑み込む
- 1960年、日米安全保障条約改定
- 高度経済成長(1955～73)でGNPが世界第二位に(1968)　＊3
- 安定成長(オイルショック後)
- 日米貿易摩擦解消のため円高誘導(1985年、プラザ合意)
- バブル経済(1985～1990)で世界の懸念に

②韓国

- 1960年、学生デモ(四月革命)により李承晩(イスンマン)政権崩壊
- 朴正煕(パクチョンヒ)軍事独裁(議長、大統領在任1961～79)　＊4

  1961年、軍事クーデタで政権掌握

  強権的政治(維新体制)で工業化すすめる
  - └ 今日の韓国の経済発展の基礎を作ったと現在は評価

  1965年、日韓基本条約

  　工業化のための資金獲得が目的

  　ベトナム戦争特需で経済復興「漢江(ハンガン)の奇跡」

PROPOS　＊1
ウォーターゲート事件で弾劾(だんがい)が必至になり辞任したニクソン。猜疑(さいぎ)心の強い陰気な性格というイメージが定着。他方で政治手腕に関しては一定の評価はある。アポロ11号月到着、ベトナム戦争終結、中国との国交回復など。「一つだけ、はっきり書いておきたいことがある。偉大な指導者は、必ずしも善良な人ではない」(ニクソン『指導者とは』)。岡目八目(おかめはちもく)—他の指導者分析に優れていて、意外と読みごたえがある。

PROPOS　＊2
1971年日本は2度のニクソンショックを経験。最初はニクソン訪中宣言。まったくの寝耳に水。日本の対中外交も大幅に変更を迫られた。次にはドルと金の交換停止宣言。日本の高度経済成長の条件が崩れた。

PROPOS　＊3
1960年代後半から西独と日本経済が急成長。アメリカに追いついた。戦後で自動車といえば日本車、ドイツ車、イタリア車—旧三国同盟国の敗戦国。戦争中、日本は世界有数の航空機産業が発達していたが、冷戦体制下、日本はこれらの軍需産業はアメリカに譲り、日本はその技術力を自動車産業など民生分野に注いだ。その結果、優れた家電製品などを生産。特に石油危機後は燃費のよい日本の小型車が世界を席巻(せっけん)。

PROPOS　＊4
韓国では金泳三(キムヨンサム)政権が初の文民政権。それまで軍事政権が続く。朝鮮半島は現在も休戦中であり、韓国では常に臨戦体制が維持。1961年の朴正煕らの軍部クーデタに対して米は承認を渋ったが、文民政権では北に対抗できないとの判断から承認。米にとって韓国は冷戦の最前線。朴政権は、経済力で負けていた北朝鮮に対抗するため経済開発に専念。独裁を開発独裁の論理で正当化。経済発展の資本調達のため日韓国交正常化に踏み切った。朴正煕の評価は毀誉褒貶(きよほうへん)が激しい。彼が政権に就居た時、韓国はアジアの最貧国の一つだった。

第19章　国民国家体制と東西の対立

画蛇添足

▼徴用工(ちょうようこう)問題が日韓関係の妨げとなった。韓国が日本の植民地だった時代、日本の炭鉱、工場などで働かされた朝鮮人元徴用工が未払い賃金などを当時の日本企業に求めた裁判。韓国最高裁が日本企業に賠償金支払いを命じた。

▼日本政府は「解決済み」と強く反発。日本と韓国は日韓基本条約(1965)締結時に互いに請求権を放棄。韓国側の植民地、戦争犠牲者には賠償金を使って韓国政府が国民に補償する取り決めになった。これで戦後補償問題は「完全かつ最終的に解決された」が日本政府の立場。▼当時の韓国はアジアの極貧国の一つ。朴正煕(パクチョンヒ)政権は経済開発を急ぎ、必要な資金を日本から調達しようとした。援助の形での日本からの賠償は当時の韓国の国家予算の2倍。韓国はこの資金とベトナム戦争参加の代償としてアメリカから得た資金を元手に高度経済成長「漢江(ハンガン)の奇跡」を実現。▼当時の韓国は独裁政権。得た資金で経済開発を優先させて個人賠償は怠った。支配者層間で「解決済み」と手打ちされて実際の被害者が切り捨てられた。日本では「解決済みの問題をどうして今さら蒸し返すのか」という国民感情が広がる。一方で徴用工の間には「そもそも併合条約が無効なのだから日本の総動員体制に自分たちが徴用されたこと自体がおかしい」という感情。▼戦後、日本人は戦争中の被害は国民全体で受忍すべきと損害賠償は放棄したが、「受忍論は日本人でない半島の人間には当てはまらない」という感情。結局、この問題は日韓併合条約の合法性に遡る。日韓基本条約は、双方が知恵を出して(ごまかしでもあるが)「もはや無効」と玉虫色の表現で乗り切った。徴用工問題は尹錫悦(ユンソンニョル)大統領が解決に知恵を出そうとしている。

わんクリック　儒家の歴史叙述の文法が「春秋の筆法」。戦争でも「征」「伐」「討」(この三つは戦争を起こす側に正義性がある。)「撃」は中立。「犯」は侵略行為(侵犯)、と出来事に道徳的価値をつける。「サイゴン陥落」は南の立場からの表現、「サイゴン解放」が北からの表現—これは長い間「踏み絵」になっていた。ベトナム、特に北部の反中国感情は強く(長かった王朝支配だけでなく、ベトナム戦争でも米中接近で最後に裏切られた)、その北の勝利で南の中国系住民の多くは迫害を恐れて小舟で国外に逃れた(ボートピープル)。日本も受け入れ(姫路市、大和市)、両市では多くのベトナム料理店が楽しめる。

History Literacy　冷戦時代の踏み絵言葉(「サイゴン陥落」は南の立場、「サイゴン解放」は北の立場)—いまも踏み絵言葉がある。

③タイ ― 東南アジア「開発独裁」の時代の始まり

・サリット政権 (1957 ~ 63) の開発独裁

└ 権威付けでプーミポン国王を前面化、国王が尊敬され政治的影響力持つ存在に変化

ピブーン政権 (1938 ~ 44、48 ~ 57) をクーデタで倒す、正当化のため「開発」

外資導入でタイ経済発展の基盤 ― 残酷な独裁者としてタイ社会の治安を回復

└ トヨタなど日本の自動車組み立て工場が進出、タイは東南アジアの自動車産業の中心に

④インドネシア

・1965 年 9 月 30 日、九・三〇事件

スカルノ大統領親衛隊が国軍の将軍を複数殺害した、とされる事件

国軍のスハルトが事件を鎮圧し、共産党弾圧

・インドネシア大虐殺 (1965 ~ 66)

共産党員 (華僑・華人中心) が 50 ~ 200 万人規模で犠牲になる

・スハルト政権 (在任 1968 ～ 99)　＊1

親米に外交路線転換、国連復帰 (1966)、ASEAN 参加 (1968)

⑤フィリピン

・マルコス (在任 1965 ~ 86) が独裁的手法で経済発展　＊2

⑥ ASEAN の成立 ― 成功した地域協力機構　＊3

・1967 年、東南アジア諸国連合 (ASEAN) 結成

インドネシア、タイ、フィリピン、マレーシア、シンガポール 5 カ国

のち ブルネイ (84)、ベトナム (95)、ミャンマー、ラオス (97)

4　経済の国際化とソ連圏の崩壊

米ソ対立の再燃

①核管理の進展

・1968 年、核拡散防止条約 (NPT) ― 191 カ国が批准、半世紀核拡散を防止　＊4

└ 垂直拡散 (部分的核実験停止条約) でなく水平拡散の防止

非核保有国の核兵器保有、保有国の非保有国への核兵器譲渡を禁止

・70 年代の「緊張緩和 (デタント)」　＊5

第 1 次戦略兵器制限交渉 (SALT Ⅰ) 調印 (1972)、SALT Ⅱ 調印 (1979)

└ Strategic Arms Limitation Talks(Treaty) Ⅰ、ニクソンとブレジネフ間で調印

核弾頭の運搬手段の数を、現状を上限とする数量制限

PROPOS　＊1

戦後独立した東南アジア諸国は 1 次産品輸出に依存する脆弱な経済構造。その中で開発独裁 (権威主義体制) が生まれた。人権の制限が経済成長に必要。それで生活水準の向上が保障されるなら権威主義的な統治を受け入れる、という「別の社会契約説」。本来の社会契約説と同じで黙契である。

PROPOS　＊2

タイのサリット政権から始まった開発独裁。北爆開始 (65) が開発独裁の画期。ベトナム戦争で、反共の旗色を鮮明にすればアメリカの外資の流入 (経済援助) が期待できた。この年、韓国で朴正煕が日韓基本条約を締結、インドネシアでスハルト台頭のきっかけとなる九･三〇事件。シンガポールがリー・クアン・ユーのもとで分離独立。フィリピンでマルコス大統領就任。

PROPOS　＊3

反共軍事同盟 SEATO はベトナムの共産主義化を防げず、新たにインドネシアを加えた反共同盟として ASEAN が結成 (67)。しかしベトナム戦争後は地域協力機構に転換。共産主義国ベトナムが加盟 (95)。成功した地域協力機構。人口 6 億 5 千万。

PROPOS　＊4

核拡散防止条約 (NPT) は核保有国の核独占に繋がると保有国インド、パキスタン、イスラエルは加盟していない (中国、フランスも当初は非加盟)。3 度の印パ紛争で対立する前 2 者は 1998 年に核実験を強行。イスラエルは核保有について沈黙。非核保有国の加盟国は IAEA(国際原子力機関) の査察が義務。不平等条約との批判も強い。

PROPOS　＊5

「雪解け」がキューバ危機で破綻したあと米 (ニクソン)･ソ連 (ブレジネフ) 間で「デタント」が進展。SALT Ⅰ締結がその象徴。共同宇宙開発がすすみ、アポロとソユーズが宇宙でドッキング (75)。両国の飛行士が握手。エルベでの握手以来の出来事 (※)。

画蛇添足

▼東南アジア各国では少数派の華僑、華人（中国系住民）が、経済の実権を握ってきた。そのような中で共産党政権―中華人民共和国が成立したことは東南アジア各国政府と華僑、華人の間に緊張関係を生んだ。各国で彼らは共産主義中国と通じていると邪推され、迫害された。東南アジア各国は国内における共産党の活動を制限した。▼そのような中で「指導された民主主義」として権威主義的な政治体制をとった大国インドネシアのスカルノは共産党も容認した親中的な政策をとり、欧米との対決姿勢を強めた。特にマレーシアがインドネシアのボルネオ島北部サバ・サラワクを編入(1963)したことに激怒。スカルノは国連脱退を宣言(1965)。その後、九・三〇事件が起こる。▼真相は今も不明。共産党クーデタを国軍のスハルトが阻止した、が政府の公式見解。実際はスハルトによるクーデタと見られている。中ソに次ぐ規模まで共産党が大きくなるのを容認してきた、とスカルノは責任を問われ失脚。親米反中のスハルトに権力が移り、東南アジアの大国インドネシアは西側陣営に属することになった。同年2月の北爆開始でベトナム戦争が本格化した時に起こった事件。これをきっかけに東南アジアの勢力図は大きく変化。▼その後、インドネシアで繰り広げられた華人、華僑に対する虐殺。のちのカンボジアのポルポト虐殺に匹敵する規模。しかしこの事実があまり知られていない。インドネシア全土で少なくとも50万人が共産主義者とされて拷問、強姦、殺害されたとされる。アメリカCIAが暗躍したとされるが中国と対立していたソ連もスハルト政権を歓迎。この事件に世界は「目をつぶること」になった（参考、倉沢愛子『インドネシア大虐殺』）。

わんクリック　頭を怪我した人がガーゼがとれないように頭に被せるネット。このネット包帯を国境線の描かれた地球儀の上に被せたと想像してほしい。それが華僑によるネットワークのイメージ。編み方に粗密があり、東南アジアでの網目が細かくなる。このネットは下の肌にあたる国民国家と相互依存の関係にもなれば、対立して時に網目を破断される関係にもなる。摩擦を避けて下の肌と一体化 (華人化) する場合もある。いまも中国社会と別の華人社会 (約 6000 万人) が世界中にネットワークを広げる。香港、台湾、シンガポール、マレーシア、タイなどを拠点に華人系の大企業グループも存在。

History Literacy　世界は政界だけでない、視界を広くとる (冷戦中もスポーツ界、音楽界、観光業界などの交流は盛んだった)。

②米ソ冷戦の再燃

・1979年、ソ連のアフガニスタン侵攻　＊1

└ イスラーム国アフガニスタンに前年にできたタラキー共産党政権支援

米議会はSALT Ⅱの批准拒否

└ カーター、ブレジネフ間で調印、米議会批准拒否（ただ両国とも合意内容はほぼ履行）

・1981年、レーガン政権　＊2

「悪の帝国」とソ連を名指しで非難、「強いアメリカ」を掲げて軍拡路線

→軍事費負担の増大

「双子の赤字」(1985)

└ 建国以来初めての財政赤字と貿易赤字、アメリカは世界最大の債務国に転落

→貿易赤字対策（対日）

プラザ合意(1985)でドル安円高で協調介入

└ 円高不況→日銀の金融緩和→バブル経済→崩壊後の「失われた30年」

財政赤字対策（対ソ）

対ソ対話路線に転換

└ 1985年に改革派のゴルバチョフ書記長就任

③核軍縮の進展

・1987年、中距離核戦力(INF)全廃条約調印　＊3 ＊4

└ ヨーロッパ―ソ連間で相手に照準を合わせたミサイル（米ソ間ではない）

・1989年、マルタ島で冷戦終結宣言

ブッシュ（父）(在任1989～93)時

・1991年、戦略兵器削減条約(START)

└ Strategic Arms Reduction Treaty

史上初の核弾頭の廃棄交渉

・1993年、戦略兵器削減条約(START Ⅱ)

・1996年、包括的核実験停止条約(CTBT)

すべての核実験の停止、未だ発効せず

・1998年、インドとパキスタン、2000年代に北朝鮮が核実験成功

④核の現在

・絶対数は減少したが約1万3千発（推定、2021）の核弾頭が存在(9割が米ロ)

・中国が新たな核大国(300発超、INFも保有)だが核軍縮の枠組みに入らず

・核兵器禁止条約(TPNW)の発効(2021)

PROPOS　＊1

ソ連はアフガニスタンに侵攻。冷戦後初めての非共産圏への武力侵攻で世界に衝撃を与えた。これでデタントは終わる。翌1980年に予定されていたモスクワオリンピックを西側諸国はボイコット。金メダル最有力候補の柔道山下、マラソン瀬古など多くの日本人アスリートが涙をのんだ。

PROPOS　＊2

俳優出身のレーガン。ユーモア感覚と天性の話術、楽観性、人懐っこさ、簡素（単純）さ、が国父的イメージを有権者に結ばせた。失政、スキャンダルは多かったが、人気が衰えず「テフロン大統領」の異名をとった。一般のアメリカ人と同様、歴史や地理は無知に近かった。イランとイラク、沖縄と台湾が区別できず、ソ連についてはウォッカぐらいしか知らなかった。南米諸国歴訪後、大統領は南米がいくつもの国に分かれていたことに驚いていた、と報道された。アフガニスタン侵攻をしたソ連を「悪の帝国」と決めつけ、軍事力による勝負を挑んだから第二の冷戦の始まりと危惧された。結果的に、ソ連のゴルバチョフと個人的波長もあい、交渉の過程で友情を育み、冷戦終結への流れを作った。「学問的背景の最も浅い大統領が、非常に一貫性のある適切な外交政策を遂行」（キッシンジャー）した。

PROPOS　＊3

ソ連はウラル山脈西側に中距離核兵器SS20を配備。欧州には届くが米国には届かない核兵器を置くことで、NATO内部で欧州諸国と米国の分断を図ろうとした。

PROPOS　＊4

ＩＮＦは全廃されて、現在はスミソニアン博物館（ワシントン）に展示。「核兵器を博物館へ」の見本。限定されたジャンルだが核運搬手段の史上初の全廃。核弾頭そのものは取り外して転用。これは米ソ間の取り決め、この間に中国が大量に保有、またロシアのプーチンが違反。トランプ政権時にアメリカはこの条約を破棄(2020)。

画蛇添足

▼核兵器の全廃をめざす核兵器禁止条約（TPNW）が50カ国の批准を得て発効した（2021）。これまでの核軍縮はNPT体制の下で核不拡散を軸に行われてきたがこの40年核軍縮は進まなかった。▼核は北朝鮮にまで拡散。1万3千発程の核の9割が米ロに集中。その両国が戦後最悪の関係にあり核軍縮が進まない。数こそ減ったが複数弾頭化のため小型化、高性能化が進んだ。廃棄されるのは旧型で廃棄予定だったものばかり。保有国は核を独占するが使わない。その信頼で半世紀続いてきたNPT体制。保有国ロシアが非保有国ウクライナへの核使用をほのめかして威嚇（2022）。NPT制は事実上破綻した。▼しかし核保有国は核兵器禁止条約に調印拒否。核保有国でなく、「唯一の被爆国」として核兵器廃絶を訴えてきた日本がこの条約に調印できないのがなんとも辛い。アメリカの核の傘で守られる日本。アジア情勢が緊迫化する中でアメリカの核の抑止力に頼る現実がある。これでは「核は必要」と言っているのと同じ。▼政府はこの条約を非現実的でかえって日本の安全保障を損ない、核保有国と非保有国の分裂をもたらすとする。ウクライナの現実を見れば日米安保条約は心強く映る。しかしこれに基づく米軍基地の存在こそが日本の危険を高めている。冷静な安全保障の議論がいまほど必要な時はない。▼核保有国が参加しない条約。直接的効力はないが、保有国は核を使いにくい。地雷とクラスター爆弾に関する全面禁止条約も大国は無視したがほとんどの国が批准したことで現在、生産・移譲は事実上停止した。被爆国日本としての理念と日本の安全保障の両立をどう実現するのか。核のない世界の実現に本気で取り組む正念場にある。

わんクリック　アメリカの首都にあるスミソニアン博物館群のNational Air and Space Museumをクリック。How the INF Treaty Brought Missiles to the Museumで検索。「核兵器を博物館へ」の動画説明がある。「博物館疲れ」はこの博物館のためにある言葉。広大な展示スペース。いまは世界のどの博物館もHPが充実している。そこを訪れなければ見られなかった時代と隔世の感がある。かつての武器としての矢はいまは「矢印（→）」と世界史授業では不可欠の記号として使われている（本書でも使い方はいい加減だが）。「戦争」そのものが記号化されるのはいつか。それはどのような記号に生まれ変わるのか（※）。

History Literacy　「戦争」そのものが記号化されるの日がくるか―希望を持ち、戦争の記号をデザインしてみよう。

アメリカ歴代大統領

a. ジェラルド・フォード大統領 (共和党、在任 1974 ~ 76) 時代　＊1

b. ジミー・カーター大統領 (民主党、在任 1976 ~ 80) 時代　＊2

- 理念重視の「人権外交」展開
  - └ 現実軽視の未熟な外交、冷戦下の米国大統領ができることには大きな制約
- エジプト、イスラエル和平協定 (キャンプデービッド合意)(1979)
- パナマ運河返還協定、SALT Ⅱ調印 (1979)
- テヘランのアメリカ大使館人質事件 (1979) 解決できず

c. ロナルド・レーガン大統領 (共和党、在任 1980 ~ 88) 時代

- ソ連と対決 (新冷戦) するが、ゴルバチョフと協調、冷戦終結に導く

d. ジョージ・W・ブッシュ (父) 大統領 (共和党、在任 1988 ~ 92) 時代

- 1989 年、マルタ会談でゴルバチョフと冷戦終結宣言、ドイツ統一推進
- 湾岸戦争 (1989) でイラクのクウェート侵攻を阻止

e. ビル・クリントン大統領 (民主党、在任 1992 ~ 2000) 時代

- 1990 年代にアメリカ経済回復 (情報産業、金融業の興隆)　＊3
- 北米自由貿易協定 (NAFTA) 締結 (1992)、オスロ合意 (1993)
- コソボ紛争に対する NATO 軍の武力介入 (空爆)(1999)

f. ジョージ・W・ブッシュ (子) 大統領 (共和党、在任 2000 ~ 08) 時代

- 2001 年、アメリカ同時多発テロ事件
- 「テロとの戦い」としてアフガン戦争 (2001)、イラク戦争 (2003) 遂行

g. バラク・オバマ大統領 (民主党、在任 2008 ~ 16) 時代　＊4

└ 初のアフリカ系大統領、リベラル派

- キューバと国交回復 (2015)、イラン核合意 (2015)、パリ協定参加 (2015)
- 医療保険制度改革法「オバマケア」(2010)　＊5
  - └ 積年の課題、公的医療保険制度の導入を実現 (ただし妥協のため不完全)

h. ドナルド・トランプ大統領 (共和党、在任 2016 ~ 20) 時代

- 自国優先 (アメリカファースト) を掲げ、排外的諸施策
  - └ パリ協定 (気候変動枠組み条約) から離脱、移民排斥、メキシコとの国境線に壁建設
- コロナ対策に消極的で死者数世界最多 (100 万人超す)

i. ジョー・バイデン大統領 (民主党、在任 2020 ~) 時代

└ 最高齢 78 歳での就任、半世紀の議員経験を持つ穏健な中道派

PROPOS　＊1

ニクソン辞任で副大統領から昇格。途中で副大統領になったので選挙の洗礼を受けていない「偶然の大統領」、現職として臨んだ再選挙にも敗北した。珍しいパターン。

PROPOS　＊2

「どこのジミー ?(Jimmy, Who?)」とされた無名候補。ニクソンと対照的にクリーンで爽やかな笑顔のカーターが選ばれた。ただ舵取りが難しい時代に実力不足。当選して名前は知られたが最後は「カーター以外なら誰でも (Anyone but Carter)」と使われた。退任後に朝鮮半島危機 (1994) で特使として金日成と交渉。土壇場の戦争回避に成功。

PROPOS　＊3

外交軽視、内政重視のクリントン。先端産業育成に成功。好景気をもたらし 30 年ぶりに財政赤字も解消。倫理観に劣り、スキャンダルが多かったが国民を豊かにしたから人気は落ちなかった。妻のヒラリーも初の女性大統領を狙ったがそのエリート臭、富裕層の代弁者的側面に国民の忌避感情が働き失敗、トランプ当選の要因となる。

PROPOS　＊4

Yes, we can. と弁舌の巧さで人々を鼓舞。期待されたが民主党が議会多数派を失い、成果がでなかった。良識人ゆえに強硬な外交をためらい、世界の治安を悪化させた。

PROPOS　＊5

日本には誰でも医療を受けられる国民皆保険制度がある。自助重視のアメリカにはない。そのため民間の保険市場が発達してしまった。保険料が高く低所得者は加入できず無保険者が多い。無保険だと風邪でも数万円必要 (米旅行時は保険加入必須)。無保険者が多いためアメリカは Covid19 の死者数が世界最大となる。「自助」重視—実際は黒人差別の隠れ蓑。彼らのための負担はしたくない、が本音 (※)。その結果、貧困化した白人も無保険状態になる。「情けは人のためならず」が保険の本質。

画蛇添足

▼アメリカの大統領は人格高潔か、そのフリをすることで国民のロールモデルとなることが求められる。トランプにその気はまったくなく、1回の演説ごとに3桁の嘘をついた。人びとの不安、不満を見つけ出し、それを憎しみと自分への支持に変える卓越した能力。▼そんな「人間に望まれる性格の特徴すべてにひとつ残らず背いて」いる人物（フランシス・フクヤマ）が大統領に当選。ただ嘘なのだけど、その嘘は人びとが聞きたい、信じたい嘘。建国の理念へのこだわりが強いアメリカ。初代ワシントンが子どもの時、桜の木の枝を折ったことを正直に父親に話した逸話がある。以来、正直が大統領の資質として求められてきた。桜の話は作り話だが、この手のウソは許容範囲だろう。▼本選での世論調査は軒並み民主党ヒラリー・・圧勝を報じていたから当日の開票結果に世界は衝撃を受けた、と書く独りよがりに後で気づいた。実際は筆者が属する所が世界と思いこんでいただけで、別の世界が存在した。トランプの差別的言動に表向きは距離を置いても本心で共感し、彼に投票した人がいたから世論調査は外れた。彼は別の世界—見捨てられた白人労働者層という票田を探しあてた。▼彼の当選を願って選挙介入したロシアのプーチンも名に負う嘘つき。「これだけウソを並び立てる政治家と何を話し合えばいいのか」(元独首相メルケル)。「嘘も百回言えばそう信じ込ませることができる」はヒトラーの言葉。問題は言った本人もそう信じ込んでしまうこと。プーチンはその落とし穴にはまり独自の世界に生きるようになる。それでも世界はそうではないと根気強くメルケルは説得した。異なる世界に属する者同士の対話、どう成り立たせるのか。

わんクリック　なぜトランプが支持されたのか。当時、トランプ当選を予測できた知識人は少ない。まさに後知恵—「ミネルヴァの梟(ふくろう)は日暮れて飛び立つ」(ヘーゲル) を地で行く解釈本が事後に陸続(りくぞく)と出版された。もちろんそのおかげで、世界を見る目が深まったと感じた人は多いだろう。しかし彼の無策で感染死した人が 100 万人を超えた。歴史は後知恵とうそぶくことは許されない。横田増生『「トランプ信者」潜入一年』がいち押し。認知神経科学者ターリ・シャーロット『事実はなぜ人の意見を変えられないのか』は演説ごとに 3 ケタのウソを言うトランプの訴えがなぜ人々の心を動かすかを分析する。

History Literacy　美しい言葉「自助」は何かを隠す－自らの差別意識に気づかずにすむように働く言葉「自助」。

統合をすすめる西ヨーロッパ

①ＥＵの発足

・1967 年、EC（ヨーロッパ共同体）

EEC、ECSC、EURATOM（ヨーロッパ原子力共同体）の統合

・1973 年、拡大 EC 成立

イギリス、デンマーク、アイルランド加盟

└ EEC に二度加盟申請するがアメリカの影響力を嫌うド・ゴールに拒否

以後、ギリシア、スペイン、ポルトガル加盟

・1992 年、マーストリヒト条約締結　＊1

└ ローマ条約（1957）に代わる 新しい EC の憲法、オランダのマーストリヒトで調印

市場統合（1993）、通貨統合（2002）に続き経済統合、政治統合をめざす

→ EU（欧州共同体）発足（1993）

・1995 年、拡大ＥＵ

オーストリア、フィンランド、スウェーデン加盟　＊2

・2000 年代、東ヨーロッパに拡大で 28 カ国（５億人の市場）

②イギリス

・1970 年代、「イギリス病」

福祉国家としての社会停滞、不況とインフレ、失業問題の深刻化

・サッチャー（在任 1979 ~ 90）

「小さな政府」のための新自由主義政策　＊3 ＊4

国有企業民営化、規制緩和、医療、福祉、年金、教育費の削減

└ 炭鉱閉鎖で労働組合の弱体化、エネルギー転換で環境問題解決も企図（北海油田開削が背景）

フォークランド紛争（1982）勝利で低迷した支持率回復、長期政権に

③フランス

・1968 年、五月危機

既存の権威、フランス戦後社会の保守性、欺瞞性への学生の反抗

└ その象徴が権威主義的なド・ゴールの存在 、「10 年、もう十分」

→広範な反体制運動となり、翌年ド・ゴール退陣

・ミッテラン政権（在任 1981 ~ 95）

社会党大統領で左翼政権、途中から保守首相との共存（コアビタシオン）

└ 英米、日本が新自由主義改革で競争力強化時に、社会主義的政策実施

PROPOS　＊1

EC は市場統合（ヒト・モノ・カネ・サービスの域内移動自由化）が実現（1993）。シェンゲン協定（1990）で国境も自由化。一度 EU に入れば、あとは域内で（飛行機を使わない限りは）パスポート不要。EC を EU（欧州連合）へと発展改組した条約がマーストリヒト条約。市場統合から通貨統合（現段階）、共通外交・安全保障政策をめざした。

PROPOS　＊2

ナポレオン戦争以来２世紀間、戦争をしていない中立国スウェーデン。ロシアの脅威を前についに NATO 加盟（22）。一方、NATO に加盟するが EU に加盟しないノルウェー。北海油田の収入で自立。

PROPOS　＊3

ケインズ理論に基づく政府の経済介入（混合経済）は行政肥大化、財政赤字増大をもたらす。それに代わり登場した新自由主義経済政策。市場原理を重視して、経済における政府の役割を縮小、民間部門の役割を拡大させる。国営企業の民営化、規制緩和、自由貿易、自由市場など「官から民へ」「市場にできることは市場に」をスローガンとする。政府の経済政策を通貨供給だけに限定したものでケインズ主義を否定。

PROPOS　＊4

新自由主義経済政策としてレーガン（1981 ~ 88）の「レーガノミックス」、中曽根内閣（1982 ~ 87）の「行革」、小泉内閣（2001 ~ 06）の郵政民営化、規制緩和の推進など。企業にとって使いやすい労働力創出のための労働市場の流動化、労働組合の無力化なども裏のねらい。経済は活性化したが、社会の格差拡大現象を各地にもたらした。「ゆりかごから墓場まで」のイギリスの高福祉社会は自己責任社会へ。ワーキングクラスの下にアンダークラスが生まれた。日本の一億総中流社会も一転して格差社会へ。減らした政府の負担（育児、教育など）を家庭に戻す保守主義。ただし介護保険制度（1996）制定は快挙。これが政治。

画蛇添足

▼世界史を学ぶ目的はいまの自分の所在地、どういう時代を生きているかを知ることにもある。私たちは新自由主義時代のただ中にある。共産主義化防止もあり戦後、資本主義各国は福祉国家を志向。その結果、どの国も財政難にあえぐようになり行財政改革が必要になった。▼しかし「弱者切り捨て」にとられるから福祉予算は抑制しにくい。それを市場に代替させるのが新自由主義。過度の競争から本来は弱者を守るため規制が張りめぐらされた。それが行政を肥大化させ、その規制下で既得権益化する組織―強者の存在を許した。退場すべき構造不況型企業が保護されて生き残った。規制緩和による競争原理導入はある程度は必要。▼かつて体育の時間の１５００ｍ走を最初はみんな軽く流し、最後の一周で全力投入、勝敗をつけた。高三の夏までは部活や行事に専念、そこから受験勉強に専念する紳士協定が高校生活をゆとりあるものにした。いまは最初から全力疾走が強いられる。弛みをつけずピンと張られた高圧電線は危ない。▼少子化で学校統廃合は必要だが難事業。そこで学校を競わせて不人気校を淘汰しようとするのが新自由主義。人口減少ですべての市場が縮小しているからどの組織も生き残りに必死。全員が対等の能力を持たないのに競争を強いられ、負けは自己責任となる。▼社会の責任まで個人の努力不足に帰せられる。「努力できること」が置かれた環境に影響されることは顧みられない。「これしか選択肢はない」はサッチャーが好んだ言葉（※）。他人の過ちを許さない、ぎすぎすした不寛容で無慈悲な社会。物事は並べると価値観になる。公助、自助・共助と並べたい。公助の下で。自助と共助が機能する社会を思い描く。

わんクリック　「ゆりかごから墓場まで」をめざしたイギリス。反面、何でも社会のせいにする風潮も作り出した。サッチャーは「社会など存在しない、存在するのは個々の男と女と家族」と新自由主義的改革でイギリスを競争と自己責任の国に変えた。ケン・ローチ監督映画『私は、ダニエル・ブレイク』。苦境の中でも尊厳を持ち、連帯の中で生きようとする主人公。困っている人に手を差し伸べ、差し伸べられた手を受け入れる社会を描く。社会がなく、「世間」しかないのが日本。社会を成り立たせるルール（法）を破ったから謝罪するのではなく、「世間をお騒がせしてすみません」とカメラの前で頭を下げる。

History Literacy　市場は万能でない－市場が決めるのは価格（を通した分配）。何かを絶対視して硬直化しない。

④西ドイツ

- アデナウアー（在任 1949 ~ 63）
  冷戦外交下で西ドイツの「奇跡の経済復興」
  └ 西ベルリンは「西側のショーウインドー」に　＊1
- 1961 年、ベルリンの壁建設（~ 1989）— 28 年間冷戦の象徴に
  東ドイツ市民の西ドイツへの人口流出
  →東ドイツが突然、壁を建設
  └ 深夜に作業開始、徹夜で 48km の鉄条網で東ベルリンを包囲、数日後、壁建設
- 1969 年、ブラント政権（在任 1969 ~ 74）　＊2
  社会民主党中心の連立内閣
  └ アデナウアーの冷戦外交からの転換、発足後、核拡散防止条約（NPT）調印
  東方外交
  ソ連、ポーランド、東ドイツとの協調をめざす
  1970 年、ソ連と武力不行使条約
  ソ連は中ソ対立（前年 1969 年ダマンスキー島事件）が背景
  └ ソ連は中国の脅威から NATO 諸国との関係改善を必要とする
  1970 年、西ドイツ・ポーランド条約
  西ドイツはオーデル・ナイセ線を国境として承認
  └ 多くのドイツ人が故郷を失う
  1972 年、東西ドイツ基本条約
  両国が相互にその存在を承認、翌 1973 年、東西ドイツ国連加盟
- シュミット（社会民主党）連立内閣（在任 1974 ~ 82）
  反原発、環境保護運動の広がり

⑤ドイツ統一

- コール政権（キリスト教民主同盟）（在任 1982 ~ 98）
  1989 年、ベルリンの壁崩壊（11 月）
  1990 年、ドイツ統一（10 月）　＊3
  西ドイツが東ドイツを吸収合併する形で統一
- シュレーダー（社会民主党）連立内閣（在任 1998 ~ 2005）
- メルケル（キリスト教民主同盟）連立内閣（在任 2005 ~ 21）
  東ドイツ出身、初の女性首相、高い行政手腕で EU の中心的存在に

PROPOS　＊1

東ドイツ市民は西ベルリンで西側の豊かさを実感。東ドイツ市民の 6 分の 1（約 300 万人）が流出。教育費無料の東で教育を受けた若者や医者などの専門職が西へ、年配者が医療費無料の東にとどまった。自国の魅力のなさを認める壁を建設しないと国家崩壊する地点まで東は追い込まれた。

PROPOS　＊2

労働者階級出身で反ナチの闘士ブラント。「もっと民主主義を」と改革を断行。前任のアデナウアーは「ドイツは一つ」とした頑（かたく）な冷戦外交。東ドイツを承認した国とは国交を結ばない硬直した外交を展開。多くの国が経済大国西ドイツを承認せざるを得ず、東ドイツと関係を持てなかった。これを変えたのがブラント東方外交。いま「一つの中国」政策（中華思想の現代的表現）に固執する中国のために、どの国も台湾と関係を結べない。ブラントの東方外交は、いまの中国が台湾を国家として認める、と宣言するようなものだった。ブラントはワルシャワ訪問の際、ユダヤ人ゲットーで雨上がりの濡れた地面に跪（ひざまず）いて黙祷（もくとう）を捧げる予定外の行動。西ドイツ首相が慰霊碑の前で膝を折って無言の祈りを捧げた。政治家の言動は計算されたパフォーマンス。この映像は「反省するドイツ」を世界に広めた。

PROPOS　＊3

壁は崩壊したが欧州に強国ドイツが復活することには英仏など警戒する国が多く、統一実現は困難とみられていた。東ドイツは問題も多かったが、社会主義のよさ（医療費や教育費の無料）もあった。しかし東ドイツ国民は国民投票で、西ドイツの一州になる（西ドイツに編入）形でのドイツ再統一（自国の消滅）を選択した。誰もが予想しなかったスピードでドイツは再統一（東ドイツ消滅）。NATO、EU に主権の一部を委ねるなど周辺諸国の警戒を解く努力とアメリカの支援を取り付けたコール首相の政治手腕もあった。代償に強い通貨マルクを放棄して、統一通貨ユーロ導入（1992）に同意。

画蛇添足

▼1月のベトナムで解放戦線の一斉蜂起（テト攻勢）から始まった68年。世界各地で学生が社会改革を主張して権力と衝突。若者の反乱がおこった。日本でも全共闘（ぜんきょうとう）運動という学園紛争が東大をはじめ全国に広がった。▼アメリカではテト攻勢がベトナム反戦運動本格化のきっかけとなり、4月のキング牧師暗殺の後は、黒人解放運動と連動する形で空前の反体制運動となった。5月、フランスでは大学改革を求めた学生運動に労働者がゼネストで呼応する5月革命に発展した。既存の権威への反発。戦争中、人びとは生きるためにナチスに協力。その事実が封印（ふういん）され、レジスタンス神話が形成された。若者はそのような欺瞞（ぎまん）の上に大人が作った戦後体制を拒否。▼西ドイツでも「ナチスに対して何をしていたのか」と厳しい問いが親世代に投げかけられた。そうした若者の支持が社会民主党ブラント政権を生んだ。中国では文化大革命が進行し、全土を学生からなる紅衛兵が「造反有理」（反抗するのには理由がある）としてのし歩き大人を吊し上げた。しかし高揚した運動も退潮。ド・ゴールも、自民党も、ニクソンも選挙で圧勝した。学生の反抗はすべて大人の勝利で終わった。▼日本の全共闘世代はいま70歳代。革命の季節が終わると背広に着替えて就職活動。体制に順応して企業戦士となった。筆者の世代（60年代前半生まれ）にとり彼らが大人世代。政治の季節が終わった後に大学に入った筆者は彼らから「しらけ」世代、「無気力・無関心・無責任」の三無主義世代と無責任に詰（なじ）られ続けて萎縮した。全共闘世代も含めてどの世代も世代論で括れない多様性がある（※）。若者の政治への無関心。あるとすればそれは政治が若者に無関心だからだろう。

わんクリック　「過去に目を閉ざす者は現在にも盲目となる」（『新版　荒れ野の 40 年—ヴァイツゼッカー大統領ドイツ終戦 40 周年記念演説』）。この演説は「過去の侵略に真摯に反省するドイツ」のイメージを世界に広げた。そのドイツでいま極右勢力が危険水域に達しかねないレベルまで伸長している。日本でドイツの歴史教育が美化されすぎている。（課題も多いが）戦後の日本社会の歩み、（暗記教育とか左派偏向と非難ばかりされるが）日本の歴史教育には見るべきものが多くある。外部のよく見えるものの受信だけでなく、足元で作ってきた見えにくいよきものを認識し、世界に発信することも大切。

History Literacy　分からない不安がカテゴリー化（内部の多様性の縮減）を進める（「Z 世代」などと、むしろ分からなくさせる面も）。

躍進するアジア経済

①日米貿易摩擦

・アメリカ側の貿易赤字深刻化

繊維(60年代)→鉄鋼・家電(70年代)→自動車・半導体(80年代)

→日本は輸出自主規制、現地生産で対応

└「糸(繊維)を売って縄を買った」沖縄返還(1972)

→プラザ合意(1985)で円高ドル安誘導

└東南アジア各国はドルペッグ制導入

→日米構造協議(1989～90)・日米包括経済協議(1993～94)　＊1

②韓国の民主化運動

・1980年、光州事件　＊2

└開発独裁の朴正煕大統領暗殺(79)後

学生の民主化デモを軍が武力弾圧(光州事件)　＊3

・全斗煥(チョンドファン)政権(在任1988～93)

軍クーデタで政権

北朝鮮との緊張高まり、ラングーン爆破事件(83)、大韓航空機撃墜事件(87)

反政府運動を盧泰愚(ノテウ)の民主化宣言で収拾

・盧泰愚政権(在任1988～93)　＊4

└大統領直接選挙で選出

ソウルオリンピックの成功(88)

└12年ぶりに世界各国が参加

北方外交

韓ソ国交樹立(90)、南北朝鮮国連同時加盟(91)、中韓国交回復(92)

└北朝鮮の国際孤立化

③NIEs諸国の台頭

・アジアでアジアNIEsの台頭　＊5

└newly industrializing economies(新興工業経済地域)

特にアジアNIEsとされた韓国、台湾、シンガポール、香港

・輸入代替型産業から輸出代替型産業にシフト

└国内市場を前提　　└世界市場を前提

PROPOS　＊1

日本市場開放のためあらゆる商慣行が非関税障壁としてやり玉に挙げられた。外国企業にとり日本市場に参入する最大の障壁は日本語。英語の公用語化(すべての公文書で英文版も作成が必要)まで議論(※)。

PROPOS　＊2

日本は朝鮮戦争特需で、韓国はベトナム戦争特需で高度経済成長(「漢江の奇跡」)。ベトナム戦争終了(1975)と第2次石油ショック(1979)で経済成長は止まる。経済成長中は朴の軍事独裁を容認した国民も反発、これに強硬姿勢で臨むと人権外交を掲げていたアメリカ(カーター大統領)は朴を見限る。朴大統領暗殺(1979)で民主化の機運が高まったが全斗煥が軍クーデタ。

PROPOS　＊3

1980年光州で民主化を求める学生デモは大規模な反政府運動に発展。全斗煥ら軍は武力弾圧。数百名の死者がでた虐殺。民主化を求める国民を国軍が銃で虐殺。いまミャンマーで同じことが起こっている。ハン・ガンの小説『少年が来る』は事件で殺された者と生き残った者の声を集めた作品。光州は野党指導者金大中(キムデジュン)の地盤。金は煽動したとして逮捕、死刑判決を受ける。

PROPOS　＊4

全斗煥軍事政権は米国の全面的支持は得られず暫定政権的な性格となった。1987年、全が盧泰愚を後継者に指名、政権を移譲しようとしたことに学生、労働者が反発、激しい民主化運動に発展。収拾不可能とみた盧泰愚は自らの当選見込みはなくなるが直接大統領選挙を実施するとして混乱収拾。ところが野党が候補一本化に失敗。この敵失で盧泰愚が大統領当選。軍人だが初めて民主的に選出された大統領となった。

PROPOS　＊5

石油危機後の低成長時代に急速な経済成長を続けた国をOECD(経済協力開発機構)がNIEs(新興工業経済地域)と命名。

画蛇添足

▼かつては土曜日も学校の授業日だった。現在の学校週5日制が完全実施されたのは02年。これはゆとり教育とは関係なく日米貿易摩擦解消策の一環だった。生徒のことは関係なく教員(公務員)の労働時間を減らすことが目的だった。▼これに先立つ80年代から「日本人の働きすぎ」が国際問題だった。これが日本製品の国際競争力を高め、世界各国の貿易赤字に繋がったからである。もともとメイドインジャパンが刻印されたブランドは世界では「安かろう悪かろう」と低品質の代名詞だった。▼日本製品は二度の石油危機を乗り切る中で品質を磨き国際競争力を増していった。「乾いた雑巾をさらに絞る」を合い言葉にコストダウンの限界に挑んだ日本の製造現場。5S(整理・整頓・清掃・清潔・躾)を徹底、3ム(ムリ、ムダ、ムラ)をなくすコスト改善の結果、メイドインジャパンは世界で「お値段以上」の高品質の代名詞となった。▼その直撃を受けたのがアメリカ。建国以来初めて「双子の赤字」(財政赤字・貿易赤字)(1985)に転落し、「日本たたき(ジャパンバッシング)」が激しくなった。プラザ合意(1985)による大幅な円高ドル安誘導でも日本側の輸出超過という貿易の不均衡は解消されず、アメリカは日本の市場の閉鎖性(非関税障壁)に原因があるとして日本の経済構造そのものの変革を求めてきた。▼日米構造協議・日米包括経済協議で市場開放、内需拡大によるアメリカ商品の受け入れ、また前述のロジックで学校週5日制も実施。またこんにちの年16日も祝日がある「祝日大国」日本ができあがった。しかしそれもいまは昔。昨今の日本製電化製品がよく壊れる、と感じるのは気のせいか。中国、韓国製品の品質向上で世界が「日本抜き(ジャパンパッシング)」になってしまった。

わんクリック　映画『アメリカンファクトリー』―中国人労働者が品質向上のために努力し、長時間を厭(いと)わず働く工場。かつて「安かろう悪かろう」の中国製品はいまや高品質の代名詞。日本製品が太刀打ちできない。これはかつての日本の働き方。これを続けてはいけないし、続かない。かつてアメリカの高校生活は憧れの的だった。高卒で自動車工場に勤めれば時給25ドル(いま15ドル)。広い庭付きの一戸建て住宅を持つ豊かな中間層になれたから高校生は勉強などしなかった。かつての世界の工場が「ラストベルト(さびた地帯)」、行き止まりの世界になった(映画『行き止まりの世界で生まれて』)。

History Literacy　物事を相手の立場から見るクセをつける(日本語、文化、商慣習などが日本市場の非関税障壁だった)。

イスラーム復興運動の高揚

①第 4 次中東戦争

- 1970 年、サダト大統領就任
  └ ナセル急死で副大統領から昇格

  親米路線にエジプト外交を転換 ＊1
  └ イスラエルのシナイ半島占領 (第 3 次中東戦争) でスエズ運河不通によるエジプト財政難
- 1973 年、十月戦争 (第 4 次中東戦争)

  エジプトがシリアとともに失地回復のためイスラエルに先制攻撃
  └ ヒジュラ暦で断食月 (ラマダーン) の 9 月　└ ユダヤ最大の祭日「贖罪の日」の断食中

  緒戦でエジプトが勝利、イスラエルの反撃の後、国連調停で停戦
  └「イスラエル不敗神話」崩壊　└ エジプトにとり引き分けに近い善戦
- OAPEC(アラブ石油輸出国機構) の石油戦略

  親イスラエル国への石油供給削減などを宣言

  OAPEC(アラブ石油輸出国機構) の原油価格値上げ ＊1

  先進諸国でオイルショック ＊2
  └ 1 バレル (159 リットル)3 ドルが 12 ドルと 4 倍に値上げ ＊3

  アラブ諸国の国際的地位高まる

②エジプト・イスラエル平和条約

- 1978 年、サダト大統領のイスラエル訪問
  └ イスラエルとの話し合いに方針転換
- 1979 年、エジプト・イスラエル平和条約 ＊4

  キャンプ・デーヴィッド会談で合意

  サダト、ベギン (イスラエル)、カーター (米)

  エジプトはイスラエルを承認、イスラエルはシナイ半島を返還 (82)
  └ アラブ諸国で初のイスラエル承認、エジプトはアラブ諸国から断交
- 1981 年、サダト大統領暗殺
  └ 後継のムバラク大統領はイスラエルとは一定の距離
- 1982 年、イスラエルのベイルート侵攻 (PLO は軍事拠点失う)
  └ パレスチナ難民キャンプでの大量虐殺事件発生
- 1987 年、インティファーダ

  イスラエル占領地でのパレスチナ人蜂起「石の革命」

PROPOS ＊1

第 3 次中東戦争時 (1967)、OPEC は反イスラエルで結集できず、戦後アラブ諸国が OAPEC を結成 (1968)。第 4 次中東戦争勃発時、OPEC は原油大幅値上げを、OAPEC が対アメリカ、オランダへの石油禁輸、対イスラエル支持国に毎月 5% ずつ供給削減すると宣言。この宣言で石油価格の決定権は産油国に移った。いまも OPEC が供給量を調整するカルテルで原油価格を操作。

PROPOS ＊2

ニクソンショックに続く衝撃。この頃、日本語の語彙の中に「ショック」という外来語が加わったとされる。もう石油を安く買い叩けないと知ったのがオイルショック。日本がエネルギー政策を石油依存から原子力依存へと転換するきっかけになった。物事は相手の立場からも見ること。これは中東諸国にとりオイルブーム (※)。この資本が金融市場を動かしていく。

PROPOS ＊3

第 4 次中東戦争時 (3 ドル→ 12 ドル)、イラン革命 (12 ドル→ 36 ドル) と 2 度のオイルショックで原油価格は高騰。しかしその後は非 OPEC 産油国の油田開発―北海油田、アラスカ油田開削などが進み、80 年代後半には原油価格が下落する逆オイルショックが起こった。2000 年前後から中国の経済成長を背景に原油価格が高騰し 100 ドルを突破。コスト高のシェールガスが採算ラインに乗るようになり、アメリカが世界 2 位の産油国に返り咲く。原油は各地で産出するが採掘コストが違う。OPEC は石油価格を下げることでアメリカを市場から追い出そうとするが自分の首も絞めている。現在は 70 ドル (2022) 水準。

PROPOS ＊4

4 次中東戦争でイスラエルの軍事的優位が確立。このあと中東戦争、つまりアラブ諸国によるパレスチナ解放は行われていない。パレスチナ自身が解放の担い手になる時代に移行。その最初がインティファーダ。

画蛇添足

▼「湯水のごとく」と浪費の様を指す言葉があるが、これは「油水のごとく」と書く方が正確だった時期が長かった。はるか中東から運ばれてくる石油がオイルショック前は1バレル(159ℓ)でたった3ドル。いまでもスタンドでの小売り価格はミネラルウォーターと同じ程度。▼掘れば自噴する中東の優良油田。原価もタンカーでの輸送コストも安く、これが日本の高度経済成長を支えた。石油戦略―親イスラエル国への石油供給削減宣言。宣言だけで日本国内はパニックとなり、店先から様々なものが消え、激しいインフレが続いた。▼比叡山延暦寺には最澄が灯して以来、千二百年間途絶えていない「不滅の法灯」がある。法灯を消さないように僧侶達は毎日、菜種油を注ぎ足し続ける。これが油断大敵という言葉の由来。この時、日本は油断していた。「物価の優等生」卵が店先から消えた。▼スーパーの特売日には一人一パック限りの卵を買うため、小学生だった筆者も長い列に、帽子を被りなおしては何度も並んだ。トイレットペーパーも消えた。当時は水洗便所の普及期で必需品化しており、人びとの不安を増幅する便乗値上げだった。筆者の家はまだおつりがかえってくる「ぼっとん便所」だったので新聞紙で間に合わせた。砂糖も消えたのが日本人には苦い記憶。▼それらの苦い記憶から日本ではウォシュレットが発明され、今日の普及をみた。来日外国人が驚く、押せば自噴する機械は世界的には普及していない。トイレをバスと同じ水回りに設置する国が多く、漏電の可能性が普及の妨げらしい。外交方針を親イスラエルから「アラブ寄り」に転換した日本は「アブラ」寄りと揶揄された。あれから半世紀、中東依存はいまも続く。

わんクリック イスラエルは民主主義国。入植を支持しない人も多い。パレスチナは半独裁国家。ここで人びとは占領と半独裁政権の二重支配を受ける。テロ攻撃を支持しない人も多い。双方に対外強硬派 (タカ派) が存在し、解決を難しくする。タカ派とハト派の対立―ただ、軍事利用されたのはハトの方 (伝書鳩)。そのハトを攻撃するためにタカが飼育された。和平はタカ派政権下で締結されることも多い。安全保障優先のタカ派が締結するのだから大丈夫だろうと受け入れられる。ハト派だと理念優先で国家の安全を犠牲にした、と国内不安が噴出する。ただタカ派の中に本当に危険なタカが混じる。

History Literacy 物事を相手の立場から見るクセをつける―オイルショックは中東諸国にとりオイルブーム。

③パレスチナ暫定自治協定とその失敗

- 湾岸戦争 (1991) をきっかけに和平交渉進展
  イラクのサダム・フセインはクウェート占領を中東問題にリンク
  └ 中東問題の解決がなければ同様のことが起こるとアメリカは認識　＊1
- 1993 年、パレスチナ暫定自治協定
  イスラエルのラビン首相と PLO 議長アラファト
  └ 対パレスチナ強硬派、暗殺 (1995)
  →イスラエルと PLO が互いの存在を相互承認
  →ガザ地区とイェリコなどでの先行自治 (1994)　＊2

④ハマースの武装闘争路線とイスラエルの応酬
　└ 鶏と卵の関係、暴力の応酬

- イスラーム原理主義ハマースの伸張
  └ ムスリム同胞団の支部組織が前身、インティファーダ時に成立 (1987)
  PLO の和平路線転換に対して武装闘争路線継続 — パレスチナの内部分裂
  └ アラファト議長死去 (2004) で PLO 求心力低下
  自爆テロの支持、第 2 次インティファーダ (2000)
  └ イスラエル人の占領地入植などに対して自爆テロ
  パレスチナ自治政府選挙 (2006) で勝利
  └「テロ組織」ハマースの政府承認に欧米難色、中東和平機能停止
  現在、ファタハが西岸地区、ハマースがガザ地区を統治

⑤イスラエル

- 強硬派が占領地に入植、占領の既成事実化進める
- 「分離壁」建設 (2001 ~)
  自爆テロ防止のために西岸地区の周囲に壁建設、すでに総延長 450km
  └「安全フェンス」(イスラエル)、「隔離の壁」(パレスチナ)　└ ベルリンの壁の 3 倍
- 最先端ハイテク技術による軍事大国化
- アメリカ大使館のエルサレム移転 (トランプ政権)
- イランとの対立先鋭化
  アメリカもイランとの対立モードへ (イラン核合意からの撤退など)
- アラブ諸国のイスラエルとの国交正常化 (2020)　＊3
  └ いつサウジアラビアがイスラエルを承認するかに注目が集まる
  アラブ首長国連邦、バーレーン、スーダン、モロッコの 4 カ国

PROPOS　＊1

アメリカはイスラエルの 30 年にわたる国連決議 242 号無視を黙認しながら、イラクにはクウェート撤兵の国連決議を守らせようとした。このダブルスタンダード(二重基準)には無理があった。イスラエル占領問題の放置が侵略者に口実を与えることになるとアメリカは中東和平に向けて重い腰をあげた。湾岸戦争でイラクを支持したため国際社会で孤立した PLO アラファト議長にも応じる以外の選択肢はなかった。

PROPOS　＊2

もはや暫定自治協定実現は困難。協定を推進した PLO は西岸地区のパレスチナ人最大勢力だが独裁や腐敗で影響力低下。ガザ地区ではイスラーム原理主義組織ハマースが住民の支持を受ける。ハマースは医療、教育、福祉サービスを提供する地道な活動を続けてきた。しかしハマースはイスラエルによる占領の既成事実化に対抗して自爆テロを実行する。殉教すれば天国にいける、という確信を持つ者による自爆テロの防止は難しく、イスラエルは壁を建設。ハマースからの攻撃を「テロ攻撃」として反撃。ハマースはアラブでは珍しい透明性の高い選挙で勝利したが、イスラエルと欧米諸国はテロ組織として、交渉相手としていない。

PROPOS　＊3

イスラエルの周囲ではエジプトとヨルダンがイスラエルを承認するが、北のレバノンではヒズボラ (シーア派)、シリアのアサド政権が敵対。大国イランが反イスラエルの旗幟(きし)を鮮明にする。いまアラブ諸国の脅威はイスラエルよりもイラン。そのような中で「敵の敵は味方」原則でアラブ諸国のイスラエルとの国交正常化が進んだ。脱石油依存が課題のアラブ諸国にとり、軍事国家化でハイテク先進国となったイスラエル (「中東のシリコンバレー」「スタートアップ国家」) との国交回復を国益にあうと判断。ただこれはイスラエル不法占領の追認 (パレスチナ人を見捨てることになる) であり、和平の進展なのか後退なのか議論がある。

画蛇添足

▼テロが起こる度に「テロは断じて許されない」と声があがる。国家指導者のその非難は、その報復として相手への武力行使—事実上の「国家テロ」を正当化する口実になる。「テロは許されない」が許される暴力を生んでいる。▼テロは扱われ方が非対称。マスコミで報道されるのは (歴史教科書に書かれるのも) 非日常の出来事。めったに起こらない所で起こったテロは大騒ぎされるが、テロが日常茶飯事になっている地域ではニュースにもされない。そのことが人間の命に軽重をつける。▼テロは扱われ方が恣意(しい)的。ナチスに対する仏市民の抵抗はレジスタンス。同じ不法占領に対するパレスチナ人の抵抗はテロで彼らはテロリストとされる (ハマースは武力で占領されている場合、武力で抵抗するしかないと主張)。他方、武力行使するイスラエル人はタカ派あるいは強硬派と呼ばれる。▼不条理に日常的に晒(さら)されているが対抗手段がない。そのような閉塞状況にある人びとが、テロでしか不正義に対抗できず、不正義を支える世界の無関心を破れない、と考えてしまう現実。そこに人生に意味を見いだせず、死にしか意味を見いだせない人びとがいることでテロが起こる。そのテロへの人びとの反応は過剰。▼平穏な生活が突然の暴力で奪われる不条理に「テロは絶対に許されない」と市民が連帯して立ち上がる。テレビで識者が、学校で歴史教師が「背景」を説明する。当然のことだが、そのように反応するからテロが効果を持つ。注目されなかった問題に注目が集まるからテロはなくならない。憎しみの対義語は無関心。必要なのは私たちが世界に関心を持つこと、テロに同じても動じてもいけない。過剰反応せず一切の暴力を許さない決意を示したい。

わんクリック　焼け焦げたバスの写真でテロ行為に対する憤りは引き出せるが、「絵」のない「日常のテロ」である占領を報道するのは難しい (※)。ヨリス・ライエンダイク『こうして世界は誤解する』は、人びとは屈辱と恐怖と背中合わせで生きている、と書いても実際は何も言っていないに等しい、と指摘。世界一の人口密度のガザ地区、「天井のない牢獄」での人びとの生活。アカデミズムに属する学者が平易な言葉で伝える。岡真理『ガザに地下鉄が走る日』。独立国パレスチナの領土を、そうでないかのように「ガザ地区」「ヨルダン西岸地区」と表記する世界史教科書。現実の反映だが言葉を正す必要がある。

History Literacy　「絵」のないものには注意が向かない—「日常のテロ」である「占領」の叙述 (報道) の困難さ。

⑥イラン革命

- パフレヴィー２世の独裁 (1953 ~ 79)
  上からの近代化「白色革命」で貧富の差拡大、秘密警察による恐怖政治
- 1979 年、イラン革命
  シーア派最高指導者ホメイニ師らが革命推進
  └ 亡命先のパリから「カセットテープ」(いまの CD みたいなもの) を使い説教、革命指導
- 1979 年、イラン・イスラーム共和国成立
  イスラームの政教一致国家だが、共和政 (西洋文明の所産) 原理採用　＊１
  三権の上位にイスラーム法学者が監督、指導
  └ 現在ハメネイ師 (イマームが再臨するまで最高指導者)

⑦イラン革命の影響 ―「イスラーム原理主義」という言葉の登場

- 反米反ソ路線で革命の輸出
- 1979 年、第２次オイルショック引き起こす
- テヘランのアメリカ大使館人質事件 (79)　＊２
- 1979 年、ソ連のアフガニスタン侵攻 (~ 88)
  └ 非共産国に対するソ連の武力侵攻 (第２次冷戦の開始)
  イラン革命波及でアフガンの親ソ政権 (前年に成立) 崩壊を危惧
  └ ソ連版「ベトナム戦争」、所期の目的達せられず
- 1980 年、イラン・イラク戦争 (~ 88)
  国境をめぐりイラクのサダム・フセインがイラン侵攻
  └ シャトル・アラブ川　└ 世俗的アラブ民族主義政党バース党を率いる
  イラン革命輸出への警戒 (予防戦争的性格)
  └ スンナ派政権のイラク (住民の半数近くがシーア派)
  イラン人とアラブ人の対立の色彩を帯び、戦争長期化
  └ 様々な歴史的記憶が呼び起こされる　└ 国連の調停で停戦

⑧湾岸戦争　＊３

- 1991 年、湾岸戦争
  イラク (サダム・フセイン) がクウェートに侵攻
  └ イラン・イラク戦争時、アメリカの支援でイラクは軍事大国化
  クウェートの石油利権とアラブ世界での盟主の地位確立のため
  国連の撤退要求決議を無視、アメリカなどの多国籍軍と戦争
  イラクは敗北し、クウェートから撤退

PROPOS　＊１
中東諸国はイスラーム国家とされるが実際は国民の大多数がムスリムというだけの世俗国家。実質的なイスラーム国家はイランとサウジアラビアとタリバン支配下のアフガニスタンぐらい。これらの国では女性が肌を男性に見せてはいけない、というドレスコードがある。イラン女性はヘジャーブ (スカーフ) で頭髪を隠すことが強制されている (顔は見えている)。外出時にはチャドル (黒い一枚布) を纏うことが奨励されている。一度目のタリバン統治下のアフガニスタンでは頭からすっぽりと布をかぶり目の部分だけが四角に開いてメッシュがかかるブブカを被ることが強制された。

PROPOS　＊２
各国のアメリカ大使館はアメリカの国際的威信の象徴。東京では赤坂の一等地に聳え、日米関係を物語る建物。これまで２度、在外米国大使館が攻撃された。最初はベトナム戦争のテト攻勢 (1968) 時。サイゴンの大使館が半日占領された。２度目がイラン革命時のテヘラン大使館 (1979)。モサデク失脚クーデタの報復でもあった。444 日間大使館員など 52 名を人質に占拠された。救出できなかったカーター大統領は再選に失敗。米大統領をも変えた事件。

PROPOS　＊３
イラクが隣国クウェートに武力侵攻 (1990)。国連加盟国による他加盟国への侵略。国連の存在意義が問われた。当時、原油埋蔵量２位のイラクはクウェート (同３位) を支配すれば１位のサウジアラビアを抜いて世界の石油市場を支配できる。アメリカは多国籍軍を組織してイラクを攻撃、クウェートを解放した (湾岸戦争、1991)。日本は約２兆円もの資金を多国籍軍に拠出したが戦後クウェートが発表した「感謝リスト」に日本の名がなかった。以後、日本の国際貢献のあり方が問題になる時は「これを繰り返してはならない」で始まることになる。このトラウマが、PKO 協力法の制定による自衛隊の海外派遣に繋がった。

画蛇添足

▼イラン・イスラーム共和国の誕生は周辺諸国に懸念と警戒心を引き起こした。今もそうだがイランの対岸にはおおよそイスラームの教義に反する抑圧的な世襲国王が君臨するアラブ産油諸国が並ぶ。イランはそれらを否定する共和国となった。▼国名が語るようにイスラーム法による統治と西欧起源の共和政を融合する試みでもあった。しかし現実には政教一致の復古主義的な宗教国家の出現、国民国家体制への挑戦と理解された。イスラームの世界観ではイスラーム法(シャリーア)の支配の及ぶ範囲がイスラーム世界。周辺諸国はこの「革命の輸出」を警戒。「イラン革命はいらん」と強いアレルギー反応が広がった。▼国民国家体制を受け入れ、その下で世俗君主として権力を掌握しているアラブ諸国にとって、その正当性に対する脅威だった (イランは大統領を選挙で選ぶなど、湾岸諸国と比較すればはるかに民主的国家)。またこれはシーア派の国家の誕生だった。イラク南部からペルシア湾岸首長諸国の油田地帯はシーア派が多数を占める地域。これらスンナ派のアラブ諸国にとってやっかいな事態だった。▼アメリカはここにイラン革命が波及し、石油権益が失われることを恐れた。翌80年、革命の波及を恐れてイラクが侵攻したイラン・イラク戦争で、アメリカはイラクのサダム・フセインを支援。多大な武器援助を行った。戦争終結の２年後、アメリカの武器援助で軍事大国となったフセインは今度はクウェートに侵攻。アメリカの中東石油支配が脅かされた。▼ソ連もイラン革命が領内のムスリムに及ぶことを警戒して同79年アフガニスタンに侵攻。結果的にこの戦争の泥沼化でソ連は自国の崩壊を進めた。イラン革命は本震よりも余波が大きかった。

わんクリック　クリスチャン・カリル『すべては 1979 年から始まった』。1979 年サッチャーが英首相に就任、新自由主義政策がはじまる。鄧小平が改革開放を開始。ホメイニがイラン・イスラーム共和国を樹立。この年から世界では市場と宗教が前景化していく。新自由主義経済が世界に格差を広げたが、「平等」を掲げた社会主義はこの頃から凋落、代わってイスラームが「平等」を掲げて格差の広がった地域に広がっていった。そしてこの年にソニーがウォークマンを販売した。「携帯用の再生専用機」というコンセプト。この和製英語が世界を席巻(せっけん)、歩きながら音楽を聴く習慣をもたらし、文化を変えた (※)。

History Literacy　物事の衝撃は当時の常識が見えないと分からない (録音機能が重要だった中での再生専用機という発想)。

ラテンアメリカ諸国

①概略 ― 輸入代替工業への転換、労働運動、軍事政権

- 1930年代、世界恐慌で１次産品輸出が打撃
  →各国とも輸入代替工業化へ転換 ― 輸入していた工業製品を国内生産　＊1
- 労働運動の広がり、社会の左傾化
  農業軽視で農民の生活困窮化、工業化で労働者増加
  →左派思想広がり、労働運動活発化
  →ポピュリズム政権の出現、既存政党の左傾化
- 軍事クーデタと軍政
  共産主義勢力伸長をおそれ軍がクーデタ、軍政に移行
  経済部門は文民官僚（テクノクラート）が担当（新自由主義経済）
  中間層は軍政を支持

②ブラジル

└ 面積、人口とも世界５位（南半球１位）の大国、世界最大のカトリック人口

- 1960年、リオデジャネイロからブラジリアに遷都
  └ 手つかずの内陸部開発のため　└ 高原地帯にある飛行機の形をした人工都市
- 1964年、クーデタで軍事独裁（～1985）
  └ 当時の政権の左派的政策を嫌う、アメリカ（キューバ革命後）も支援
  1970年代、高度経済成長（「ブラジルの奇跡」）
  アマゾン川流域開発に着手　＊2
  └ 世界最大の流域面積（3500km上流と河口の高低差100mの平地）の熱帯雨林（セルバ）
  熱帯雨林（地球の肺）を伐採し、大豆畑やサトウキビ畑に転換　＊3
- 1982年、債務返済不能、IMFの緊急融資 ― 世界最大の債務国に
  高度成長期の膨大な累積債務、オイルショック（1973）で財政破たん
  貧富の差拡大で大都市郊外に巨大なスラム ― ファベーラ拡大
- 1985年、民政移管
- 1990～2000年代、経済成長でBRICsの一員に
  1991年、南米南部共同市場（メルコスール）成立
  └ ブラジルとアルゼンチンが連携、両国間のウルグアイ、パラグアイ
  1992年、地球サミット開催「リオ宣言」　＊4
  先進国（環境重視）と途上国（開発重視）の対立、「持続可能な開発」の提唱

PROPOS　＊1

海外を市場とする輸出代替工業への移行がベターだが上手くいった国は少ない。当時のラテンアメリカ諸国は先進国。賃金も、為替レートも高く、生産コストがかさむため、国際競争力を持つ工業製品の生産は難しいと断念。輸入代替工業をめざした。ただ国内市場を対象とするので国際競争力はつかず、どの国も70年代に行き詰まった。

PROPOS　＊2

アマゾン奥地、人跡未踏の地で世界最大のカラジャス鉄鉱床が発見された（1967）。アクセスのため熱帯雨林を切り開いてトランスアマゾニアンハイウェイ、カラジャス鉄道を敷設。アマゾン破壊に拍車がかかった。鉄道は１編成330両で世界最長。まだ世界は鉄の文明。この鉱山なしに現在の文明はない。パラグアイ国境に作られたイタイプダム（1991）は世界２位の発電量。

PROPOS　＊3

かつてアメリカでハンバーガーを食べるとアマゾンが牛飼育の牧草地に転換され、森林が伐採されるとされた。それは昔話。いまは大豆畑、バイオエタノールのためのサトウキビ畑のために伐採される。また熱帯の酸性土壌に大量の石灰を撒く土壌改良で大豆畑が作られた。大豆はチャイナ原産。アメリカでは豚のエサだがアジアでは人間の貴重なタンパク源。経済成長した中国では豚肉消費急増で大豆消費も急増（豚の飼料、料理時の大豆油）。大豆栽培には大量の水が必要。水不足の中国は産地を新大陸にアウトソーシング。ブラジルは大豆の生産世界２位。ただブラジルは工業国。輸出品のトップ３は機械、自動車、鉄鋼。コーヒーははるかにランク外（生産高は世界一）。

PROPOS　＊4

自然破壊の歴史と要約可能なブラジル史。その反省から世界初の「環境権」が憲法に書き込まれ（1988）、リオで「地球サミット」開催。開発と環境保全を両立させる「持続可能な開発」という道筋が提唱された。

画蛇添足

▼カブラルが漂着したのがブラジルの悲劇。3世紀間ひたすら収奪。人材育成もインフラ整備もしなかったポルトガルの植民地支配。19世紀後半の奴隷制度廃止で移民受け入れが加速。黒人・ムラートの国が、ブラジルの中に世界があるとされる多様な混血、多文化社会に変化。▼カトリックでは復活祭（イースター）の前に節制（お肉禁止）して備える（四旬節）。その前に羽目を外して食べて踊るのが２月の謝肉祭（カーニバル）。南半球のカーニバルは夏なので盛り上がりが違う。特にリオのカーニバル。黒人文化のサンバのリズムと結びつき（20世紀初頭）、ブラジル文化の象徴になっている。山車、衣装の豪華絢爛さ。東京ディズニーランドのエレクトリカルパレードの横にマツケンサンバが添えられるような贅沢さ。▼ブラジルの国民的スポーツはサッカー。多民族国家ブラジルのナショナルアイデンティティを作るためにヴァルガス大統領がサッカーを国民統合の手段とした。ブラジルチームの強さ。例えばネイマール選手の相手の意表を突くステップ。常に相手の動きを少しズラす身体の動き方。▼これはジンガ（揺れる、ふらふら歩く）というブラジル特有のリズム。サンバ、そしてカポエイラにも通じる身体の動き。格闘技とダンスが融合したカポエイラ。黒人奴隷が看守の眼を盗んでダンスのふりをして修練した格闘技とされる。手かせをされていた奴隷がそのまま鍛錬したので足技が中心。▼足技と言えば、直立不動で足だけを動かすアイリッシュダンス。教会の眼を盗むために発達したという。いま世界で流行るのは指ダンス。授業に耳を傾けるふりをして、机の中のスマートフォンで運指練習に余念がない。これが新しい文化を生み出すステップとなるのか。

わんクリック　眺望絶佳のリオデジャネイロ。高級住宅街イパネマ海岸。そこで生まれたサンバの新しい形「ボサ・ノーヴァ（新しい感覚）」。「イパネマの娘」（作曲アントニオ・カルロス・ジョビン）はジャズで最もカバーされる曲（ブラジルの歌手ジョアン・ジルベルトと米西海岸のサックス奏者スタン・ゲッツ『ゲッツ／ジルベルト』が人気）。この海岸に迫る山腹に世界最大のスラム街（ファベーラ）が広がる。リオほど貧富の格差を象徴する街はない。ファベーラは公権力が入れず、裏社会に統治されているが、スラムそのものは裏社会ではない（※）。そこに暮らす大多数は貧しいがまっとうに生きる人びと。

History Literacy　国民国家内も均一でない―内部に国家権力が及ばない外部（警察権、司法権がはいれない地域）がある。

- カルドーゾ政権 (1995 ~ 2002) ＊1

  新自由主義改革でインフレ収束、民営化推進、貿易自由化など

- ルーラ政権 (2003 ~ 2010、2023 ~)

  └ 初の極貧階級 (非エリート層) 出身、左派政権、初の選挙での平和的政権交代

  貧困層を広範な社会保障政策で救済、市場を広げる社会改革路線

  世界経済、特に中国など新興国の高い成長に伴う資源需要の拡大

  └ 債務返済 (2005)、債権国に転換 (2009)

- ルセフ政権 (2011 ~ 16)

  └ 初の女性大統領、軍政時は反体制運動で投獄される

- 保守派巻き返しでボルソナロ政権 (2016 ~ 22)

③アルゼンチン

└ ブラジルの最大のライバル

- 1982 年、フォークランド諸島 (英領) 侵攻失敗で軍政崩壊 (1983)

  └ 軍政が行き詰まり打開まため、サッチャー (英) の反撃で失敗、両軍併せて千名近く死亡

④チリ ＊2

- 1970 年、アジェンデ政権 ＊3

  └ 選挙で成立した世界初の社会主義者の政権 (一党独裁でない)

  農地改革、アメリカ資本の銅鉱山会社の国有化 ＊4

  └ 世界の銅生産の約 1 割をチリ銅山が産出、ほとんどはアメリカ資本

  反共右派とアメリカの介入、経済失政で経済麻痺

  └ インフレ率 500% 超える

- 1973 年 9 月 11 日、チリ軍事クーデタ

  アメリカに支援された軍部、ピノチェト将軍のクーデタ ＊5

  └ CIA の関与、アジェンデ大統領は銃撃戦の中、大統領官邸で自殺、死者 4 万以上

- ピノチェト軍事独裁政権 (1974 ~ 90)

  シカゴ・ボーイズによる新自由主義経済政策の実験場に

  └ ミルトン・フリードマン (シカゴ学派) の弟子たち

  様々な規制の撤廃などで経済成長

  └ 米国の多国籍企業の進出　└「チリの奇跡」と宣伝される

  反体制派を徹底弾圧、国家テロ (秘密警察 DINA) で誘拐、拷問、殺害

  └ 数万人が「失踪」として処理 (国民的詩人パブロ・ネルーダも)、100 万人以上が国外へ亡命

  貧富の格差拡大、国民投票で民政移管 (90)

PROPOS ＊1

軍政と戦ってきた指導者の下で民主化が進む。カリスマ性のあるカルドーゾ (社会学者)、ルーラ (労働運動指導者) の両政権。立場は違うが柔軟な政権運営で政治は安定、経済成長をもたらす。GDP 世界 7 位になり (2010)、サッカーワールドカップ、リオオリンピック (2016) を成功させた。

PROPOS ＊2

南北 4300km(東西 160km)。太平洋とアンデス山脈で周囲から隔たった「島国」チリ。それが幸いして欧州から移植したブドウが世界で唯一生き残る。名産チリワイン。

PROPOS ＊3

チリ人民連合のアジェンデ。大統領当選時は過半数の支持に足りなかったがクーデタ直前の国会議員選挙で人民連合が過半数獲得 (1973)。これを見てチリの社会主義化を恐れた反共右派がクーデタ。アメリカも介入。軍政といっても内実は様々。17 年続いたピノチェトの軍政は残忍。パトリシオ・グスマン監督映画『チリの戦い』。監督が命がけでとった映像で構成した 4 時間半のドキュメンタリー。国家権力がここまで残忍になると知っておく必要がある。

PROPOS ＊4

金属はその堅牢さから武器、機械、建築資材に使われてきた。世界の電化により次には、金属の電気伝導性が注目された。モノは叩けば壊れるが、金属は伸びる。伝導性と伸延性で優れる銅、銅鉱山の多いチリが重要になった。チリは硝石 (火薬の材料) が輸出品だったが 1 次大戦後の空中窒素固定法の実用化で廃れ、銅に代わった。

PROPOS ＊5

「9・11」は 1973 年 9 月 11 日の出来事―初めて選挙で社会主義政権を樹立したアジェンデが殺害された日。加害者アメリカの蛮行を告発する日だった。それが 2001 年の同時多発テロ以降、9・11 は被害者アメリカを記憶する日へと上書きされた。

画蛇添足

▼いま一羽でも鳥インフルエンザに感染したら鶏舎すべて何万羽を殺処分する。このことに経済合理性があることがおぞましい。いったい、人間は何をしているのか。他の動物の家畜化からはじまった人間の歴史。▼いま地球上の動物の個体数のほとんどが食肉用家畜 (約 700 億頭)。その 3 分の 2 が工業的畜産で典型がブロイラー。養鶏場で短期間 (50 日) で 3 kg程まで成長させられ屠殺して出荷されるニワトリ。ニワトリはもはや庭で飼われない。いま鳥の大部分を占めるのが野生の鳥ではなく栽培種「ニワトリ」。世界のブロイラー生産の半分はブラジル。最大の輸出先は日本。▼「脱動物化」(ノワリー・ヴィアル) された食肉。飼育場も屠殺場も不可視化されて、目の前の肉がどのように飼育されて殺されたのかが見えなくされている。この辛い仕事―屠殺に従事している人たちのおかげで、私たちは自分の手を使わずにすんでいる。この唐揚げがジューシーだとか、絶品だとか、命をいただいている意識がない。▼「アウシュヴィッツは、誰かが屠畜場を見てあれは動物にすぎないと考えるところなら、どこでもはじまる」(パターソン『永遠の絶滅収容所―動物虐待とホロコースト』)。「人間とは何か」と問うことで人間と動物を差別化して、動物の虐殺に眼を閉じてきた面もある。ホモ・サピエンス種内の人種差別を問題にして、「種差別」(ピーター・シンガー) を不問に付してきた。▼動物が生涯にわたり苦痛を受ける工業用畜産。ペットの犬には絶対にしないことを家畜にはしている。メラニー・ジョイ『私たちはなぜ犬を愛し、豚を食べ、牛を身にまとうのか』はタイトル通り。動物福祉の観点から高まる批判に、細胞から作る培養肉の研究が進む。

わんクリック　どこそこは「レアメタルの埋蔵量が豊富」という表現。要するに資源的にはレアでない。現実に意味するのは、そこではその金属が安く採掘、精製できる、ということ。レアメタルは精製 (濃縮過程) を伴い大量の不純物、有害廃棄物を排出する (銅山に関しては田中正造が取り組んだ足尾鉱毒事件を想起)。環境規制が弱く、人件費の安いところが「レアメタルの埋蔵量が多い」ところ。採掘、精製費がレアメタルの価格を上げる。金は 1t 掘っても 10 g 程度も採れない。つまり採掘量の 100 万倍のゴミをだす (掘り手の労力を含めて膨大なエネルギーが費やされる)(※)。それが価格の高さ。

History Literacy　逆読みが必要―金は 1t 掘って 10 g 程度の「貴金属」。つまり採掘量の 100 万倍のゴミをだす。

⑤ボリビア

└ 事実上の首都ラパスは標高 3600 ~ 4000m のすり鉢状の都市 (低緯度諸国の首都は高地)

・モラーレス政権 (2006 ~ 19) ― インディオ (先住民アイマラ人) の大統領

└ 公式行事もアルパカのセーター姿でこなす　└ ファレス (メキシコ) が最初

ボリビア多民族国と国名改称

└ ペルー、グアテマラと並びインディオの占める割合が多い国

反米、反資本主義、反グローバリズム推進で独裁傾向強める

└ クーデタで政権を追われる

⑥ペルー　＊1

└ 先住民 5 割弱、メスティーソ 4 割の人口構成、世界 2 位の漁業国

・日系 2 世のフジモリ大統領 (1990 ~ 2000) の強権的政治

└ ブラジル、アメリカに次ぐ日系人社会が存在

⑦コロンビア

・半世紀にわたる内戦

1964 年、コロンビア革命軍 (FARC) が社会格差是正を求め武装蜂起　＊2

1980 年代半ばより資金源として麻薬密売組織と協力関係

└コカイン原料のコカ栽培地、精製工場、密輸ルートを保護

死者 30 万、国内避難民 150 万、2016 年終結

└ サントス大統領 (2016 年ノーベル平和賞)

・首都ボゴタの治安改善　＊3

・初の左派大統領ペトロ当選 (2022)

中米 5 カ国 ― グアテマラ、ホンジュラス、エルサルバドル、ニカラグア、コスタリカ

①グアテマラ

└ マヤ文明発祥の地、マヤ系先住民が人口の 4 割

・バナナのプランテーション　＊4

米国資本の大企業がグアテマラの農民を搾取

└ ユナイテッドフルーツ社

・グアテマラ 内戦 (1960 ~ 96)

モント軍事政権 (1982) はインディオの村落で焦土作戦　＊5

└ 左翼ゲリラ掃討のため (実際は無関係)

PROPOS　＊1

首都リマは低緯度だがペルー海流 (寒流) で過ごしやすい。ペルー沖は世界最高の漁場。カタクチイワシ。日本では煮干しにするが、塩漬けしてアンチョビに加工。

PROPOS　＊2

キューバ革命への反革命で 1960 ~ 80 年代の南米は軒並み軍事政権となる。第二のキューバ革命は許さない、とアメリカは各国の軍部を支援して左派政権を転覆させた。南米の軍政が終わると中南米が米ソの代理戦争の舞台になった (新冷戦期)。民主化、土地を求める運動が共産主義運動のレッテルを貼られ、現地国の軍政とそれを支援するアメリカにより徹底弾圧された。

PROPOS　＊3

内戦中の 90 年代、世界で最も危険な首都ボゴダ。近年治安が改善、旅行雑誌に街の特集が組まれるまでになった。治安の指標は 10 万人当たりの殺人数。81 人 (1993) から 16.9 人 (2012) まで低下。日本は 0.2 人で最も安全な国。アメリカは 6.5 人で先進国で最も危険。ただこれは国単位での平均値。域内での偏差が大きい。密売組織周辺とそれ以外で大きく殺人率は違う。

PROPOS　＊4

グアテマラ最大の外資企業ユナイテッドフルーツ社 (現チキータブランド) が結成 (1899)。中南米各国の政権と癒着して広大な土地を取得。手つかずの熱帯密林の低地に巨額資本を投下して伐採、道路、鉄道を敷設。バナナ園を広げて労働者を安い賃金で雇い莫大な利潤を吸い上げた (「バナナ共和国」)。自然破壊は開発、搾取は雇用創出、と考えさせない言い換え言葉がある (※)。

PROPOS　＊5

中南米最長 36 年間のグアテマラ内戦。マヤ系住民 (人口の 4 割) の絶滅が意図された虐殺。ゲリラとは無関係な、食べるために必要な土地の返却を要求した農民が虐殺された (『グアテマラ　虐殺の記憶』)。

画蛇添足

▼世界で最も危ない都市の座を中南米の都市が競い合う。コカイン密売の縄張り争いにからむ殺人が日常茶飯事。コカインは野生するコカの木の葉から作られる麻薬。スペイン統治時代の入ったら1日出てこられない鉱山労働。疲労を軽減させるコカの葉が必需品だった。▼長くコロンビア、ペルー、ボリビアのアンデス3カ国がコカインを生産。密輸組織によって加工、メキシコ経由でコカインの消費国アメリカに密輸されてきた。3千kmにわたる米墨国境では密輸トンネルが掘られては摘発されるモグラ叩きが続く。▼アメリカ発祥の地フィラデルフィア。ケンジントンストリートの薬物依存者の姿は衝撃的（youtube参照）。不況による失業、生活苦で希望のない人びとは薬物にすがる。依存症は個人ではなくアメリカ社会が抱える病理。ベトナム戦争後、マリファナ吸引が広がり、これがゲートウェイドラッグになってコカインに嗜好がシフトした。▼末端価格が数十倍にもなるので密輸組織も深みから抜け出せない。莫大な利益で密輸組織は武装化。同じジャングルで活動して資金が必要な左翼ゲリラと結びついた。武装化した彼らは警察、軍隊と激しく抗争（麻薬戦争）。▼密売業者同士の縄張り争いでおこる夥しい殺人、取り締まる側に流れる賄賂による政府の腐敗。政府が機能しない―所得再分配が機能しない社会ではいったん貧困状態に置かれると逃れられない。そのような社会を変えようとする人びとが誘拐、暗殺される悲劇。▼旧大陸の麻薬はアヘン。ケシの花から採取される。それを強力にしたヘロイン。栽培地域はアフガニスタン、ミャンマー。やはりケシ畑の背後に広がるのは貧困。戦うべき敵は貧困、貧困を生み出す構造。

わんクリック　麻薬密売は武器取引にリンク。取引される武器はカラシニコフ。1940 年にソ連で開発されたシンプルな銃。大量生産ができて安価なので旧社会主義国、開発途上国で普及。操作が簡単で女性、子どもでもすぐに扱えて反政府ゲリラなどにも普及した。いま世界中で 1 億丁以上が出回っているとされる。兵器では大量破壊兵器にばかり目が奪われるが、積算すればカラシニコフが「人類史上、最も人を殺した兵器」「小さな大量破壊兵器」とされる。宇宙船ソユーズと並ぶ、旧ソ連製の古いモデル。問題点が出し尽くされて、改良され、故障のない、メインテナンスが簡単な定番になっている。

History Literacy　言い換えて理解する (ペイオフ解禁の時代「銀行にお金を預ける」は、「銀行にお金を貸す」、「預金という金融商品を買う」)。

②ニカラグア

・ソモサ長期独裁政権 (1937 ～ 79)

└ アメリカの支援で親子３代の独裁政権 (ソモサ王朝)

・サンディニスタ革命 (1979) で左翼革新政権樹立

サンディニスタ民族解放戦線 (FSLN) が勝利

アメリカの介入など (反政府組織コントラ) で内戦 (~ 1988)

内戦と急進的改革で経済壊滅、内戦終了後の選挙で政権交代

③コスタリカ

└ 人口の９割以上が白人 (先住民とメスティーソが主流を占める中米の例外)

・２次大戦後憲法で非武装中立 ―「軍隊を排した国」　＊１

軍クーデタなく選挙による政権交代

└「中米の優等生」と呼ばれる政治の安定

・19 世紀以来、コーヒー、バナナの輸出

・現在は工業国、中米では豊かな国

その他の中南米諸国

①グレナダ

└ カリブ海の小国

・アメリカが侵攻、共産主義政権を転覆 (1983)

└ ソ連は翌年のロスオリンピック (1984) をボイコット

②パナマ

└ パナマは南米コロンビアの文化圏で南米の北端という扱い

・1979 年、新パナマ運河条約 (カーター米政権)

・1999 年、パナマ運河返還　＊２

③解放の神学　＊３ ＊４

・解放の神学

神父が貧困などの社会問題に積極的にかかわる運動を展開

PROPOS　＊１

「軍隊を持たない国」コスタリカ。そのことが日本では理想化されて言及される。反共政策をとりアメリカと関係が深い。事実上の国防をアメリカに委ねている。鉱山もない魅力の欠けた辺境であることも幸いした。貧富の差が大きく、治安の悪さなど多くの問題も抱えるが、軍隊を持たない国家運営から学べるものがある。反共が国是で労働組合が弱いためインテルなどが進出。どの国も理想化、誰も聖人化しない姿勢で、どこからでも学ぶ姿勢を持ちたい。

PROPOS　＊２

パナマ運河返還に取り組んだトリホス大統領。カーター政権と新条約を締結。ついに 1999 年にパナマ運河地帯は返還された。駐留米軍も撤退、いま運河はパナマのドル箱。墓碑銘に「私は天国に入りたいと思わない。私が望むことはただ運河地帯に入ること」とした大統領の願いは成就した。

PROPOS　＊３

カトリック教会は自治機能を担ってきたので教会に行かないと地域で生活できない。その教会は概して保守的。貧しく抑圧された人びとに対し、それが「神の御心」であり、この世で苦しくとも神を信じることで来世で救われる、と説いてきた。またカトリック教会の基盤は農民。現実の貧困に苦しむ都市労働者には冷たかった。貧困の広がる中南米。元来、イエスは貧しいものの側にあって時の政治権力と戦った、と理解した神父たちが神を「解放する神」ととらえ直し、社会問題に取り組みはじめた。

PROPOS　＊４

抑圧的だった教会が貧者に寄り添う転換「解放の神学」。それが教会 (バチカン) の保守派の危機感をあおった。都市労働者の運動は共産主義運動 (まさに現世での救済に背を向ける教会を否定) と重なりかねない。「解放の神学」はバチカンで異端視された。現ローマ教皇フランシスコは「解放の神学」に共感的。教会の姿勢も変化してきた。

画蛇添足

▼世界史でラテンアメリカの叙述は少ない。日本の裏側、距離的に遠い。南米は赤道付近が膨らむ大陸で6割が熱帯―温帯が限られることも関係する。文明は乾燥地帯を揺籃の地としたが豊かな温帯土壌の中で成長した。▼新大陸は北米がおおむね温帯で農業生産性が高い。ここが英領から独立して一つの国家として発展したのに対し、主としてスペイン領から独立した南米諸国はヨーロッパからは遠く、熱帯が卓越する大陸。技術革新などの影響も後回しになった。▼歴史が人間の歩みに関心を持つ限りは人口の密な地域を中心とした叙述、世界史が「温帯史観」なのはやむを得ない。南半球に温帯は少ないから世界史は「北半球史観」に基づいたものになる。▼南米の温帯地帯はブラジル南部、アルゼンチン、ウルグアイ、チリ南部など。ここに民主主義国が集まる。アルゼンチンの首都ブエノスアイレスは東京の対蹠点で緯度も同じ35度、東海岸で同じ気候Cfa(温暖湿潤)。熱帯大陸南米では寒冷を好む小麦の適地は少なく、トウモロコシを主食とする地域が多い。アルゼンチン西側の湿潤パンパは世界三大黒色肥沃土があり、南米で数少ない小麦の産地。収穫時期が北半球の端境期なのが強み。▼南米は国家間の紛争(戦争)の少ない地域。だから戦争史である世界史では関心を持たれず扱われない側面もある。だからキューバ危機とチリクーデタだけになる。ただし「戦争」と名前がつかなくてもそれと同様、あるいは上回る規模の武力衝突はある。これらも世界史の守備範囲から零れ落ちがち。ところで南米は非核地帯。南半球に核はない。二つの世界大戦は北半球の国々の戦い―北半球大戦。その意味では南米は比較的安全な地域かもしれない。

わんクリック　ブラジル生まれの教育学者パウロ・フレイレ。貧しい人びととの対話と教育に従事する中で発見したのが「沈黙の文化」(抑圧、搾取され、文字を奪われてきた人びとの文化)。抑圧されている人びとが、自分自身の能力を見出し、自立していく過程を「人間化の過程」として『被抑圧者の教育学』を著した。ここでエンパワーメントという言葉を広めた。政治的中立が求められる公教育。しかし不正義がある社会に「中立」で臨めば、それは不正義の擁護。(※)。教育が体制維持の道具として機能する。世界史教科書にほとんど言及されない地域。何も書かないことで、「知らなくてよい」と書いている。

History Literacy　不正義がある社会に「中立」で臨めば、それは不正義を擁護する行為になる。

カンボジア内戦— ポル・ポトの大虐殺

- 1953 年独立、国王シハヌークは中立外交
  └ ベトナム戦争中、国内にホーチミンルート通過を黙認
- 1970 年、クーデタで親米ロン・ノル政権 (シアヌークは中国亡命)
  └ ニクソン米大統領が、ベトナム戦争から米軍撤退するためにカンボジアに侵攻、戦火拡大
  →共産勢力クメール・ルージュ (ポル・ポト指導) が解放闘争
  └ 米軍の凄まじい爆撃に、ポル・ポト支持が高まる
  → 1975 年、共産主義勢力勝利、首都プノンペン陥落
  └ この年、次いでサイゴン、ビエンチャンも陥落、インドシナ三国とも共産主義勝利
- ポル・ポト政権 (民主カンプチア)(1976 ~ 79)　＊1
  └ カンボジアは英語、クメール語でカンプチア (どちらでも可)
  原始共産社会の建設を強行 (都市、貨幣廃止による平等な原始共産社会を夢想)
  └ この年に失敗に終わった中国の文化大革命を意識
  自国民大虐殺— 約 150 万の反対者 (都市住民、知識人、仏教徒など) を虐殺
  └ プノンペン陥落と同時に住民 (約 300 万) の農村への強制移住
- カンボジア内戦 (1979 ~ 93)
  1978 年、ベトナムのカンボジア侵攻　＊2 ＊3
  └ ベトナムの強い反中国感情、カンボジアへの優越意識
  →中越戦争 (1979)　＊4
  →ベトナム軍の支援を受けたヘン・サムリン政権 (カンプチア人民共和国)
  ポル・ポト政権崩壊、ポル・ポトは亡命政権 (民主カンプチア)
  └ ジャングルを拠点に、20 年近くにわたりゲリラ闘争
  →冷戦と中ソ対立の代理戦争で内戦長期化
  カンプチア人民共和国　…ベトナム、ソ連が支援
  民主カンプチア (ポル・ポト派)　…中国、西側諸国、日本が支援
  →中ソ対立、冷戦終了 (1989) でベトナム軍撤兵
- カンボジア和平 (1993)　＊5
  国連カンボジア暫定統治機構 (UNTAC) のもとで総選挙実施 (1993)
  ポル・ポト派は内部崩壊 (ポル・ポト病死)
  →カンボジア王国成立、元首シハヌーク、社会主義から離脱
  →フン・セン首相のクーデタ (1997)、長期独裁化 (~ 現在)

PROPOS　＊1
中国文化大革命の影響を受けたポル・ポト。生産力が高まり、分業が始まると都市が生まれ、そこで「支配 / 被支配」関係が生まれる。支配者が存在しない農村だけの原始社会をめざし都市 (プノンペン) を破壊。都市住民を農村に「下放」した。

PROPOS　＊2
ベトナム戦争中、ベトナムを支援した世界はその隣国への侵攻に衝撃をうける。仏領時代、仏はベトナム人を使ってカンボジアを統治。その恨みからポル・ポト虐殺の矛先がベトナム系にも向けられたこと、そのポル・ポトをベトナムが反感を持つ中国が支援していたことも関係。侵攻したベトナムはポル・ポトをあえて放置。捕えると以後の駐兵の正当性を失う。ベトナムのカンボジア侵攻は中ソ、冷戦の代理戦争としての性格を持った。1989 年に中ソ対立、冷戦が終わり問題は解決に向かった。

PROPOS　＊3
ベトナムにある千年間支配された中国に対する根強い反感。ベトナム戦争でも裏切られた (米中接近)。社会主義国間の中越戦争。イデオロギーよりナショナリズムが優越したことがベネディクト・アンダーソンの名著『想像の共同体』誕生のきっかけ。

PROPOS　＊4
中国は支援するカンボジアが侵攻されたことに対してベトナムに「懲罰」と称して出兵。負けたのに「懲罰した」と撤退。吉本新喜劇の世界。社会主義国間の戦争。実戦から遠ざかっていた中国人民解放軍はベトナム軍に大敗。人民解放軍の弱体ぶりに衝撃を受けた中国は軍改革に着手。これが軍拡路線のきっかけとなってしまった。

PROPOS　＊5
冷戦中、国連は機能不全。冷戦後、カンボジア総選挙を成功させて新政権を発足させられるか、に国連の真価が試された。UNTAC 代表明石康が総選挙を成功させた。

画蛇添足

▼国民の生命財産を守るはずの政府により国民の3分の1もが虐殺される例のない事態。今もカンボジアの人口ピラミッドに一目で分かる形でこの出来事が刻印されている。なぜこんなことが起こったのか。この悲劇を様々な形で伝える試みがなされている。▼映画『キリング・フィールド』(1984)。実在のカンボジア人記者が経験したポル・ポト政権下の4年間を描いた戦慄のノンフィクション。おびただしい人間が土に還った。その土から人形を塑像して何が起こったかを再構築する映画『消えた画クメール・ルージュの真実』(2013)、生き残った少女の記憶を再現した『最初に父が殺された』(2020)。▼理想と野心に燃えた指導者たち。かつて存在したことのない農民主体の平等社会を作ろうとする理想。純粋なカンボジアを作るためにここを支配してきたフランスとベトナムの影響を一切取り去ろうとした。ソ連、中国ができなかったことを隣国ベトナムより先に成し遂げたい野心。▼農村からの搾取で都市 (文明) の繁栄がある、として都市を破壊。徹底した平等社会を実現して農村の貧しさを救おうとした。貨幣経済を廃止し、都市住民を農村の人民公社へ強制移住 (下放)。旧体制を直接、間接的に支えてきた者、その恩恵を受けてきた者をすべて敵とみなした。▼新しい社会を作るために必要なのはポル・ポトの思想をそのまま吸収できる無垢な子どもたち。彼らが幹部にとりたてられるあべこべの世界が出現した。正直で純粋な農民は教育しやすかった。文明で腐敗した知識人はいまさら教育できないと殺害された。情報がない中で当時の日本のマスコミはポル・ポト政権を賛美 (※)。同じことを繰り返していないか、慎重でありたい。

わんクリック　旧ポル・ポト派幹部へのインタビュー集、舟越美夏『人はなぜ人を殺したのか』。指導部はいずれもフランス留学組のインテリ。農業を知らない知識人が農業に基づく原始平等社会を作ろうとした。写真からはいずれも穏やかな人格者に見える。彼らは自分の理想の正しさを信じていた。平等社会建設は絶対善で、それに反対する者の粛清は許される、と信じた。「反革命」と見なされたら殺される社会。口をつぐむか、自分が反革命と告発される前に他人を反革命と告発するしかなくなった。自己弁護だが「カンボジアが大国の利害に翻弄させられてきた経緯を考慮すべき」には留意したい。

History Literacy　歴史は後知恵 (「ミネルヴァの梟は日暮れて飛び立つ」) ー出来事の後での意味づけ、だが無意味ではない。

中国の改革開放と天安門事件

- 鄧小平時代 (1977 ~ 97)
  - └ 文革終了後復権、事実上の最高指導者 (公式な肩書はない)

  四つの現代化 (農業・工業・国防・科学技術) 推進

  改革開放政策 (1978 ~)　＊1 ＊2
  - └「白猫であれ黒猫であれ、ネズミを捕るのが良い猫である」「先富論」(鄧小平)　＊3

  沿岸部に「経済特区」設置 (外国資本導入、合弁企業で技術移転はかる)
  - └ すべて福建、広東省で華僑のふるさと、海外で成功した彼らの投資も期待

  生産請負制の導入と人民公社の解体
- 香港返還協定 (1984)　＊4

  一国二制度の下で香港返還 (1997) をサッチャー英首相と合意
  - └ 50 年間は資本主義制度維持を約束
- 1989 年、中ソ和解 (5 月)
  - └ ゴルバチョフ書記長 (ソ連) の中国訪問

  改革開放政策でイデオロギー対立解消

  経済停滞のソ連が、改革開放路線に成功した中国に接近
- 1989 年、(第 2 次) 天安門事件 (6 月 4 日)　＊5
  - └ 五・四運動 70 周年、チベット反乱 30 周年 (独立運動活発化)

  学生が政治の民主化を求めて天安門に座り込み (4 ~ 6 月)

  改革開放推進派で失脚した胡耀邦 (4 月死去) 追悼のため集まる
  - └ 当時深刻な党中央の路線対立　└ 失脚後、政治局会議中倒れる (憤死)

  鄧小平は人民解放軍を使い学生を武力排除
  - └ 死者の公式発表は 319 人 (実際は約千人か)

  天安門だけでなく中国各地で抵抗した学生が弾圧される (六・四事件)

  学生側に理解を示した総書記 趙 紫陽が失脚、保守派の李鵬が権力握る
- 西側の経済制裁で孤立
  - └ 日本が最初に経済制裁解除
- 南巡講話 (1992)

  引退中の鄧小平 (88 才) が中国南部を行脚、改革開放継続を要求
  - └ 保守路線に後退しつつあった江沢民政権に発破をかける

  →改革開放再開、加速化 ― 改革開放継続を決定づける

PROPOS　＊1

訪日した鄧小平 (1978)。焼け跡から 23 年で世界 2 位の規模になった日本経済を各地の工場見学で体感。「近代化が分かった」とした。世界最先端の新日鐵君津製鐵所では同じものを上海にほしいと所望。世界最大の宝山製鉄所建設につながった (これと残留孤児問題をからめた物語が山崎豊子『大地の子』)。日本は日清戦争の賠償金とドイツの技術移転で、アジア初の鉄鋼一貫の八幡製鉄所を建設 (1901)。今度は新日鐵が日本の技術を中国に移転した。宝武鋼鉄集団は粗鋼生産で世界一となり、3 位の日本製鉄 (旧新日鐵) と逆転した (2021)。

PROPOS　＊2

日本は官民を挙げて改革開放に全面協力。政府は賠償金代わりに多額の政府開発援助を行った。多くの企業がプラント (設備投資) を提供、技術協力を惜しまなかった。戦争への贖罪意識もあり、中国の経済成長 (当時の中国GDPは日本の10分の1程度) に協力したい気持ちがあった。天安門事件後、日本が最初に経済制裁を解除したのも中国の発展を止めたくない思いが勝った。

PROPOS　＊3

富める者からしだいに貧しい者にも富が滴り落ちてくるとされた (トリクルダウン理論)。まず共産党員が次に沿岸部が豊かになったが余滴は内陸部側に落ちなかった。

PROPOS　＊4

中国は改革開放政策に香港の繁栄が必要だった。50 年で状況は変わる、と問題を先送りしたかったイギリスとの妥協。

PROPOS　＊5

改革開放政策で自由、民主主義の価値観も流入、民主化要求は必然だった。1989 年はチベット反乱 30 周年で各地で独立運動。また中ソ和解で来たゴルバチョフの歓迎式典が天安門でできず共産党の面目が潰れた。世界のマスコミが注視する中、鄧小平は人民解放軍を投入、学生の排除にでた。

画蛇添足

▼天安門事件を象徴する「戦車の前に立ちふさがる勇気のある白カッターシャツの男」の映像。当時の中国では暴動平定のための装甲車がなく戦車が使われた。彼が戦車の行く手をさえぎると戦車が進路を変えようとする。この映像は世界中で繰り返し流され、「無名の英雄」として知られるようになった。▼男の勇気が讃えられる一方で、彼を轢かなかった戦車の運転手も称えられた。それが当局が欲しかった解釈ではないか。これは「人民解放軍は人民に銃口を向けない」絵を世界に発信したかった当局による「やらせ」と推理するのが加藤青延(『目撃 天安門事件』)。▼事件当日、間近で目撃した著者が同書で推測を巡らせている。筆者はこの推測の妥当性を判断できない。そういう可能性もあるだろうな、ぐらいの姿勢で歴史写真に接したいと思っている。はたして、当時の指導部にそのような余裕があったのか、そこまで考えられる政府なら、戦車による排除などしなかっただろうとも思う。▼前日に戦車は学生を轢き殺している。その事実から人びとの目を逸らすやらせという解釈がもし正しいならば世界史教科書はこの30年間、中国当局に利用されてきたことになる。▼いま天安門事件は徹底した情報統制の結果、中国社会で存在しない。事件を知らない若者も多い。加藤は戦車による轢死は少なく、死者の多くは発砲によるもので公式発表の三倍の千人程度と推測する。それでも多い。▼逃げられるようになっていたが学生は退去しなかった。当時「民主の女神」と担がれたリーダーの「民主化のために私たちが犠牲になろう」という呼びかけが記憶に残る。高揚した場では純度の高い主張が主導権を握ってしまう悲劇が起こる。

わんクリック　SNS 時代に、写真には修正という名のメイクアップ (やらせ) がつきもの、との指摘は不要だろう。当初から、写真家は暗室で、肌のシミなどをノイズとして丹念に消して美しく仕上げてきた。歴史写真では不都合な人物をノイズとして取り除いてきた (参考『歴史写真のトリック―政治権力と情報操作』)。写真が現実と違いすぎる、と非難されることがあるが、それが写真家の力量。現実とは別ものを作るために写真をとる。仏像を独自の美学で切り取った土門拳。『古寺巡礼』に、この角度から見るのか、と身震いさせられる。そのような歴史叙述のアングルに出会いたくて歴史書を紐解く (※)。

History Literacy　歴史叙述のアングル―この角度から見ればこんな風に見えるのか、という経験がある。

躍進する中国 —「中国の夢」(アヘン戦争以降の屈辱の近代史の清算)

①江沢民(こうたくみん)(チアンツーミン)総書記時代(1989 ~ 2002)　＊1

└ 鄧小平が抜擢した保守派、党内、軍に基盤なく両者に利益供与で協力獲得

- 改革開放路線を加速
- 1993 年、憲法改正で社会主義市場経済を明記　＊2

  └ 経済は資本主義だが、政治は社会主義
- 愛国主義教育、排外ナショナリズム(反日教育)　＊3

  党幹部、軍幹部の腐敗に対する無策、国民の不満をそらすため
- 西部大開発(1990 年代末)

  沿岸部と内陸部の格差是正のため多額の資本投下

  └ 西部の豊富な地下資源も関係　└ 漢人の移住も進む
- 世界貿易機関(WTO)加盟(2001)— 中国経済飛躍の転換点

  自由貿易体制受け入れ

  →経済発展加速(以後、20 年で輸出額 10 倍に)

②胡錦濤(こきんとう)(フーチンタオ)総書記時代(2002 ~ 2013)

└ 党則に基づき 2 期 10 年で引退

- 驚異的な高度経済成長 —「神の手」に代わった「共産党の手」

  └ 北京オリンピック(2008)、GDP で日本を抜き世界第 2 位に(2010)　＊4
- 海洋覇権を強め膨張志向

  └ 改革開放による高度経済成長で莫大な資源が必要になる

  南沙(スプラトリー)諸島で東南アジア諸国と緊張

  尖閣諸島問題(2011 ~)で日中間が緊張
- 腐敗問題の対処が弱く内政の課題に

  └ この対応のために次の習近平が権力集中、その結果(反腐敗で政敵打倒)でさらに権力集中

PROPOS　＊1

毛沢東は 30 年間党主席として独裁化。独裁、個人崇拝の弊害を取り除くため集団指導体制に移行、主席制は廃止された。共産党はピラミッド型の上意下達組織。最上部 7 人からなるのが政治局常務委員会。この 7 人の合議で物事は決まる。ここでの意見のとりまとめ役が総書記。

PROPOS　＊2

社会主義国における市場経済導入。鄧小平の改革開放政策。憲法に「社会主義市場経済」と規定。相反する価値を継いだ「もっと真面目にふざけなさい」(赤塚不二夫)を超える造語。「民主集中制」という組織原理を採用する共産党の十八番(おはこ)、「赤いリンゴ」のような国。外見は赤いが中身は真っ白(赤は共産主義、白は資本主義の色)と当時は馬鹿げているといわんばかりの見方が支配的だった。その後の現実は、民主主義と資本主義より、権威主義(としての社会主義)と資本主義の方が相性がよいと人びとの固定観念を覆すことになった。この造語で事実上の資本主義が中国に導入。

PROPOS　＊3

保守性を買われて鄧小平に後継指名された江沢民。権威も権力基盤もなく、既存勢力の問題点(党幹部の蓄財、腐敗)にメスを入れられず、高まる国民の不満を排外ナショナリズム(反日)に誘導した。改革開放に最も協力した日本をスケープゴート。戦後の日本ではなく、戦前の日本軍国主義に焦点を当てた愛国教育(反日教育)で反日意識を高めた。この時代、中国で反日暴動が頻発。ただ中国には「反日」以外は言論の自由がない。「反日」に様々な政治メッセージが載せられるのが普通。この頃から対外拡張政策で尖閣諸島の領有も主張。

PROPOS　＊4

いまの人民解放軍は強大化—共産党がこれからもグリップを利かせてコントロールできるのか。かつての日本のように軍隊が暴走してしまうことはないのか。

画蛇添足

▼冷戦終結時、フクヤマの『歴史の終わり』がベストセラーになった。彼は自由民主主義(リベラルデモクラシー)が統治体制として最終的に勝利したと見た(と理解された)。恋と分別の両立以上に難しいと見られてきた自由と平等(民主主義)の両立。その隘路(あいろ)を模索し続けてきたリベラルデモクラシー。▼しかしいまや中国のような権威主義的体制の方が機能しているようにも見える。「民主化(政治の自由化)抜き」で中国が経済大国になった事実は筆者の常識を覆した。政治的、社会的混乱が続いた中国を、豊かで安全な社会に作り変えた共産党。この40年間の業績は驚異的。率直に評価すべきだろう。教科書にこの背景、分析を載せて、世界共通の財産としたい。▼胡錦濤時代の中国にはまだリベラルな体制を志向する雰囲気があった。習近平体制になって欧米的なリベラルデモクラシーを否定、その価値観の押し付けを強く非難するように変化した。人権侵害批判が耳障りなのだろう。特にアメリカに人権について教師面(づら)されることへの反発がある。また自国の経済成長への自信、「分断と対立」を抱えるリベラルデモクラシーへの本能的な不信、警戒もありそうだ。▼政治的安定が経済成長の前提条件。かつては帝政がその役割を担った。短期的には権威主義体制でもうまくいくが長期的にはリベラルデモクラシー、という認識は信仰告白なのか。中国が批判するように、西側の価値観は必ずしも普遍でなく、私たちは護教的(ごきょう)議論をしているという自覚が必要なのか。少なくともリベラルデモクラシーが共通のものさしになりえないと認識することが求められている。まさかこのような時代がくるとは、筆者には予想すらできなかった(※)。

わんクリック　何かあると米国議会が次々に経済制裁法案を作る。これで制裁できるのは対象国でなく、対象国と取引した企業や金融機関。違反すると桁違い、法外な制裁金が課せられる。支払いを拒否すれば、世界金融の中心である米国内での銀行免許取り消しなど、米国市場から追放される。現在、世界の貿易はドル決済。米国の銀行を使えないと世界貿易から締め出される。米国は制裁金で潤う。いまの時代は、どの分野でも「プラットフォーム」を作った者が圧倒的有利。現行の自由貿易システムを作ったのはアメリカ。対抗して中国は自国通貨の人民元を国際基軸通貨にする機会をうかがっている。

History Literacy　「人生は三つのさかからなる」—上り坂、下り坂とまさか。最後が正常性バイアスのため盲点。

ソ連の改革の試み

①停滞するソ連

- ブレジネフ書記長時代 (1964 ~ 82) ― 戦争、内乱のない穏やかな時代

  「停滞と安定の時代」

  官僚主義的な国家運営、軍事優先の国家政策

  デタント、ブラントの東方外交に応じたため国際情勢は安定

  1968 年、チェコの自由化介入 (ブレジネフドクトリン)

  1970 年代、デタント (緊張緩和) すすめる

  1975 年、全欧安全保障協力会議 (CSCE) 主催、ヘルシンキ宣言

  1979 年、アフガニスタン侵攻でデタント崩壊

- アンドロポフ書記長時代 (1982 ~ 84)

  1983 年、大韓航空機 (民間機) 撃墜事件

  └ 乗員のミスでソ連領空侵犯、それをソ連軍が無警告撃墜 (269 名死亡)

- チェルネンコ書記長時代 (1984 ~ 85)

  ソ連型社会主義のいきづまり顕在化

  経済の停滞 (非生産性、生産意欲の後退、技術革新の遅れ)、官僚主義の蔓延

  └ 逆オイルショック (40 ドル (1980) → 14 ドル (1986)) で石油依存のソ連経済停滞

  軍事費の増大 (中ソ対立の長大な国境線警備、アフガニスタン戦争の泥沼化)

②ペレストロイカ

- 1985 年、ゴルバチョフ書記長就任 ＊1
- ペレストロイカ (改革) 開始 ＊2

  政治、社会体制の見直し

  グラスノスチ (情報公開)

  言論、思想、宗教の自由化、チェルノブイリ原発事故 (1986) で本格化

- 新思考外交の展開で東西の緊張緩和と軍縮推進

  └ 階級闘争ではなく相互依存

  1987 年、中距離核兵器 (INF) 全廃条約

  └ ソ連不利のゴルバチョフ提案にアメリカは驚く、双方で 2700 基解体

  1988 年、新ベオグラード宣言 (ブレジネフドクトリンの放棄)

  1988 年、アフガニスタン撤兵

  1989 年、中ソ和解、マルタ会談で冷戦の終結宣言

PROPOS ＊1

書記長は終身制 (交替ルールがない) のため高齢者が選ばれた。アンドロポフ、チェルネンコが相次いで短い在任期間で病死したことはソ連社会の停滞性の象徴となった。危機意識から政治局最年少 54 歳のゴルバチョフが抜擢された。「ロシア革命以来もっとも革命的」とされた人事。ゴルバチョフのグラスノスチはチェルノブイリ原発事故で加速。言論・出版の自由を保障。タブーはなくなった。しかしあくまで体制内改革を指向していたゴルバチョフの思惑を離れ、事態は体制否定へ進行。ソ連は産油国。彼は運がなかった。就任した 1985 年に 40 ドル (1 バレル) 前後で推移していた国際原油価格が 20 ドル以下に暴落。

PROPOS ＊2

開始後 35 年で中国を世界 2 位の経済大国にした改革開放政策。他方で国家消滅を招いたペレストロイカ。ロシアではネップまで半世紀遡らないと市場経済が行われておらず、すでに資本主義が分かる者がいなかった。他方で中国は戦前まで資本主義国。商いをよく知る華人・華僑も巻き込んだ。それらの差が両政策の明暗を分けた。

PROPOS ＊次ページ 1

改革は抑圧されて長年の間に鬱積していた民族感情に火をつけた。かつてマルクスはロシア帝国を「民族の牢獄」と表現。レーニンのロシア革命で諸民族は牢獄から解放されたはずだった。ソ連では民族問題が表面化しなかったから解決されたと思われていたが、民族問題は押さえ込まれていただけで、ソ連は「民族の墓場」となっていた。

PROPOS ＊次ページ 2

「レーニンが与え、スターリンが奪った」バルト三国の独立。独ソ不可侵条約秘密議定書 (1939) によりスターリンが併合。ソ連がグラスノスチでその事実を認めたことで独立運動が加速。3 カ国の国民、4 人に 1 人、約 200 万人が約 600km の「人間の鎖」を繋いで独立への団結を示した。

画蛇添足

▼どのような組織も大きくなると官僚主義の弊害が起こり、組織は硬直化する。大きな組織で働く人間は均一な対応が求められ、個々のケースに対する裁量幅は少なく、「先例がない」「規則にない」と画一的、形式的な対応をせざるを得ない。▼責任が与えられていないため「事なかれ主義」に徹するしかない。組織が巨大になると自分の仕事以外が見えず、自分のことだけに専念するセクショナリズムに陥る。ソ連では巨大な組織維持が目的となる官僚主義が蔓延。ソ連の崩壊は共産主義の敗北というよりも官僚主義に蝕まれた自壊であった。▼典型的な官僚ブレジネフ。優秀だがレーニンの著作は読んでいないとされる。ブレジネフ時代に二度モスクワに勤めたある外交官は「十三年前と同じ本屋、同じ金物屋があって、店に入ってみると棚に並んでいる本も、その配列も同じだった」と記す。(小和田恆『外交』)。ソ連には「一般商店に商品はなく、あるのは (　) だけ」と言われ、たとえあったとしてもその商品の質は、「マッチ工場が火事で全焼したが (　) だけは焼け残った」とされる粗悪さ。慢性的な品不足で店の前の長い行列が日常の姿になった。嘘に嘘を重ねて作られた大量のコマーシャル。社会主義の優位を示すために、存在しない商品のコマーシャルも作られた。「絵に描いた餅」が本当に存在した時代。▼すべての人が豊かになる理想を掲げたソ連型社会主義は「貧しさの平等」となった。その打開のためのペレストロイカで一部の豊かになった者が商品を買い占めると、今度は行列にかわって「空っぽの棚」がソ連の象徴となった。「貧しさの平等」から平等がなくなり「貧しさ」だけが残った時、ソ連が存在する意義は消えた。

わんクリック 欲望の否定を前提とする制度は無理があった。崩壊した共産主義。崩壊したのはソ連型の共産主義、それに対峙した資本主義も今日のそれとは別物。冷戦下の資本主義は労働者に配慮した。貧困は共産主義革命の温床となる。資本主義は労働者を共産主義に追いやらないように格差が決定的に拡大しないように労働者に配慮。その結果、分厚い中産階級を生みだした。共産主義は資本主義を大きく変質させて歴史的役割を終えたように見える (※)。しかし冷戦崩壊で資本主義の利潤追求に歯止めが効かなくなった。いま中産階級が解体され、格差が拡大。(空欄の答えは「行列」「マッチ」)。

History Literacy 対立していた主張の当否は結果から判断できない (対立関係の中で双方が影響しあって大きく変化する)。

東欧革命とソ連邦の解体

①ポーランドの民主化

└「プラハの春」弾圧(1968)後、30年間東欧全体で改革は停滞　＊前ページ1 ＊前ページ2

- 1980年、自主管理労組「連帯」結成　＊1
  グダニスク(グダンスク)の造船所で食肉値上げ反対デモ
  └ポーランド語のカタカナ表記難　└累積債務で政府の財政難
  造船工レフ・ワレサが指導、組合員千万人に
  →ヤルゼルスキ大統領は戒厳令を出し、「連帯」非合法化(連帯冬の時代)
- 1989年、円卓会議で「連帯」合法化と自由選挙実施で合意
  →自由選挙で「連帯」圧勝、大統領が結果を受諾
- 1989年、東欧初の非共産党政権成立(8月)　＊2
  ワレサ大統領(1990～95)、ポーランド共和国と改名

②ハンガリーの急進的改革 — ヨーロッパピクニック事件

- 1989年、複数政党制導入(2月)
  オーストリア国境の鉄条網撤去(5月)　＊3 ＊4
  └老朽化した高圧電線(「鉄のカーテン」)の電源落とす
  東ドイツ市民の大量国外流出(ヨーロッパピクニック事件)
  共産党一党独裁放棄、国名をハンガリー共和国へ

③東ドイツ — 空前の大規模集会、ベルリンの壁崩壊

- 1989年、ハンガリー経由で東ドイツ市民の大量国外流出(5月～)　＊5
  各都市で大規模な民主化要求デモ、ベルリンの壁崩壊(11月9日)
  └ベルリン(11月、50万人)、ライプチヒ(100万人)
- 1990年、ドイツ統一(10月4日)

④チェコスロヴァキア — ビロード革命

- 1989年、プラハで民主化デモ「ビロード革命」(11月)
  └静かな穏やかな革命
  大統領にハヴェル、連邦議会議長にドプチェク
  └「プラハの春」以降、営林署職員、復権
- 1993年、チェコとスロヴァキアの分離

⑤ルーマニア

- 1989年、民主化要求デモ(12月)でチャウシェスク退陣、大統領処刑

PROPOS　＊1
自主管理労組—政府の言いなりにならない労働組合、は皮肉すぎる命名。既存の労働組合が体制化して政府機関となっていた現実の反映。ワレサは後に「人間の労働の尊厳」のために戦ってきたこと、「人間の連帯」があらゆるものに通じる道徳であるとして非暴力運動を貫いてきたと述べた。

PROPOS　＊2
東欧革命の成功はローマ教皇ヨハネ・パウロ2世とレーガン米大統領の存在が大きい。教皇は初のポーランド出身の保守派(反共反ソ)。レーガンは米大統領として例外的なアイルランド系カトリック。この両者—バチカンとアメリカという反共の総本山の2者がタッグを組んだ。教皇は繰り返し祖国ポーランドを訪問、民主化運動の精神的支柱となっただけではなく、「連帯」にバチカンの資金を提供したとされる。

PROPOS　＊3
ハンガリーの民主化を進めた改革派首相がオーストリアとの国境を開放。東ドイツ市民がハンガリー経由で西側に行けるようになり、ベルリンの壁が意味を失った。

PROPOS　＊4
国境の鉄条網を開放したハンガリーの決断が冷戦終結を促した。その国がいまシリア難民流入を防ぐ壁を建設。冷戦終了後、東欧から西欧に人口が流出。優秀な若者ほど国を離れる流れが止まらず人口が減少。民族が消滅する恐怖から難民嫌悪が生じている。難民もハンガリーで生活できないことは知っている。壁を作らなくとも素通りする。冷戦を崩壊させた立役者ハンガリーとポーランドで権威的強権政治が復活。

PROPOS　＊5
ゴルバチョフの新思考外交が東欧改革を促進した。彼はブレジネフドクトリンを何度も明確に否定(新ベオグラード宣言)。改革をしぶる指導者に対して「流れに逆らうものは罰せられる」とまで警告した。

画蛇添足

▼激動の1989年。年明けの7日に長く闘病していた昭和天皇が崩御。昭和64年は1週間だけで平成元年となる。政府から「歌舞音曲を控えてほしい」と時代がかったお達しがでて面食らった。この年は様々な周年行事が予定されていた。とりわけフランス革命で人権宣言が出されてから200年目の年。▼また五・四運動の70周年。この日にあわせて中国では民主化を求めて学生が天安門前広場に集まった。しかし6月中国政府がこれを武力で排除、人権は蹂躙された。中ソの歴史的和解がなった祝祭ムードが暗転した。▼それでも7月のフランス革命200年祭に一段と高くあげられた花火は東欧革命加速の狼煙となった。8月に東欧で最初の非共産党政権がポーランドで誕生。9月には東ドイツ市民がハンガリー経由で大量出国。「足で行った現体制への反対投票」が改革を加速させた。▼10月に入ると連日、東欧各国の大都市で百万人規模の市民が民主化を求める集会を開催。その声が共産党政権を押し流した。11月ベルリンの壁が崩壊。12月のはじめ、地中海のマルタ会談でゴルバチョフとブッシュ間で冷戦の終結が世界にむけて宣言された。▼最後まで変革を拒否したルーマニア。12月末、体制引き締めの官製集会に現れた大統領。「チャウシェスク万歳」の声が次第に「打倒チャウシェスク」の声に変化。この一年が早送りされた。狼狽する大統領の表情をカメラが残し、数日後地面に横たわる処刑された大統領夫妻の写真が新聞に載った。▼ポーランド10年、ハンガリー10カ月、東ドイツ10日、ルーマニア1日。加速した東欧革命。いったん閾値を超えると事態の進行は速い。しかし本当の驚きはこの後だった。ソ連邦が消滅した。

わんクリック　冷戦が終了したあと、リベラルデモクラシーが最終的に勝利したと、とフランシス・フクヤマは『歴史の終わり』(1992)で語った。こういう大きな議論は厳しく批判されるが、現実に旧共産主義諸国の多くは民主主義を採用。ところがその東欧革命を牽引した立役者ポーランドとハンガリーが民主主義に幻滅して、再び権威主義体制へ移行。端的に言えば民主主義がこの両国を豊かにしなかった(※)。まさかのこの事態をイワン・クラステフらが『模倣の罠　自由主義の没落』が分析している。「フクヤマの終わり」と揶揄されたがフクヤマ『「歴史の終わり」の後で』(2022)の考察は的確。

History Literacy　別の要因がある(人びとは権威主義体制を好んで支持していない。民主主義で豊かになれないから消極的に支持している)。

⑥ソ連邦の解体 ― 権力闘争に敗れたゴルバチョフ

- 1989 年、東欧革命と冷戦の終結
  東欧各国で共産党の一党独裁放棄、非共産党政権樹立
- 1990 年、共産党の一党独裁放棄（2 月）、大統領制導入（初代ゴルバチョフ）
  バルト三国独立運動、コメコン解散、ワルシャワ条約機構解体
  └ ゴルバチョフは求心力失い、ペレストロイカ、グラスノスチとも制御不能に
- 1990 年、共産党保守派クーデタでゴルバチョフ軟禁（8 月）
  ロシア共和国大統領エリツィンら市民の抵抗で失敗
  └ ロシア共和国大統領エリツィンとソ連邦大統領ゴルバチョフとの力関係逆転　＊1
  解放後、ゴルバチョフは共産党解散
- 1991 年、ウクライナ独立宣言（8 月）、バルト三国独立（9 月）
  └ 2 大国（ロシアとウクライナ）が 13 の共和国を従えてきたソ連にとって大打撃
  →諸共和国が独立国家共同体（CIS）結成、ソ連邦解体　＊2 ＊3
  └ エリツィン主導のクーデタ、当初 12、現 9 カ国　└ ゴルバチョフの地位が消滅

⑦ロシア連邦 ― 横領された国家財産
└ ロシア共和国からロシア連邦に改称（17 世紀以降のシベリア開拓でロシアは多民族国家）

- エリツィン大統領（1991 ~ 9）時代 ― ロシアの大混乱（地獄の 1990 年代）
- 資本主義経済への稚拙で急速な転換で経済大混乱
  国家財産を新興財閥（オリガルヒ）が横領、経済格差拡大
  国民の多くが貧困化、食糧難
  └ ロシア人は郊外に「ダーチャ」（家庭菜園、別荘）保有、このおかげで餓死をまぬがれる
- ロシア金融危機（1998）で大打撃、大国の座から転落

⑧チェチェン紛争（1 次 1994 ~ 97、2 次 1999 ~ 2009）　＊4

- チェチェン人（カフカース地方のムスリム）の独立運動を武力鎮圧
  └ モスクワなどでのテロでロシア社会を不安化
- 第 2 次チェチェン紛争（1999）の過酷な弾圧
  └ 首相としてこの過酷な弾圧で支持を集めたプーチンが大統領当選（2000）
- 多発するテロ
  過激派がチェチェンからのロシア軍の撤退を要求して人質事件
  └ プーチン大統領は人質解放よりも過激派せん滅を優先、強硬手段で対処
  モスクワ劇場占拠事件（2002）、ベスラン学校占拠事件（2004）
  └ 人質 129 名犠牲　└ 人質 334 名犠牲

PROPOS　＊1

経済改革で始まったペレストロイカは原油価格低迷で失速。言論の自由を認めたグラスノスチは民族問題のパンドラの箱を開けた。加速した民族運動を沈静化できなくなる。ロシア共和国はソ連邦を構成する下部組織。だが地理的にも人口的にも実際にソ連の大半を占める。そのロシアで直接選挙で選出された「ロシア共和国大統領」エリツィンは議会で間接的に選出された「ソ連大統領」ゴルバチョフよりも正統性を持つ。それまで実権のなかったロシア共和国が野心家エリツィンに率いられて前面化。

PROPOS　＊2

冷戦を終わらせた立役者ゴルバチョフだが内政は未熟。エリツィンに挑（いど）まれソ連邦崩壊を許す。権力への関心しかない酔っぱらいのエリツィンの下で社会は大混乱。稚拙で急激な市場経済化で国際競争力を持たない工業は大打撃。1989 年がソ連 GDP のピーク。以後毎年 6% のマイナス成長で 1998 年に 55% まで低下。国家経済が崩壊。エリツィンは国富を一部の富豪に売り渡し、国民の大半は貧困化。中産階級も育たず、ロシアは大国の地位から転落した。

PROPOS　＊3

共産主義ジョークの聞き納め。2 点紹介する。「マルクスを読んだ人のことを共産主義者という。マルクスを理解できた人のことを反共産主義者という」「弁証法的発展の結果、生まれた共産主義。部族社会からは野蛮さ、古代から奴隷制、中世から主従関係、近代資本主義から搾取、そして社会主義社会からは名前を弁証法的に取り入れてできたのがソ連」。ソ連解体でこの匿名、無名の作品が生まれる契機も消えた。

PROPOS　＊4

当時首相として大統領の椅子を狙っていたプーチンが武装勢力への強硬姿勢―独立派の拉致、処刑で国民の支持を得る。首都グロズヌイでは数万の民間人を殺害。彼はシリア、ウクライナで同じ蛮行を繰り返す。

画蛇添足

▼教科書に書いてある歴史は国家の物語。国家の盛衰が指導者の名前を使って語られる（※）。「1991年ソ連邦崩壊」。教科書ではこれだけの文字数で済まされる内容。この一行で表される出来事は人びとの生活を変えた。マスコミは西側諸国の出来事は詳しく伝えるが、隣国ロシアには無関心。▼私たちを取り巻く情報には大きな偏りがある。「私が耳を澄ますのは心の歴史、暮らしの中にある魂です。「大きな物語」が見下し、素通りする声です」とするスベトラーナ・アレクシエービッチ（2015 年ノーベル文学賞受賞スピーチ）。ソ連崩壊後の社会を市井に生きる人のインタビューによって構成した『セカンドハンドの時代』（2016）。▼西側ではゴルバチョフはイデオロギーに囚われず、柔軟な発想で冷戦を終結させた指導者として改革の象徴。ただロシア国内では混乱と貧困の象徴。ソ連を崩壊させた未熟な政治家と低い評価。ロシア社会をそれまでの理念からかけ離れた、貧富の差が広がる、資本主義の安っぽい「中古品（セカンドハンド）」のような国にしたと批判される。▼社会主義ソ連の試みは「20世紀の大実験」とされ、国民は新たな祖国作りに汗水を流した。その国家が崩壊、混乱する中で皆で築いた財産が一部の人間に二束三文で払い下げられた。混乱期にはうまく立ち回った者が台頭する。新興財閥（オリガルヒ）という政府と癒着（ゆちゃく）した新貴族層が生まれ、貧富の拡大した社会となった。そのことへの嘆き、怨嗟（えんさ）、失われた時代へのノスタルジー。▼歴史教科書では拾えない「小さな人たち」の数多くの証言がこの本には収められている。人びとの声を拾い集めることで現実社会を表そうとした同様の試みにピエール・ブルデュー『世界の悲惨』（1993）もある。

わんクリック　「私は世界史が分かっていない」―現行の世界史は戦争ばかりを叙述するが、筆者はありがたいことに戦争を知らない。アフガニスタン戦争の記録―スベトラーナ・アレクシェービッチ『亜鉛の少年たち』を読んで、戦争が人をここまで残虐にすることに衝撃を受ける。ためらわずに人を殺せる、感情を失った人間へと変えられるために暴力でいじめ抜かれる新兵。ところが戦場では敵の砲撃を受けて一瞬で肉片となる。周辺に飛び散った彼の肉片を生き残った者が集めて、亜鉛の箱に入れて遺体があるように土で重さを調整、開かないように溶接して親元に返した。それが上記の書のタイトルの由来。

History Literacy　教科書に書いてある歴史は国家の物語－国家の盛衰が（最盛期とともに）指導者の名前で語られる。

NATO の東方拡大と復活したロシアの反発

①復活したロシア

- ウラジミール・プーチン時代 (2000 ~) — 強権政治で 1990 年代の混乱収拾
  └ 大統領 (2000 ~ 8)、首相 (2009 ~ 12)、大統領 (2012 ~) として次第に独裁化
- 90 年代の 政治経済混乱を収拾　＊1
  石油、ガスの国際価格高騰で経済回復、ただし資源依存体質強まる
  └ 20 ドル前後 (2000) → 140 ドル (2008)
  中国、インド経済の急成長で原油価格急騰 (2000 年代)
- 強いロシアの復権めざす — 愛国主義者 (国家主義者) プーチン
  └ 現実の国力はアメリカ (GDP12 倍)、中国 (同 7 倍) に大きく見劣り、GDP 世界 11 位
  核保有軍事大国だが経済は中進国　＊2
  └ 資源大国 (石油、天然ガス、世界 2 位の生産量) だが他産業の育成進まず

② NATO の東方拡大　＊3

- 冷戦下の軍事機構 12 カ国 (設立時) →冷戦崩壊後 30 カ国 (2022)
  バルト三国の NATO 加盟 (2004)
  └ エストニア国境からサンクトペテルブルクまでは 160Km、戦闘機で数分
  NATO ブカレスト首脳会議 (2008) — ロシアを侮辱、追いつめたアメリカ
  　グルジア (ジョージア)、ウクライナの将来の NATO 加盟承認
  →ロシアは NATO の東方拡大を自国安全保障への脅威と態度硬化
- ロシアのグルジア軍事侵攻 (2008)
  └ 日本はグルジア (ロシア風呼称) からジョージア (英語風呼称) 使用へ変更 (2014)
  グルジア内の南オセチアをめぐりロシア侵攻
  └ 21 世紀最初のヨーロッパでの戦争「5 日間戦争」、ロシア勝利でプーチンの成功体験となる

③米ロ対立の高まり　＊4

- 各国の体制転換 (特に 2010 年代) を支援するアメリカへのロシアの不信 (※)
  └ 米政府、CIA、民間諸団体の関与 (資金援助、コンサルティングなど)
  旧ソ連邦諸国で「カラー革命」(2000 年代)
  └ バラ革命 (03 グルジア)、オレンジ革命 (04 ウクライナ)、チューリップ革命 (05 キルギスタン)
  「アラブの春」(2011) — ジャスミン革命 (チュニジア) から始まる
  反プーチン大規模デモ (ロシア国内の民主化運動)(2011)
  └ これを支持したヒラリー (当時国務長官) の大統領当選妨害のため大統領選挙 (2016) 干渉

PROPOS　＊1
強運の持ち主プーチン。国際原油価格の上昇により産油国ロシアの経済は 1999 年から 2008 年 (リーマンショック) まで毎年 7% の成長。10 年で GDP も国民所得も倍増し、ソ連崩壊時の水準に戻る。「地獄の 90 年代」を収拾したプーチンは救世主。

PROPOS　＊2
90 年代に壊滅状態になったロシアで生き残った産業のひとつが軍需産業。廉価でどの国にも輸出した (ロシアや中国は輸出に際して、相手国の民主主義、人権問題などを問わない)。アフリカ諸国を中心に親ロシア圏が形成 (武器は一度輸入するとメインテナンスなど継続使用、良好な両国関係が前提となる)。またアフリカ諸国にとりロシア (旧ソ連) は西欧諸国の植民地で苦しんでいた時代に解放闘争を支援してくれた国。

PROPOS　＊3
NATO は冷戦の遺構。冷戦後のロシアは資本主義と民主主義を基本とする国となりワルシャワ条約機構も解体。しかし NATO の方は防衛同盟として冷戦後も存続。ここにロシアに脅威を感じる国々が庇護を求めたため拡大。しかしロシアは何のために NATO が存在、拡大するのかと不信感を募らせてきた。伝統的にロシアは東西から挟撃される不安感を持ち、緩衝地帯 (バッファゾーン) を持つことへのこだわりが強い。

PROPOS　＊4
東欧への NATO 拡大をプーチンは受け入れたが、旧ソ連邦内への拡大には安全保障上から難色を示す。ジョージアとウクライナの加盟は認められない、とレッドラインを提示。ロシア語話者も多いウクライナが西側に入り、自由、民主主義を享受すれば、ロシア国内でも民主化運動が起こるのは必至と警戒。このレッドラインを支持率低迷で苦しむゼレンスキー・ウクライナ大統領と副大統領時代からウクライナと関係が深いバイデン米大統領が越えたことがプーチンのウクライナ軍事侵攻を招いた。

画蛇添足

▼旧ソ連領には国際的に承認されていない非承認国家がいくつか存在する。アゼルバイジャンのカラバフ、ジョージアの南オセチア、モルドヴァの沿岸ドニエストル。ロシアはこれらを滅びない程度に援助して利用。独立は承認せず親国家に貸しを作る戦略をとってきた。▼小国ジョージアがロシア軍が駐留する南オセチア奪回を試みて失敗した (2008) こともある。ロシア土産(みやげ)のマトリョーシカ人形。かつてのソ連邦、いまのロシア連邦の象徴。連邦の下に共和国、自治共和国、自治州、自治管区と次々に下部国家が潜んでいる。▼ロシア帝国を「民族の牢獄」と非難していた共産党だが、権力掌握後は他の民族国家を「姉妹共和国」として繋ぎとめた。ソ連邦 (ソヴィエト社会主義共和国連邦) はロシア・ソヴィエト共和国と他にソヴィエト共和国となったウクライナ、ベラルーシなど 4 カ国が建前上は自由意思で結成 (1922)(脱退も可能) した連邦国家として成立。▼レーニンは各国でボリシェヴィキ軍を組織。1 次大戦からの離脱—平和を唱えて支持を集めた。スターリンは民族意識の強い地域を階級の敵として弾圧、移住させることで民族分布をまだらにして、連邦からの独立を難しくした。▼21世紀に入って旧ソ連圏で独裁政権に対して野党勢力が特定の花 (色) をシンボルにした民主化運動を展開。背後には、この地域の独裁体制を倒す民主化ドミノを起こして親米圏 (商圏) を拡大したいアメリカの関与が見え隠れする。ロシアからはアメリカ色にしか見えないカラー革命。これらの地域がいま権謀術数が渦巻く国際社会の最前線。とりわけ地域屈指の大国ウクライナをめぐり、アメリカ、ロシア両国の駆け引きが10年代から熾烈(しれつ)となった。

わんクリック　チェチェン紛争の容赦ない鎮圧で頭角を現したプーチン政権。独立派武装勢力にロシア軍特殊部隊は抵抗の気力を萎えさせるため誘拐、拷問、処刑と残酷極まりない手法を使う。チェチェンの外科医の体験談バイエフ『誓い』を読みたい。そこで言及される「悪魔」ワジムに舟越美夏がインタビューしている (『愛を知ったのは処刑に駆り立てられる日々の後だった』)。プーチン政権の残虐行為を批判し続けたアンナ・ポリトコフスカヤなど反体制派ジャーナリスト、政治家がこれまで 50 名近く暗殺されている。プーチン政権は反体制派に過激派、犯罪者、病人のレッテルを貼って拘束していく。

History Literacy　正義の対義語は「別の正義」—「私たち」の価値観とは別の価値観で動く国家もある。

5　経済のグローバル化と地域統合

世界の市場規模の急速な拡大 ― グローバルサプライチェーンの成立

・冷戦後、市場が一体化、巨大な世界市場が成立　＊1
└ 中国が改革開放で市場経済移行、ロシアが資本主義経済に加入
→自由貿易の拡大で経済のグローバル化が加速　＊2
ヒト、モノ、カネ、情報の国境を越えた移動が加速化　＊3
└ 経済自由化と情報通信システムの整備が加速
市場は大きいほどにスケールメリットが働き、企業の利潤は向上

・1995年、世界貿易機関(WTO)成立
自由競争原理に基づく世界共通市場の形成をめざす国際組織
物品の貿易だけでなくサービス貿易、知的財産権なども扱う
中国のWTO加盟(2001)で市場拡大
└ 人口15億の中国市場、中国は「世界の工場」から「世界の市場」へ
先進国の非熟練労働者が直撃受ける(雇用喪失)

金融市場の発展 ― 金融の自由化

①アメリカの復調
・1990年代、アメリカ経済回復
└ ビル・クリントン政権(1993～2000)時代、「双子の赤字」解消
ＩＴ技術開発、金融分野などで世界をリード
└ ビル・ゲイツのマイクロ・ソフト社(ウィンドウズ95)の税収などで巨額の財政赤字解消
・海外からの投資増大、人材流入、移民増加で人口増

②金融市場の拡大
・1971年、ドルと金の交換停止(ニクソンショック)
→変動相場制へ移行し、通貨が投機対象に
└ 企業(社会)を育てるのが投資、機会(価格の変動)に投じて儲けるのが投機
・高速、大量、グローバルな金融取引
└ 100万分の1秒単位での取引
巨額のオイルマネー(巨額の投機資金)の出現(1973年石油ブーム)
コンピュータの発達、光ファイバー海底ケーブル敷設、金融自由化など

PROPOS　＊1

中国の改革開放政策、冷戦の終了は経済面では世界市場の成立を意味。70年代の米中接近以降、両国は相互依存関係を深めた。最近は巨大化する中国経済への警戒からアメリカは中国の切り離し(デカップリング)に舵を切ろうとするが、もはや米国で中国製品なしの生活があり得ないのも現実。中国のWTO加盟が転機。以後、中国の対米輸出は急増。安いだけでなく品質が年々向上する中国製品のために米国製造業は大打撃を受けた。他方、安い中国製品のおかげで庶民は生活費を抑えられる恩恵を受けている。

PROPOS　＊2

冷戦下では社会主義国との緊張関係があり、資本主義陣営も資本の論理だけでは動けず、労働者への分配が配慮された。ところが冷戦が終わり、東西世界が一体化した巨大なマーケットが出現すると、資本は自らの拡大を飽くことなく追求するようになった(強欲資本主義)。いまの資本主義は私たちを豊かにしない。そしてその暴走を民主主義が止められない。それが問題。

PROPOS　＊3

大量のモノ、カネ、ヒト、情報が行き交うグローバル時代。ヒトを運ぶのは大型ジェット機(1969年登場)。モノの99%(トンベース)は船舶、とりわけコンテナ船(1956年発明)が運ぶ。カネの移動は現実には帳簿の数字の書き換えだけで情報の移動と同じ。この帳簿上の数字が激しく動きだしたのは「金融の自由化」(1980年代)がきっかけ。国境を越えて資本を移動させることが容易になった。行先としてタックスヘイブン(租税回避地)の登場も大きい。これまでは基本的にはモノが売買されると逆方向にカネが動いたが、いまはカネだけで動く。金融市場、金融工学が発達してカネがカネを生むマネーゲームが行われている。情報の爆発的移動は光ファイバー海底ケーブルの敷設(1980年代)が大きい。世界を飛び交う情報の99%以上は、海底の光ファイバーケーブルを経由している。

画蛇添足

▼グローバル化と自由貿易が手を取り合って進展。両者がやっかいなのはこれらに参加しないことが「不参加」でなく「敗者」を意味してしまうこと。選択肢がなく参加を余儀なくされるがその多くが敗者となる。▼巨大コンテナ船の就航と運賃コスト下落で、部品生産国と完成品組み立て工場を国境を隔てた所に置くグローバルサプライチェーンが確立。いまモノはコスト的に最適地で生産される。その結果、安くて高品質のモノが自宅でクリックするだけで手元に届けられる便利な時代になった。▼ただこの安さと便利さは誰の犠牲によるものなのか。途上国の多くが部品調達の適地とされて雇用が生まれた。しかし労働条件は過酷。またその結果、先進国の非熟練労働者の多くが仕事を失い、生活水準は低下した。グローバル化で世界全体は豊かになったとされるが実際は全体を組織する巨大多国籍企業の一人勝ち。▼「フェアトレード」という言葉がある。これは「貿易(トレード)は不公平」と語っている。アダム・スミス以来、自由貿易が好ましいと信じられ、リカードの比較生産費説がこれを補強してきた。貿易当事国はウィンウィンの関係になるはずだった。経済学の理論は一定の前提条件下で成立するものだが、とりわけこの理論には非現実的条件が付随する。真に受けた「ポルトガル」は後進国に固定された。▼自由貿易は美しく響くが大国に有利な強者の論理。貿易も自由も怪しい。「ウイン、ウインの関係の裏で誰かが二倍損している」(戸田山和久)、「経済学を学ぶ理由は経済学者に騙(だま)されないため」(ジョン・ロビンソン)(※)という指摘。モノを安く買い叩くとは人を安く買い叩くこと。反自由貿易の動きもまたグローバル化しつつある。

わんクリック　情報のグローバル化を支えるのが光ファイバー海底ケーブル。海外サイトの動画のストリーミング、スカイプでの会話、これらが無料で利用できるのは、いま世界の海底に総延長120万kmの光ファイバー海底ケーブルが敷設されているから。日米間、太平洋の敷設は1989年。それまでアメリカへの国際電話は3分で4000円ほどもかかり、秒針とにらめっこしながらの会話だった。光ファイバーは髪の毛ぐらいの細さ。これを束ねた直径5cmほどのものを海底に敷設。きちんと敷設しないと動いて岩と擦れて損傷する。日本海溝では8000m(水圧1t)の海底に這(は)うように置いてある。

History Literacy　「経済学を学ぶ理由は経済学者に騙(だま)されないため」―騙されるのは悪徳、騙されないために学ぶ。

③アジア通貨危機

・ヘッジファンドが金融市場で重要な担い手　＊1

└ 特定の富裕層、企業から資金を集めて運用する投資ファンド

→資本が投機的、短期的に流動して金融市場の不安定

・アジア通貨危機 (1997)　＊2

ASEAN 先進 5 カ国は輸出代替型工業に転換して経済成長

各国は自国通貨をドルに連動 (ペッグ制) させ通貨安、高金利に設定

└ 輸出有利 (1985 年プラザ合意後ドル安)　└ 外国資本呼び込み

→投資環境の変化で経済成長鈍化にもかかわらず通貨高

中国に外国資本が流出、アメリカはドル高政策に転換

└ 改革開放政策進展　└ 1995~、クリントン政権は「強いドル」政策

→ヘッジファンドがタイ通貨 (バーツ) に大量の空売りを仕掛ける

└ 買い戻す必要があるが大量売りで通貨下落すれば安く買い戻せて差額の利益がとれる

→タイ政府はタイ通貨を買い支えできず通貨暴落、財政破綻

→ＩＭＦ (国際通貨基金)、世界銀行などの融資と内政介入

・インドネシア、マレーシア、韓国、ロシア、ブラジルなどにも波及

スハルト長期独裁政権崩壊 (インドネシア)、財閥企業倒産 (韓国)

深刻な経済停滞 (ロシア、ブラジル)

④世界金融危機

・リーマンショック (2008)　＊3 ＊4

└ 日本特有の用語、世界的には「金融危機」

サブプライムローンの不良債権化によるリーマンブラザーズの破綻

└ アメリカの老舗で大手の証券会社

国際金融市場全体に連鎖、世界は同時不況

└ 中国はこれで相対的に躍進

⑤反グローバル運動

・新自由主義経済の押しつけ、アメリカ中心の金融システムへの不信

・反グローバル運動

自国中心主義

移民排斥を主張する極右政党の台頭

保護貿易への回帰

PROPOS　＊1

貨幣の価値は、支払い機能、貯蔵機能、価値尺度の機能の三機能。そこに「投資対象」が加わった。マネーゲームで貨幣自体が富を生み出すとみなされるようになる。

PROPOS　＊2

これまで国際社会のプレーヤーは国家。国家とその指導者の動向を追えばある程度は歴史が理解できた。しかしヘッジファンドなども大きな影響を持つようになったことが通貨危機で顕在化。社会を動かすファクターが国家だけではなく、金融資本と強大な多国籍企業が加わった。特に GAFA などが資金力で国家を淩ぐ存在となった。

PROPOS　＊3

お金を貸して儲けるのが銀行。返済が焦げつかないように慎重に融資先を審査する。リスクをとる場合は金利を高くする。この貸した金を返してもらう権利が債権。この権利が売買される場が金融市場。アメリカの不動産価格高騰で低所得者に緩い審査で住宅資金が貸し出された (サブプライムローン)。借入金で購入した住宅の値上がりを前提に、それを担保にした大甘(おおあま)の融資。このようなハイリスクの債権は単体で売れない。世界中の金融商品に巧みに組み込まれて売り捌(さば)かれた。結局、土地価格は暴落。返済できない人が続出して債権が不良債権化。ローカルなことが世界中に影響をもたらすのがグローバル化の影響。

PROPOS　＊4

最も大きな影響を受けた日本。日本はこの債権にあまり手を出しておらず影響は少ないと見込まれたのが徒(あだ)となった。米経済に見切りがつけられ、米ドルが叩き売られた。そのドルを売った資金で日本円が買われ大幅に円高に振れた (1 ドル =87 円)。日本の輸出産業にとって大打撃。日経平均は 7 千円台まで大暴落。多くの企業が倒産、失業者が増大。マイナス成長となり、日本はその後、東日本大震災 (2011) にも見舞われ、回復に 10 年近くもかかった。

画蛇添足

▼「参加しない」選択肢がないグローバル化(グローバリゼーション)にどう向かい合うか。最低賃金を抑えなければ企業は安い労働力を求めて海外逃避して産業の空洞化が進んでしまう、と賃金上昇を抑える口実にされるグローバル化。▼法人税を低くしないと企業が海外に流出すると大企業優遇の口実にされるグローバル化。頭脳流出を防ぐため、と一握りのエリートに桁外れの給与をだすことを正当化するグローバル化。▼グローバル化には外部がない(※)。参加することが巨大企業の利益の最大化に寄与するだけで、自らの収入を減少させ、格差拡大に繋げるだけの天に唾(つば)する行為。グローバル化は私たちに「底辺への競争」を強いるだけ。そう分かっていても、それを拒否することが自殺行為に見えて止められない。▼それはかつての工業化 (近代化) と似る。近代化に遅れるとは、いち早く成し遂げた国に経済的に従属する、植民地を持つ国にならなければ植民地になると理解され、「しない」選択肢はないように見えた。いま世界で反グローバル運動が広がる。時にそれは時代錯誤的なナショナリズムの形をとる。移民の排除、保護貿易への回帰。▼日本ではまだグローバリズムが足りないの発想が支配的。グローバル人材育成を謳う教育改革が煽られる。必要なのは流暢な英語力ではなく、近所で出会う外国人に「こんにちは」と微笑んで「歓迎してますよ」の気持ちが伝えられる人。「やさしい日本語」で語りかけること。▼グローバル人材より、地元を愛する人間を育てたい。グローバルな協力の下でこれ以上のグローバル化に歯止めをかけれないか。底辺に向かう競争ではなく、誰もがそれなりに暮らせる節制ある競争をめざして協調する時だろう。

わんクリック　2008 年の「リーマン・ショック」で経済は世界的に大混乱。そのような中で危機を事前に予想して莫大な利益を得たトレーダーを描くのが映画『マネー・ショート 華麗なる大逆転』。このあおりを受けた企業倒産で住み慣れた家を失い、日雇い労働の職場を求めて放浪する高齢労働者を描いた映画『ノマドランド』。現代のノマド (遊牧民) として、ハウスレスだがホームレスではないと車上生活を送りながら、自尊心と互助精神を失わずに生きる女性をフランシス・マクドーマンドが演じる。グローバル化がもたらした社会の二極化、勝者総どり社会の不条理を象徴する対照的な 2 作品。

History Literacy　不参加が敗者―グローバル化とは外部をなくし、すべてを内部とする運動、誰もが巻き込まれる。

地域統合の進展

①EUの発展と挫折
- 域内共通通貨ユーロ導入 (2002)
  - └ドイツ統一の代償にドイツは最強通貨マルクを手放す
- 現在27カ国、人口5億の地域経済圏
- ユーロ危機 (2010)　＊1
  ギリシアの財政赤字問題からユーロの信用ゆらぐ
- イギリスのEU離脱 (ブレグジット) の衝撃　＊2
  イギリスが国民投票でEU離脱決定 (2016)、離脱 (2021)

②広がる地域の経済統合
- NAFTA(北米自由貿易協定)(1994)　＊3
  - └EUの市場統合 (1993) に対抗

  アメリカ、メキシコ、カナダの三国間の自由貿易協定
  - └モノ、カネの移動は自由、ヒトは厳しい国境管理

  →アメリカ産業衰退で米国・メキシコ・カナダ協定 (USMCA) 発効 (2020)
  - └トランプ政権下、米有利に再編、名称から「自由貿易」の文言外れる

③新しい枠組み ―「アジア・太平洋」の誕生
- アジア太平洋経済協力 (APEC)(1989)　＊4
  - └Asia-Pacific Economic Cooperationの訳 ― 半端でない中途半端感

  アジア太平洋地域の多国間経済協力のための機構、現21カ国
  オーストラリア (ホーク首相) の提唱
  米、ロシア、中国、豪州、日本、韓国など各国首脳参加で存在感

④広がる地域自由貿易協定
- WTO加盟国間での多角交渉難航、自由貿易には最適規模 (地域) 存在
  → FTA(自由貿易協定) とEPA (経済連携協定)
  - └自由貿易協定 (FTA) は2国間あるいは多国間ですべての関税を撤廃するもの
- 日本はシンガポールと最初の自由貿易協定 (02)
  - └農業が存在しない国で日本にとって交渉容易
- 日本は経済連携協定 (EPA) の推進にも積極的
  →フィリピン、インドネシアから看護師、介護福祉士の受け入れ (08)

PROPOS　＊1
金融政策は欧州中央銀行だが財政政策は各国政府。不況時に中央銀行が金融緩和して政府が財政出動することができない。ギリシアが不況でもドイツは好況なら金利を下げられない。そもそもギリシア経済の実力に対してユーロが高すぎてギリシア製品は割高になり輸出が伸びない。財政支出のみで不況対応したことが財政破綻を招いた。その事実をギリシアが粉飾決算して隠していたことが発覚 (2009)。ギリシア国債をEU各国が大量に保持していたから問題はEUに拡大。ただ欧州は地政学的に重要なギリシアを見捨てられない。独立戦争、2次大戦後の内戦時に続いて、西側は再びギリシアを支援。「ギリシアには支援の手が伸びてくる」が、現代のギリシア神話。

PROPOS　＊2
このブレグジットの衝撃の数カ月後にアメリカ大統領選挙でトランプが当選と予想外のことが続いた。ともに「自国ファースト」を掲げた政策。かつての覇権国が衰退した時に掲げる政策。いまイギリス (ロンドンを除く) は欧州最貧国になりつつある。

PROPOS　＊3
ラストベルトはトランプをアメリカ大統領にした地。NAFTA締結で自動車工業は人件費の安いメキシコへ移転。自動車産業の都デトロイトは衰退、「赤さび地帯 (Rust Belt)」となった。メキシコ農民もアメリカから安いトウモロコシ流入で困窮。アメリカに職を求めて不法移民として流入。これがアメリカ人の労働賃金を下げる悪循環。

PROPOS　＊4
英連邦の一員として感覚距離で英国に近かったオーストラリア。英国がEC加盟 (1973) で欧州回帰を強めると、豪州は物理的距離が近いアジア太平洋の一員として生きていく方針転換。差別政策 (白豪主義) の国が、一転してアジアからの移民を受け入れる多文化主義に転換。サッカーもアジア地区予選に出場。日本の強敵となった。

画蛇添足

▼イギリス国民は国民投票でEU離脱を選択 (2016)。予想外の結果に世界に衝撃が走った。デメリットの多すぎる非合理的と思われる判断を英国民が下すとは予想外だった。将来の自分たちの益にならない天に唾する政策を人びとはなぜ支持したのか。▼議会制民主主義を作りあげた国がなぜ二者択一による意思決定、国民投票を実施したのか。議会での熟議を通して結論、合意形成をはかる手法と国民投票は相いれない。国民投票は雰囲気や投票当日の天気に左右される偶然性をはらんだ意思決定。当日は一部で激しい雷雨。選挙コンサルティング会社の暗躍も指摘された。▼国民投票を提案したのは非離脱派だった保守党のキャメロン。当時、EUとの交渉を控えていた。投票を実施しても否決されると見誤ったらしい。国民の多くが離脱を望んでいる投票結果を使って交渉を有利に進める算段だったと指摘される。▼移民の流入で高齢化による労働力不足が解消され、税収も増加していたのが現実 (※)。巷間言われた、移民流入により社会福祉が縮小、治安が悪化した、も実感にあっていなかったとされる。なぜ負の選択をしたのか。それが負の選択なのかも含めた分析が待たれる。▼グローバリズムによる負け組による、その窮状を顧みない勝ち組、既存の政治勢力に対する意趣返しの側面もあるのか。いまBrexit(イギリスの離脱) はBregret(イギリスの後悔) へ変わりつつあるともされる。いや、この論調、愚かな選択との決めつけ、このような上から目線に対して人びとが「ノー」を突きつけたと理解すべきか。以来、通貨の王様ポンドが下落。1ドルでは1ポンドを買えない―大英帝国の最後の意地。このレートをいつまで維持できるか。

わんクリック　農産品を聖域としてその関税撤廃を拒んできた日本。世界からは魅力あるFTA交渉相手とみなされてこなかったが、2010年代に入ってようやく農協 (農政) 改革が進み、農産物の自由化を交渉のテーブルに載せられるようになった。それからは矢継ぎ早に各国とFTAを締結。自由化の度合いは低いが、中国、韓国ともRCEP(東アジア地域の包括的経済連携) を締結 (2020)。世界が保護貿易へ回帰しようとしている中で日本が世界有数のFTA国家となりつつある。ただ日本は基本的に内需に依存する経済大国 (人口が多く、一定の市場規模がある) であり、貿易立国ではないので注意したい。

History Literacy　私たちはまず「人間」であり、その次に「国民」であったり「不法移民」「難民」であったりする。

開発独裁後の東南アジア ― 戦場から市場へ（タイ、チャーチャイ首相）

①開発独裁政権の終焉　＊1

・経済発展とともに開発独裁への批判高まり、民主化が進行

②タイ ― 長引く政治混乱

・1973 年、学生の反政府デモでサリット政権（開発独裁）崩壊

・繰り返される軍事クーデタ ― タイ特有の政治サイクル

└ 1932 年の立憲革命以来、政治危機になると軍が政治介入（13 回の軍クーデタ）

・タクシン派と反タクシン派の政治的対立（2006 ~ 2014）　＊2

└ 人口の多数派、農民の支持　└ 都市の中上流階層、軍の支持

→軍クーデタで現在も軍政（2014 ~ 、陸軍総司令官プラユットが首相）

③ミャンマー（ビルマ）― 戦後のほとんどが国軍による軍政

・軍事政権（88~）にアウンサンスーチーが参加（2015）、民政移管へ

└ 民主派リーダーで長く自宅軟禁下、非暴力闘争でノーベル平和賞

・ロヒンギャ問題

ラカイン州北部に住むムスリム（100 万人以上）

└ バングラデシュ（イスラーム）に隣接　└ 9 割弱が仏教徒のミャンマーでの少数派

政府は彼らを先住民族とみなさず、バングラデシュからの不法移民扱い

└ バングラデシュはロヒンギャはミャンマー国民と主張、双方が国籍を与えず無国籍状態

国軍の掃討作戦（虐殺）で難民化（2017）

└ ミャンマー国民の根強い悪感情　└ バングラデシュ国境で約 100 万人が難民生活

・軍クーデタ（2021）　＊3

アウンサンスーチーら逮捕、民政中断、内戦化

└ ロシアと中国が軍に武器を供与

④ベトナム　＊4

・統一後、経済停滞で世界の最貧国の一つに

・1986 年、市場経済導入（ドイモイ政策）

中国（1991）、アメリカ（1995）と国交正常化

・安定した集団指導体制で柔軟な社会主義政策

⑤インドネシア

・スハルト長期政権は腐敗と通貨危機で退陣（1965 ~ 98）

・ユドヨノ（2004 ~ 14）、ジョコ・ウィドド（2014 ~）政権下で安定政権続く

PROPOS　＊1

先進国は経済発展の資本を植民地からの収奪で捻出（ねんしゅつ）した。ところが独立したばかりの植民地には限られた資本しかない。それらを経済発展に集中して使うために開発独裁は効率的だった。住民の土地の接収によるインフラ整備など、国民の権利を抑圧して経済発展に専念した。政権に逆らわない限りは一定の自由は認められる。国民も生活水準が向上する限りは抑圧に目をつぶる。黙契による過渡期的体制が開発独裁。

PROPOS　＊2

サリットの開発独裁でタイの都市部は新興工業国となるが、国民の大半は農民の農業国。所得格差が農民と都市民間で 10 倍近くある階層社会。農村を基盤に首相となったタクシンは都市が稼いだ利益を農村へ分配するポピュリスト的施策を実施。これに反発して都市中上層階級（官僚、エリート）は反タクシン派を形成。選挙をすれば絶対多数の農民が支持するタクシン派が勝利する。そのたびに反タクシン派は選挙を拒否して、街頭行動で政府に抵抗それに。官僚、軍も荷担したため混乱が続いた。

PROPOS　＊3

ミャンマー国軍が少数派ロヒンギャに対して虐殺を行ったと国軍とミャンマー政府に非難が殺到。非暴力でミャンマー民主化を進めたアウンサンスーチー国家最高顧問は難しいかじ取りに直面。非暴力に協力した国民がロヒンギャに対して見せる別の嫌悪感情、国軍の協力なしに国政が遂行できない現実。非難を引き受けて国軍を庇（かば）ったが、国軍のクーデタで失脚、民主化が暗転。

PROPOS　＊4

現在、東南アジアの島嶼部では民主主義が定着しつつある。逆に大陸部が不安定。タイは軍政が続き、ミャンマーは軍クーデタ以降、激しい内戦が続く。カンボジアではフンセン独裁が 30 年を超える。ベトナムは共産党の独裁。ただ独裁を避ける集団指導体制がうまく機能して、経済も好調。

画蛇添足

▼東南アジアは様々な民族がまだらに分布。近代国民国家との親和性が弱い地域。その中で国民、国民国家が作られたが、「国民化した人びと」の他に「国民化しなかった人びと」「国民化されなかった人びと」に分かれたのがこの地域の特徴。▼東南アジア大陸部では、いまの国名に表わされる主要民族は、比較的新しい時代に南下して各国の大河流域に定着した集団。彼らが「国民」。その下にそれまでその地域で活動してきた様々な民族集団が包摂された。彼らは「国民化された人びと」。▼植民地化の過程で、華人・華僑、印僑など国家への帰属意識が弱い人びとが移動定着したのもこの地域の特徴。またこれとは別に東南アジア大陸部山岳地帯に連なる広大な非国家空間「ゾミア」が存在する、と紹介した。この両者が自発的に「国民化しなかった人びと」。▼この国家の周縁部に存在する国民化しなかった人びとを書き留めるのが難しい。世界史教科書は国民国家の文法―いまある国家を基本単位に、そこに属する人びとの来歴を書く、ことに従う。だから「国民化しなかった人びと」は書き落とされがち（※）。▼一方で「国民化されなかった人びと」がいる。その代表的存在がロヒンギャ。ミャンマーとバングラデシュの狭間で、双方から自国民でないと排除された無国籍状態の人びと。この集団が形成された経緯は不明。▼開発途上国（未開発国）の開発のために「低開発」地域（国）の「開発」も行われるとするのが従属理論。無知と貧困を抱えた者なら労働市場で安く買い叩ける。そういう労働力を持つ「低開発」地域の存在が経済発展に都合がよい。そこに宗教の違いも重ねられて差別視の対象、無国籍、無権利上になったのがロヒンギャ。

わんクリック　タイは立憲王政の民主主義国だが折々に国王、軍が政治介入する。前国王は個人として国民から圧倒的な敬愛を集めた（現国王はドイツ在住で信頼されていない）。軍はタイ社会のエリート。政治家が私欲で動くのに対して、清廉に国のために尽くすのは自分たちとの自負を持ち、国民の一定の支持もある（隣国ミャンマーの、利権のために権力を手放さず、国民を殺す軍とは大きく異なる）。ただその中で農村を基盤としたタクシン首相の登場（2006）が転機となり、タイ政治はこの 20 年間混乱。多数派に支持されるものに正当性を与えるのが民主主義だとすればタクシンに正当性があるのだが。

History Literacy　世界史教科書が書き落とす「国民化しなかった人びと」―「国民」だけが世界の構成員ではない。

⑥フィリピン

- フィリピン革命 (1986)　＊1

  コラソン・アキノの大統領当選でマルコス (1965～86) 独裁崩壊

  └「ピープル・パワー革命」「イエロー革命」

- ドゥテルテ (2016～21) 政権が麻薬撲滅政策、マルコス政権 (息子、22~)

  └ 30年間ダバオ市長で実績　└ 超法規的対応で殺人も辞さず

⑦マレーシア　＊2 ＊3

- マハティール (在任 1981～2003、2018～20) のルックイースト政策

  └ 世界最高齢指導者 95歳 (2020)　└ 日本、韓国をモデルに

  マレーシアの近代化を牽引 (「近代化の父」)

  アジア通貨危機ではIMFの介入を拒否して乗り切る

⑧シンガポール

- アジアの金融センターとして経済成長続く

  └ 1人当たりGDP世界2位

韓国の民主化と経済成長

①金泳三（キムヨムサム）大統領 (在任 1993～98、韓国の大統領任期は1期5年だけ) 時代

- 韓国初の文民政権
- OECD加盟 (1996)、通貨危機 (1997) に直面、IMF支援受ける　＊3

  └ アジアで日本に次ぐ2カ国目の先進国に (現在、1人当たりGDPで日本を抜く)

②金大中（キムデジュン）大統領 (在任 1998～2003) 時代　＊4

- 「太陽政策」(対北朝鮮宥和政策)

  └ イソップ物語「北風と太陽」に由来、あくまで韓国における米軍のプレゼンスが前提

- 平壌で初の南北首脳会談開催 (2000)
- 日本文化の開放 (1998)、サッカーW杯日韓同時開催 (2002)

③盧武鉉（ノムヒョン）大統領 (在任 2003～08) 時代

└ 貧しい家庭、高卒で就職、独学で弁護士となった左派政治家、退陣後収賄容疑を受けて自殺

④李明博（イミョンバク）大統領 (在任 2008～13)、朴槿恵（パククネ）大統領 (在任 2013～17) 時代

└ 右派実業家、汚職で有罪　└ 朴正熙の娘、右派政治家、汚職で弾劾、有罪

⑤文在寅（ムンジェイン）大統領 (在任 2017～22) 時代

└ 民主化運動に携わってきた弁護士、左派政治家、盧武鉉の同志

⑥尹錫悦（ユンソクヨル）大統領 (在任 2022～) 時代

PROPOS　＊1

ベトナム戦争中に米軍に基地を提供、アメリカの政財界との癒着で腐敗したマルコス政権。民主化運動の指導者のベニグノ・アキノが衆人環視の前で政権側に射殺される (1983) と非難が高まり、妻のコラソン・アキノが大統領当選 (1986)。選挙結果を潰そうとしたマルコスを市民が亡命に追い込んだ (ピープル・パワー革命)。以後、フィリピンでは民主主義が根付いたが、そのマルコスの長男が大統領に当選した (22)。

PROPOS　＊2

現在、世界中で「ムスリムの大移動」が進行中。シリア難民、北アフリカ諸国からの難民 (いずれもアラブ人) のヨーロッパへの移動。アジアではインドネシア人、マレーシア人を日本が労働力として受け入れている。日本の「コンビニ外国人」の多くは中国人かムスリム。私たちにとり身近なイスラーム世界は熱帯雨林のマレーシアとインドネシア。後者は世界最大のムスリムを抱える。両国のムスリムとも穏健。砂漠の厳しさを背景とした教えも熱帯雨林の豊かさの中では変質するのか。スカーフをして街を歩くムスリム女性の姿も珍しくなくなった。圧倒的多数のムスリムは移動先の近代的価値観を尊重。折り合いをつけて生活。

PROPOS　＊3

マレーシアが多民族国家。その中で最も保護される必要があるのが、最も有名なマレー語でもあるオラン・ウータン (森の人)。私たちの親戚である大型類人猿はマレーシアのボルネオ島など限られた熱帯雨林地域にしか棲息しない。熱帯雨林破壊で急減 (100万→3万)、いま絶滅の危機にある。

PROPOS　＊4

朴正熙の独裁と戦った野党指導者金大中。東京のホテル滞在中に韓国の諜報機関によって拉致 (1973)。日本海上で彼を乗せたボートを海上保安庁が追尾。九死に一生を得た。また光州事件の首謀者として死刑判決を受け収監。国際非難で特赦された。

画蛇添足

▼韓国は戦後、国内での日本文化―映画、歌謡曲、アニメ、雑誌などの輸入、視聴を禁止。解禁したのが金大中（キムデジュン）。その後、日本でもドラマ『冬のソナタ』(2003) をきっかけとしたヨン様、韓流ブームが起こり韓国文化の受容、韓国への親近感が急速に広まった。▼国内市場が狭い韓国 (人口5千万) は当初から海外市場を視野にコンテンツを開発して成功 (BTSなどKポップ)。今やユースカルチャーの中心国。韓国社会の画期は通貨危機で屈辱的なIMF支援を受けたこと (1997)。抜本的な経済構造改革が要求され、余分な脂肪が削り落とされた筋肉質の経済構造となる。▼先端産業に重点をおく思い切った政策転換。この時、日本では「韓国は終わった」と見られたが、韓国経済はV字回復。近年、一人当たりGDPで日本を抜いた。いまでは何もしなかった日本の「終わりの始まり」だったと振り返られる。ただ構造改革で徹底した規制緩和と競争原理が要求された。▼贅肉のない社会の苦しさ。いま韓国は世界有数の受験地獄、学歴社会で国民は高いストレス下にある。教育水準の高さと財閥の資本力が韓国経済飛躍の主因だが格差が深刻化して不満も大きい。この現実を描いたのが映画『パラサイト』(2020)。盧武鉉政権から日韓関係が悪化、文在寅政権下で戦後最悪レベルになる。▼歴代政権の反日政策は先の国民の不満を反日に向ける内政の側面が強い。日本が過剰反応する必要はない。経済大国となり日本への依存度が低下したこと、日本が経済停滞と高齢化で右傾化したことも背景にある。大陸的でおおらか、フレンドリーな国民性。色々な場面で会話も弾んで楽しい時を過ごせる。何度でも行きたくなる国。福岡からの船旅もお薦め。

わんクリック　どの国 (人) にも悪い面があり、利害関係のある近い国 (人) だと見えやすい。嫌韓をタイトルにしたヘイト本が書店の平台に並ぶ。基本的に、批判は当人を前にしてもできる批判しかしない。そういう歯止めを持たないと批判が自分を慰めるだけのものになる。批判が批判されない安全地帯、欠席裁判での批判は自分を卑しくする。そもそも、日本語での日本国内向けの他国の批判、は批判でない。批判するなら現地語か少なくとも英語を使うべき (※)。過去の人物を現在という結果を知った高みから断罪する歴史叙述にも同じ覚悟が必要。日常生活の憂さ晴らしはバッティングセンターで。

History Literacy　反批判に開かれていない他国批判 (現地語、英語を用いない批判) は仲間内で盛り上がるための悪口。

北朝鮮　＊1

①金日成（在任 1948 ~ 94）時代

- 主体（チュチェ）思想
  中ソ対立の中で自主独自路線と金日成絶対化を模索
- 1960 年代、経済発展で韓国を凌駕
- 1970 年代、韓国が経済成長（漢江の奇跡）
- 1970 年代から日本各地で日本人を拉致
  └ 北朝鮮工作員育成のための日本語教育などに従事させられる
- 韓国のソウルオリンピック (1988) 失敗工作（国家テロ）　＊2
  ラングーン事件 (1983)、大韓航空機撃墜事件 (1987)
  └ 全斗煥韓国大統領暗殺を狙う　└ 民間機を爆破、乗客全員死亡
  →北朝鮮の国際的孤立

②金正日（在任 1994 ~ 2011）時代

- 社会主義政権の世襲王朝化
- 「瀬戸際外交」で核開発、「先軍政治」で軍事優先　＊3
  韓国との経済力格差拡大、外交的孤立（韓国が中国、ソ連と国交回復）
- 朝鮮半島危機 (1994)
  北朝鮮の核保有発覚で緊張、アメリカは北朝鮮攻撃を準備
  └ カーター元米大統領訪朝（金日成と会談）で開戦直前に危機回避
- 日朝首脳会談 (2002)
  日本の小泉首相が北朝鮮を電撃訪問、拉致被害者の一部帰国
- 核開発中止を求め日米中韓などで 6 カ国協議開始（2003 ~ 中断中）

③金正恩（在任 2011 ~）時代

└ 金正日の息子、金一族による世襲

- 経済制裁下で核開発、戦略核兵器開発で局面打開を模索　＊4
- 核保有国
  ICBM、SLBM、中距離ミサイルなど多様な戦略兵器も保持
  └ すぐに発射できる固体燃料、迎撃の難しい変則軌道ミサイルなど
- トランプ米大統領と直接対話（3 回、シンガポール、ベトナム、板門店）

PROPOS　＊1

北朝鮮のこの半世紀の行動はまともな国家のものではない。ただ政府と国民は区別すること。恐怖政治下では国民は生きるために従うしかない。歴史的経緯から日本国内に在日朝鮮人（北朝鮮籍）も多く住む。彼らも北に別れて住む親族を案じている存在。北の政府によるミサイルの発射は暴挙で許されないが、それに乗じて、弱者—朝鮮人学校生徒へのいやがらせは卑劣。

PROPOS　＊2

ソウルオリンピック (1988) 失敗を狙った北朝鮮の国家テロが大韓航空機爆破事件 (1987)。かえって東側世界、非同盟諸国を参加させることになり、3 大会ぶりにボイコットのない大会として成功裏に終わる。爆破事件で拘束された北朝鮮工作員金賢姫（日本人に偽装）の供述から彼女が日本人から教育を受けたことが発覚。噂レベルだった北朝鮮による日本人拉致問題が認識されはじめる。その拉致を日朝首脳会談で金正日が公式に謝罪。5 人が帰国。他にも生存する拉致被害者がいると見られるがその後、日朝関係が断絶、交渉も中断した。

PROPOS　＊3

これで北朝鮮は孤立を深める悪循環に陥いる。後に韓国の盧泰愚大統領は北方外交でソ連、中国の国交回復。北朝鮮は、経済的、外交的に行き詰まり、核開発戦略に走る。

PROPOS　＊4

北朝鮮のねらいは米国と直接交渉して、国家体制の安全保障（米国から、北朝鮮の転覆をしない、との言質を得ること）と経済制裁解除を得ること。そのため核開発と米本土に届く戦略兵器開発、実験という瀬戸際政策を繰り返す。アメリカに攻撃されて政権を転覆されることを恐れている。米国相手に自国防衛は不可能。攻撃が防御となる。国民が十分に食べられない中で繰り返されるミサイル発射実験。武器（ミサイル）輸出、麻薬密輸、出稼ぎ者からの送金、最近は電子マネー等のハッキングを資金源とする。

画蛇添足

▼いまの北朝鮮のイメージは国内で反対派を残忍に粛清する独裁国家。経済制裁下で国民が窮乏するのに核武装化に邁進するならず者国家。この現状に忘れがちだが60年代まで北朝鮮の方が経済面でも韓国を凌駕、国家建設は順調だった。▼状況が変わり資本、労働力不足から北朝鮮が在日朝鮮人の帰還事業を始めた時、新聞は「地上の楽園」北朝鮮と金日成を褒め称えた。逆に韓国を悪辣な軍事政権と非難。当時、高校生の筆者は命がけで軍事政権下の抑圧を伝えた「韓国からの通信」（雑誌『世界』）を定期購読していた。朴正煕大統領暗殺に「ついに正義が実現した」と快哉をあげた。▼当時の報道は韓国社会の暗黒面を拡大して伝え、情報のない北朝鮮を理想化して伝えていた。その頃、高校の社会科の授業が取り上げたのは人口問題—「いかに日本の人口を抑制するか」だった。日本は明治以降ずっと人口過剰が課題。戦前は海外移民、満洲への植民、戦後は産児制限（優生保護法）で凌いできた。▼人口は幾何級数的に増加するが、食糧は算術級数的にしか増加しない（マルサス『人口論』）と危機が強調された。日本が少子化に振れ、北朝鮮が厄介な存在になるなど予想できなかった。信じたい情報しか見ないことから起こる確証バイアス。北が拉致に手を染めるなどありえないと思いこんでいた。▼拉致問題発覚以降、気になるのは日本で広がったヴィシー症候群。自分たちが被害者だった心理的負担の少ない拉致事件だけを記憶にとどめ、加害者だった植民地支配下の出来事を忘却する病理のこと。自らが渦中にある「いま」をバランスよく観察することは難しい。それでも皆さんは「いま」の目撃者として将来、それを次世代に語る責務がある。

わんクリック　北朝鮮の核開発、ミサイル実験は東アジアの安全の重大な脅威。隣国の中国とロシアの 2 大国が事実上支援しているから可能になっている。朝鮮半島だけでなく世界全土で、アメリカに反発する中国とロシアが各地の権威主義体制を支援する構図が広がっている。北朝鮮の核武装化も中国、ロシアが対米外交上のカードとして使うために黙認。また中国は隣国の体制崩壊による難民流入、半島が韓国により統一されて、自国がアメリカの同盟国と国境を接することを嫌う。緩衝地帯として北朝鮮の体制を維持したい、が中国の本音。中ロの米国への不信感が今日の世界の不安定化の一因（※）。

History Literacy　中ロの米国への不信感が世界の不安定化の一因（世界史教科書の米国と中ロの叙述の二重基準もそのあらわれ）。

台湾と両岸関係

①蔣介石 (在任 ~ 1975) 時代 ― 外省人と本省人の緊張関係

- 国民党、大陸出身者 (外省人) による台湾の強権的支配　＊1
  二・二八事件 (1947) 以後、戒厳令 (38 年間)(~ 1987)
- 日華平和条約 (1952)、米華相互防衛条約 (1953) で西側の一員　＊2
  └ 日本は台湾を中国とみなす、毛沢東は朝鮮戦争勃発で台湾併合の優先順位を下げる
- 戒厳令下での経済成長
  └ 人びとは経済に専念、アメリカの経済援助、日本が残したインフラ整備
- 国際的孤立 (1971 年国連代表権喪失、1972 年アメリカ、日本と断交)

②蔣経国 (在任 1975 ~ 88) 時代

- 戒厳令を解除、民主化へ転換、経済成長に拍車 (NIEs の一員に)
  └ それまで「白色テロ」で民衆の怨嗟の的、李登輝の登用が最大の業績

③李登輝 (国民党、在任 1988 ~ 2000) 時代
└ 初の本省人 (台湾出身総統)、複数政党制の導入

- 初の総統直接選挙で再任 (1996)、民主化進展　＊3

④陳水扁 (民進党、2000 ~ 08) 時代

- 初の政権交代、台湾独立派

⑤馬英九 (国民党、2008 ~ 16)
└ 対中宥和派、中台経済交流拡大

- ひまわり学生運動 (2014)
  不透明な対中政策決定に対し学生が立法院 (国会) を３週間占拠

⑥蔡英文 (民進党、2016 ~) 時代

香港 (中国の特別行政区)

- 1997 年、一国二制度の下で中国に香港返還
- 2014 年、雨傘革命
  └ 台湾ひまわり学生運動の半年後、警察の催涙弾を避けるため黄色の雨傘を利用
  香港の行政長官の民主的選挙を求めたデモ活動 (失敗)
- 2019 年、「逃亡犯条例」改正反対運動、市民の安全を求めたデモ活動
  国家安全維持法 (2020) 制定でデモ沈静化 (民主派と親中派の分裂)　＊4
  └ 香港政府でなく中国全人代常務委員会の制定 (一国二制度の崩壊)

PROPOS　＊1

台湾人 (本省人) にとって大陸から逃亡してきた国民党 (外省人) は「招かれざる客」。「犬去りて、豚来たる」(犬―日本はうるさくても役に立つが、豚―国民党は食うのみ)、「アメリカは日本に原爆を台湾に蔣介石を落とした」と揶揄。蔣介石は国民党に対する台湾人蜂起 (二・二八事件) への報復など、独裁者として戒厳令を敷き、政治弾圧 (白色テロ) を繰り返した。比較で日本統治が相対的に評価される傾向がある。

PROPOS　＊2

真空管がコメ粒大の半導体に取って代わられたことで家電製品への組み込みが可能になった。1990 年代までは「産業のコメ」半導体生産の中心は日本だったが (アメリカとの半導体戦争に敗れ) いまは台湾。IT 産業に必要な最先端半導体は２ナノ段階まできた (髪の毛の５万分の１の隙間の回路)。集積回路産業は水平分業で設計 (アメリカ) と製造に分かれる。台湾 TSMC が世界の半導体製造工場。日本は製造機械が強い。

PROPOS　＊3

台湾は二大政党制下で 30 年間に３度の政権交代をした民主化の優等生。いま最も自由に発言し、行動できる国の一つ。

PROPOS　＊4

民主選挙を求めた雨傘革命。失敗したが香港が失うものはなかった。逃亡犯条例―香港での犯罪を中国の法で裁く、は自由の喪失を意味。恣意的な中国の司法制度への不信感が強い香港人は激しく抵抗。中国はこれを国家安全維持法制定で抑え込んだ。恣意的運用で無期刑まで適用できる悪法を前に市民は萎縮。ローラット法 (1919) を想起させる。一国二制度を保障した返還条約 (国際条約) 違反。中国にとり香港経済の比重低下も強気の背景。ただ、国連人権理事会で同法への賛成票は反対票の倍を数えた。国家数ではいま世界は権威主義体制をとる国が多く、自由民主主義は世界の主流でない。欧米だけが国際社会ではない。

画蛇添足

▼東京オリンピックの開会式入場行進の実況でアナウンサーの「台湾です」が話題になった。歓喜する台湾人、憤慨する中国政府。公式の「チャイニーズ・タイペイ」が使われなかった。言霊の力を信じて恐れるのがチャイナ文明。▼日本と台湾は国交断交後も実務関係を維持。ビザなし渡航ができ、民間レベルの交流は盛ん。台湾には大陸が文化大革命、改革開放の都市開発で失った古き良き中華文明が残る。日本統治下の建物もうまく再利用されて台北、台中、台南などの街歩きが楽しい。▼共産党との内戦で敗れた国民党は九州ほどのサツマイモ型の島―台湾に逃れた。台北に中華民国政府を置き、大陸反攻を夢見たが、現実に大陸を実効支配した共産党が樹立した中華人民共和国が国際的に中国として認知された。▼その後の台湾では脱中華民国化、台湾化が進み、すでに中国とは別存在の「台湾」になっている。現総統は台湾独立への言及を自重。言及しないことで、台湾はすでに独立している、と示す。ただ台湾経済は中国に依存。住民の大多数は現状維持を願う。政治よりも経済、中国との良好な関係を優先する台湾人がいるのは香港と同じ。▼毛沢東、鄧小平と違い「レジェンドなき独裁者」習近平は「一つの中国」原則を譲らない。台湾「解放」による祖国統一を「中国の夢」とする。日本に奪われ、国民党に占領された台湾は恥辱の中国近代史の象徴。国軍ではなく共産党の軍隊「人民解放軍」。まだ解放すべき人民が存在するという名称。人々に武力侵攻の恐怖を抱かせて次期総裁選で親中派を当選させる戦略ならまだよいが。為政者は、後世に残らない人びとの日々の幸せなどより、後世に残る歴史的業績をあげることに執心する (※)。

わんクリック　袁世凱も鄧小平もリークアンユーも懐疑的だった華人社会での民主主義。台湾で実現した。特にひまわり学生運動 (2014) を契機とした政治の透明化は世界の民主主義の最先端をいく。情報が透明化され、それへのアクセスが保障されている社会。図書館が重要な窓口になる。高雄市立総合図書館は世界で十指にはいる公共図書館。いま台湾は建築ラッシュ。台中メトロポリタン・オペラハウス (伊東豊雄設計)。人間はチューブ状の存在。口から肛門までの消化器は内部のようで外部。内部を外部化すれば透明性が高まることの建築的表現。曲線だけで構成され、壁と床の境界がない建物。

History Literacy　為政者の領土拡大業績を列挙する歴史教科書―その文明影響圏が拡大したこと、と読み替える。

6　新しい国際秩序と抵抗

地域紛争

①国連による地域紛争収拾

- 冷戦後、国連が地域紛争で一定の役割
- 1993 年、カンボジア和平実現
  カンボジア暫定統治機構 (UNTAC) の管理下で総選挙実施
- 2002 年、東ティモール独立
  └ 旧ポルトガル領、のちインドネシア (スハルト政権時) 併合 (1976)

②ユーゴスラヴィア紛争

- 1 次大戦後独立、6 共和国と 2 自治州からなる「モザイク国家」　＊1
- セルビア主導下の国家運営 (首都ベオグラード)
- カリスマ的指導者ティトーの存在、冷戦下で東欧での孤立
- ティトーの死 (1980)、冷戦終了 (1989) で民族問題表面化　＊2
- 1991 年、セルビア・クロアティア紛争 (1 次内戦)
  クロアティアとスロヴェニアが独立宣言
  セルビアが認めず内戦勃発 (~ 1992)、両国は独立
  └ 連邦の崩壊阻止、両国内でのセルビア人少数民族化を危惧
- 1992 年、ボスニア紛争 (~ 1995)　＊3
  ボスニア・ヘルツェゴヴィナが独立宣言
  └ 最大勢力のボシュニャク人 (ムスリム) が独立、セルビア人、クロアティアの争い　＊4
  戦後最悪の内戦、双方で「民族浄化 (エスニッククレンジング)」
  └ 米広告代理店がセルビアに対して貼ったレッテル
  セルビア人勢力によるボシュニャク人殺害 (スレブレニツァの虐殺)(1995)　＊5

③コソヴォ紛争　＊6

- 1998 年、コソヴォ自治州 (大多数派アルバニア人、ムスリム) が独立めざす
  └ セルビア人の民族的記憶の聖地 (1389 年、オスマンに敗北)、当時はアルバニア系が居住
  セルビア人によるアルバニア人虐殺、難民発生が報道
- 1999 年、NATO のセルビア空爆で戦況逆転、コソヴォ独立
  └ 国連安保理の承認のない空爆 (NATO 域外の国への攻撃) を「人道的介入」で正当化
  78 日間、1 万回の空爆で兵士、民間人数千人死亡

PROPOS　＊1
6 共和国、5 民族、4 言語、3 宗教、2 文字だが 1 国家のモザイク国家ユーゴスラヴィア。カリスマ的なティトーが民族意識を封印。冷戦下で不満は表面化せず。

PROPOS　＊2
1 次大戦後に戦勝国セルビア (ギリシア正教国) を中心にユーゴスラヴィアを形成。クロアティアとスロヴェニアはオーストリア帝国の一員としてセルビアと戦ったカトリック国。2 次大戦中にはクロアティアの親ナチス政権がセルビア人を虐殺。その両勢力が、同じ国となるには無理もあった。

PROPOS　＊3
軍事力で劣勢のボスニアは反セルビアの国際世論を作り上げるためにアメリカの広告代理店を利用。セルビアの残虐さを示す映像を世界に配信。セルビアが残虐というイメージを流布した。顧客の広告(プロパガンダ)を代行するのが広告代理店の主業務。広告だけでなく国政選挙、オリンピックの運営、そこにいたるイメージ戦略など何でも仕切る。いかに番組、紙面の中で、広告を記事として取り扱わせて視聴者に「広告でない」と錯覚させる (世論操作) かが腕の見せどころ。

PROPOS　＊4
ボシュニャク人はスラヴ系ムスリム。もともとはセルビア人かクロアティア人。

PROPOS　＊5
「スレブレニツァの虐殺をやったのはセルビア人」と叙述せず、「罪を犯したのは特定の人間であり、そうした人たちが犯罪者として裁かれるべき」とするのがファルク・ピンケル (『和解のための歴史教科書』)。

PROPOS　＊6
近代の病ナショナリズム。とくに犠牲の感情は人びとの紐帯(ちゅうたい)を強める。オスマン朝によるコソヴォの戦い (敗戦) を民族的記憶としてきたセルビア。犠牲者ナショナリズムで敵愾心(てきがいしん)を高めて国をまとめてきた。

画蛇添足

▼ペーター・ハントケのノーベル文学賞授与 (2019) に欧米から強い非難が起こった。彼は欧米が主導したセルビアに対するＮＡＴＯ空爆 (1999) に抗議し続けてきた作家。なぜセルビアなど擁護するのかと非難され続けてきた。▼紛争を通じて一貫してセルビアを悪玉とする見方が支配的だった。セルビアは正教国 (キリル文字文化圏) で欧米にとり疎遠な世界。欧米メディアは専らセルビアに敵対するカトリック国 (ラテン文字文化圏) やボスニアが使ったアメリカの広告代理店経由の情報に依拠した報道を繰り返した (情報の非対称性)(※)。その中で実施されたＮＡＴＯのセルビア空爆。首都ベオグラードを３カ月にわたり、1 万回空爆。▼セルビア人勢力によるスレブレニツァの虐殺 (1995) のおぞましさ。ヒトラーにとった宥和(ゆうわ)政策。西側諸国の拱手傍観(きょうしゅぼうかん)が彼の侵略を助長させた苦い経験を呼び起こした。同じ過ちは繰り返せない。空爆はコソヴォ紛争でアルバニア人 (ムスリム) を「民族浄化(エスニッククレンジング)」から救うための「人道的介入」と正当化され、セルビア市民を含む数千人が亡くなった。紛争の泥沼化で実際はどちら側も残虐行為に携わる加害者だった。この空爆はＮＡＴＯ、アメリカの蛮行。▼正教世界(せいきょう)への空爆に猛反発したのがロシア。今日に続くロシアの西側不信の端緒となった。これで独立したコソヴォが国際的に認められるのなら、ロシアによるクリミア併合 (2014) のどこに問題があるのかとロシアは開き直った。▼賑(にぎ)やかなパーティでも特定の声を聞きわける私たちの耳。聞きたい音だけを無意識に選別する。すべての音を拾う指向性、作為性のない耳などないのだろう。それでも自分からは遠い、できれば聞きたくない声に耳を澄ましたい。

わんクリック　映画『アンダーグラウンド』(1995)。失われた国家ユーゴスラヴィア半世紀の歴史―パルチザン闘争、建国、ティトーの死、ユーゴ紛争を記録映像を混ぜながら荒唐無稽な筋立て、耳をつんざくジプシー音楽で描く政治風刺コメディの傑作。セルビア出身の監督が祖国を喪失した立場から描く。ベオグラード在住の詩人山崎佳代子『そこから青い闇がささやき』が社会が戦争に向かっていった雰囲気を記して貴重。「最初は、死者が名前で知らされる。それから数になる。最後は数もわからなくなる…それが戦争だ」。高木徹『ドキュメント 戦争広告代理店～情報操作とボスニア紛争』も必読。

History Literacy　権力に近いほど多くの情報を持つ (情報の非対称性) －社会は建前 (誰もが知る情報) で動く必要がある。

テロ、国家テロ、テロの悪循環 ― テロを拡散させた「対テロ戦争」 ＊1

① イスラーム復興運動 ＊2

- パレスチナ、エジプトでのムスリム同胞団の活動
  └ 医療、福祉、教育に重点、相互扶助組織
- アル・カイーダ
  ウサマ・ビン・ラディンが組織した国際テロ組織
  └ 湾岸戦争時、米軍のサウジアラビア（聖地メッカ、メディナ）駐留への反発が契機
  アフガニスタンでタリバン政権の庇護
  └ イスラーム教義を厳格に解釈、バーミヤンの大仏破壊

②同時多発テロ（9.11 事件）― 建国以来初めて本土が攻撃される

- 冷戦後の反米感情の高まり
  地域紛争（特に中東）介入に対する反発
  └ ソ連崩壊後の唯一の超大国で単独行動主義（ユニラテラリズム）傾向
- 2001 年、同時多発テロ事件（9.11 事件） ＊3 ＊4
  アル・カイーダが乗っ取った旅客機で世界貿易センタービルなどを攻撃
  └ 自由貿易の象徴、マンハッタンの高層ビル、崩壊後 2014 年再建

③アフガニスタン戦争（2001）―「テロとの戦い（対テロ戦争）」概念

- 当時はタリバン政権（1996 ~ 2001）
- アル・カイーダ庇護を理由にアメリカがタリバン政権攻撃、政権崩壊
  └ 客人の保護はアフガニスタンの伝統
- アメリカ軍の駐在 ― 自由、民主主義を根付かせるため 20 年間駐留
  200 兆円もの資金を投入しながら政情安定させられず
  └ アメリカ国民 1 人当たり 400 万円以上
  →アメリカ政府の欺瞞、カブール政府の底なしの腐敗、軍閥の割拠
  └ ワシントンポストの調査報道『アフガニスタン・ペーパーズ』の分析がすごい
- 数万人のアフガニスタン人犠牲者、米兵も相当の犠牲
- タリバンの復権、勢力拡大
- アメリカ完全撤退（2021）でタリバン支配域拡大
  └「帝国の墓場」アフガニスタンを三度証明（山岳地帯でゲリラ戦中心） ＊5
  →ガニ大統領国外逃亡、タリバンのカブール入城
  →アフガニスタン・イスラーム共和国崩壊

PROPOS ＊1
テロはどこで起こるか分からない。見えない敵、恐怖との戦い。この恐怖は人びとの価値観を変える。自由、プライバシーより安全の優先、包摂より分断と排除、正義より力。監視国家、偏狭なナショナリズム、強権的支配を容認。国家による容赦ないテロ取り締まり（国家テロ）の黙認。それがさらにテロを誘発する悪循環に陥った。

PROPOS ＊2
原点に立ち返れ―原理主義はもともとキリスト教の潮流。宗教教義において創始者の始めたものに本質を認め、後に付け足されたものによって変質したとみる態度（本質主義）。イスラーム法を現実社会にあてはめるのは緻密な作業なのに対して、「コーランに書かれたまま」は分かりやすくて簡単。原理主義は反知性主義の変形でもある。

PROPOS ＊3
1 機目の突入でテレビ中継が始まる。大型旅客機が高層ビルに激突する事故など起こりうるのかと全世界が衝撃を受けている時に 2 機目が迫ってきて衝突。誰もがテロと直感、戦慄が走った。さらにビルの崩壊が衝撃だった。3 千人余りが亡くなった。

PROPOS ＊4
教科書にテロリストの名前は書かない原則に抵触するので躊躇はある。彼はアフガニスタンではなくアメリカの（面従腹背の）同盟国パキスタンに潜伏中に米軍の特殊部隊に急襲され殺害された。本当に事件の首謀者だったのかは理由とともに不明。アメリカの中東世界からの撤退を狙ったのか。

PROPOS ＊5
「アフガニスタンに侵略すると失敗する」が歴史の教訓。ソ連（1989）もアメリカ（2003）も教訓を守らず、また「帝国の墓場」となった。アメリカから貸与された近代兵器の軍隊が粗末な兵器しか持たないタリバンに敗れる。そもそもアメリカの敵はアル・カイーダであり、タリバンではなかった。

画蛇添足

▼タリバンが知られたのは偶像としてバーミヤン大仏を形なく破壊した時。それまでアフガニスタンで過酷な統治をして人びとを処刑していたが注目されなかった。仏像破壊（廃仏）自体はこれまで各地で繰り返されてきた。▼明治初期の廃仏毀釈。人びとは寺社を破壊して仏像の首をとった。いまも仏頭が骨董美術品として出回る。それまで寺院が民衆統治の末端を担ったことへの積年の恨みがあった。▼ソ連侵攻時の統治、その後の軍閥割拠時の部族統治が恣意的で残虐だった。タリバン（神学者たち）はその社会の不正義を正す義士として登場。過酷だが規律あるタリバン統治は支持された。彼らはイスラーム法（シャリーア）を厳格に施行する。神との契約を破ることは死刑に相当―西側の価値観では軽い罪で死刑を執行する。ただイスラーム法を守る限りは保護される。残虐に殺される事を回避できる予測可能性がある。部族の長老による人治よりはましと支持された。▼タリバンの価値観では女性は男性に庇護される存在。自立など必要ない。就労を求めないから女子教育も不要。彼らの感覚では女性を大切にしている。典型的な家父長的価値観。男性にとっては違和感がない（※）。再びタリバン統治が復活。女子教育が停止されたことで現実に復活したのは児童婚。▼ところでタリバンはアフガニスタンにしか関心がない。彼らは国際社会の脅威にはならないから、別の文化遺産が破壊されない限りは私たちの関心から早晩、外れていく。いま欧州では美術館の名画にペンキをかけるエコテロリズムが連日報道される。ゴッホの作品が棄損されたら大騒ぎするのに、地球が破壊されているのになぜ無関心なのか、と気づかせたいらしい。どう考えますか。

わんクリック 20 年間も米軍はアフガニスタンに駐留して「文明化の使命」を試みたが失敗。男性中心の家父長社会に西側の民主主義、人権を押し付けて強い反発、逆ばねを働かせた。アフガニスタンで長年にわたり医療支援から井戸と用水路を掘る活動を続けてきたのが中村哲医師（ペシャワール会）。壊れても重機なしで簡単に修復できる工法（山田堰）で荒地を沃野に、戦闘員にならなくとも農業で生活できるようにした。アフガニスタンをよくするための答えは彼がすでに出している。多くの著作がある。寡黙な中村から澤地久枝が話を聞いた『人は愛するに足り、真心は信ずるに足る』が読みやすい。

History Literacy 女性を庇護することで作られているタリバンの男性性―やっかいなアイデンティティ政治。

④イラク戦争 ― アメリカのイラク侵攻　＊1 ＊2（※）

・2003 年、イラク戦争 ― 存在しなかった大量破壊兵器

ブッシュ米大統領はイラクが大量破壊兵器保持と主張

└ この大量破壊兵器がテロリストの手にわたればアメリカの脅威になると主張

→大規模な反戦運動が世界各地で広がるも開戦

└ 開戦後は問題が、みんな苦しい思いをしている時に自分だけ逃げたくない、に変わる

→アメリカは大量破壊兵器保持を理由に攻撃を強行、勝利

└ 核兵器以外の化学兵器、生物兵器など　└ ブレア英首相、小泉首相（日本）が支持

・フセイン政権崩壊、選挙でシーア派政権成立

└ イラクでは少数派のスンナ派政権　└ イラクの多数派

湾岸全域でイラン（シーア派）の影響力増加、地域不安定化

・フセイン処刑 (2006)、パキスタンでビン・ラディン殺害、米軍撤退 (2011)

⑤多発するテロ事件 ― 市民社会を震撼させる　＊3

└ テロで突然日常生活が断たれる不条理、恐怖

・2015 ~ 16 年にフランス、世界各地で無差別テロが多発

└ 多くの場合、ISIL（イスラム国）が犯行声明

・フランスでのテロ事件

シャルリー・エブド襲撃事件 (2015.1.)

└ ムハンマドを風刺した週刊誌の編集部への襲撃、12 人死亡

パリ同時多発テロ事件 (2015.11.)

└ パリ路上のテラスで食事を楽しむ人々、劇場観客への無差別発砲、130 人死亡

ニースでトラック突入テロ (2016.7.)

└ 革命記念日の花火見学の人だかりにトラックで突入、86 人死亡

・フランス以外のテロ事件

ベルギーブリュッセル地下鉄テロ事件 (2016.3.)

イスタンブール空港テロ事件 (2016.6.)

ダッカ・レストラン襲撃人質テロ事件 (2016. 7.)

└ 20 人死亡（うち日本人 7 人）、親日国バングラデシュ、犯人は裕福な家庭出身、高学歴

・テロ対応が各国の課題

権威主義的政権の強権的対応の正当化

超監視社会の到来

└ 世界中に監視カメラ設置、総台数で中国、一人当たり台数でイギリスが監視大国

PROPOS　＊1

アメリカはフセインが大量破壊兵器を開発。テロリストの手に渡ればアメリカが危険となると難詰（フセインも曖昧戦略をとってその有無をはぐらかした）。予防戦争じみた戦争に世界中が反対したがアメリカはイラクを攻撃（大量破壊兵器は結局、存在せず、誤解だったとアメリカは認めた）。虚偽の理由で始めた米英のイラク攻撃とその後の混乱（~ 2011）で数十万のイラク人が犠牲となる。アラブ世界では「アメリカのイラク侵攻」と呼ばれる。アメリカの威信が低下。

PROPOS　＊2

ロシアのウクライナ侵攻 (2022) は正当化できない。ただこれと桁違いの犠牲者を生んだアメリカのイラク侵攻とその後の駐留 (2003 ~ 11) を国際社会は黙認してしまった。西側諸国は「許しがたいロシアの蛮行」と非難したが、イラク戦争を「許しがたいアメリカの蛮行」と非難しなかった。いや正確にはブッシュ大統領当人が非難している。興味深い新聞記事を転載する。「ブッシュ（子）元米大統領が 18 日、ロシアのウクライナ侵攻について、自身の政権下で開始したイラク侵攻と間違えて『残忍』で『不当』と語り、直後に訂正する出来事があった」「『一人の男が全く不当で残忍なイラク侵略を開始することになった』と発言。その後、首を振りながら『ウクライナのことだ』と言い直し、歳のせいで間違えたと聴衆を笑わせた」(2022.5.19 ロイター)。

PROPOS　＊3

ISIL（イスラーム国）は無関係のテロにも犯行声明を出して恐怖心を煽る。テロ実行犯にフランス生まれの移民 2 世、3 世（自国育ちのテロリスト）もいた。「自由、平等、博愛」を掲げるフランスの大都市郊外に彼らが住む高層低所得者用住宅が立ち並ぶ。そこに若者が満足できる自由はない。彼らは平等に扱われることも、尊厳をもって愛されることも少ない。社会に疎外感を持ち、鬱屈した日々を送る若者の空虚な心に過激思想が砂地に水がしみ込むように入った。

画蛇添足

▼世界各地で無差別テロが続く。そこに現れる憎悪の感情とむき出しの暴力に戦慄を覚える人も多いと思う。これまでも世界各地で比較にならない規模の市民が理不尽な暴力で命を奪われてきた。しかしそのことに私たちは関心を寄せてこなかった。▼先進国の市民が犠牲になった時だけ、「テロは断じて許されない」と世界の憤りが沸騰する。自国民が殺害された時だけ強い憤りにふるえる身体とは何なのか。事件の度に改めてこのようなダブルスタンダード（二重基準）の存在を思う。▼格差社会が進行する中で、よほどの幸運がなければ、努力だけではその劣悪な境遇から抜け出せない状態におかれた人びとの層が厚くなっている。彼らは、自分たちを疎外する社会、このような二重基準に気づかずに自分たちの正義「自由」「民主主義」だけを高く掲げる社会に、強い憎しみを抱くようになっている。その憎悪がむき出しの暴力として現れている。だからといって暴力を正当化するいかなる理由も見つけてはいけない。▼皆さんが生まれた頃から世界は大きく変質しはじめた。世界各国で行政肥大化による財政赤字を発端として、競争原理を旨とする新自由主義経済政策が取られた。それが急速なグローバル化の進行とあいまって格差社会の進行に拍車をかけている。▼幸いなことに私たちは、それでも十分に将来の自分の姿を自由に描ける恵まれた社会に生きている。「勉強する必要はない」でなく「もっと勉強しなさい」と言われる社会に生きている。そのことに感謝しよう。同時に「目を見開いて」（ユルスナール『ハドリアヌス帝の回想』）いま何が世界で起こっているのかを理解するために歴史を学んでいこう（本稿は事件時の学年通信寄稿文を転載）。

わんクリック　フランス映画には「郊外もの」というジャンルがある。ここに閉じ込められた移民2世、3世の出口のない鬱屈した日常を淡々と描く『憎しみ』(1995)、『レ・ミゼラブル』(2019) など。救いのない映画だが、これもフランスの現実。その「郊外もの」の中に「学校もの」ジャンルがあり、こちらはまだ救いがある。『パリ 20 区、僕たちのクラス』(2008) はお薦め。『12 か月の未来図』(2017) もよいが、そこで描かれる学校のシステムの違い（進級会議、生徒指導会議に生徒代表も加わることなど）は驚き。筆者は賛同しないが、これこそ異文化、と日本の学校制度を相対化する視点が得られる。

History Literacy　西側の歴史教科書叙述が襟を正さない限り、中ロの西側への不信感は消せず、世界の安定はない。

アラブの春とその暗転　＊1

①ジャスミン革命 (2011)　＊2

└ ベン・アリー大統領の 23 年間の権威主義的体制を倒す、ジャスミンはチュニジアの国花

- チュニジアで市民デモにより独裁政権崩壊
- 北アフリカ各地に波及し独裁政権は崩壊するが、社会は不安定化

②エジプト革命

- 市民デモでムバラク政権 (在任 1981 ~ 2011) 退陣

  └ サダト暗殺でシバラクのつなぎ政権のはずが 30 年続いた

  →自由選挙でムスリム同胞団のムルシー政権誕生 (反米)　＊3

  →政変 (革命、軍クーデタ) で崩壊 (2013)、シーシー政権 (親米)　＊4

③その他

- リビアでカダフィ政権 (在任 1969 ~ 2011) 崩壊　＊5
- イエメンで死者 10 万以上 (「世界最大の人道危機」(国連))

膠着化したシリア内戦と中東の変動

①アサド長期独裁政権

- 2 次大戦後、成立した人工国家
- アサド長期独裁政権 (1970 ~)

  世俗的なバアス党政権、権威主義的体制で国民統合を図る

  バッシャール・アル・アサドが親子二代で大統領 (2000)

②民主化運動の弾圧

- 「アラブの春」の影響による民衆の民主化要求 (非暴力運動) を武力弾圧

  →反体制派に武装勢力が加わり武力闘争

  →シリア内戦 (2011 ~) に発展

③内戦の国際化と長期化

- 周辺諸国の介入 ― シリアは地政学的な要地
- 反政府側

  反体制派 (各種民主主義勢力)、イスラーム過激派

  トルコ、サウジアラビア、EU、アメリカ
- 政府 (アサド政権) 側

  ロシア (シリアに重要港租借)、イラン、イラク、ヒズボラ (レバノン)

PROPOS ＊1

各国で長期独裁政権が崩壊、当初「アラブの春」と称賛されたが、結果的には政治混乱を招いて事態はより悪化。現段階では失敗した民主化運動。民主化運動の端緒となった、と再評価される日を待ちたい。

PROPOS ＊2

街頭の商売で生計をたてていた青年。警察官の賄賂要求を拒否したため商売道具を没収され、将来に絶望して焼身自殺。このことへの怒りがSNSを通して広がり、何十万の抗議デモを引き起こした (SNS 革命)。アラブ語話者は話し言葉は違うが文字言語を共有。SNSでの情報伝達に適した。ただ運動を主導する組織、指導者が不在。革命後の青写真を描ける指導者がいなかった。

PROPOS ＊3

イスラーム主義の始まりはエジプトで結成されたムスリム同胞団 (1928)。医療、福祉、教育などの分野で困窮するムスリムを支援。貧しい人びとの支持 (しかし全国民の 2 割程度) を得てきた。エジプト社会で病院経営や貧困家庭支援など人びとの間に草の根レベルで定着、ネットワークを持つ。パレスチナのガザ地区で活動するハマースもここから誕生。イスラームの教えにそって弱者救済をするムスリム同胞団 (最近はテロ組織化) の存在は政権側にとり煙たい。

PROPOS ＊4

エジプト初の選挙。軍の司令長官の当選阻止のため諸勢力が担いだのがムスリム同胞団のムルシー。しかし政治、経済面で安定をもたらすことに失敗し、反政府運動が高まる。政変の最後の段階で軍が介入。国際社会は反発したが、結局はエジプトとの関係維持を優先してこの政変を追認。

PROPOS ＊5

カダフィは反米路線で核開発。後にアメリカと取引して核放棄、対米協調へ転換 (2003)。核を放棄したカダフィ独裁 42 年の末路を北朝鮮の金正恩は意識している。

画蛇添足

▼アサド政権は親子で半世紀にわたる権威主義体制。ここに飛び火したアラブの春。当初は独裁政権に対して民主化を求める市民の非暴力運動だった。これをアサドが武力弾圧。のちに毒ガスまで使用。反体制派の支援のために有象無象の勢力が蝟集。多くの勢力が武器支援。内戦化した。▼内戦の進展とともに国外の勢力が介入、反体制運動の性格は大きく変質。当初の独裁対民主派の構図から乖離して複雑な構図となった。アサド政権に悪を、反体制派に善を当て嵌めて理解することはできない。反体制側に周辺諸国からたちの悪い戦闘員が送り込まれ、権力の空白地帯にイスラーム国が誕生するに至った。▼反体制派側がテロ組織に牛耳られると、西側諸国はアサド政権の支配継続を認めるしかなくなった。いま戦闘は停止、事態は膠着状態にある (青山弘之『膠着するシリア』)。内戦前にシリア国民はアサド独裁をどうとらえてきたのか。シリア国民の生活水準は高く、人びとはそれなりにアサド政権を支援していた、といまでは語られる。独裁下を生きる人びとの本音を知るのは難しい。▼「アラブの春」の失敗で以前より混乱状態に陥った北アフリカ地域。新しい秩序の構築は秩序の破壊より難しい。中東の紛争はスンナ派とシーア派の対立に還元して理解しがちになる。理解の難しいものを宗派対立とみれば理解が簡単になる。▼ただアサド政権はシリアでの少数派アラウィー派 (シーア派) の政権。多様な民族、宗派からなる人工国家シリアをむしろ世俗性で統合しようとしてきた政権。中東各国はかつてのアラブの大義を掲げてきたが、最近は自国の安全保障、国益に基づき行動する。「敵の敵は味方」原則で動くから予測可能性がでてきた。

わんクリック　サイクス・ピコ協定による英仏露の分割統治からはじまった中東。この協定で作り出された中東諸国の対立がいまも継続。こうした帝国主義時代に引かれた国境線の暴力性を指摘することは大切。しかしそれを変えようとすれば新たな紛争を生む。民族分布にそった国境線はありえない。植民地時代の国境線でも受け入れて、国境線自体をそれで隔てられる両国にとって意味を持たないものにしていこう、とする動きがむしろ趨勢 (アフリカ諸国など)(※)。それにしても理解に負荷のかかる複雑な中東。入門には酒井啓子『中東から世界が見える―イラク戦争から「アラブの春」へ』がよい。

History Literacy　国境線はなくせなくとも、その意味の軽減はできる (ヨーロッパ内で自由に国境往来ができるシェンゲン協定)。

④シリア内戦の収拾

- 「イスラーム国」出現
  「イスラーム国」戦闘員らによるテロリズムの世界への拡散 (15 年頃 ~)
- シリア難民の急増とヨーロッパ流入
  └ 密出国ビジネスに商機を見いだす業者 (ブローカー) の存在が問題
  隣国トルコ、ギリシア経由で大量の難民がヨーロッパに向かう
  └ 大量の難民を一時的に受け入れ (トルコ)　　└ イギリス、ドイツ
  受け入れをめぐり各国内外で対立、摩擦、緊張が発生
- 内戦はアサド政権がロシア、イランなどの支援で失地回復　＊2 ＊3

⑤イスラーム国の出現 ― シリア内戦でイスラーム過激派が漁夫の利

- 2014 年、イスラーム過激派 (テロリスト) が「国家」樹立宣言 (首都ラッカ)
  →内戦中のシリア領土の一部 (権力の空白地帯) を実効支配
- 超領域的な「国家」― 国民国家と異なる統治原理 (イスラーム法による統治)
  各国で国民統合から疎外された人びとを戦闘員、テロリストとして募集
- イスラーム過激思想に立脚、権威 (イスラーム法体系) への反発
  味方と敵を区別する単純な二項対立的世界観
- シリアにおける支配地を失い (19)、戦闘員は世界各地に離散

⑥存在感を増すイランとトルコ

a. イラン

- 核兵器開発疑惑
  米英独仏中ロと核濃縮制限合意 (2015) もトランプ政権が合意離脱 (2018)
- イランとイスラエル (アメリカ) との対立が中東最大の不安定要因

b. トルコ

- 建国の父アタチュルク以来、政教分離が国是
- 80 年代からクルド人 (トルコ南東部) の独立武装闘争
  └ 基本的に部族社会、1970 年代まではクルド人の民族意識は弱かった
  クルド労働者党 (PKK) によるテロ、対話転換後も緊張続く
  クルド人は全体として独立より自治を志向
- 90 年代、イスラーム主義が台頭　＊4
- エルドアン率いる公正・発展党 (AKP) 政権 (2002 ~)
  └ ポピュリスト (大衆迎合主義者)
  強権化、イスラーム色強めて地域大国化、貧困層に手厚い政策　＊5

PROPOS　＊1
イスラーム国は斬首など残虐行為の映像を公開して恐怖を与え、相手の戦意を喪失させて戦わずして支配領域を増やす。私たちは眉を顰(ひそ)めるが、同じことをしたチンギス・ハン、織田信長を英雄扱いしてきた。

PROPOS　＊2
権威主義的体制をとるロシア、中国両国にとりアサド政権否定は自己否定に繋がる。国連のアサド政権制裁決議案に拒否権を発動。欧米など西側諸国が民主化を基準にどこかの政権を批判すれば、その影響力拡大を嫌うロシア、中国両国がその国の支援にまわる構図がある。北朝鮮問題も含めこの構図が問題解決を難しくしている。

PROPOS　＊3
シリア紛争の勝者がアサド政権支援のイラン。最近、中東全域でイランの影響力が増大。イランがシリアへ影響力を伸ばすのはササン朝以来のこと。これをアメリカはイスラエルの安全保障の脅威と危惧する。

PROPOS　＊4
トルコの政教分離 (アタチュルク) は国民のほとんどがムスリムの国で無理があった。90 年代までは国軍と憲法裁判所 (彼らはエリート層、軍の政治介入で守られてきた政教分離) が世俗主義の理念を擁護。民主化が進展して信仰に篤い庶民層が発言権を持つようになりトルコ社会のイスラーム化が進展。そこには民主主義的側面もある。

PROPOS　＊5
トルコは EU 加盟を申請 (2004)。東方に急速に拡大した EU だが、イスラーム教国トルコの加盟には後ろ向き。EU はキリスト教クラブとされる。エルドアンはトルコを親欧米、民主主義路線から、オスマン帝国を意識した地域大国、強権体制路線に移行。国内貧困層、迫害を受ける弱者の側に立ち、各国の難民を受け入れるなどスンナ派ムスリムのリーダーとして振る舞う。他方で国内クルド人の人権を侵害している。

画蛇添足

▼イスラーム国の出現は悪夢だった。身代金目的に捕えられた人質がナイフで斬首される様子がＳＮＳで流された。人間はここまで野蛮になれるのかと衝撃が走った。それは近代が起こした蛮行で近代を特徴づけるものなのに「中世の蛮行」という偏見が甦(よみがえ)った(※)。▼アラブ諸国はこの国はイスラームの教えと無関係と否定的にダーイシュと呼んだ。日本でも彼らの自称「イスラーム国(イスラミックステート)」(ＩＳ)」を拒み、括弧書きにした。日本政府はＩＳＩＬ(イラクとレバントのイスラーム国)の呼称を使った。このような残虐な国を認めたくない感情、こういう国のあり方は認められない事情による。国は民族を基本単位とする国民国家(ネーションステート)以外は認めない、が現在の国際社会の了解事項。▼自分たちは社会に居場所がないと閉塞感を持っていた若者を拗(こじ)らせた。過激派の主張―カリフの復活、サイクス・ピコ協定の不当性、暴力でしか現状変更できない、といった主張に説得力を持たせるまでに追い込んだ。▼社会的、経済的上昇が閉ざされた若者をＩＳはＳＮＳを通じてリクルート、聖戦兵士とした。各国とも国内の不満分子の厄介払いになる、反体制運動が弱まる、と送り出しの便宜をはかった。厄介なものを見えない所に送っても解決にならない。グローバル時代に外部は存在しない。ＩＳは消滅したが、それは実戦経験を積んだテロリストの世界拡散、自国への帰還を意味する。▼以前、「これしかない」(サッチャー)を硬直した思考と批判した。解決には「誰も取り残さない」―ＳＤＧｓスローガンを実現するしかない思いにとらわれる。誰も疎外感を抱かない、特に若者に社会的上昇の回路がある社会。皆さんの柔軟な頭で複数の回路を見つけてほしい。

わんクリック　いまのトルコはテュルク人の兄弟国アゼルバイジャン (バクー油田)、カザフスタン (豊富な石油、天然ガス)、トルクメニスタン (天然ガス埋蔵世界 4 位) と関係を深める。いずれも権威主義的国家。特にトルクメニスタンは「豊かな北朝鮮」とされる。21 世紀にはペルシア湾岸に代わるエネルギー資源の宝庫とされてきた。しかし世界の趨勢は脱炭素化。そこで必要になる電気自動車のリチウム電池、太陽光パネル、洋上風力発電プラント―これらいずれでも圧倒的シェアを持つのは中国。脱炭素化が進めば、エネルギーの中東依存が中国依存にとって代わられる。一国依存状態は変らない。

History Literacy　どの時代も、その全体を明るかったとか暗かった、と言えない (言及できるのは着目した局所の印象だけ)。

超大国中国のゆくえ ― 米中新冷戦

①現況　＊1

- GDP 世界 2 位の経済大国 (世界一の輸出国、世界一の工業国)
  - └ ただし農村部が遅れ、1 人あたりの GDP では中国は発展途上国のカテゴリー
- 経済成長による国民の生活水準の顕著な向上
- 人口世界 2 位だが急速な少子高齢化
  - └ 一人っ子政策 (1979 ~ 2014) の後遺症で世界で最も高齢化が進行

②習近平(シーチンピン)総書記時代 (2013 ~)

a. 内政

- 共産党幹部の汚職・蓄財などに対処、反腐敗闘争で権力を固める　＊2
- 新疆ウイグル自治区、香港平定 ― 強権的手法で断行
  新疆ウイグル自治区では百万人以上を矯正センターへ
  └ 実態は不明
  国家安全法で香港の民主化運動を封じ込め
- 集団指導体制から個人独裁色強める、総書記 (3 期目) 就任 (2022)
  └ 毛沢東を意識、毛ができなかった台湾併合に執心
- 中国の IT4 強 (バイドゥ、アリババ、テンセント、ファーウェー)
  └ GAFA に対抗　└ 5G 技術で世界トップ
- 武漢市で発生した新型コロナウイルス感染症がパンデミック化

b. 外政 ― 世界秩序を変えようとする中国　＊3

- 一帯一路政策の推進 ― 巨大経済圏の構築
  中国とヨーロッパ、アフリカを陸海 2 本のルートで結ぶ経済圏
  └ one belt(シルクロード) と one road(海の道)
  アジアインフラ投資銀行 (AIIB) 設立 (2015)、各国のインフラ整備へ投資
  └ 高い金利の借金を返せなくなり担保をとられる国も発生 (「債務の罠」)
  南シナ海、東シナ海への積極的海洋進出
  └「ヨーロッパでの東西対決 (冷戦)」から「インド太平洋」での「米中対立」に移行
  →南シナ海で米中偶発的衝突の危惧高まる
  └ 南沙諸島に人工島建設、軍事基地建設
  台湾併合 (中国統一) の野心　＊4
  RCEP(地域的な包括的経済連携)(2020) 締結

PROPOS ＊1

日本経済が中国経済に抜かれて 10 年。この 10 年で中国の GDP は 1500 兆に躍進。日本の GDP はまだ 500 兆のままで停滞。3 倍の差がついた。2030 年までにアメリカを抜き世界一になる。改革開放の象徴が上海テレビタワーがランドマークの上海浦東新区。近未来的景観。首都北京は世界で最も多くの億万長者が住む都市。ただ国民一人あたりの GDP はまだ 1 万ドルに届かず、中国は先進国として扱われていない。沿岸部の都市の発展は、内陸部の農村の犠牲で成し遂げられた。中国には、立ち遅れ所得が低迷する農民、疲弊する農村、生産性の低い農業、の問題がある (三農問題)。都市住民と農民の間の圧倒的な経済格差。

PROPOS ＊2

独裁色を強める習近平。何十万人もの汚職摘発で政敵を失脚させる手法で中国伝統の熾烈(しれつ)な権力闘争を勝ち抜いた。コネ社会の中国。すべての利権に共産党が関係。コネ、口利き、情報を求めて役人 (共産党員) に人びとは賄賂(わいろ)を持って接近。腐敗はチャイナの構造的問題。賄賂による副収入を得ない党員はいないとされる (※)。独裁色を強める習近平だが国民の大半は共産党とその政策を支持している。弾圧されるのはすべて「少数派」。多数派の暗黙の支持を背景に習近平は少数派を抑圧。選挙を実施したら共産党が圧勝するとみられている。

PROPOS ＊3

まず内政があって、その次に外交がある。外交は内政事情にかなり引きずられる。「内政のための外交」という視点でみる必要がある。中国共産党の最重要課題は統治の安定性、そのための経済発展、民生の安定。

PROPOS ＊4

中国の主張する「核心的利益」―これだけは絶対に譲れない。他の国にも核心的利益があるが、それを見ないのが中華思想。自分の立場しかない。「中国の夢」が「台湾の悪夢」であることに気づかない。

画蛇添足

▼過去と同じ筆法で習近平を叙述すれば、大胆な一帯一路政策で世界における中国の存在感(プレゼンス)を高め、常に冷静沈着に危機を乗り切った卓越した政治家、となろう。少なくとも世界史教科書は過去のこのタイプの為政者をこのように叙述してきた。▼上の本文にあえて不適切な「新疆ウイグル自治区、香港平定」と書いた。乾隆帝の「ジュンガル部平定」に合わせた。これが世界史教科書の文法。「安定がすべてを圧倒する」(鄧小平)―経済成長のためには社会の安定が前提というロジック。弥縫(びほう)策の目立つ日本の政治と違い、中国共産党は長期的視点に立った政策を着実に実行する。▼新疆ウイグル自治区の漢化を急ぐ背景には漢民族の人口減少、自治区人口増加への危惧がある。アメリカから学んでいる。貧しい農村部の人口増加は財政も圧迫する。内モンゴルとチベットの漢化は最終段階。あとは新疆ウイグルの漢化を進め、中央アジアのテュルク (イスラーム) 世界から完全に切り離す算段だろう。世界からどのように非難されようと必要な政策は着実に進める。方向性は別にして政治姿勢には見習うべきものがある。▼社会の安定と漢化を正当化するロジックはかつての西欧諸国のアジア、アフリカ植民化論「文明化の使命」論と同じ。中国はこれらの地域の国民生活水準向上に莫大な資本を投下。西欧諸国が植民地問題を謝罪しないのと同じで批判に応えるつもりはない。▼しかし経済成長はいつまでも続かない。日本以上の人口オーナス (ボーナスの逆) を抱え、超高齢化社会に向かう。膨大な農民が貧困のまま取り残される可能性がある。経済失速時に民主主義体制以上のコスト (公安費) がかかるとされる権威主義体制が持続可能なのだろうか。

わんクリック　どの国も資本主義に離脱するためには安価な労働力が必要。その供給元として低開発地域 (植民地など) を必要とした。中国にとっては国内の農村が事実上の内国植民地 (戸籍アパルトヘイト)。農民が土地を離れて流浪化して起こる農民反乱で王朝崩壊を繰り返してきた国。毛沢東は農民から移動の自由を奪い、離村を難しくした (農村戸籍を付与)。農民が作った食糧で都市民を扶養する形で工業化が進められた。9 億の農民 (農村戸籍保有者) の犠牲のもとに 4 億の都市住民 (都市戸籍保有者) の繁栄が実現。改革開放以降は、農民の都市部への出稼ぎ (農民工) が無尽蔵の労働力ともなった。

History Literacy　チャイナ史での盗賊とは誰か―盗賊は「官」からの呼称、客観的には (収賄をとる)「官」が盗賊。

米中新冷戦 — 分断と対立の危機に立つアメリカ

①経済超大国

・世界一の経済大国、軍事大国 — 人口自然増と移民で経済を拡大させてきたアメリカ

GDP 世界一 (2021)、高い成長率 5.7% (2021)、人口3億3千万

└ この 30 年で倍増、日本の 4 倍

・産業構造の変化 — 消えた白人工場労働者の仕事　＊1

製造業の打撃 — 寂れるラストベルト (Rust Belt) 地帯

雇用が消え、失業者増加、麻薬の蔓延

低学歴、低収入の白人労働者 (プアホワイト化)

先端技術産業の隆盛 — 世界を牽引するサンベルト (Sun Belt) 地帯

└ 電子工業や航空宇宙産業、情報産業など　└北緯 37 度以南、シリコンバレー含む

②伝統的外交への回帰 — アメリカファースト

・中東原油への依存度低下

シェールガス革命 (2000 年代後半)

└ 世界一の埋蔵量、自噴する中東油田と比べると採掘コストが高く原油価格高止まりが必要

・イラク、アフガニスタン駐留の負担

└ アフガニスタンでは 20 年の駐留で 200 兆円のコスト、多くの戦傷兵帰還で批判

③分断される社会 — 貧困、差別、暴力　＊2 ＊3 (※)

・グローバリゼーション、新自由主義の受益者層と与れなかった層の分断

・建国以来の州権主義 (小さな政府) と連邦主義 (大きな政府) の対立

└ 州の自立、独立性の尊重　└ 強力な中央政府

・ブルーステーツ (民主党支持州) と レッドステーツ (共和党支持州) の対立

└ このような二分法的「色分け」自体が 2000 年代からの用法

民主党支持　東海岸と西海岸の大都市部

多様性の尊重、同性婚、プロチョイスなどリベラル派　＊4

支持者の傾向　女性、非白人、若者、大卒、高所得者

共和党支持　北西部・西部、南東部

└ アパラティア山脈以西　└ バイブルベルト (福音派が多い)

伝統的アメリカ価値観、異性婚、プロライフなど保守派

支持者の傾向　男性、白人、中高年、非大卒、低所得者

→分極化しすぎて妥協点が見つからない (妥協で進む民主主義の危機)

PROPOS　＊1

アメリカの工業は北東から南西へ移動。かつての五大湖周辺はメサビ鉄山、アパラティア炭田があり自動車を中心とした製造業の中心地だったが、アメリカの主力産業は半導体など精密機械に移行。精密機械製作に適するのは温暖で乾燥した気候。カリフォルニア (シリコンバレー)、テキサス (シリコンプレーン) など北緯 37 度以南のサンベルト地帯に工業は移り、五大湖周辺はラストベルト地帯として取り残された。

PROPOS　＊2

教育水準が高いリベラルなエリート。環境問題、食問題への意識が高く、少数者 (性的マイノリティ)、移民、難民の保護に熱心。ところがラストベルトに取り残された人びと、ファストフードで肥満気味の白人労働者に冷淡な眼差しを向ける。この経済的にも高等教育からも取り残され、存在論的不安を抱えていた人びと—ここに手つかずの巨大な票田を見いだし、彼らの不安、不満に既得権益層（エスタブリッシュメント）への憎しみの火をつけたのがトランプ。支持基盤人口が減り、党勢が先細りで政権を取れないと囁かれていた共和党主流派が彼に乗り、彼に乗っ取られた。

PROPOS　＊3

「勝者総取り」(winner take all) がアメリカ文化。大統領選挙も州の選挙人を総取りする前時代的システム (直接民主政への警戒があった初期の発想)。グローバリゼーションとこの文化がアメリカの中間層を分解させ、とてつもない富裕層と格差を作った。

PROPOS　＊4

プロチョイス (中絶権利擁護派—母体の選択権の優先) とプロライフ (中絶反対—赤ん坊の生命尊重) で分裂するアメリカ。プロライフは 10% 程度とされるが多様性を欠く社会では声高な強硬派の主張が通る。困るのは中絶手術が可能な州に行けない貧しい女性たち (また中絶手術が多いのは黒人、ヒスパニック)。「いのちの尊重」の反対しにくい美名の中に人種差別が隠れている。

画蛇添足

▼アメリカは依然として超大国。人口（3億3千万）は増加中（移民の流入）でGDP世界一の経済、軍事大国。アメリカの強みは軍事力といった目に見えるハードパワーだけでなく、人を惹きつけるソフトパワー（ジョゼフ・ナイ）があることだった。▼しかし近年のアメリカは憎悪で社会が左右、上下に分断され暴力がはびこる。双方の憎しみは深く、前回の大統領選挙では銃を携行した両陣営がにらみ合い、内戦が危惧された。3億丁もの銃が出回り、分断は憎しみレベルに達する。ルワンダの虐殺のようなことが起こる可能性がある（分断をアメリカは何度も乗り越えてきたとの見方もある）。対立する党派は敵ではなく、互いの足りないところを気づかせてくれるライバル。そういう社会のロールモデルを演じてきたのがアメリカであり、人びとを反発させながらも惹きつけたソフトパワーだった。▼銃社会で貧困が蔓延（はびこ）るアメリカに比べて、政治的自由はないが安全で豊かな社会を実現させた中国。中国の権威主義、人権問題を非難するアメリカに対して、中国はアメリカの掲げる民主主義は普遍的ではないと、アメリカ国内の黒人問題などを指摘して反論する。よほど中国の言い分の方が的を射ている。▼「グローバル化の象のカーブ」（ブランコ・ミラノビヴィッチ）。新興国の中間が大きく所得を伸ばし、先進国の中間層が没落した。歴史を通じて世界は格差社会（王侯貴族と庶民）だが、平等の概念がない社会では人びとは不公平感を抱かない。豊かな生活からの没落感を伴う格差は社会を不安定にする。アイデンティティの政治が広がる。中国製品で生活している階層が反中姿勢を強め、オバマケアで助かる階層がそれに反対。天に唾（つば）する政治行動。

わんクリック　「世界の警察官」アメリカ。孤立政策を建国の国是としてきたアメリカが初めて外国と結んだ同盟が北大西洋条約機構 (NATO)。以降、アメリカは世界各地の紛争に介入する「世界の警察官」であることを期待され、またその役割を担ってきた。しかしオバマ政権時に「アメリカはもはや世界の警察官ではない」と宣言。バイデン政権時のアフガニスタンからの撤兵 (2021) はその象徴となった。いまアメリカは伝統的な外交政策へ回帰しつつある。「アメリカ抜きではどんな問題も解決できないが、アメリカだけでは世界規模のどんな問題も解決できない」(オバマ) という認識が基底にある。

History Literacy　「分断を助長している」と非難する行為が分断を助長—人は変えられない、自分を変える。

「失われた 30 年」(平成の 30 年間)― 世界の経済成長から取り残された日本

①「失われた 30 年」― 高い生活水準、安全な社会は実現

└ 世界が安定成長する中で、日本は実質経済成長率 1% 未満の超低成長時代続く ＊1

・バブル崩壊 (1990) 後の不良債権処理長引き、金融、経済停滞

└ 負債の圧縮優先で、コスト削減、価格競争に走る

→デフレスパイラルに陥る (「失われた 10 年」) ＊2

└ 物価下落で企業収益悪化、経済停滞が加速、賃金減少で物価下落に拍車の悪循環

→「実感なき景気回復」(2002 ~ 8) による K 字型景気回復 ＊3

└ 膨れ上がった企業の内部留保 (250 兆円)

・金融恐慌 (リーマンショック、2008)、東日本大震災 (2011) で回復に打撃

・弛緩しきった財政規律で累積財政赤字約 1200 兆円

└ アベノミクスによる超低金利政策 └ 先進国中最悪

②分断される社会

・労働市場の分断、正規雇用と非正規雇用 (※)

・分厚かった中間層が二極分解し、格差社会へ

・低賃金での不安定な暮らし

③多発する自然災害 ― 活発化する環太平洋造山帯

・阪神淡路大震災 (1995)

└ 直下型地震、建物崩壊で死者約 6400 人

・環太平洋造山帯の活動が活発化

スマトラ地震 (2004)、ハイチ地震 (2010)、東日本大震災 (2011)

└ 津波で死者約 22 万人 └ 死者約 22 万人 └ 津波など死者行方不明者約 2 万 2 千人

・プレート境界上 (4 つのプレートが集まる) に立地する災害大国日本

└ 美しい風景 (山岳景観、温泉湧出など) を作る、観光立国日本の資源でもある

→備えが必要な南海トラフ巨大地震、首都直下型地震

④少子高齢化の急速な進行 ― 人口の 3 分の 1 が 65 歳以上 (2025) の未知の社会へ

・社会の停滞と財政負担の増大 (医療保険、年金保険費など) ＊4

・若年層にとり魅力ある社会、高齢者が尊厳をもてる社会、の制度設計

子育て支援 (特に教育費の軽減など)、働き方改革、高齢者のあり方など

→女性が安心して子どもを産み育てられる社会 ＊5

└ 世界に先駆けて進行する「課題先進国」から「課題解決先進国」へ

PROPOS ＊1

高度経済成長期 (1956 ~ 73) の平均経済成長率 9.1%。安定成長期 (1974 ~ 1990) は平均 4.2%。低成長期 (1991 ~ 2020) は平均 0.9%。経済成長は複利計算。1% の違いが大きな違い。2% の経済成長で GDP が 2 倍になるのに 35 年かかるが 10% だと 7 年。「2 倍になる年数＝ 70 ÷年率」で概算したい。1% だと 70 年かかる。1% 未満の時代が長く続いた (「失われた 30 年」)。

PROPOS ＊2

歴史的に異常な事態―物価下落 (デフレーション)。バブル崩壊後日本は長いデフレスパイラルの結果、現在の「安くて便利」な社会となる。バブル崩壊後の対応に失敗。格安中国製品の流入、人口減も重なった。デフレとは貨幣価値の上昇。物を買うと損をする。お金を使わずに何もしないのが得策、は深刻な経済停滞を引き起こした。

PROPOS ＊3

劇的回復が V 字回復、落ち込んでからの回復ペースが緩やかな L 字回復。急回復と緩慢な回復の二極化が K 字回復。

PROPOS ＊4

日本は教育費が高すぎる。とくに大学の学費。人生で 2 番目に高い買い物が大学進学。大学の文系学部で学べる内容が、学費に見合うだけの価値があるのか疑問がある。これはリベラルアーツの大切さとは別問題。学園紛争後に真剣に勉強しないと (学生運動をしていると) 元が取れないように政策的に値上された学費。教育内容の充実は期待できないから学費引き下げが課題。また学問に興味がなければ割高な大学進学など必要ない、と意識を変える時代だろう。

PROPOS ＊5

日本では F. ローズヴェルトが掲げた「4 つの自由」、言論と表現の自由、信仰の自由、恐怖からの自由、欠乏からの自由―が不完全としても実現。総じて穏やかで勤勉な国民が作り上げた安全で清潔な社会は実現。

画蛇添足

▼改革開放の40年で中国は飢えから解放され生活水準は著しく向上。農村部はまだ取り残されているが14億もの人口が飢えていない、安定した豊かな暮らしが実現したのは中国共産党の大きな功績。その支配に正統性を与えるものになっている。▼国民を飢えさせないのが政府の最も大切な仕事。改革開放前の中国は貧しかった。この政策が始まった時、日本は協力を惜しまなかった。対中国民感情もよかった。他方でこの間の日本は「失われた三十年」を経験。世界経済に占める日本のウェートは下がり、日本と中国の経済的地位は逆転。対中感情も反転した。▼コロナ前にはアジア諸国から多くの観光客が来日。日本はインバウンド景気に沸いた。いまアジアの若者にとっての日本は安全で快適に過ごせる格安旅行先。この上から目線は、かつて日本人がアジア諸国にでかけて、日本円の価値に優越感に浸った時と同じもの。いま来日観光客が感嘆する百円ショップ。これが「失われた三十年」が作った「安くて便利な日本」の象徴。▼77年の誕生以来、同じ価格。これが値上げを許容しない、物を大切に扱わない社会を作り、賃金上昇を抑え、日本を停滞させた。海外で驚くのは物価の高さ。ランチを外食すれば数千円が相場。「なぜこんなに高いのか」ではない。日本の物価、賃金が安すぎる。経済成長する世界の中で日本は取り残され、衰退途上局面にはいってしまった。▼ただ国内で生活するなら衣食住には困らない。ワンコインでおいしいランチ、2枚で高品質の国民服も手に入る。人口減少で不動産は負動産と化し、過疎地域には無料物件もある。この三十年に日本社会は、安全で快適な社会に変化。そんなプラス面もある。

わんクリック 今後 30 年以内の発生確率 70 ~ 80%、最大 M9.1 の地震。高層ビルの激烈な揺れと大津波で死者 32 万と試算される南海トラフ巨大地震。備えることで減災ができなかったら歴史を学ぶ意味がない。都会では、非常ベルが鳴っても逃げない、知らない人の中だと無関心を装う、が現状。「まさか」と考える正常化バイアスが起こした大川小学校の悲劇と同じ危機意識。関東大震災の死者の 9 割が火災死。被服廠(ひふくしょう)で約 4 万人が火災旋風に巻き込まれた。阪神淡路大震災は死者の 9 割が圧死。横網町(よこあみちょう)公園の復興記念館 (東京)、人と防災未来センター (神戸)、震災遺構大川小学校 (石巻) は訪ねたい。

History Literacy 問題化されない問題がある―男性が対象となるまで問題でなかった非正規雇用 (女性は以前から非正規)。

補講　ウクライナとロシア

①キエフ・ルーシの分裂　＊1

└ 東スラヴ人最初の統一国家

・モンゴルの支配後、キエフ・ルーシは南北に分裂 (13c)

・北部　モスクワ大公国として独立、大国化

└ モスクワが東スラヴ世界の新しい中心となる

・南部　治安悪化で人口希薄化 ― ウクライナ (辺境) の呼称発生

└ キエフ周辺、黒土のある肥沃地帯 (平地) で防御は難しく様々な政治勢力が支配

西からドニエプル川、ドン川、ヴォルガ川流域でコサック形成 (15c)

└ 黒海へ　└アゾフ海経由黒海へ　└ カスピ海へ

コサックは北の農奴制を逃れてきた逃亡農民など　＊2

└「自由な独立した人」の意で独立心旺盛な農民であり兵士

②ウクライナ・コサック

・ドニエプル川中下流域のコサック集団

└ 独立国家ではなく、他国支配下での半独立状態　＊3

全体の頭領 (ヘトマン) を合議で選出 (ヘトマン国家)

北方の大国 (リトアニア大公国、ポーランド王国、モスクワ大公国) に支配される

・ウクライナ・コサックへのロシアの介入

ウクライナ・コサックはポーランド・リトアニア連合王国と緊張関係

→対抗のためロシアと軍事協定 (1654 年ペレヤスラフ協定)

└ ロシアのウクライナ介入、併合を招く転換点に

→ロシアとポーランドがコサック国家分割 (1667 年アンドルソヴォ条約)

ドニエプル川左岸 (東部) はロシアにより支配

└ 東部は正教圏 (ロシア正教よりウクライナ正教が多い)

ドニエプル川右岸 (西部) はポーランドにより支配

└ 西部はカトリック圏となる

→さらに右岸がポーランド分割でロシア、ドイツ圏に分割 (120 年間)

└ ポーランド支配地

・ウクライナ・コサックの 8 割がロシア領、2 割がオーストリア領　＊4

└ 右岸の一部

PROPOS　＊1

ウクライナの国家形成は遅れた。いつ「自分たちはウクライナ人」というアイデンティティを持つ集団が誕生したかは特定できない。モンゴル支配から離脱した後、中心はモスクワに移動して、キエフ周辺は「辺境(ウクライナ)」と呼ばれるようになる。ここで形成された軍事集団コサック (国家形成ではない) の中でウクライナ人意識が高まったとみられる。しかしいまの「ウクライナ」全域がまとまることはなかった。

PROPOS　＊2

コサックは自治を行う政治・軍事組織。彼らが展開した黒海・アゾフ海北岸、カスピ海北岸地帯は東欧キリスト教世界の最前線で正教擁護のためにイスラーム諸勢力と戦うことになった。当時、北方で大国化しつつあったロシアはコサックの軍事力を西のポーランド王国 (カトリック)、南のクリミアハン国 (イスラーム)、オスマン帝国 (イスラーム) に対する盾として利用した。コサックの存在がロシアを強国にしたが、それゆえコサックはロシアに併合された。

PROPOS　＊3

16c にドン川の下流 (カスピ海北方) に移住したコサックはドン・コサックと呼ばれた (ウクライナのコサックとは別)。ロシアはこれも庇護する代わりに軍事力として利用。最終的に併合しようとした。それに対してステンカ・ラージンの乱 (17c)、プガチョフの乱 (18c) が起きた。いずれも鎮圧され、この地域はロシアに併合された。

PROPOS　＊4

実際のウクライナは東西に色分けできない。東部のロシアに接したハリコフ (ハルキウ) 州、ドネツク (ドネツィク) 州はロシア語話者の多い正教圏、西のリヴィウを中心地とするガリツィア (ハリチナ) 地方はウクライナ語話者のカトリックが多い。その他の大部分はウクライナ語とロシア語を必要に応じて使い分けるバイリンガルのウクライナ人が住む (括弧内はウクライナ語)。

画蛇添足

▼「オーストリア・ハンガリー帝国で生まれ、チェコスロヴァキアの学校に通い、ハンガリーで結婚し、ソ連で働き、ウクライナで余生を送っている」。なんと行動派の国際人と思いがちだが、この人は「一度も自分の村から出たことがない」というオチがつく。▼これはウクライナ西部の話。西部は様々な勢力に支配されてきた複雑な歴史を持つ。西部はポーランド支配の影響からユニエイト教会 (教義はカトリック、典礼は正教) で親欧的。いまのウクライナを主導するのはガリツィア地方 (旧ハプスブルク領)。他方で東部にはロシア語を話し、ロシアに親近感を持つ人びとが住んでいる。▼真ん中に分断線が引かれたウクライナ。強大化するロシア帝国を支える工業地帯となる。ロシア人も多く移住。ロシア語が共通言語となり東方正教会が普及。ロシア人とウクライナ人の結婚も普通に行われる。対して西ウクライナでは、ウクライナ語が話されて、ポーランド (カトリック) の影響を受けた土着のウクライナ・カトリックが広がった。▼キエフを国家発祥の地とみるロシア。ロシアが大帝国に発展した契機もまたウクライナ支配。穀物、資源、人材の供給地。歴史的にロシアと一体 (ロシアの一部)、ウクライナなしのロシアは考えられないという感覚を持つ。ロシアはロシアとベラルーシ (白ロシア) とウクライナの東スラヴ三兄弟は一体として「ロシア」を形成 (東スラヴ) すると考える。▼冒頭で指摘したようにキエフはそのあとリトアニア大公国、ポーランド王国の一部としてロシアとは異なる歴史を歩み、異なるアイデンティティを持つにいたり、独立して別の道を歩んで30年。ウクライナは、ロシアでなくウクライナの感覚を持つようになっていった。

わんクリック　ウクライナは肥沃な平原を有する広大な国土 (60 万㎢)(※)。「土の皇帝」とされた肥沃な黒色土チェルノーゼム地帯が広がる。世界の代表的小麦の産地。また南東部にに石炭、鉄鉱石など豊かな天然資源がある。ただ、豊かな土地を持った悲劇がある。しかもウクライナは交通の要衝―これは大国の狭間の廊下のような場所。ロシアとポーランド、トルコに囲まれた。とりわけウクライナがあったおかげで農業的にも工業的にも大国化したロシアはウクライナなしでやっていけない関係となった。そのウクライナの西側世界への接近が、ロシア (プーチン) 暴発の引き金をひくことになった。

History Literacy　土の皇帝チェルノーゼムが広がる「肥沃な平原」―これほど狙われやすく、守りにくい国土はない。

③ロシア帝国支配下のウクライナ ― ウクライナの工業化と農業大国化

└ ポーランド分割の結果、ウクライナ全体の８割がロシア領

・ロシア南下（18c）によるウクライナのロシア化

黒海北岸、ドニエプル中下流域遊牧地帯の農耕化

→ドニエプル川流域はロシア帝国内最大の穀倉地帯に

└「ヨーロッパのパンかご」になり、オデッサが積出港として整備　＊1

・ロシア資本主義開始（19c末）によるウクライナ東南部の工業化

→ドンバス地方はロシア帝国内最大の工業地帯に

└ ドンバス地方に大炭田発見、クリヴィーリフに鉄鋼石

④オーストリア支配下のウクライナ

・西部にガリシア（ハーリチ）州設置

→ウクライナナショナリズムの中心地（主要都市リヴィウ）

└ 多民族国家オーストリア帝国（ハプスブルク家）は支配地に同化を強いず

ウクライナ人は農民、リヴィウなど都市住民の多くはユダヤ人

⑤ソ連時代のウクライナの苦難

・ロシア革命後にウクライナ独立（1919～22）　＊2

革命後の内戦でコサックは反革命側（白軍）で赤軍と戦う

→敗れてウクライナはソ連邦の一部に編入　＊3

・ホロドモール（ウクライナ飢饉、飢餓ジェノサイド）(1932～3)

ウクライナ農民がスターリンの第１次５カ年計画の集団化の対象

└ 農業の集団化の失政で大飢饉（400～1000万人死亡）、反ロ感情高まる

農業の集団化、クラーク（富農）撲滅運動の対象

・ソ連時代のウクライナ

中西部は農業地帯、東部は工業地帯としてロシア経済の心臓部

２次大戦での主戦場 ― 膨大な死者（800万）　＊4 ＊5

⑥ウクライナの独立（ソ連邦解体のきっかけ）

・1991年、ソ連邦からの離脱宣言、独立

・1990年代、オリガルヒ（少数の富裕者）支配、汚職蔓延

└「赤いマフィア」として国有財産を私物化

・国民国家としてのアイデンティティの醸成に失敗

・EU、アメリカのネオコン、ロシアのオリガルヒなどの利権の草刈り場に

└ 新保守主義（アメリカの価値観を広げようとする勢力）

PROPOS　＊1

18c以降、ロシア帝国領になって黒海沿岸にオデッサなどの積み出し港が整備されロシアの南方への窓となった。コスモポリタンな町。ギリシア正教徒も多く、ギリシア独立運動（19c）の中心地になる。またロシア・東欧ユダヤ社会の中心地でもあった。

PROPOS　＊2

1917年にロシア革命が勃発してロシア内戦が始まると、コサックは独立を宣言。反革命側で戦う。この時、ウクライナの国旗―上半分が青、下半分が黄。青空の下に小麦畑が広がっている光景、が作られた。

PROPOS　＊3

ウクライナのコサック兵はロシア革命のあと赤軍に抵抗したが、敗北した。残されたコサックは共産党による苛烈な弾圧の対象となった。ロシア革命後、「白軍」で反革命派についたためにその後、国外に亡命したロシア人を「白系ロシア人」とするが、ウクライナ系が多い。日本にも亡命した。

PROPOS　＊4

ウクライナナショナリズムは反ロシア、反ポーランド、そして反ユダヤが特徴。ウクライナがポーランドの一部だった時期、ポーランド貴族が使っていた都市に住むユダヤ人（ウクライナ農民からの徴税業務）に対する反発から２次大戦でドイツのユダヤ人虐殺に協力したウクライナ人もいた。

PROPOS　＊5

ウクライナはナチス・ドイツのホロコーストの舞台の一つ。当時の世界ではウクライナ（の都市部）にユダヤ人が最も多く住んでいた。その人権を守るべき国家がなくなった。ウクライナはソ連（ロシア）の圧政（特にホロドモール）への反発からドイツ軍を「解放軍」として迎え入れ、協力した時期があった（その時の指導者の名前をとりウクライナの親ナチス勢力はバンデラ主義者と呼ばれた）。プーチンはこの昔の話をウクライナ侵略の理由の一つに使った。

画蛇添足

▼共産主義化を進める上で農民の扱いは難しい。工場労働者と違い、農民は農地や農機具など生産手段を持っており自活できる。ロシア農民は共同体（ミール）に慣れていたがウクライナ農民はコサックの精神を受け継ぎ独立精神旺盛。集団化を進めたいスターリンにとりやっかいな存在。▼「富農」が農民のブルジョワジーとして弾圧の対象になった。実際は研究熱心な篤農家（とくのう）たち。彼らを弾圧したことで落ちた農業生産力が最後までソ連のアキレス腱となった。１次５カ年計画。ウクライナの黒土地帯がターゲットになり、集団化・機械化が強行された。それに必要な外貨獲得のために輸出用穀物を厳しく取り立てた。そして余剰になった農民を東南地方の工業地帯の工場労働者とした。▼それまでは工場労働者にロシア人を入植させたが、ウクライナ農民を離村させることにした。個人主義的で独立意識の強い農民を土地から切り離し、工場労働者（プロレタリアート）として階級意識を持たせるねらいがあった。抵抗する者と富農は「階級の敵」として土地を没収。シベリアに強制移住させた。これに対して農民は奪われる前に家畜を殺すなどして抵抗、生産は落ち込んだ。その激減した生産物が容赦なく徴発されて海外へ輸出された。▼世界一豊かな黒土地帯で飢餓が広がる。都市住民の中でなく、豊かなウクライナの農村で、食糧を生産する農民が数百万人も餓死する地獄絵が広がった。人肉食が横行。典型的な飢餓輸出（※）。多くのウクライナ人が海外に亡命。日本にも白系ロシア人（共産革命に反対したロシア人）として少なくないウクライナ人が住んでいる。今回のロシアの侵略に関して、向けられたマイクに彼らは「まさか」ではなく「またか」だ、と語った。

わんクリック　チャイコフスキー弦楽四重奏曲第１番第２楽章はウクライナ民謡によるこの上ない穏やかさ。この大地と人びとの犠牲のもとにスターリンは第１次５カ年計画を実施。食糧は収奪されて数百万の餓死者が残された。スターリンの華々しい宣伝を信じたい世界（ソ連市場に参入するため国交回復を急ぐ米国など）に対して、人肉食まで追い詰められたウクライナの惨状（ホロドモール）を伝えようとした実在の新聞記者を描いた映画『赤い闇　スターリンの冷たい大地』。イギリス人のジョージ・オーウェルがナチスと戦う同盟国のスターリンを風刺する『動物農場』(1945)を書いた背景も説明する。

History Literacy　「大きな物語」は効用があるので言及される―大きな目的のためとして眼前の犠牲を正当化できる。

⑦オレンジ革命 ― 民主化運動（「カラー革命」）とロシアの反発

・大統領選挙不正に抗議する民主化運動で再選挙

└ グルジア（ジョージア）のバラ革命の影響、キルギスのチューリップ革命に影響

親欧派ユシチェンコ大統領当選、親露派ヤヌコーヴィチ落選

└ 政権運営失敗　　└ 2010年選挙で大統領当選

・親欧州政権（西部の支持）と親露政権（東部の支持）が交代

→対立激化で国民統合が進まず

⑧ユーロマイダン革命（ウクライナの民主化）

・2014年、ユーロマイダン革命（尊厳の革命）　＊1

親露派ヤヌコーヴィチ大統領の統治（強権、腐敗）

└ 親露、親EUの両路線を模索するがロシアの強い圧力で親EUは断念

当初は親欧州派の非暴力デモ、途中からデモの一部が暴徒化

└ 治安部隊の発砲で100名近く死亡

→大統領辞任（ロシア亡命）、親欧州派ポロシェンコが新大統領（2014）

⑨ロシアの強い反発

a. クリミア半島武力併合（2014）　＊2

・ロシアがクリミア半島武力侵攻（3月）、住民投票で併合

└ 親ロ派ヤヌコーヴィチ政権崩壊（1月）直後、電光石火の併合でほぼ無血

b. 東部ドンバス地方での親ロシア派勢力の武装蜂起

・「ドネツク人民共和国」「ルガンスク人民共和国」の独立宣言、内戦化

└ 非承認国家、ロシアの承認を求めるがロシアは非承認（2022承認）　＊3

→ミンスク合意（2015）で停戦、事実上戦闘継続

└ 東部ルガンスク州、ドネツク州の約3分の1を分離独立派勢力が実効支配

⑩ロシアのウクライナ武力侵攻（2022）―「プーチンの蛮行」

・ウクライナでゼレンスキー大統領（2019）当選

└ コメディアン、大統領をめざすドラマで国民的人気

支持率低下挽回のためにEU、NATO加盟示唆、ミンスク合意破棄

・ロシアのウクライナ侵攻　＊4 ＊5

└ プーチンは数日でゼレンスキー政権転覆、親ロシア政権樹立可能と予想

ウクライナ軍の抵抗、国民の抵抗（ナショナリズムの高まり）で長期化

西側諸国の結束、最新武器供与、ロシアに対する強い経済制裁

PROPOS　＊1

親欧州派が自然発生的に首都キエフのマイダン広場に集まる。当初はリーダーのいない個人の参加による非暴力デモ。しだいに反ロシアの極右民族主義者が混じるようになり治安部隊と衝突。多くの死者がでた。西側はこれを市民革命とみるが、ロシアは大統領が武力で排除された暴動とみる。

PROPOS　＊2

温暖な保養地クリミア半島。エカチェリーナ2世が獲得するまではタタール系の居住地。後にクリミア戦争激戦地としてロシアの国民的記憶の地となる。スターリンがタタール系住民をシベリアへ強制移住、ロシア人を移住させた。半島住民の過半はロシア人。フルシチョフがウクライナに譲渡（1954）したが当時は行政区画の変更程度の意味だった（ソ連解体でウクライナとロシアが別の国になるなど想像外）。

PROPOS　＊3

この侵攻でウクライナ国内で均衡していた親露と親EU感情は後者に振れ、ロシアはクリミアを得てウクライナを失う。プーチンはドネツク、ルガンスクの両国を「非承認国家」とした。併合すればウクライナの親露派住民が激減。今後、ウクライナで親露派大統領が当選する可能性が消える。

PROPOS　＊4

プーチンの計算違い。ウクライナ国民はロシア軍を歓迎して簡単に降伏、「特別軍事作戦」は数日で終了すると考えた。ゼレンスキーの徹底抗戦の決断、カメラを前にした時の発信能力の高さ、国民が抵抗で団結したことは想定外。全面戦争となったので犠牲者が増大。もちろん責任は降伏を受け入れず抵抗したウクライナ側にはない。

PROPOS　＊5

ドイツは東方政策以来、ロシアとの経済的相互依存関係を強め、エネルギー資源の半分をロシアに依存することで両国間の安全保障としてきたが今回は裏目にでた。

画蛇添足

▼合理主義者とみられていたプーチンの蛮行。とりわけ先進国の人間は戦争は過去のもの、起こるとしても途上国で起こると考えていた。自分たちと同じような生活をする人びとの国が戦場となったことに戦慄した。▼ウクライナのゼレンスキー大統領の徹底抗戦姿勢を国民が支持。西側諸国が団結して強い経済制裁をとった。ロシア軍の低い士気もあり、戦争は長期化。短期間で政権転覆をはかったプーチンの目算は外れた。この蛮行で何らかの要求が通れば国際秩序は崩壊する。▼核保有大国ロシアが、かつて保有国だったが非核国を選んだウクライナを、核使用を仄めかして威嚇。これで怯めば核保有の有効性を認めることになる。ウクライナの抵抗が「正しい」ことは間違いない。だが抵抗すれば犠牲者は増え続ける。政治家の最も重要な仕事は戦争を起こさないこと。プーチンの積年の不信感を過小評価して、その蛮行を止められなかった西側外交の失敗。▼彼の歪んだ世界（歴史）観の危険度を見誤った。政敵の殺害も厭わない、まともな指導者ではないが、何が自国（自分）にとって有利かを沈着冷静に判断できる指導者とみなされてきた。だからこそ今回は「プーチンが狂った」と恐怖で受け止められた。理解の難しい相手の内在論理、非合理を合理的と捉えている可能性を、「ロシアなりの正当性」に沿って理解する必要があった。▼自分が重ねてきた嘘で、自国が脅かされていると信じ込んだ指導者。現行の国際秩序への不信感を鬱積させた指導者。いま日本の隣国5カ国のうち3カ国までが権威主義体制の核保有国。私たちとは異なる価値観を持った指導者が率いる正真正銘の「他者」。他者との付き合い方が問われている。

わんクリック　ウクライナの国土が蹂躙され、住居、学校、病院が破壊され、市民が虐殺されている。「自国系住民が迫害されている」「ウクライナという国は存在しない」と一方的に相手国を侵略しながら、これは戦争ではない「特別軍事作戦」と主張するロシア。自国は攻撃されない非対称な戦争。戦闘員だけでなく住民を虐殺し、首都を空爆。占領各地で傀儡政府を樹立。その政府を国民の大多数が支持。80年前に日本が中国に行った侵略戦争に悲しいほど重なる光景。居留民保護のため、中国非国家論、三光作戦、支那事変、首都南京、重慶への空爆（渡洋爆撃）、各地での傀儡政権樹立、国民の熱狂（※）。

History Literacy　過去の日本の過ちを「世界史の一部」とすることで世界の共有財産としなくてはいけない。

第20章　現代の文化、現代の文明

文学 ― 小説が文化のヒエラルキーの頂点に君臨した時代の終わり

①イギリス
- ・バーナード・ショー『ピグマリオン』、フェビアン協会参加
- ・ジェイムズ・ジョイス（アイルランド）『ダブリン市民』『ユリシーズ』
- ・ジョージ・オーウェル『カタロニア讃歌』『1984』『動物農場』

②フランス
- ・マルセル・プルースト『失われた時を求めて』 ＊1
- ・マルタン・デュ・ガール『チボー家の人々』
- ・アナトール・フランス『神々は渇く』
- ・ロマン・ロラン『ジャン・クリストフ』
- ・アンドレ・ジイド『狭き門』
- ・アルベール・カミュ『異邦人』『ペスト』 ＊2

③ドイツ
- ・トマス・マン『魔の山』

④アメリカ
- ・パール・バック『大地』
- ・アーネスト・ヘミングウェイ『武器よさらば』『誰がために鐘はなる』 ＊3
- ・ジョン・スタインベック『怒りのぶどう』

⑤そのほか
- ・ゴーリキー（露）『外套(がいとう)』 ＊4
- ・ソルジェニーツィン（露）『収容所群島』
- ・カフカ（チェコ）『変身』、実存主義文学
- ・ガルシア・マルケス（コロンビア）『百年の孤独』

歴史学 ― 必読書、E.H. カー『歴史とは何か』

- ・シュペンクラー『西洋の没落』
- ・ピレンヌ『マホメットとシャルルマーニュ』
- ・マルク・ブロック『歴史のための弁明』、レジスタンス参加
- ・E.H. カー『歴史とは何か』 ＊5

PROPOS　＊1
世界で最も長い小説『失われた時を求めて』。回想によって人生の失われていた時間を見いだす物語。多くが通読に挫折（私は最初の30頁）、「失われた時を返して」と嘆いてきた。心情をセリフや心理描写で説明せず、行動だけを短く描写するヘミングウェイ（ハードボイルド文体）と対照的。

PROPOS　＊2
不条理は格好つけた言い方。理屈に合わない馬鹿げたこと(アブスュード)。不条理を受け入れることに人間の成熟を見るカミュ。20cは夥しい命が不条理に奪われた世紀。不条理に怒り続けるのもまた成熟ではないだろうか。

PROPOS　＊3
『誰がために鐘は鳴る』の主人公。逆境に直面すると高潔さを発揮する。Courage is grace under pressure. な人物として造形。

PROPOS　＊4
『外套(がいとう)』。帝政ロシアの役所で清書を担当する下級官吏。仕事を愛するが皆から軽んじられている。外套の新調が必要になり、思わぬ出費が痛手。しかししだいにそれが彼の生きる目的に変化。ところが新しい外套をついに手にした日に…。「我々はみなゴーゴリの『外套』から出てきた」（ドストエフスキー）。コート（外套）には小池昌代の詩「記憶」、梨木香歩(なしきかほ)の短編「コート」と印象深い佳品が多い。一人の生活と共にあっていろいろな記憶を宿すからだろう。

PROPOS　＊5
E.H. カー『歴史とは何か』。「歴史とは階級闘争の歴史」といった「大きな物語」の復権を図るのではない。過ぎ去った時間に文字で形を与え、「歴史」としてやり取りする知識。それはどういう知識なのかと問う単純疑問形。歴史哲学とも違う。そもそも個別性、一回性を扱う歴史と普遍的真理を追究する哲学は相性が悪い。「何か」と考察された「歴史」―これを教室で語ること、「歴史教育とは何か」の考察も必要。

画蛇添足

▼気が滅入る反転を描いたジョージ・オーウェル『動物農場』。農場主の下で様々な動物が暮らしていたが人間の支配による様々な問題が発生。「すべての動物は平等である」と宣言して動物たちが蜂起、農場から人間を追い出した。▼「動物農場」が誕生して新しくブタが大統領となる。ブタは悪知恵を働かせて自らの特権と勢力を拡大、かつての人間の農業主以上の独裁者となっていく。ロシア革命が成立して、ソ連がスターリンのもとで変質化していく過程、集団農場を痛烈に風刺した作品。▼人間性の回復をめざしたはずの共産主義思想がどうして人間性をより抑圧してしまったのか。国家の解体を目ざしたはずの共産主義思想がなぜ強力な政府を作りあげてしまったのか。共産主義は理念としての存在で、現実に存在したのは社会主義。問題は過渡期段階の社会主義、とりわけソ連型社会主義だった、の理解ですませられるのか。▼ブタにだけ食糧が配給されることを言葉をごまかして正当化する。ここで用いられたnewspeak(ニュースピーク)やDouble-think（二重思考）などの造語は、現代社会分析に不可欠になってしまった。歴史と文学は補完関係にある。歴史叙述は「要するに」と要約も、「実は」と拡大もできる。実際、筆者の仕事は歴史叙述の要約と行間に隠れたものの引き延ばし。▼要約できないのが文学。ストーリーは要約できるがそれだけなら文学は不要。詩が要約できないように文学も要約できないところに存在価値がある。文学でしか語れないこと。歴史叙述ではできない―性格も、心理など複雑なものを複雑なままに叙述することで権力に抑圧される民衆、その被害者の民衆の持つ加害性、抑圧性―つまり「人間」を描けるのが文学。

わんクリック　文章は分かりやすいが、何を書いているのか…の『百年の孤独』。人間に関する様々なことが語られていることは分かるが…の『魔の山』。本当の魔の山―難解系の最高峰は双耳峰になっていて『失われた時を求めて』と『ユリシーズ』。語り手のとるに足らない人生が十数巻に渡り回想…と冗長率が半端でない『失われた時』。冴えない中年男性のたった一日だけを独力では読めない難解さに高めた小説『ユリシーズ』。無教養の誹(そし)り、馬鹿にされることを承知で書いている。純文学は筆者にとって遠い異文化。どのような分野でも、誰にでも理解できるものは深みに欠ける、とみなされるようになる。

History Literacy　複雑なもの（人間、社会）を複雑なまま表現する文学―単純化、抽象化する学問（歴史学）と補完関係。

美術 ― 写実から距離をおいた美術

①抽象絵画の誕生 ― 絵画の平面性を取戻す動き

- カンディンスキー(ロシア)『コンポジション』シリーズ(1910年代)
  具象ではなく、存在しない抽象を題材にする(抽象画の誕生)
- モンドリアン(オランダ)『コンポジション』 ＊1
  └ 立体派の影響、水平線と垂直線だけで形を構成

②野獣派(フォーヴィスム)(1900 ~ 1910頃) ＊2

- マティス「緑の筋のあるマティス夫人」(1905)、ヴラマンテ

③立体派(キュビスム) ― 遠近法画法から絵画を解放 ＊3

- 対象を立方体(キューブ)、幾何学的な形態で把握、多角的視点
- パブロ・ピカソ『アヴィニョンの娘たち』(1907)、ブラック

④ダダイスム
└ ナイフで無作為に辞書をついたら「ダダ」という言葉に刺さっただけの命名理由

- 1次大戦中の厭世気分下の反芸術運動、デュシャン『泉』 ＊4

⑤シュールリアリスム(超現実主義)

- フロイトの精神分析の影響、夢、幻想など潜在意識を表現
- マルク・シャガール(ロシア)、ダリ『記憶の固執』『内乱の予感』

⑥現代アート(コンテンポラリーアート)

- 同時代性の強い、社会批判などを含んだ表現
- 美、造形性の追求でなく、概念(コンセプト)の表現(コンセプチュアルアート)

⑦アールブリュット(生の芸術) ＊5

- 美術史を踏まえない(既存の作品の影響を受けていない)生の作品群

音楽 ― メロディはどこへ

①印象派

- ドビュッシー(仏)『牧神の午後への前奏曲』、ラヴェル(仏)『ボレロ』

②社会主義リアリズム

- ショスタコーヴィッチ(ソ連)『交響曲第五番』

③現代音楽

- 従来の音楽様式(メロディー、ハーモニー、リズム)の否定、音を使った表現
  └ 無調で不協和音を多用、口ずさめるメロディーは少ない(メロディーはポピュラー音楽へ)

PROPOS ＊1
いかにして3次元に見せるか(立体感など)という従来の絵画の役割から袂を分かち、2次元性を追究。中心を置かずバランスを崩さない構成(コンポジション)の追究。

PROPOS ＊2
マティスらの単純化とデフォルメ(誇張・強調)した勢いのある線(ストローク)は「フォーヴ(野獣)」と皮肉られた。マティスは自分の感覚を重視。鮮やかな色彩は彼の主観的感覚の表現。色彩が写実から解放。

PROPOS ＊3
「自然の中のすべての形態を円筒、球、円錐で処理する」(セザンヌ)をヒントに無数の立方体の配置によって明暗法や遠近法を使わない立体表現を追求。正面から見た顔と横顔を同時に一つの表面(キャンバス)上に提示。名は立体派だが関心は立体の2次元化(虚構化)の模索。絵画は二面性の追求に向かう。一点透視図法のない日本では同時複数視点(絵巻物など)が伝統画法。

PROPOS ＊4
既製品の小便器に署名して美術館に置くと作品は美術品と扱われた。美術は作品でなくその外部、制度に依存している、との問題提起。『モナリザ』の写真に髭を書き足した作品「L.H.O.O.Q.」(1919)。次に今度は普通のモナリザの写真を「髭を剃ったモナリザ」(「rasee L.H.O.O.Q.」(1965))として発表。すると本当にそう見える。私たちはタイトルに引きずられる存在。「モナリザが微笑んでいるのは、彼女の顔に髭をつけた人々が皆死んでしまったから」(アンドレ・マルロー『黒曜石の頭』)。それにしてもモナリザに眉がないのが気になる。髭より眉を描いてほしかった、は職業病か。

PROPOS ＊5
アウトサイダーアートと呼ばれるがインサイダー目線の言葉。内側から湧きでてきた、表現せずにはおれないものを既存の道具立てを使わずに「生」に表現した芸術。

画蛇添足

▼美しい旋律に和音で奥行きをつけて心地よい音楽を作る。その二つを欠くと慣れない耳には雑音。「ジャ、ジャ、ジャ」と耳障りなストラヴィンスキー『春の祭典』。「春の虐殺」(サティ)とも評された。「獣になったつもりで聴くと面白い」(池辺晋一郎)―獣にならないと分からない現代音楽。▼野獣派マティスが『緑の筋のあるマティス夫人』で、立体派ピカソが『アヴィニョンの娘たち』で絵画を女性を美しく描くことから解放。artは美術をやめ、術と解釈され、現代美術は現代アートと表記される。カンディンスキーはもの(具象)を描くことを止め、抽象的な観念を描いた。▼ピカソは遠近法からも絵画を解放。遠近法は一つの社会の見方。私たちはこれに慣れて、紙に描いてある同じ大きさの絵の片一方を大きく見る錯覚まで引き起こす。遠近法を知らない眼にこの錯覚はない。過去の認識でもこの種の錯覚が起こっているのではないか(※)。▼モンドリアンがキャンバスから3次元的要素を完全に排した。ウォーホールは売り物の缶詰を引き伸ばした作品を描くことでアートから一切の序列をとり除いた。いまはハイアート、ポップアートと区別をつけない「スーパーフラット」(村上隆)な時代。「世界をこのようにも見れる」という世界をみる術―視点の提示。視点を変えると世界が変わり、既知が未知になる。▼不協和音で始まった20世紀音楽の最後に武満徹が登場した。戦時中に「聞かせてよ、愛の言葉を」に救われた武満。美しい旋律も残した。『MI・YO・TA』や人生を愛おしむ音楽詩『系図』。「おばあさんになった時に『どうしても忘れられない思い出があるといいな』」―そんな人生を夢見させる心地よい現代音楽の副産物。

わんクリック モダンアート。モダンとはシンプル。絵画に加わったものを次々に引き算して私たちを固定観念から解放していった。モノを描くことを止めた抽象絵画。色の再現から絵画を解放したフォーヴィスム。モノは描くが、それを立体で再構成することで、形の再現から絵画を解放したキュビスム。「色と形」―この2つから絵画を解放したことがコンセプチュアルアートに繋がる。日常の「見えないものを、見えるように」(パウル・クレー)する試み。写真の登場は人びとの関心をカメラが写し取れない不可視(抽象、極小、不定形)に向けた。抽象絵画の後、エックス線、無意識の世界の発見も続いた。

History Literacy 遠近法を知るから起こる錯覚―過去認識(時の遠近法)も錯覚を生む(光源から遠いほど影は大きくなる)。

大衆文化　＊1

①カウンターカルチャー（サブカルチャー）― カルチャーの序列を壊す
　└ メインカルチャーの対義語

- ・ベトナム反戦運動、既成の価値観への異議申し立てなど反体制文化
- ・フォーク、ロック
  既存のホールでなくて野外（ウッドストック）や広場（新宿西口など）で開催
  ジーンズと長髪
  →次第にポップカルチャー化
  カウンターカルチャーの商業化（消費文化に取り込まれる）　＊2

②映画 ― アメリカの花形産業　＊3

- ・19 世紀末、エディソン（米）、リュミエール兄弟（仏）が同時期に発明
  └ 当初、無声（サイレント）映画だったため言語の壁を越えて普及
- ・サイレント映画
  喜劇役者チャップリン『街の灯』『モダンタイムス』『独裁者』(40) など
- ・ハリウッド映画の隆盛
  └ 地中海性気候 (Cs) で晴天日が多いハリウッドがロケに最適で映画産業の中心に

③ポピュラー音楽

- ・映画音楽、ジャズ、ロックン・ロール
  └ スウィングと即興性、　└ 強烈なビート、ビートルズの人気
- ・ウォークマン（ソニー）販売 (1979)
  └ 録音機能のない携帯音楽再生機の成功、和製英語（ウォークマン）が世界標準に
  音楽が室外に持ち出され、若者文化の転換点となる

④ポップカルチャー ― 日本文化の世界への発信

- ・マンガ、アニメ　＊4
  『美少女戦士セーラームーン』『ドラゴンボール』『名探偵コナン』
  『ドラえもん』『ワンピース』『NARUTO』など
- ・ゲーム
  「スーパーマリオブラザーズ」(1985 任天堂) など
  家庭用ゲーム専用機からスマートデバイス用のゲームアプリへ
- ・コスプレ（コスチューム・プレイの略）
  └ サブカル上の好みのキャラクターになりきることで日常の自分、役割分担から離脱

PROPOS　＊1
　理解に知識が必要なハイアート（宗教画、クラシック音楽など）がアメリカでは見れば分かる、聞けば分かるポピュラーカルチャーが主流になる。写真はチープな絵画、イラストは絵画より劣る、とカルチャーにあった階級が否定、すべてが同列となる。

PROPOS　＊2
　社会的、経済的に周縁に置かれて不利な若者たちの抵抗手段。主流、体制への異議申し立てがカウンターカルチャー。象徴がジーンズにＴシャツ姿。特にドレスコードのない高校教員もこのいでたちで授業するのはNG。ただしだいに商業主義にからめ取られ、「洗いざらし」に価値が付き、反体制のアイコン、チェ・ゲバラの顔を印刷したＴシャツがクールなものとして消費されるなど、カウンターカルチャーがサブカルチャーになった象徴にもなった。

PROPOS　＊3
　映画は複製芸術。映画館で多くの人が一緒に同じものを見る経験。そこで生じる力を利用したのがファシズム。レニ・リーフェンシュタールの『意思の勝利』が象徴。もともとプロパガンダ（宣伝）とは教会の布教を指す言葉。いまプロパガンダは様々な映像を使って広げられる主義、主張。

PROPOS　＊4
　具体例が適切か、自信はありません。

PROPOS　＊補足
　２次大戦後、学問、文化もアメリカが中心になった。ナチス時代に多くの知識人、特に学問・文化の担い手のユダヤ人（人口で 0.2% のユダヤ人がノーベル賞受賞者の 20% を占める）が亡命したことが大きい。ナントの勅令廃止後 (1685) のユダヤ人の移動に次ぐ、大きなユダヤ系知識人の移動。学問用語もドイツ語から英語となる。日本の学校での英語教育はいまでこそ会話中心にシフトしたが、長い間、英語で書かれた文献を精確に読みこなすための学習だった。

画蛇添足

▼人を惹きつけ感動させる技術はハリウッド映画で高度に、抗うことが難しいレベルにまで洗練。「全米が泣いた」、「全米が震えた感動」商法のあざとさが分かっていても気持ちは面白く持っていかれる。挿入される音楽の効果が大きい。▼映画『風と共に去りぬ』で作曲を担当したマックス・スタイナー。この作品で映画音楽というジャンルが成立した。彼は任意のシーンに音楽を被せることで観客の感情を増幅するアンダースコア技法を映画に導入。ジョン・ウィリアムズのテーマ曲がなければ映画『シンドラーのリスト』は、加古隆「パリは燃えているか」なしにはＮＨＫ『映像の世紀』はあれほどの成功を収めなかっただろう。▼映像に音楽が被せられるのは今や映像芸術では当たり前。しかし実際の人生では岐路に差し掛かっても音楽は鳴らない。頭の中が真っ白になるだけ。「何と惨めな自分」と天を仰いでも慰める音楽は降りてこない。それを不思議と思わず、画面の中では流れるのを不思議と思わない不思議。▼授業時間が余った時に「さて今日の授業で私が皆さんに伝えたかったことは何かな」と発表してもらう時間を設けてきた。その度に、教室で展開されたのは伝言ゲームだった、と思い知らされ、自らの能力不足を痛感した。もちろん「そこか」と皆さんの受け取り方に「なるほど」と感じることもあった。▼ワグナーは場面毎にモチーフを使い分ける楽劇を創始。複雑なストーリーの交通整理をした。筆者も授業でアンダースコア技法を導入して、「ここが大切のテーマ」とか、「終了5分前のテーマ」とか、然るべき時に然るべき音楽（モチーフ）を流すべきだったか。しかし受け取りのズレこそが豊かさを生む源泉だとも思う。

わんクリック　世界史教科書叙述はファインアートが中心。音楽ではクラシック音楽、美術では絵画。いずれも制作には技術の習得、時間とお金が必要。鑑賞にもある程度は知識が必要。世界史を受験科目にして強制的に暗記させることがファインアートをメインアートにする仕組みと言えないこともない。いつの時代も多数派はポップカルチャーの中で生きている。しかし世界史教科書は「それらは知るに値しない」と触れないことで書く。世界史教科書を読んでも、人々が何を楽しみ、何に悲しみ、どのように生きたかは分からない（※）。学んでいることが実際の「世界」とは離れている、と承知して読もう。

History Literacy　論者によって指示対象が異なる「世界史」―誰のための歴史叙述なのかは依然として課題

情報工学とコンピュータ、通信技術の発達

①コンピュータ、人工言語の発明

- アラン・チューリングによるチューリングマシンの発明 (1936)　＊1
  プログラミングの理論 (アルゴリズム) の基礎
- ジョン・フォン・ノイマン
  コンピュータの動作原理設計、ソフトウェアでハードウェアを制御

②電子機器

- トランジスタ (1947)、IC 回路 (1958)、コンピュータ (1953) 誕生
  └ それまでの真空管は動作不安定、初応用は SONY のトランジスタラジオ (1954)　＊2

③インターネットの発明と民生化 — 通信技術の突出した進展

- パケット交換ネットワーク (ARPANET)(1969) からインターネット　＊3
  └ 何十万台のコンピュータが同時に通信しても多くの回線を必要としない画期的システム

④ケータイ端末の普及と SNS — 発信型文化の成長

- パソコンの普及
  マウス (とカーソル) での入力、複数画面処理
  └ アップルコンピュータ (1983)　└ マイクロソフト社ウィンドウズ 95(1995)
  →コンピュータの日常家電化
  └ 動かすためのプログラム言語入力が不要に
- ケータイ端末 (スマートフォン) の普及 — モバイル時代到来
  └ 携帯電話からスタート、いまは「電話としても使える」認識

⑤ IT 革命 — 存在しなかったものを作り出した GAFA

- グーグル — 世界を変えた「検索」　＊4
  └ 動画配信メディア Youtube(コンテンツを自ら作らないメディア) も買収
  ビッグデータの収集
- アマゾン — ネットショッピングの一般化
  └ 実店舗を持たず、巨大倉庫でのロングテールの在庫管理と物流網整備
- フェイスブック (メタ) — ソーシャルネットワークサービス (SNS)
- アップル — 最も成功したベンチャー企業
  └ スティーブ・ジョブズ創業、直感的インターフェイス採用の高収益商品
  パソコン、iPhone(スマートフォン)
- 巨大 IT 多国籍企業 (FAANG ＋ M、BATH など) の独占的市場支配　＊5

PROPOS　＊1
「人間はチューリングマシン、思考はアルゴリズムに還元できる」(チューリング)。「皿の上の複数のリンゴを全部食べる」という人間の言葉を、「皿の上がゼロでなければ一つ食べる」と書き換えてこれを反復させる。コンピュータの概念がチューリングマシン (バーチャルなモデル)。長いテープとそこに書かれた文字を読み書きするヘッドのついた機械、のイメージ。汎用性のあるプログラムという人工言語が誕生。これらを実装してコンピュータが誕生。

PROPOS　＊2
半導体(セミコンダクター)。電気を通したり止めたり、強弱をつけたりすることで電気の流れを制御。電気で作動する ON/OFF スイッチ。原材料はシリコン。この原理の利用がトランジスタと IC 回路。トランジスタは信号を通したり (トランスファー) したり、抵抗 (レジスタ) したりして信号を増減。

PROPOS　＊3
冷戦下、宇宙開発はソ連が先行。米軍通信網が破壊された場合に備え、一部が破壊されてもよいように蜘蛛の巣状の中心のないネットワーク (ARPANET) が構築された。これがインターネットの起源 (1969)。実験データ共有のためのブラウザ WWW(WorldWideWeb) も公開 (1990)。

PROPOS　＊4
「検索」が世界を変える、と考えた人がいた。正確に言えば、検索連動広告でどんな商品の供給者にも確度の高い市場の在りかを提示する技術。そのグーグル社のマップで世界の一望も可能になった (※)。ただグーグルのホストコンピュータの所在地は検索できない。神の所在地かのように。

PROPOS　＊5
多国籍企業の時価総額は小国を凌駕。国家を超える影響力。スマートフォンを可能にしたのは吉野彰によるリチウムイオン電池の発明。いまリチウムの争奪戦が展開。

画蛇添足

▼様々な「無料」コンテンツの利用で生活が便利になった。他方で無料のために日常生活を晒(さら)している。行動、購買履歴を企業に提供。企業はビッグデータから、人びとの関心、好み、位置情報、人間関係のデータを商品化。▼かつては農業、商業が富の源泉だった (重農主義、重商主義)。いまは価値の源泉がビッグデータ。いわば重データ主義時代。いま企業はデータの収集を急ぐ。利益はあとで回収できる。▼地球は宇宙の中心ではない (第一の革命、コペルニクス)、ヒトは生物の中心ではない (第二の革命、ダーウィン)、私は意識の中心ではない (第三の革命、フロイト)。そしていま人間は情報処理の中心ではない (第四の革命) — 「情報圏(インフォスフィア)」が現実を作り変える、とするのはルチアーノ・フロリディ (『第四の革命』)。▼データの保存処理はクラウド内で行われる。これまで処理をしてきた手許(てもと)の端末デバイスは単に操作するだけのボックスになる。この変化を可能にしたのが 5G (第5世代移動通信システム)。端末とクラウド間の情報伝達が遅延なしに行えるようになった。そして大量に蓄積されたビッグデータを処理するＡＩ (人工知能) の発達。▼それまでのプログラムの背後には人間が張り付いていたが、ＡＩが行うディープランニングはコンピュータ自身が判断。その判断のプロセスが人間には分からない。人間は情報圏という環境で無意識に動かされる存在になる。▼私たちが提供したデータからＡＩが判断した「お勧め(リコメンド)」に私たちの行動や判断が影響を受ける。会員の嗜好(しこう)を分析したリコメンド機能で稼働率の悪い旧作を借りるように誘導して成功したレンタルＤＶＤの後発ネットフリックス。いまは独自制作作品で人びとの世界認識を誘導する。

わんクリック　インターネットが軍事技術の民生化であったように、私たちの生活を豊かにする多くの技術は軍事技術に由来している。大砲の発明と共に弾道計算の必要が生じ、数学が発達した。その計算を正確に速く行うためにコンピュータが発展した。「コンピュータの父」アラン・チューリングがもたらした情報革命。発明のきっかけは 1 次大戦中にドイツの暗号エニグマを解読する必要にあった。彼の数奇な生涯を映画『イミテーションゲーム』が描く。イミテーションゲームとは「機械は人間のマネができるか」という彼の論文のタイトル。イミテーションにとどまるのであればよいのだが。

History Literacy　「告解(こっかい)」システムで教会が把握してきた人間の欲望、いまは「検索」システムでグーグル社が把握。

量子力学の発展と原子力

①量子力学 — ニュートン力学が「古典」となり、2つの力学体系が共存する時代へ

- アインシュタインの特殊相対性理論
- プランク（独）、ボーア（デンマーク）、ハイゼンベルク（独）
  - └量子力学の父、熱力学から発展　└量子力学確立、不確定性原理、朝永振一郎留学

②原子力の時代

- ラザフォード（ニュージーランド）、フェルミ（伊）
  - └原子の分裂 (1938)　└原子核分離連鎖反応の実験成功
- マンハッタン計画 (1939 ~ 45) でオッペンハイマー（米）ら原爆製造 (1945)
  ナチスによる原爆独占阻止のため開発急ぐ

公衆衛生と医学の発展 — 人口の増大、平均寿命の伸長　＊1 ＊2

- 血液型発見 (1902) による輸血の一般化
  - └普及に国際連盟が寄与　└最も多くの命を救った医療上の発明（『医療の世界史』）
- 抗生物質 (anti-biotics の発見、抗・生物質) の発見
  フレミング（英）が微生物由来の抗菌物質「奇跡の薬」ペニシリン発見 (1929)
  - └ただし精製に失敗、2次大戦中に負傷兵の細菌感染防止の必要から製剤成功 (1940)

  ワクスマン（米）が結核に効くストレプトマイシン発見 (1944)
- 分子生物学と生命工学（バイオテクノロジー）の発達
  ワトソン（米）、クリック（英）がDNAの二重螺旋構造発見　＊3

化学と化学工業が変えた生活 — 生活必需品が天然素材から石油化学製品に

- 2次大戦後、石油化学工業の発達
  天然素材では考えられなかった形や機能が可能に
  →化石燃料の大量消費、廃棄物（分解が難しい）の大量廃棄で環境破壊　＊4
  - └原料（ナフサ）と加工するエネルギーがともに化石燃料
- プラスチック製品普及（台所用品、食品包装、文房具、電気製品、CDなど）
  - └可塑性にすぐれた合成樹脂
- 合成繊維の普及（ナイロン、ポリエステル、アクリルが三大合成繊維）　＊5
  - └「クモの糸より細く、鉄より強い」、No Run(電線しない)から商標名「ナイロン」（デュポン社）
- 合成ゴム、塗料・印刷インク、界面活性剤（合成洗剤）、光ファイバー

PROPOS　＊1

人間の平均寿命の延伸—世界史で最大の事件。日本でも戦後75年で平均寿命が約50歳から80歳強に1.5倍に伸びた。伸びたのは「平均」—幼児の死亡率の劇的低下が主因。それに寄与したのは食生活の向上（化学肥料使用による飢饉の抑制）、上下水道整備など公衆衛生の向上、ワクチンによる感染症の広がりを抑えたことなど（※）。

PROPOS　＊2

手洗いで産褥熱が解決すると気づいた産婦人科医ゼンメルワイス。医療行為が神業だった当時、医師の手で病気がうつるなど受け入れられなかった。パスツールの細菌説で手洗いが常識となっても社会には定着していなかった、と分かったのがコロナパンデミック時。人間は横着を決め込む存在。

PROPOS　＊3

DNAの二重螺旋構造発見以来、生命現象を分子レベルでとらえる分子生物学が台頭。さらにゲノム編集技術（クリスパー・キャス9など）の発展で生命現象への介入、学問が技術（バイオテクノロジー）へと変化。

PROPOS　＊4

「夢の化学物質」フロンガス。冷媒に使われたがこの放出がオゾン層を破壊しはじめた（途中で気づき、破壊を防いだ—このことは教科書に記されるべき）。自然界に存在しない人工化学物質の排出。戦前は日本窒素肥料として化学肥料生産を担ったチッソ水俣工場の排水が水俣病を引き起こした。

PROPOS　＊5

衣服の4大繊維は亜麻、綿、絹、羊毛。人類最古の繊維はリネン。吸水性に優れて洗濯に強いタフな素材。使うほどに白さが増す清潔さ。いまもホテルでの主役。初の人工繊維ナイロンの発明 (1935) は生糸産業に多大な影響を与えた。戦後、化学繊維産業が隆盛。人類はこれまでと異なるものを纏うようになる。綿100% Tシャツすら速乾性の合成繊維にとって代わられた。

画蛇添足

▼「社会主義」と「市場経済」は両立しない。だから「社会主義市場経済」という言葉は磁石のS極同士を強力な接着剤でつけるような無理があるとした。ただ言葉は何でも接ぎ木してうまく機能させてしまう。それでも「丸い三角」概念には注意深くありたい。▼私たちが知るマクロの世界での物質の運動はニュートン力学で説明できる。ただそれは宇宙と原子レベルまで。原子よりもはるかに小さいミクロの世界の物質の動きを統べる法則は量子論。▼「あるけどない」が究極の「丸い三角」。この私たちの常識を超えるあり方がミクロでの電子の振る舞い。私たちが見ている時は電子は「一カ所にある」が、見ていない時は「様々な所にありそこにない」らしい。「だるまさんが」と見ていない時は電子は「波」としての性質を持つが、「転んだ」と振り返り見た瞬間に波としての性質を失い、静止した「粒」となる。電子のありのままは観察できない。▼この知見がナノテクノロジーを発達させた。半導体が作られ、私たちの生活必需品、コンピュータ、ケータイなどが作られた。いまは情報を0と1の2進法に置き換えて演算処理するが「0でもあり1でもある両者が重なった状態」を用いる超高速量子コンピュータの開発が進んでいる。▼私たちは虚数も観察できない。2次方程式を解く必要から導かれた虚数。「光は波であると同時に粒子である」ことを「光は量子である」と表現する量子論。これを表す方程式が虚数を使う。論理的に矛盾しないものは存在する、とすれば虚数は発明ではなく発見か。量子力学は私たちに「実在とは何か」の根本的問題を投げかけた。そして私たちは正解が複数ある時代を生きることになった。

わんクリック　生命は自己複製で増える—ワトソンとクリックによるDNAの二重螺旋構造の発見。どちらの名を先に出すかをじゃんけんで決めてワトソンが先になった。そこにクレジットされていない名前がある。発見の糸口は、両者がロザリンド・フランクリンのX線解析画像を見たことにあるとされる。発見の舞台裏を語るワトソン『二重螺旋』。ここにその都合の悪いことが書かれていない、と指摘する福岡伸一『生物と無生物のあいだ』が面白い。もう1冊、マイケル・フレインの戯曲『コペンハーゲン』。大戦勃発で敵になった師ボーアをハイゼンベルクが訪ねた。そこでの2人とボーアの妻の傑作会話劇。

History Literacy　「人間」の変化を考慮（長い間、食べ物の確保が最大の関心事、いまより小さく、寿命は半分で、個体数も少なかった）。

農学と農業革命 — 飢餓からの解放、飽食の時代へ

①化学肥料による穀物生産の飛躍的増大

└ 農作物を育てるには、窒素・リン・カリウムの肥料の三要素が不可欠

・ハーバー・ボッシュ法の発見 (1906)　＊1

アンモニアなど顆粒状の固定窒素化合物の工業生産が可能

・リン鉱床の発見 (19c 後半、米) と農業への利用

②緑の革命 — 餓死者数より生活習慣病 (肥満) 関連死者数が多い時代に　＊2 ＊3

・緑の革命 (1960 年代)

└ 赤の革命 (ソ連)、白色革命 (イラン) との対比での命名

途上国での食糧事情向上による共産主義革命 (「赤の革命」) 防止がねらい

・ハイブリッド高収量種子の使用

大規模農場、灌漑、農業機械、化学肥料、農薬使用がセット

→農作物収穫量の飛躍的増加

→環境への大きな負荷 (大量の地下水くみ上げ、大量の化学肥料、農薬散布)

└ 化石燃料漬けで持続可能でない (化学肥料は植物に吸収されるが土壌を豊かにしない)

・1960 年代、インドでの導入をはじめに世界各地に広がる

└ しばしば飢饉で大量の死者、現在は穀物輸出国に転換

工学と建築 − 都市化の加速

・都市化の加速 — 農村から都市への人口移動

└ 2010 年代に都市に住む世界人口の半分を超える

・飛躍的に発展した建築技法 — 新しい都市建築景観

鉄筋コンクリート工法 (RC 工法) の登場 (19 世紀)　＊4

└ H 字鋼 (最小の量で最大の強度) やガラスの進化

高い強度で自由な造形が可能、高層ビルが立ち並ぶ大都市景観出現

└ 現在、東京で再建設ラッシュ (上海などに対抗)

・モダニズム建築 (機能重視) のル・コルビジュエ (仏) のサヴォア邸 (1931)

・ガウディ (西、カタルニア) のサグラダ・ファミリア教会 (1882 ~ 2026 完成予定)

└ 曲線と細部装飾による独創的デザイン、自然の造形美 (構造美)

・都市化の進行で地震が大きな災害化

1960 年代半ば、プレートテクトニクス理論で地震のメカニズム解明の糸口

PROPOS　＊1

空気の 8 割を占める窒素の利用を可能にしたハーバー・ボッシュ法。ただこれは爆薬の原料硝酸の大量生産も意味した。平時に肥料、戦時に火薬を作る発明で、食料と武器自給の目途がたったヴィルヘルム 2 世は「これで戦争ができる」と喜ぶ。戦争が総力戦となる。硝石が不要となり 19c に硝石産地として繁栄したチリは打撃。

PROPOS　＊2

高収量種子は一代雑種。毎年、種子購入が必要。害虫に弱く大量の農薬と化学肥料も必要。水を大量使用するので灌漑施設も必要 (いま水不足が世界的危機)。収穫量は増えるが、導入には相当の先行資本投下が必要。資本主義が農村に浸透。飢餓を減らしたが格差を拡大。緑の革命は伝統的育種法。このあと遺伝子組み換え作物が登場。総量としての食糧問題は解決したが、生態系が数十億年の試行錯誤で作りあげた DNA を操作する危険は誰にも分からない。

PROPOS　＊3

計算上は食糧が余る現代。世界の穀物生産は 20c に激増。用途が多様で値崩れしないトウモロコシが 10 億 t。小麦と米が 7 億 5 千万 t(人口 80 億だと米だけでも 1 人 100kg、人は年に 1 俵 (60kg) も食べない)。八十八の手間がかかる「米」だったが今は簡単で供給過剰、価格低下で農業専業が困難。均等分配すれば飢餓はなくなるが、飼料としての消費など分配が問題。有限な資源の最適配分を考える経済学。「恵まれない人にどうやって届けるか」を「冷静な頭脳と温かい心」で考える学問 (マーシャル)。

PROPOS　＊4

圧縮に強い石と引っ張りに強い鉄のコンビ—19c に鉄筋コンクリート工法が登場。強度と意匠性の両立が可能になる。ノルマンディー上陸作戦で破壊されたル・アーブルの中心部がオーギュスト・ペレによってコンクリートで再建。彼に学んだのがル・コルビュジュエ、いまは安藤忠雄(あんどうただお)が人気。

画蛇添足

▼世界史教科書は三圃制、四圃制を詳述するが化学肥料の発明に冷淡。ハーバー・ボッシュ法に言及しない。これと緑の革命により世界の穀物生産は激増。今はトラクターで土を耕し、化学肥料と農薬を蒔(ま)けば少々の荒地でも作物を育てられる時代になった。▼化学肥料と農薬のおかげで世界から飢えの問題が激減。化学繊維(ヒートテック)のおかげで冬も薄着で過ごせるようになった。防寒のために動物を犠牲にしなくてよい。絶滅に瀕したビーバーの生息数も回復。軽量鉄骨造住宅の普及で快適な住宅が低価格で安定的に供給されるようになった。▼近代を謳歌(おうか)しながら口は反近代を唱える人がいる。他方に、衣服は天然素材、家は無垢(むく)の木のぬくもり、いただくのは有機栽培の確かなもの、と生き方を口にする人もいる。何も語らずそのような生活をしている人もいる。人はそれぞれ。▼農業機械の燃料、化学肥料の生産に多量の化石燃料を使う石油漬けの現代農業。農業従事者への負荷は軽減したが環境への負荷を大きくした。そうしてできた農作物が多くの化学添加物を使って加工される。飽食の時代—カロリー面で食生活は豊かになったが崩食、おふくろの味が、袋の味となったと言われて久しい (※)。だから私たちは自分たちを支える近代文明を素直に評価できない。▼恩恵にあずかりながら批判の対象にする。そのようにして後ろめたさをごまかす。反近代の身振りは近代人の免罪符。電化の恩恵を受けながら、電線を自然の美観を損ねると視界から排除する。「ここなら一緒に止まれるね」と電線を止まり木にして休む小鳥たち (「電線鳥」)。そんな小鳥たちに連なる生き方もある。それぞれが生活の余裕に応じて近代に向き合えばよいのだろう。

わんクリック　地震は 60 年代に生まれたプレートテクトニクス理論で説明される。地球の表面は一枚岩ではなく、10 枚ほどの動く堅い地殻で覆われていて、せめぎあい、「ししおどし」みたいなメカニズムで撥(は)ねあがることで地震が起こるという 20 世紀の「地動説」。現象をうまく説明できるが証明が難しい仮説。当初、日本の学会は認めなかったため、筆者は高校時代に学んでいない。学界はガリレオをいじめた教会を笑えない。日本は 4 つものプレートが集中する世界でも稀な地域。都市化の進展で地震が大災害に直結するようになった。南海トラフ巨大地震は防げないが、大震災にしないことはできる。

History Literacy　歴史を語るとは地雷原を歩くこと (「おふくろの味」も神話らしい—湯澤規子『「おふくろの味」幻想』)。

交通網の発達とグローバルサプライチェーン

①航空網の発達

・ジャンボジェット (1969) で大量輸送時代到来

└ ボーイング社 (アメリカ) とエアバス社 (欧州) で市場二分

→現在はハブ & スポーク路線が一般化で中型、小型機中心

└ エンブラエル社 (ブラジル) とボンバルディア社 (カナダ) で市場二分、三菱が参入に失敗

②鉄道交通網の発達

└ 大量輸送 (新幹線 16 両編成)、定時性、安定性、ただし初期投資費、維持費大

・高速鉄道網が各国で整備

└ 新幹線開通 (1965、日本) 以後、各国 TGV(仏)、ICE(ドイツ)、この 10 年は中国で発達

③船舶交通網の発達

└ 大量輸送、安価、環境負荷小、ただしシーレーンの安全確保が課題

・バラ積み船、タンカー、コンテナ船など

└ コンテナ革命 (1956) ＊1

④グローバルサプライチェーン

・交通網発達で世界の適地で部品製造、組み立てをして採算化 (1980 年代)

└ 多国籍企業が効率を追い求めて作り上げてきた　└ 奴隷労働が混じる可能性も

→感染症のパンデミック、ウクライナ戦争で脆弱性が露呈、混乱

実存主義 — 人間の主体性回復の哲学

①実存主義 ＊2

└「現実存在」の省略だが、「現存」「実在」がすでにあるので「実存」と略された

・主体性の回復を図る試み、真理の普遍性でなく個別性を主張 ＊3

② 19 世紀の実存主義

・キェルケゴール (19 世紀、デンマーク)

『死に至る病』(1849) で実存主義の先駆者

・ニーチェ (19 世紀、ドイツ) — 虚無主義 (ニヒリズム) の哲学 ＊4

『ツァラトゥストラはかく語りき』他多数

神の死を宣言 (キリスト教を完全否定) — 無神論的実存主義 ＊5

キリスト教は弱者の強者に対する妬み (ルサンチマン) が作った奴隷道徳

永劫回帰 (永遠回帰) の世界観

PROPOS ＊1

1956 年マルコム・マクリーンが発明したコンテナ輸送。物流コストは劇的に低下、世界貿易に革命的変化もたらした。それまで船は海上より港で係留される日数の方が長かった。積荷の上げ下ろしが大変で大勢の港湾労働者 (沖仲仕(おきなかし)) の日雇い労働を必要とするため様々な問題の発生源だった。

PROPOS ＊2

「人間疎外状況」—失われた主体性の回復。これを社会改革で回復しようとするのが社会主義思想。自己のあり方の改革で乗り越えようとしたのが実存主義。実存主義の祖キェルケゴール。マルクス『共産党宣言』(1848) の翌年に『死に至る病』を出版。

PROPOS ＊3

実存 (現実存在) とは本質の対概念。これまでの哲学は「いつでも、どこでも、誰にでも」あてはまる普遍的真理、本質の追究。切り落とされたのは「いま、ここ、わたし」を生きる私の個別性。これを問題にするのが実存主義。普遍性を掲げるヘーゲル哲学では自分は救われない、とキェルケゴールが独自の思索をしたことが端緒。

PROPOS ＊4

強者に勝てない弱者が頭の中で強者を見返すために作ったのがキリスト教。ありもしない「天国」をねつ造、そこに入るのが目的だとして現実から眼をそらさせる。ニーチェはキリスト教は「あのぶどうは酸っぱい」と負け惜しみをいう「奴隷道徳」だと批判。我が身につまされる厳しい批判。

PROPOS ＊5

キェルケゴールは神との結びつきの回復に主体性を求めた。ニーチェは「神は死んだ」として人生を、意味を見いだしにくい単調な日常生活の繰り返し、とみた。しかしそこでニヒリズムに陥らず「これが生きるということなら、それではもう一度」という意欲 (「力への意志」) に従って生きていこうとする人間 (「超人」) に理想を見た。

画蛇添足

▼「白いものは白い」と言い続けられる人は幸せ。組織の中にいれば「白いものを黒い」と言わなくてはいけないことがでてくる。組織を辞めた人―組織への所属、組織内での出世を諦めれば簡単。在任中に原子力発電を推進した元首相が反原発を主張することに複雑な感情を持つ人は多いだろう。▼科学者でも学閥に縛られず「白を白」と言い続けると冷遇される。「黒を白という」―それで良心が痛まないのかと思うが、こういう時、人は上司への忠誠心の方を高い価値とみなしているから (おそらく) 心は痛んでいない (麻痺している、と外部は言う)。▼白黒と似て非なるものが建前と本音。社会人は本音を封印して建前をいう。それは「白いものを黒い」と言うのとどれほど違うのか。大阪では「ぶっちゃけみんなそっちがいいんでしょう」と本音を露悪的に肯定する番組が人気を集める。偽善ぶりたくはない。▼元首長の政治家はすぐに「学級委員的なこと」と攻撃するが「本音より建前の方がはるかに大切」が筆者の本音。社会は建前が作っている。本音とは未熟な欲望、感情。そのようなものに任せたら過ごしやすい社会は成立しない。欲望、感情は心の中だけにとどめる、次にはそれを克服する。▼筆者は不覚にも頭を使い過ぎて頭頂部を薄くした。生徒には筆者に叱られた時に「このハゲ」と思ってもよいが、筆者の前ではその本音は口に出さないように、と指導してきた。そしてそのようなことを思わない人間に成長できればいいね、と身を切る指導をしてきた。腕力に覚えのあるジャイアンも教室に入ればおとなしく座るしかない。ぶっちゃけそういう社会の方が過ごしやすい。建前は弱者の強者に対する妬み(ルサンチマン)が作った奴隷道徳ではない。

わんクリック　グローバルサプライチェーンが可能にしたファストファッション一価格が劇的に下がり、服が使い捨て商品になった。綿花栽培、縫製一別の国で分業して低価格を実現、莫大な利益をとる。大手アパレルメーカーの縫製工場がバングラデシュに集まる。雇用は創出するが、その低賃金労働の実態が、千人以上が圧死した縫製工場ラナ・プラザ崩落事故 (2013) で広く知られた。「ラナプラザはどこにでもある」と縫製労働者の抗議行動が広がった。私たちはモノに正しいコストを支払っているのか、と問題提起するのが映画『ザ・トゥルー・コスト』、『メイド・イン・バングラデシュ』(※)。

History Literacy　登場したものは記憶されるが退場したものは忘れられる (服(ファストファッション)は作るものであり、「お古」を着まわしていた)。

③ 20 世紀の実存主義

・ヤスパース (20 世紀、ドイツ) ― 実存的交わり ＊1

限界状況で自己の有限性に直面、自分を包み込む包括者の存在を自覚

└ 有神論的実存主義

→実存どうしの「愛しながらの戦い」(実存的交わり)

└ 単独者として神に向き合うキェルケゴールとの違い

・ハイデガー (20 世紀、ドイツ) ― 死への存在

主著『存在と時間』(未完)

└ 哲学で再び「存在すること」を問題とし、これを考えるための用語を作り出す

「ある」こと (存在) について考察

└ デカルト以前に存在するのは神、以後は人間 (「私はある」)、考察対象は「認識すること」

・ジャン・ポール・サルトル (20 世紀、フランス) ＊2

主著『存在と無』

「実存は本質に先立つ」

人間は何者でもないものとして生まれ、自らが造ったものになっていく

「人間は自由の刑に処せられている」

実存主義とマルクス主義の統合

└ ともに人間性回復のため始まった

現代思想 ― 人間の主体性の問い直し

①構造主義

・個々の主体 (意識) を出発点に考える実存主義の批判、構造への着目

└ 実存主義は反体制思想、五月革命失敗 (1968) を「構造」(だから仕方ない) とした側面も

・レヴィ・ストロース (フランス) ＊3

サルトルの実存主義を批判、構造への着目の重要性を主張

主著『親族の基本構造』、『野生の思考』

└ 近親相姦がなぜ人類の多くの文化で禁忌 (タブー) 扱いされるかの分析 ＊4

②ポスト構造主義 ＊5

・構造主義を批判

└ 静的な構造は説明できるが、動き (変化する社会) が説明できない

・ミシェル・フーコー (フランス) (※)

『言葉と物』(1966)、『監獄の誕生』(1975)、『知への意志』(1976、『性の歴史』)

PROPOS ＊1

宗教をマルクスは「アヘン」、ニーチェは「奴隷道徳」として否定する中で、ヤスパースは宗教は人間にその有限性を自覚させる、とみた。キェルケゴール、ヤスパースは有神論的実在論。一方、無神論的実在論がニーチェ、ハイデガー、サルトルなど。

PROPOS ＊2

サルトルは実存主義のスーパースター。文学『嘔吐』など多方面で活動。アンガージュマン (自己拘束としての社会参加) として政治に積極的に関与した。社会の中に自己を投げいれて自分を拘束することに自己の存在理由を求めた。締切に追われるのは「被投」だが、自ら投げ込むのが「企投」。実存主義では生きる意味は与えられるものではなく自分で見つけるものと考える。戦争中のフランスで唯一ナチスに抵抗した共産党は戦後、影響力を持った。歴史には発展法則がある。その法則を把握できれば自分の主体的「選択」が「正しい」ものになると時々の政治課題に積極的に社会参加 (アンガージュマン)。彼はベトナム反戦運動、アルジェリア独立戦争にコミットした。

PROPOS ＊3

サルトルはマルクス主義者。歴史の進歩を前提に人間の力を信じた。しかしレヴィ・ストロースやフーコーは人間よりもっと大きな「構造」を問題にする。またサルトルのようなユートピアの存在を信じる者がもっと大きな悲劇をもたらすと警戒した。

PROPOS ＊4

近親相姦は「交換」のための女性に手を付けないためのルール。未開部族だけでなく文明国でも政略結婚が行われてきた。「女性の交換」が制度化したものが婚姻制度か。

PROPOS ＊5

「ポスト (何かの後)」―すべて何かのポストであり意味のない言明。むしろその問題が終わっていないことの強調表現。私たちはすべて「ポスト過去」を生きている。

画蛇添足

▼This is a pen. (これはペンである) と There is a pen. (ペンがある) の違い。同じ be 動詞だが前者の「である」は本質存在を示し、後者の「がある」は現実存在を示す。この二つの「ある」の違い。道具が「ある」ことと人間が「ある」ことの違い。▼「分かるとは何か」―認識論と並ぶ哲学の主題が存在論で「在るとは何か」の追求。近代哲学は「我思う、ゆえに我あり」が出発点となったため懐疑されなかったのが後半の「我あり」。このテーマで4千字で論述せよ、と指示されたらまったくお手上げ。何を書けばよいか、見当もつかない。▼学校の教師は簡単に「考えろ」という。どう考えればよいのか。教師は無責任なことをよく言う。「もっと考えて行動しなさい」「もっとリラックスして臨みなさい」「やればできる」。最後がもっとも無責任な言明。世の中は努力してもかなわないことの方が多い。教師のいう「考えろ」は「空気を読め」で、「考えるな」ということ。▼論じるに際してハイデガーは「人間」を「現存在」「世界内存在」と呼んだ。人間はどこかの時代、どこかの場所に生まれ落ちる。人間は「時間、場所」という与件の中に存在する。この与件―「世界」を無視して人間を考察することはできない。人間を考える新しい視点、何より「考える」とはこういうこと、と『存在と時間』で示した。▼失われることではじめて意識される存在がある。人間は死すべき存在。それまで哲学はこの問題は宗教に預けて考察してこなかった。彼は死から生をとらえ返すことで「人間がある」ことに迫った。「人間は時間的存在」(『存在と人間』) は「人間とは何か」の一つの回答。名作映画、黒澤明『生きる』(1952) はこれへの一つの応答である。

わんクリック　権力に対する見方を一変させたフーコー。権力とは国家権力 (権力者が人々に行使する「死の権力」) だけでない。権力はいたるところに生じ、あらゆる関係に内在するとみた (人と人の間に働く「生の権力」)。権力者がいなくとも、私たちは監視する者であり監視される者。粗大ごみ分別の日に痛感―当番時は他が分別しているかを監視、非当番時はその視線を感じながら分別して捨てる。自分に何かをさせるように働きかけてくる権力 (みんなの視線、場の空気)。「生の権力」―それがあなたのためになる、と生かす権力。最も働く場が学校。「権力作用のない空間」を作る試みもある (哲学カフェ)。

History Literacy　権力者を倒しても自由は実現しない―権力は上からだけでない、下からも、横からもやってくる。

・レヴィナス (フランス)　＊1

「他者」と出会うこと

└ 近代哲学は自我から出発、「他者」から出発する視点を欠いていた

・デリダ (フランス)

脱構築の思想

└「男性 / 女性」の二項対立、女性なしに男性は成立しない、と「構造」を内部から無効化

その他の学問思潮

①社会学 ― 常識を疑うことで多くの知見 (※)

・マックス・ウェーバー (ドイツ) により社会学の発展

└ 政治を語るための言葉を多く作り出す (カリスマ、心情倫理、責任倫理など)

歴史を合理化の過程 ―「呪術からの解放」の過程と理解

経済の合理化の象徴として資本主義の分析

『プロテスタンティズムの倫理と資本主義の精神』

政治の合理化の象徴として官僚制の分析

②プラグマティズム (実用主義)　＊2

・ジョン・デューイ (アメリカ)

└ 主知主義に対する経験主義 (なすことによって学ぶ)、教育学に影響

③精神分析 ― 自然科学との関係は不明、臨床で発達

・フロイト (オーストリア) の精神分析　＊3

無意識の概念を明確化、『夢分析』などで精神分析

・ユング (スイス) の心理学

└ フロイトが個人の無意識に対して人類共通の「集合的無意識」に着目

④政治哲学 ― 正義、公正とは何か

・リベラリズム ― アメリカでの「リベラリズム」は自由より平等重視

ロールズ (アメリカ) の正義論　「無知のベール」『正義論』(1971)

└ 自分がどういう状態に生まれるか分からない状態で社会ルールを決める思考実験

功利主義 (少数者、弱者が結果的に軽視、分配の原理を欠く) 克服の試み

・コミュニタリアニズム (共同体主義)

文化の負荷がかからない人間は存在しないと、リベラリズムを批判

・リバタリアニズム (自由至上主義)

国家は最小限の司法、治安維持のみ、福祉、教育は不要 (市場に委ねる)

PROPOS　＊1

「人間の主体性」を中心に据えるのはヒューマニズム。これに対して、人間の主体性ではなく「構造」を、人間という実態ではなく「関係」を問題にする構造主義の主張が説得力を持つようになる。また人間の主体性の手の届かないところにある「他者の存在」(レヴィナス)、「死」「狂気」(フーコー) などを問題とする学者もでてきた。

PROPOS　＊2

アメリカで発達したプラグマティズム (実用主義)。功利主義が真理の基準を結果においたのに似て、真理の妥当性を「実用性 (有用性)」で図る。役立つものが真理。切れないハサミはハサミではない。神もそれを信じることで多くの人が救われるなら存在することになる。伝統、権威にとらわれないアメリカ文化の産物。フランクリンの実学もその源流。それゆえか、アメリカはいま最も宗教的な国家。「絶対」「普遍」などは一神教が作り出した観念。そのようなものを相手にしないのがプラグマティズムと理解していたが。それなのに、か。

PROPOS　＊3

意識されている世界の他に無意識の世界があり、私たちの振る舞いは無意識的にもよる、と無意識に着目する重要性を再喚起、そのメカニズムを体系化したのがフロイト。「無意識に足を組む」のではなく「無意識が足を組む」。人間の行動を理性がコントロールできていない。「無意識が誰かを避ける」。20c になって彼が指摘するまで無意識の存在は明確にされていなかった。まだこういう気づかれていないものがあるはず。「我思う」を本質とする西洋近代思想への問い直し。筆者の退屈な授業。皆さんの快楽を求める本能的欲望 (エス) は「寝よう」とアクセルを踏む。しかし社会規範を内在化した超自我が「授業は聞かなくてはいけない」とブレーキをかける。対立するエスと超自我を調整して「聞いているふりをしよう」と決めるのが自我―自我はこのように形成される、とフロイト。

画蛇添足

▼「主体的に考え、行動しよう」とよく言われる。しかし人間が主体的に考えることができるのか。自分で考えた自分の意見のつもりでも、実際はその時代の支配的な考え方の影響を受けているだけということは多い。▼プラトン以来の哲学はすべての人にあてはまる普遍的な解―「本質」を求めてきた。この授業も「人間とは○○する動物である」から始めた。この人間の本質を求めようとすることに対して、「自分はこういう人間だ」という個性の強調が実存主義。「人間はこうだ」ではなく、「私はこうだ」を問題にするのが実存主義。「本質(essential)」の対概念が「実存(existential)」。これが、歴史を作るのは人間、という主体性の強調に繋がった。▼人間が歴史を作るのだが、その歴史によって人間は作られる。人間と歴史の間には循環構造がある。私たちは自分たちを縛る何かから自由になるために学問する。「こんな所までやってきた」と観光名所に自分の名前を落書きする人がいる。「ここか」とお釈迦様に中指に書かれた自分の落書きを示されて絶句する孫悟空。▼結局は、「お釈迦様の手の上 (という構造の上) で踊らされていただけ」と気づくことは多い。その構造を問題にする構造主義の登場で実存主義は否定された。無意識レベルで自分の振る舞いを規定する社会の不可視の構造。そういうものが存在するなら、それに取り込まれないように生きることが大切になる。▼一方で、構造という静的な捉え方では前近代の単純な社会ならともかく、動きの激しい現代社会はとらえられないとの批判が起こった。これがポスト構造主義。動くものの把握が人間の最も不得意とするからこれは難解。さて、今度は私たちの見方は何によって否定されるのか。

わんクリック　2人が持つ形の違うコップに1本のジュースを分ける。不公平の不満がでないようにするにはどうすればよいか。1人が自分がどちらを取ることになってもよいように分ける。そしてもう1人に好きなほうを取ってもらえばよい。この最初の人の行動が、自分がどういう立場か一切情報がない「無知のヴェール」の下での行動。さらにアマルティア・センが「潜在能力(ケイパビリティ)の平等」を唱える。人は同じではない。それぞれが独自の潜在能力を持っている。その潜在能力が生かされる出発点の平等が大切とした。こういう思索の延長線上に、「誰一人取り残さない」という SDGs の発想が生まれてきた。

History Literacy　「常識を疑う」姿勢、「常識を疑う」を疑う姿勢、それでも常識を無視しない姿勢、を常識にしたい。

フェミニズム

①男性史を綴る世界史教科書

a. 叙述内容

- 「世界史の教科書に登場する男性は 565 人で女性は 21 人」

(富永智津子「高校世界史教科書のジェンダー化にむけて」)

女性の社会進出が難しく、またできても叙述されなかった二重の枷

└ 芸術では常に女性がヌードとして描かれる対象

b. 叙述方法

- 男性をもって「人間」と叙述　＊1

└ 女性が除外された「人権宣言」、女性が含まれていない「普通選挙権」

登場人物はとくに断らない限りは男性

└ 男性は無標化、女性が有標化 (女神、女帝、女流作家など)

c. 叙述背景

- 家父長制　＊2 ＊3 ＊4

└ 近代社会の特徴 (近代だけの特徴ではないが、どの時代にもあったわけでもない)

家族で年長男性が権威を握り、年少男性と女性はその権威に従属

- 男性優位社会

男性優位社会を守ろうとする中高年男性 (とくに政治家)

└ 自分がその地位を得ることができた (男性には下駄を履かせてもらえる) システムを堅守

②フェミニズム

- 男女間の不平等や差別を認識し、その克服をめざす思想、運動、理論

└ 女性が女性であるために差別、抑圧を受ける状況が続いてきた

③第 1 波フェミニズム (19c 後半 ~ 20c 初頭) — 政治参加など公的な領域に焦点

└ 当初は運動中心、分かりにくいものは運動にならないので最初は単純な形

- メアリー・ウルンストンクラフト『女性の権利の擁護』(1792) の再評価

└ フランス人権宣言に女性が含まれていないことを指摘

- 性差別の実態の指摘、それを支える構造の指摘、是正を求める運動
- 女性参政権獲得運動など男性と同じ政治的権利獲得を求める運動

いくつかの国で女性普通選挙権実現

└ イギリス (1918)、アメリカ (1920) など

PROPOS　＊1

世界史授業で登場人物の性別は女性の時だけ言及される。歴史を作ってきたのは男性、と登場人物は男性であることがデファクトスタンダード (事実上の標準)(一神教の神も男性)。歴史学は「権力となる知」を作り出す。歴史を男性史として綴ってきた。

PROPOS　＊2

儒教が大切にする徳目が「孝」。具体的には親と祖先の霊を慰める祭祀を行うこと。その祭祀がとぎれないように子孫を残すこと。戦前の日本では民法で「イエ」存続のため戸主の権限が認められていた。家族の結婚、就労その他多くの場面で戸主の許可が必要だった。女性は結婚して夫の「家の女 (嫁)」となり (「入籍した」という言い方―現実には新しい戸籍を作る場合が多いはず)、家風に馴染み、イエ存続のため男子を産むことが期待された。戦後は民法改正でイエ制度は否定されたが、まだ慣習や意識の上で引きずっている人は多い。○○家結婚式、○○家の墓といった慣習、「うちの嫁 (主人)」の言い方はイエ制度の残滓。

PROPOS　＊3

社会の基本的単位「家族」。いろいろな形態をとった。高度経済成長期に日本では「夫婦と子ども 2 人」が標準家庭としてモデル化。女性は主婦である方が有利な仕組みが作られて性役割が固定化したがこれは限られた時期のモデル。「失われた 30 年」を経て、女性も働く状態 (共稼ぎ) に戻った。

PROPOS　＊4

イエ制度の中で雁字搦めにあった個人。イエから切り離された個の確立 (自我形成) の模索が近代日本の課題だった。他方で国家、家族の役割を強調する保守的な動きも強まった。それが個を尊重した上での新しい国家像、家族像の模索ならよいが、単純に過去の姿に戻そうとするのは反動。自分の経験してきた過去を伝統と呼んで、伝統的価値観の復権を声高に叫ぶことを「保守」と勘違いする自称保守主義者が多い。

画蛇添足

▼宝塚少女歌劇に男子高校生は興味が持てない。彼らのロールモデルになる人物がいない。世界史に興味を持つ女子高校生が少ないと教師は嘆くが当然だろう。出てくるのはおじさんばかり。興味がもてるはずがない (※)。▼「それは当然」と見なしてきたことの起源を問うこと―それが歴史を学ぶ理由の一つ。当然視してきたものに所属意識がある。これは近代に形成された。所属先として当然視されてきたのが国家、民族。そして男か女への帰属。誰もが複数の帰属を持つ前提で作られた近代社会。▼女性が女性であることで差別、抑圧を受ける状況を変えようと始まったフェミニズム運動。運動は多様化し、いまは多様な生き方が認められる社会をめざす思想へとウイングを広げている。多様な社会とは「普通」が存在しない社会。これまでは誰かが「普通」を決めてきた。▼その誰かであり続けたのが「年長の男性」―そういう社会が家父長制社会。「パターナリズム (父権的温情主義、温情的庇護主義)」―「君の悪いようにはしないから」と自分の価値観を押し付ける。男性に都合のよい社会を継続させる仕組み。「私のことは私が決める」。パターナリズムの対義語は当事者主権だろうか。▼高度経済成長期、女性は家庭にいるものとされた。それが社会全体の生産効率をあげた。戦後の長い間、家庭科は女子だけの科目で男子は体育をしていた (85年から家庭科男女必修)。以前、学校は男女別名簿を使うなど学校自体がジェンダー・バイアス (性にまつわる偏った見方) を再生産する場だった (変更して何の問題もなかった)。まだ人類の半分の経験を拠り所に世界史を名乗る。子どもを生む女性が社会を担ってきたら、これほど戦争が起こされただろうか。

わんクリック　「おじさん」臭の脱臭に努めたが、世界史は「おじさん」仕様だから「おじさん」にとって語りやすい。「これで分かる」式の上から目線のマウンティングトークが幅を利かせる分野。「おじさん」に性別、年齢は関係ない。若い「おじさん」、女性の「おじさん」も存在。社会が多数派仕様であると気づかないのが多数派の特権。多数派仕様の社会の下で、不自由、生きづらさを感じている人、身を潜めて暮らす人に気づかないのが「おじさん」。「おじさん」社会への反抗小説―松田青子『持続可能な魂の利用』、チョ・ナムジョ『82 年生まれ、キム・ジヨン』は男性必読。女性問題は男性問題。

History Literacy　偏見に合致する事例ばかり見るので偏見は再生産される (「女子は世界史に…」も偏見だろう)。

④第２派フェミニズム (1960年代～80年代) ― 私的領域の問題を俎上にあげる

- 1960年代、世界的反体制、学生運動、ベトナム反戦運動の影響
- ジェンダー概念の登場 ― 構築主義的な社会分析の視点

  └ 心理学者ストーラーが『性と性別』(1968) で両者の区別を提唱

  生物学的な性別 (sex) に対して社会、文化的に作られた性別 (gender)

  →「作られた」ものは「変えられる」という認識をもたらす

  └ そのものに苦しむ当事者に対するエンパワーメント (力づける)

  →それを作り上げた過程への着目を促す　＊1
- シモーヌ・ド・ボーヴォワールの先駆的指摘

  「ひとは女に生まれるのではない、女になるのだ」『第二の性』(1949)

  └「女性らしさ」を生得的とみなす本質主義を否定する実存主義的思考
- 家父長制概念の意味拡張　＊2

  └ ケイト・ミレット『性の政治学』(1971)

  家庭内の家父長制を社会全体の抑圧体制を表す言葉に延長して理解

⑤第３派フェミニズム (1990年代～2000年代) ― 多様性の意識　＊3

- セクシュアリティ (性のあり方) の多様性 ― 性の二分法(バイナリティ)の否定

  性的指向 (性的な欲望のあり方など) は男女二元論で分けられない

  └ 身体の性別、自認する性別、好きになる性別など多様な組み合わせが存在
- 「LGBTQ ＋」名称の一般化 (社会的認知)

  └ 多様な性のあり方を指すアクロニム (頭字語)

  レズビアン、ゲイ、バイセクシュアル、トランスジェンダー、

  └ 女性同性愛者 └ 男性同性愛者 └ 両性愛者 └ 心の性と体の性の不一致

  クエスチョニングなどの頭文字で性的少数者の総称

  └ 性的指向、性自認が不明瞭 └ 異性愛主義に抑圧されてきた人びとの中でも複雑な関係性

  →誰もがありのままで認められる社会の構築をめざす動き

⑥第４派フェミニズム (2010年代～) ― これが何を意味するかまだ不明

- 多様性の肯定 ― フェミニズム理論自体も「一人一派」状態へ

  性に無関係に社会との違和感、生きづらさを持つ人を勇気づける思想
- ＃ MeToo(私も) 運動 (ハッシュタグアクティヴィズム)

  最初の勇気ある告発者への共感の輪を広げる運動
- バックラッシュ、逆行現象 ―「第何波」と波と退潮を繰り返すフェミニズム

  └ 反フェミニズムなど └ 女性誌の「女子力の高さ」「愛され女子」などへの言及

PROPOS　＊1

ジェンダー概念への着目は「男らしさ」「女らしさ」を「作られたもの」として静態的に捉えるのではなく、それを作り出す権力作用―差異化の力を動態的にとらえるものに深化していった。初期のフェミニズム運動には女性の運動という側面があったが、様々な観念に抑圧されている人びとが使えるジェンダー概念の登場でフェミニズム理論の守備範囲は広がっていった。

PROPOS　＊2

「男らしく」生きなくてはならない男のつらさ。ただ、男性性の問題は女性性の裏返しではない。現実社会では女性差別が圧倒的。育児で「イクメン」と称賛されるのは男性だけ (これは性役割分業をむしろ肯定するなくしたい言葉)。男もつらい、が「外」は有償労働。家事、育児、介護という「内」の無報酬労働で経済的自立ができないようにされてきた女性と非対称関係にある。

PROPOS　＊3

第三波で「同じ女性だから分かりあえる」と「女性一般」で語ってきたことへの批判がおこる。女性といっても人種、民族、階級、性的指向などで様々な立場があり、女性の中にも抑圧関係がある。フェミニズムの白人女性中心主義がグローバル化、多文化化の中で黒人女性、アジア女性から批判。女性で有色で少数民族で、と最も抑圧された者 (サバルタン) が声を上げられるようになる。だからといって残業を200時間強いられている人の前で、100時間残業の人が「私はまだましな方」と声を小さくしなくてもよい。社会問題に第三者はない。誰もが社会の当事者として発言すべき。

PROPOS　＊補足

女性を対象外として「普通選挙権」としてきた。いまそれを「男性選挙権」と書き換える。しかし学ばなければいけないのは「男性」だけを人間と見なしてきた時代があったこと。女性抜きの「普通選挙権」は見え消しか、括弧書きで表記すべきだろう。

画蛇添足

▼最近まで「キュリー夫人」と表記されていたマリ・キュリー。男性の「家事、手伝おうか」、日常会話での「彼氏(彼女)いる」「好きな異性ができるのは自然なこと」といった発言が問題と認識されるようになったのも最近(※)。いたるところに世界は男女2つの性で成り立ち、異性愛が普通であるとするメッセージが埋め込まれている。▼いま「私たち」が問題としていないが、後世からみた時に「そんなことをしていたの」というものがあるはず。動物食(肉食)は後世から「そんな残酷な」と絶句されるだろう。「私たち」と書いたが、一人称複数が「私たち」に一般化したのも比較的最近のこと。法分野ですら女性が最高裁判事に就任するまで(1994)判決文は「われわれ」だった。▼そういうものを探したい。それが思考力だと思う。見えないものを見るための最初の問いは、「なぜ存在していないのか」と問いかけること。「世界史教科書にはなぜ女性が登場しないのか」。人口の半分を占める女性の経験が描かれていない教科書。それを学ぶことで、そのような社会を再生産している。▼自由になるために学ぶはずの世界史教育が女性を構造的に社会から排除する役割を担っていないか。フェミニズム運動の結果、「女らしく」ではなく「自分らしく」生きればいい、までできた。ただ「自分らしさ」に自分を閉じ込める窮屈さもある。多様な性のありかたを肯定するなかで、「LGBTQ」と括って語るようになったが、それがそこに含まれないあり方への抑圧になると「+」が加えられた。▼誰もが何かを自分にとって普通と無意識にみなす。それが他者への抑圧として働いていないか。自由になるためには不断の自己点検が迫られる。

わんクリック　男女の身体差がある、と思うかもしれない。それは平均値で見るから感じること。「平均人」は存在しない。日本は同質性が高く、「平均」が意味を持つ特殊な社会。集団内部で大切なのは分布。任意の２人をとれば、ある女性の方がある男性より腕力が強いこともある。性差 (集団差) より個人差、同じ集団差でも階級差による違いが大きいこともある。もう一つ注意したいのはジェンダー理論は社会変革をすすめる知だが、知である限り抑圧的にも働くこと。自由にものを見る視座がジェンダー理論だが絶対視はあぶない。切れ味が鋭い分、現実と乖離しがち。大切なのは理論でなく現実。

History Literacy　歴史の応用問題－まだ問題と認識されていないことを問題ではないか、と問いを立てること。

不安定、不確実性を増す世界 — 人間はコントロールできるのか ＊1

①深刻化する気候変動 — 脱炭素化社会に向けて

・深刻化する気候変動（地球の温暖化）

COP（国連気候変動枠組条約の締約国会議）で脱炭素化社会に向けた取り決め

COP21（2015、パリ）でパリ協定

すべての締結国（途上国含む）にCO_2排出削減目標、各国が削減に努力

・自然エネルギー利用、電気自動車への急速なシフト進行

└ リチウム（「白いダイヤ」）など新資源の獲得競争激化

②情報産業の突出した発達 ＊2

・演算速度の高速化、大容量化、AI（人工知能）の発達

└ 民主主義を脅かしかねないチャット GTP など

・ネット空間での情報発信文化の発達 — 未成熟なネット空間

・カメラによる監視社会化

③グローバル化の陥穽

・感染症

新型コロナウイルス（Covid -19）感染症のパンデミック化（2019.12.~）

中国武漢で発生、ヨーロッパ、アメリカ、ブラジルなど世界中に拡大

└ 世界で約 687 万人が死亡（2023.3. 現在）

日本（2020.3. ~）でも複数回の緊急事態宣言発令で経済活動が縮小

└ 感染者数ピークの中で東京オリンピック、パラリンピック（無観客）開催（2021.8 ~ 9.）

生活様式の変化、マスク生活 ＊3

└ リモートワーク、遠隔学習など └ 陰部、胸部だけでなく口元を隠すことが規範に

・グローバルサプライチェーンの混乱

急速に進む経済の相互依存が不安定要因に

すべてがファスト商品化 — 使い捨て商品に

└ 21 世紀に生産量が 2 倍になった衣服（長く着るものから使い捨てに）

④分断と対立の進行による世界、社会の不安定化 （※）

・世界の分断 権威主義体制（中国、ロシアなど数で多い）と民主主義体制が対立

└ 国民を豊かにできない民主主義体制に見切りをつけた国民の支持

・各国内で左右の対立から上下の対立へ — かつてなく広がる経済格差

└ 極右の支持層に生活困窮者（正規労働者からなる労働組合が彼らを代表しない）

PROPOS ＊1

Volatility（変動性）, Uncertainty（不確実性）Complexity（複雑性）, Ambiguity（曖昧性）の頭文字をとって VUCA とされる不透明な時代。ダボス会議（2016）で使われた言葉。

PROPOS ＊2

スペックが「2 桁変わると世界が変わる」と言われるなかで、そのような演算速度の高速化と大容量化が進んだ。身体を持つ人間がこのスピードにどう対応できるのか。

PROPOS ＊3

3 年間、マスク生活が定着。「顔パンツ」になった。素顔は家族にしか見せない文化へと変わるのか。顔を見せることがリスクと認識される社会にしてはならない。

PROPOS ＊補足

いまは誰もが、欲望がむきだしになった新サバンナに放り出された新・旧石器時代。フェイク情報、マウンティング、中傷の飛び交うサバイバルゲームが繰り広げられる新サバンナ—ネット社会。視聴者数を集めれば儲かるアテンションエコノミーの暴力性。無責任なインフルエンサーが族生。法整備が追い付いつかない無法状態。対岸流の知識も与えられずにサメがうようよいる海に放り込まれるようなもの、とすべきか。

PROPOS ＊補足

いまは起業家が新たなプラットフォーム構築を競う時代。日本である会社がはじめた大学情報誌。その情報誌に広告費を支払い掲載されないと受験生が集まらない仕組みが作られた。次に飲食店がターゲットとなった。掲載料を払い、クーポンを発行しないと集客できなくなる。さらに宿泊業界も巻き込まれた。ついに自分を載せないと転職もできなくなった。本来はサービスを提供する者が受け取るべき報酬。その一部を手数料としてプラットフォームを作った勝者が横取り、総取りする社会になってしまった。誰もが尊重される社会のプラットフォーム構築こそが求められている。

画蛇添足

▼人間の心について「人のこころなどわかるはずがない」との章から書き出し、「処方箋などない」と結論しながら、それでも『こころの処方箋』とタイトルをつけるのが心理学者の河合隼雄です。勇気づけられます。過去にも同じ姿勢で向き合うしかないと感じています。▼最後だから書きますが、筆者自身、過去のことが分かっていません。様々な本を読み、専門家の話を聞いては自分の過去の知識を再検討して、このプリントを微修正する作業をこれまで繰り返してきました。おそらくどこまでいっても「分かった」という実感は得られない完成のない作業だと感じます。▼過去も分かりませんが、未来はもっと不透明です。21世紀を迎えた年に作家の橋本治が「わかる」ことが20世紀の方法で、「わからない」ことが21世紀の方法としていたことを思い出します（『「わからない」という方法』2001）。近代は多くの未知を「分かる形」既知として知識を整序してきました。▼しかし社会は複雑化しています。この多変数社会を前にすると「分からない」という思いが先立ちます。先の見えない不安な時代を「分からないまま」手なずけていくのがポスト近代なのでしょう。野生種の栽培化から始まった人類の歴史。「分からない」という不確実性を馴致していく新しい局面にはいった印象を持ちます。▼さて、序章で述べましたが、この『画蛇添足』は英語の先生が英語を使って会話されるように、世界史の知識を使った会話（自問自答、思索）をすることで皆さんに、暗記の先にあるものを感じてもらおうとはじめた試みでした。いかがだったでしょうか。皆さんが熱心に読んでくれたので続けることができました。ご愛読、ありがとうございました。

わんクリック　データサイエンスによるビッグデータ解析。演繹法でも帰納法でもない—人間の頭を通さない社会認識、「新しい分かりかた」が主流になりそうだ。思いもしなかった人間や社会の行動パターンが析出されていくのか。重要になるのが確率。成功率 40% の手術。常にこの手術をするか迫られる医者にとって意味のある数字。合格確率 60% の大学受験。これは多くの生徒を指導する教師が参考にする数字。確率は試行回数の多い人には有意味だが、一度しか受験しない受験生にとって結果は合格か不合格しかない。したがってまだ私たちは折々で実存的選択をしなくてはならない。それが自己を作る。

History Literacy　個人の評価まで絶賛か否定に分断される時代—人間は簡単には分けられないし、分からない。

あとがき

リルケに「一行の詩のためには」という詩があります。

「あまたの都市、あまたの人々、あまたの書物を / 見なければならぬ / あまたの禽獣を知らねばならぬ / 空飛ぶ鳥の翼を感じなければならぬし / 朝開く小さな草花のうなだれた羞らいを究めねばならぬ」(『マルテの手記』)。

人生で自分は「一行の詩」を残すことができるのだろうか。この詩に接するたびに不安になり「あまたの書物」を読んできました。「あまたの都市」の訪問はかなわず、「あまたの人々」に会うには人見知りな性格でした。

「人間であるということは、とりもなおさず責任をもつことだ。人間であるということは、自分に関係がないと思われる不幸な出来事に対して忸怩たることだ。人間であるということは、自分の僚友が勝ち得た勝利を誇りとすることだ。人間であるということは、自分の石をそこに据えながら、世界の建設に加担していると感じることだ」(サン・テクグジュペリ『人間の大地』)。

そうありたいと思ってきました。

私の仕事は「高校世界史」とされる知識を若い世代に伝えること、ただそれすら満足にはできませんでした。まして「世界の建設」に加担など、忸怩たる思いしかありません。

授業をした後に、授業で扱った出来事の犠牲となった人に「この伝え方でよかったでしょうか」と話しかけている、としました。一度限りの人生の断念を余儀なくされた人びとの無念。このようなことが二度と起こらない社会とするために何を語ればよいのか。茨木のり子の「木の実」という詩の、書かれていない一行、「嵌めるべき終行　見出せず」に触れました。この「一行」を私も見いだせずにいます。

そのような未完成の拙い実践ですが、それでも何かのお役に立てることはあるだろう、あとは若い先生方にたすきを渡したい、との思いで本書をまとめました。長年使ってきたプリントを本腰をいれて加筆修正しようと退職してこの２年間、この作業にかかりきりになりました。非力さを思い知らされました。

間口を広げた「浅く広い」世界史ですから個々の内容に関しての批判は覚悟しています。いまは若者の知識の空白部分をねらって質の悪い物語が入り込んでくる時代です。空白よりは「より害の少ない偏見」で埋めておいた方がよいとの判断を優先させました。

講義中心の授業ですから格好の批判の対象だと思います。ただ生徒からは、心からリラックスして受けることができる「平和な授業」と意外な評価もありました。予習も不要で何より授業中にあてられる心配がない。教科教育学的にはゼロ評価でしょうが、このような授業があってもよいのではないでしょうか。

高校生の皆さんで、ここまで読んでくれた人もいるはずです。最も読んで欲しかったのはあなたです。

いまは「これがあなたの見たい情報です」と自分の考えを補強する情報ばかりがリコメンド（おすすめ）される時代です。見たくない世界は自動的にカットしてくれる時代です。

序章で、荻生徂徠が、私たちは「くるわ」に閉じ込められている、としたと紹介しました。いま「私たち」を閉じ込める「くるわ」は、心地よい「フィルターバブル（異なる意見を遠ざける泡の幕）」、同じ意見だけが心地よく響きあう閉鎖的空間「エコチェンバー（残響室）」でしょう。よほど首を振ってフィルターバブルを振り払い、エコチェンバーから退室しないと、自分の意見が正しいと思い込んでしまいます。

できるだけ「あまた」の都市、人々、書物と出会えるように心がける、それを生き方の基本動作にされたらいかがでしょうか。それが私からの提案です。

あなたが書く「一行の詩」と出会う日を楽しみにしています。

なんとか本書を仕上げて、出版にこぎつけることができました。大学教育出版の佐藤守社長には感謝のことばしかありません。

いまこうして興味を持って手に取っていただいていること、１冊を国会図書館におさめていただけること、そして多くの方に応援していただいたこと、そのすべてに感謝しています。ありがとうございました。

（2023.3.14. 脱稿、還暦を迎えた日に記す）

■著者紹介

安達一紀　（あだち　かずのり）

元高校教員（世界史）。現在、兵庫県姫路市在住。1963年大阪生まれ。尼崎市立尼崎高校、筑波大学第二学群人間学類卒業。以後、兵庫県立高校教員として36年間、主として世界史教育に携わる。兵庫教育大学大学院修了。

単著『人が歴史とかかわる力』（教育史料出版会、2000）で「ヒストリーリテラシー」を加味した歴史教育を提唱。様々な研究会などで教室での実践を報告してきた。最近では「ヒストリー・リテラシーを意識した高校世界史授業」『教科教育学研究の可能性を求めて』（風間書房、2017）。「ヒストリー・リテラシーを高める発問」（全国歴史教育研究協議会第59回研究大会、2018）。資格は通訳案内士（英語、英検1級）、フランス語（2級）。趣味はランニング（時々、マラソン）、鑑賞ごと（クラシック音楽、オペラ、ジャズ、現代アート、落語、将棋など）。

出会いなおしの世界史

— ヒストリーリテラシーを高めるレッスン —

2023年6月15日　初版第1刷発行

■著　　者――安達一紀
■発 行 者――佐藤　守
■発 行 所――株式会社 大学教育出版
〒700-0953　岡山市南区西市855-4
電話（086）244-1268　FAX（086）246-0294
■印刷製本――モリモト印刷㈱

© Kazunori Adachi 2023, Printed in Japan
検印省略　　落丁・乱丁本はお取り替えいたします。
本書のコピー・スキャン・デジタル化等の無断複製は、著作権法上での例外を除き禁じられています。本書を代行業者等の第三者に依頼してスキャンやデジタル化することは、たとえ個人や家庭内での利用でも著作権法違反です。
本書に関するご意見・ご感想を右記サイトまでお寄せください。

ISBN978－4－86692－255－3